Motivo de la cubierta de la edición rústica:
República Española (1931), cartel alegórico de propaganda. (Archivo SALMER.)

HISTORIA DE ESPAÑA

PLAN DE LA OBRA

HISTORIA DE ESPAÑA

Dirigida por el profesor
Manuel Tuñón de Lara
Catedrático de la Universidad de Pau (Francia)

TOMO IX

EL DIRECTOR:

MANUEL TUÑÓN DE LARA, doctor de Estado en Letras y catedrático de la Universidad de Pau (Francia). Director del Centro de Investigaciones Hispánicas de la misma y del Centro de documentación de Historia Contemporánea de España de las Universidades de Burdeos y Pau. Consultor de la Historia del desarrollo científico y cultura de la Humanidad de la UNESCO. Entre sus obras destacan: *La España del siglo XIX, La España del siglo XX, Historia y realidad del Poder, Medio siglo de cultura española, 1885-1936. El movimiento obrero en la historia de España, Metodología de la historia social, La Segunda República, Luchas obreras y campesinas en Andalucía.*

LOS AUTORES:

PIERRE MALERBE, diplomado del Institut D'Études Politiques de París, agrégé de l'Université, pensionado de la Casa de Velázquez (Madrid), profesor en la Universidad de Toulouse-Le Mirail. Ha publicado: «Problèmes de l'évaluation du coût de la vie en Espagne: le prix du pain depuis le milieu du XIXᵉ siècle», *Mélanges de la Casa de Velázquez,* 1969; «Sexualité et anticléricalisme (Madrid, 1910)», *Hispania,* 1971; «Las peticiones del primero de mayo (1913-1922)», *Sociedad, política y cultura en la España de los siglos XIX-XX,* Edicusa, 1973; *Guía para el estudio de la historia contemporánea de España,* Siglo XXI de España, 1975; *La oposición política al franquismo 1939-¹975,* Naranco (Oviedo), 1977.

MANUEL TUÑÓN DE LARA

M.ª CARMEN GARCÍA-NIETO PARÍS, profesora adjunta de Historia de España en la Facultad de Geografía e Historia de la Universidad Complutense de Madrid, ha publicado varios trabajos sobre temas de los siglos XIX y XX: *La prensa diaria de Barcelona de 1895 a 1910: experiencias metodológicas de trabajo, La prensa de Barcelona ante la crisis militar de 1895,* y *Bases documentales de la España Contemporánea: Revolución y reacción (1808-1833), Moderados y progresistas (1833-1868), El liberalismo democrático (1868-1874), Restauración y Desastre (1874-1898), Crisis del sistema canovista (1898-1923), Expansión económica y luchas sociales (1898-1923), La Dictadura (1923-1939), La 2.ª República (1931-1936), La Guerra de España (1936-1939), La España de Franco (1939-1973).* Su docencia e investigación se centran sobre la España del segundo tercio de este siglo.

JOSÉ-CARLOS MAINER, profesor de Literatura Española en la Universidad de Zaragoza, ha publicado diversos volúmenes sobre la vida cultural española del siglo XX —*Falange y literatura* (1971), *Literatura y pequeña burguesía en España* (1972), *Burguesía, regionalismo y cultura* (1974), *Análisis de una insatisfacción: las novelas de W. Fernández Flórez* (1976)—, además de un trabajo de síntesis sobre el período 1902-1931 —*La Edad de Plata* (1975; reed. aumentada, 1979)— y de la edición y compilación de *Modernismo y 98* (1979), vol. V de una *Historia y crítica de la literatura española.*

LA CRISIS DEL ESTADO: DICTADURA, REPÚBLICA GUERRA

(1923-1939)

por
Pierre Malerbe
Manuel Tuñón de Lara
M.ª Carmen García-Nieto
José-Carlos Mainer Baqué

EDITORIAL LABOR, S.A.

Coordinación general de la obra:

Dra. M.ª Carmen García-Nieto París
Profesora adjunta de Historia de España,
Universidad Complutense de Madrid

1.ª edición, 15.ª reimpresión: 1993

© Editorial Labor, S. A. - Escoles Pies, 103 - 08017 Barcelona (1981)
Grupo Telepublicaciones
Depósito legal: B. 42.042-1992
ISBN 84-335-9429-X (rústica, tomo IX)
ISBN 84-335-9420-6 (rústica, obra completa)
ISBN 84-335-9440-0 (ilustrada, tomo IX)
ISBN 84-335-9431-1 (ilustrada, obra completa)
Printed in Spain - Impreso en España
Fotocomposición: TECFA - Almogàvers, 189 - 08018 Barcelona
Impreso en Hurope, S. A. - Recaredo, 2 - 08005 Barcelona

PRIMERA PARTE

LA DICTADURA

por
Pierre Malerbe

CAPÍTULO PRIMERO

La modernización de España, 1920-1930

A pesar de la trivialidad de la imagen, la dictadura de Primo de Rivera podría compararse con un empacho de estómago. Con su sistema político, la monarquía constitucional es incapaz de «digerir» los problemas que le plantea la reciente evolución social y económica de España. Es incapaz de salir de los callejones cerrados por ella misma. La clase dominante apoya la solución dictatorial que imponen los jefes militares y el rey. Pero si a veces el enfermo parece mejorar, lo que no sabe es si dejar de tomar su medicina por el temor a caer más enfermo que antes.

Desde luego, la Dictadura no representa ningún «paréntesis»[1] en la historia de España, con una vuelta, al final, al *statu quo ante*. Pero tampoco se debe exagerar el impacto estructural específico del período dictatorial. En 1930 España sigue siendo la misma España de antes, claro que con seis años más. No hubo ningún cambio de naturaleza en las relaciones sociales, en el contenido social del poder estatal. Eso sí, las tendencias observadas en los decenios anteriores se han prolongado: evolución demográfica, modernización productiva, concentración capitalista, nacionalismo económico. Con sus contrapartidas sociales: éxodo rural, desarrollo numérico y organizativo del proletariado, crecimiento urbano, crisis de las «clases medias», reforzamiento —con intentos concretos de aplicación— de nuevos planteamientos ideológicos.

Y esta evolución se verifica en un espacio de tiempo en que las demás naciones de Europa también atraviesan situaciones inesperadas y a veces dramáticas. En 1914 empieza la guerra europea con sus secuelas demográficas y económicas, con la rebeldía, a menudo contradictoria, de proletarios y de nacionalistas. Pocos años después, la crisis de posguerra de 1921 pone de nuevo en entredicho la restauración del sistema monetario y del comercio internacional. Al final del período, después

11

de 1929, comienza la mayor —hasta entonces— crisis del capitalismo, ilustrada por el crac de la bolsa de Nueva York, pero más importante aún por sus consecuencias duraderas: paro, nacionalismo exacerbado, reajustes estructurales del capitalismo. En este marco internacional, y con sus facetas propias, se inscribe, pues, la evolución española.

1. EVOLUCIÓN INTERNACIONAL (1921-1929)

1.1. ECONOMÍA

Superada en 1923 la crisis económica de posguerra, a los años siguientes hasta 1929 se les denominó «época de prosperidad». Es verdad que la mayor parte de los indicadores económicos señalan incrementos absolutos notables. Pero no debemos olvidar que esta prosperidad suele apreciarse por comparación con los dramáticos años 1915-1922 y, luego, 1929-1932.

Gran parte de la actividad productora de los primeros años veinte se consume en la reconstrucción de los daños de la guerra (Francia) o en la reorganización de una economía de paz. Solo en 1925 Europa alcanzó de nuevo el nivel de producción de 1913.

Dos consideraciones son fundamentales:
1) el período 1922-1929 no registra el mismo ritmo de expansión que a principio del siglo,
2) a partir de 1925 comienzan dificultades que el optimismo de la época no podía valorar de manera satisfactoria para salvarlas.

En el cuadro siguiente se expresa el porcentaje medio anual de crecimiento de algunos indicadores económicos (en volumen) en los dos períodos 1880-1913 y 1913-1929 para Europa y Estados Unidos.

Se puede observar un retroceso del crecimiento de la población, el estancamiento agrícola y las dificultades encontradas por las industrias

Cuadro 1

	1880-1913		1913-1929	
	Europa	EE.UU.	Europa	EE.UU.
Población	0,8	2,0	0,4	1,4
Producción agrícola (5 cereales)	0,7	1,3	−0,5	0,3
Carbón	2,6	6,4	0,3	0,4
Acero	4,6	10,1	1,9	3,7
Productos manufacturados	2,9	4,7	1,5	3,7

Fuente: *Guerres et crises, 1914-1947*, dirigido por G. DUPEUX, p. 163.

básicas, advirtiendo que los períodos de guerra no son desfavorables a estas industrias. Si se tienen en cuenta las condiciones materiales y sociales de la producción, se nota que los progresos, reales, se obtienen más por elevación de la productividad del trabajo que por el empleo de una mano de obra más numerosa. El crecimiento medio anual del rendimiento por persona activa (todos los sectores de producción agregados) es importante, salvo en Alemania.

Cuadro 2

	1870-1913 (% anual)	1913-1929 (% anual)
Gran Bretaña	1,5	2,0
Francia	1,8	2,3
Alemania	2,0	1,3
EE.UU.	2,3	2,9

Fuente: *Guerres et crises, 1914-1947*, dirigido por G. DUPEUX, p. 163.

Por otra parte, en este período denominado «próspero», el paro se mantiene a niveles elevados. En Gran Bretaña rebasó el 9 % de la población activa; en Alemania, siempre superior a 7 %, alcanzó 18 % en 1926. Por cierto, el paro no afectó a Francia, cuya población está en una fase descendente, pero en los EE.UU. los parados, que ya no eran más que 500 000 en 1926, se multiplican de nuevo hasta ser 1 900 000 en 1928, un año antes del crac de la bolsa.

La elevación de la productividad se obtuvo, entre otros factores, por la difusión del motor de explosión (petróleo) y las aplicaciones industriales de la electricidad. Pero también acompañó una evolución en el sistema de producción capitalista. Los beneficios de escala obtenidos por la concentración técnica de las empresas son notables: en Francia, en 1906, el 60 % de la población activa pertenecía a empresas de menos de 10 trabajadores, en 1931 ya no eran más que 44 %.

La concentración financiera, en trusts y holdings, y comercial, por medio de cártels (acuerdos sobre precios o producción para controlar el mercado), refuerza el poder de los bancos en detrimento de las empresas. Se podía esperar de esta reestructuración una baja de los precios junto con un crecimiento de la demanda. Esta nueva demanda debía ser consecuencia del consumo de las economías domésticas estimuladas por las inversiones y las rentas correspondientes repartidas. Pero no ocurre así: el aumento de los salarios se mantiene por debajo del crecimiento de la producción. Así, en muchos sectores se observa en unos casos la constitución de stocks (productos agrícolas), y en otros, la creación de una capacidad de producción excedente (siderurgia). La producción de los países extraeuropeos pesa fuertemente sobre el mercado: Gran

Bretaña ya no produce y exporta sino la mitad de las cantidades de hilados y tejidos de algodón de 1912.

Los únicos sectores en auge corresponden a la producción de energía (petróleo y electricidad), la electrotécnica y el automóvil, y la química orgánica (fibras artificiales).

Las dificultades del período empiezan temprano, sin ser todavía señales de crisis: huelga de mineros en 1924 en Gran Bretaña, quiebras en 1925-1926 en Alemania y Francia. El optimismo que suscitó una corriente de inversiones va menguando después de 1925. La relación entre inversión bruta interior y producto nacional bruto evoluciona en % hacia la baja.

Cuadro 3

	1920	1925	1928-29
EE.UU.	14 %	19 %	17,5 %
Gran Bretaña	9 %	9 %	9 %
Italia	13 %	18 %	17 %

Fuente: *Guerres et crises*, dirigido por G. DUPEUX, p. 167.

De la misma manera, y solo como tendencia, empieza una ligera baja de los precios de productos base y de manufacturados (base 1913 = = 100), expresada aquí en promedio del período considerado:

Cuadro 4

	1921-1929	1926-1929
Productos base	148	142
Productos manufacturados	183,2	160

Fuente: *Guerre et crises*, dirigido por G. DUPEUX, p. 171.

Los excedentes de producción y los capitales inmovilizados (exceso de capacidad) suscitan dudas para la utilización de los beneficios obtenidos gracias a la modernización. Así, se observa una baja de la autofinanciación, síntoma de incertidumbre. Esta inquietud acerca del porvenir viene reforzada por la fragilidad de la situación monetaria y por la dificultad de los intercambios entre las naciones.

Aparentemente, la situación monetaria se ha recuperado después de los trastornos ocasionados por las deudas de guerra: deuda interior, deuda entre aliados y reparaciones alemanas.

A un marco totalmente volatilizado, Alemania lo ha sustituido por el Reichsmark, vinculado al dólar y al oro (agosto de 1924). Gran Bretaña ha optado por una política de prestigio volviendo al patrón oro y mantiene la libra a su paridad de antes de la guerra (mayo de 1925). Francia tarda más y no vuelve a la convertibilidad de su moneda en oro hasta 1928.

Esta normalidad aparente oculta mal las dificultades del comercio internacional, que no progresa proporcionalmente con las producciones. La crisis de posguerra había creado un clima fuertemente proteccionista, único baluarte contra la inflación y el paro. Después, en el decenio de los años veinte, los aranceles no se reducen. Incluso el de Francia se eleva aún más en 1926 y 1928.

La balanza comercial de Europa es permanentemente deficitaria, compensada a nivel monetario por los intereses de los capitales invertidos en el extranjero y por la llegada de capitales norteamericanos, especialmente en Alemania. El optimismo económico de mediados de los años veinte se trueca poco a poco en incertidumbre. Cuando esta afecta a las inversiones, anticipa en cierta medida —y sin saberlo— la crisis. Por otra parte, la liquidación poco satisfactoria de las deudas de guerra y reparaciones, las barreras arancelarias, la presencia de los activos competidores americano y japonés en los mercados internacionales, suscitan cierta suspicacia entre las naciones. Lo cual no favorece la liberalización y el desarrollo de los intercambios, claves de la reestructuración del capitalismo, y crea tensiones internacionales apenas encubiertas por la actividad diplomática.

1.2. IDEOLOGÍA Y POLÍTICA

El optimismo imperante había encontrado en la democracia parlamentaria su expresión institucional. La Sociedad de Naciones, fundada en 1919, había de ser el gran parlamento internacional, garantía de la paz. Y las decepciones del principio —rechazo del tratado por los Estados Unidos, tensiones entre Alemania y Francia— se habían superado. A partir de 1925, la reconciliación franco alemana (Locarno) y la admisión de Alemania en la Sociedad de Naciones parecen abrir una nueva era de paz.

Sin embargo, la democracia parlamentaria, que aparecía para los vencedores de la guerra de 1914-1918 como forma óptima de gobierno de los nuevos países de Europa, es atacada en dos direcciones. Para unos, es el instrumento de dominación de la burguesía. Para otros, al revés, es un sistema débil, incapaz de resistir victoriosamente los embates del bolchevismo.

En Alemania, la república parlamentaria se mantiene gracias a las fuerzas militares no solo contrarrevolucionarias sino también antirrepublicanas (1919). En otros países la dictadura —militar o de partido único—, siempre apoyada en oligarquías terratenientes y elementos

15

conservadores, se proclama como baluarte contra el bolchevismo, o simplemente contra la agitación social: Hungría (1919), Italia (1922), Polonia (1926).

Además de su significación contrarrevolucionaria, la dictadura pretende a veces ser el instrumento necesario de una modernización rápida del país. En Italia se lanzan batallas de la producción y particularmente del trigo, se emprenden grandes planes de obras públicas (autopistas, electrificación de ferrocarriles, etc.). En Turquía, Mustapha Kemal intenta la occidentalización, por la fuerza, de una sociedad islámica.

El área geográfica del parlamentarismo de tipo inglés o francés que, al salir de la primera guerra mundial, parecía en vías de extenderse por el mundo, en realidad tiende a restringirse. En las grandes democracias europeas, el miedo a la revolución —cuidadosamente alimentado en las provincias por la propaganda con la imagen del bolchevique con el cuchillo entre los dientes— refuerza las oposiciones de clase, pero también abre una profunda brecha en el movimiento obrero entre los socialistas ahora claramente reformistas (Laboristas ingleses, SFIO en Francia) y los partidarios de la III Internacional. La Unión Soviética no sale aún de sus dificultades interiores, pero ya ha vencido a los ejércitos extranjeros de intervención. La Nueva Economía Política (1921) reactiva la economía sin merma de la socialización de la industria y ya se prepara el primer Plan quinquenal previsto para fines de 1928. Las instituciones soviéticas son definidas por la Constitución de 1924: el socialismo existe en un país, aunque sea en un solo país.

En fase de expansión, y por lo tanto de forma relativamente pacífica y optimista, el entorno internacional de España va adaptándose a las nuevas estructuras del capitalismo —concentración financiera y desplazamiento hacia fuera de Europa de su centro de gravedad—. Pero también tiene que encararse con la concretización política —URSS— de las aspiraciones revolucionarias de una parte del proletariado.

2. LOS CAMBIOS EN LA SOCIEDAD ESPAÑOLA

2.1. UN CAPITALISMO MÁS MODERNO

La sociedad española sigue una evolución comparable aunque original. No se trata de influencias externas, o de imitación, como puede ocurrir en apariencia cuando se trata de instituciones o de decisiones políticas. Es el resultado de la presión de sus componentes sumados o enfrentados. Evolución intrínseca aunque siempre en estrecha relación con la de las demás formaciones sociales, sea por la intensidad de los intercambios, sea por la influencia ideológica en las élites.

Así pues, el período dictatorial no significa —salvo para las instituciones políticas, y esto incluso con límites— ningún cambio fundamental en la organización social de España. Lo que sí se puede observar es la prolongación, con matices originales, de las tendencias ya esbozadas anteriormente. Sin embargo, la fecha de 1923 coincide con un cambio coyuntural importante: el principio de la reactivación después de la crisis de 1920-1921. Además, en el caso español también, los diez años anteriores habían sido fértiles en acontecimientos inesperados cuyo origen estaba en el extranjero: guerra europea, revolución bolchevique, contrarrevolución militar y política.

La prosperidad del período dictatorial es innegable, pero los notables avances de algunos sectores no deben ocultar la situación muy distinta de otros.

A pesar de sus graves deficiencias técnicas, la estimación de la Renta Nacional entre 1910 y 1929 evidencia la continuidad ascendente de la actividad económica.

Cuadro 5

EN MILLONES DE PTAS. DE 1953 (ESTIMACIÓN DEL CONSEJO DE ECONOMÍA NACIONAL) Y % AUMENTO

1910	133 733		1921	164 524	−4,3
1911	146 174	9,2	1922	160 512	−2,5
1912	135 588	−7,3	1923	169 203	5,4
1913	142 040	4,7	1924	166 907	−1,4
1914	145 110	2,1	1925	178 443	6,8
1915	136 209	−6,2	1926	174 908	−2,0
1916	147 221	8,0	1927	187 290	7,0
1917	154 385	4,8	1928	177 842	−5,1
1918	150 161	−2,8	1929	198 603	11,6
1919	160 301	6,7	1930	189 943	−4,4
1920	171 876	7,1			

Fuente: *Estadísticas básicas de España, 1900-1970*, p. 345.

No interesa aquí la cuantía sino el sentido de las variaciones y su proporción. Los aumentos interdecenales de la Renta Nacional (tomando el promedio de tres años en la fecha del censo de población), enseñan —con todas las reservas acerca de su mayor o menor fiabilidad— que la economía española no modifica sustancialmente su ritmo de crecimiento, mientras que, al revés, la población crece de manera sensible, principalmente por alargamiento de la vida.

Cuadro 6

	Población	Renta Nacional
1920/1910	+ 6,9 %	+20,2 %
1930/1920	+10,6 %	+17,4 %

Fuente: *Estadísticas básicas de España, 1900-1970*, p. 345.

Desde luego, en el decenio 1920-1930 se incluyen años de crisis, pero es de apuntar cómo los cambios de signo del índice de variación de la Renta Nacional indican todavía su estrecha dependencia de la coyuntura agrícola:

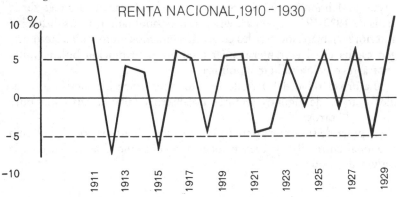

Precisamente, la agricultura —salvo el desarrollo de algunos productos como la patata, que duplica su producción— queda estancada. No se logran aumentos de rendimientos ni se extienden las superficies cultivadas [35, cap. 1].* La estabilidad de los precios al por mayor de las producciones agrícolas limita las posibilidades del sector, sea como financiador de su propio desarrollo, sea como consumidor de la producción industrial. El éxodo rural viene a ser el principal elemento de reestructuración del sector por la disminución de la población activa agraria, que del 57 % de la población activa total en 1920 llegaría en 1930 al 45 %.

El panorama industrial es bastante distinto. En una tónica general de desarrollo se observan situaciones muy diversas. La minería de metales en general se estanca. La extracción de mineral de hierro, con unos cinco millones de toneladas, no rebasa ya el bajo nivel de antes de la guerra por la disminución de las exportaciones, que no compensa aún el desarrollo de la producción siderúrgica.

Ocurre igual con la industria química, que después del auge del decenio anterior no sigue su marcha adelante. La producción de ácido sulfúrico alcanza su máximo en 1926 con 281 000 toneladas para volver luego a los niveles de 1923 (220 000 toneladas). La demanda energética creciente permite una reactivación de la minería de carbón, que tras la crisis de 1922 (4,6 millones de toneladas), siempre rebasa los seis millones de toneladas y alcanzará 7,2 millones en 1929. Pero la demanda favorece sobre todo una nueva fuente de energía: la electricidad. En toneladas equivalentes de carbón (tec) la producción de electricidad de

*Los números entre corchetes remiten a la bibliografía. (N. del E.)

18

origen térmico o hidráulico se duplica en menos de diez años: las 474 000 tec de 1923 son 1 043 000 en 1930 [19, 188]. Y la potencia instalada pasa de 674 000 kW en 1923 a 1 205 000 kW en 1930.

El desarrollo de esta nueva fuerza de producción, junto con el de la utilización del petróleo (motor de explosión), constituyen las más notables innovaciones técnicas —en la esfera productora— del decenio de los años veinte. Su introducción en España es anterior a aquellos años, pero la atención que les dedican los poderes públicos, la importante inversión de capitales que supone su desarrollo y los estímulos resultantes son entonces excepcionales. Antes de 1920 se matriculaban unos 2000 vehículos de motor al año. Entre 1921 y 1939 son cada año unos 25 000 vehículos más [19, 253].

La construcción de las presas hidroeléctricas, las importantes obras de irrigación, la modernización de la red de carreteras y un esfuerzo financiero a favor de los ferrocarriles por parte del Estado estimularán fuertemente la producción de cemento y de hierros y aceros. Se duplica la producción de lingotes de hierro (1923: 389 000 t; 1929: 771 000 t) y de lingotes de acero (1923: 459 000 t; 1929: 1 021 000 t). La producción de cemento también se duplica (1923: 863 000 t; 1929: 1 820 000 t) [64, 84]. Y los transportes de mercancías por ferrocarril reflejan el desarrollo de la actividad económica: el número de toneladas/kilómetro transportadas por las compañías del Norte, MZA y Andaluces, en pequeña velocidad (vía ancha), aumenta en casi el 40 % de 1923 a 1929 [19, 250].

Este desarrollo suponía, desde luego, una financiación extranjera importante que los capitales españoles no eran capaces de satisfacer, tanto menos cuanto que solía acompañar la explotación de patentes y procedimientos técnicos extranjeros.

Los capitales españoles formados a raíz de la neutralidad en la guerra europea se invirtieron a partir de 1920 en numerosísimas sociedades anónimas y sociedades de responsabilidad limitada, más adecuadas a la mediana y pequeña empresa. Esta modernización del estatuto jurídico financiero de las empresas españolas, con carácter especulativo y de ocultación fiscal al principio, avanza a pesar de las dificultades. Entre 1916 y 1920 se habían creado más de 12 000 sociedades, de las que la mitad se habían disuelto en 1919 y 1920 [30, 177]. El proceso sigue adelante, más lentamente, y en los años 1923 a 1930 se crean 1910 sociedades con un capital de 6746 millones de pesetas [19, 324].

La prosperidad de los bancos en los últimos años de la monarquía constitucional les permitió controlar sectores enteros de la actividad industrial por medio de la participación y presencia de consejeros comunes en los consejos de administración. Este dominio de los grandes bancos, que expresa claramente el cuadro 7, se hizo en sectores privilegiados y tomó cariz oligopolístico.

Cuadro 7

Año 1921	% del número de SS. AA. con consejero en los 6 grandes bancos sobre el total de SS. AA. del sector	% del capital desembolsado en estos sectores correspondientes a estas SS. AA.
Aceites	3,2	60,4
Construcción naval	10,5	72,4
Electricidad	7,7	70,2
Ferrocarriles	33,3	75,3
Tranvías	23,6	60,5
Navieras	15,8	52,1
Siderurgia	36,8	83,8
Tabacos	100	100

Fuente: S. ROLDÁN y J. L. GARCÍA DELGADO, *La formación de la sociedad capitalista en España, 1914-1920*, vol. II, p. 250.

En los años de la Dictadura, y en busca de mayores beneficios, la inversión aprovecha la política económica del gobierno a favor de obras públicas y modernización de los transportes. Las principales sociedades creadas son las de servicios públicos (agua y electricidad), de transportes (ferrocarriles y tranvías), de construcción y de obras públicas, muchas veces en régimen de concesión por entidades oficiales, con respaldo de la banca y subvenciones públicas [30, 177].

El capital extranjero penetra la economía española por la creación de compañías filiales en España: Hutchinson (1924), General Motors (1925), Standard Electric (1926), Potasas Ibéricas (1929). En otras sociedades se suman capitales extranjeros y capital español: Sociedad Ibérica de Nitrógeno (1923), General Eléctrica Española (1929), sin hablar de la concesión del monopolio de teléfonos a la International Telephon and Telegraph Co (ITT) en 1924 [58, 137].

El papel dominante de la gran banca española sobre amplios sectores de la economía y su colaboración con capitales extranjeros en la financiación de empresas, son otros rasgos de la aproximación de España a las pautas de funcionamiento del capitalismo europeo. Esta reorganización del capitalismo español se benefició de una verdadera cartelización de la producción y de un proteccionismo heredado de los gobiernos anteriores (Arancel de 1922 elaborado por Cambó en Hacienda), con nuevas disposiciones en 1924 y 1926. La tendencia al aumento de cartels tuvo un carácter semioficial por medio de consorcios, juntas reguladoras y comisiones que, en número de más de treinta, alcanzaban tanto los combustibles y la minería, el cemento, el automóvil o el papel como los diversos productos textiles, la madera, el corcho o la resina, algunas producciones agrícolas (arroz, uvas de Almería, vino de la Rioja, azúcar de remolacha, conservas de frutas), y productos químicos (nitrógeno, potasa y colorantes), calzado... etc. [45, 317].

Esta nueva configuración del capitalismo español tuvo de inmediato dos consecuencias negativas: la industria básica de productos químicos no se desarrolla suficientemente y la industria de material eléctrico, que pudiera beneficiarse de la electrificación y de la instalación de la red telefónica, no recibe el impulso correspondiente. Al revés, cuando se concede el monopolio del teléfono a ITT, con la creación de la Compañía Telefónica Nacional de España, el suministro del material se atribuye a la Standard Electric, filial de ITT [30, 177]. Asimismo entre 1926 y 1930 hubo que importar material eléctrico por un valor de 328 millones de pesetas oro, lo que equivalía al 18,7 % del valor de toda la producción minera española [18, 405].

2.2. CAMBIO SOCIAL

Aún no se pueden medir para los años veinte los efectos de la difusión de las dos grandes innovaciones técnicas del siglo, la electricidad y el motor de explosión, sobre la productividad del trabajo y el rendimiento del capital.

Lo que sí se aprecia mejor es el impacto social del empuje económico causado por la guerra europea: el movimiento progresivo de industrialización se acelera, con su correspondiente concentración urbana y extensión de la población activa.

Cuadro 8

REPARTIMIENTO DE LA POBLACIÓN POR ENTIDADES MUNICIPALES (%)

Municipios	1900	1920	1930
de menos de 5 000 h.	50,92	44,50	40,34
de 5 000 a 100 000 h.	40,06	43,44	44,73
de más de 100 000 h.	9,01	12,05	14,91

Fuente: J. VICENS VIVES, *Historia de España y América*, t. V, p. 44.

De la primera guerra mundial a 1930, las migraciones interiores alcanzan niveles hasta entonces desconocidos. A la oferta de trabajo en industrias estimuladas por la guerra sigue, durante la Dictadura, la política de obras públicas y el auge de la construcción. Así, por ejemplo, entre 1910 y 1920 la población de Alcoy (industria textil) pasa de 30 164 h. a 36 450, o sea 20,8 % más, pero en 1930 se estanca en 35 779. Las grandes metrópolis son las más afectadas durante la Dictadura. El índice de población de Madrid y pueblos de su cinturón (1900 = 100) evoluciona de forma vertiginosa: 1910: 115; 1920: 147; 1930: 197, o sea 1 154 000 habitantes [50]. En Barcelona aparece una corriente nueva y duradera de inmigrantes meridionales (andaluces) que suplen la emigración de provincias próximas (Aragón y Levante).

La distribución de la población activa por sectores refleja una aceleración del proceso de éxodo rural, pero en el decenio de los veinte este proceso coincide con un crecimiento notable del sector de servicios. Es de notar, sin embargo, que —dentro de los límites de fiabilidad de los censos— el % de población activa sobre el total de población no cambia.

Cuadro 9

EVOLUCIÓN DE LA POBLACIÓN ACTIVA (EN %)

Años	agraria	industrial	servicios	total población activa % del total
1900	66,34	15,99	17,07	35,31
1910	66,00	15,82	18,18	35,37
1920	57,03	21,94	20,81	35,10
1930	45,51	26,51	27,98	35,51

Fuente: J. A. LACOMBA, *Introducción a la historia económica de la España contemporánea*, p. 492.

No debe olvidarse, además, que estas estimaciones en porcentaje ocultan en parte el impacto del crecimiento absoluto de la población: en el último decenio (1920-1930), la población activa agraria solo pierde el 11 % en valor absoluto mientras la población industrial crece en un 35 % en cifras absolutas [55].

Solo por su significado y no por su valor cuantitativo se puede señalar la evolución de la población activa de algunos sectores en especial auge durante la Dictadura. Son un reflejo de esa modernización económica de España que con diversos rasgos acabamos de apuntar.

Cuadro 10

POBLACIÓN ACTIVA DE ALGUNOS SECTORES DE ACTIVIDAD
Varones (en miles)

	1920	1930	% 1930/1920
Construcción	216,1	282,9	130,9
Comercio	329,6	445,3	135,1
Transportes	219,4	288,0	131,2
Otros servicios	493,2	637,9	129,3

Fuente: *Estadísticas básicas de España: 1900-1970*, p. 369.

Esta concentración industrial, las condiciones de remuneración, la evolución al alza de los precios y la voluntad de una élite obrera estimulada por los éxitos anteriores y las noticias del movimiento revolucionario en el resto de Europa, habían sido los factores de un desarrollo muy rápido de las organizaciones obreras. La UGT, en su XV Congreso de noviembre de 1922, contaba 1198 secciones para 208 170 afiliados. Lo cual significaba, sin embargo, un ligero estancamiento desde 1920 (211 000), después de la explosión de 1919 (100 000 en 1917-1918), debido a las difíciles condiciones de la vida sindical en el período de la crisis económica de 1921 [61, cap. 11]. Las divisiones ocurridas en el Partido Socialista a raíz de la creación del Partido Comunista no significaron una escisión de la UGT, que solo expulsó a los dirigentes tachados de comunistas y a algunos sindicatos. Se eligió una Comisión Ejecutiva presidida por Pablo Iglesias, con Besteiro, Largo Caballero, Saborit, respectivamente vicepresidente, secretario, secretario adjunto. Con lo que no difería mucho de la plana mayor de la Comisión Ejecutiva del PSOE elegida en abril de 1921: Pablo Iglesias, Besteiro, Saborit, presidente, vicepresidente y secretario-tesorero, con Largo Caballero como vocal. La UGT y el PSOE adoptaban, pues, la misma línea, determinada fundamentalmente en lo político por Julián Besteiro y en lo sindical por Largo Caballero: reintegración en la II Internacional y programa reformista, que en lo político no pasaba de la aspiración a una república democrática, y en lo social, a la extensión de la protección social del individuo y al arbitraje de los conflictos sociales según —de acuerdo con los gobiernos— iba elaborando el Instituto de Reformas Sociales.

La Confederación Nacional del Trabajo había llevado durante los últimos años la batalla sindical en Cataluña y Andalucía: crisis económica y represión mermarán sus fuerzas. Los 700 000 afiliados de 1919 se redujeron probablemente a la mitad. Y lo más grave es la crisis de sus elementos dirigentes. Dispuestos a negociar con los patronos y a aceptar el arbitraje gubernamental, los seguidores de Angel Pestaña están completamente desbordados por los grupos autónomos que optarán por la acción violenta: Durruti, Ascaso, etc... Por otra parte, se ejerce la atracción del naciente Partido Comunista sobre jóvenes cenetistas entre los que se hallaban Maurín, Arlandis y otros.

La conflictividad social —y no el terrorismo— apunta esta debilidad del movimiento obrero reforzada por la depresión económica. El número de huelgas, de huelguistas o de jornadas perdidas en 1921, 1922 y 1923 ni siquiera alcanzan la mitad de los niveles de 1920.

Para contrarrestar la organización del socialismo obrero, algunos católicos habían promovido un sindicalismo cristiano que, en 1919, se plasmó en la Confederación Nacional de Sindicatos Católicos —40 000 afiliados—, pero que no encontró gran aceptación en los medios obreros. Sin hablar de que los patronos siempre pensaban tener con ellos la estructura de unos sindicatos «amarillos» a su conveniencia.

Este fracaso en las urbes está ampliamente compensado por los éxitos de la sindicación —de significación totalmente distinta— de los pequeños agricultores. Montada, en un principio, sobre la base de cajas

23

rurales parroquiales de carácter mutualista, con el objeto doble de luchar contra la usura —base del caciquismo— y promover una agricultura más moderna (abonos, mejoras técnicas) la Confederación Nacional Católica Agraria acaba siendo una fuerza político-social importante. Sólidamente implantada en León, Castilla la Vieja, Provincias Vascongadas, presente en otras numerosas provincias, sus afiliados son, hacia 1923, probablemente poco menos de 600 000. Globalmente favorables a los elementos tradicionalistas y mauristas, no dieron al Partido Social Popular (demócrata cristiano), recién creado, el apoyo esperado en las últimas elecciones de abril de 1923, pero constituyen una fuerza política nueva que había de pesar.

Al tiempo que las innovaciones técnicas que son la electricidad y el motor de explosión intervienen en el proceso de desarrollo económico que modifica notablemente la estructura demográfica y profesional de España, otras innovaciones iban a dar nuevo cariz a las relaciones entre los individuos. Por una parte, la aparición y extensión de nuevos medios de comunicación; por otra —y bien respaldados por los primeros—, los espectáculos deportivos de masa.

En la prensa, medio tradicional de comunicación, se verifica en aquellos años una modernización técnica con la adquisición, costosísima, de dos tipos de máquinas nuevas: las rotativas —que permiten la impresión continua y no por hojas—, y las linotipias —que sustituyen a la composición a mano. Entre 1913 y 1930, el número de rotativas pasa de 36 a 81 y el de linotipias de 15 a 213. Estas enormes inversiones supusieron el respaldo de grupos financieros importantes para la edición de los principales periódicos y su difusión masiva. Los periódicos, hasta entonces casi exclusivamente de opinión, se vuelven órganos de información y grandes soportes de publicidad. En ellos las industrias del espectáculo de masa (cine y deporte) habían de encontrar un aliado seguro. Recordemos aquí los grandes títulos de Madrid: *ABC*, con sus fotografías diarias, *El Sol*, *La Libertad*, *El Heraldo*, *El Debate*, etc. Más tarde saldrá *La Nación*, órgano oficioso de Primo de Rivera [15, 45].

Otro medio de comunicación, el cinematógrafo, reúne grandes masas de espectadores en sus salas. Se proyectan principalmente películas norteamericanas, a pesar de la activa industria nacional. Al presenciar un mismo tipo de espectáculo en todas las ciudades a la vez, estas multitudes irían amoldándose a pautas comunes de una nueva cultura popular.

De inspiración anglosajona, la pasión por los deportes —fuera de la tauromaquia— ha salido de los círculos aristocráticos (polo, golf, lawn-tennis...) para alcanzar extensas capas de la sociedad urbana. Los encuentros de boxeo y, sobre todo, de fútbol concentran multitudes de aficionados que se identifican con los equipos enfrentados. El equipo nacional, vicecampeón olímpico en 1920, llega a ser el mejor equipo europeo en 1925. El Barcelona F. C. cuenta en 1923 con más de 10 000 socios. La prensa y el cinematógrafo apoyan y refuerzan estas aficiones multitudinarias.

Con menos impacto social, pero también explotados para avivar el sentimiento nacional, se organizan competiciones de aviación y, más tarde, las grandes «primeras», como el vuelo del hidroavión *Plus Ultra* de Palos de Moguer a Río de Janeiro y Argentina en enero de 1926, o el Madrid-Manila por Lóriga.

Por fin, empiezan en 1924 las primeras emisiones españolas de telefonía sin hilos (TSH) por Radio España, Radio Ibérica y Unión Radio.

Con los espectáculos populares, en los que los nuevos héroes son deportistas o actores, se produce probablemente una triple evolución en las mentalidades de amplias capas de la sociedad. Por una parte se acelera cierta uniformización no solo por el abandono de culturas regionales o locales —fenómeno ya ocurrido con el éxodo rural—, sino por el abandono de costumbres, usos, actitudes propias sea de oficios, sea de capas sociales. Por otra parte, estos modelos —por su vida privilegiada o por el marco en que se mueven en las películas— anticipan cierta modernización de las pautas de vida material y social: creando una aspiración a vivir como la burguesía americana de los mismos años. En fin, y más aún en el período dictatorial, en el que se prohíben los actos políticos, las concentraciones populares en estadios y en cines suplen los grandes mitines, las conmemoraciones, los homenajes tradicionales. Huelga decir, además, que los héroes populares hacen alarde de otras virtudes que los políticos: ya no se venera una elocuencia, una honradez, una autoridad sino la seducción, la riqueza, la ambición.

Este papel despolitizante —según las normas de principios de siglo— había sido percibido claramente por los republicanos, que achacaban al fútbol la decadencia de las Juventudes Radicales [53, 126].

Con el desarrollo de las actividades comerciales y de servicio (no doméstico), la demanda de mano de obra femenina rebasó el marco tradicional: mujeres obreras y servicio doméstico. Los ejemplos del extranjero, resultado allí de otras circunstancias —guerra en Francia, mayor libertad en Estados Unidos—, favorecieron la aparición y polémica aceptación [38, 262] de un nuevo tipo de mujer, aunque fuese en España una excepción. La actitud personal de Primo de Rivera hacia el «sexo débil» contribuyó a esa promoción ya alentada por la novela (Insúa, Martínez Sierra, etc.), y por los movimientos feministas.

Otro cambio se puede observar hacia 1923 en las ideas promovidas y barajadas en la prensa y dentro de los partidos en cuanto a la organización de la sociedad y el porvenir de España. Teniendo en cuenta, desde luego, que el fenómeno tiene carácter minoritario y no afecta más allá de las capas urbanas de la sociedad. A grandes rasgos, se dibujan tres orientaciones. La corriente católica, modernizada por la influencia de la naciente democracia cristiana en Bélgica, Francia e Italia, oscila entre un rearme moral asaz autoritario (Ángel Herrera y *El Debate*) y una vía más democrática (A. Ossorio, Gil Robles y el Partido Social Popular). La corriente socializante ha superado ampliamente los esteticismos anarquizantes de principio de siglo y vacila a su vez entre la vía, poco confortable para jóvenes burgueses, de la revolución en marcha (Núñez de Arenas) y la línea de menos estridencias del Partido Socialista (Besteiro, F. de los Ríos, Araquistáin).

Los liberales demócratas, defraudados ya en 1910 y 1917, atemorizados quizá por la violencia incontrolada a partir de 1919, dudan también entre la colaboración reformista emprendida con el último gobierno de García Prieto de 1922 y un alejamiento de la política militante (Ortega). Unos y otros aspiran a la democracia, pero preguntan: ¿quién puede imponerla?

NOTAS DEL CAPÍTULO PRIMERO

1. Expresión abusivamente generalizada a partir de la declaración de Primo de Rivera: «Era y sigue nuestro propósito constituir un breve paréntesis en la marcha constitucional de España». (Preámbulo del primer decreto creando un Directorio militar. RD de 15 de septiembre de 1923.)

CAPÍTULO II

El advenimiento de la Dictadura

1. EL FINAL DE LA MONARQUÍA CONSTITUCIONAL

1.1. TENSIONES Y CRISIS

Una indudable y acelerada modernización, en muchos aspectos de la vida social o económica —con excepción, claro está, de los medios rurales—, parece ser el marco en que se engasta la dictadura de Primo de Rivera. Esto le dio unos rasgos originales que a la postre pudieron pasar por brillantes y serle atribuidos equivocadamente. En realidad, el régimen dictatorial solo trata de ofrecer soluciones a una crisis política de representación que se nutrió indudablemente de las tensiones internas de la sociedad. Pero no estaba en crisis el sistema social español y la dictadura —a pesar de su vocabulario— no fue ni revolucionaria ni, al revés, restauradora de un sistema social a punto de derrumbarse. Las tensiones, que revelaban contradicciones internas, tenían, unas, carácter general y no desembocaban a priori en un pronunciamiento militar. Otras, en cambio, oponían directamente a políticos y militares. Este conflicto interno del Estado se alimentó fácilmente con otras contradicciones de la sociedad española. La solución dictatorial —de civiles o de militares— venía a ser la salida de la crisis del Estado.

Con la evolución del capitalismo español, dos grietas iban abriéndose: una en el bloque social dominante —burguesía capitalista y terrateniente—, otra en el grupo social hegemónico, detentador real del poder político.

La primera grieta es antigua ya. Empezó a producirse con el desarrollo de sectores en auge: principalmente la burguesía industrial del norte de España y de Cataluña. Mientras la burguesía asturiana y vasca logró incorporarse al grupo hegemónico —ennoblecimientos, escaños de se-

29

nadores y diputados—, la burguesía catalana se mantuvo marginada políticamente. La batalla que libra para acceder al Poder es la propia historia de la *Lliga Regionalista*. En los últimos años, protagonizada por Cambó, su estrategia consistió en exigir una democratización del sistema de representación (Asamblea de Parlamentarios de 1917). Las concesiones logradas —Mancomunidad (1914), protección arancelaria— resultaron de una coincidencia de intereses y no supusieron la concesión de una parcela de poder. La negociación de nuevos tratados comerciales con diversos países europeos llevada por el ministro de Estado, Alba, y la posibilidad de rebajar algunas partidas del Arancel (LEY DE AUTORIZACIONES de 22 de abril de 1922) aumentan la desconfianza hacia los gobiernos.

Las mismísimas concesiones en la política económica, favorables a los sectores más avanzados, o sea la protección a la industria nacional, iban a abrir otra fisura dentro del bloque hegemónico. Este estaba representado en el Poder por los grupos turnantes autodenominados liberales y conservadores. Entre ellos la oposición no descansaba en diferencias de orden social o de nivel económico, sino principalmente sobre opciones ideológicas relativas a las relaciones entre la Iglesia y el Estado o al grado de intervención de este en cuestiones sociales, educativas y económicas.

Sin embargo, la larga alianza de terratenientes y de capitalistas industriales no resistió los embates de la coyuntura excepcional de los años 1915 a 1921. A los agobios financieros del Estado, los cerealistas castellanos encontraron una solución en la tributación de beneficios extraordinarios obtenidos gracias a la guerra europea (Proyecto Alba de 1916). El repetido fracaso de los proyectos favorables al sector agrícola (programa del gobierno García Prieto en 1923) llevó progresivamente a una parte del sector liberal a apoyar también una reforma democrática del sistema representativo para desalojar del Poder, con apoyo de clases medias (republicanos reformistas), a la oligarquía financiera.

Al mismo tiempo la coyuntura ha vigorizado la protesta de grupos amenazados o enfrentados con la evolución del capitalismo. Es la de los asalariados por la mejora de sus condiciones de vida y trabajo, y con la idea de cambiar del todo el sistema social. Es la de artesanos, empleados y funcionarios para mantener su nivel de vida o su empleo, y más aún a veces, su estatuto social. Es la de campesinos condenados a corto o largo plazo al éxodo hacia la ciudad.

El desarrollo de las organizaciones obreras viene acompañado de una combatividad que ha logrado éxitos notables, aun cuando estos aparecen como otorgados por los poderes públicos. El conjunto de la legislación social y, sobre todo, la limitación de la jornada laboral (ocho horas) y los diversos seguros obligatorios, supusieron un esfuerzo financiero para las empresas, que estas compensaron con mejoras de productividad. Lo cual significó una acentuación de los desequilibrios entre empresas capaces o no de adaptarse a la situación. Las más amenazadas aportan a la lucha de clases su carácter más violento y reaccionario: pistolerismo de la Federación Patronal, de organizaciones de «defensa social» o «ciudadana».

Fuera de comarcas de monocultivo con empleo de braceros estacionales, el pequeño agricultor, presa de la usura, o de arrendamientos demasiado cortos, es incapaz de financiar una mejora de su productividad, se desentiende de una política en la que predomina el sistema caciquil. Su abstencionismo electoral, confortado en parte por la actitud antiparlamentaria de organizaciones como la Confederación Nacional Católica agraria, es quizá paradójicamente la primera y la mejor expresión de su conciencia política. Estas tensiones implican todas una crítica del sistema de representación y de la política llevada por el bloque en el poder, y por lo tanto desembocan ora en la demanda de democracia (catalanistas, republicanos —reformistas o radicales—, socialistas), ora en la aspiración a un régimen autoritario que se imponga a la vez a las masas proletarias y a un sistema político aborrecido.

1.2.   EL ÚLTIMO GOBIERNO: LOS LIBERALES (DICIEMBRE
       DE 1922-SEPTIEMBRE DE 1923)

Con el gobierno liberal de García Prieto de 7 de diciembre de 1922, otras tensiones iban a agudizar las anteriores abriéndoles supuestas vías de superación. Además, ahora se implicará un grupo social dotado efectivamente de una capacidad de acción directa sobre las instituciones políticas: el Ejército.

Es lógico interpretar la salida dictatorial del sistema político español como una solución a una crisis del Estado, planteada abiertamente en 1917 pero inherente al sistema canovista de la Restauración, aunque no se debe olvidar que la sublevación de Primo de Rivera tuvo lugar concretamente a finales del verano de 1923 como reacción contra un gobierno y una política determinados.

El gobierno de García Prieto, basado en una reagrupación de las fuerzas liberales (el *Bloque liberal* de abril de 1922) en que predominan los elementos regeneracionistas —Alba, Chapaprieta, R. Gasset—, obtiene el apoyo de los reformistas. La elección de nuevas Cortes en abril-mayo de 1923 no significó ningún cambio en las costumbres políticas del Ministerio de Gobernación, pero el programa de gobierno contenía algunas proposiciones de notable alcance: reforma de la Constitución, reorientación de la política en Marruecos, nueva política agraria. Esta política agraria y la política económica y financiera en general no tuvieron aplicación, ni siquiera debate. Pero sí despertaron de nuevo a los industriales contra aquellos que en 1916 quisieron imponer tributo a los beneficios extraordinarios de la guerra (Alba y Chapaprieta). La negociación de los tratados de comercio por Alba inquietaba a los proteccionistas a ultranza —en cuanto a productos manufacturados, desde luego. La reforma de la Constitución tampoco pasó de declaración programática. Pero la protesta fue inmediata. Los aspectos relativos a la reforma democrática del Senado (art. 20, 21, 22) y al escrutinio proporcional no interesaban mucho, pues los políticos estaban confiados en que aquello lo podían controlar mientras no se tratase de Cortes Constituyentes. En cambio, la reforma del artículo 11 proponía sustituir la simple tolerancia, para los cultos no católicos, con la plena libertad religiosa. Esta prolongación de la política de laicización del Estado, marcada ya por las políticas de Canalejas y de Romanones (congregaciones, enseñanza), topó con una Iglesia católica más segura de sí misma y mejor respaldada políticamente en la opinión española y europea. El propio monarca se hace intérprete de esta actitud negándole a Romanones la firma de un Real Decreto sobre intervención, por el Estado, del patrimonio artístico de la Iglesia (marzo de 1923). Una campaña de prensa organizada por los católicos tradicionalistas desató contra el liberalismo una animosidad nada favorable al sistema parlamentario.

En fin, el deterioro de las relaciones entre el gobierno y los jefes militares (por otra parte sociológicamente tradicionalistas y poco favorables a los «políticos») se acentúa en 1923. Quisquilloso en cuanto a las prerrogativas del poder civil sobre el poder militar, el gobierno liberal emprende dos acciones «civilistas»: una en dirección del gobierno de Cataluña, la otra con vistas a poner término a la guerra de Marruecos.

En la cuestión marroquí, en febrero de 1923, es nombrado un Alto Comisario civil, y este, en unión con Alba, negocia con los jefes marroquíes un acuerdo terminado de elaborar en mayo de 1923. Por otra parte, la depuración de las responsabilidades en el desastre de Annual emprende una marcha irreversible, la comisión del Congreso es designada en julio. Todo aquello no puede agradar al cuerpo militar, que considera a Marruecos como un coto cerrado.

En Cataluña, después de largos períodos en que el gobernador civil y el jefe de la policía eran jefes militares (1919 a 1922), impuestos por el capitán general o por gobiernos conservadores y con aplauso de la burguesía catalana atemorizada por la acción sindical —huelgas y atentados—, se llega a «civilizar» el gobierno civil de Barcelona. Pero las desavenencias entre el gobernador civil, Barber, y el capitán general, Miguel Primo de Rivera, se multiplican. Pasando de un centenar al año, entre 1919 y 1922, a más de 800, de enero a septiembre de 1923 (más de 700 en la provincia de Barcelona), los llamados «atentados sociales» amedrentan a la población catalana. Aquello representaba en realidad el fracaso de la política del contra-terrorismo «amarillo», y ocultaba a la opinión el estado de disgregación de las organizaciones de la CNT y los primeros efectos de la política de conciliación y arbitraje emprendida por Chapaprieta desde el Ministerio de Trabajo. Por cierto, esta inquietud agitaba el catalanismo conservador de la Lliga Regionalista. Desde el verano de 1922 se ha escindido su ala más radical y democrática y ha fundado la Acció Catalana, cuyo activismo representa una peligrosa competencia para el tradicional monopolio de la Lliga. Esta escisión le permitió a la Lliga presentarse como defensora del orden y escapar así del anticatalanismo visceral de los altos mandos militares españoles.

Con razón escribió Cambó que el ambiente catalán propició el que Miguel Primo de Rivera, capitán general de Cataluña, aceptara encabezar el moviento sedicioso. Allí se sumaban la oposición de los industriales a la política social de conciliación y a la política económica y tributaria de los albistas, la inquietud del cuerpo militar desposeído de su papel represivo en la defensa del orden público, y a la larga, quizá, de su prestigio por su incapacidad en Marruecos. Sin hablar del sentimiento, de unos y otros, de que en la nueva sociedad de los años veinte iban derrumbándose ciertos «valores» tradicionales: religión, disciplina social, honor militar, jerarquía.

Unas posibles decepciones políticas de Miguel Primo de Rivera —que hubiera ansiado un escaño de senador y la cartera de ministro de la Guerra—, una adulación permanente por parte de la alta sociedad barcelonesa, bastante ambición y arrojo personales y la petición de sus ex compañeros de la Academia General Militar, bastarían para lanzarle a la conquista del Poder.

2. EL PRONUNCIAMIENTO DE SEPTIEMBRE DE 1923

2.1. CUATRO JORNADAS DECISIVAS: 12-15 DE SEPTIEMBRE

Documentalmente no hay pruebas de una confabulación expresa del monarca con los generales sublevados. Sin embargo, su actitud en los últimos años, y más aún su actuación en las horas del golpe de Estado, le responsabilizan directamente en el éxito del golpe al mismo tiempo que modifican a su favor el equilibrio interno de los poderes en la Dictadura. En mayo de 1921, el monarca había proclamado su intención de solucionar los problemas de la nación: «con la Constitución o sin ella». Lo que podía pasar entonces por imprudencia culpable, toma otro cariz en el verano de 1923. El examen en Cortes del Dictamen sobre las responsabilidades, previsto para octubre, podría envolver tanto a la corona como al ejército. Luego, en agosto, cuando se rumorea en la prensa la preparación de un golpe de Estado, Alfonso XIII consulta a Antonio Maura sobre la oportunidad de adelantarlo y acaudillar personalmente un movimiento anticonstitucional. La respuesta inmediata fue un no rotundo, pero solo para preservar la corona de las salpicaduras de semejante situación, aunque en sí el viejo político no la rechazara del todo. Mientras tanto, y probablemente a sabiendas del rey, pero sin su consentimiento formal se preparaba un pronunciamiento militar. Pronunciamiento conforme a la definición dada por el general Kindelán:

...una intervención de una parte del ejército en la política interior del Estado, sin previo acuerdo con órganos o clases de la Nación, ni aun siquiera con otra parte de la colectividad armada, en la creencia de que, siendo justa y conveniente para el país la actitud de los que se pronuncian, ha de recibir, en cuanto sea conocida, la adhesión unánime y fervorosa de todos los ciudadanos [33, 157].

Cuatro generales: José Cavalcanti, Federico Berenguer, Leopoldo Saro y Antonio Dabán acuerdan imponer, por vías extraconstitucionales, una rectificación de la política marroquí y, para lograrlo, sustituir por un gobierno dictatorial de militares los débiles gobiernos apoyados en políticos, según ellos, incapaces y corrompidos.

Relacionados personalmente con el rey, esperan de él su neutralidad. Pero los contactos tomados con oficiales de las guarniciones de provincias revelan una falta de entusiasmo que solo podría paliar la dirección del movimiento por un jefe militar de rango elevado y de gran prestigio. Por diversos motivos, los generales Aguilera y Weyler están descartados. La figura del capitán general de Cataluña, Miguel Primo de Rivera, que también por su cuenta está tanteando a las guarniciones con vistas a una eventual rebelión personal, se impone —a falta de otros—, pero no sin plantearle problemas al «cuadrilátero» de generales conspiradores.

Brillante y arrojado oficial en las campañas de Marruecos, Cuba y Filipinas, este general gaditano de cincuenta y dos años inquieta doblemente a los conjurados de Madrid por sus sonadas declaraciones abandonistas de 1917 y 1922, y también por la ambigüedad de sus relaciones con la burguesía catalana. Allí, en efecto, se ha granjeado a la opinión por su apoyo —verbal, desde luego— a la autonomía catalana y su firmeza en la represión de la agitación social.

Los acontecimientos del verano de 1923 aceleran el proceso de organización. Los motines de reclutas y las campañas en favor del cabo Barroso, condenado a muerte por dirigir una revuelta en Málaga (agosto), así como la suspensión de los envíos de tropas, ensombrecen un panorama poco halagüeño: proyecto de Emirato del Rif, examen parlamentario de las responsabilidades.

De los contactos tomados entre el «cuadrilátero» madrileño y Primo de Rivera, y de las conversaciones entre este y Alfonso XIII, no se sabe nada en concreto, sino que Primo de Rivera habría prometido, en Madrid, bastantes cosas en contradicción con lo que anunciaba en Barcelona.

En cierta medida, la personalidad de Primo de Rivera iba a alterar el proyecto inicial. Lo que no apuntaba más que a una rectificación de la política marroquí y de sus implicaciones políticas y de orden público llegó a ser un proyecto más ambicioso de cambio político.

En las primeras semanas de septiembre, Primo de Rivera prepara el golpe y obtiene el apoyo de las guarniciones de Cataluña, de Madrid y de Zaragoza. En los últimos días informa a las demás de la situación. Según rumores, que revela la prensa, la sublevación sería para el 15 de septiembre, cuando en realidad se preveía para el día 20. El 12 por la tarde, Primo de Rivera reúne a los conjurados de la Ciudad Condal y, en la madrugada, entrega a la prensa su manifiesto *Al País y al Ejército españoles* (anexo 1). Primo de Rivera dijo más tarde haber adelantado la fecha por miedo a que otras manifestaciones de nacionalismo catalán —como la de Acció Catalana el 11 de septiembre, en el aniversario de la caída de la ciudad en 1714— le pusiesen, localmente, en situación delicada. También se afirmó que fue a petición del general Sanjurjo, gobernador militar de Zaragoza, para que se evitara así la reunión de la comisión parlamentaria relativa a las responsabilidades. Aunque plausible, esta explicación también podría tener por objeto lo inverso, es decir, comprometer directamente al rey.

De todas formas, lo que llegaba a ser un secreto a voces podía haber tropezado en una reacción firme de algunos miembros del gobierno: Alba y quizá el general Aizpuru, ministro de la Guerra. Las evasivas de la mayor parte de las guarniciones podían reforzar cierta inquietud acerca del éxito del movimiento e incitar a sus directores a actuar por sorpresa. Esta interpretación deja al monarca fuera del complot aunque estuviera enterado de todo, tanto como a algunos de sus ministros, y lo refrendara luego.

En la noche del 12 al 13, Primo de Rivera se apodera de la ciudad de Barcelona proclamando el estado de guerra y ocupando los lugares estratégicos (teléfonos y telégrafos). El *Manifiesto* (véase anexo 1) se publica en los periódicos barceloneses del 13. Este documento dirigido «al país y al ejército» proclama la constitución de un «directorio inspector militar» en Madrid, y enumera los problemas a resolver: terrorismo, propaganda comunista (entiéndase propaganda bolchevique en la CNT), impiedad (alusión al asesinato del arzobispo de Zaragoza), agitación separatista (la de Acció Catalana, no la autonomista de la Lliga), inflación, desorden financiero, Marruecos, inmoralidad política, explotación política de las responsabilidades. Si se añaden los ataques a Alba y su política arancelaria, y la afirmación de que el movimiento se realiza en nombre de España y del rey, se advierte que, aparte de la reivindicación de un machismo, extemporáneo pero sin duda eficaz en la opinión, es un cajón de sastre que recoge cuanto puede para captar voluntades dispersas y contradictorias: ejército vacilante, burguesía catalana, clases medias inquietas, opinión conservadora en general que se ha de reconocer —Dios sabe cómo— en «nuestra moral y doctrina». La invocación del rey parece expresar sobre todo la voluntad de comprometerle y recabar toda la legitimidad encarnada por la corona. Y, en efecto, en las cuarenta y ocho horas que siguieron, el papel del rey, que veraneaba en San Sebastián acompañado de Santiago Alba, ministro de jornada, fue decisivo.

El Consejo de Ministros, sin Alba, no tomó decisiones contra los jefes de la guarnición de Madrid so pretexto de esperar al rey. Este, por su parte, dejó que pasaran horas informándose de cómo evolucionaban las cosas.

Fuera de la llamada a una huelga general por el Partido Comunista y el Comité local de Madrid de la CNT, no se advertía más que una gran indiferencia, alguna curiosidad y, para otros, cierta satisfacción. Las guarniciones de provincias optaron por una postura constitucional y se mantuvieron a la expectativa de lo que iban a decidir el gobierno y el rey. De este parecía, pues, depender todo, puesto que en el primer día no se extendió la sedición. Llegó el monarca a Madrid por la mañana del 14 y entonces fue cuando se negó en redondo a apoyar la tardía pero todavía posible reacción del gobierno, que proponía la destitución de los generales sublevados y la convocatoria inmediata de las Cortes. Dimitido el gobierno, Alfonso XIII llama a Primo de Rivera, todavía en Barcelona, para que se encargue del Poder. Este salió de Cataluña vitoreado por los elementos destacados de la Lliga y del Somatén y llegó el día 15 a Madrid. A partir de aquel momento se entabla la duradera y abierta complicidad del monarca con Primo de Rivera.

El Real Decreto del 15 de septiembre que confiere a Primo de Rivera «el cargo de presidente del Directorio militar encargado de la gobernación del Estado» establece esta colaboración, en la que el presidente «someterá a mi firma (del rey), asesorándose previamente del Directorio, las resoluciones de todos los departamentos ministeriales».

La consecuencia principal de la postura adoptada por Alfonso XIII es que altera a su vez, en cierta medida, la orientación del movimiento. La aceptación de los hechos por los jefes militares dependió de la decisión real: en adelante, Primo de Rivera tendrá que contar con el Ejército y el rey para llevar adelante su política. De inmediato aquello significaba un desplazamiento del eje del nuevo Poder de Barcelona hacia Madrid: los catalanes lo iban a descubrir con amargura.

2.2. LAS REACCIONES DE LA OPINIÓN Y DE LAS ORGANIZACIONES SOCIALES

La tónica general fue la expectativa —días 13 y 14—, y la aprobación crítica o entusiasta después. Sin embargo, brotarán entre la clase obrera reacciones de defensa contra la violación de la legalidad y contra las amenazas a sus organizaciones.

En Bilbao, el día 13, fueron a la huelga general obreros comunistas y algunos socialistas. En Madrid, el Partido Comunista de España y la Federación local de la CNT llamaron a la huelga general el día 13 y constituyeron, el 15, un comité de unidad de acción. Pero en la capital, la réplica obrera dependía de las decisiones de los socialistas. Ahora bien, el manifiesto de la UGT y PSOE del 13, que pretende «aislar la sedición» y afirma que «no se debe prestar aliento a esta sublevación», viene seguido el día 15 de una nota que pone en guardia «contra movimientos estériles que puedan dar motivo a represión» y desautoriza a cualquier comité —el de la CNT y el PC de España— que tome iniciativas. Esto significaba el abandono de cualquier resistencia al golpe en Madrid y en las zonas industriales del norte.

En Cataluña, las organizaciones de la CNT habían cerrado espontáneamente sus sindicatos el día 14 y *Solidaridad Obrera* dejó de publicarse. El golpe de estado solo venía a sellar el proceso de aniquilación de la CNT emprendido en los meses anteriores.

La represión contra los comunistas halló pretexto en una supuesta acción revolucionaria conjunta en España y Portugal para finales de diciembre, y fueron detenidos miembros del comité central y de las juventudes en Madrid, Sevilla, Palma de Mallorca, San Sebastián, Bilbao y en Asturias.

La primera reacción socialista —el *Manifiesto* publicado en *El Socialista* del día 13— marcaba su oposición a la sublevación pero negaba una participación activa en la defensa de la legalidad. Esta abstención frente al Directorio y la denuncia de los elementos que resistían (PC de España y CNT) se vieron premiados por una tolerancia de la censura y de la policía en la que los dirigentes socialistas vieron la cordura de su actitud. El 22 de septiembre, abundando en la necesidad de salvar ante todo las organizaciones, *El Socialista* invita a actuar «dentro de los cauces legales, sin dar el menor pretexto a resoluciones que, no beneficiando las ideas, perjudicarían los intereses del proletariado y del país en general» [59, 122]. El 1.º de octubre, el secretario del Sindicato Minero Asturiano (UGT) M. Llaneza acude, a instancias del Directorio, a una entrevista con Primo de Rivera para tratar problemas relacionados con la minería asturiana. Aunque las comisiones ejecutivas siguieran rechazando lo que pudiera aparecer como «colaboración o asesoramiento», se complacen en afirmar: «La impresión que se deduce de lo que opina el Directorio en relación con el movimiento obrero es que no corre peligro ninguna conquista legítima de las alcanzadas por los trabajadores» [2, 279]. La convicción de que se podían salvar las organizaciones, y con ellas lograr mejoras de la condición obrera —con exclusión de cualquier análisis clasista—, tuvo dos consecuencias. La eliminación de hecho de las organizaciones obreras revolucionarias reforzó el reformismo encarnado por Julián Besteiro y el pragmatismo sindical de Largo Caballero. El socialismo, aunque no se le puede tachar sin exageración de colaboración política con la Dictadura, sí entró de pleno en la colaboración de clase [46]. La segunda consecuencia fue que abrió de par en par la puerta por la que se precipitó el gobierno de la Dictadura para sentar su imagen reformista aun cuando su práctica fuese contrarrevolucionaria. Así, por ejemplo, la nota a los trabajadores entregada para inserción en *El Socialista* (29 de septiembre) en la que, a cambio del rechazo de «malsanas predicaciones», de «perversa y errónea dirección y orientación de las masas obreras» —es claro el agradecimiento por la neutralidad en los días 13 a 15 de septiembre—, se prometía el desarrollo de la legislación social. Las Casas del Pueblo quedarán abiertas e incluso el duque de Tetuán, gobernador civil, visitó la de Madrid el 29 de noviembre.

La oposición de los republicanos y de la izquierda liberal no tuvo oportunidad ni fuerzas para manifestarse. Mientras Santiago Alba se refugiaba en Francia para evitar una detención previsible, solo *El Heraldo de Madrid* y *El Liberal* (por la pluma de Ángel Ossorio y Gallardo) expresaron su hostilidad al movimiento militar. Después, la censura previa los dejó sin voz.

Los republicanos se niegan desde luego a colaborar, pero no pueden organizar resistencia u oposición. El Partido Republicano Radical no ha renovado sus cuadros dirigentes y las Juventudes Radicales se han desvanecido. De todas formas, en carta a Blasco Ibáñez, Lerroux «afirmaba su convencimiento de que el nuevo régimen había de tener corta duración; ya que fracasaría por falta de ideología y de apoyo político. En ese momento, se produciría un nuevo levantamiento militar que habría de llevar al poder a los republicanos» [53, 126]. ¡Bastaba esperar!

Son escasas las expresiones de clara hostilidad dentro de los grupos políticos de la «vieja política». Solo se levantan las voces de Antonio Maura, de Romanones y pocos más. En el seno del joven maurismo (democracia cristiana naciente y Partido Social Popular), la Dictadura consuma la ruptura entre demócratas y autoritarios. Estos últimos serán decididos colaboradores del nuevo régimen: V. Pradera, S. Aznar, Minguijón, etc. Los primeros, José Calvo Sotelo, Vives, Poza, Onis, etc., siguen a A. Ossorio y Gallardo y ofrecen al Directorio «ni colaboración ni estorbo» [62, 113].

Las expresiones de adhesión son las más numerosas y auguran, de momento, un buen porvenir al Directorio. Sin embargo, los políticos se sienten incómodos para aplaudir a quien los desbanca. Los únicos que escapan del ostracismo son los que no participaban en el turno político: tradicionalistas, integristas y jóvenes mauristas, y solo los jóvenes porque a los que pertenecían al grupo conservador antes de la separación de los «idóneos» de Dato se los asimila al régimen anterior, con despecho de algunos como La Cierva. Declaran su adhesión inmediata: Vázquez de Mella, José Calvo Sotelo, la Juventud Maurista y la junta directiva del Centro Maurista, la Unión Monárquica con Antonio Sala Argemí. *El Debate*, dirigido por A. Herrera Oria, publicó artículos de Víctor Pradera que declara al nuevo régimen «ilegal pero necesario».

Unos abrigaban esperanzas de una defensa activa de la religión, y de los principios católicos; otros veían con gozo la derrota del liberalismo y de la democracia individualista. El mismo *Debate*, en los primeros días exponía el programa común de todos:

...proceder a la disolución inmediata de las Cortes... porque es incontestable que solo así podrán exigirse las responsabilidades políticas. [Ejercer una] severa represión de todas las propagandas sindicalistas y antimilitaristas o separatistas y disolventes de todo género [4, 33].

Al mismo tiempo que se suman las adhesiones se suman también las ilusiones: los católicos que animaron la Acción Social Popular, y luego el Partido Social Popular, A. Herrera y *El Debate*, todos creen que se han reunido las condiciones para que surja un gran partido católico. Pero el partido único, la Unión Patriótica que se ha de crear, no será más que el partido del Poder.

Asimismo los sindicatos católicos, que esperaban tomar su revancha frente a la UGT y la CNT, tienen que constatar que el Directorio halaga a la UGT para neutralizarla.

Desde luego, la aprobación más entusiasta se eleva de los grupos catalanes que desde el principio alentaron la sublevación y de los medios industriales y mercantiles —«clases medias»— que le tenían inquina al gobierno oligárquico.

En Barcelona, el día 13, la inauguración de la Exposición del Mueble es ocasión para Primo de Rivera y los dirigentes de la Lliga para expresar la igualdad de sus puntos de vista.

En Madrid, el mismísimo día, la Confederación Patronal Española (pequeñas empresas) declara: «Nos sumamos al movimiento iniciado por los elementos militares». En la medida en que sus miembros pertenecían a los partidos turnantes, la oligarquía financiera industrial es más discreta. Algunos incluso serán víctimas aparentes de la severidad dictatorial (proceso al marqués de Aldama y al conde de los Gaitanes tras la quiebra de la banca Unión Minera), pero la intervención regia los pone a salvo.

En Asturias la burguesía industrial se adhiere también: Tartière, Alas Pumariño...

En esta marejada de fatalismos silenciosos y de aplausos sinceros o interesados, sintetizados por Ortega y Gasset en *El Sol* del 27 de noviembre: «Si el movimiento militar ha querido identificarse con la opinión pública y ser plenamente popular, justo es decir que lo ha conseguido por entero», las voces que quisieran levantarse tropiezan con la censura y tendrán que buscar más allá de las fronteras tribunas lejanas para expresarse.

Es tan ambicioso y contradictorio el programa expuesto en el *Manifiesto al País* del 13 de septiembre, y tan desacreditado estaba el sistema político imperante, que la expectativa es enorme. También lo habían de ser los desengaños.

2.3. Primeras medidas

Entre los extremos anunciados, unos suponían una solución a plazo, otros una decisión inmediata. Efectivamente, y con ritmo acelerado, se suceden los Reales Decretos «con fuerza de Ley» que habían de asentar y configurar el nuevo régimen. El primero de todos designa al general Primo de Rivera como «Presidente del Directorio militar encargado de la gobernación del Estado», «Con las facultades de Ministro único», con lo cual desaparecía el Consejo de Ministros y las correspondientes carteras.

Entre las misiones más urgentes destacaban restablecer el orden en las calles y en las empresas, hacer tabla rasa del antiguo régimen tan desacreditado, sentar las bases de una restauración de la Hacienda Pública, esto con rectificación de la política fiscal y de los gastos militares.

Para restablecer el orden público, el Directorio extendió a toda España el estado de guerra proclamado en las guarniciones sublevadas y se suspendieron las garantías constitucionales (art. 4, 5, 6 y 9 y párrafos 1, 2 y 3 del 13 de la Constitución). Más segura aún era la destitución de todos los gobernadores civiles a los que se sustituye por gobernadores militares (Circular de 15/9/23). Esta militarización de la vida pública tuvo indudable eficacia, interrumpiendo bruscamente la ola de atentados y atracos que se realizaban, principalmente, en Barcelona. Por cierto, en la subsecretaría de Gobernación y en la Dirección general de Seguridad habían sido nombrados dos expertos en represión, respectivamente, los generales Martínez Anido y Arlegui. La suspensión de garantías y el estado de guerra, aunque generalizados, no rompían con la práctica de los gobiernos constitucionales. La dirección de la administración provincial por militares sí era una novedad que iba a plantear problemas tanto para la reactivación de la vida política como para los mismos oficiales delegados. Dos decretos más iban destinados a restablecer indirectamente el orden público. La institución del Somatén, milicia civil catalana que había tenido algún papel en la represión de los conflictos sociales en años anteriores, se extiende a toda España por el Real Decreto de 17 de septiembre. En realidad aquello no surtirá efecto por falta de entusiasmo y más aún de urgencia fuera de Cataluña. El Real Decreto del 21 del mismo mes suspendía el funcionamiento de los tribunales de jurado sospechosos de debilidad ante presiones y amenazas. Medida importante en su contenido jurídico, pero de poco alcance efectivo en la relativa calma social de los años de la Dictadura.

La conflictividad social en las empresas derivaba en gran parte del ambiente político. La autosuspensión de la desangrada CNT y la neutralidad de la UGT —con escasa implantación en Cataluña— coincidieron con una coyuntura de precios de alimentos de primera necesidad favorable: la buena cosecha de trigo de 1923 acarrea una baja del precio del pan que alcanza a veces, en el otoño de 1923, la mitad de su nivel del invierno 1922-1923 [14, 431]. Las esperanzas y los temores acerca de la «mano dura» del dictador contribuyeron al apaciguamiento de los conflictos sociales. Pero estas circunstancias no deben ocultar que, por efecto de la suspensión de garantías, resultaba prohibida de hecho la huelga y controlada cualquier actividad de reunión o propaganda. De todas formas, no caben dudas sobre el carácter conservador, en sentido pleno, del Directorio. Primo de Rivera declaraba en una rueda de prensa (17 de septiembre) que habían intervenido cuando «muchos decían que era de temer que el pueblo derrocara un día el régimen de la política con menos moderación y preparación que nosotros, quizá de un modo sangriento y enérgico, por un procedimiento sovietista que tanto temen la propiedad y la cultura» [49, 39].

A la pujanza nacionalista de Acció Catalana que había expresado en su órgano, *La Publicitat*, su hostilidad al golpe de Estado, el Directorio pone una mordaza con un Real Decreto de 18 de septiembre relativo a los «delitos contra la seguridad y la unidad patria», con el que se prohíben la expresión de ideas separatistas y la ostentación de otras banderas que la española en edificios públicos. Así se dejaban a salvo las promesas hechas por Primo de Rivera a las corporaciones catalanas —vinculadas todas a la Lliga—, reservando los golpes a los nacionalistas intransigentes.

Para libertar a la patria de los «profesionales de la política» y marcar su «apartamiento total», sanción de la responsabilidad de los partidos, no se ordenó su disolución. Así se mantuvieron legalmente el PSOE, la Lliga, etc. Pero, simples comités de notables vertebrados por su representación en las Cortes, los partidos tradicionales dejaron de existir. Una serie de decretos suprimió la estructura electiva del sistema político de la Restauración en todos sus niveles. El 15 de septiembre eran disueltos el Congreso y la parte electiva del Senado. La ausencia de sesiones quitaba importancia a los senadores —de todos los partidos— por derecho propio y por designación regia. El 30 de septiembre les tocaba a los concejales, «a la vez semilla y fruto de la política partidista, y caciquil», ser sustituidos por Juntas de Asociados —mayores contribuyentes—. El 21 de octubre se instalaba en las cabezas de partidos judiciales un delegado gubernativo, que debía ser militar, para controlar los nuevos ayuntamientos. El 12 de enero de 1924, excepto en el País Vasco y Navarra, se sustituía a los diputados provinciales elegidos, por otros designados por el gobernador civil, en ese momento un militar.

Si se añade el tan cacareado Real Decreto de 12 de octubre sobre la incompatibilidad de los ex ministros para las funciones de «directores, consejeros, abogados o asesores de las grandes compañías o empresas de servicios públicos o contratistas del Estado», podría pensarse que efectivamente el Directorio militar iba a acabar con la tergiversación de la representación y el contubernio de intereses privados.

Pero localmente la designación de concejales, diputados provinciales, etc., recayó sobre personas que directa o indirectamente representaban los mismos grupos sociales e intereses que antes. En cuanto a las incompatibilidades, la aplicación del decreto resultó tan arbitraria que no corregía nada. La Dictadura no cambiaba más que la devolución del poder político. El poder social de carácter oligárquico o caciquil (de clientelas), según donde se ejercía, escapaba totalmente a su fiscalización. En adelante este poder social quedaría incapacitado para dirimir y superar sus contradicciones internas de intereses y objetivos, sin tener que acudir a la arbitrariedad del nuevo poder político.

Tras haber denunciado la «depreciación de moneda» y la «francachela de millones de gastos reservados», se podían esperar medidas financieras drásticas. Efectivamente se temía un gravamen nuevo sobre la renta de valores públicos: el mercado bursátil se hizo menos activo y bajaron considerablemente los valores ferroviarios.

Pero la única medida inmediata fue la concesión de una moratoria extraordinaria para declarar la riqueza imponible oculta (RD de 26 de octubre), sin más resultado que la formación de colas en las delegaciones de Hacienda. Se buscaba más efectismo que eficacia.

CAPÍTULO III

El nuevo régimen: el Directorio militar, 1923-1925

1. CAMBIO DE PERSONAL POLITICOADMINISTRATIVO

Los conjurados, militares todos, querían que las autoridades se sustituyesen en un principio, por el ejército de la Península estructurado en regiones militares con sendos capitanes generales y en provincias con sus gobernadores militares. Así lo dispone la circular del 15 de septiembre que declara el estado de guerra y destituye a los gobernadores civiles.

Para el gobierno de la nación, y por el hecho de que el general Primo de Rivera partía de su base más segura, Cataluña, se había formado en Madrid un Directorio militar provisional: generales Cavalcanti, Saro, Dabán y Berenguer. Este directorio provisional se entrevistó con el rey el día 14 y este le encargó del interín hasta la llegada de Primo de Rivera y la constitución de su gabinete.

Al día siguiente es designado el Directorio militar presidido por Primo de Rivera e integrado por los generales de brigada Adolfo Espinosa, Luis Hermoso, Luis Navarro, Dalmiro Rodríguez, Antonio Mayendía, Francisco Gómez Jordana, Francisco Ruiz del Portal, Mariano Muslera y el marqués de Magaz, almirante.

Inmediatamente resalta la dualidad de la situación: el cuadrilátero urdía un movimiento militar y, por consecuencia, abiertamente favorable a la campaña en Marruecos e implícitamente anticatalanista. En cambio, Primo de Rivera, sin duda más sensible a la opinión pública, anunció una acción claramente política y respaldada, implícitamente, por elementos civiles. Por el contexto catalán y su actitud anterior, aparecía más bien como abandonista en la cuestión marroquí y favorable a una amplia autonomía de Cataluña, expresamente prometida a Puig y

Cadafalch, presidente de la Mancomunidad. Pero el hecho de que el éxito dependió de las guarniciones que esperaron el veredicto de la corona para seguirle, le restó parte de poder a Primo de Rivera, reforzando el del Ejército.

Capacitados para el mantenimiento del orden público, esos oficiales no lo estaban para las tareas meramente administrativas y menos aún para proyectar una nueva organización del Estado y dar forma a su política. Era, pues, acuciante la cuestión del personal politicoadministrativo. Estaba descartado el solicitar la colaboración de los representantes de la «vieja política». No se ofrecían, pues, más que dos posibilidades: recurrir a lo que hoy se suele llamar los tecnócratas —en la época, los técnicos o profesionales— o recurrir a los políticos marginados por el sistema del turno: mauristas más o menos jóvenes (Partido Social Popular, Democracia cristiana) y tradicionalistas como los amigos de Vázquez de Mella.

De las condiciones improvisadas para el reclutamiento del personal civil nos da una idea el relato que hace Aunós de cómo fue llamado a la Subsecretaría de Trabajo en febrero de 1924 [3, 57]. El general Barrera, capitán general de Cataluña, había reunido «un puñado de ex diputados y ex senadores pertenecientes a todos los sectores templados de Cataluña, desde la Lliga Regionalista a la Unión Monárquica. Barrera nos expuso su programa de ofrecer al general Primo de Rivera un haz de fuerzas nacionales del Principado para respaldar su gran política constructiva». Todos se muestran bastante reservados. El joven Aunós —29 años—, ex secretario de Cambó, que se encontraba allí un poco por casualidad puesto que trabajaba en Madrid y había venido a pasar las fiestas de Nochevieja en Barcelona, aceptó. Con probable anuencia de su jefe político. El 18 de enero de 1924, Primo de Rivera le convocaba y le ofrecía la Subsecretaría de Trabajo. En Madrid, mauristas y tradicionalistas colmaban los vacíos. En las provincias las cosas no iban tan bien y finalmente resurgieron las mismas personas en que se apoyaba el «régimen de la política».

Este cuerpo central politicoadministrativo, del que destacarán luego las personalidades de Aunós, Flores de Lemus, Guadalhorce, Calvo Sotelo, y desde luego el mismo Primo de Rivera, estaba totalmente desvinculado de lo que podría ser un electorado o una clientela y, por consiguiente, tuvo bastante libertad de acción para elaborar su política, aunque luego la aplicación resultara a menudo difícil.

La conjunción de estos elementos dio una orientación específica al gobierno dictatorial. Y la personalidad del dictador también facilitó —probablemente más que no lo haría la de los demás conjurados— la emergencia de proposiciones y proyectos políticos originales y a menudo ambiciosos.

En Primo de Rivera, hijo de coronel retirado, terrateniente, se advierten rasgos de la sociedad provinciana en la que se educó —Jerez de la Frontera—: conformismo social, afirmación de masculinidad, deslumbramiento por la vida «alegre» de las grandes ciudades (vodevil, bailes y fiestas) y por el trato con la «alta sociedad», o sea los rasgos del «señorito» andaluz. A ellos se añaden algunos valores recibidos tanto del ambiente familiar como de la Academia Militar: los propios de los institutos armados. De todo aquello no resulta más que una referencia constante pero irreflexiva a valores tópicos: honor, valor, patria, familia, religión, etc.

Falto de cultura intelectual o artística, pero de carácter abierto y con una indudable curiosidad por las personas y, a través de ellas, por las ideas que representan, Primo de Rivera aparece muy receptivo —aunque lo sea de manera superficial y transitoria— a las opiniones de quien se ha granjeado su amistad. Con el riesgo evidente de adoptar una marcha zigzagueante al rectificar los pasos en falso que su entusiasmo le impulsa a dar. De ahí que, en muchos aspectos, aparezca la contradicción entre una política fundamentalmente conservadora y algunas proposiciones novedosas que a veces se ha querido interpretar como una nueva forma de despotismo ilustrado. Su optimismo natural y su desprendimiento personal le apartaban, contrariamente a las apariencias, de las medidas autoritarias. Y efectivamente prevaleció la arbitrariedad sobre el rigor y los fríos cálculos.

Sus largas y solo ocasionalmente conflictivas relaciones con lo que llamaría el antiguo régimen, le llevan a concebir solamente una rectificación política, tanto en las orientaciones como en la aplicación, y no se le debe dar otro significado a su declaración del 15 de septiembre (Preámbulo del RD relativo a la formación de un Directorio militar): «era y sigue nuestro propósito constituir un breve paréntesis en la marcha constitucional de España». Incluso, según testimonio de Calvo Sotelo, en los primeros meses pensaba en la convocatoria de elecciones generales.

Los elementos militares que, activa o pasivamente, se unieron al movimiento tampoco tenían un proyecto político original. Su concepción de la sociedad solía asentarse en los valores católicos tradicionales, socialmente conservadores. La defensa corporativa del ejército amenazado —según ellos— en su honor (Marruecos) y en sus principios organizativos (jerarquía y disciplina) por las ideas democráticas y la debilidad de los gobiernos, reforzaba las actitudes autoritarias y centralistas: represión antiobrera o antiseparatista.

A veces en oposición con estas actitudes, entrarán en liza los elementos civiles. Estos sí son doctrinarios: unos tienen proyectos de organización política y social, otros, más técnicos, anticipan proposiciones concretas de tipo administrativo o económico. Sin relación orgánica entre sí, estos elementos civiles aportarán proposiciones originales, pero a veces contradictorias.

2. FUNCIONAMIENTO INSTITUCIONAL

Así, en los primeros meses, las instituciones del nuevo régimen dejarán entrever las bases reales de su funcionamiento.

El Real Decreto de 15 de septiembre de 1923, en su artículo 3, confería todo el poder a Primo de Rivera con la única restricción del refrendo regio: «El presidente del Directorio, con las facultades de ministro único, someterá a mi firma [del rey] asesorándose previamente del Directorio, las resoluciones de todos los departamentos». Primo de Rivera recordaba seguramente que en su origen la conspiración militar del «cuadrilátero» se había urdido lejos de él y en el ambiente palatino. Luego, por temor a que, de nuevo, algo de lo que se decidiese se le escapara, el Real Decreto de 21 de diciembre «prohíbe el despacho directo del monarca con ninguno de los miembros del Directorio a excepción del presidente». Así pues, se marca más la concentración del Poder entre las manos del dictador, con detrimento del poder «legal» de los demás jefes militares. Sin embargo, Primo de Rivera nunca había de dudar que su propio poder no solo se lo debía a ellos sino que solo se podía mantener gracias a su tácita aceptación. Y efectivamente, siempre reservó su saña y sus golpes a los altos mandos militares, de los que desconfiaba más que de los civiles. Finalmente, en 1930, a los jefes militares fue a quienes entregó su suerte política. La constante afirmación del papel moderador del rey, e incluso de su capacidad para póner fin al encumbramiento de Primo de Rivera, resulta ilusoria en la medida en que el nuevo régimen no deja a la Corona salida constitucional alguna.

La legitimidad reiteradamente invocada se basaba en la aceptación por el rey y la indudable aceptación por España —entiéndase la opinión pública: hoy, el consenso.

La cuestión de la representación nacional siempre resultó espinosa para la Dictadura. El régimen de censura previa de la prensa lo mostraba. La solución adoptada en los primeros meses fue el sistema de las «audiencias» que concedía el dictador a cualquiera que se lo pedía. Sistema de relación directa del público con la administración y el Poder tanto en los ayuntamientos (RD de octubre), como en los ministerios (RD de diciembre).

El Somatén nacional creado por el Real Decreto de 17 de septiembre no tenía papel de representación sino de·defensa social. A la vuelta de Italia, a donde acompañó al rey a finales de noviembre, Primo de Rivera esboza su concepción de un partido de tipo fascista: «El fascismo no es precisamente nuestro Somatén. El día que el somatén armado haya terminado su organización en toda España y el *partido cívico somatenista* actúe, España contará con una fuerza ciudadana de incontestable pujanza» [49, 76].

Al mismo tiempo, preocupadas precisamente por el vacío creado por la desaparición de los partidos, las fuerzas políticas que apoyan abiertamente el nuevo régimen intentan crear una organización destinada a suscitar y encauzar un movimiento de opinión favorable a la Dictadura.

Así, según Cortes Cavanillas, a instancias de Ángel Herrera, director de *El Debate*, y por mediación de Fernando Martín-Sánchez Juliá [21, 90; 44, 625] a partir de octubre de 1923 fue elaborándose una «organización ciudadana» que desembocó en la creación en Valladolid, en un mitin presidido por Eduardo Callejo, de una Unión Patriótica Castellana. El 13 de marzo de 1924 fue lanzado en Madrid un extenso *Manifiesto* llamando a la unión de los «hombres de buena voluntad» para impulsar el movimiento emprendido por la sublevación militar. Pero su orientación política se limita a la defensa de la patria, la monarquía y la religión católica.

Mientras se multiplican los mitines provinciales y se organizan las correspondientes Uniones, en abril, Primo de Rivera invita a los gobernadores y delegados gubernamentales a coadyuvar a su desarrollo (declaración de 14 de abril y carta circular del 29). El mitin de la UP de Madrid, del 14 de abril, es presidido por el subsecretario de gobernación y el gobernador «cívico-militar». A partir de aquel momento la tutela administrativa se ejerce sobre la UP, haciendo de ella no ya un partido de opinión como lo deseaban los iniciadores, sino un instrumento de propaganda oficial.

La dirección del PSP recomienda la adhesión a la UP y J. M. Gil Robles anima una serie de mitines en 1924. Por adhesión ideológica lo integran elementos venidos del maurismo y del tradicionalismo, pero los más lo hacen por oportunismo: comerciantes, propietarios —elementos en los que descansaba antes el sistema caciquil—, industriales, etc.

Así falla en realidad lo que pretendía ser instrumento de expresión de la opinión pública. No es órgano de discusión, ni tampoco es grupo de presión representativo de una fracción determinada de la sociedad.

Considerando que el fracaso de la Constitución de 1876 era político y no jurídico, el nuevo poder no estimaba necesaria la elaboración y promulgación de un nuevo texto constitucional, ni siquiera de una serie de leyes constituyentes. Así pues, reiteradamente en el primer año, se presentó la nueva organización política como un estado de excepción y se afirmó la perspectiva de una vuelta a «la normalidad constitucional» (RD sobre inmunidad parlamentaria, febrero de 1924). Y de los tres decretos de 15 de septiembre de 1923: disolución de las Cortes, suspensión de garantías y creación de un Directorio con poderes para proponer al rey decretos con fuerza de ley, solamente el tercero es, por su contenido, claramente contrario a la Constitución de 1876.

Transcurridos tres meses, otra violación fue denunciada: la ausencia de convocatoria de las Cortes. Entonces sí empezó a estabilizarse —y a institucionalizarse— lo que podía haber sido y pretendía ser una situación excepcional.

3. LOS «PROBLEMAS GRAVÍSIMOS» DE 1923

El 5 de septiembre de 1926, Primo de Rivera volvía a analizar la situación de 1923:

> Problemas gravísimos que encontré mal planteados y objeto de enconos y pasiones eran: el de Marruecos; el terrorista, con sus exacerbadas derivaciones comunistas y sindicalistas, haciendo imposible la vida económica nacional; el separatismo, audaz y propagado, prendiendo en comarcas donde nunca fuera de temer mal tan odioso y grave...

Entre los muchísimos problemas que se planteaba en 1923 el poder político, estos tres principales: terrorismo, separatismo y Marruecos habían sido las justificaciones públicas de la sublevación de los jefes militares. También, a más largo plazo, la Dictadura anunciaba que iba a poner término al caciquismo, a la corrupción política, a todo lo que podían evocar las despectivas expresiones de «vieja política» (Ortega), «antiguo régimen» o «régimen de la política» (Primo de Rivera).

3.1. ORDEN PÚBLICO Y ORDEN SOCIAL

Las medidas represivas adoptadas y la acción de los servicios de policía dirigidos por los generales Martínez Anido y Arlegui (muerto en enero de 1924) habían bastado para interrumpir la ola de atentados que estremecía a Cataluña, sobre todo en la provincia de Barcelona.

A este sosiego contribuyó indudablemente la mejora de la coyuntura industrial y comercial, anterior ya al golpe de Estado, sin hablar de la descomposición de la CNT desangrada por años de represión.

Pero el gobierno no podía descuidar el hecho de que la única oposición —minoritaria pero no totalmente desprovista de medios de acción— había sido la de las organizaciones obreras revolucionarias fuera de Cataluña. Además, la táctica del «bloque obrero» adoptada por el IV Congreso de la Internacional Comunista (diciembre de 1922), si surtiera efectos en España, significaría una peligrosa coalición, si no del PSOE con sus ex disidentes del PC de España sí, por lo menos, de sindicatos federados en la UGT con elementos terceristas, lo que provocaría seguramente, una mayor conflictividad social.

De ahí que se iniciase una política de represión contra las organizaciones «comunistas», esto es favorable a la III Internacional de Moscú, ya fueran elementos de la CNT o del PCE.

La CNT reúne clandestinamente dos plenos regionales de la Confederación catalana en Granollers (30 de diciembre de 1923) y Sabadell, (4 de mayo de 1924), en los que se excluye cualquier colaboración con el régimen dictatorial. Pero la organización, ya bastante debilitada, está en crisis. Unos intentan llevarla hacia las posiciones de la III Internacional (Maurín, Comités Sindicalistas Revolucionarios), otros exploran las posibilidades de una vuelta a la legalidad. Mientras tanto siguen los atracos de bancos (Tarrasa, Barcelona, Manresa, Gijón). El asesinato del verdugo de Barcelona, 7 de mayo de 1924, le sirve al gobierno de pretexto para acabar con lo que queda de la CNT. Son clausurados los sindicatos, son detenidos los miembros de los comités confederales, se suspende la prensa. El recurso a la violencia vuelve a ser para algunos la única posibilidad de acción: penetración de un grupo armado de 50 hombres en Vera de Bidasoa y proyectado asalto del cuartel de Atarazanas en Barcelona (6 de noviembre de 1924), atentado contra Alfonso XIII en París por Durruti y Ascaso (14 de julio de 1926), participación en el movimiento abortado de la «Sanjuanada» (24 de junio de 1926).

El Partido Comunista, con efectivos activos ínfimos (menos de 1000), se deshace en expulsiones, dimisiones y división en tendencias. A partir de 1925, el nuevo secretario general, José Bullejos, acentuará el izquierdismo del partido y solo a partir de 1927 se advertirá una clara' recuperación y una penetración notable de las organizaciones sindicales.

Gabriel Maura, estrechamente relacionado con los dirigentes de aquella época, pudo afirmar que los responsables de la policía «mantuvieron la campaña antibolchevista durante todo el período dictatorial, con tan enérgico tesón como notoria fortuna... La intensa propaganda irradiada desde Moscú... no logró trasponer las fronteras españolas durante este período de mayor auge» [36, 165].

Y para su política contrarrevolucionaria —antibolchevista—, Primo de Rivera contaba con un aliado potencial: el movimiento socialista, UGT y PSOE. Y el cepo serán los cargos sucesivamente ofrecidos en diversos organismos oficiales de carácter técnico o administrativo y, sobre todo, la legalidad de las organizaciones.

Cuando, en junio de 1924, el Instituto de Reformas Sociales fue reemplazado por el Consejo Superior de Trabajo, le parecería lógico a la UGT seguir ostentando la representación obrera. Asimismo, no planteaba problemas la designación de vocales obreros en el Consejo Interventor de Cuentas de España del Tribunal Supremo de Hacienda Pública, constituido por el Real Decreto de 19 de junio de 1924. El carácter técnico y consultivo de estos organismos les quitaba significación política, y sobre todo —cuestión de principios—, no se trataba de una designación por el Poder sino de una elección libre por la organización. En realidad, en el último caso había sido una designación que recayó en los hombres que había elegido la UGT.

Con la creación de una vocalía obrera en el Consejo de Estado (RD de 13 de septiembre de 1924), a designar por el presidente del Consejo Superior de Trabajo, se plantea de nuevo la aceptación de un nombramiento directo por el Poder. En la práctica se obtuvo que este recayera en la persona designada por la UGT, o sea Largo Caballero. Pero como no se trataba de cargos existentes antes del golpe de Estado, sino de creación dictatorial, se agudizó el debate relativo a la colaboración con el Directorio en el seno de las instancias directivas de la UGT y del PSOE. Finalmente es confirmada la aceptación del cargo en diciembre de 1924. Se oponían a ella Fernando de los Ríos e Indalecio Prieto, que desde los primeros días de la Dictadura manifestaron hostilidad al nuevo régimen, dimitiendo el último de la Comisión Ejecutiva del partido (26 de diciembre de 1924). Aquellos acontecimientos marcan la ascendencia que está tomando Julián Besteiro en el socialismo español. Este, apoyado por los sindicalistas más pragmáticos, seguía afirmando su concepción marxista del movimiento histórico pero rechazaba la estrategia de la *dictadura del proletariado*, experimentada por los bolcheviques, y había hecho suya la posición de Kautsky —que era también la de la II Internacional integrada por el PSOE— de un «inevitable progreso de la sociedad a través de una revolución burguesa hacia el socialismo y deducía de ello una praxis pacífica y gradualista» [46, 17]. La experiencia inglesa del primer gabinete laborista (enero de 1924), les incitaba a confiar en un reformismo que ahorrara al país el coste de la revolución. A partir de 1926 se acentuó más esta actitud, que la Dictadura no dejó de aprovechar. Así, cuando se organiza el sistema corporativo, la UGT es representada por Largo Caballero y Saborit en la Comisión Interina de Corporaciones del Ministerio de Trabajo y en los comités paritarios (1926).

Un cambio total de rumbo solo tendrá lugar en 1930, cuando los socialistas hagan el balance político y sindical de esta colaboración de clase.

Vista desde el Poder, esta doble política de represión y seducción parecía tener éxito: el número de huelgas se redujo a 165 en 1924, con 29 000 huelguistas (frente a las 465 con 120 000 huelguistas de 1923). La conflictividad social en todos sus aspectos —huelgas o atentados— se atenuó de manera inesperada, lo cual reforzaría momentáneamente en la opinión la imagen positiva del gobierno.

3.2. SEPARATISMO CALATÁN

Las tensiones sociales y políticas en Cataluña, fermento obvio del golpe de Estado, no se materializaban solamente en la combatividad obrera y la reacción patronal. La solapada aproximación de la burguesía industrial catalana hacia el poder central considerado como instrumento de defensa social a partir de 1919, expresaba una duda acerca de la capacidad de Cataluña para afrontar sola sus problemas sociales. Por lo tanto, esto suponía una crítica de las tesis nacionalistas en sus consecuencias separatistas, al mismo tiempo que volvía a poner en tela de juicio el alcance real de la democracia.

El monopolio de la expresión nacionalista catalana, detentado por la Lliga, se rompió en 1922, desgajándose su rama izquierda, radicalísima: nacía Acció Catalana.

Esta ruptura favorecía a la vez las ambiciones de Primo de Rivera y las aspiraciones conservadoras de la Lliga. El primero podía hacer promesas a la Lliga y reprimir el nacionalismo catalán odiado por la mayor parte de los jefes militares y mal entendido por la opinión castellana. La segunda podía esperar del nuevo régimen la defensa eficaz del orden social, algunas concesiones en cuanto a la autonomía administrativa —a la vez instrumento político e ideológico de dominación en Cataluña—, y la eliminación de las amenazas económicas (arancelarias y tributarias) encarnadas en Santiago Alba.

Sin embargo, los sectores conservadores del catalanismo se sintieron algo defraudados por la actitud anticatalanista del Directorio militar. Primo de Rivera había hecho suyo, verbalmente, el *Memorandum* que le habían entregado el 14 de septiembre. El Real Decreto contra la propaganda separatista (18 de septiembre) podía entenderse como reservando los golpes a Acció Catalana, que se había mantenido siempre alejada de la Capitanía General y declaró inmediatamente su hostilidad al golpe de Estado. Pero a principios de 1924 las detenciones parecen alcanzar sin distinción a miembros de Acció Catalana, como Julio Barbey, ex concejal de Barcelona, y de la Lliga, como Román Sol, consejero de Cultura de la Mancomunidad.

Las organizaciones más radicales tienen que desaparecer: Estat Català pasa a la clandestinidad, y su jefe Francisco Macià, procesado, emigra a Francia. El Centre Autonomista de Dependents del Comerç i de la Industria es clausurado y sus dirigentes son detenidos e ingresan en la cárcel Modelo.

Las medidas tomadas contra las diputaciones provinciales —a excepción de las provincias forales: Vascongadas y Navarra—, reemplazadas por comisiones gestoras, significaban de hecho la supresión de la Mancomunidad. Su último presidente, Puig y Cadafalch, tan favorable a Primo de Rivera en el otoño de 1923, es sustituido por A. Sala Argemí, de Unión Monárquica, hostil a la Lliga (enero de 1924).

Primo de Rivera pretendía resolver el «problema catalán», pero en realidad lo iba exacerbando. Los exiliados nacionalistas entran en relación con los anarquistas y comunistas; surgen grupos de acción violenta, como por ejemplo, la Bandera Negra (Santa Germandat Catalana) de

Jaime Compte. Serán los instigadores del atentado contra el tren de Alfonso XIII en Garraf en junio de 1925.

De más alcance en la opinión catalanista será la prohibición, en 1925, de predicar y catequizar en catalán: se acumulaban ya los rencores contra la Dictadura en aquella región. De este cambio de rumbo, Primo de Rivera hará responsables a los demás miembros militares del Directorio y especialmente al coronel Godofredo Nouvilas, que representaría a la Junta de Defensa del Arma de Infantería, más activa de lo que creían en el Ministerio de la Guerra [25, 306]. Pero también era el resultado del fracaso de las negociaciones entabladas con los dirigentes catalanes para que apoyaran el Directorio con su participación personal. Reunidos en Capitanía General el 9 de enero de 1924, los representantes de la Lliga Regionalista, de la Federación Monárquica Autonomista y de la Unión Monárquica Nacional mantienen su negativa a colaborar políticamente —esto en plena conformidad con lo que preconizaba Cambó a raíz del golpe de Estado. Por lo menos las satisfacciones de orden económico y sociales son al principio mayores. La adhesión al nuevo régimen por parte del Fomento del Trabajo Nacional y del Instituto Agrícola Catalán de San Isidro había sido entusiasta. Este último estaba preocupado por las «corrents demolidors del dret de propietat i del dret de llibertat de treball i de contratació que, a causa d'influències exòtiques, s'havien iniciat al camp». En el caso concreto del campo catalán se trataba de la Unió de Rabassaires, que representaba en el campo el republicanismo catalán. Esta asociación había esperado mucho el programa agrario del último gobierno constitucional. Sin vínculos con el movimiento sindicalista, quiso aprovechar las intenciones reformadoras de Primo de Rivera y se entrevistó con él el 27 de marzo de 1924 pidiendo una intervención del Estado en la redención de los censos [5, 79]. Su petición no fue atendida: otro sector catalán, más rural ahora, que, decepcionado por el régimen, engrosaría luego las filas de los partidos republicanos.

Los sectores industriales fundaban sus esperanzas en el Consejo de Economía Nacional (30 de abril de 1924), claramente proteccionista. Incluso obtuvieron el reconocimiento de un monopolio catalán del algodón cuando el comité de la Industria Algodonera (del Consejo de Economía Nacional) prohibió la instalación de fábricas textiles nuevas e incluso la ampliación de las existentes (29 de septiembre de 1926). Las inquietudes surgirán más tarde, cuando el ministro de Hacienda, Calvo Sotelo, querrá impedir a toda costa y en detrimento de la actividad económica la depreciación de la peseta en los mercados de cambio, después de 1927.

3.3. MARRUECOS

La cuestión marroquí había sido la contradicción dominante que llevó a la ruptura institucional. Las demás contradicciones políticas y sociales dieron sus matices y características originales a la solución adoptada. Así, la conflictividad social encontró una salida provisional en la instrumentalización de una parte de las organizaciones obreras —los socialistas—. Lo cual se hizo, lo veremos más adelante, en oposición a los sectores que apoyaban a la Dictadura: sindicalismo católico, o antisindicalismo empresarial.

La tensión entre los grupos dominantes de Cataluña y el poder central, parecía que iba a resolverse a favor de las tesis autonomistas a cambio de la proyección del capitán general Primo de Rivera hacia el Poder. Por el peso y el poder intrínseco de la corona y de muchos jefes militares, más allegados a ella que a Primo de Rivera, finalmente triunfan las orientaciones centralistas. Lo cual, con los años, llevaría la opinión catalanista hacia posturas más radicales.

La campaña marroquí afectaba de una manera u otra a todos los sectores de la vida nacional: relaciones internacionales, economía, presupuesto, opinión pública, organizaciones políticas, etc. En el verano de 1923, bajo la presión de la opinión y de las necesidades presupuestarias, el gobierno constitucional parecía tener dos objetivos principales en la materia: acabar con las salpicaduras de la campaña —desastres, insubordinación, escándalos financieros— y encontrar una salida pacífica —y civil— a la colonización.

En cambio, la reacción militar, no la específica de Primo de Rivera sino la del «cuadrilátero» más próximo a la corona, apunta en dos direcciones: las responsabilidades, el abandono de la campaña en Marruecos. Todo lo demás —regeneración política y económica, etc.— viene por añadidura.

El 11 de julio de 1923 había sido designada la comisión del Congreso que debía estudiar el expediente del general Picasso y entregar su dictamen el 1 de octubre. El general Picasso no tenía atribuciones para salirse del marco de las responsabilidades exclusivamente militares; luego el traslado del informe a las Cortes solo podía entenderse como la extensión de la investigación no solo al Alto Mando —el Consejo Supremo de Guerra y Marina ya estaba procesando al general Berenguer— sino también a los Altos Comisarios, gobiernos y, así lo demandaban los socialistas, a la corona si hubiere lugar.

Si la responsabilidad directa del monarca en el desastre de 1921 no se podía demostrar —y entonces nadie lo sabía a ciencia cierta, y tampoco hoy se ha demostrado documentalmente—, era seguro que iban a multiplicarse los ataques y vejámenes a la corona y al ejército y se reforzaría el antimilitarismo popular, claramente expresado en las recientes rebelio-

53

nes de tropas mandadas a Marruecos. Siendo la más sonada la de Málaga, del 23 de agosto, con sentencia de muerte para el cabo José Sánchez Barroso. Y se fortalecerían también los partidos antimonárquicos —socialistas y republicanos— como había ocurrido en las elecciones de abril de 1923 en Madrid, donde los socialistas habían obtenido las mayorías. Los párrafos del *Manifiesto* de 13 de septiembre dedicados a las responsabilidades eran bastante ambiguos. A la par que se afirmaba que la nación «quiere saberlas exigidas pronto y justamente», el hecho de que se encargara de ello a «tribunales de autoridad moral y desapasionados de cuanto ha envenenado hasta ahora la política o la ambición» significaba devolverlo a los tribunales militares, concretamente el Consejo Supremo de Guerra y Marina, y deshabilitar las Cortes. Y como aquello podía significar el abandono de la acción judicial contra los gobiernos, se operaba un pequeño desplazamiento del enfoque anunciando un «proceso que castigue implacablemente a los que delinquieran contra la patria corrompiéndola y deshonrándola». Así pues, y explícitamente, se podía designar a Santiago Alba y a García Prieto, haciendo de ellos las víctimas propiciatorias sacrificadas a la opinión, especialmente catalana, para redención de España. Y se hurtaban las responsabiliddes en la cuestión marroquí para sustituirlas por una acusación general contra el régimen parlamentario.

En cuanto a las responsabilidades militares del desastre de Annual, la disolución de las Cortes dejaba en el vacío el expediente Picasso. Pero Primo de Rivera no podía impedir la instrucción en el Consejo Supremo. El 19 de junio de 1924, se abre el juicio contra los generales Berenguer, Navarro y otros oficiales. Berenguer tuvo que dejar el servicio activo, Navarro fue absuelto y los demás oficiales sufrieron condenas de escasa importancia. Enfrentado, por parte del Ejército, con un progresivo desvío de su política, dos semanas más tarde (4 de julio) Primo de Rivera decreta una amnistía general para los condenados por motivos políticos o militares desde septiembre de 1923. De las responsabilidades, no se iba a hablar más bajo la Dictadura. En cuanto a la campaña en Marruecos, los recelos del «cuadrilátero» hacia el declarado abandonismo de Primo de Rivera —y de los elementos catalanes que le apoyaban al principio, así como de las organizaciones socialistas— parecían muy justificados.

Por una parte, el último ministro de la Guerra, el general Aizpuru, que sucedió a Luis Silvela en la Alta Comisaría, negociaba un compromiso con El Raisuni, antiguo cadí de Arcila (al sur de Tánger) a fin de liberar el oeste para resistir a Abd-el-Krim en el este. Por otra, y coherente con su preocupación presupuestaria, Primo de Rivera anunciaba una reducción del número de reclutas para 1924 y retiraba tropas de las zonas no activas de Marruecos.

Los elementos africanistas del Ejército reaccionaron exigiendo una ofensiva contra Abd-el-Krim, llegando a publicarse un artículo del teniente coronel Francisco Franco, «Pasividad e inacción», en la *Revista de las Tropas coloniales* que lanzó el general Queipo de Llano en enero de 1924 para apoyar la política ofensiva de los africanistas.

En el verano de 1924 la situación sigue deteriorándose y los puestos de la región de Xauen están sitiados continuamente. Primo de Rivera giró una inspección a mediados de julio y se enfrentó de palabra con los oficiales del Tercio capitaneados por Francisco Franco. Por lo menos logró dar a entender que las retiradas no serían más que tácticas. En el invierno de 1924 a 1925, la presión marroquí era tan fuerte que puso aún más de relieve las deficiencias del ejército: incapacidad de los oficiales y falta de entrenamiento de las tropas. Convencido de la necesidad de mejorar la competencia del ejército antes de emprender cualquier acción, Primo de Rivera empezó por reforzar los cuerpos de choque como el Tercio.

Mientras tanto Abd-el-Krim se movía con tal impunidad que, en abril de 1925, decidió atacar la zona francesa. Lo cual acabó por convencer al gobierno francés de la necesidad de buscar una cooperación militar con los españoles. El 28 de julio de 1925 se concierta una acción conjunta: a los españoles les corresponde el desembarco en la bahía de Alhucemas, el cual empieza el 8 de septiembre. El efecto de sorpresa es total y en los meses siguientes se descompone el ejército de Abd-el-Krim. A partir del otoño de 1925 el ejército español es dueño del terreno, y la rendición de Abd-el-Krim a las fuerzas francesas en mayo de 1926 cierra provisionalmente la cuestión marroquí.

El éxito del desembarco de Alhucemas fue aprovechado por Primo de Rivera para dar color a su imagen personal en la opinión. Pero no se solucionaban así todos los conflictos latentes o declarados entre el dictador y los oficiales del ejército. Los fracasos anteriores habían puesto de relieve la incompetencia profesional de muchos oficiales, y la victoria se debía a la vez a la acción diplomática hacia Francia y al desarrollo de los cuerpos especiales. En la prensa se tributaba homenaje a unos jefes promocionados por la guerra: Franco, Sanjurjo, Queipo de Llano, Millán Astray. Las satisfacciones dadas a los «africanistas» avivaban los rencores de los «junteros».

Primo de Rivera, que había fundado su régimen sobre una supuesta unanimidad del ejército y le había atribuido un importante papel político y administrativo, advertía que se agrietaba ese edificio.

Los conflictos del dictador con el instituto armado, independientemente de la cuestión marroquí, fueron principalmente de dos órdenes: las modalidades del ascenso de los generales y la actuación de los militares como administradores provinciales y locales. Hasta entonces los ascensos de los generales se hacían por antigüedad. Modificando la composición de la Junta de clasificación de Generales, interviniendo personalmente en sus decisiones, Primo de Rivera interrumpió la carrera normal de los generales López de Ochoa y de Sosa, que se habían significado por sus opiniones moderadamente liberales. Además, en 1924, el dictador multiplicó las desavenencias y vejaciones contra los jefes más antiguos y prestigiosos, los generales Aguilera y Weyler, y contra el Consejo Supremo, que no le resultaba bastante dócil. Asimismo, de un plumazo se disolvía la Junta de Defensa del Reino, recayendo sus funciones en el mismísimo Directorio militar. Las tensiones entre africanistas —satisfechos del cambio de rumbo de la campaña— y junteros, que concentraban sus ataques contra Millán Astray y Franco tratando de impedir su ascenso y de desvirtuar su prestigio, no tuvieron efecto político directo. Tampoco parece inquietarle mucho al dictador la permanente conspiración de oficiales liberales y constitucionalistas encabezados por el coronel Segundo García. En cambio, concentra su animosidad contra el general Weyler, que a sus ochenta y tres años sigue criticando abiertamente el régimen anticonstitucional, y le destituye en octubre de 1925 de su cargo de Jefe del Estado Mayor Central. El descontento cunde también entre los oficiales desperdigados por la Península a título de gobernadores civiles o de delegados gubernativos.

Unos emprendieron efectivamente la tarea que se les había encargado: poner fin a la corrupción y al caciquismo, pero a otros les pareció más cómodo o más justo apoyar las estructuras políticas existentes. En algunos casos surgió un conflicto entre los militares mismos cuando las denuncias hechas en una localidad no encontraban eco y se perdían por mala voluntad al llegar a niveles superiores. Así le ocurrió en Cartagena al teniente coronel Tirado, enfrentado con las autoridades de Murcia y de Madrid, o al comandante Claudín en Baza (Granada), que al querer desarmar el tinglado político local acabó destituido de su cargo de delegado.

El director de Administración Local, José Calvo Sotelo, que recibía las numerosas quejas de los ciudadanos contra los delegados militares y estaba enterado del descontento de estos, mal preparados para este papel político-administrativo, aconsejó por carta a Primo de Rivera, el 19 de octubre de 1924, que funcionarios civiles sustituyeran a los militares, y efectivamente esta transformación empezó en 1925. Pero el movimiento general de desvío del ejército desembocó en diciembre de 1925 en la constitución de un Directorio Civil. Los miembros del anterior directorio no habían aportado, según Payne, «ninguna contribución política propia al gobierno porque, con excepción de Magaz, Martínez Anido y Jordana (hijo del antiguo alto comisario), eran nulidades políticas que nunca habían causado ninguna impresión en el público» [42, 200].

3.4. La vieja política

Por fin, el Directorio Militar anunciaba una acción decidida contra el «régimen de la política», la corrupción y la mala administración. Las decisiones relativas a los partidos y a las Cortes hubieran supuesto una reforma constitucional que, en los primeros tiempos de la Dictadura, no entra en sus planes: la «suspensión» bastaba. Para Primo de Rivera era preciso cortar el mal en sus raíces, o sea en la vida local. El 30 de septiembre de 1923 disuelve los ayuntamientos, «semilla y fruto de la política partidista y caciquil», que son sustituidos por «los vocales asociados». Estos, designados por sorteo entre los mayores contribuyentes en igual número que los concejales, formaban, reunidos con el concejo, la Junta Municipal, que examinaba el presupuesto municipal, etc. Desde luego, los resultados fueron muy diversos. En algunos casos los cargos municipales recayeron en socialistas o republicanos; en los más, en miembros de la diminuta oligarquía local en la que se asentaba el caciquismo rural. Y la adhesión de estos nuevos concejales a las Uniones Patrióticas no significaba más que oportunismo interesado.

La fiscalización de la vida administrativa por los delegados gubernativos, militares instalados en las cabezas de partidos judiciales (21 de octubre de 1923), tuvo a veces efectos concretos como, por ejemplo, una mejor recaudación tributaria. Pero en muchos casos la situación continuó igual, tanto por la mala voluntad de los nuevos ayuntamientos como por la desgana de muchos oficiales.

La misma actitud de hostilidad a los organismos sometidos a elección hizo que se decretara la disolución de las diputaciones provinciales, puesto que «muchas de las corruptelas que el Directorio se propuso y quiere expulsar de los Ayuntamientos, tienen franca cabida todavía en bastantes diputaciones provinciales» (preámbulo del RD de 12 de enero de 1924). Los diputados «interinos» son designados por el gobernador civil —en realidad, militar— entre «los habitantes de la provincia, de más de veinticinco años, que posean título profesional, sean mayores contribuyentes o desempeñen cargos directivos en las corporaciones representativas de intereses culturales, industriales y profesionales».

Por lo menos, con la designación directa por el Poder, no se iba a repetir lo de los vocales asociados, que resultaba a veces aberrante.

Por otra parte, a finales de septiembre de 1923, Primo de Rivera había pedido a diversas personas, entre otras a V. Pradera, la redacción de memorias sobre administración local y provincial. Calvo Sotelo, joven abogado del Estado de treinta años, ex diputado maurista, ex secretario político de Antonio Maura, especialista de la administración local, se entrevista con el dictador los días 25 y 27 de septiembre y le expone las grandes líneas de un nuevo régimen de administración local. En diciembre, Primo de Rivera le ofrece la Dirección General de Administración Local, que Calvo Sotelo acepta bajo la condición de que pudiera seguir las orientaciones presentadas en septiembre. El 4 de marzo de 1924 se promulgaba el ESTATUTO MUNICIPAL, que era la primera proposición de reforma institucional del sistema político español [57, 42].

El ESTATUTO MUNICIPAL refleja el ideario de Calvo Sotelo y no el de Primo de Rivera o de los jefes militares. Es un caso, entre muchos, de la importancia que tuvo —desde el principio del Directorio— el personal político procedente del maurismo, y más aún de la democracia cristiana (Partido Social Popular), en la proyección ideológica e institucional del nuevo régimen.

Como su aplicación suponía elecciones y la Unión Patriótica no llegó a tener fuerza suficiente para que el gobierno confiara en su capacidad electoral, el ESTATUTO MUNICIPAL no tuvo vigencia. Destacaba en él la afirmación de que «El Estado, para ser democrático, ha de apoyarse en Municipios libres» (primeras palabras del preámbulo). Se introducía el voto y la elegibilidad de mujeres cabezas de familia, el escrutinio proporcional, y diversas disposiciones que daban personalidad jurídica al municipio —reduciendo la tutela del Estado— y ampliaban sus facultades económicas y administrativas. Siguiendo las líneas de los proyectos de Maura y Canalejas, se introducían concejales corporativos (1/3). Esta última disposición correspondía a uno de los criterios defendidos desde hacía años con la concepción orgánica de la sociedad. Al individualismo que implica la democracia igualitaria —jurídicamente—, legado del espíritu de la revolución francesa y del liberalismo, se oponía la representación de las entidades «naturales» que son la familia y, por consiguiente, las mujeres cabezas de familia, el municipio y las organizaciones culturales o profesionales. Con lo cual se planteaba por lo menos la cuestión del contenido de la democracia.

Además, la afirmación del carácter «natural» del municipio y de su autonomía, base del Estado, invertía la óptica centralista, que partía del concepto de nación y privilegiaba el pacto constitucional: rey-Cortes (nación). Esta libertad y autonomía municipal admitía explícitamente la posibilidad de entidades supramunicipales de ámbito comarcal.

Un año más tarde, el 12 de marzo de 1925, se promulgaba un ESTATUTO PROVINCIAL que obedecía a las mismas directrices: diputados por sufragio universal con representación proporcional y diputados corporativos, derecho a mancomunarse por provincias colindantes. Lo cual significaba que no se resolvía en nada el divorcio entre la reforma emprendida con determinación por Calvo Sotelo y las condiciones políticas de su aplicación.

En 1925 aún no se había descartado —probablemente— la vuelta a la Constitución de 1876, pero sí su oportunidad.

La Dictadura había interrumpido un sistema de representación del poder real —social e ideológico— pero no alteraba en nada la atribución de este poder.

Para congraciarse con la opinión, en el *Manifiesto* Primo de Rivera había designado la víctima sacrificada en aras de la purificación política, Santiago Alba, acusado públicamente por el dictador de malversación de fondos públicos, y especialmente —para mayor escándalo— de fondos secretos destinados a Marruecos, o sea al rescate de prisioneros de Annual. Se designó un juez especial, Álvarez Rodríguez, para la instrucción. En el invierno de 1923 a 1924 este juez procesó a S. Alba y diversas personalidades vallisoletanas. Pero en julio de 1924 el Tribunal Supremo, al que Álvarez Rodríguez tenía que dirigir los resultados de su investigación, acordó que los procesamientos decretados no eran válidos por infracción de la Constitución y de diversas leyes vigentes, reservándose al Alto Tribunal el procesamiento de senadores o diputados. En el otoño de 1926, el Tribunal Supremo declaró el libre sobreseimiento de la causa y la inexistencia de las imputaciones a Alba. Así acababa, tras numerosas peripecias en las que el poder judicial se enfrentó directamente con el dictador, la acción contra el «régimen de la política».

En el otoño de 1925, Primo de Rivera puede aprovechar el impacto del éxito en Marruecos para conservar el Poder. Pero ni puede seguir apoyándose en militares que administran a regañadientes, ni se atreve a la prueba de las elecciones: la Unión Patriótica no convence a nadie de su capacidad movilizadora. No le quedaba al dictador otra salida que mantener el estado de «excepción» retirando a los militares sus responsabilidades políticas. Es lo que dicta el Real Decreto de 3 de diciembre de 1925, que restablece un Consejo de Ministros bajo la presidencia de Primo de Rivera.

Este declaró que se trataba de una dictadura «civil y económica», insistiendo en la especialización técnica de los hombres que había elegido. Así son las apariencias, pero el vacío político que se hace alrededor del Poder limita las posibilidades de la designación. Todos los ministros eran miembros de la Unión Patriótica. Tenían algún pasado político José Calvo Sotelo (maurista), Eduardo Aunós (Lliga), José Yanguas (conservador), respectivamente en Hacienda, Trabajo y Estado. Otros no tenían más ejecutoria que su adhesión al régimen: Galo Ponte (Gracia y Justicia), Callejo (Instrucción Pública), Rafael Benjumea, conde de Guadalhorce (Fomento).

Se mantenía una representación de los cuerpos armados en las personas del general Martínez Anido en Gobernación, el general O'Donnell y Vargas, duque de Tetuán, en Guerra y el vicealmirante Cornejo en Marina.

CAPÍTULO IV

El Directorio Civil y el fomento de la economía, 1925-1929

El gobierno civil del 3 de diciembre de 1925 fue parco en declaraciones programáticas: acabar con la cuestión marroquí, preparar los «planes de reorganización de los servicios y reconstrucción e incremento de la vida nacional», defender el «crédito público», la «firmeza de la moneda y signos de crédito». En lo político se advierten dos indicaciones: que el período de excepción constitucional de la Dictadura «bien puede llamarse constituyente» y que el gobierno «acoge la idea de encomendar a centros y organismos adecuados y de carácter a un mismo tiempo oficial y electivo, el estudio abstracto de leyes» [49, 178].

El concepto mismo de «período constituyente» alteraba la afirmación anterior de la «interinidad» de la Dictadura con vuelta a la Constitución de 1876. Y marcaba la influencia creciente de los colaboradores civiles de Primo de Rivera, principalmente de Calvo Sotelo y Eduardo Aunós, que de la Dirección General de Administración Local y de la Subsecretaría de Trabajo habían ascendido respectivamente a los ministerios de Hacienda y de Trabajo. Influencia que había de notarse tanto en la intervención administrativa en la producción (reglamentación, protección) y en las relaciones laborales (comités paritarios, organización corporativa, etc.), como en la intervención financiera del Estado en grandes planes de modernización económica (irrigación, carreteras, enseñanza) o en ayuda a las empresas.

La retórica doctrinaria de las disposiciones adoptadas o de los proyectos no debe ocultar, sin embargo, el carácter a menudo improvisado de esta política económica. Puesto que el debate de orientación no se dirimía en el seno de una institución representativa, era necesaria —políticamente— una justificación que ni recordara el período anterior, aunque las medidas fuesen similares, ni apareciera como improvisación burocrática. En cuanto a la orientación económica, el régimen no propuso modificación fundamental del sistema productivo, sobre todo en relación con el lastre de la situación agraria. Las medidas favorables a la industrialización prolongaban las orientaciones protectoras y desarrollistas de los políticos constitucionales (Maura, Sánchez de Toca, etc.). Se podía observar que los órganos técnico-administrativos encargados de preparar las decisiones estaban integrados por representantes de las asociaciones profesionales, o sea el mismo poder económico-social que en el período anterior. Y los resultados alcanzados no pasaron, salvo alguna excepción, de lo que habría resultado del libre juego de la economía en el marco proteccionista elaborado antes del golpe de Estado.

Es interesante observar cómo el recuerdo de los contemporáneos y la historiografía presentaron el período dictatorial como una época de desarrollo y de bienestar, cuando en realidad la política económica del Directorio marchaba al compás de la coyuntura: paro en la construcción, crisis del textil, alza de precios al por menor. Gracias al monopolio socialista de la representación obrera y a su actitud pragmática, pudo desarrollarse una política de relaciones laborales bajo el signo de la colaboración de clases, aunque el corporativismo oficial lo entendiera como superación del enfrentamiento de clases y expresión orgánica de la vida económica.

1. EL ESTADO INTERVENTOR

Tanto por hábito castrense de Primo de Rivera, y por el concepto del Estado en las doctrinas que orientan a los nuevos políticos, como por la ausencia de cauces de discusión de las medidas tomadas o a tomar, el período dictatorial se caracteriza por la multiplicación de organismos asesores o de control en todos los sectores productivos. Esta fiscalización e intervención no hace más que acentuar las orientaciones nacionalistas y autárquicas de los gobiernos constitucionales.

1.1. PROTECCIÓN Y ORGANIZACIÓN DE LA PRODUCCIÓN NACIONAL

Apenas nombrado subsecretario del Ministerio de Trabajo, Aunós quiso reorganizar su administración sobre el modelo belga inspirado por el tratadista Fayol: el ministerio concebido como una empresa, siendo los ciudadanos sus accionistas. Al Consejo de Administración le corresponde, pues, el Consejo Superior de Trabajo, Comercio e Industria, creado en abril 1924 y compuesto de representantes corporativos (asociaciones profesionales, cámaras de comercio). Este Consejo mantuvo un criterio claramente proteccionista. Las tarifas fueron revisadas en alza en los años 1926, 1927 y 1928 para fortalecer la industria siderúrgica. Las exenciones concedidas lo fueron para maquinaria.imprescindible para el desarrollo industrial.

Acotado el mercado nacional, otros organismos tuvieron por objeto la regulación de mercados y precios: no hubo sector, por reducido que fuese, que escapara a la constitución de una Cámara, un Consejo superior, una Junta, un Consorcio o una Comisión [relación de 60 RR DD correspondientes, en 64, 100], los más de ellos integrados progresivamente en el Consejo de Economía Nacional.

Estas entidades reunían representantes de los productores existentes, y en consecuencia su actitud fue predominantemente monopolística y poco favorable a la creación de nuevas empresas del mismo sector o de sectores competidores.

Así, los olivareros obtienen que se prohíba la fabricación de aceites de semillas oleaginosas. Así se niega la autorización de implantar nuevas fábricas textiles algodoneras. Así se frena la expansión de la producción de cementos por miedo a una reducción de los planes de obras públicas. La incoherencia resultó tan grande que el gobierno estimó necesario transformar el Consejo de Economía Nacional en un Ministerio de Economía Nacional (RD de 3 de noviembre de 1928) para imponer cierta coordinación en las decisiones.

La intervención administrativa de la producción no significó, pues, ninguna orientación nueva desde el poder político. La principal consecuencia fue, sin duda alguna, la existencia de costes elevados debidos a la protección arancelaria por una parte, y por otra, al freno oligopolístico a la competencia interior. El acceso a los mercados exteriores no se planteaba más que para la producción de algunas materias primas y productos agrícolas.

La debilidad de la reivindicación sindical redujo la presión salarial, dejando amplios márgenes de beneficio en un momento en que se elevaba la productividad.

1.2. EL CONTROL DE LAS RELACIONES LABORALES

Precisamente lo que aparentaba ser la base ideológica del régimen, el corporativismo, afectó más que todo a las relaciones laborales. En cuanto a la producción, perfectamente controlada por la clase patronal, a lo más se puede hablar de un gremialismo.

Los principios del corporativismo, según Aunós, que fue su paladín desde el Ministerio de Trabajo, eran «uno, el de la intervención del Estado en el problema social; otro, el de la necesidad de estructurar el país en su aspecto económico» [3, 106]. Aunós veía en su origen las

63

proposiciones de la escuela social católica de La Tour du Pin, la legislación corporativa fascista —que había ido a estudiar a Italia— y los antecedentes españoles, principalmente los comités paritarios creados en Cataluña en 1919. Esta última indicación señala en parte los límites del corporativismo español, y, como para el nacionalismo, en qué prolonga orientaciones anteriores. Su fin principal era encontrar cauces para impedir los conflictos sociales más que fomentar una política económica determinada. También, desde hacía varios años, tanto las asociaciones profesionales como algunos políticos —especialmente los mauristas, los tradicionalistas y los demócratas cristianos— apelaban a una reforma del Senado en el sentido de una representación corporativa. Efectivamente, esta representación corporativa, en realidad patronal, se había adoptado en parte ya en los Estatutos municipal y provincial de Calvo Sotelo. También en el Consejo de Economía Nacional, a pesar de la reducida representación obrera.

Después de un año de Directorio civil, era promulgado el Decreto Ley de 26 de noviembre de 1926 que creaba la Organización Corporativa Nacional. No se trataba de un instrumento de política económica, sino exclusivamente de una pirámide de comités paritarios (locales, provinciales y nacionales por oficios) destinados a «regular la vida de la profesión o grupo de profesiones que corresponda dentro de la legislación vigente» (art. 5), o sea los contratos salariales, las bases de trabajo, la indemnización del despido, etc. El corporativismo no pasaba de un instrumento de control de los conflictos sociales.

La constitución de los comités paritarios ofrecía, además, a la UGT una oportunidad para obtener la adhesión de los asalariados no socialistas. Por otra parte, ahorrar huelgas y las consiguientes privaciones correspondía al espíritu del sindicato. Gabriel Maura sintetiza el objetivo de la Organización Corporativa: «máquina ideada por el legislador para burocratizar el movimiento societario». Lo cual no podía disgustar a la burguesía si no temiera otras consecuencias para el porvenir en caso de vuelta a la democracia:

Llegado este trance de la reinstauración de una normalidad y del libre juego de voluntades y pasiones, ni la clase patronal se podría enfrentar con la obrera en igualdad de condiciones dentro de los comités paritarios; ni los intereses económicos amparados por el intervencionismo dictatorial resistir el huracán de la libre concurrencia... [36, 216].

Los comités paritarios encontraron diversas oposiciones. Por parte de los patronos, unos se negaron a pagar las cuotas que financiaban el funcionamiento de los comités, y otros, al recurrir contra las bases concertadas, aplazaban su aplicación.

Los católicos sociales se quejaron del sistema de representación obrera, por mayorías y no proporcional, favorable exclusivamente a la UGT.

Los efectos concretos de los comités paritarios sobre la conflictividad social son difíciles de valorar. Sin embargo, en años en que el paro aumenta de nuevo, el número de huelgas se mantiene estancado, con pequeña reducción del número de obreros afectados: 70 616 en 107 huelgas en 1927, y 55 576 en 96 huelgas en 1929. Mucho más notable es la reducción del número de jornadas perdidas: 1 311 891 en 1927; 711 293 en 1928 y 313 065 en 1929 [46, 21]. Y la UGT, en un balance publicado en 1932, se felicitaba de los resultados alcanzados: «¡Cuántas huelgas no se han evitado con esto! ¡Cuántos sacrificios no han sido ahorrados a los trabajadores!», y señalaba que desde su creación hasta el 30 de septiembre de 1931, la Comisión interina de Corporaciones había registrado bases de trabajo que afectaban a 1 207 917 obreros, y en el mismo plazo se habían abonado 2 777 713 pesetas en indemnizaciones por despido.[1]

Pero no todo fue tan fácil: en Asturias, en el otoño de 1927, el Sindicato Minero Asturiano, que está perdiendo afiliados, va a la huelga con éxito, contra la opinión de Llaneza, para contrarrestar un alza de horarios y una reducción de primas de destajo. Asimismo, los Trabajadores del Campo, sindicato afiliado a la UGT, no logran, siquiera con el apoyo del ministro Aunós, constituir comités paritarios por la hostilidad de los terratenientes.

Otras medidas habían tenido también buena acogida en la clase obrera: el CÓDIGO DE TRABAJO (agosto de 1926), que unificaba el conjunto de las múltiples disposiciones adoptadas anteriormente e incorporaba tanto las aportaciones de la jurisprudencia como las orientaciones de la Organización Internacional del Trabajo. En su preparación habían colaborado representantes ugetistas. El retiro obrero, creado antes del golpe de Estado, en 1922, ve el número de sus afiliados pasar de un millón a cuatro millones entre 1923 y 1930.

2. EL ESTADO CONTRATISTA

A esta intervención administrativa y legislativa en la vida económica y en las relaciones laborales, se sumaron una serie de proyectos y de medidas destinados también a fomentar la actividad económica y que suponían un importante gasto a cargo del presupuesto de Estado o de la deuda. Por cierto, el cariz que tomaban las operaciones en Marruecos a partir de 1925 permitía esperar una reducción de gastos militares; sin embargo, la importancia de los pagos previstos había de plantear con más urgencia que nunca la cuestión de la deuda pública y de una reforma fiscal desde tantos años proyectada.

A los siete meses de su llegada al poder, el Directorio promulga el Real Decreto de Protección de la Industria Nacional (30 de abril de 1924), que prevé la concesión de auxilios «para favorecer la creación de industrias nuevas y el desarrollo de las existentes». Lo cual no hacía más que ampliar la LEY DE PROTECCIÓN INDUSTRIAL de 1917. Los primeros beneficiarios de la ayuda pública fueron las compañías de ferrocarril. Pero su situación era tan desastrosa y los apetitos de las compañías tan grandes que el gobierno optó, con el Estatuto de 1924, por una ayuda financiera acompañada de una fuerte intervención —mediante el control de tarifas— por el Consejo Superior de Ferrocarriles [64, cap. 13]. Para que la cuantía de capitales frescos necesitados fuese importante, el Estado optó por subvencionar el interés de una nueva deuda ferroviaria y no los gastos de inversión. Entre 1926 y 1929 representó más de 1500 millones de pesetas a cargo del presupuesto. Ya había empezado en España la sustitución del Estado en las deficiencias del capitalismo sin operar una transferencia global del capital implicado.

Los resultados fueron decepcionantes en cuanto a la extensión de la red: el ritmo medio de unos 100 kilómetros al año resultó inferior al promedio de 130 anuales entre 1901 y 1922. Pero sí hubo mejora en cuanto a la electrificación, la creación de dobles vías, la renovación del parque móvil y, por consiguiente, el tráfico y los correspondientes gastos y beneficios. Los dividendos del Norte, la mayor compañía, se establecieron en 6 % cada año a partir de 1924, nivel que no habían alcanzado desde 1882. Asimismo las subvenciones directas fueron importantes para las compañías navieras (26 millones de pesetas en 1924), especialmente la Transmediterránea, dirigida por Juan March, que hacía el servicio de las Baleares, y la Transatlántica, de la que a pesar de esta subvención —28 millones de pesetas anuales desde 1921—, se incautó el Estado en 1929.

Entre las demás empresas que recibieron ayuda importante del Estado destacan el Ferrocarril de Ontaneda a Calatayud (35 millones), la Sociedad de Canalización y Fuerza del Guadalquivir, la Sociedad Electro-Metalúrgica Ibérica, la Asociación de la Prensa de Madrid. Indirectamente, la Unión Carbonera, que agrupaba las minas asturianas, se veía favorecida por la extensión de la jornada laboral en una hora más en 1927.

Arbitrariedad y favoritismo aparte, este tipo de medidas no significaban ninguna innovación en la política económica del Estado, solo que alcanzó niveles hasta entonces desconocidos y rayó a veces en escándalo en la opinión. Lo que sí era nuevo y muy discutido fue la concesión de monopolios de mayor o menor importancia [58, 143]. El de los tabacos en Ceuta y Melilla a Juan March (1927) escandalizaba por la personalidad del beneficiario, que presidía también la Transmediterránea. De mayor alcance fue la concesión en 1924 del monopolio de Teléfonos a la americana International Telephon and Telegraph (ITT). La Compañía

Telefónica Nacional de España así creada, además de asegurar pingües beneficios al capital norteamericano, encargó el material exclusivamente a una filial de ITT, la Standard Electric. Exento de impuestos, este monopolio llegaba normalmente a extinción en 1944 con el abono por el Estado del capital desembolsado más 15 % de interés.

En el caso de la Telefónica, como en las demás liberalidades de cierta cuantía, siempre aparecían nombres de grandes capitalistas españoles muy allegados al dictador: Estanislao de Urquijo y Ussía, marqués de Comillas, Benjumea, duque de Tetuán, Juan March —este después de un breve ostracismo suspendido en consideración de unos mal definidos servicios prestados al régimen.

El monopolio de importación, refinado, distribución y venta del petróleo —obra de Calvo Sotelo, con la subsiguiente concesión a una compañía arrendataria, la CAMPSA—, instituido por el Real Decreto de 28 de julio de 1927, no resultaba tan favorable al capital extranjero o a capitalistas allegados al Poder [9, 55; 64, 109]. Las consideraciones nacionalistas y de defensa nacional estaban ampliamente justificadas por la ausencia de producción nacional y por la existencia de un monopolio de hecho de la importación. Esta se repartía en un 90 % entre la Shell, la Standard Oil y, en menor cuantía, la soviética Nafta, asociada a la Compañía de distribución Porto Pi, que reunía capitales españoles (Juan March) y franceses.

Pero además predominaba la preocupación tributaria de Calvo Sotelo, auxiliado en este proyecto por Andrés Amado, director general del Timbre. En efecto, la importación de petróleo había reportado cada año más de 20 millones de pesetas de derechos de entrada desde 1922, alcanzando casi 34 millones en 1926. Al concurso para la concesión se presentaron diversas sociedades que fueron rechazadas, unas por garantías financieras insuficientes, otras por ser hechura de las sociedades existentes, otra por proponer exclusivamente la importación de petróleo rumano. No quedaban en liza más que el Banco Central y un consorcio bancario de 41 bancos españoles. A este se hizo la concesión, «puesto que así se entrega el Monopolio no a una persona o entidad determinada, sino a una tan numerosa y considerable representación de la Banca privada española».

La indemnización de las sociedades existentes solo resultó conflictiva con las compañías norteamericanas. Los Petróleos Porto Pi, de Juan March, encontraron amplia compensación: el consorcio bancario, desprovisto de competencia técnica en materia de petróleos, trocó un paquete de acciones contra el conjunto de la organización de la Compañía española. El primer presidente del Consejo de Administración de la CAMPSA fue José Juan Dómine, consejero de la Transmediterránea y de la Porto Pi. Este asunto, cuya trama es muy compleja, no impidió que March reclamara una indemnización de 200 millones.

La creación de la CAMPSA no significaba subvención a cargo del presupuesto —al revés, el Estado recibía 30 % de las acciones—, pero representaba una excelente operación para el capitalismo español, que desbancaba así al extranjero en este sector. Hasta podría considerarse esta operación como la máxima y más positiva expresión del nacionalismo económico propugnado por la Dictadura. Incluso en esta circunstancia la adjudicación se hizo con notable escrupulosidad, llegando el caso de que hubo que derogar el famoso decreto de octubre de 1923 sobre la incompatibilidad de cargos de consejeros en sociedades que tuviesen contrato con el Estado para ex ministros de la corona. A las medidas protectoras y autárquicas que favorecían el capitalismo español, se añadieron otras, por lo menos bajo forma de proyectos más o menos concretizados, tendentes a elevar la producitivdad del campo por el riego; a agilizar comunicaciones interiores, mejorando las vías terrestres; a elevar la calificación de la mano de obra por la instrucción pública. Estas preocupaciones eran ya las de los políticos de los gobiernos constitucionales: Rafael Gasset o Romanones. Pero la incapacidad de tomar decisiones políticas, y más aún presupuestarias, dejaba la ilusión de que con un gobierno fuerte y como por efecto de una varilla mágica se podría romper el círculo vicioso del empréstito y del servicio de la Deuda.

Los proyectos hidráulicos se basaban en los estudios del ingeniero de Caminos, Lorenzo Pardo, relativos al aprovechamiento de las aguas del Ebro. En un principio la perspectiva era regional, e incluso regionalista: desarrollar un mercado interior aragonés para aprovechar la fuerza eléctrica producida en la cuenca del Ebro. Esto se lograría por la mejora y la extensión de riegos existentes, por la transformación del Ebro en vía de transportes fluviales de Caspe hasta el mar.

El conde de Guadalhorce, ministro de Fomento del Directorio civil, le pidió a Lorenzo Pardo un proyecto que, estudiado por el gobierno, se extendió al conjunto de las cuencas hidrográficas españolas en cuanto a las disposiciones generales de administración y financiación. Mientras el Real Decreto de 5 de marzo de 1926 creaba el marco general de las Confederaciones Sindicales Hidrográficas, el mismo día otro decreto creaba la Confederación del Ebro que iba a realizar el proyecto de Lorenzo Pardo. Fue la única confederación que llevó a cabo parte de unos grandiosos proyectos nacionales: regar dos millones de hectáreas e instalar una potencia eléctrica de dos millones de kilovatios.

Para la sola cuenca del Ebro se esperaba poner en regadío 800 000 hectáreas y producir un millón de kilovatios, con una amplia repoblación forestal que abarcara casi millón y medio de hectáreas. Si solo se toma en cuenta la Confederación del Ebro, de julio de 1926 a diciembre de 1929, de los 158 millones de ingresos, les corresponden 52 a la subvención del Estado (o sea los 15 millones anuales consignados para esta cuenca hidrográfica en presupuestos anteriores) y 97 millones al ahorro privado bajo forma de empréstitos. Aunque de escaso alcance a nivel nacional, los resultados fueron asaz satisfactorios puesto que se mejoró el regadío en 109 136 hectáreas y se creó en 72 163, lo cual significaba elevar en cuatro años en más del 50 % la superficie regada en aquella zona [64, 27].

El cambio rapidísimo que operó en el transporte por carretera la aparición de los vehículos automóviles, puso de relieve más que nunca el pésimo estado de la red de carreteras: firmes deficientes, pueblos incomunicados. El Patronato del Circuito Nacional de Firmes Especiales (RD de 9 de febrero de 1926) fue encargado de la mejora de una red radial de 7000 km de carreteras por un coste previsto de 600 millones de pesetas bajo forma de empréstito. Hasta 1930, se gastaron unos 450 millones en el arreglo de solo 2800 kilómetros, con necesidad de un apoyo directo del presupuesto para cubrir a la vez las necesidades del Patronato y el servicio de la Deuda.

Además de la red de grandes carreteras se prosiguió la construcción de nuevas carreteras del Estado, pasando el ritmo anual de crecimiento de 600 km (1919-1923) a 858 km (1924-1929), y en el caso de los caminos vecinales, de 473 km a 1842 km respectivamente. Estas mejoras favorecieron directamente el tráfico rodado a despecho de los ferrocarriles, que veían esfumarse su monopolio del transporte.

El conjunto de los planes de obras públicas y ayuda a los ferrocarriles preveía una inversión de más de 5000 millones de pesetas con arreglo a la distribución siguiente:

Cuadro 11

Obras	Inversión (en millones de pesetas)
Circuito de carreteras	600
Obras de puertos	600
Construcción de carreteras y puentes	200
Obras hidráulicas	100
Repoblación forestal	100
Confederaciones hidrográficas	1 000
Ferrocarriles	2 600
	5 200

Fuente: J. VELARDE FUERTES, *Política económica de la Dictadura*, p. 83.

Su papel como estímulo de la producción siderúrgica y de cementos es patente, duplicando la producción de ambas industrias.

La perspectiva financiera parecía sana en un principio. En efecto, en todos los casos se preveía a plazo un incremento recaudatorio que vendría a suplir la ayuda del Estado, ayuda aplicada principalmente al servicio de las correspondientes deudas emitidas. Del impuesto de rodaje y una mayor actividad en general para las carreteras, y de la elevación de la riqueza agrícola, se esperaban ingresos ampliamente compensatorios.

Los efectos inflacionistas de esta política protectora y desarrollista no se notaron en los precios interiores, que se mantuvieron (precios al por mayor) por debajo del máximo alcanzado en 1925. Pero sí afectaron duramente la cotización de la peseta en los mercados internacionales, sometidos ellos a una tendencia general de baja de precios.

Dentro de esta orientación general nacionalista cabe incluir la política de instrucción pública, que con mayor o menor éxito participaba del esfuerzo de modernización.

La aplicación más visible de esta política concernía a la enseñanza primaria. A las 27 000 escuelas, aproximadamente, de 1922 se añadieron unas 5000 más, construidas por el Estado o las colectividades locales. El número de maestros pasó de 29 680 en septiembre de 1923 a 33 980 en diciembre de 1927. La otra orientación era la elevación de la capacidad profesional de los trabajadores industriales. E. Aunós, desde la Subsecretaría del Ministerio de Trabajo, elaboró el Estatuto de la Enseñanza profesional obrera (RD de 31 de octubre de 1924), que definía el plan mínimo y las condiciones de esta enseñanza tratando de coordinar la acción emprendida localmente por entidades públicas o privadas. Paralelamente se crearon las Escuelas de Trabajo para satisfacer las necesidades especializadas de industrias locales o regionales. Estas dos facetas de la política educativa, que acompañaba la amplia transferencia de mano de obra que iba realizándose con el éxodo rural, debían ser fermento de mejoras en la productividad tanto del campo como de los demás sectores productivos. Las reformas de la enseñanza secundaria y universitaria eran de menor alcance financiero y de menos efectos económicos, y no resultaban de esta orientación desarrollista. Pero, por las capas sociales implicadas y las fuerzas ideológicas enfrentadas, tuvieron impacto magno en la vida política e incluso en la caída de la Dictadura.

3. LA FINANCIACIÓN DE LA POLÍTICA ECONÓMICA

Dentro de su ideología nacionalista y regeneradora, el Directorio militar no tenía plan económico concreto ni proyectos para la hacienda pública. Movido por la idea —popular pero nada innovadora— de «saneamiento» de la vida pública, su acción en materia presupuestaria se orientó hacia reformas técnicas: unas, para poner raya al fraude y la ocultación; otras, para mejorar la situación de las haciendas locales.

El Real Decreto de 26 de octubre de 1923, concedía moratoria extraordinaria para declaración de la verdadera riqueza imponible. El simple temor a la fiscalización por la administración militar llevó a muchos contribuyentes hasta las delegaciones de Hacienda. Pero esta medida tenía sobre todo un carácter espectacular y propagandístico. De más alcance fueron las medidas relativas a las haciendas locales, obra de Calvo Sotelo por medio de su ESTATUTO MUNICIPAL. Con la creación del Banco de Crédito Local y la facultad para los ayuntamientos de emitir Deuda municipal, se pusieron en circulación unos 980 millones de pesetas entre 1924 y 1929. Lo cual representaba un incremento del 59 % al mismo tiempo que las existencias en caja se multiplicaban por tres y las obras realizadas, por más de cinco [23, 130; 64, 154].

La llegada de Calvo Sotelo a la cabeza del Ministerio de Hacienda, en 1925, le iba a brindar la oportunidad de presentar un amplio proyecto de reforma financiera del Estado y proseguir la obra de saneamiento.

Durante el año 1926, además de algunas modificaciones de tributos existentes (contribución territorial, transmisiones hereditarias no directas, contribución industrial, timbre, etc.), el ministro presenta, como primera etapa de un plan de reforma fiscal, la tributación de los consumos suntuarios, tasa sobre artículos de lujo. Las protestas se llevarán a la papelera este primer intento nada revolucionario.

En el otoño del mismo año 1926, da a conocer las orientaciones de «un impuesto que grave el conjunto de medios económicos de cada persona», o sea un impuesto único y progresivo sobre las rentas y ganancias. También, siguiendo en esto las orientaciones de la doctrina pontificia sobre los límites del derecho de propiedad, proponía gravar las fincas mal aprovechadas, favoreciendo así la fragmentación de las grandes propiedades, la explotación directa y el acceso a la propiedad, «supremo motor del progreso de la vida humana». En ambos casos se oponen a estos proyectos el clamor hostil del comercio y la industria así como de los terratenientes, poniendo en evidencia la escasa capacidad de acción del jefe del Estado en una reforma que en su principio, y con bastante simplismo, era idea suya.

La modernización del sistema tributario español, justificada en nombre de exigencias morales de justicia social —con su anverso de pacificación social— o económicas de ingresos presupuestarios, era descartada por la vinculaión social ab origine de la Dictadura.

Solo le quedaba a Calvo Sotelo proseguir la mejora de la recaudación reorganizando la Inspección de Tributos en 1926 y 1927. Los ingresos por este concepto se elevan de un promedio de 7,2 millones en 1915-1925 a 25,4 millones en 1928.

El presupuesto sigue ampliamente deficitario, a pesar de las apariencias contables. Por cierto, la recaudación experimenta notable mejora, pasando de 2453 millones en 1922-1923 a 3524 en 1928. Incrementos de más de 50 %, que corresponden sobre todo a la mayor actividad económica y no solo a los retoques parciales del sistema tributario heredado de los gobiernos constitucionales.

Algunos gastos del presupuesto se reducen: guerra, acción en Marruecos, que, juntos, pasan progresivamente de su máximo en 1924-1925, cifrado en 958 millones, a 656 en 1929. Otra reducción aparente fue la de Fomento, lograda mediante la transferencia de las asignaciones del departamento ministerial a las numerosísimas entidades autónomas: Circuito Nacional de Firmes Especiales, Confederaciones hidrográficas, etc. [64, 146].

La decidida voluntad de intervención económica por medio del presupuesto resultaba frenada por el fracaso de la reforma fiscal. La movilización del ahorro nacional por el Estado se hizo, pues, mediante la tan criticada emisión de Deuda pública y la vieja práctica de los presupuestos extraordinarios, que colmaban costosamente los déficits del presupuesto ordinario. En los primeros años de la Dictadura, siguiendo en esto la línea adoptada anteriormente, se acudió para colmar el déficit a la emisión de Deuda flotante: las obligaciones del Tesoro. A estas, a partir de 1925, se añaden los títulos de la deuda ferroviaria.

Coherente con su perspectiva reformadora a largo plazo, y en aparente contradicción con la generosa emisión de Deuda, Calvo Sotelo emprende a principios de 1927 la consolidación de la Deuda flotante, proponiendo el cambio de las obligaciones del Tesoro contra títulos de Deuda amortizable (en total, más de 5000 millones acumulados entre 1921 y 1926). Asimismo, con la misma preocupación de dejar abierta la posibilidad de amortizar la Deuda, se crea la Caja de Amortización (1926) y en 1928 se convierte en Deuda amortizable una tercera parte de la Deuda perpetua (Interior 4 %), o sea más de 3300 millones. Política que solo en apariencia contradice la financiación de obras públicas, puesto que a plazo se esperaba de estas obras la producción de mayores ingresos tributarios.

Entre el 1.º de enero de 1924 y la misma fecha de 1931, la Deuda pública en circulación había aumentado de 4274 millones de pesetas, o sea un 27,7 % en siete años sobre los 15 839 millones de 1923.[2] El servicio de esta Deuda se estabiliza a partir de 1926 alrededor de un promedio de 860 millones anuales, en fuerte elevación sobre los 742 millones, promedio de 1920 a 1925.

Sin embargo, no parece que esta creación monetaria haya tenido efectos inflacionistas excesivos [64, 130].

Políticamente, los proyectos de Calvo Sotelo no encontraron respaldo en la opinión. Incluso en los medios profesionales se llegó a calificarlos de «bolcheviques» por las limitaciones que podían suponer en la perennidad de los privilegios fiscales. Con los simples retoques al sistema tributario se había impuesto entre 1922-1923 y 1929 una elevación de 85 % de la contribución industrial y de comercio, cuando el incremento global de la recaudación solo alcanzaba un 50 %. Asimismo, los Derechos Reales y transmisión de bienes crecieron en un 73 % en el mismo período.

La política económica del Directorio acompañó y favoreció indudablemente al capitalismo español reservándole el mercado nacional, pero no pudo abordar los problemas estructurales y principalmente el problema agrario. Los datos fiscales obtenidos en zonas catastrales muestran lo ínfimo de la renta de pequeños propietarios y arrendatarios [59, 139]. En 1929, más de un millón de pequeños agricultores ganaban una peseta al día, cuando un asalariado agrícola ya tenía —en promedio anual— el doble, y el peón de la industria ganaba el triple o más.

A pesar de las rectificaciones y concesiones, a medida que pasan los años el régimen dictatorial va perdiendo, con su política económica, el crédito inicial que tuvo en la opinión pública y, al mismo tiempo, los apoyos clasistas que aparentemente debiera haberse granjeado.

NOTAS DEL CAPÍTULO IV

1. E. de Santiago, *La UGT ante la Revolución*, Madrid, 1932, pp. 31-37. Citado en J. Aisa y V. M. Arbeloa, *Historia de la UGT*, Bilbao, Zero, 1975, p. 178.

2. *Anuario Financiero de Bilbao: 1936-1937*, Bilbao, 1936, p. 54.

CAPÍTULO V

Hacia un Estado nuevo, 1926-1929

1. PROBLEMÁTICA DE LA DICTADURA

La organización dictatorial —en sentido propio de concentración de los poderes en una sola persona— había reemplazado la organización parlamentaria del Estado mediante la amenaza del empleo de la fuerza armada. Esta resultó inútil en la medida en que las instituciones constitucionales no opusieron ninguna resistencia que pasara de una condena verbal. Por otra parte, en su inmensa mayoría el cuerpo social de la nación o se identificó con los extremos programáticos del movimiento militar o, por lo menos, no expresó sino una total indiferencia hacia la caída del sistema político vigente. Este amplio consenso resultaba de una identificación ideológica y de la esperanza en una mayor eficacia política y administrativa. Y efectivamente, los primeros años —hasta 1925-1928— vieron la resolución de algunos problemas que afectaban directa o indirectamente a la vida de todos y de cada uno de los españoles: orden público, reactivación de la economía, solución satisfactoria —éxito militar— de la cuestión marroquí. En varios sectores, además, se podían vislumbrar una serie de avances, espontáneos o fomentados por el Poder, pero siempre contabilizados en su crédito: planes de obras públicas, reorganización administrativa.

Así pues, la tácita aprobación de los primeros días pudo mantenerse a pesar de que se hubieran sobrepasado, y mucho, los tres meses de suspensión constitucional anunciados al principio. Lo cual libró al sistema dictatorial de la tentación o la necesidad de la represión sistemática y a veces sangrienta que suele acompañar este régimen.

La oposición al sistema dictatorial, por lo contrario, no tuvo capacidad de movilización, a la vez porque no disponía de la autoridad propia del poder político —cualquiera que sea la organización del Estado— o de las fuerzas armadas, y porque tampoco proponía un mínimo de unidad programática.

Sobre las instituciones políticas la división era mayúscula. Unos defendían la vuelta a la monarquía constitucional vigente antes del golpe de Estado. Otros propugnaban también la vuelta a la democracia, pero no dentro del marco anterior sino con la desaparición de los privilegios de la corona: eran los republicanos de diversas tendencias. El antimilitarismo alimentaba en unos la hostilidad a la dictadura de Primo de Rivera y los jefes del Ejército. En otros predominaba una preocupación por la laicización del Estado y la supresión de los privilegios de la Iglesia católica española, estrechamente vinculada con la monarquía y la aristocracia. Otros, por fin, veían en el sistema dictatorial un fortalecimiento del centralismo administrativo y político a expensas de los mínimos avances hacia una autonomía regional.

Pero mientras se satisfacían, por uno u otro motivo, tal o cual aspecto de la política seguida por el Directorio —militar y civil—, el amplio consenso pudo mantenerse.

Ya que el sistema político de la Dictadura no asociaba en las decisiones ninguna representación nacional, el control de lo que podría constituir una oposición activa se redujo para el Poder a una doble acción de persuasión y represión.

El importante trabajo de propaganda —discursos, entrevistas, notas oficiosas— tiene por objeto explicar la línea política adoptada, justificarla y obtener la adhesión de los ciudadanos. Los medios de comunicación de masa son cada vez más numerosos y la propaganda sustituye a la coacción de tiempos anteriores.

La persuasión, considerada con ingenuidad como instrumento suficiente para mantener la convivencia de fuerzas sociales e ideológicas dispares que no pueden dirimir sus divergencias en el seno de un parlamento, tiene dos consecuencias. Por una parte, se establece una relación directa entre el jefe del gobierno y cada uno de los individuos. Desaparecen, pues, los cuerpos intermedios que son los representantes elegidos. Es una etapa que camina hacia una sociedad de masa simbolizada por micrófonos y altavoces en asambleas multitudinarias, y después por la radiodifusión, hasta la llegada de la televisión.

Por otra parte, esta interpelación directa del ciudadano implica la recíproca adecuación del mensaje político y del interlocutor. Aparece un lenguaje político simplista, que se calificó de demagógico y paternalista cuando el nivel de la comunicación era el que imponía esta vulgarización. Además, sin mediación, el ciudadano es el interlocutor del Poder. En contrapartida de la necesaria adecuación del lenguaje del Poder a su público, se impone la preocupación por elevar la capacidad de intelección del discurso político. Lo cual pone de realce más que nunca los retrasos y las desigualdades en la instrucción elemental: haciendo más urgentes la alfabetización y una instrucción básica.

Este discurso suasorio del poder político debía desembocar en una movilización de masas: la Unión Patriótica. En la medida en que esta fracasa se adoptan medidas encaminadas a debilitar las reacciones y propagandas antagónicas, siendo la censura de prensa la más asequible.

La oposición eventual resulta desposeída del poder que le conferían el sistema electoral y la acción parlamentaria —dentro de los estrechos límites de la práctica heredada de la Restauración.

Potencialmente solo los partidos obreros —socializantes o republicanos— y la Iglesia tenían esta capacidad movilizadora. Sin embargo, los primeros se desentienden de la problemática «burguesa» de la democracia parlamentaria. Y los católicos, divididos entre tradicionalistas abiertamente reaccionarios y demócratas cristianos, al aportar su adhesión al régimen perdieron su capacidad propia de acción [43].

Cerrada esta vía, que el Poder pudiera haber controlado fácilmente, no quedaban más que soluciones de tipo minoritario apoyadas en una acción militar —pronunciamiento— y no en movimientos de masas.

A medida que las esperanzas puestas no en el sistema sino en su acción fueron defraudadas, a medida que se multiplicaron los motivos de descontento de unos u otros, la solución dictatorial resultaba ser un callejón sin salida. El poder político tuvo que buscar una salida constitucional que mantuviera incólumes sus principios básicos pero ampliara su menguada base social. La oposición, por su parte, evolucionó progresivamente hacia fórmulas comunes mínimas: una república y cortes constituyentes.

2. ESCASA MOVILIZACIÓN DE LAS DERECHAS

Si dejamos de lado el Ejército y la corona, el apoyo político a la Dictadura se redujo al maurismo y a la derecha católica. Elementos a los que se sumaron las organizaciones patronales de las grandes urbes —especialmente catalanas— amedrentadas por la situación social.

Por su parte, la Iglesia española se regocijaba ante las declaraciones antiliberales y moralizadoras del Directorio.

La situación de los mauristas era sumamente ambigua, pues el ostracismo impuesto por el Poder a los representantes de la vieja política alcanzaba a ex ministros como, por ejemplo, La Cierva. Además, el maurismo estaba dividido en tendencias divergentes incluso antes de la muerte del viejo líder Antonio Maura en 1925.

Unos, en la línea legalista de Maura, seguirán defendiendo la vuelta al régimen constitucional. Entre ellos destaca la figura de José Sánchez

Guerra, ex presidente del Consejo. Cuando será promulgado el Real Decreto de 12 de septiembre de 1927 que convoca una Asamblea Consultiva, Sánchez Guerra se destierra a Francia, estimando que se ha alcanzado un punto de no regreso a la Constitución de 1876. En adelante siempre estará a la cabeza de las conspiraciones contra el régimen dictatorial.

La franja más autoritaria del conservadurismo (La Cierva, jóvenes mauristas), así como los elementos católicos relativamente jóvenes que habían integrado, hacia 1922, el Grupo de la Democracia Cristiana o el Partido Social Popular, etc., a menudo respaldados por la Confederación Nacional Católico-Agraria, en su mayoría apoyaron el régimen e incluso aportaron su colaboración activa: J. Calvo Sotelo, Severino Aznar, Minguijón, Sangro y Ros de Olano.

Otros como Aunós representarán también a la nueva generación de políticos, estos venidos de la Lliga.

A pesar de sus éxitos inmediatos, la Dictadura decepcionó a muchos. La no aplicación del nuevo sistema electoral previsto por los estatutos Municipal y Provincial es sentida como una frustración y aleja a algunos elementos de la Asociación Católica de Propagandistas (ACNP) como Gil Robles (ex Partido Social Popular, colaborador de Calvo Sotelo en la elaboración del Estatuto Municipal) o Giménez Fernández. Se desvanecen las esperanzas puestas en los efectos renovadores del escrutinio proporcional, del voto femenino, y en la lucha contra el caciquismo.

Otros, más preocupados por la acción social que por la política, como el padre Arboleya, del Centro Católico Obrero de Oviedo y, a partir de 1926, director de *Renovación*, órgano del Grupo de la Democracia Cristiana, también se alejan de una política, según él, excesivamente favorable a los elementos más conservadores. Además, salvo quizá en Cataluña, la benevolencia del régimen hacia la UGT socialista dentro de la Organización Corporativa, se ejerce a expensas de los sindicatos católicos o libres.

La derecha católica que Ángel Herrera intentaba organizar políticamente desde la tribuna de *El Debate* y con la activa colaboración de la ACNP, de la que fue primer presidente, había apoyado la constitución de las Uniones Patrióticas locales. Pero estas, convertidas en instrumento de propaganda del gobierno, no eran el gran partido católico ansiado.

En cuanto a la Iglesia, a pesar de la multiplicación de los actos católicos públicos, no quiere vincular su suerte a la del régimen. A las satisfacciones del episcopado que organiza los aparatosos Congresos de Educación católica (1924), de Juventudes católicas (1927), mariano de Sevilla (1929), misional de Barcelona (1929), de Acción Católica (1929), se contraponen el descontento del clero de Cataluña, al que se prohibía predicar en catalán, y el del clero rural celoso de la política ministerial en favor de las escuelas primarias del Estado, así como el de los sindicatos católicos postergados por la UGT.

Vencidos el terrorismo y el sindicalismo, y por lo tanto el miedo, la clase empresarial descubre con desagrado la fiscalización que supone la política de Hacienda de Calvo Sotelo. La coyuntura favorable oculta temporalmente los difíciles reajustes en la estructura de los sectores industriales, resultado a breve plazo de la modernización técnica, y más aún la concentración financiera.

El poder social y económico detentado por la burguesía financiera en unión con la aristocracia terrateniente no tuvo la tentación ni la necesidad de ocupar un poder político que aseguraba la paz social sin comprometerlos. Ni siquiera apoyaron mayoritariamente una Unión Patriótica desprovista de oposición. El nacionalismo protector los favorecía a casi todos de una forma u otra y tuvieron bastante influencia para que abortaran los proyectos de reforma tributaria y agraria.

No surgieron entre los diferentes grupos económicos mayores conflictos que supusieran un arbitraje político y, por lo tanto, la formación de grupos antagónicos interesados por el control del Poder.

Solo la región catalana acumula los agravios. La recuperación económica de los años veinte no se verificó en la industria textil. Principalmente nacional, la demanda sigue en estrecha correlación con las fluctuaciones de los ingresos rurales. Por lo tanto, los fabricantes serían favorables a una elevación de los salarios en el campo. Pero con la progresiva dominación de la banca castellana sobre los sectores industriales, el centro de gravedad de la economía se ha desplazado de Cataluña a Madrid.

Así pues, los sectores con los que la Dictadura creía que podía contar, van mermando su adhesión. Le restan la posibilidad de obtener, por elección mayoritaria de la Unión Patriótica, una salida satisfactoria que le hubiera conferido legitimidad.

Este fracaso de la UP obligó a ir con pies de plomo en la dirección anunciada desde noviembre de 1925: «una gran Asamblea, a la que habían de someterse cuestiones de la mayor importancia, entre ellas el régimen parlamentario».

En el verano de 1926 se anuncia la convocatoria de una Asamblea Nacional, que con la totalidad del programa de gobierno se presenta a plebiscito en los días 10 al 13 de septiembre. Esta mascarada de referéndum —bastaba firmar registros en alcaldías— no tuvo efectos inmediatos: todavía se había de esperar un año para que el rey firmara el decreto de convocatoria. El proyecto está de nuevo sobre el tapete en la primavera de 1927 y, por fin, el decreto de 12 de septiembre de 1927 define esta Asamblea «deliberante» compuesta de miembros de ambos sexos en número comprendido entre 325 y 375. Cada provincia enviará tres representantes: de los municipios, de la provincia y de la UP provincial.

Además se les unirán unos representantes de «la cultura, la producción, el trabajo y demás actividades de la vida nacional», estos también designados por el gobierno.

Entre sus objetivos destacan un anteproyecto de «legislación general y completo», y los proyectos de «leyes constituyentes». En el estatuto orgánico de la nueva Asamblea se había de preparar expresamente «la abolición definitiva en España del régimen constitucional y del Parlamento», texto firmado por el rey y que significaba la clara ruptura con la Constitución de 1876, aunque se invocara todavía como norma institucional, excepcionalmente suspendida, en el discurso de apertura del presidente José Yanguas Messía. Dominan, pues, en la Asamblea los elementos conservadores y tradicionalistas. Los representantes designados de las izquierdas —F. de los Ríos, Largo Caballero, Llaneza, Dolores Cebrián, esposa de Besteiro, y Álvarez Buylla— se niegan a aceptar estos cargos.

No se trataba en modo alguno de un sustitutivo de Parlamento, ni de un esbozo de lo que saldría de las deliberaciones de la sección primera encargada de los proyectos de leyes constituyentes, sino simplemente de la extensión a gran escala del sistema de órganos consultivos que caracteriza el régimen. Incluso se observa una inversión de la práctica legislativa. En régimen parlamentario, el gobierno propone y las Cortes estudian, modifican y aprueban o rechazan los proyectos. Aquí, una sección de la Asamblea es la que propone y el gobierno el que examina, rechaza o pasa al pleno.

La plasmación de un proceso constitucional que había de durar dos años espoleó a las escasas fuerzas políticas claramente hostiles a la Dictadura, obligándolas a concretar también a su vez una propuesta institucional para ofrecer una alternativa a la perennización del régimen.

3. DISPERSA Y ACCIDENTADA EMERGENCIA
   DE UNA OPOSICIÓN

El éxito posterior de los republicanos dio relieve en la historiografía a los primeros pasos de esta oposición. En su momento también la personalidad de los protagonistas y lo aparatoso de sus acciones —y más aún de sus fracasos— dieron relieve a lo que, en realidad, revelaba escaso apoyo de masas, impreparación y falta de coordinación.

Las primeras alarmas vendrán de Francia: acción propagandística llevada a cabo por los exiliados. Los numerosos desterrados a Francia alimentan polémicas y alientan la esperanza de derrocar al régimen. Allí habían llegado Alba, desde septiembre de 1923, y M. de Unamuno y Rodrigo Soriano fugados de su destierro canario en julio de 1924. Allí se reunieron los catalanes M. Domingo, F. Maciá, los comunistas, los cenetistas, etc. Y sobre todo, se levantó en mitines la elocuencia demoledora de V. Blasco Ibáñez. Este último da a la imprenta varios libelos contra la monarquía: *Una nación secuestrada* (noviembre de 1924), *Lo que será la República española* (mayo de 1925). Colabora en el periódico *España con honra* que publican algunos emigrados en París. A partir de la primavera de 1927, Miguel de Unamuno, instalado en Hendaya, comenzará a publicar en colaboración con Eduardo Ortega y Gasset sus *Hojas Libres,* que tanto irritarán al dictador.

Impotente más allá del Pirineo, este no tuvo dificultad para deshacer la conspiración que se urdía para la noche de San Juan, 24 de junio de 1926: la «Sanjuanada».

Ya a principios de 1925 se había constituido una Unión Liberal de Estudiantes, que aprovechó la repatriación de los restos de Ángel Ganivet (28 de marzo) para organizar un acto y manifestaciones.

También, gracias a la incansable actividad del catedrático José Giral, se establecen contactos entre intelectuales republicanos: Pérez de Ayala, Araquistáin, Mesa, Jiménez de Asúa, E. Martí Jara, a los que se unen ex reformitas como Azaña que acaban de crear el grupo de *Acción Republicana.*

En mayo de 1925, un incidente de Primo de Rivera con el presidente de la Asociación de Estudiantes de Ingenieros Agrónomos, José María Sbert, hizo que este fuese sancionado inesperadamente con el destierro a Fuerteventura, pena conmutada por confinamiento en Cuenca. Pero estos incidentes no significan tensión real y se acuerda levantar el estado de guerra proclamado en septiembre de 1923.

Al año siguiente, febrero de 1926, se estructura una Alianza Republicana que reúne a Azaña (por Acción Republicana), Manuel Hilario Ayuso (Partido Republicano Federal), M. Domingo (Republicanos Catalanes), A. Lerroux (Partido Radical), R. Castrovido (en nombre de la prensa republicana), a los que se unen G. Marañón, Blasco Ibáñez, E. Ortega y Gasset, etc. (anexo 2). Asociación heterogénea de elementos federalistas, de conservadores y de socializantes que se adhiere al proyecto de pronunciamiento militar preparado por el coronel Segundo García y encabezado, esta vez, por los generales Weyler y Aguilera.

Dos características de esta conspiración determinan sus intrínsecas limitaciones: su inexistente relación con el estado de ánimo de la opinión —situación diametralmente opuesta a la de Primo de Rivera en 1923— y su programa político.

Además, junto con los militares se encuentran algunos de los políticos más representativos de la «vieja política»: conde de Romanones y, en menor medida, el reformista Melquíades Álvarez, así como los líderes republicanos y anarcosindicalistas. Pero el Partido Socialista se niega a colaborar en este movimiento cuya base social resulta, pues, estrechísima.

En cuanto a sus objetivos, no propone una superación de la Dictadura sino simplemente su negación para volver al *statu quo ante*: «Restablecimiento de la legalidad constitucional. Reintegración del Ejército, para la mejor defensa de sus prestigios, a sus peculiares fines. Mantenimiento del orden y adopción de medidas que garanticen la constitución de unas Cortes libremente elegidas y que, por ser soberanas, necesitan expresar la verdadera voluntad nacional».

El 24 de junio de 1926, el asalto a la capitanía general de Valencia es imposibilitado por la detención del teniente coronel Bermúdez de Castro. En Madrid, las esperanzas puestas casi exclusivamente en la determinación de los oficiales se frustran. A Primo de Rivera no le queda más que detener a los principales responsables. Evitando los riesgos políticos de un procesamiento, el dictador les impone «multas gubernativas» (RD de 2 de julio de 1926): medio millón de pesetas para el conde de Romanones, 200 000 para el general Aguilera, 100 000 para Weyler, Marañón y el ex senador Manteca. Con esto satisfacía indudablemente la popular envidia por la riqueza del conde de Romanones. Una vez más, Primo de Rivera manifestaba una finísima percepción del sentir popular.

El estrepitoso fracaso de la «Sanjuanada» ponía de relieve la escasa y dispar oposición al régimen. Este sufre más de la falta de entusiasmo a su favor que de la hostilidad. Y los diversos enfrentamientos del Poder con tal o cual grupo social o profesional pertenecen en puridad a la peripecia política dentro de una tónica que más bien podríamos llamar de tedio e indiferencia.

Las desavenencias del dictador con los cuerpos de artillería no proceden de divergencias políticas sino de cuestiones profesionales. Volvía sobre el tapete la cuestión del ascenso, por escalafón —escala cerrada— o por méritos, que había suscitado el movimiento de las Juntas de Defensa en 1917. El 9 de junio de 1926, por Real Decreto se suprimía la «escala cerrada» en los cuerpos de artillería e ingenieros. Cuando se llegaba a un acuerdo, el frustrado pronunciamiento de la «Sanjuanada» (24 de junio) interrumpe las negociaciones. A la rebelión abierta de los artilleros, Primo de Rivera replica con la declaración del estado de guerra y la suspensión de empleo y sueldo de los oficiales (5 de septiembre). En seguida son detenidos y procesados los oficiales de la Academia de Segovia.

La enemiga de los artilleros no podía encontrar el menor eco en la opinión pública. De nuevo será disuelto este cuerpo armado en febrero de 1929, después de otra intentona contra el gobierno. Este cuerpo aristocrático no tenía peso político ni fuerza militar frente al sistema de control de la nación por las capitanías generales, los gobiernos militares y la Guardia Civil.

Más resonancia en la opinión internacional tuvo la expedición armada desde Francia, preparada por Francisco Maciá con el objetivo de proclamar la república catalana.

En 1922, cuando se constituyó Acció Catalana, una minoría radicalizada, que preconizaba la convocatoria de una Asamblea Constituyente de un Estado Catalán, se separó, capitaneada por Francisco Maciá. Exiliado a Francia tras el golpe de Estado, Maciá fue testigo de los fracasos de Acció Catalana, que buscaba un apoyo internacional en el marco de la Sociedad de Naciones aprovechando la corriente favorable a los derechos de las minorías nacionales en Europa. Fracasaron también las negociaciones de Maciá con los intelectuales españoles emigrados —Unamuno, etc.— y con los catalanes de Acció Catalana.

«Estat Català» lanza en 1925 un empréstito que le permite, con catalanes emigrados y antifascistas italianos, reunir un grupo armado de algunos centenares de hombres en Prats de Molló, en el Pirineo francés. Unos confidentes infiltrados favorecieron la intervención de la gendarmería francesa, que, el 4 de noviembre de 1926, detuvo a unos doscientos hombres y se incautó de un importante material: 3 ametralladoras, 200 fusiles, etc.

Al gobierno no le había afectado materialmente. Pero el proceso contra Maciá y sus compañeros resultó ser, por la elocuencia de sus defensores, el proceso de la dictadura española. Como antaño con la reacción fernandina, o más recientemente con la ejecución de Ferrer, una vez más, en la opinión democrática europea se relegaba a España al rango de las tiranías de otros tiempos.

La conspiración de Estat Català se trataba de una acción minoritaria que solo contaba con la fuerza sin preparación de la opinión y, en el caso concreto, sin base social extensa. El fracaso inmediato de estas acciones tuvo, sin embargo, varias consecuencias positivas para los diversos grupos políticos enemigos del régimen. Primero se dieron cuenta de que el régimen de Primo de Rivera no era solamente la dictadura de unos hombres sino un sistema político que aportaba, de una manera u otra, respuestas concretas a las demandas de amplios sectores de España. La base social, y más aún la aprobación política —mediatizada por la adhesión a la monarquía—, son mayoritarias. Por otra parte, en ausencia de libertad de reunión, de vida política libre, estas acciones y estos procesos llevan a un primer plano a figuras políticas nuevas que su audacia y su fracaso mismo aureolan de indudable prestigio.

Sin embargo, no cabe duda de que, visto desde el Poder, todo aquello eran peripecias sintomáticas pero nada peligrosas. En la cuestión catalana, lo más grave había sido finalmente la separación general, incluso de hombres como A. Sala Argemí que habían aceptado al principio la presidencia de la Diputación de Barcelona y la de la Comisión Gestora que había sustituido a la Mancomunidad.

Las esperanzas puestas por Primo de Rivera en 1927 en la Asamblea

Nacional Consultiva como fermento de una más amplia colaboración de diversas fuerzas políticas se desvanecieron pronto.

Ya apuntamos el fenómeno de rechazo por parte de algunos políticos constitucionales: Romanones o Sánchez Guerra. De hecho, la ausencia de perspectivas políticas claras en cuanto al porvenir del régimen parece que incitó a jugar de nuevo la carta de la monarquía constitucional contra Primo de Rivera, por miedo a la aventura que pudiera significar un derrumbamiento conjunto del dictador y de la monarquía. En su carta al rey, el 11 de febrero de 1925, Antonio Maura señalaba ya los riesgos de una desconsideración de la autoridad del parlamento: «...los adeptos al orden social y político existente confían en la preponderancia grande y notoria que tienen en el cuerpo de la nación, pero no advierten que su pasividad deja vacío el ámbito de su propia acción política y favorece así el impulso revolucionario, el cual, de suyo endeble, ni aun sería capaz, luego de consumar el trastorno, para moderar los estragos». Lo que se temía, pues, era una situación comparable a la de Kerenski en Rusia, desbordado por los bolcheviques de Lenin.

Ni la Asamblea Nacional, ni mucho menos la práctica de Primo de Rivera que en ocasiones —cuestión universitaria— se saltó a la torera las recomendaciones de aquella, indicaban que el régimen iba haciéndose más flexible. Como lo comentaría más tarde Gabriel Maura, «se comprobó una vez más cuán inexcusable es que los negocios públicos se diluciden en asambleas deliberantes y se diriman por el arbitraje insustituible del mayor número de votos, sin perjuicio de seleccionar previamente, como parezca mejor, la calidad de los que tengan derecho a emitirlo». Perfecta definición del liberalismo político: libertad e igualdad de derechos para una élite, tipo de democracia restringida si hubiere lugar, que necesitaba la burguesía para su desarrollo y que el sistema dictatorial estorbaba.

Lo que las clases dominantes, en lo social, percibían perfectamente era la reaparición de las tensiones sociales a pesar de la puesta en marcha de la organización corporativa nacional (26 de noviembre de 1926).

Cuando en las zonas rurales y semirrurales el pan seguía ocupando hasta el 50 % de los gastos de alimentación [14], su precio —en Córdoba—, que oscilaba entre 0,30 y 0,38 pesetas en 1924 (0,700 kg) ya no desciende por debajo de 0,40 a partir de 1925, llegando hasta 0,50 en marzo de 1928. En Jaén los niveles respectivos son 0,28 en 1924 y más de 0,37 a partir de 1925. En las ciudades industriales los precios parecen más estables, pero son los salarios los que en diversos oficios tienden a bajar a partir de 1925 [61, 23]. Es notable la evolución en la minería asturiana (véase cuadro 12).

La conflictividad social aumenta a pesar de los comités paritarios: los 22 000 huelguistas de 1926 ya son 70 000 en 1927. En octubre de 1927, los mineros asturianos van a la huelga durante dos semanas para impedir

SALARIO POR JORNADA

	Fondo de Mina	Exterior
1920	14,25	11,04
1921	12,58	9,30
1922	11,02	9,10
1923	11,25	8,79
1924	11,25	8,79
1925	10,99	7,68
1926	10,50	7,92
1927	10,72	7,90
1928	10,36	7,89
1929	10,50	7,94

Fuente: M. Tuñón de Lara, *El movimiento obrero en la historia de España*, p. 963.

que se les extienda la jornada laboral en una hora con el mismo salario. Solo obtienen que la ampliación se reduzca a media hora. Este fracaso les abre los ojos a muchos de los que confiaban en la política social de Aunós.

A partir de entonces, a la agitación social responde una fuerte represión. En 1928 centenares de obreros son detenidos en Santander y Vigo.
. También reaparece el paro a partir de 1927. Entre esta fecha y 1929 duplica en Barcelona alcanzando al 3,5 % de la población activa. En Andalucía alcanza entonces a un 12 % de los trabajadores. No son índices excepcionales pero contrastan con la situación de los años anteriores.

Las organizaciones obreras hacen el balance de estos años. Los efectivos de la UGT no se han beneficiado como podían esperarlo de su línea oportunista y neutra respecto a los movimientos de oposición, e incluso el fracaso de las huelgas de mineros asturianos reduce el número de afiliados al Sindicato Minero Asturiano de 8700 a 3000. También se estiman en 15 000 las bajas entre agricultores:

Cuadro 13

NÚMERO DE AFILIADOS A LA UGT

1923	210 617	1926	219 396
1924	210 742	1927	223 349
1925	217 386	1928	210 567

Y localmente, la represión contra las organizaciones obreras nunca ha cejado. Han sido disueltas unas 150 secciones de la UGT y clausurados 93 centros. La fuerza pública aplasta una huelga en Sevilla. En la crisis minera del carbón, los poderes públicos no intervienen con la nacionalización pedida por la UGT: son unos 4000 los despedidos asturianos.

En el seno del socialismo español, el debate sobre la Asamblea Nacional (1927) agrava las disensiones. Se mantiene hasta 1929 la línea de aprovechar las posibilidades dadas por el régimen, sin aprobar sus principios: es la posición definida por Besteiro. Este sigue criticado por la minoría encabezada por I. Prieto y F. de los Ríos. Pero la situación concreta en las empresas inquieta a Largo Caballero. Podría haberse compensado la pérdida de prestigio entre las organizaciones de la oposición con una mayor afiliación. No ocurrió así. En 1929, en los comités nacionales de 11 y 13 de agosto, la línea de Besteiro se vuelve minoritaria. El PSOE y la UGT salen de su neutralidad hacia las instituciones políticas de la burguesía y apelan a un cambio en favor de la república y la democracia.

La corriente anarcosindicalista empieza a rehacerse apoyada en diversas organizaciones locales: Federación de Trabajadores del Puerto de Barcelona, Ramo Textil, y en unos militantes que por toda la Península mantenían la existencia orgánica de Regionales: Vascongadas, Santander, Asturias, Galicia, Granada y Alicante. Durante todo el período dictatorial, la clandestina CNT prestó su colaboración —por mínima que fuese— en los diversos complots: «Sanjuanada», operación de Prats de Molló en 1926, y más tarde, en enero de 1929, con Sánchez Guerra en Valencia. Pero los sindicalistas se encuentran divididos sobre la táctica a seguir, mayormente cuando a finales de 1926 se organizan los comités paritarios dentro de la Organización Corporativa Nacional. En reuniones de 1927, deseoso de obtener la legalización de la CNT y de contrarrestar las facilidades brindadas a los sindicatos libres, Pestaña preconiza la aceptación de los comités paritarios. Pero la mayoría, conducida por Peiró, los rechaza. Esta radicalización sindical coincide con un intento de organización de la reflexión política, teórica y práctica: la fundación en julio de 1927 de la Federación Anarquista Ibérica. Su objetivo principal es la organización de grupos de educación y propaganda paralelamente pero sin vinculación directa con los sindicatos. En cierta manera, esta ebullición reflejaba las tensiones surgidas en toda la clase obrera durante la Dictadura: tentación de aprovechar las oportunidades ofrecidas por el régimen corporativo (representación, comités paritarios) —reformismo—, radicalización que desembocaba necesariamente en la lucha política por un cambio de régimen.

Una aproximación entre la FAI y la CNT se realiza progresivamente a partir de 1928 con los grupos mixtos de acción. Sin embargo, esta reactivación militante no basta para reorganizar los sindicatos. En cambio, se constituyen los cuadros ideológicos y orgánicos en los que en pocos meses podrían insertarse, terminada la clandestinidad, numerosos trabajadores.

En cuanto al Partido Comunista, a pesar de una reorganización lograda por José Ballejos, y un papel activo en las huelgas de Vizcaya y Asturias, las detenciones, exclusiones y rupturas le dejan exangüe hasta el advenimiento de la República. A partir de 1927, los líderes de la clase obrera empiezan a modificar su actitud respecto a la Dictadura. Pero el apoliticismo de unos, la indiferencia hacia las formas del poder «burgués» de otros, retrasan la movilización hacia los objetivos propiamente políticos.

En este ambiente de desgaste del régimen, los republicanos estiman necesario tomar contacto con Sánchez Guerra exiliado en París. A principios de 1929 Lerroux y Ayuso negocian con él, Alba, Villanueva, etc., y diversos militares. Una carta de la CNT que apoya a los republicanos pero no a los hombres de 1917 entorpece la conclusión de un acuerdo, que finalmente se firma el 14 de enero de 1929. Será creado en Madrid un comité de tres miembros: un militar, un monárquico y un republicano —Lerroux—. El Manifiesto prevé la expulsión de Alfonso XIII y la convocación de cortes constituyentes que han de determinar la forma de gobierno de España.

La táctica seguía siendo la del pronunciamiento, pero con maniobra inicial de diversión en provincias para desguarnecer la capital. Los primeros éxitos dependían, pues, de los militares. En Ciudad Real, efectivamente, el 29 de enero de 1929, el 1.º Regimiento de Artillería ligera ocupa la ciudad. Pero en Barcelona la CNT y los militares esperan respectivamente que los otros inicien el movimiento. En Valencia, donde desembarca Sánchez Guerra, el capitán general Castro Girona, antes comprometido en la conjura, cambia de actitud, y se niega a lanzar su guarnición. El día 30 todo había terminado. La guarnición de Ciudad Real, aislada, se había rendido, Sánchez Guerra ingresa en la cárcel. Tres semanas más tarde, el 19 de febrero, era disuelto de nuevo el cuerpo de artilleros. La suspicacia recíproca de militares y cenetistas, así como la ausencia de preparación de la opinión pública, explican este fracaso.

La movilización de la opinión, principalmente de la pequeña y mediana burguesía de las ciudades, tendrá lugar partiendo de un movimiento estudiantil, resultado combinado de la evolución social del alumnado y de las torpezas del poder [6].

Entre 1921 y 1926 se produjo un verdadero *boom* estudiantil, que podemos apreciar por el número de estudiantes aprobados en bachillerato (ambos sexos), según refleja el cuadro 14.

El ingreso de esta masa de estudiantes en las universidades, cambió radicalmente el ambiente de estas, hasta entonces más bien conformista y apático. En ella imperaba la Asociación de Estudiantes Católicos.

Con estos nuevos estudiantes se agudizó el conflicto entre el sistema de valores tradicionales y las exigencias de una modernización cultural y

Cuadro 14

1914	4 038	1920	4 170	1926	9 620
1915	4 479	1921	4 690	1927	8 135
1916	3 382	1922	—	1928	—
1917	3 934	1923	5 066	1929	7 364
1918	3 721	1924	5 150	1930	9 656
1919	4 238	1925	6 650		

Fuente: *Estadísticas básicas de España, 1900-1970*, p. 403.

social. Hasta entonces el conflicto había sido vivido fuera de las aulas del Estado, en el seno de la Institución Libre de Enseñanza y desde hacía unos diez años dentro de las universidades, pero solo en el claustro de profesores.

La nueva generación estudiantil, además de marcar su rechazo al moralismo oficial por actitudes y comportamiento externos, acogió con entusiasmo las ideas más radicales —socializantes—. La Federación Universitaria Escolar, fundada en enero de 1927, aglutina estas fuerzas juveniles.

En marzo de 1928 organiza una huelga estudiantil para protestar contra la suspensión del catedrático Jiménez de Asúa, con motivo de sus conferencias sobre el tema del control de la natalidad.

Esta suspensión se achacaba a la presión de elementos clericales sobre el gobierno. Presión que pareció bien clara cuando el ministro Callejo propuso facultar a los colegios de jesuitas y agustinos para conceder títulos académicos (artículo 53 de la «LEY CALLEJO»).

Al año siguiente, en el movimiento universitario aparecen claramente dos niveles de acción: concretamente la FUE denuncia en la LEY CALLEJO la presión clerical, pero al mismo tiempo da un significado político a su acción solicitando el liderazgo intelectual de catedráticos republicanos: Ortega y Gasset, Fernando de los Ríos.

La agitación universitaria contra el «artículo 53» empezó a principios de 1929 y desembocó en una huelga el 7 de marzo.

Primo de Rivera, por índole, era poco favorable a los universitarios —estudiantes y profesores—. Es de recordar que personalmente había intentado en vano aprobar el bachillerato y que desde los primeros meses de la Dictadura los ataques más duros provinieron de los «intelectuales» (Unamuno, Blasco Ibáñez). Luego reacciona como lo había hecho con los artilleros, con los ateneístas o con los abogados catalanes: brutalmente. Primo se ensaña de nuevo con José María Sbert expulsándole de todas las universidades españolas. Después, tras incidentes violentos y huelgas en Madrid, Barcelona, Santiago, Zaragoza, Valencia, Granada, Salamanca, cierra la universidad de Madrid, y suspende la matrícula de centenares de estudiantes.

Además, a pesar de que la comisión correspondiente de la Asamblea

Nacional había rechazado el «artículo 53» de la Ley Callejo, Primo de Rivera lo promulga con el Decreto Ley de 19 de mayo de 1929. Numerosos catedráticos se solidarizan con los estudiantes por carta al dictador. Algunos abandonan su cátedra. Sólo la repercusión económica en el extranjero y el temor a un escándalo, con motivo de la reunión de la Sociedad de las Naciones en Madrid y de las exposiciones internacionales de Barcelona y Sevilla, pueden con la terquedad de Primo de Rivera. Se abren las universidades (24 de mayo) y más tarde, el 24 de septiembre, se abroga el artículo 53.

Pero no se calman los espíritus: los estudiantes exigen medidas en favor de Sbert y de los catedráticos dimitidos. La reacción del dictador es contraproducente: decreta la disolución de la FUE. A partir de aquel fin del año 1929 el movimiento estudiantil se confunde con la acción política no solo contra la Dictadura sino también en favor de la República.

A este auge de la agitación obrera, estudiantil, política, Primo de Rivera no opuso más que medidas represivas.

En enero de 1928 se había presentado un proyecto de Estatuto de la Prensa que se interpretó unánimemente como una institucionalización de la censura. Se condicionaba la autorización de publicaciones por la inserción obligatoria de notas oficiosas del gobierno (RD de 3 de febrero de 1929). Una circular del 9 encargó a las oficinas de Somatenes y Uniones Patrióticas que llevaran «un registro de personas propicias a la difamación, al alboroto político y a la desmoralización del ánimo público, los cuales informes se pondrían a la disposición de las autoridades». Igual registro se abre para informar sobre la actitud política pública de los funcionarios.

Mientras el gobierno resistía a base de detenciones, suspensiones y medidas de carácter más policíaco que político, la sección primera de la Asamblea Nacional iba elaborando un anteproyecto de Constitución que debía ofrecer una salida aceptable para el régimen.

4. EL ANTEPROYECTO DE CONSTITUCIÓN DE 1929

El 5 de julio de 1929 se da lectura en la Asamblea Nacional Consultiva del anteproyecto de Constitución. En la sección correspondiente predominaban hombres venidos del Partido Conservador —principalmente mauristas—: Gabriel Maura, La Cierva, Antonio Goicoechea, César Silió; tradicionalistas: Víctor Pradera, Ramiro de Maeztu y José María Pemán de la UP, reunidos bajo la presidencia de Yanguas Messía, también presidente de la Asamblea Nacional.

Contra las ideas liberal-democráticas, contra el individualismo, son defendidos los principios de una representación orgánica de la nación, de sus organizaciones profesionales o culturales y de las colectividades locales. Y no se busca ya, como lo hiciera Antonio Maura, una mayor aproximación al cuerpo social sino un reforzamiento de la autoridad del gobierno. Curiosamente, esta postura autoritaria y conservadora no coincidía con las orientaciones más innovadoras de algunos miembros del gobierno de Primo de Rivera: Aunós o Calvo Sotelo. Incluso, pese a la ambigüedad de sus expresiones, puede pensarse que Primo de Rivera tampoco se identificaba con tales esquemas mentales. Pero el criterio de unos y otros era sumamente confuso y dejó un espacio a la representación individual. Asimismo, la crítica unánime de los partidos políticos y la creación de la Unión Patriótica no desembocaron en la institucionalización de un partido único, sino en la esperanza de que las reformas del sistema electoral y de la representación suscitarían partidos de nuevo corte, aptos para turnar en el poder con la UP.

En fin de cuentas las innovaciones son pocas: un Consejo del Reino con miembros vitalicios y miembros electivos; Cortes de cámara única, con la mitad de diputados elegidos por sufragio universal, y la otra mitad designada por el rey o por colegios profesionales. El proyecto mantiene la separación de poderes, y al fin solo reúne en una misma asamblea lo que antes iba por separado: Senado y Cortes.

Ni siquiera era del gusto de Primo de Rivera. Le parecían excesivos los poderes atribuidos al rey, sobre todo este Consejo del Reino que es oído antes del nombramiento del jefe de gobierno.

Esta diferencia de criterio entre la Sección Primera y el gobierno reflejaba la evolución ocurrida en la base política del régimen. A medida que esta se reducía y el Poder en crisis acudía a medidas más autoritarias, crecía la influencia de los ultraconservadores. Esta evolución fue más favorable a la corona que a la Dictadura encarnada en Primo de Rivera y sus más activos ministros: Calvo Sotelo, Aunós, Guadalhorce.

5. CAÍDA DE PRIMO DE RIVERA

El rey intentó deshacerse del embarazoso general y recibió para esta maniobra el apoyo de la oligarquía financiera y la aristocracia.

A estas les inquietaba la caída del cambio de la peseta, signo evidente del desvío de los capitales extranjeros y de la salida de capitales españoles, indicio precursor de la crisis que se avecinaba. El ciclo de revalorización de la peseta había empezado en 1924, pero a partir de 1927 cambió la tendencia y en 1929 se volvió a los peores niveles de 1924. Con una balanza comercial desequilibrada (cobertura del 70 %) [19, 299], solo la inversión extranjera, importante desde finales del siglo anterior, mantenía el curso de la moneda.

Con excelentes intenciones teóricas pero una desastrosa percepción de la situación económica, se había creado en 1928 un Comité Interventor de Cambios destinado a estabilizar la moneda y preparar la adopción del patrón-oro, considerado en sí como signo de salud económica y propio de las naciones más modernas. Para enjugar los excesos de la oferta de pesetas, el Estado se lanzó a la compra de moneda nacional a cargo de un fondo de 500 millones de pesetas oro, con lo que se agravó su situación deudora. El abandono de esta política errada significó la dimisión de Calvo Sotelo el 20 de enero de 1930, cuando ya se derrumbaba todo el sistema dictatorial.

En noviembre de 1929, Alfonso XIII le había propuesto a Primo de Rivera retirarse para que se constituyera un gobierno de transición presidido por el duque de Alba. El general rechazó esta solución y, con acuerdo de sus ministros, solo propuso que se continuara la obra dictatorial bajo la dirección del conde de Guadalhorce. A su vez el rey dio largas al asunto.

Pero los acontecimientos se precipitaban en aquel enero de 1930. Las universidades entran de nuevo en ebullición con la llamada a la huelga por la FUE para el 21 de enero, siempre con motivo declarado de las sanciones a Sbert y a los profesores dimitidos. Al mismo tiempo, un nuevo pronunciamiento de carácter constitucional capitaneado por militares y civiles andaluces se prepara —a sabiendas del gobierno, del rey y de numerosos políticos y jefes militares— para el 28 de enero. En un arrebato que parece insólito por la falta de percepción de la situación política, pero que cuadra perfectamente con la idea que tiene Primo de Rivera de la fuente de su legitimidad, este anticipa el movimiento. Por nota del 26 de enero, les pide a los jefes militares le manifiesten si aún goza él de su confianza, poniendo su cargo político entre sus manos.

A diferencia de 1923, la respuesta es totalmente negativa. Otra vez, los más han optado por el rey, como en 1923, pero ahora la corona se encuentra en conflicto con Primo de Rivera. Esto significaba su muerte política. El pronunciamiento es suspendido y el jefe del gobierno dimite el 30.

Por la noche, el rey encargaba al general Dámaso Berenguer la constitución de un nuevo gobierno.

CAPÍTULO VI

El hundimiento de la monarquía

La destitución, de hecho, de Primo de Rivera por el rey y luego por los mandos militares volvía a poner en manos del monarca, como en 1923, la clave inmediata de la situación política.

Para salvar la monarquía del derrumbamiento de la Dictadura y preparar una vuelta a la Constitución es adoptada una solución de espera: la designación, como presidente del Consejo de Ministros, del general Berenguer, jefe de la Casa Militar de Alfonso XIII.

Se partía del supuesto de que se podía volver, sin más, a la normalidad constitucional anterior al golpe de Estado de septiembre de 1923.

El restablecimiento de las garantías constitucionales implicaba dos amenazas: un reforzamiento de las filas republicanas por los enemigos de la Dictadura, y un empuje revolucionario de las masas y de las organizaciones obreras; o sea que se temía lo mismo que en los años anteriores a 1923, pero con la incógnita de los escrutinios por venir.

Así pues, se multiplicaron los procesos contra la propaganda republicana a pesar de la libertad de prensa, y fue denunciada la fuerza política de los sindicatos únicos y por rama que reorganizó la CNT, autorizada a partir del 30 de abril de 1930.

Para grandes sectores de la clase dominante, la Dictadura a la vez estorbaba el funcionamiento «natural» de la economía —demanda de liberalismo y democracia aunque fuese restringida— y, al impedir que se dirimieran las cuestiones fuera del ámbito palatino, además agravaba las tensiones y hacía temible una explosión social.

Las reformas políticas que pedía la burguesía en la Asamblea de Parlamentarios de 1917 o con gobierno como el de 1923 —albistas reformistas— ahora se exigen fuera de la monarquía constitucional o por lo menos prescindiendo de la persona de Alfonso XIII («monárquicos sin rey»: Ossorio y Gallardo, Sánchez Guerra). La presencia del hijo de Antonio Maura, Miguel, dentro del Comité Revolucionario, así como el frenesí contrarrevolucionario de A. Lerroux, ahuyentaban los espectros de una explosión social. Por cierto, tampoco reapareció el terrorismo amedrentador.

Solo la alta burguesía financiera, la aristocracia industrial y terrateniente, estrechamente vinculada con la corona y con la corriente católica tradicionalista, siguen resueltamente monárquicas.

De hecho, la idea de un cambio político fundamental ha progresado. La identificación de la Dictadura con el rey hace dudar de su voluntad de promover la vuelta a la Constitución y más aún las reformas pendientes desde, al menos, 1917: democratización, reformas sociales. Varios políticos, antes favorables a la monarquía, se apartan abiertamente de ella: Miguel Maura (20 de febrero), Niceto Alcalá Zamora (13 de abril), Sánchez Guerra, Ossorio y Gallardo (4 de mayo). Esta derecha liberal, representativa de la burguesía moderada, no arrastra con ella ninguna base social organizada. Tampoco los partidos republicanos tienen estructura orgánica, si bien tienen prestigio en la opinión pública. El Partido Republicano Radical capitaneado por A. Lerroux ha conservado alguna fuerza en Levante, pero ya está en competición con el nacionalismo valenciano. Desde 1929, M. Domingo está agrupando funcionarios, artesanos y comerciantes en un Partido Radical Socialista. Los intelectuales republicanos se reconocen en Acción Republicana de Azaña y Giral.

Todo esto no es percibido por el Poder como una amenaza inmediata. Está más preocupado por la actitud de las organizaciones obreras [16, 175].

El PSOE y la UGT inician un viraje en favor de la República, pero la división de los dirigentes hace recelar y temer —con razón— una tibieza en su intervención contra el régimen.

Besteiro y Saborit afirman que los trabajadores solo deben actuar en favor de su propia revolución y no en la de la burguesía; pero otros como Prieto y Largo Caballero se inquietan ante la pasividad que favorece a la CNT y a los comunistas. La CNT, al revés, en su pleno de 17-18 de abril declara su hostilidad a la monarquía. Las huelgas del verano de 1930 iban a demostrar la pujanza del movimiento obrero.

La coordinación de las fuerzas republicanas empieza con el acuerdo entre Alianza Republicana y el partido Radical Socialista, el 14 de mayo. Por fin, el 27 de agosto de 1930, se reúnen en San Sebastián los dirigentes de la oposición: Alianza Republicana, Partido Republicano Radical Socialista, Derecha Liberal Republicana, Acció Catalana, Acció Republicana de Catalunya, Estat Català, Organización Republicana Gallega Autónoma. La CNT no está representada. Prieto, del PSOE, presente, lo está a título personal.

El acuerdo de las organizaciones catalanas se había obtenido sobre la base de que, en el futuro parlamento de la República, sería propuesto un Estatuto de autonomía. Del «Pacto de San Sebastián» resultaba la creación de un Comité Revolucionario que organizaría el cambio de régimen mediante un alzamiento militar apoyado por los civiles. Pero los hombres allí reunidos no podían contar con ninguna organización de masa; era preciso, pues, obtener el apoyo de las organizaciones obreras. En octubre de 1930, los enviados del Comité Revolucionario llegan a un acuerdo con el PSOE y la UGT. Una huelga general vendría a respaldar la acción que emprendieran los elementos militares. Dentro de la Ejecutiva del partido, Besteiro y Saborit siempre serán muy reacios a sumarse a las fuerzas republicanas, y parece que fue la presión de las masas después del gran mitin republicano de la plaza de Toros de Madrid, el 28 de septiembre, la que consiguió el apoyo socialista. Las negociaciones con la CNT tienen su desenlace favorable con la decisión de apoyo adoptada en el pleno de primeros de noviembre.

En relación con algunos militares como Alejandro Sancho, la CNT había intentado acelerar el movimiento presionando al Comité militar del Comité Revolucionario integrado por Alcalá Zamora, el general Queipo de Llano, los comandantes Ramón Franco y Díaz Sandino, para que el movimiento tuviese lugar a mediados de octubre. Pero el gobierno, informado, había detenido a Ramón Franco, Alejandro Sancho, Ángel Pestaña, Luis Companys, etc. Desbaratado su plan, la CNT no tuvo más remedio que acceder al calendario de los conjurados de San Sebastián.

Mientras van atándose los cabos del movimiento militar previsto para el 15 de diciembre, se multiplican las huelgas obreras y las manifestaciones estudiantiles con las que se caldea el ambiente político.

Para aminorar la creciente agitación, el gobierno anuncia elecciones legislativas para el 1.º de marzo de 1931. Pero la conspiración ya está en marcha.

Quizá por miedo a que le detuvieran preventivamente, con cuatro días de antelación, el 12 de diciembre, el capitán Fermín Galán proclama la República en su guarnición de Jaca y se dirige con una columna hacia Huesca. Galán, tras haberse detenido en Ayerbe (pueblo de tradición republicana), continuó su marcha en la madrugada del día 13. A la altura del santuario de Cillas sus fuerzas fueron interceptadas por las gubernamentales. Tras hora y media de lucha desigual, Galán dio orden de alto el fuego. Él marchó, en el estribo de un camión, hasta la pequeña localidad de Biscarrués. Creyó que su deber era entregarse y así lo hizo al alcalde de ese pueblecito. Al día siguiente, tras consejo sumarísimo de guerra, son condenados a muerte y fusilados los capitanes Fermín Galán y García Hernández.

Era la víspera del día previsto para el levantamiento. El gobierno, algo enterado de lo que se urdía, ordena la detención de las máximas cabezas del movimiento, pero solo localiza a algunos de ellos: Miguel Maura, Alcalá Zamora, Largo Caballero, F. de los Ríos, J. Giral, A. de Albornoz, A. Galarza. En la madrugada del 15 de diciembre, el general Queipo de Llano, los comandantes Ramón Franco e Ignacio Hidalgo de Cisneros se apoderan del aeródromo de Cuatro Vientos en Madrid. Se les suman muy pocos oficiales más y los artilleros de Campamento niegan su apoyo. Por suerte para los sublevados, el gobierno tampoco consigue la intervención de las tropas de Getafe contra Cuatro Vientos. En el curso de la mañana, en la Casa del Pueblo aún iba debatiéndose si llamar o no a la huelga general. A primeras horas de la tarde los sublevados, faltos de apoyo popular, tienen que salir en avión hacia Portugal.

La pasividad socialista en Madrid y la falta de organización y coordinación hicieron fracasar el intento revolucionario. En provincias la situación es inversa: pasividad militar y huelga general de obreros de UGT y CNT con paralización en Vascongadas (con excepción de Bilbao), en las cuencas mineras de Asturias y Andalucía, en numerosas ciudades de toda la Península. A pesar del carácter insurreccional del movimiento en algunas poblaciones de Alicante, Valencia y Zaragoza, el gobierno reduce rápidamente los focos de rebelión.

A finales de diciembre el optimismo del general Berenguer no parece tan desorbitado si se tiene en cuenta la incapacidad del Comité Revolucionario, la ausencia de apoyo militar y la indecisión de los socialistas. ¡Hasta febrero de 1931, Besteiro y Trifón Gómez seguirán proponiendo la retirada de las organizaciones socialistas del Comité Revolucionario! Este optimismo será totalmente desmentido no solo porque lo dijera antes Ortega y Gasset en sonado artículo de 15 de noviembre en *El Sol*, «El error Berenguer», sino porque van a ocurrir diversos acontecimientos inesperados unos, imprevisibles otros: apartamiento de fuerzas monárquicas, agitación estudiantil y crisis de trabajo.

Las futuras elecciones a Cortes no reciben mejor acogida que la progresiva vuelta a la Constitución encarnada en Berenguer. El 29 de enero varios políticos monárquicos, Sánchez Guerra, Melquíades Álvarez, Bergamín, Burgos y Mazo, Villanueva, exigen que las Cortes se declaren constituyentes. En los días siguientes los republicanos y los socialistas amenazan con llamar a la abstención.

La agitación estudiantil encabezada por la FUE no ceja y una nueva huelga de las universidades empieza en enero de 1931. Sus objetivos son claramente políticos y antimonárquicos. El gobierno cree arreglarlo todo concediendo un mes de «vacaciones extraordinarias» a partir del 5 de febrero. Cierre al que replican estudiantes y catedráticos republicanos y socialistas organizando una efímera universidad extraoficial. El movimiento estudiantil había sido muy sensible a la acción obrera durante todo el año 1930. En noviembre, manifestó su solidaridad con la huelga de la UGT en Madrid y de la CNT en Barcelona. El manifiesto del grupo de intelectuales «Al servicio de la República», publicado el 10 de febrero y firmado por Ortega, Marañón y Pérez de Ayala, aprovechó la efímera suspensión de la censura de prensa (9 a 17 de febrero) y tuvo gran efecto en la opinión ciudadana. El levantamiento abortado de diciembre había demostrado la falta de coordinación y la indecisión de dirigentes sindicales y mandos militares. Pero en numerosas ciudades los mitines, las manifestaciones y las huelgas del 15 de diciembre enseñaban que los obreros, empleados, artesanos, etc., bullían de impaciencia por un cambio de régimen.

A la movilización política se suma la tensión social causada por una grave crisis de trabajo en algunas ciudades y en el campo andaluz. La Exposición Internacional de Barcelona, inaugurada en mayo de 1929, había significado durante algunos años trabajo para más de 15 000 jornaleros. Procedentes de las cuencas mineras murcianas, suman 30 a 40 000 personas que viven —desocupadas ahora— en los altos de Hospitalet. La Exposición Iberoamericana de Sevilla, inaugurada en las mismas fechas, aunque de menor importancia, también dejó sin trabajo a miles de jornaleros. El ministro de Hacienda, Argüelles, en su empeño por disminuir los gastos del Estado, había suspendido drásticamente las obras públicas, tradicional balón de oxígeno del empleo. En el invierno de 1930-1931 estalló una grave crisis del olivo: la producción, estimada en 33,4 millones de quintales en 1929, se redujo en 1930 a la quinta parte: 6,2 millones de quintales. La tercera parte quizá de la población activa de provincias como Córdoba, Granada, Huelva o Cádiz estaría en paro. Las cifras oficiales arrojan para estas provincias porcentajes de 12 a 16 % [62, 307]. También, a nivel nacional, la producción agrícola de 1930 había sido mediocre, como antes la de 1928. La producción industrial, en cambio, no da globalmente síntomas de crisis contrariamente a los países industriales europeos y Estados Unidos, cuya producción disminuye entre 10 y 20 %.

Cuadro 15

INDICES DE PRODUCCIÓN 1924-1930
(base 1913=100)

Años	Producción agrícola	Producción minera e industrial
1924	114,2	124,0
1925	138,7	127,3
1926	113,8	140,6
1927	147,6	139,6
1928	104,3	142,6
1929	150,5	149,2
1930	115,4	151,4

Fuente: Comisión de la Renta Nacional, in: H. PARIS EGUILAZ, *Factores del desarrollo económico español*, Madrid, 1957, pp. 428 y 432.

Las primeras alarmas provienen de las relaciones con el extranjero. El comercio exterior, tanto de exportación como de importación, marca un notable retroceso.

Cuadro 16

COMERCIO EXTERIOR DE ESPAÑA 1926-1930
(volumen e índice 1929=100)

	Importación		Exportación	
Años	Miles de t	Índice	Miles de t	Índice
1926	4 127	57,9	7 088	61,5
1927	5 602	78,6	10 285	89,2
1928	6 639	93,1	11 432	99,1
1929	7 131	100	11 533	100
1930	5 862	82,2	9 955	86,3

Fuente: H. PARIS EGUILAZ, *España en la economía mundial*, p. 163.

La cotización de las acciones industriales también ha cambiado de signo y expresa la inquietud tanto económica como política:

Cuadro 17

COTIZACIÓN DE ACCIONES INDUSTRIALES ESPAÑOLAS, 1926-1930
(muestra de 22 acciones, base 1925=100)

1925	100	1928	156
1926	110	1929	168
1927	125	1930	152

Fuente: H. PARIS EGUILAZ, *España en la economía mundial*, p. 57.

Este ambiente se percibe por algunos como portador de una conmoción política y social difícil de controlar. Entonces, Romanones y Cambó, ambos representantes de la oligarquía financiera —con perspectivas políticas diferentes pero reunidos por la misma inquietud—, proponen una solución para salir del callejón en que se ha metido el gobierno Berenguer: la elección de Cortes constituyentes, pero precedida de elecciones municipales y provinciales para dar tiempo y restablecer unas autoridades elegidas más sensibles a las presiones del Ministerio de Gobernación cuando las elecciones ulteriores.[1]

Abierta la crisis el 14 de febrero de 1931, el rey, aconsejado por Cambó, designó a Sánchez Guerra para constituir un gobierno «nacional» que incluiría a miembros detenidos del Comité Revolucionario. Fracasan las gestiones tanto por la negativa de estos como por la reacción de hostilidad de la derecha más conservadora: La Cierva, Ángel Herrera, Guadalhorce, elementos adictos a la Unión Monárquica Nacional continuadora de la Unión Patriótica. Por cierto, en el gabinete de

Sánchez Guerra aparecían reformadores determinados como Melquíades Álvarez y el albista Chapaprieta. Presionado, el rey ya había llamado al almirante Aznar, retirándole la confianza a Sánchez Guerra.

Con filiaciones políticas muy diversas, en apariencia, los miembros del gobierno Aznar constituido el 18 de febrero de 1931, representaban directa e indirectamente los miembros de la oligarquía financiera que ya imperaba antes de 1923: miembros de Consejos de administración de grandes empresas casi todos, grandes terratenientes algunos. Otros: La Cierva, Bugallal y también Romanones, representaban las tradicionales fuerzas caciquiles de zonas rurales.

El nuevo gobierno tiene por doble tarea preparar las elecciones y tratar de ganarlas para un partido monárquico aún por constituir. La necesaria liquidación de las secuelas de la Dictadura tenía que hacerse sin que se contabilizara en el haber de las fuerzas antimonárquicas como había ocurrido con el gobierno Berenguer. Delicada tarea, puesto que las elecciones municipales se verificarían el 12 de abril, menos de dos meses más tarde, pero tarea más ardua aún si se tratara de elecciones a Cortes.

El 2 de marzo, el duque de Maura, ministro de Trabajo, propone a Cambó la formación de un gran partido católico y monárquico. El líder catalán lo acepta a cambio del estudio por las futuras Cortes de un Estatuto propio de Cataluña. No se llega a más, pero sigue reinando el optimismo.

Mientras tanto, la agitación antimonárquica crece a raíz de los procesos de los sublevados de Jaca y de los miembros del Comité Revolucionario. El 18 de marzo, el Consejo de Guerra reunido en Jaca condena a muerte al capitán Sediles, a reclusión perpetua a tres oficiales y a veinte años a 52 encausados más. Una campaña pro amnistía se desarrolla y culmina en manifestaciones en Madrid y las principales ciudades. El gobierno y el rey acuerdan la gracia para Sediles.

El Consejo Supremo de Guerra y Marina —jurisdicción competente para juzgar a Largo Caballero, consejero de Estado— se reúne en Madrid el 20 de marzo para sentenciar a los miembros del Comité Revolucionario. Como en Jaca, la defensa estribó en la ilegalidad del golpe de 1923. Las condenas no pasaron de los seis meses, con lo que los presos salieron libres del Tribunal.

Pero las manifestaciones pro amnistía de los militares de Jaca llegan a un paroxismo el 24 de marzo con el enfrentamiento de estudiantes y fuerza pública en la Facultad de Medicina de Madrid y la muerte de un manifestante y de un guardia civil. La huelga estudiantil se extiende a toda la Península. Y precisamente en estos días empieza la campaña electoral con enorme expectativa.

El bando monárquico no ha podido cerrar filas y cuenta con la inercia en el campo y de la prensa en las ciudades. Al monárquico *ABC* y al católico derechista *El Debate* se suma a partir de marzo *El Sol*, que acaban de comprar los monárquicos conde de Barbate y conde de Gamazo, José F. de Lequerica, etc. En Cataluña, frente a la Lliga la oposición está dividida entre la Esquerra y el Partit Catalanista Republicà (Acció Catalana y Acció Republicana de Catalunya). En la oposición, la conjunción republicano-socialista solo deja marginados a los escasos comunistas.

La votación tuvo lugar el domingo 12 de abril. Hubo 33 % de abstención con máximos hasta 50 % en algunas provincias andaluzas y gallegas, y en Guadalajara.

Los republicanos triunfan en 41 de las 50 capitales de provincia, en las cuencas mineras del norte y de Andalucía, en numerosísimas ciudades de Levante y de Cataluña. Son 39 501 los concejales republicanos y socialistas y 34 238 los monárquicos o presumibles monárquicos. Si se considera que en la provincia de Madrid los 952 000 habitantes de la capital eligen solo a 50 concejales cuando los 425 000 habitantes del resto de la provincia eligen a 1677, no quedaba la menor duda sobre el significado político de la elección. Aun cuando el astuto Romanones decía que se atendería al número de concejales elegidos por cada bando.

Con diversas peripecias pero sin encontrar voluntad de resistencia alguna, el 14 de abril de 1931 la República ha sido proclamada en varias capitales y el gobierno provisional entra en Gobernación a las ocho de la tarde mientras el rey sale para el exilio.

NOTAS DEL CAPÍTULO VI .

1. Véase J. T. Valverde, *Memorias de un alcalde*, Madrid, 1961, cap. X.

BIBLIOGRAFÍA

1. *Abd-el-Krim et la république du Rif. Actes du colloque international d'ètudes historiques et sociologiques. 18-20 janvier 1973,* París, 1976 (especialmente: MARÍA-ROSA DE MADARIAGA, «Le Parti socialiste espagnol et le Parti communiste d'Espagne face à la révolte rifaine», pp. 308-366).

2. ANDRÉS-GALLEGO, JOSÉ, *El socialismo durante la Dictadura. 1923-1930,* Madrid, 1977.

3. AUNÓS, EDUARDO, *Primo de Rivera, soldado y gobernante,* Madrid, 1944.

4. AUNÓS, EDUARDO, *La política social de la Dictadura,* Madrid, 1944.

5. BALCELLS, ALBERT, *El problema agrari a Catalunya (1890-1936). La qüestió rabassaire,* Barcelona, 1968.

6. BEN-AMI, SHLOMO, «Los estudiantes contra el Rey. Papel de la FUE en la caída de la Dictadura y la proclamación de la República», in: *Historia 16,* núm. 6, octubre 1976, pp. 37-47.

7. BERENGUER, DÁMASO, *De la Dictadura a la República,* Madrid, 1946.

8. BRAVO MORATA, FRANCISCO, *Historia de Madrid, t. II: Desde el 13 de septiembre de 1923...,* Madrid, 1967.

9. CABANA, FRANCESC, *Bancs i banquers a Catalunya. Capítols per una història,* Barcelona, 1972.

10. CALVO SOTELO, JOSÉ, *Mis servicios al Estado. Seis años de gestión. Apuntes para la historia,* Madrid, 1931 (nueva ed., Madrid, 1974).

11. CARR, RAYMOND, *España, 1808-1939,* Barcelona, 1969.

12. CEBALLOS TERESI, JOSÉ, *Historia económica, financiera y política de España en el siglo xx,* tomos V y VI, Madrid, 1931.

13. COLECTIVO de historia, «La Dictadura de Primo de Rivera y el bloque de poder en España», in: *Cuadernos económicos de ICE,* 6, 1978.

14. CONARD, P., y A. LOVETT, «Le prix du pain depuis le milieu du xixe siècle: une source nouvelle», in: *Mélanges de la Casa de Velázquez (París),* t. V, 1969, pp. 411-433.

15. DESVOIS, JEAN-MICHEL, *La Prensa en España (1900-1931),* Madrid, 1977.

16. DÍAZ-PLAJA, FERNANDO, *La España política del siglo xx en fotografías y documentos.* Tomo 2: *De la Dictadura a la Guerra civil (1923-1936),* Barcelona, 1971.

17. DUPEUX, G. (dir.), *Guerres et crises, 1914-1947.* París, 1977. *(Histoire économique et sociale du monde,* 5), (edición española, Madrid, 1979).

18. *El Banco de España, una historia económica,* Madrid, 1970.

19. *Estadísticas básicas de España. 1900-1970,* Madrid, 1976.

20. FERNÁNDEZ ALMAGRO, MELCHOR, *Historia del reinado de Don Alfonso XIII,* Barcelona, 1933 (nueva edición: Barcelona, 1977).

21. FERNÁNDEZ AREAL, MANUEL, *El control de la prensa en España*, Madrid, 1973.

22. GARCÍA CANALES, MARIANO, *La teoría de la representación en la España del siglo xx (De la crisis de la Restauración a 1936)*, Murcia, Universidad, 1977.

23. GARCÍA DELGADO, JOSÉ LUIS, *Orígenes y desarrollo del capitalismo en España. Notas críticas*, Madrid, 1975.

24. GARCÍA-NIETO, M.C., J.M. DONEZAR, L. LÓPEZ PUERTA, *La Dictadura, 1923-1930*, Madrid, 1973.

25. GARCÍA VENERO, MAXIMIANO, *Historia del nacionalismo catalán, 1793-1936*, Madrid, 1944.

26. GARCÍA VENERO, MAXIMIANO, *Santiago Alba. Monárquico de razón*, Madrid, 1963.

27. GARCÍA VENERO, MAXIMIANO, *Melquíades Álvarez. Historia de un liberal*, 2.ª ed., Madrid, 1974.

28. GONZÁLEZ RUANO, CÉSAR, *Miguel Primo de Rivera. La vida heroica y romántica de un general español*, Madrid, 1954.

29. GUZMÁN, EDUARDO DE, *1930. Un año político decisivo*, Madrid, 1973.

30. JIMÉNEZ ARAYA, TOMÁS, «Formación de capital y fluctuaciones económicas. Materiales para el estudio de un indicador: creación de Sociedades mercantiles en España entre 1886 y 1970», in: *Hacienda Pública Española*, núm. 27, 1974. pp. 127-185.

31. JOANIQUET, AURELIO, *Calvo Sotelo. Una vida fecunda, un ideario político, una doctrina económica*, Madrid, 1939.

32. JOANIQUET, AURELIO, *Alfonso Sala Argemí, Conde de Egara...*, Madrid, 1955.

33. KINDELÁN, ALFREDO, *Ejército y política*, Madrid, 1947.

34. LACOMBA, JUAN ANTONIO, *Introducción a la historia económica de la España contemporánea*, Madrid, 1969.

35. LÓPEZ DE SEBASTIÁN, JOSÉ, *Política agraria en España 1920-1970*, Madrid, 1970.

36. MAURA GAMAZO, GABRIEL, *Bosquejo histórico de la Dictadura*, Madrid, 1930.

37. MUÑOZ, JUAN, «La expansión bancaria entre 1919 y 1926: la formación de una banca «nacional»», in: *Cuadernos económicos de ICE*, 6, 1978, pp. 98-162.

38. NASH, MARY, «La problemática de la mujer y el movimiento obrero en España», in: M. TUÑÓN DE LARA y otros, *Teoría y práctica del movimiento obrero en España, 1900-1936*, Valencia, 1977, pp. 243-279.

39. OLABARRI GORTAZAR, IGNACIO, *Las relaciones laborales en Vizcaya, 1890-1936*, Durango, 1978.

40. PABÓN, JESÚS, *Cambó, II. Parte primera: 1918-1930*, Barcelona, 1969.

41. PARIS EGUILAZ, HIGINIO, *España en la economía mundial*, Madrid, 1947.

42. PAYNE, STANLEY G., *Los militares y la política en la España contemporánea*, París, 1968 (edición española: *Ejército y sociedad en la España liberal, 1808-1936*, Madrid, 1976).

43. PAYNE, STANLEY G., «La derecha en Italia y España (1910-1943)», in: *Política y sociedad en la España del siglo xx*, Madrid, 1978.

44. PEMARTÍN, JOSÉ, *Los valores históricos en la dictadura española*, Madrid, 1928.

45. PERPIÑÁ, ROMÁN, *De estructura económica hispana*, Madrid, 1952.

46. PRESTON, PAUL, «Los orígenes del cisma socialista: 1917-1931», in: *Cuadernos de Ruedo Ibérico*, París, núm. 49-50, enero-abril 1976, pp. 12-40.

47. PRIMO DE RIVERA, MIGUEL, *El pensamiento de Primo de Rivera*. Sus notas, artículos y discursos, pról. de José María Pemán, Madrid, 1929.

48. ROLDÁN, S., y J.L. GARCÍA DELGADO, *La formación de la sociedad capitalista en España, 1914-1920*, 2 vols., Madrid, 1973.

49. RUBIO CABEZA, MANUEL, *Crónica de la Dictadura*, Barcelona, 1974.

50. RUIZ ALMANSA, JAVIER, «La población de Madrid y su evolución y crecimiento durante el presente siglo. 1900-1945», in: *Revista Internacional de Sociología*, año IV, núm. 14, 1946, pp. 389-411.

51. RUIZ GONZÁLEZ, DAVID, «Repercusión de la crisis de 1929 en España. Consideraciones en torno», in: *Hispania*, núm. 109, 1968, pp. 337-352.

52. RUIZ GONZÁLEZ, DAVID, *El movimiento obrero en Asturias. De la industrialización a la segunda República*, Oviedo, 1968.

53. RUIZ MANJÓN, OCTAVIO, *El Partido Republicano Radical. 1908-1936*, Madrid, 1976.

54. SALCEDO ANGULO, FLORENCIO, *Análisis de los fenómenos monetarios en España. 1900-1936*, Bilbao, 1947.

55. SÁNCHEZ LÓPEZ, FRANCISCO, «Movilidad social en España», in: *Revista de Estudios políticos*, sept.-oct. 1961, pp. 29-65.

56. «Sindicalismo amarillo en España (1900-1939)», in: *Historia 16*, núm. 32, dic. 1978. pp. 52-81 (varios artículos de J. J. CASTILLO, S. CARRASCO y C. M. WINSTON).

57. SORIANO FLORES DE LEMUS, JULIÁN, *Calvo Sotelo ante la II República. La reacción conservadora*, Madrid, 1975.

58. TUÑÓN DE LARA, MANUEL, *La España del siglo XX*, París, 1966 (edición española: Barcelona, 1974).

59. TUÑÓN DE LARA, MANUEL, *Historia y realidad del poder. (El poder y las élites en el primer tercio de la España del siglo XX)*, Madrid, 1967.

60. TUÑÓN DE LARA, MANUEL, *Medio siglo de cultura española, 1885-1936*, Madrid, 1970.

61. TUÑÓN DE LARA, MANUEL, *El movimiento obrero en la historia de España*, Madrid, 1972.

62. TUSELL GÓMEZ, JAVIER, *Historia de la democracia cristiana en España*, t. 1, Madrid, 1974.

63. TUSELL GÓMEZ, JAVIER, *La crisis del caciquismo andaluz (1923-1931)*, Madrid, 1977.

64. VELARDE FUERTES, JUAN, *Política económica de la Dictadura*, Madrid, 1968. (2.ª ed. 1974).

65. VICENS VIVES, J. (dir.), *Historia de España y América*, tomo V: *Burguesía, industrialización, obrerismo. Los siglos XIX y XX*, Barcelona, 1961.

66. WOOLMAN, DAVID, *Abd el-Krim y la guerra del Rif*, Barcelona, 1971.

SEGUNDA PARTE

LA SEGUNDA REPÚBLICA

por
Manuel Tuñón de Lara

CAPÍTULO PRIMERO

España en la primavera de 1931

1. EL 14 DE ABRIL

«Hemos ya entrado en el vórtice de la tormenta».

Quien así escribe es el entonces obispo de Tarazona, Isidro Gomá, dirigiéndose el 15 de abril de 1931 al cardenal Vidal y Barraquer [16, 19]. ¿La tormenta? No parecía tal un cambio de régimen que tenía lugar entre explosiones de júbilo popular y sin una sola víctima.

Tal vez hubiera sido más acertado decir que se entraba en el vórtice de la crisis estructural netamente abierta desde 1917 y que, con la crisis de Estado y el desplazamiento de la oligarquía de los centros de decisión del poder político, iba a alcanzar una fase todavía más conflictiva.

Insistimos, sin embargo, en que al hilo de los sucesos cotidianos la conflictividad latente se encontraba recubierta por la oleada de entusiasmo popular. En la mañana del 13 de abril era vano tergiversar. La inmensa mayoría del 66,9 % del censo electoral que había acudido a las urnas se había pronunciado por la República votando las candidaturas de la conjunción republicano-socialista. Aquella tarde, mientras el gobierno Aznar se reunía perplejo e indeciso, las calles de Madrid, Barcelona, Valencia, Zaragoza, Oviedo, Gijón y otras grandes ciudades eran invadidas por las multitudes que vitoreaban a la República. Aquella noche todavía la Guardia Civil disparó sobre los manifestantes madrileños en la plaza de la Cibeles, pero, en general, los servicios de Seguridad se habían desplomado. Cuando a la mañana siguiente Romanones hacía llegar una nota al rey aconsejándole que renunciase ante el Consejo de Ministros, la República era ya un hecho en la localidad guipuzcoana de Eibar. Se habían adelantado, es verdad, pero la Guardia Civil se refugió en su casa-cuartel y cuando el marqués de Hoyos le pidió a Berenguer ayuda del ejército, este le dijo que no podía distraer fuerzas. Fue entonces cuando Mola se presentó en Gobernación y le dijo a Hoyos: «Creo que el "batacazo" es inevitable».

En efecto, aplicada al 14 de abril de 1931 es válida una frase que parece estereotipada y que se usa sin discernimiento con frecuencia: las masas estaban en la calle. Esto quiere decir que los obreros habían abandonado las fábricas, los estudiantes las universidades, los empleados las oficinas... y todos ellos habían ocupado las calles de los grandes centros urbanos del país. En esas circunstancias parlamentan Alcalá Zamora y Romanones, exigiendo el primero que el rey abandone Madrid antes de que se ponga el sol. En el hotelito de Miguel Maura, en la calle Príncipe de Vergara, está reunido el que va a ser gobierno provisional de la República. Y allí se presenta Sanjurjo, director de la Guardia Civil. Cuando a las tres de la tarde se iza la bandera republicana en el Palacio de Comunicaciones, eso significa que la red de telégrafos está ya en manos de los republicanos.

Poco después de mediodía, en Barcelona, Luis Companys ha proclamado la República en el balcón del Ayuntamiento; y media hora más tarde Francesc Macià proclama, desde un balcón de la Diputación, la República catalana «como Estado integrante de la Federación ibérica»; él mismo nombra a López Ochoa, capitán general de Cataluña y a Companys, gobernador civil, para lo cual es preciso desalojar de allí al radical Emiliano Iglesias.

A las cinco de la tarde la República se había ya proclamado en Valencia, Sevilla, Zaragoza, San Sebastián, La Coruña, Salamanca, Huesca... Los representantes de la coalición republicano-socialista, iban entrando en los gobiernos civiles; los gobernadores militares no ofrecían resistencia.

Precisamente a las cinco de la tarde empezaba en el Palacio Real la última reunión del gobierno Aznar. Tan solo La Cierva pensó en resistir por la violencia, así como el general Cavalcanti, que estaba en la antecámara y se ofreció a lanzar varios regimientos a la calle, oferta que fue rechazada por el rey. Todos discuten y lo único que se hace es preparar la salida del monarca y, para la mañana siguiente, la de la reina y las infantas.

Eduardo Ortega y Gasset (a quien el gobierno provisional nombraba gobernador de Madrid), acompañado por Rafael Sánchez Guerra y por Ossorio Florit, habían entrado ya en Gobernación, mientras los concejales republicanos y socialistas se habían apoderado del Ayuntamiento. Abriéndose difícilmente paso entre una multitud en delirio que los aclamaba, los ministros del gobierno provisional fueron en una caravana de coches desde Príncipe de Vergara hasta la Puerta del Sol. Eran las ocho de la noche cuando entraban por la puerta grande de Gobernación, donde la Guardia Civil de servicio presentaba armas. Un cuarto de hora después Alfonso XIII salía de Palacio por la puerta del Campo del

Moro, acompañado del duque de Miranda, rumbo a Cartagena (y desde allí a Marsella).

Reunido hasta la una de la madrugada, el gobierno provisional de la Segunda República elaboraba su propio estatuto jurídico (que apareció el día 15 en *La Gaceta*, llamada ahora «de la República»), por el que definía sus fines hasta la convocatoria de Cortes Constituyentes y reunión de las mismas y se autolimitaba dentro de una norma de derecho. El gobierno provisional estaba formado tal como había sido previsto en el seno del comité que surgió del «Pacto de San Sebastián».[1]

Aquellos hombres constituían una representación muy dosificada de partidos políticos partidarios de un cambio de régimen en sentido democrático; los dos que indudablemente representaban un sector de burguesía propietaria eran los más recién venidos al campo republicano: Alcalá Zamora y Maura. El Partido Radical, de larga y desigual historia y con evidente pérdida de prestigio, llevaba a Lerroux para Estado y a su lugarteniente de Sevilla, con indudable raigambre popular en el sur, Diego Martínez Barrio; partido de clases medias que visiblemente aspiraba a canalizar un buen sector de la burguesía que optase por una república conservadora. En cambio los dos radical-socialistas ofrecían una imagen de cierto jacobinismo pequeño-burgués, y Acción Republicana era, ante todo, un partido de intelectuales. D'Olwer era, sin duda, menos representativo de toda Cataluña que cualquier personaje del nuevo partido triunfador, la Esquerra, pero su designación estaba hecha hacía tiempo, cuando se estimaba que Acció Catalana Republicana, después de reunificada, representaba cumplidamente a las clases medias catalanas. En cuanto a Casares y la ORGA eran pese a todo, antes republicanos que galleguistas. En fin, de los tres ministros socialistas, dos (Prieto y de los Ríos) estaban muy vinculados a los republicanos y tenían un historial de lucha contra Primo de Rivera. Largo Caballero, de auténtica raíz obrera, llegaba con un prestigio inmenso en los medios sindicales. Los tres daban la aportación del partido más importante de la clase obrera y de la no menos importante UGT. En resumen, el centro supremo decisorio del aparato de Estado había sido ocupado por representantes de la pequeña burguesía e incluso de algunos sectores de burguesía media y por los de un vastísimo sector de la clase obrera. Importante era que de aquellos doce hombres ocho tuvieran un título universitario, otro de maestro (Domingo) y que los tres que carecían de ellos (Martínez Barrio, Prieto y Largo Caballero) tuviesen una amplia formación de autodidactas. Cuatro andaluces, tres madrileños, dos asturianos (aunque Prieto era, en realidad, bilbaíno de adopción), un gallego y dos catalanes daban una impresión de relativo equilibrio.

Aquel gobierno nombró los altos cargos: Eduardo Ortega y Gasset fue, como hemos dicho, gobernador de Madrid, y L. Companys, de

Barcelona; los cuarenta y ocho restantes, otros tantos miembros de los partidos republicanos, pero ninguno del socialista.

Rafael Sánchez Guerra fue subsecretario de la Presidencia; Ossorio y Florit de Gobernación; de Estado, Agramonte, diplomático que había tenido puestos de confianza durante la Dictadura. Fue nombrado director general de Seguridad Carlos Blanco, que ya lo había sido en 1923 con García Prieto y ahora se había afiliado al partido de Alcalá Zamora. En cambio, un radical socialista, Ángel Galarza, era nombrado fiscal general de la República; un socialista (del ala moderada), Antonio Fabra Ribas, director general de Trabajo, y Araquistáin, subsecretario; el comandante Ramón Franco, director general de Aeronáutica. Sanjurjo siguió siendo director general de la Guardia Civil; en el Ministerio de la Guerra, Ruiz Fornell, de medios predominantemente monárquicos, que ya era subsecretario con Berenguer de ministro, lo siguió siendo con Azaña y Goded, que con Berenguer de jefe de gobierno había sido subsecretario, era ahora jefe del Estado Mayor con Azaña.

Las capitanías generales de Madrid, Cataluña, Valencia y Andalucía fueron ocupadas, respectivamente, por los generales Queipo de Llano, López Ochoa, Riquelme y Cabanellas.

2. IMAGEN SOCIOLÓGICA

Si era cierto que el Estado de la monarquía se había desplomado durante las últimas semanas del reinado de Alfonso XIII, nada permite afirmar que el cambio político operado el 14 de abril perseverase en la demolición de las viejas estructuras estatales y en su sustitución por otras. Verdad es que Miguel Maura ha reconocido explícitamente que se eligió el camino de «respetar las bases del Estado monárquico, su estructura tradicional y acometer, paulatinamente, las necesarias reformas para obtener una democratización de los resortes de la administración estatal» [144, 204].

Por eso el historiador tiene que preguntarse adónde fue a parar el Poder a partir del 14 de abril y, más específicamente, qué pasó (o qué no pasó) en los aparatos de Estado y de hegemonía. Sin duda, el viejo bloque dominante había sido desposeído de los centros decisorios de ejercicio del poder político; no obstante, seguía siendo bloque económicamente dominante, seguía existiendo la oligarquía económica, seguía también sin dilucidarse la crisis de hegemonía, pues los partidos y clases que accedían a ese poder tenían la mayoría, sí, pero no la completa hegemonía ideológica.

El gobierno provisional nombró una serie de altos cargos y dejó intacto el conjunto de la administración y aparatos estatales. Las clases sociales que no contaban ya con representantes suyos en los puntosvértice del Estado, mantenían en cambio sus posiciones a diversos niveles de los aparatos estatales.

El bloque dominante había estado caracterizado por la hegemonía en su seno de la gran burguesía agraria, aunque los problemas de equilibrio interno entre sus fracciones de clase ya se habían planteado durante la dictadura de Primo de Rivera, como puede verse en el texto precedente debido al profesor Malerbe. En 1930, según el Censo establecido al terminar el año, la mayoría absoluta de la población activa había dejado de ser agraria, por vez primera en la historia de España; la población agraria representaba el 45,51 %; el sector industrial (con la construcción incluida) el 26,51 % y el de servicios 27,98 %. Las principales zonas de población industrial eran Barcelona, Vizcaya, Asturias, a las que seguían de lejos Madrid, Sevilla y Valencia. La metalurgia (entre la grande y la pequeña) reunía ya a 340 000 personas, la construcción a 430 000 (pero en ella había mucho pequeño empresario y artesano) y la textil a unas 300 000, de las cuales unas 142 000 mujeres. En cuanto a los 176 000 mineros eran asalariados la casi totalidad de ellos.[2]

Tanto por su población activa como por su producción, España había dejado de ser un país netamente agrario; pero lo seguía siendo por el número de personas que habitaban en las llamadas zonas rurales (localidades de 10 000 personas para abajo) y por la naturaleza de su comercio exterior (en 1931-1935 el 66,5 % de las exportaciones españolas estuvo compuesto por productos alimenticios: naranjas, aceite de oliva y almendras). A ello habría que añadir que las clases dominantes vivían una ideología todavía de «antiguo régimen», de sociedad agraria y, en cierto modo, señorial, con todas sus implicaciones.

En 1930 había 4605 sociedades anónimas con casi 15 000 millones de pesetas de capital nominal y 11 696 de capital desembolsado (a lo que debe añadirse más de 7000 millones de obligaciones suscritas, puesto que eran, de hecho, capitales manejados por las empresas). El 20 % del capital desembolsado estaba invertido en producción de energía, y el 16,1 %, en transportes. La banca privada tenía 1861 millones de pesetas de capitales y reservas y manejaba en cartera 1300 millones de empresas privadas, teniendo otros 3000 millones de cuentas corrientes a la vista. Cada vez más el capital financiero (en forma de control de los grandes bancos sobre industrias y servicios) daba el tono a la estructura económica del país. Tampoco es posible ignorar que en los altos niveles de la sociedad la propiedad y subsiguiente poder decisorio en grupos financieros de primer orden solía estar muy entrelazada con la propiedad de grandes fundos rústicos.

Todavía no había sido posible catastrar alrededor del 49 % del territorio nacional, resultando que el 33,29 % de la parte catastrada correspondía a fincas superiores a 250 hectáreas. Otro dato fundamental es que a 17 349 propietarios (exactamente el 0,97 % de la totalidad) les correspondía el 42,05 % del líquido imponible.[3] Al latifundio se oponía la forma estructural contraria y también antieconómica y empobrecedora, el minifundio (con mucha importancia en zonas todavía no catastradas como Galicia, Zamora, Soria, etc.). Esta España agraria (que según estimaciones de 1935 aún producía una rentabilidad superior a la de la industria y minería), estructuralmente atrasada, disminuía el poder de compra de la mitad de la población y acarreaba el raquitismo del mercado interior de bienes de consumo. Las industrias de bienes de producción y de suministro de energía, fuertemente monopolizadas por los grupos financieros de los seis grandes bancos, vivían gracias a la barrera arancelaria con precios artificiosamente elevados. En esas condiciones y con la política de obras públicas de la Dictadura, se había fortalecido la industria siderúrgica y se habían superado los años difíciles de la minería; pero la industria textil seguía en el marasmo.

En el campo, cereales y vid oscilaban según las variaciones del clima; se desarrollaba la exportación de agrios y la producción agrícola encaminada a la industria conservera y la de remolacha azucarera.

No es descaminado situar en el mayor nivel social de la época a unos 12 000 terratenientes; según el Censo de 1930, la población agraria era de 3,7 millones de individuos, de los cuales pueden estimarse en 1 900 000 aproximadamente los obreros agrícolas (incluyendo a quienes trabajaban habitualmente como asalariados aunque tuvieran una pequeña parcela de tierra), unos 750 000 eran arrendatarios y aparceros y el resto, algo más de un millón, propietarios medios y pequeños.[4] De estos, los terratenientes de tipo acomodado (aquellos cuyas cuotas de contribución oscilaban entre 1000 y 5000 pesetas), eran unos 72 000; pero también hay que contar entre los que llamamos «acomodados» a los arrendatarios-empresarios, que subarrendaban a su vez, cuyo número entonces es difícil de precisar, pero que también podía acercarse a cien mil.

Los empresarios fabriles eran (según Hacienda) 108 990; restando de esta cifra los empresarios de tipo menor, con pequeñas industrias, puede limitarse el sector de la gran burguesía industrial, siguiendo a Martínez Cuadrado, a unas 78 000 personas.

El comercio contaba con 40 872 patronos (según el Censo Social de Jurados Mixtos de 1933, que tal vez estuviese por debajo de la realidad), pero con más de 200 000 pequeños comerciantes que trabajaban solos o con sus familias; los asalariados eran aproximadamente unos 200 000.

Sumando la industria y los servicios hay 181 728 empresarios que emplean fuerza de trabajo ajena (Censo de Jurados mixtos, 1933).

Si penetramos hacia las capas medias urbanas (pequeña burguesía, personal administrativo, técnicos, funcionarios, intelectuales), contemos con 123 000 artesanos o «trabajadores independientes», unos cien mil transportistas, varios cientos de miles de trabajadores independientes sin controlar porque no pagaban contribución y, en fin, 225 569 funcionarios (tarifa primera de Contribución de Utilidades por el trabajo personal), que son ya 260 000 en 1931; si les sumamos los ya citados comerciantes que no emplean asalariados, un millón y medio aproximadamente de propietarios agrarios y arrendatarios que tampoco emplean fuerza de trabajo ajena y unos 300 000 (según tarifa primera II «profesiones y empleados» del impuesto de utilidades), que son empleados de empresas privadas, profesionales diversos con sueldos del sector privado, alcanzamos un total que seguramente desborda los dos millones y medio de población activa perteneciente al conjunto de *capas medias* (es decir, pequeña burguesía más alto sector del conjunto salarial) con sus correspondientes familias (es decir, calculando la proporción 1/3 entre población activa e inactiva). Este dato, con frecuencia poco tenido en cuenta, es esencial para cualquier apreciación de la realidad española en el decenio de los treinta.

¿Y la clase obrera y los trabajadores de servicios? Según el Censo electoral social de 1933 (obtenemos los datos sumando al número de obreros ocupados declarados por los patronos, el de parados censados el mismo año) habría 1 245 240 de industria y minas; 160 000 ferroviarios y 97 000 de otros diversos transportes, los que suman 1 502 240, a los que habría que añadir unos 200 000 asalariados del comercio y todos los de banca, seguros, oficinas, espectáculos, hostelería, etc. (unos 150 000), sin olvidar a las siempre olvidadas: las 360 000 «chicas de servir» que aparecen censadas bajo el epígrafe de «servicio doméstico». Con ellas se dobla el cabo de los dos millones que se unen, en una apreciación global, a 1 933 036 asalariados del sector agrario que computa el Censo electoral social (con la adición de los parados) de 1933.

He aquí, pues, la imagen socio-profesional, forzosamente aproximada (pues las fuentes que se utilizan no son suficientemente precisas y, a veces, son discordantes), de aquella España en la que la conflictividad se iba a acentuar en términos con frecuencia dramáticos.

Era una formación social heterogénea y de desarrollo desigual, con una carga de problemas, muchos de ellos heredados de un pasado que no acertó a resolverlos y otros creados por la imparable dinámica de la historia.

3. LOS PROBLEMAS DE LA REPÚBLICA

Se trataba de un nuevo sistema constitucional y político, que quería ser estrictamente democrático, pero sin plantearse un cambio social en el sentido de cambiar el modo de producción sino, en todo caso, un reformismo social para paliar injusticias, liquidar arcaísmos y ponerse a tono con el mundo capitalista contemporáneo. Sobre él, sobre la República, iban a recaer tantos y tantos problemas como venían de antaño, a los que se unirían los creados por la reacción de quienes se habían visto desposeídos del poder político y temían verse privados del económico, así como por una coyuntura internacional de crisis.

El primer orden o nivel de problemas concernía a la economía. El atraso estructural de España había creado un problema agrario fácilmente comprensible por los datos más arriba reseñados: enormes desigualdades de propiedad, exceso demográfico, baja productividad y capitalización, falta de demanda de brazos en las zonas urbanas lo bastante fuerte para descongestionar el campo.

El problema del campo no podía enfocarse sin tener en cuenta el resto de los problemas económicos: mercado interior muy débil, exportaciones en su gran mayoría de productos agrícolas y de minerales; atraso técnico; concentración monopolista, protegida por barreras arancelarias, que había llegado cuando apenas empezaba una verdadera industrialización, es decir con un nivel de desarrollo inferior al habitual al llegar a la fase monopolista.

A todo eso había que añadir el entrelazamiento de la alta burguesía agraria, financiera y de negocios, a nivel máximo, constituido por apenas cien «grandes familias» cuyas pautas de comportamiento y escalas de valores dominantes eran todavía las del «antiguo régimen» señorial y rural.

Los aspectos ideológicos y la crisis de Estado engendraron otra serie de problemas, en primer lugar los de la función del ejército en el sistema y de las relaciones entre el Estado y la Iglesia.

El ejército, que estuvo dividido entre «junteros» y «africanistas», y al fin dominado por estos últimos, estaba habituado a que se le asignaran misiones que iban más allá de la defensa de la integridad patria y en ese sentido había sido siempre estimulado por Alfonso XIII. Además, se le hizo cumplir funciones que, en realidad, debían corresponder a los aparatos de orden público del Estado; una guerra colonial y una dictadura que se llamó militar contribuyeron a desorbitar la conciencia de su función.

Por otra parte, en aquella época, había en activo 195 generales y 16 926 jefes y oficiales (5 generales, 2365 oficiales en Marruecos)[5] para un total de 105 000 hombres de tropa; había regimientos de infantería que solo contaban unas cuantas docenas de soldados, y de caballería sin apenas caballos. La artillería de campaña era del calibre 7,5 modelo francés, y la aviación contaba con un centenar de aparatos de reconocimiento, no todos en buen estado, así como con unos cuantos aparatos de caza.

Obvio es señalar que la presión ideológica que sin exageraciones podía calificarse de secular había también obtenido sus frutos en la burocracia, por cierto poco racionalizada, que heredaba la República. En fin, la Iglesia, tras las sacudidas del siglo xix, había vuelto a la más estrecha alianza con el Trono o, para decirlo de manera más precisa, había cumplido su función legitimadora del poder político reinstaurado en 1875, incluso en situaciones tales como la guerra de Marruecos y la Dictadura. Pero también cumplía la función legitimadora del orden social, con lo cual mantenía la continuidad de la misma desde la Edad Media, e identificaba en todos sus documentos y actos los conceptos de *religión* y *orden social*. Por otra parte, dada la importancia de sus actividades docentes[6] y la debilidad de la primera y segunda enseñanza del Estado, cumplía esa función de aparato ideológico que en otros sistemas burgueses contemporáneos ha correspondido a la Escuela del Estado (v. gr. en Francia). Al proclamarse la República, el clero secular estaba compuesto por 32 207 sacerdotes y el clero regular por 103 974 religiosos de ambos sexos. En el presupuesto de aquel año, la Iglesia cobraba del Estado 67 millones de pesetas. En los registros de la propiedad figuraban como bienes de la Iglesia 11 921 fincas rústicas, 7828 urbanas y 4192 censos. El clero regular tenía inscritas 8602 fincas rústicas, 4207 urbanas y 1653 censos. A todas estas fincas declaradas había que añadir 824 fincas rústicas, 621 urbanas y 221 de ambos cleros que estaban sin inscribir. La Iglesia tenía otra serie de bienes, entre ellos más de ocho millones de pesetas en títulos de Deuda pública intransferible al 3 %, que procedían de la indemnización por desamortizaciones en el siglo xix.

Como es bien notorio, la Iglesia incidía en la vida pública no solo a través de la enseñanza y del ejercicio de funciones en el derecho de familia, etc., sino también a través de las organizaciones del apostolado seglar (Acción Católica y sus especialidades, Asociación Católica Nacional de Propagandistas, etc.) y de organizaciones profesionales y confesionales como la poderosa Confederación Católico-Agraria (cuyo secretario general, al proclamarse la República, era el joven catedrático José María Gil Robles, su presidente el conde Rodríguez de San Pedro y su vicepresidente el tradicionalista y también propietario Lamamié de Clairac), los endebles Sindicatos Católicos Obreros, la importante Federación de Estudiantes Católicos y la Asociación Nacional de Maestros Católicos, entre otras. Era más que evidente que la Iglesia intervenía en política y sus jerarquías no tenían inconveniente en identificarse con la derecha.

Otro problema, largo tiempo reprimido y nunca solucionado, era el de las distintas nacionalidades existentes dentro del Estado español; el caso de Cataluña, que había tenido durante doce años su Mancomunidad y cuya posible autonomía estuvo en el primer plano de la actualidad política en 1918-1919, era evidente y se había reflejado en el Pacto de

San Sebastián dentro del campo republicano. También era muy fuerte el sentimiento de nacionalidad en Euzkadi, donde estaba encauzado orgánicamente a través de una corriente moderada y católica. En Galicia, otras veces soterrado, se manifiesta en 1930 en la reunión del Pazo de Barrantes (25 de septiembre) apoyando «una completa autonomía...».

La tradición centralista del Estado español que, a defecto de una uniformidad real, quiso yuxtaponer e imponer durante siglos instituciones, cultura y lengua a la diversidad de pueblos que constituían su formación social, no había hecho sino agravarse en el siglo xix y, en el xx, había dado lugar a réplicas cada vez más concienciadas. En el caso de Cataluña, la dictadura de Primo de Rivera no había podido impedir que se agravase el problema.

En parte como resultante de los problemas ya enunciados, el atraso cultural y educativo de España era muy pronunciado, a pesar de los esfuerzos de educadores e intelectuales basados principalmente en la gran corriente inspirada por Giner de los Ríos, Gumersindo de Azcárate, Manuel Bartolomé Cossío, etc., y que aglutinaba a los defensores de la Institución libre de Enseñanza. Gran parte de la población infantil estaba aún sin escolarizar; en los adultos, el porcentaje de analfabetos ofrecía un promedio de 33,73 % y era mayor entre las mujeres y en las zonas agrarias, sobre todo las latifundistas.

¿Cuáles eran las fuerzas políticas y sociales organizadas que podían protagonizar la problemática expuesta?

El nuevo régimen contaba con tres partidos republicanos de cierta importancia y otros más débiles. El Partido Radical seguía teniendo una sólida implantación en Valencia (a través del Partido de Unión Republicana Autonomista, el PURA, que procedía del blasquismo) y en Andalucía. Los radical-socialistas, aunque su organización era todavía bastante amorfa, se implantaban rápidamente entre capas medias, intelectuales, pequeños comerciantes, etc. (con mayor importancia, en toda la zona País Valenciano-Murcia, Castilla la Nueva, Asturias). Acción Republicana, como ya hemos dicho, tenía personalidades de prestigio intelectual, pero apenas organización. Añádanse a los citados, el Partido Republicano Federal, muy reducido, y la Derecha Liberal Republicana, de tipo conservador y burgués, de reciente creación.

El único partido sólido y estructurado en la izquierda era el socialista, que además se recuperaba y durante el año 1930 había pasado de 13 000 a 23 009 afiliados. La central sindical por él dirigida, la UGT, contaba 277 011 afiliados en diciembre de 1930, número que aumentó en los primeros meses de 1931. Las organizaciones PSOE-UGT habían resultado incólumes de la Dictadura.

La CNT crecía en proporciones gigantescas desde 1930 y alcanzaba cerca del medio millón de afiliados, con mayor implantación en Cataluña, Andalucía y País Valenciano.

En cuanto al Partido Comunista (que, como la CNT, se mostraba muy crítico frente a la República) seguía siendo minúsculo y sus efectivos debían de oscilar en torno a un millar, concentrados en Andalucía (Sevilla, Córdoba, Málaga), Vizcaya y Asturias, pero controlaba un número importante de sindicatos sevillanos procedentes de la CNT. El Bloque Obrero y Campesino, bien implantado en Cataluña, procedía de una escisión del PCE.

El panorama de las fuerzas políticas de izquierda puede completarse con las organizaciones de las nacionalidades; en Cataluña crecía vertiginosamente el nuevo partido de Esquerra Republicana, creado en marzo de 1931 por fusión de Estat Catalá, Partit Republicá Catalá y el grupo de *L'Opinió*, y apoyado en la importante Unió de Rabassaires, organización campesina. Luego estaba, más moderada, la Acció Catalana Republicana y la pequeña Unió Socialista de Catalunya, de tono bastante intelectual. Acció Catalana se escindirá pronto en tres direcciones; los que con Rovira i Virgili y Pi i Sunyer pasan a Esquerra, los que con Bofill pasan a la Lliga y la democristiana Unió Democràtica de Catalunya, dirigida por Carrasco i Formiguera. Ya en la derecha, netamente burguesa y conservadora, la Lliga, apoyada en el Fomento del Trabajo y el Instituto Agrícola Catalán de San Isidro, ambas organizaciones patronales.

En Euzkadi, el Partido Nacionalista Vasco, de tipo democristiano, se presentaba bien implantado, sobre todo en el campo y en las clases medias, apoyado en su central sindical (Solidaridad de Obreros Vascos) y en organizaciones de mujeres, de montañeros, etc.

En Galicia, la ya mencionada ORGA se había creado en 1929, y en 1931 saldrá a la luz el Partido Galeguista, que distarán mucho de ser hegemónicos; el viejo caciquismo tenía sólidas raíces en la Galicia interior.

En cuanto al bloque socioeconómico dominante, desposeído de los centros de dirección del Estado, ya sabemos que atravesaba una crisis de representatividad: ciertamente, el tradicionalismo o carlismo tenía bases populares en Navarra y ciertos núcleos valencianos y catalanes. Pero, fuera de eso, representaba más bien formas ideológicas del pasado. La Unión Monárquica Nacional, formada por ex ministros de Primo de Rivera, acompañados por el hijo de este, José Antonio, no tenía ningún prestigio en la opinión. Los viejos partidos de turno habían desaparecido y el grupito, que no partido, de «constitucionalistas» también se había esfumado. De ellos escapa Melquíades Álvarez para formar otro pequeño grupo demócrata liberal, que no tendrá importancia más allá de la burguesía asturiana.

Citemos, como embriones del fascismo, el Partido Nacionalista del doctor Albiñana y sus «legionarios», que apenas se distingue de los clásicos reaccionarios y carece de bases. Más ambicioso es el núcleo fascista que en marzo de 1931 empieza a editar *La conquista del Estado*

(Ramiro Ledesma Ramos, Juan Aparicio, Ernesto Giménez Caballero). ¿Tal vez se ha creado el vacío político de la derecha? No, porque los equipos políticos del catolicismo vigilan. Son muy importantes, han sido fundamentales en el período de Primo de Rivera; la Asociación Católica Nacional de Propagandistas dirigida por Ángel Herrera (que además tiene un pie en *El Debate* y el otro en la Nunciatura) será el núcleo aglutinante para formar un partido que defienda, a la vez, el orden social y la religión (la clase dominante y su aparato de hegemonía ideológica): Acción Nacional, del que hay mucho que decir, apoyándose además en los cientos de miles de campesinos pobres y medios afiliados a la Confederación Católico-Agraria. Ese será el embrión del gran partido de la oligarquía durante los años de la República.

Y no olvidemos que, si hay sindicatos obreros en corriente ascensional en 1931, también están allí, aprestados a la defensa y a la contraofensiva, la Confederación Patronal Española, la Confederación Gremial, el Fomento del Trabajo Nacional de Barcelona, la Liga de Productores Vizcaínos, la Asociación General de Ganaderos, la de Olivareros, la de Agricultores, el Instituto Agrícola Catalán de San Isidro y toda una red de Cámaras del Comercio y de Círculos Mercantiles. Las organizaciones de clase del bloque económicamente dominante estaban dispuestas a desempeñar la doble función de grupo de presión sobre un gobierno que ya no tenía con ellas los vínculos de antes, y de sindicato patronal para enfrentarse frontalmente con los asalariados.

NOTAS DEL CAPITULO PRIMERO

1. Gobierno provisional en abril: *Presidente*, N. Alcalá Zamora (DLR); *Estado*, A. Lerroux (PRR); *Gobernación*, M. Maura (DLR); *Hacienda*, I. Prieto (PSOE); *Justicia*, F. de los Ríos (PSOE); *Guerra*, M. Azaña (AR); *Marina*, S. Casares Quiroga (ORGA); *Fomento*, A. de Albornoz (PRRS); *Economía*, N. D'Olwer (ARC); *Trabajo*, F. Largo Caballero (PSOE); *Instrucción Pública*, M. Domingo (PRRS); *Comunicaciones*, D. Martínez Barrio (PRR).

2. Los números absolutos están tomados de la estimación causal elaborada por el Instituto de Cultura Hispánica en 1957, que siguió el método de distribuir proporcionalmente en las diversas industrias y servicios el número de personas etiquetadas por el Instituto Nacional de Estadística bajo la rúbrica «industrias varias». Los porcentajes quedan sin cambio alguno.

3. 17 349 cuotas de más de 5000 pesetas; pero hay que tener presente que un contribuyente pagaba, a veces, en varias provincias, sin contar con que una misma familia poseía fincas a nombre de varios de sus miembros (incluso marido y mujer). Pascual Carrión estimó en 10 000 el número de grandes familias terratenientes.

4. Estimación propia, partiendo de los censos de población, de jurados mixtos, de parados y del número de contribuyentes de Hacienda (1 790 000), al que hay que sustraerle varios cientos de miles de los que Malefakis denomina «hortelanos».

5. Según el Decreto de 25 de abril de 1931 había en las escalas retribuidas del ejército (exceptuando la segunda reserva de generales) y de acuerdo con el Anuario militar, 258 generales y 21 966 jefes, oficiales y asimilados.

6. Las congregaciones religiosas tenían a su cargo el 20 % de alumnos de enseñanza primaria y más del 30 % de la enseñanza media.

CAPÍTULO II

Las primeras semanas: esperanzas, temores e impaciencias

1. NUEVA LEGISLACIÓN

Aparecieron los cuatro primeros decretos del gobierno provisional, se reanudó el trabajo y la vida normal por doquier, a pesar de ciertos incidentes habidos en Sevilla (atribuibles más a la fuerza pública que a los obreros) y de la tensión catalana (donde Maciá forma un gobierno provisional casi simbólico), que desaparece tras la visita a Barcelona de los ministros Domingo, De los Ríos y D'Olwer, de la que surge la Generalitat de Cataluña.

Son aquellas semanas de inmensas esperanzas (unas justificadas y otras menos) de la gran mayoría de los españoles, llegándose a crear un consenso mayoritario verdaderamente excepcional y que era difícil perdurase en medio de tantas contradicciones. El régimen contaba con el apoyo de órganos de prensa muy importantes, a pesar de que otros seguían en poder de sus adversarios (*ABC, El Debate, La Vanguardia*). Durante semanas hay incluso sectores de la burguesía, del clero (y desde luego, del ejército) que confían en el nuevo régimen, del que se distanciarán después.

Hay, en cambio, una minoría que no puede admitirlo y cuyos temores aumentan de día en día: alta burguesía, aristocracia, la mayoría de la jerarquía eclesiástica, muchos militares emotivamente ligados al viejo régimen y, desde luego, muchos patronos agrarios acostumbrados a identificar sus intereses con los de los grandes latifundistas y que, por el bajo nivel de capitalización y tecnificación de sus explotaciones, se van a encontrar en situaciones difíciles en cuanto aumenten los costos de producción, y por lo tanto también el precio de la fuerza de trabajo.

Unos conspiran ya, otros lo harán más tarde, otros serán simples votos de la derecha o gérmenes de descontento.

Por último, y en el otro extremo, están los impacientes; son, a veces, grandes masas, como en el caso de los jornaleros andaluces y extremeños que, desde el siglo precedente, identificaban cambio de régimen con cambio de la estructura social agraria. En otras zonas la impaciencia será alimentada ideológicamente por el sector anarcosindicalista, que se plantea la revolución social como objetivo inmediato, rechaza los jurados mixtos, etc. Aunque con argumentación diferente, es también el caso de los comunistas, pero la influencia de estos se limita a zonas muy concretas como las ya citadas.

En medio de tan encontradas corrientes, pero asentado, como decimos, en un amplio consenso, el gobierno provisional promulga sus primeros decretos. Entre ellos recogemos como esenciales los relativos a legislación social agraria (Largo Caballero), reformas militares (Azaña) y educación (M. Domingo). De carácter más bien instrumental, la reforma de la ley electoral y el reconocimiento de la Generalitat de Cataluña.

Entre los primeros decretos figuraban: el de Términos municipales, que obligaba a los patronos agrícolas a emplear preferentemente a los braceros vecinos del municipio (20 de abril); el que prohibía momentáneamente los desahucios de campesinos arrendatarios (29 de abril); el de constitución de Jurados mixtos del trabajo rural (8 de mayo). En julio se promulgaron los de jornada de ocho horas absolutamente en todas las actividades laborales —el campo la primera— y se establecieron salarios mínimos en el campo por las jornadas mixtas. Los arrendatarios y aparceros podían también pedir una reducción de las rentas a pagar si estas excedían de la renta imponible de la finca o si la cosecha había sido mala (Decreto del 11 de julio).

Por otra parte, el 7 de mayo fue promulgado el DECRETO DE LABOREO FORZOSO, que obligaba a los propietarios a cultivar sus tierras «según los usos y costumbres de la región», falto de lo cual podría ser cedida su explotación a entidades campesinas.[1]

Estas medidas eran del más modesto reformismo, pero hay que reconocer que, dado el arcaísmo de las relaciones socioeconómicas agrarias que había en España, representaron —con palabras de Malefakis— «una revolución sin precedentes para la vida rural española», algo que para un patrono agrario podía asemejarse al apocalipsis, y así fue apreciado por la prensa de derechas y católica.

En cuanto al nuevo ministro del Ejército, Manuel Azaña, no estaba inactivo: un decreto del 22 de abril pedía a todos los generales, jefes y oficiales en activo la promesa, bajo palabra de honor, de servir fielmente a la República. Por otro decreto del 25 de abril, ofrecía a todos los militares que así lo deseasen la posibilidad de pedir el retiro y seguir percibiendo el sueldo íntegro. Este decreto perseguía tanto la descongestión de efectivos militares como la salida del ejército de aquellos militares desafectos al nuevo régimen. Consiguió lo primero (abandonaron el ejército cerca de diez mil jefes y oficiales), pero no todos ellos eran adversarios del régimen, y los que quedaron tampoco eran todos, ni mucho menos, afectos al mismo.

Por otros decretos Azaña transformó las 18 divisiones existentes reduciéndolas a ocho divisiones orgánicas, a la vez que se suprimían las capitanías generales (el capitán general de una región pasaba a ser comandante militar de la misma, o más exactamente, de la división orgánica); fueron suprimidos el Consejo Supremo de Guerra y Marina, la Academia General Militar de Zaragoza (que dirigía Franco) y el grado de teniente general. Un decreto de 18 de mayo anuló todos los ascensos por elección o por méritos de guerra durante la Dictadura. Este hecho afectó a algo más de trescientos jefes y oficiales (entre ellos a Franco, pero también a Romerales y Mena, que dieron su vida por la República) [211, I, 56]. Digamos, en fin, que se unificó el escalafón de oficiales, en el que quedaron unidos los militares de Academia y los que procedían de las clases del ejército, creándose además un escalafón de suboficiales.

Al mismo tiempo, los decretos de Marcelino Domingo se orientaban hacia otra gran preocupación de los republicanos: la educación. Un decreto de 23 de junio creaba 7000 plazas de maestros a formar mediante cursillos intensivos (las construcciones escolares fueron reguladas por Ley del 16 de septiembre, que dio lugar a la creación y puesta en funcionamiento de 6570 escuelas entre 1932 y 1933). Otro decreto de 23 de junio aumentó los sueldos de los maestros, en proporciones de 20 % y 40 %, según los casos (el capítulo de sueldos de maestros, que en el presupuesto de 1931 había sido de 5,8 millones de pesetas, pasó a 38,2 en el presupuesto de 1932); el promedio de aumento de sueldos fue del 50%. Un decreto de septiembre y otro de octubre de 1931, reorganizaron la enseñanza del Magisterio y crearon la Inspección profesional de primera enseñanza. Un decreto del 6 de mayo declaraba voluntaria la enseñanza religiosa, pero no la separaba de la escuela, sino que seguiría dándose dentro de ella. En fin, es imprescindible mencionar la creación, por decreto de 29 de mayo de 1931, del Patronato de Misiones Pedagógicas, presidido por Manuel B. Cossío, destinado a hacer realidad el sueño de los institucionistas, de extender la cultura entre las masas de la población rural.

Por otra parte, un decreto de 10 de mayo, firmado por M. Maura, reformaba la ley electoral en el sentido de establecer las circunscripciones provinciales con candidaturas de lista, con sistema de representación intermedio entre el proporcional y el mayoritario.

2. CATALUÑA Y EUZKADI PREPARAN LOS ESTATUTOS DE AUTONOMÍA

En cuanto a Cataluña, otro decreto del gobierno central legalizaba el gobierno de la Generalitat encargado de proponer el régimen de autonomía.

Alcalá Zamora hizo el 26 de abril un viaje triunfal, aclamándole las multitudes así como a Macià. El proyecto de Estatuto de Cataluña que preparó una comisión designada por la Generalitat, reunida en Nuria, fue aprobado por referéndum el 2 de agosto; participó el 75 % del cuerpo electoral catalán y más del 90 % de él votó afirmativamente.

En Euzkadi, José Antonio Aguirre, del PNV y alcalde de Guecho, convocó una asamblea de alcaldes en Guernica para proclamar la república vasca. Aunque prohibida por el gobierno, los apoderados de los municipios vascos aprobaron allí un documento pidiendo un gobierno vasco vinculado a la «República federal española». El movimiento autonomista tomó gran volumen, a despecho de la inquietud del gobierno provisional, que desconfiaba del nacionalismo vasco. El 14 de junio se reunían en Estella 480 representantes de los municipios (incluyendo Navarra), de un total de 520, y aprobaron un proyecto de Estatuto general del Estado Vasco «que sería autónomo dentro de la totalidad del Estado español», pero reservándose la competencia en materia de relaciones entre Iglesia y Estado. Esta reserva agravó la desconfianza gubernamental y el temor a lo que Indalecio Prieto llamaba «un Gibraltar vaticanista en el Norte». El PNV y los carlistas adoptaron una acción concertada en favor del proyecto estatutario de Estella y fueron juntos a las elecciones a Cortes Constituyentes; pero los carlistas conspiraban al mismo tiempo, y mientras por un lado se decían partidarios de la libertad de Euzkadi, por otro preparaban un golpe de fuerza reaccionario.

3. CONFLICTOS SOCIALES

La conflictividad obrera latente, pero en momentánea suspensión tras la proclamación de la República, va a reproducirse en primer término allí donde hay mayor influencia anarquista y comunista. Los primeros conflictos obreros de importancia se producen en Sevilla, donde las huelgas (dirigidas por sindicatos de la Unión Local) se suceden en cadena entre el 19 y el 30 de abril: de productos químicos, de camareros, de vidrieros, de peluqueros, cerámica «La Cartuja», metalurgia Cobián, obras del Puerto, muelle «Las Delicias», etc.,[2] para desembocar en un tenso 1.º de mayo con mitines y manifestaciones, prolongándose el paro el día 2.

Ya en mayo, la huelga de pescadores de Pasajes (dirigida por comunistas y anarquistas) da lugar a una marcha hacia San Sebastián cortada por la Guardia Civil en Ategorrieta, que causó ocho muertos y muchos heridos entre los manifestantes, con plena aquiescencia del ministro de la Gobernación [144, 278-279]. Al mes siguiente, en Asturias, el Sindicato único de Mineros (que reunía entonces a anarcosindicalistas y comunistas) va a la huelga por recuperar la jornada de siete horas, contra el criterio del Sindicato Minero mayoritario de impronta «ugetista» (durante la primavera menudearon las huelgas en Asturias).[3] En Barcelona la huelga metalúrgica, que afectaba a 42 000 obreros, duraría todo el mes de agosto, aceptando los patronos la mayoría de las reivindicaciones. Allí mismo, la situación sindical en el puerto se envenenó por la competencia entre UGT y CNT, apoyada la segunda por Macià [22, 207].

Por encima de todo esto y como conflicto de más alcance estalló la huelga de la Telefónica, lanzada el 6 de julio por la CNT, en que los «activistas» desbordan a los dirigentes de la central sindical, que rompe por completo con el gobierno. Este conflicto enlazaría con la importante huelga de Sevilla y coincidiría con otros en el campo. Pero un mínimo respeto a la cronología nos lleva a reanudar el tema de Iglesia y Estado, que, desde las primeras semanas, adquiere caracteres virulentos.

4. CONFLICTO IGLESIA-ESTADO

En cuanto se proclamó la República el Vaticano decidió aceptar la situación de hecho, sin perjuicio de dar instrucciones confidenciales a los prelados para mejor defender «la religión y el orden social». Fue de ver el cambio súbito de *El Debate,* dirigido por Ángel Herrera, presidente de la ACNP. Ya hemos visto que otros prelados reaccionaban más visceralmente, entre ellos el cardenal primado, Pedro Segura, que en una pastoral publicada el 1.° de mayo hacía la apología de la monarquía y de su unión con la Iglesia. Otro prelado, Vidal y Barraquer, tuvo actitud más dúctil y se entrevistó con Alcalá Zamora y con Macià. Por su parte, el cardenal Pacelli (secretario de Estado del Vaticano y futuro Pío XII), daba instrucciones secretas [16, 27-28], el 29 de abril, las cuales eran reproducidas por Segura a los obispos en circular «confidencial y reservadísima» del 4 de mayo [16, 41-44]. Se trataba de apoyar candidatos a Cortes «que defendiesen los derechos de la Iglesia y del orden social» (sic). Había que apoyar a «la coalición denominada Acción Nacional».

¿Qué era Acción Nacional? Fuerza es admitir que aquí se mezcla la historia eclesiástica y la social de tal modo que es difícil distinguir dónde acaban los intereses de la Iglesia y dónde empiezan los de las clases poseedoras, si distinción había. Acción Nacional había nacido de una reunión celebrada el 16 de abril en la casa de la ACNP, convocada y presidida por Ángel Herrera, que propuso la creación de esa «fuerza de derechas», cuyo objeto, según el artículo 1.° de sus Estatutos, presentados en el Ministerio de Gobernación el 29 de abril, sería «la propaganda y acción política bajo el lema de Religión, Familia, Orden, Trabajo y Propiedad.» El presidente era Ángel Herrera; el vicepresidente, José M. Valiente; secretario, Alfredo López; vicesecretario, José Martín Sánchez-Juliá; tesorero, Javier Martín Artajo. La ACNP ponía a sus mismos dirigentes en la dirección de la nueva organización o partido; su composición fue, empero, heterogénea, pues durante bastante tiempo colaboraron en ella los monárquicos que no aceptaban, ni como fórmula, la legitimidad del nuevo régimen; así, Antonio Goicoechea, que redactó el primer manifiesto (6 de mayo).

Los obispos, por su parte, reunidos en Toledo el 9 de mayo, formularon una serie de protestas (todas derivadas de la impronta laicista del nuevo régimen), mientras Segura, muy secretamente, había pedido un informe al letrado Marín Lázaro (también de la ACNP y antiguo diputado y director general maurista) sobre la manera de vender, ocultar o sacar fuera de España los bienes y valores de la Iglesia e instituciones eclesiásticas. El 8 de mayo Marín Lázaro le había dado su dictamen, que aconsejaba un simulacro de venta de los bienes eclesiásticos «a persona de nacionalidad española o extranjera que no tenga relación aparente con la Iglesia» y que se colocase el «capital eclesiástico» en Deuda pública de países extranjeros como Inglaterra y Francia.

A todo esto se produce la llamada «quema de conventos», el 11 de mayo en Madrid y el 12 en numerosas provincias. Su origen fue un enfrentamiento popular con los miembros del Círculo Monárquico Independiente (conde de Gamazo, Gabriel Maura, Martínez Campos y otros más) que daban vivas al Rey. En la tarde del 10 de mayo una multitud intenta asaltar el *ABC*, protegido por la Guardia Civil, que, al disparar, mata a un niño de trece años y al portero de una casa vecina. Crece la indignación y unas cinco mil personas invaden la Puerta del Sol. Al día siguiente, paran la mayoría de transportes urbanos y algunas obras, al llamamiento de la CNT y PCE, fuerzas estrictamente minoritarias en Madrid. Sin saber cómo, hacia las diez de la mañana, empieza a arder el convento de los jesuitas de la calle de la Flor (con fachada a la Gran Vía). Sin que ninguna organización reivindicase aquello, ardieron seis conventos, una iglesia y una residencia de jesuitas. Se han atribuido los hechos a grupos orientados por Ramón Franco y el mecánico Rada; no hay pruebas de nada. Pero el motín favoreció a la derecha. Al día siguiente se propagaron los incendios por Sevilla, Cádiz, Córdoba, Murcia, Valencia... Un centenar de edificios fueron incendiados total o parcialmente; no hubo ninguna víctima personal. El gobierno, tras no pocas indecisiones, optó por declarar el estado de guerra el 11 por la tarde; Carlos Blanco fue sustituido por Galarza en la Dirección General de Seguridad. Y Segura, que salió el día 13 para Roma, conseguía que allí se negase el «placet» a Zulueta como embajador en el Vaticano. Segura no volvió a España, sino a la localidad fronteriza de Francia Saint-Jean-Pied-de-Port. Pero pasó clandestinamente el 11 de junio para celebrar unas reuniones de párrocos en Guadalajara. Maura, enterado de ello, le expulsó del país el día 14 (cosa que ya había hecho el 18 de mayo con el obispo de Vitoria, monseñor Múgica). Sin embargo, el gobierno pensó que había que buscar una transacción con la Iglesia y en agosto se celebraron una serie de reuniones con tal fin: Alcalá Zamora, De los Ríos y Lerroux por un lado, Tedeschini, Vidal y Barraquer y a veces Ilundáin por otro.

5. CONGRESOS OBREROS

El movimiento obrero contaba sus fuerzas y elaboraba su estrategia. La CNT abría su Congreso el 10 de junio, en Madrid. Participaban 418 delegados en nombre de 511 sindicatos y 535 565 afiliados, de los cuales más de la mitad eran de la regional catalana. Se enfrentaron la tendencia sindicalista o posibilista, representada por el Comité, con Pestaña, Peiró, etc., y la tendencia anarco-extremista o «faísta», encabezada por el grupo «Nosotros» (Durruti, G. Oliver, etc.) y por Federica Montseny, Mera... Los posibilistas obtuvieron la mayoría y Pestaña fue confirmado como secretario general; pero a partir de septiembre, el aluvión de nuevos militantes y el endurecimiento de las huelgas favoreció a los «faístas»; Peiró perderá la dirección de *Solidaridad Obrera*. Por otra parte, los posibilistas publican en agosto el llamado «Manifiesto de los Treinta» (Pestaña, Arín, Juan López, Peiró, Alfarache, etc.), en el que se decía no confiar la revolución a las minorías audaces «sino a un movimiento arrollador del pueblo en masa». Pero esa tendencia pasaría a ser minoritaria dentro de la CNT en enero de 1932, y Pestaña también fue desplazado. La CNT crecía y, según Peiró, en septiembre de 1931 tendría 800 000 afiliados.

Un mes más tarde se reunía, a su vez, un Congreso extraordinario del PSOE; su principal objeto era debatir sobre la colaboración con el gobierno. Triunfó la ponencia de Prieto, «colaboracionista», que obtuvo 10 607 votos contra la de Besteiro (8362 votos). Se elaboró un programa mínimo a presentar en las Cortes Constituyentes más avanzado que el que, en realidad, se defendería después. Y se reorganizó la Comisión Ejecutiva. Esta quedó formada por Remigio Cabello, M. Albar, M. Cordero, W. Carrillo, A. de Gracia, F. Azorín, M. Vigil, Fabra Ribas y F. Quer.

NOTAS DEL CAPITULO II

1. Estos decretos, menos el de arrendamientos, fueron transformados en Ley por las Cortes el 9 de septiembre de 1931.

2. El 15 de abril la CNT de Sevilla había convocado una manifestación, contra la que dispararon los guardias de Seguridad. La multitud reaccionó indignada y un grupo de manifestantes asaltó una armería. El *ABC* del 16 de abril atribuía al PCE ese asalto, lo que desmintió dicho partido en nota publicada por *EL Liberal*, añadiendo: «El partido comunista será el primero en coger las armas para combatir a la reacción, si esta tratara de implantar otra vez la monarquía».

3. Con 100 huelgas y 41 400 huelguistas, Asturias ocupa el segundo lugar de toda España en conflictividad social en 1931, según la Memoria de huelgas del Ministerio de Trabajo relativa a 1930 y 1931.

CAPÍTULO III

Cortes Constituyentes

1. ELECCIONES

En medio de conflictos y de congresos España se disponía a elegir un Parlamento constituyente. Pero en los campos de Andalucía, en plena siega, ya hubo agitación y enfrentamientos por causa del paro y por los «alojamientos»; a finales de mayo se produjo la primera ocupación de tierras en Yuncos (Toledo)... Además, los «cenetistas» solían rechazar a los Jurados mixtos... Pasado el tiempo de cosecha aumentarían el paro y los conflictos, agravados porque, desde agosto, la mayoría de patronos, aterrados por la perspectiva de reforma agraria, se negaban a que se hiciesen más labores. Sin embargo, por breves semanas todo el interés se concentra en la consulta electoral.

Votaron el 28 de junio 4 348 691 electores, lo que significaba el 70,14 % del censo. Las mayores abstenciones se dieron en zonas de influencia anarquista. La conjunción republicano-socialista obtenía una indiscutible victoria, así como la Esquerra de Cataluña. La derecha, agrupada tras Acción Nacional y el llamado grupo Agrario (presidido por Martínez de Velasco), era enteramente derrotada. Las Cortes se abrieron el 14 de julio y su composición definitiva era la siguiente:

Socialistas, 116; radicales, 90; radical-socialistas, 56; Esquerra de Cataluña, 36; Acción Republicana, 26; Agrarios (que reunía a los de Acción Nacional y a los agrarios específicos), 26; Derecha Liberal Republicana (que no participó en la conjunción), 22; Agrupación al Servicio de la República (puestos que le ofrecieron en la conjunción), 16; ORGA, 15; Vasco-Navarros (es decir, Partido Nacionalista Vasco y Tradicionalistas), 14; Lliga, 3; liberal-demócratas, 4; Monárquicos, 1 (era Romanones); federales y diversos de extrema izquierda, 14. Por vez primera había un importante número de diputados obreros, pero la mayoría eran de profesiones intelectuales y socialmente pertenecientes a la pequeña burguesía; allí estaban también los representantes de la propiedad rural e incluso miembros de «grandes familias» como Oriol, Ventosa, Romanones, Urquijo, Ibarra, March, Lamamié de Clairac... La burguesía media tenía también sus representantes en la Derecha Liberal Republicana, Partido Radical, etc.

Cuando las Cortes se abrieron y eligieron presidente a Besteiro, la situación social se agravó en Sevilla. La CNT desató, a partir del 13 de julio, una serie de huelgas combinadas con la de la Telefónica. Tanto la CNT como la Unión Local de Sindicatos (de inspiración comunista) decidieron la huelga general para el día 20; ese día Sevilla quedó paralizada, así como más de una docena de localidades importantes de la provincia. Los obreros acudieron por millares al entierro de un obrero huelguista; cargó la Guardia Civil y en el choque perecieron cuatro obreros y tres guardias (uno de estos capitán).

A partir de ahí comenzaron las detenciones de militantes obreros y la clausura de los locales, por el gobernador civil Bastos; el día 22 se declaraba el estado de guerra y los choques armados adquirieron importancia en el centro de Sevilla, mientras aumentaban las huelgas en la provincia. En la madrugada del 23, cuatro comunistas perecieron por aplicación de la «ley de fugas» en el parque de María Luisa [239, 192-194]. Azaña, que no tenía ninguna simpatía política por las víctimas, comenta en su *Diario*: «Tiene la apariencia de una aplicación de la ley de fugas.» La represión tuvo una parte trágico-cómica: el bombardeo por la artillería de una casa —previamente evacuada— donde estaba el colmado «Casa Cornelio», propiedad de Cornelio Mazón, del PCE, y en el que solían reunirse obreros comunistas.

Bastos fue llamado a Madrid y dijo, en un informe secreto, que «el problema social, en Sevilla principalmente, y en casi toda Andalucía, es un problema de policía». Se nombró una comisión parlamentaria para investigar los hechos, pero nada resolvió. Bastos fue destituido, pero, como ha escrito Vidarte, «los asesinos continuaron paseando su impunidad...» [249, 118-119]. La huelga violenta de Sevilla y su represión marcaban tanto el deterioro de la situación social como los reflejos de clase con que funcionaban unos aparatos coactivos de Estado que seguían, de hecho, siendo los de siempre.

Pero enfrente se conspiraba. La Junta delegada carlista se organiza por el conde de Rodezno, Lamamié de Clairac, José M. Oriol y Víctor Pradera, y actúa en combinación con los generales Ponte y Orgaz. Zubiría, Vallellano, Fuentes Pila y varios más participan en la trama. Orgaz y otros monárquicos llegaron a entrevistarse con Aguirre, solicitando la colaboración nacionalista para derribar la República, propuesta que fue, por fin, rechazada.

Conspiraba Segura desde Francia, pero la detención en la frontera del vicario de la diócesis de Álava, permitió al gobierno conocer las circulares secretas que el primado dirigía a los obispos (asunto del dictamen de Marín Lázaro, etc.). El gobierno pidió a Roma la destitución de Segura. Tedeschini y Barraquer negociaban con Alcalá Zamora y De los Ríos. Mientras tanto los terratenientes no se dormían; y para mejor hacer frente a la temida reforma agraria constituían, en agosto, la Asociación de Propietarios de Fincas Rústicas.

2. SE DISCUTE LA CONSTITUCIÓN: AGOSTO-DICIEMBRE DE 1931

El 29 de julio se había constituido la Comisión parlamentaria encargada de redactar el proyecto de Constitución. Su presidente, Jiménez de Asúa, lo presentó a la cámara un mes después, el 29 de agosto. Tras diez días de discusión de la totalidad en que las cuestiones de Iglesia y de Estado y de las autonomías se revelaron como las más polémicas, la discusión artículo por artículo, iniciada el 16 de septiembre, fue a veces dramática. Y no cuando se aprobó el artículo 1.º («España es una república democrática de trabajadores de toda clase que se organiza en régimen de libertad y justicia»), de duro debate, aprobado por 170 votos contra 152; ni siquiera aquel tercer párrafo que decía: «La República constituye un Estado integral compatible con las autonomías de los Estados y las regiones» (fórmula, más bien timorata, para posibilitar los Estatutos de autonomía), sino cuando el 8 de octubre empezaron a votarse los artículos 26 y 27 que trataban de las relaciones de la Iglesia y el Estado.

Ciertamente, la existencia de un proyecto de reforma agraria, elaborado por una comisión técnica, sustituido después por otro, de una comisión parlamentaria, agravaron la excitación de los propietarios agrarios. No es descabellada la hipótesis de que la estrategia de las clases económicamente dominantes y, sobre todo, de la oligarquía comprenderá desde ese momento unos objetivos muy vastos, pasando por los lemas de «defensa de la religión» y «defensa de la unidad de la patria», mucho más susceptibles de ganar la adhesión de grandes masas que la estricta defensa de los propietarios agrarios. Se ha dicho y escrito incluso que la dimisión de Alcalá Zamora como jefe del gobierno provisional (que se produce al aprobarse el art. 26) no era tampoco ajena al rechazo que había sufrido su proyecto de reforma agraria [137, 221].

El proyecto de la Comisión parlamentaria preveía la no confesionalidad del Estado, la disolución de todas las órdenes religiosas y subsiguiente nacionalización de sus bienes y la retirada de todo auxilio económico a la Iglesia. En contra intervinieron Gil Robles, Le:zaola, Beunza (tradicionalista), los canónigos Pildain y Roji y también Alcalá Zamora. A favor, Albornoz, F. de los Ríos (muy impreciso), Jiménez de Asúa y Barriobero. Los debates duraron una semana; la Comisión retiró el texto, que se convirtió en voto particular de socialistas y radical-socialistas. Pero entonces intervino Azaña, en defensa de la enmienda propuesta por su partido; en esta fórmula, se disolvía la Compañía de Jesús, pero no se tocaban las demás órdenes religiosas. Azaña pronunció un discurso excelente de forma, aunque incurriendo en algunas faltas políticas derivadas de su anticlericalismo. Pero consiguió su objetivo; los socialistas retiraron el voto particular y al amanecer del 14 de octubre se votaba la fórmula propuesta por Azaña y Ramos, por 178 votos contra 59.[1] Cuarenta y dos diputados (Acción Nacional y Agrarios, más los vasco-navarros) abandonaron el Congreso. Y al día siguiente, Alcalá Zamora y Maura abandonaban el gobierno. Se había abierto la primera crisis de la República, que tuvo que ser resuelta por Besteiro, para abrir consultas y designar jefe del gobierno. En pocas horas se resolvió y Azaña se presentaba en el banco azul al frente de un gobierno sin los dimisionarios, en el que Azaña acumulaba Guerra y Presidencia, Casares tomaba Gobernación y Giral entraba como ministro de Marina.

La Constitución fue enteramente aprobada al cabo de dos meses; reconocía extensamente los derechos del hombre, dividiéndolos en individuales y relativos a «familia, economía y cultura». Se reconocía la posibilidad de «expropiación forzosa por causa de utilidad social, mediante adecuada indemnización...» La Constitución reconocía el derecho de voto a todos los españoles de ambos sexos a partir de los 23 años; reconocía igualmente el divorcio vincular.

3. CONFLICTIVIDAD OBRERA

Pero mientras los temas citados encrespaban las pasiones en el Parlamento, fuera de él otro género de conflictos estallaban con todavía mayor carga pasional. En primer lugar estaba la conflictividad agraria: las huelgas se multiplicaron por las provincias de Sevilla, Cádiz, Córdoba, Granada, Jaén, muchas de ellas porque fuese efectiva la jornada de 8 horas; en otras ocasiones los afiliados a la CNT se oponían a las bases de los Jurados mixtos, a veces, apoyados por los radicales [188, 128-129]; otras veces por problemas del paro. Con frecuencia la represión fue dura; en Villanueva de Córdoba, en octubre, el gobernador movilizó incluso fuerzas de artillería y dos aviones contra los huelguistas. (Esta huelga estuvo dirigida por los comunistas y durante una semana solo hubo un herido leve.) En muchos lugares la situación se agravaba en otoño por la negativa de los propietarios a realizar las siembras [177, 119]. Los conflictos agrarios menudearon también en Extremadura, Toledo y Salamanca. En septiembre, hubo ocupaciones de tierras en

Corral de Alamaguer y otros pueblos de Toledo; intervino la Guardia Civil, con Sanjurjo en persona, y resultaron cinco campesinos muertos y siete heridos. También en Salamanca, la fuerza pública disparó contra una manifestación de trabajadores en el pueblo de Palacios Rubios matando a dos de ellos, lo que motivó una huelga general de réplica en toda la provincia. Los jornaleros se impacientaban, en una situación de paro y dificultades muy dura, y los propietarios tampoco cedían. Como ha escrito Malefakis,

...la República no logró dar el paso elemental de trasladar a los guardias civiles y a los poderosos secretarios de Ayuntamiento a otros destinos en los que quedasen cortados de sus antiguas relaciones [137, 335].

Por consiguiente, la casi totalidad de los aparatos coactivos y administrativos en el campo seguían siendo dirigidos, a nivel local, por la clase dominante.

En las ciudades hubo huelgas generales, de inspiración «cenetista», en Zaragoza, Cádiz y Granada. En Barcelona, fue de análoga inspiración un motín de presos en la cárcel, articulado con una huelga general; la réplica, dirigida por el gobernador Anguera de Sojo, se destacó por el asalto policial al sindicato de la Construcción y la aplicación de la «ley de fugas» a tres obreros.

En fin, la huelga de Altos Hornos de Bilbao movilizó a 8000 obreros impulsados por «cenetistas» y comunistas; en Sevilla, entre otras muchas, dominaron por su importancia las largas huelgas del puerto y de los panaderos.

4. ALCALÁ ZAMORA PRESIDENTE DE LA REPÚBLICA. NUEVO GOBIERNO AZAÑA

Mientras la tensión social aumentaba, se creaban el gran consorcio patronal llamado «Unión Nacional Económica» y otras federaciones patronales como la de Andalucía; mientras los carlistas se unificaban y reanudaban su trama de conspiración con ayuda de algunos militares, la Constitución de la Segunda República española era votada el 9 de diciembre de 1931 por 368 votos, a los que se sumaron 17 de diputados ausentes. Al día siguiente, Alcalá Zamora era elegido presidente de la República; lo habían votado todos los grupos del gobierno, más la Derecha Liberal Republicana así como los nacionalistas vascos reintegrados al Parlamento.

¿Quién gobernaría entonces y con qué mayoría? Pronto se supo que Lerroux se negaba a colaborar con los socialistas. Como no le ofrecían la jefatura del gobierno, su táctica era desgastar a este desde una oposición moderada. Y así lo hizo.

El 15 de diciembre Azaña formaba su gobierno, con dos miembros de su partido, dos radical-socialistas, tres socialistas, un catalán, uno de ORGA y un independiente.[2]

Era un gobierno de izquierdas, que podía considerarse como emanación de clases medias y clase obrera; su concepción de la coyuntura política no parecía enteramente coherente, aunque podría clasificársele como reformista. Iba, pues, a empezar el bienio reformista.

5. LA COYUNTURA ECONÓMICA

Antes de seguir las vicisitudes de la coyuntura política no es nada superfluo trazar muy sumariamente los rasgos de la coyuntura económica en aquellos primeros tiempos de la República. La verdad era que, aunque la crisis económica mundial azotaba ya a numerosos países europeos, sus efectos no se notaron en España hasta bien entrado 1931, lo que, en cambio, la hizo coincidir con los acontecimientos políticos.

Todavía en 1931 la renta per cápita de 1020 pesetas (valor 1929), apenas descendía del año precedente y la producción total (119,6 tomando como base 100 el promedio de 1906-1930), si no alcanzó a la de 1929 por algunas malas cosechas que causó la sequía, fue superior a la de 1930, marcándose esa superioridad en el sector industrial. Las buenas cosechas de 1932 elevaron la renta per cápita a 1083 pesetas, compensando ampliamente un ligero descenso de la producción industrial, que solo se patentiza en el segundo semestre de 1932. Aumentó el número de sociedades anónimas y de capitales invertidos. Hubo bancos como el Español de Crédito, el Hispanoamericano, el de Bilbao y el Central, que aumentaron bien sus capitales o bien sus beneficios; ganaron menos otros como el Urquijo y el de Vizcaya, muy vinculados a la producción minero-siderúrgica, que ya estaba en baja; pero aumentaron sus beneficios las empresas eléctricas, las de explosivos, las papeleras. Los depósitos en banca privada se mantuvieron, tras unas primeras sacudidas. En cambio, bajaron los valores en Bolsa y, sobre todo, los de renta fija.

El comercio exterior aumentó considerablemente el déficit de valores de exportación, aunque el descenso en cantidad fue mucho menor; se trataba, pues, de una caída de los precios del comercio exterior. Las exportaciones agrícolas sufren, ante todo, por la baja de precios y son las de minerales las que merman más en cantidad. De todos modos, no hay que olvidar que el valor total del comercio exterior no pasaba del 7 % de la renta nacional.

Los años 1931 y 1932 no fueron, pues, tan nefastos para la economía española como siempre quisieron presentarlos los empresarios financieros, industriales y agrarios con inequívocos designios «catastrofistas».

Con razón señala Ángel Viñas que

Los sectores de bienes de consumo sufrieron al principio (de la segunda república) mucho menos que los sectores básicos y de exportación a causa del sostenimiento de la demanda interna no registrando fuertes impactos hasta las elecciones de 1933, cuando los nuevos gobiernos, además de seguir practicando una política monetaria restrictiva, cambiaron radicalmente el signo de la actuación laboral y salarial [256, I, 59].

En cuanto al coste de la vida, está relativamente estabilizado en las capitales hasta que baja ligeramente en el verano de 1932, mientras que en los pueblos sube en el verano de 1931, pero también baja al año siguiente.[3] Sin embargo, en grandes ciudades como Madrid y Barcelona todos los precios al por menor (alimentación, combustibles, energía eléctrica) bajaron entre 1931 y 1932 (puede comprobarse por el Anuario Estadístico y por las estadísticas de la OIT de Ginebra). Mientras tanto, los salarios nominales habían subido en proporciones que superaban a veces el 10 %; en Madrid los aumentos, comparados con 1929, son del orden del 11 % al 18 %; en el campo hay también alzas de salarios importantes.

Sin embargo, el paro forzoso se cernía de manera angustiosa sobre los trabajadores; la crisis mundial incidió en él de manera poderosa, puesto que la tradicional *emigración* de mano de obra (de 1920 a 1929 hubo un saldo de 277 000 emigrantes) se convirtió desde 1931 en una *inmigración* con un saldo de signo contrario, que ya en 1931 es de 39 582 y durante los tres primeros años de la República pasa de 100 000. Otras causas de paro masivo estaban relacionadas con la coyuntura política: la negativa de los patronos agrícolas a realizar las labores que no consideraban imprescindibles, como réplica a las reivindicaciones obreras y también a las medidas de reforma agraria; y la falta de inversiones —y de créditos— para la construcción. Así que en junio de 1932 se estimaba ya oficialmente que había 446 263 obreros en paro forzoso, de los cuales 258 570 eran obreros agrícolas; el campo seguía siendo el eje de la problemática española.

NOTAS DEL CAPITULO III

1. En las reuniones secretas entre los representantes del gobierno y de la Iglesia se había llegado el 14 de septiembre a unos «puntos de conciliación» (aunque no sobre todos los asuntos); sin embargo, la reunión plenaria del gobierno no respaldó enteramente a sus representantes (Alcalá Zamora, F. de los Ríos, Lerroux).

2. La distribución del primer gobierno de la República era la siguiente: *Presidencia y Guerra*, M. Azaña (AR); *Estado*, L. Zulueta (ind.); *Gobernación*, J. Casares Quiroga (ORGA); *Justicia*, A. de Albornoz (PRRS); *Hacienda*, J. Carner (AC); *Obras Públicas*, I. Prieto (PSOE); *Agricultura, Industria y Comercio*, M. Domingo (PRRS); *Instrucción Pública*, F. de los Ríos (PSOE); *Trabajo*, F. Largo Caballero (PSOE); *Marina*, J. Giral (AR).

3. El índice de coste de vida del Ministerio de Trabajo era el siguiente:

	Capitales	Pueblos
abril-septiembre 1930	165,4	189,7
octubre 1930-marzo 1931	176,8	187,9
abril-septiembre 1931	173,0	195,9
octubre 1931-marzo 1932	176,9	192,0
abril-septiembre 1932	172,9	191,4
octubre 1932-marzo 1933	175,2	181,7

CAPÍTULO IV

El gobierno entre dos fuegos

1. CASTILBLANCO, ARNEDO Y FÍGOLS. DEBATES PARLAMENTARIOS

Apenas se había presentado el gobierno a las Cortes, cuando la sección de la Federación de Trabajadores de la Tierra (UGT) de Badajoz anunció la huelga general para el 30 y 31 de diciembre contra lo que estimaba complicidad del gobernador y de la fuerza pública con los propietarios y caciques. La huelga hubiera sido pacífica a no ser porque en el pueblecito de Castilblanco, los guardias civiles disolvieron una manifestación haciendo uso de las armas de fuego y dando muerte a un hombre; se produjo entonces uno de esos espasmos colectivos de cólera popular que a veces se dan en la historia, y todos los campesinos, con hoces, piedras y palos, se abalanzaron sobre cuatro guardias asesinándolos sin piedad. La prensa de derechas, que no comentaba ni apenas informaba de los enfrentamientos frecuentes en que la fuerza pública disparaba y caían los campesinos, se rasgó ahora las vestiduras, acusó a los socialistas de «inductores morales», etc. Sanjurjo se personó en Castilblanco y también allí hizo declaraciones contra los «inductores», y diputados derechistas y radicales llevaron el asunto al Parlamento. Pero mientras allí discutían, la Guardia Civil aplicaba una extraña ley del Talión disparando a bocajarro sobre una manifestación obrera en Arnedo (Logroño); los guardias tiraron, causando la muerte de seis personas —cuatro de ellas mujeres— y treinta heridos. Eso preocupaba menos a los medios de derecha que diariamente expresaban su solidaridad a Sanjurjo y a la Guardia Civil, con el evidente propósito de «instrumentalizarlos». Azaña sintió el peligro, pero no se le ocurrió más que proponerle a Sanjurjo su traslado a la Dirección General de Carabineros; a Sanjurjo le sentó muy mal la propuesta, y mientras Azaña reflexionaba, los mineros anarquistas de la cuenca del Llobregat tienen la ocurrencia de proclamar el «comunismo libertario» el 18 de enero en las localidades de Berga, Sallent, Fígols y Suria. La rebelión se extendió a Manresa. Azaña creyó que era una verdadera revolución, y hasta teleguiada por extraños delegados rusos desde Viena: a tal punto un hombre de tanto valer ignoraba, por otra parte, lo que era el movimiento obrero español e internacional, y a tal punto eran desastrosos los servicios de información del Estado español [20, IV, 312].

En tres días quedó liquidada la sublevación del Alto Llobregat, pero el gobierno aplicó una ley de excepción que había hecho votar por el Parlamento, la Ley de Defensa de la República; sirviéndose de ella deportó a Guinea a 104 anarquistas. Reaccionó la CNT con huelgas generales en ciudades como Zaragoza, La Coruña, Vigo, Málaga y Sevilla (aquí apoyada por el PCE), pero sin declarar la huelga general como pedían los «faístas», actitud que costó a Pestaña la pérdida de la secretaría general dos meses después.

El otro «frente» del gobierno, el de la derecha, no estaba menos complicado; por fin, Sanjurjo fue sustituido por el general Miguel Cabanellas, y al mismo tiempo el gobierno, en aplicación de la Constitución, decretaba la disolución de la Compañía de Jesús.

Empezaron a discurrir por vías distintas la vida gubernamental y parlamentaria, la España «legal», y la España «real», con sus conflictos en campos y fábricas, sus conspiraciones, las reuniones y congresos de partidos y sindicatos, etc. En marzo, el Congreso de los Diputados abordó la discusión de la reforma agraria; pero solo le dedicaba dos días por semana, en los cuales los diputados «agrarios» ponían en obstruir la discusión un celo y una habilidad dignos de mejor causa. La discusión sobre la totalidad del proyecto duró hasta el mes de junio y en el conjunto de sesiones plenarias hubo más de mil discursos, interpelaciones, ruegos, etc., sin contar los cientos de votaciones personales exigidas por los representantes de los terratenientes. Mientras tanto, de 287 711 huelguistas contabilizados por el Ministerio de Trabajo (en realidad hubo muchos más), el mayor número (unos 90 000) correspondía a la agricultura, seguido de 53 000 en las minas. Las huelgas frecuentes de los jornaleros del campo en Sevilla, Cádiz, Huelva, Córdoba, fueron acompañadas de ocupación de varios cortijos en Cazalla de la Sierra (Sevilla) y de frecuentes destrucciones de máquinas agrícolas en la misma provincia. Con frecuencia se produjeron hurtos de aceituna y cereales que realizaban los parados. Las invasiones de fincas y robo de frutos fueron también muy frecuentes en Extremadura. En esta región, las ocupaciones multitudinarias de grandes fincas seguidas de la roturación de tierras, hechas por jornaleros y yunteros, fueron creciendo hasta generalizarse masivamente en enero de 1933.

Una huelga campesina que evolucionó hacia la toma de tierras fue la de la localidad de Villa de Don Fadrique (provincia de Toledo), que tenía un ayuntamiento comunista. Cuando, el 8 de julio, se presentó la fuerza pública, unos 600 trabajadores se atrincheraron y resistieron tras haber cortado las comunicaciones; en los combates murieron un guardia y dos campesinos, y hubo numerosos heridos. Entre los presos figuraba el médico, Cayetano Bolívar, que más tarde sería diputado del PCE.

También subió de punto la tensión social en las minas asturianas: 94 huelgas hubo en Asturias en 1932 —la mayoría en las minas—, destacando la del mes de noviembre; el Sindicato Minero, de inspiración socialista, se encontró desbordado por la situación y dio también orden de huelga. Asturias figuró en 1932 en cabeza de número de huelgas y huelguistas; en segundo lugar, Barcelona y Valencia respectivamente (control CNT) y en tercero, Sevilla (control CNT o PCE).

Incluso el 1.º de mayo fue más tenso; el gobierno prohibió las manifestaciones, pero los comunistas consiguieron movilizar unos 20 000 manifestantes en Sevilla y paralizar la ciudad el 1 y 2 de mayo.

Y en las Cortes se seguía discutiendo, discutiendo... El 6 de mayo empezó a discutirse el proyecto de Estatuto de Cataluña (el proyecto parlamentario, más recortado que el votado en Cataluña), contra el que la derecha consiguió movilizar a sectores y personalidades extrañas a ella (Ortega, Unamuno, Sánchez Román) y que tuvo carácter más sensacionalista. Decir que la izquierda quería el Estatuto y que este era «la desmembración de la patria», entraba bien en la estrategia empleada por la clase económicamente dominante para recuperar la hegemonía ideológica. Con razón anotaba Azaña en su *Diario* del 20 de mayo:

Pero lo que menos les importa es el Estatuto, y lo que más, cazar al gobierno en un desfiladero y crear una situación imposible a la República. Quizá, los que dirigen esta campaña, temen más a la ley agraria que al Estatuto, y se alegrarían mucho de dar con nosotros en el suelo, para impedir aquella reforma.

Otro aspecto polémico fue la campaña contra la política triguera de M. Domingo. La cosecha de trigo de 1931 había sido deficitaria. Desde enero, M. Domingo estuvo preocupado por la posible incidencia de una escasez de harina y en abril de 1932 se decidió a autorizar la importación de 50 000 toneladas de trigo, después de haber realizado una encuesta en la que los grandes propietarios aseguraron que había muy pocas reservas y que la cosecha sería probablemente deficitaria. Se decidió luego Domingo a autorizar importaciones hasta 290 000 toneladas. Pero al llegar el verano no solo se produjo la mejor cosecha del siglo, sino que también aparecieron misteriosamente en el mercado otras 290 000 t aproximadamente, que nadie había declarado en las encuestas. El resultado fue una caída vertical de los precios que, en promedio, pasaron de 50,5 en 1931 a 40,5 en 1932. Se produjo entonces, bien orquestada por los diputados agrarios, una campaña contra M. Domingo, acusándole de arruinar a dos millones de cerealistas españoles. Una vez más, los grandes terratenientes encontraban expedito el camino para hacer creer a los cerealistas pobres que los intereses de ambos se identificaban.

Esta campaña de desprestigio contra Domingo será utilizada en la ofensiva patronal de 1933 y como uno de los lemas preferidos al fundar la Confederación Española Patronal Agraria.

Además, en aquella primavera de 1932 era notorio que se conspiraba. Conspiraba Sanjurjo con Goded y ambos con Melquíades Álvarez y Burgos y Mazo. Es más: había dos conspiraciones, una, la monárquica, que el gobierno conocía mejor, y otra, la de las derechas, pero dentro de la República. Lerroux sabía mucho, por contactos con Sanjurjo, y de algo informó al gobierno, aunque por vía indirecta.

Conspiraba también una Junta provisional, presidida por el general Barrera, con la colaboración de Vallellano y de Pujol, y el coronel Sanz de Lerín decía tener organizados en los requetés a 6000 muchachos navarros. El aviador Ansaldo fue a Roma y pactó con el mariscal Italo Balbo la ayuda económica de la Italia oficial a los conspiradores; se iniciaba un largo período de conjura entre la extrema derecha española y el Estado fascista italiano.

Conspiraban también por el sur de Francia y el norte de España, José Félix de Lequerica, el duque de Medinaceli, etc. En Ascain, a seis kilómetros de San Juan de Luz, tenía instalada una diminuta corte carlista el pretendiente Alfonso Carlos; había designado una Junta delegada que integraban José M. Oriol, Lamamié de Clairac, V. Pradera y Esteban Bilbao. Esta junta organizaba el contrabando de armas a través de los caseríos vasco-navarros. Con unos y otros colaboraban generales de extrema derecha como Cavalcanti y Fernández Pérez, los «legionarios» de Albiñana y las Juntas Castellanas que Onésimo Redondo —un católico de viejo cuño que había vuelto entusiasmado del nazismo tras una estancia en Alemania— había organizado en Valladolid y que en octubre se fusionan con el grupo de Ledesma para crear las JONS.

En los campos, los patronos continuaban su resistencia; en febrero de 1932 el gobernador civil de Toledo comunicaba que «había una conjura patronal para no dar trabajo y provocar una grave cuestión de orden público contra el Régimen...» [51, 22].

Tampoco los patronos agrarios de Salamanca cumplían las disposiciones de tipo laboral y el Bloque Agrario llegó a distribuir octavillas llamando a suspender las faenas de la siembra; en numerosas provincias los patronos boicoteaban el funcionamiento de los Jurados mixtos.

A nivel de alta organización patronal, la Unión Económica (que reunía a todas las federaciones patronales) convocó en abril de 1932 la primera asamblea económico-agraria para oponerse a la reforma; y al mes siguiente, la Federación de Círculos Mercantiles hacía público un agresivo documento. Este mismo Comité convocó una asamblea de más de trescientas entidades patronales para oponerse al proyecto de control obrero en las empresas que había preparado Largo Caballero y que, desde luego, quedó paralizado en la Mesa del Congreso (el embajador francés Herbette, según cuenta Azaña, amenazó incluso con una intervención francesa para oponerse a tal decreto).

Estos eran, pues, algunos aspectos que daban el tono a la conflictiva realidad española, mientras continuaban, interminables y monótonos, los debates parlamentarios.

2. PARTIDOS POLÍTICOS Y ORGANIZACIONES SOCIALES

El período que estudiamos se caracteriza igualmente por un protagonismo esencial y una vigorización de organizaciones políticas, sindicales obreras, patronales, etc.

Los partidos republicanos gubernamentales no avanzaron mucho; menos que nadie Acción Republicana, a pesar de su primera asamblea nacional (marzo, 1932). Los radical-socialistas decían contar con más de cien mil afiliados, pero en sus asambleas y comités participaba un número sensiblemente menor. El Partido Federal, siempre pequeño, sufrió además una escisión por la izquierda.

Por el contrario, el Partido Radical afianzó su sistema de comités locales (a base de notables, sin duda) que estuvieron representados en número de 4000 en la asamblea nacional celebrada en octubre de 1932. La consigna de Lerroux, «ampliación de la base de la República», se encaminaba a hacer de su partido el eje de la política de una burguesía media.

La derecha, o más estrictamente, el bloque que había sido desposeído de los centros de decisión política (del «Poder» en un sentido trivial), se aprestaba a su estructuración en partidos representativos y organizaciones que fuesen, a la vez, eficaces «correas de transmisión» y aparatos ideológicos. La evolución más importante es la de Acción Nacional, donde siguieron coexistiendo «posibilistas católicos» y monárquicos hasta el verano de 1932, pero cuya presidencia tiene Gil Robles desde noviembre de 1931. La organización cambió de nombre por imperativo legal, en abril de 1932, pasando a llamarse Acción Popular. Se estructuró por comités provinciales y secciones locales; creó sus juventudes, su organización femenina, etc.[1] Por fin, la asamblea nacional celebrada en Madrid a fines de octubre de 1932 acabó de perfilar la organización. La tendencia de Gil Robles y Herrera (reforzada por la Derecha Regional Valenciana que dirigía Luis Lúcia) era más fuerte que la monárquica, solo defendida por Sainz Rodríguez, ya que Vallellano se había exiliado y Goicoechea se encontraba momentáneamente detenido. Sin embargo, prevalecieron ciertas ambigüedades y la ruptura oficial no se produjo hasta enero de 1933 después que Goicoechea declarase en un mitin, el 18 de diciembre, su decisión de crear otra organización derechista específicamente monárquica (que sería Renovación Española). A la asamblea de octubre habían asistido 350 delegados en representación de 619 000 afiliados, no solo a Acción Popular, sino también a sus Juventudes, a la Derecha Regional Valenciana, a Acción Obrerista, a la organización femenina, al Bloque Agrario de Salamanca, a la Derecha asturiana de F. Ladreda, etc.

La derecha, en ruptura con la legitimidad republicana, estaba tan solo organizada en el carlismo tradicionalista, cuyos sectores diversos se unificaron. En diciembre de 1931, Alfonso XIII y el pretendiente Alfonso Carlos (de edad muy avanzada) firmaron un pacto de unidad de acción de todos los monárquicos «para salvar a su querida patria de los horrores del comunismo a que es conducida por gobernantes ateos.»

Ya hemos mencionado la creación de las JONS en noviembre de 1931, pero su actividad durante el primer año de existencia «fue casi nula», con palabras de su jefe, Ledesma Ramos.

El movimiento obrero, por su parte, no dejaba de crecer en número e implantación. El Partido Socialista celebró su Congreso (y también la UGT) en octubre de 1932, contabilizando 75 133 afiliados y la UGT 1 041 539, de los cuales 445 414, del sector agrario, estaban encuadrados en la Federación Nacional de Trabajadores de la Tierra (FNTT). Este Congreso confirmó la táctica «colaboracionista» de Prieto, aprobada por 23 718 votos contra 6536, y eligió presidente del PSOE a Largo Caballero, que venció a Besteiro por 1600 votos de diferencia; la elección de la Comisión Ejecutiva expresaba la victoria del centro y de la izquierda coaligados frente a la tendencia Besteiro-Trifón Gómez, etc. En cambio, esta tendencia derechista consiguió mantenerse en la dirección de la UGT apoyada por las federaciones nacionales de industria en manos de dirigentes burocratizados como T. Gómez, Lucio Martínez y otros. Por otra parte, es digno de destacar que, como ha comentado Amaro del Rosal, estos Congresos que emplearon días enteros en discutir el fracasado movimiento de 1930, no analizaron ni sacaron la menor enseñanza del intento de golpe reaccionario que acababa de producirse el 10 de agosto de 1932.

El problema básico socialista a partir de esta época será el de intentar calmar a sus bases, cada día más descontentas, con la suficiente habilidad para no distanciarse de ellas. Ese contraste será muy fuerte en las zonas agrarias (como ya había sucedido en 1919-1920) y en Asturias.

En la CNT la dirección posibilista fue enteramente desplazada en 1932; el nuevo Comité Nacional constituido el 19 de marzo tenía a Manuel Rivas (secretario de la FAI) de secretario general. Desde el verano de 1931 la CNT siguió una táctica de lucha frontal de acentuado «voluntarismo», que por un lado le atrajo nuevos afiliados (pueden estimarse en un millón aproximadamente para 1932); pero por otro produjo la expulsión de la Federación de Sabadell (20 000 afiliados) y la escisión de Levante, creándose con los escindidos los «sindicatos treintistas», en los que figuraban J. López y Peiró.

El Partido Comunista logró una importante progresión, puesto que de un millar aproximadamente de afiliados en abril de 1931, pasa a 11 874 cuando su IV Congreso celebrado en Sevilla en marzo de 1932. La mitad de esos afiliados eran de Andalucía. El Congreso confirmó a José Bullejos en la secretaría general, pero sus tensiones con la Internacional eran ya muy grandes. Esta aprovechó que Bullejos y sus amigos habían dado, cuando el 10 de agosto, la consigna de «defensa de la República», para desplazarlos de la dirección y, apoyándose en el CC, designar una nueva encabezada por José Díaz, que era el secretario general del PC de Sevilla. Hasta entonces ni la IC ni la dirección del PCE habían logrado un análisis riguroso de la situación española, lo que de hecho acarreaba una ausencia de estrategia. Sin embargo, el PC manifiesta su influencia en una conferencia llamada de unidad sindical (que en realidad es un recuento de sindicatos rojos, como entonces se les llamaba) celebrada el 30 de junio de 1932 con asistencia de 118 delegados en nombre de 153 federaciones locales y 133 402 afiliados. El Comité allí elegido se transformaría, algún tiempo después, en Confederación General del Trabajo Unitario (CGTU).

En Cataluña el panorama político se caracterizaba por la hegemonía de la Esquerra, que en las elecciones al Parlamento catalán (noviembre de 1932) obtuvo más del 50 % de votos. Sin embargo, frente a la tendencia «presidencialista» de Macià, se alzó la política del antiguo grupo de «L'Opinió», con Lluhí Vallescá a su cabeza, que se saldó por una escisión creándose el Partit Nacionalista Republicà d'Esquerra, cuyos miembros participarían en 1934 en el gobierno de Companys y se reintegrarían a la Esquerra en 1936. Sin embargo, la Lliga logró catalizar la derecha catalana y Cambó se reintegró a la política activa. El Bloque Obrero y Campesino reforzó sus posiciones en la izquierda; bajo su influencia se creó la Federación Obrera de Unidad Sindical (FOUS).

En Euzkadi, el Partido Nacionalista se distanció definitivamente de los tradicionalistas y mostró preocupación por los temas sociales, tomando carácter de democracia cristiana. Sus sindicatos (SOV) participaron más activamente en conflictos de clase y adquirieron mayor implantación.

Fiel a las orientaciones de la derecha, la Confederación Católica Agraria moviliza a sus numerosos afiliados contra la reforma agraria y en todas esas actividades destaca el diputado tradicionalista, terrateniente y dirigente de la CNCA, José M. Lamamié de Clairac.

En cuanto a los Sindicatos Católicos, que celebraron su Congreso en Toledo, en diciembre de 1932, no pasaban de unos 60 000 afiliados.

Eligieron presidente a Dimas de Madariaga, diputado y directivo de Acción Popular.

Al mismo tiempo, las entidades específicamente patronales cohesionaban sus fuerzas y multiplicaban su acción. En diciembre de 1931, se había creado la Unión Nacional Económica, «eje de las grandes organizaciones patronales durante la República» (Mercedes Cabrera). En efecto, en su seno se aglutinaban la Asociación de Agricultores de España, la de Olivareros, la de Ganaderos, la Agrupación Nacional de Propietarios de Fincas Rústicas, la Federación de Industrias Nacionales, el Fomento del Trabajo de Cataluña, la Liga Vizcaína de Productores, la Federación Económica de Andalucía, la Federación Nacional de Círculos Mercantiles, el Comité Central de la Banca Española, etc., etc., así como 180 grandes sociedades anónimas, y a su cabeza Altos Hornos de Vizcaya, MZA, Caminos de Hierro del Norte de España... Su presidente fue el capitalista vizcaíno Ramón Bergé, que procedía del conservadurismo maurista y dirigía ya la Federación de Industrias Nacionales. La Unión Económica desde el primer momento declara que «el fundamento básico de la riqueza nacional lo constituyen sus producciones agrícola, forestal y ganadera...», y convoca una asamblea económico-agraria a la que asisten unas cuatro mil personas en representación de 300 entidades (abril 1932) que constituye una declaración de guerra contra la reforma agraria y, más en general, contra cualquier cambio en las relaciones de producción. En la convocatoria se dice:

> Se plantea en la Reforma agraria una radical transformación de la constitución rural de España, que ha de reflejarse en toda la economía nacional; pero además, se contienen principios que afectan al concepto de propiedad; a las modalidades de expropiación, a la relación del Estado con aquélla, y todo esto impone preocupaciones generales a todas las actividades productoras y debe traducirse en un sentimiento de solidaridad.

Frente unido patronal, pues, para defenderse de lo que las conclusiones calificaban de «ataque [que] puede servir de precedente a otros», estimando que estaban «subvertidos los principios de la economía privada, base de la civilización.»

El «agrarismo» de la burguesía durante la República no fue solo una cuestión de hegemonía dentro del propio bloque dominante, sino también producto de la convicción de que en el sector agrario era donde peligraba la situación de las clases dominantes y donde había que batirse; y, además, donde tenían ya una base de masas en los pequeños propietarios, donde podían hacer penetrar su ideología, reclutar y organizar fuerzas [51, 112-117; 52, 18-19]. Es preciso no desechar este dato si se quiere comprender la estrategia de las clases poseedoras (y, sobre todo, de la gran burguesía agraria, financiera e industrial) durante los conflictivos años de la Segunda República.

Hay que señalar que la Confederación Patronal, que había sido creada en 1911 (y contaba con numerosos patronos medios y pequeños de la construcción y del comercio) siguió funcionando independientemente con 70 000 afiliados.

NOTAS DEL CAPÍTULO IV

1. Para este tema es de consulta imprescindible el libro de José R. Montero, *La CEDA. El catolicismo social y político en la II República*, 2 vols., Madrid, 1977.

CAPÍTULO V

Apogeo y decadencia del gobierno Azaña

1. EL 10 DE AGOSTO DE 1932

Los conspiradores pasaron a los actos. En la madrugada del 10 de agosto fuerzas del Depósito de la Remonta intentaron asaltar Correos y el Ministerio de la Guerra. Muy cerca, en una casa de la calle de Prim, habían instalado su puesto de mando los generales Barrera, Serrador, Cavalcanti y F. Pérez. Pero habían fallado la Guardia Civil del Hipódromo, la caballería de Alcalá y el regimiento de infantería n.º 31, del cuartel de la Montaña, cuyos sargentos y cabos se negaron a formar las compañías y liberaron al teniente coronel a quien habían detenido los sublevados. El gobierno estaba prevenido (más por azar que por servicio de información) y los guardias de Asalto, mandados personalmente por el Director de Seguridad, Arturo Menéndez, dominaron fácilmente la situación.

Pero el complot tenía dos dispositivos; el otro, el de Sevilla, se puso en marcha cuando Sanjurjo llegó, acompañado del general García de la Herrán, el teniente coronel Infantes y de su hijo, proclamó el estado de guerra, detuvo al gobernador y se hizo obedecer por el comandante militar. La empresa no era fácil: en Tablada, los suboficiales y sargentos de Aviación se negaban a seguir la sublevación dirigida por Acedo Colunga; en Sevilla, el ayuntamiento se reunió y llegó a publicar un bando contra la sedición, si bien la Guardia Civil detuvo acto seguido al alcalde y a los concejales. Por su parte, en el Alcázar empezó a actuar un Comité de Salud Pública presidido por el catedrático de Historia de aquella Universidad, Juan María Aguilar. Tal vez era más importante que, desde las primeras horas de la mañana, todas las organizaciones obreras, CNT, PCE y Unión Local de Sindicatos, PSOE y UGT, no es que actuasen, aunque no de acuerdo, sino cada una por su cuenta; pero el mayor número de los «cenetistas», la mejor organización de los comunistas y los recursos oficiales de los socialistas (aunque eran los menos importantes), produjeron la unidad práctica para desatar una huelga que, habiendo empezado por los taxistas y los tranvías, fue paralizando la vida sevillana hora tras hora. «La actividad de la capital se paralizaba por instantes...», escribe un cronista partidario de Sanjurjo, Arrarás; y añade: «Al llegar la noche el aspecto de la ciudad se hizo más amenazador.» Así era; mientras Triana y otros barrios populares eran ocupados por los obreros, las manifestaciones contra Sanjurjo llegaban ya a las calles céntricas y los contertulios del Casino de Labradores que por la mañana habían aclamado al general, se encontraban ya aislados. Sanjurjo, instalado en el palacio de la marquesa de Esquivel, telefoneaba a las distintas capitales andaluzas con resultados desconsoladores; en Cádiz había sido detenido Varela, y la sublevación había fracasado tras la marcha del coronel de la Guardia Civil, Roldán, que tras alzarse allí dirigió la sublevación de Jerez y era el único que seguía en contacto con Sanjurjo. En Cádiz, dominada la situación, el general Mena organizaba una columna para marchar sobre Sevilla, y desde Madrid había salido otra mandada por Ruiz-Trillo. En Sevilla, el ejército seguía en sus cuarteles; pasada medianoche, los jefes de la guarnición significaron a Sanjurjo que no estaban dispuestos a enfrentarse con las tropas que enviaba el gobierno. Todo había terminado. Sanjurjo, con su hijo y con Infantes, tomó el camino de Portugal, pero al amanecer era detenido a su paso por una barriada de Huelva.

La represión fue más espectacular que otra cosa; la condena a muerte de Sanjurjo fue conmutada por el gobierno; su hijo fue absuelto y García de la Herrán condenado a doce años (todos serían amnistiados dos años después). El proceso contra los sublevados de Madrid tardó un año en sentenciarse. Ahora bien, el gobierno quiso aprovechar la coyuntura emotiva para jugar una baza muy acorde con el espíritu de los republicanos, que hacían a la vieja nobleza responsable de todos los males; se trató de una base adicional a las contenidas en la LEY DE REFORMA AGRARIA, *expropiando todas las propiedades rústicas de la Grandeza de España*, sin otra indemnización que la que pudiera suponer el importe de las mejoras útiles realizadas. La medida, entre pasional y demagógica, y de discutible constitucionalidad, apenas se aplicó, a causa de lentitudes y cambios políticos.

2. REFORMA AGRARIA Y ESTATUTO DE CATALUÑA

El gobierno Azaña se encontró entonces más fuerte que nunca, y aprovechó para hacer votar en un solo día la LEY DE BASES DE LA REFORMA AGRARIA[1] y el Estatuto de Autonomía de Cataluña.[2] El éxito del gobierno fue total: 318 votos contra 9 para lá reforma agraria y 314 contra 24 para el Estatuto de Cataluña (votaron a favor desde Unamuno y Ortega hasta Cambó y Lerroux).

Había llegado el momento de aplicar lo legislado, lo que no era enteramente fácil dado que se oponían serias resistencias. La reforma agraria llevaba en su mismo texto las dificultades; se le asignaba un presupuesto anual de 50 millones de pesetas (como dice Malefakis, «algo más del 1 % del presupuesto estatal y menos de la mitad de la suma destinada a la Guardia Civil»); el inventario de bienes expropiables tardaría un año en realizarse, y el Banco Nacional Agrario que se formaba para financiar la reforma, estaba de hecho en manos de la banca privada.

Con todo y eso, al votarse la Ley, arreció la oposición de los propietarios, cada vez más reacios a sembrar, a realizar las labores y a aceptar los laudos de los Jurados mixtos. Y crecía la indignación de los campesinos, por otro lado.

Para calmar la impaciencia de estos últimos, el gobierno promulgó el 1.° de noviembre el DECRETO DE INTENSIFICACIÓN DE CULTIVOS, aplicado a Badajoz, y extendido a ocho provincias más una semana después. Según este decreto, las tierras no cultivadas podrían ser cedidas a campesinos sin tierras por dos años agrícolas (hasta septiembre de 1934). Era una medida provisional y de urgencia para dar tiempo a que se aplicase la reforma agraria. De esa manera fueron asentados 32 570 campesinos en una extensión de 98 355 hectáreas (este número de hectáreas se amplió en algo más de 20 000 cuando, en enero y febrero de 1933, se produjeron nuevas invasiones de fincas). La intensificación de cultivos tuvo particular importancia en Extremadura ya que venía a solventar el problema de los yunteros (que carecían de tierras, pero tenían en cambio animales de labor y aperos, y solían labrar las fincas de los ganaderos).

La reforma agraria en sí marchó con extraordinaria lentitud; el 31 de diciembre de 1934 se habían asentado 12 260 familias campesinas en una extensión de 116 837 hectáreas [57, 128-129]. El defecto esencial de la reforma no serían, pues, sus fallos técnicos —que los tenía— ni sus errores, sino su lentitud en aplicarse.

La derecha se replegó en otoño de 1932 y Acción Popular evolucionó hacia un posibilismo legal. Pero Albornoz presentó en nombre del gobierno el PROYECTO DE LEY DE CONGREGACIONES RELIGIOSAS, de tono agresivo; los templos y monasterios pasaban a ser de propiedad pública, pero eran cedidos a la Iglesia para su uso; se disponían severos controles sobre las Congregaciones, las cuales se veían privadas de ejercer cualquier clase de enseñanza.

3. ¿POR QUÉ CASAS VIEJAS? SE AGRAVA LA COYUNTURA ESPAÑOLA Y MUNDIAL

Fue un año, 1933, en que todo pareció súbitamente complicarse. En el mundo, la persistencia de la crisis económica y la subida al poder de Adolfo Hitler (30 de enero) pusieron la nota de alto dramatismo. En España bajó la producción; y también los precios al por mayor, el comercio exterior. También bajó ligeramente el coste de la vida, pero el paro forzoso considerablemente aumentado, agravó la condición obrera.

A finales de aquel año, el número total de parados ascendió a 618 947, de los cuales 351 805 estaban en paro total; más del 60 % de parados eran del sector agrario. Sin embargo, en 1933, el paro alcanzó importancia en la minero-siderurgia vizcaína; aquel verano los parados de Bilbao y su aglomeración industrial pasaban de 25 000.

El nombramiento de Adolfo Hitler, por el mariscal Hindenburg, como canciller (jefe del gobierno) de Alemania proyectó, el 30 de enero de 1933, una sombra siniestra sobre Europa, a la que seguiría, un mes más tarde, el resplandor de las llamas del provocador incendio del Reichstag que sirvió de pretexto para suspender todos los derechos democráticos en Alemania, encarcelar, torturar y matar a los militantes de la oposición y dar comienzo a un régimen que superaba con mucho los horrores del fascismo italiano. El hitlerismo en el Poder será un fenómeno de repercusiones europeas, y por ende españolas, aunque no todos los políticos tomaran a tiempo conciencia del alcance de aquel, pero la vida política española estaba ya en plena conmoción, atravesada pasionalmente de parte a parte, cuando llegan las noticias de Alemania. En España había tenido lugar la tragedia de Casas Viejas. ¿Qué fue y cómo se llegó a ella?

Todo empezó por el deseo del Pleno de Regionales de la CNT, celebrado en Madrid a finales de 1932, de suscitar un alzamiento revolucionario tomando por punto de partida la solidaridad a una posible huelga ferroviaria, facilitada por la negativa de Prieto de acceder a las reivindicaciones presentadas por la Federación de la Industria Ferroviaria (CNT). Sin embargo, los ferroviarios no consideraban madura la situación: Rivas, que a la vez era secretario general de la CNT y del Comité de Defensa de orientación faísta (en unión de García Oliver, Durruti, etc.), les insistió varias veces hasta conseguir que diesen orden de huelga para el 9 de enero. Entonces Rivas dio telegráficamente a las Regionales de la CNT la orden de insurrección; algunas creyeron que la orden procedía del Comité Nacional de la CNT —lo que era falso— y se lanzaron al movimiento; ese fue el caso de las Confederaciones Regionales de Andalucía y Levante. El alzamiento tuvo lugar en algunas localidades de Cataluña, pero fracasó rápidamente; la proclamación del «comunismo libertario» en cuatro pueblos valencianos (Bétera, Bugarra, Pedralba y Ribarroja) no duró más allá de la llegada de la fuerza pública. En cambio, alcanzó mayor importancia en Utrera (Sevilla) y sobre todo en una extensa zona de la provincia de Cádiz (Arcos de la Frontera, Medina Sidonia, Alcalá de los Gazules, Casas Viejas). La toma del poder local tuvo, empero, poca importancia y fue tan solo en el pueblecito de Casas Viejas donde los campesinos, sublevados el 10 de enero, destituyeron al alcalde pedáneo, cortaron las líneas telegráficas y telefónicas y, al entablarse un tiroteo con los cuatro guardias civiles que allí había, dieron muerte a dos de ellos. Esto sucedía ya el día 11, e inmediatamente llegaron más guardias civiles y una sección de guardias de Asalto. La fuerza pública dominó la situación, los campesinos huyeron a campo traviesa, pero un viejo anarquista, al que llamaban «Seisdedos», se hizo fuerte en su casa, acompañado por sus hijos, sus nietos y dos vecinos. Pasada medianoche, una compañía de Asalto con ametralladoras, mandada por el capitán Rojas, llegó y se encargó del asalto; amanecía cuando los guardias asaltantes optaron por incendiar la casa. La matanza fue horrible; al intentar huir de las llamas todos fueron acribillados a quemarropa, excepto dos que consiguieron huir. No pararon ahí los horrores. Rojas ordenó después a los tenientes que procediesen a una verdadera «razzia» por el pueblo de todos los que tuviesen armas; si las tenían o no, tampoco se supo, pero se llevaron doce hombres, amarrados con cuerdas, que fueron allí ejecutados por Rojas y los guardias [47, 117-165].

La tremenda verdad se supo poco a poco. Desde el 12 de enero, las informaciones del *Diario de Cádiz* dejaban suponer la gravedad de los hechos. Los portavoces del gobierno dieron versiones contradictorias, y el día 13 *La Tierra, Mundo Obrero, La Libertad*, etc., explicaban gran parte de los hechos (y aún no se sabía con certeza lo peor: el asesinato de los doce hombres, después de los combates). *El Socialista* criticaba la represión, pero también a los anarquistas; curiosamente, el *ABC* aplaudía el primer día la represión, hasta que se dio cuenta de las ventajas políticas que podía obtener de aquella matanza.

La atmósfera estaba más que cargada cuando, al reanudarse las sesiones del Parlamento, el 2 de febrero, Eduardo Ortega y Gasset explanó una interpelación sobre Casas Viejas. Cometió entonces Azaña una de esas ligerezas verbales suyas que tan caras pagó: ausente Casares por enfermedad y presente Carlos Esplá, subsecretario de Gobernación, sentado detrás del banco azul, Azaña se volvió hacia él para interrogarle; su información, tras apresurada, debió ser inexacta. Y Azaña dijo entonces aquello de «En Casas Viejas no ha ocurrido, que sepamos, más que lo que tenía que ocurrir.» «Que sepamos...»; no sabía Manuel Azaña —su diario íntimo lo confirma— lo que supo, poco a poco, en aquellos dos meses que duró el debate y que la reacción española (y también la extrema izquierda) utilizó para ir demoliendo su imagen ante la opinión. Dos meses justos hasta aquella noche del 3 de marzo en que Azaña anota en su diario: «Por mucho que nos fuéramos acostumbrando a la posibilidad de una catástrofe, la comprobación casi irrefutable [de los crímenes] nos aplana.»

Dos comisiones parlamentarias (una oficiosa y otra oficial), un sumario del juez de Medina Sidonia inspeccionado por el Supremo, declaraciones, escritos y confesiones de los oficiales de Asalto se sucedieron hasta descubrirse la verdad, la responsabilidad evidente del Director general de Seguridad, Arturo Menéndez, que tuvo que ser procesado (con dolor de Azaña, que consiguió más tarde el sobreseimiento de su causa gracias a Anguera de Sojo, fiscal del Supremo, que hacía esto, a la par que redactaba textos para la jerarquía eclesiástica contra la LEY DE CONGREGACIONES dictada por el mismo Azaña).

Dos votaciones de confianza ganó el gobierno, la última el 3 de marzo; pero eran de esas victorias pírricas que no contentan a ningún ser lúcido. Y el mismo 3 de marzo, el grupo socialista, en su reunión interna, ponía en cuestión la continuidad de su representación en el gobierno. Caballero llegó a decir: «Es mejor que nos vayamos a casa que soportar esta indignidad.» Una vez más Prieto tuvo recursos para convencerles de que era mejor quedarse, para no hacer el juego de los radicales. Para parlamentarios socialistas como Jiménez de Asúa, la ignorancia de los hechos no eximía al gobierno de responsabilidad política. En efecto, si para pagar la responsabilidad criminal el capitán Rojas fue a presidio (del que le liberaron los franquistas en 1936), el gobierno estuvo herido de muerte desde entonces.

Mientras la opinión española se apasionaba por Casas Viejas, Hitler se adueñaba de todos los resortes del Poder, hacía incendiar el Reichstag, disolvía partidos y sindicatos, encarcelaba, mataba y hacía ejecutar con hacha a los militantes de la oposición obrera, amenazaba el frágil equilibrio europeo...

El 19 de febrero la Internacional Socialista hizo un llamamiento a la Internacional Comunista a propósito del peligro hitleriano; pero la IC responde el 3 de marzo con el llamamiento «A los obreros de todos los países», sin querer entenderse directamente con la IS; recomienda, en cambio, a sus secciones que se dirijan en cada país a la dirección nacional del Partido Socialista. Pero como el CE de la IS comprueba que no le han respondido directamente, prohíbe a sus secciones que respondan a las propuestas de las secciones comunistas. Eso es lo que ocurre en España; entonces el PCE forma un Frente Antifascista con sus simpatizantes (marzo de 1933). Con motivo de la publicación del periódico *El Fascio* (Delgado Barreto, J.A. Primo de Rivera y otros) se celebra una reunión de organizaciones de izquierda, que no llega a resultados concretos. En los medios socialistas, si bien Araquistáin (embajador en

Berlín) tiene conciencia de la gravedad de los hechos, otros, como Besteiro, pensaban que «vamos a crear nosotros, con nuestras observaciones, un fascismo que no existe», y Pascual Tomás, en el CN de la UGT, dice que «el frente único contra el fascismo es, en realidad, un frente contra la UGT y el PSOE».

Sin embargo, las agresiones de las JONS en la Universidad, contra los estudiantes de la FUE, ya avanzaban algo sobre la realidad práctica del fascismo.

Ángel Pestaña, ya distanciado de la CNT, propone el 4 de mayo en *La Libertad,* una «alianza de las organizaciones obreras con carácter defensivo frente al fascismo». Se observa mayor inquietud ante el fenómeno fascista hitleriano según pasan los meses; el 10 de julio hablaban en el Ateneo de Madrid lord Marley, la diputada laborista Ellen Wilkinson y Henri Barbusse, en nombre del Comité Mundial contra el fascismo. Se formó entonces un Comité español de ayuda a las víctimas del fascismo hitleriano que fue una prefiguración del Frente Popular; presidido por Jiménez de Asúa, participaban en él Ossorio y Gallardo, Corpus Barga, Américo Castro, M. Ruiz Funes, J. A. Balbontín, Martínez Barrio, Claudio Sánchez Albornoz, Botella Asensi, Domingo Barnés, F. Sánchez Román y F. Villanueva; como secretarios actuaban J. López Rey, P. Sayagués, F.G. Mantilla y Rubio.

4. LEY DE CONGREGACIONES Y PROBLEMA ECLESIÁSTICO

Todas las ventajas que el gobierno tenía en el segundo semestre de 1932 habían desaparecido en la primavera de 1933. El gobierno acumuló los desaciertos en cuanto a oportunidad de sus actos; convocó elecciones en los ayuntamientos que tenían elegidos concejales por el artículo 29 desde el 5 de abril de 1931 —núcleos rurales fundamentalmente de derechas—: 2478 ayuntamientos con un censo electoral de cerca de tres millones y medio de votos. Los resultados no fueron desfavorables a la República, pero sí al gobierno.[3] Azaña tuvo otra frase desafortunada en el Parlamento. Decir que aquello se parecía a lo que en otro país llamaban «burgos podridos» (frase de Gladstone en Inglaterra) tal vez fuera verdad, pero era tremendamente impolítico decirlo desde el banco azul.

Y lo más grave era que la crisis se agudizaba, que el paro y las huelgas aumentaban, que la conflictividad era cada día mayor en el campo, de tal manera que los jornaleros no apreciaban un gobierno que tenía casi paralizada la reforma agraria, en manos de un aparato burocrático y con el banco agrario sin crear, a la vez que la Guardia Civil parecía emanar de la autoridad de ese gobierno; en cambio, para los patronos agrícolas el gobierno —y, sobre todo, los socialistas— era el mayor causante de sus males, actuaba demagógicamente, atacaba las bases del orden social y apenas comprendían que esa Guardia Civil dependiese de ese gobierno. La patronal acechaba y si la asamblea económico-agraria, organizada por Unión Económica en el mes de marzo, fue la señal de ofensiva generalizada, no actuaba menos a través de sus distintos grupos de presión, llegando a hacer cambiar de rumbo a partidos del gobierno como el Radical-Socialista (su principal dirigente, Gordón Ordax, dimite de sus cargos en el Ministerio de Agricultura y anima una campaña antisocialista a través de la Alianza de Labradores por él presidida); los grandes grupos de presión de los terratenientes respaldados por la mole empresarial de Unión Económica, estaban dispuestos a dar su primera batalla cuyos objetivos tácticos eran: eliminación de Largo Caballero y de los Jurados mixtos; y el objetivo estratégico, hacer imposible la reforma agraria votada en septiembre de 1932.

El gobierno, y sobre todo su núcleo republicano, no parecen tomar conciencia de lo conflictivo de la situación y de la casi imposibilidad material de librar una lucha en dos frentes. Prueba de ello es la puesta en discusión y aprobación de la LEY DE CONGREGACIONES, que iba a dar al bloque económicamente dominante un arma ideológica de primera categoría para reunir descontentos contra el gobierno y para impulsar su operación hegemónica.

Si dura parecía la sumisión de las entidades religiosas a la LEY GENERAL DE ASOCIACIONES, no cabe duda de que lo más duro parecía ser la prohibición total de ejercer la enseñanza. Hemos señalado la importancia que seguía teniendo la función docente de las órdenes religiosas, y no cabe olvidar que las élites de las clases dominantes se habían formado en gran parte en los colegios religiosos selectos y también en las Universidades de Deusto y El Escorial; no solo los hijos de la nobleza y de los grandes propietarios, sino también los de la gran burguesía del Norte. El impacto, pues, era muy fuerte, y no dejaban de señalar los defensores de la enseñanza por la Iglesia que, si se promulgaba y cumplía la Ley, 350 937 niños que recibían instrucción en centros de las órdenes religiosas quedarían privados de enseñanza. Fernando de los Ríos, en nombre del gobierno, aseguró que esos niños no se quedarían sin escuela; se precisaba un mínimo de 7000 nuevas unidades escolares; el gobierno hizo un gran esfuerzo puesto que, a primeros de septiembre, cuando cayó Azaña, ya se habían creado 3990 nuevas unidades.

Pero veamos las repercusiones de aquella ley (votada el 17 de mayo de 1933, por 278 votos contra 50, por el drástico procedimiento de «guillotina»; obsérvese que los radicales votaron con el gobierno). Si la ley era hostil a la Iglesia, la respuesta de esta acentuó los tonos de hostilidad; se hablaba de «sacrilegio» al referirse al matrimonio civil y al divorcio y se daban instrucciones para una verdadera «guerra escolar», verdadero preludio de guerra civil, porque no solamente prescribían la obligatoriedad para los padres de enviar sus hijos a las escuelas católicas (lo que significaba un acto de rebeldía frente a la Constitución) sino que llegaban a decirles que apartasen a sus hijos «del trato y de la amistad de los compañeros escolares que puedan poner en peligro su fe y costumbres cristianas.» La pastoral colectiva (redactada, de hecho, por Anguera de Sojo, fiscal general de la República desde hacía un mes) era una llamada a la resistencia pasiva contra la aplicación de la LEY DE CONGREGACIONES. Fue rápidamente apoyada por el papa en su encíclica *Dilectissima Nobis* (dirigida a los cardenales de Tarragona y Sevilla), en la que por vez primera Pío XI adopta un tono de neta hostilidad hacia los gobernantes republicanos y echa las bases de lo que luego se llamará nacional-catolicismo:

...porque la gloria de España —dice— está tan íntimamente unida con la religión católica, nos sentimos doblemente apenados al presenciar las deplorables tentativas que de un tiempo a esta parte se están reiterando para arrancar a esta nación de Nos tan querida, con la fe tradicional, los más bellos títulos de nacional grandeza.

Monseñor Gomá, nuevo primado, hizo su entrada en Toledo el 2 de julio y también publicó una dura pastoral.

5. EL CAMPO Y SUS PATRONOS. LAS MOVILIZACIONES DE LA DERECHA

Lejos de atenuarse, la tensión social en el campo crecía a cada ocasión de convenir unas bases de trabajo para las recolecciones, pero también a causa del paro forzoso, que se encargaba de aumentar esa tensión. En Extremadura, a pesar de la LEY DE INTENSIFICACIÓN DE CULTIVOS, hubo nuevas ocupaciones de tierras de ganadería por los yunteros durante los primeros meses del año. Tan solo en la provincia de Cáceres, en el primer trimestre de 1933 hubo 18 huelgas agrarias y 156 ocupaciones con roturación de tierras. Esta situación lleva a veces a enfrentamientos con las fuerzas del orden, como el de Albalá, en el mes de febrero, donde más de cien campesinos atacaron a la Guardia Civil.[4] El número de huelgas campesinas en Andalucía y Extremadura durante todo el año, detectado por Sevilla-Guzmán [222, 94], es de 137, a base de informaciones de prensa central *(El Sol, El Debate* y *El obrero de la tierra).*[5]

Por su parte, los propietarios agrarios estaban dispuestos a dar la batalla a la reforma agraria. Por iniciativa de la Asociación de Propietarios de Fincas Rústicas se celebró en marzo de 1933 una asamblea económico-agraria que declaró la guerra a la reforma, apoyada, si no dirigida, por personalidades de la recién creada CEDA, pero también por tradicionalistas, por los radicales, el grupo conservador de Maura, etc.;

155

en su organización participó activamente la CNCA, cuyos directivos colaboran estrechamente con los de las restantes organizaciones de propietarios.[6]

También en el mes de marzo nacía la Confederación Patronal Agraria, nuevo esfuerzo de los grandes propietarios para movilizar e interesar a los pequeños. Entre sus dirigentes que firman el primer manifiesto-programa en el que se dice, «El socialismo es el enemigo; él y sus aliados», figuraban José M. Hueso, de la dirección de la CEDA y de ACNP, y Cánovas del Castillo, de la Asociación de Propietarios de Fincas Rústicas. Esta Confederación celebró en agosto de 1933 una gran asamblea en dos locales de Madrid simultáneamente (el cine Pardiñas y el Círculo de la Unión Mercantil) y convocó una concentración de agricultores para el 18 de septiembre, también en Madrid, en la que pensaba reunir unos cien mil, que fue suspendida por el cambio de gobierno. Desde su creación, esta CPA, concentró sus fuegos contra los ministros Largo Caballero y M. Domingo, pidiendo su dimisión; bajo esos lemas celebró dieciséis asambleas en provincias. Ante un verano difícil para los obreros del campo, con mala cosecha y aumento del paro, las negociaciones para las bases de trabajo alcanzaron auténtica virulencia. Los patronos andaluces llegaron a reunirse en Sevilla, el 28 de agosto, presididos por Jaime de Oriol, de la Asociación de Propietarios, concertándose para pedir jornal mínimo y jornada máxima (con sus topes), libertad absoluta de empleo de maquinaria, supresión de turnos para empleo de los obreros, derogación de la LEY DE TÉRMINOS MUNICIPALES, modificación de los Jurados mixtos (que fueran presididos por un magistrado), etc.

En Salamanca se formó el «bloque patronal» que decidió, con consejo de Gil Robles y Lamamié de Clairac, suspender las labores de la siembra y no pagar contribuciones. A primeros de julio, el bloque patronal de Salamanca intentó un *lock-out* agrario. Su presidente, Castaños, dijo en la asamblea celebrada el 9 de julio que se iba a una «verdadera cruzada para liberar al país de la dictadura insolvente de los dirigentes de un partido político sectario» [52, 25].

Los ejemplos podrían multiplicarse, para llegar a la misma conclusión: los patronos agrarios pasaban a una ofensiva encaminada a movilizar a los campesinos más modestos; todo ello bajo la dirección de la CEDA y con la colaboración activa de la sempiterna ACNP. Pero la ofensiva patronal no se limitaba al campo, sino que se inscribía dentro de esa gran movilización de la derecha que caracteriza el año 1933 (que a veces no se ha sabido ver, porque también la clase obrera está a la ofensiva, lo que lleva con frecuencia a choques frontales). Los días 19 y 20 de julio se celebraba en Madrid, bajo los auspicios de Unión Económica (con colaboración de la Confederación Patronal y de la Confederación Gremial), la Asamblea económico-social, en la que participaron

457 entidades y se elaboró una verdadera ofensiva contra los Jurados mixtos.

Otros aspectos de la ofensiva patronal están representados por el comportamiento de la patronal hullera asturiana; despido de obreros y petición de aumento de precios del carbón. Los despidos de mineros provocaron huelgas importantes que ya no pudo frenar el Sindicato Minero, a pesar de seguir los socialistas en el gobierno. La Federación Patronal Madrileña comenzó a publicar en julio de 1933 un periódico, *Labor*, donde también se pedía la salida de los socialistas del gobierno. En este periódico existía una sección fija llamada «la semana terrorista».

El otro punto incandescente era Sevilla, cuya organización patronal, la Federación Económica de Andalucía (FEDA) no vaciló en utilizar toda clase de violencias, de las que también fue víctima a su vez.

6. LA CEDA Y RENOVACIÓN ESPAÑOLA

Este es un período en que la patronal utiliza ampliamente los partidos políticos y no se limita a la actuación directa de sus organizaciones; al contrario, estas inciden en partidos, parlamento, gobiernos, etc. Por eso cobra todo su alcance el impulso reconstructor de partidos de la derecha durante 1933. Sin duda el acto de mayor alcance histórico fue la constitución definitiva de la Confederación Española de Derechas Autónomas (CEDA) en asamblea celebrada en Madrid del 28 de febrero al 5 de marzo de 1933. Participaron cerca de 500 delegaciones representando a 735 058 afiliados. Estos no puede decirse que lo fueran directamente del nuevo partido sino a través de su estructura federal; allí se reunían Acción Popular, sus Juventudes (JAP), su Asociación Femenina, su Acción Obrerista y, además, la Derecha Regional Valenciana, las agrupaciones o uniones de derechas de Cáceres, Lugo, La Coruña, Pontevedra, Salamanca, Baleares... los grupos de Acción Agraria de Ciudad Real, Cuenca, Guadalajara, León, Logroño, Soria, etc.; definiéndose el total de ellas como de «Acción Popular y entidades adheridas, afines y simpatizantes». La asamblea aprobó la estructura central de la organización a base de una asamblea nacional y de un comité con una especie de comisión ejecutiva que estaba formada por Gil Robles, Lúcia, Dimas de Madariaga, F. Salmón y J. M. Valiente, además de un amplio abanico de vocales en representación de las provincias. Difícil es saber si la CEDA era un partido como lo afirmaba *El Debate*, o un «conglomerado», como decía Lúcia. En la práctica estuvo muy centralizado, y como ha escrito J. Tusell, «algunas de las decisiones más importantes fueron tomadas por el propio Gil Robles sin consulta directa con el Consejo Nacional». Montero Gisbert, a quien debemos el mejor estudio sobre la CEDA, ha señalado la importancia que en la práctica tuvo la organización de Acción Popular de Madrid, su asamblea (la única que se reunió, pues la nacional no volvió a reunirse) y su junta de gobierno; estaba esta presidida por Carlos Martín Álvarez, brazo derecho del marqués de Comillas en los buenos tiempos de este, secretario general de las corporaciones obreras católicas, alcalde de Madrid con la Dictadura, etc., etc. El secretario era Federico Salmón, a su vez secretario general de la CEDA; y sus reuniones eran muchas veces presididas de hecho por Gil Robles [155, I, 469-490].

La CEDA se presenta como defensora del catolicismo, e incluso de la «organización corporativa de la economía» que Pío XI había defendido en 1931; condena la reforma agraria a la que opone otra, a base de parcelar fincas del Estado u ofrecidas graciosamente por sus propietarios (¿reedición de la LEY GONZÁLEZ BESADA?); pide protección arancelaria para los cerealistas y magistrados para los Jurados mixtos. Desde luego, encabezaba una campaña por la revisión de la Constitución y en «defensa de los principios fundamentales de la civilización cristiana»; representaba la mentalidad conservadora de una sociedad agraria, autoritaria y conformista; nada de divorcio ni de matrimonio civil; la mujer al hogar; la familia, la propiedad, la autoridad, etc., eran otros tantos valores a defender. Gil Robles escribió muchas veces que la CEDA estaba destinada a oponerse a la revolución. ¿Qué revolución podía haber entonces?: la transformación de las relaciones de producción en el campo; el resto, la confesionalidad, la moral, el orden, el centralismo, etc., no eran sino coberturas ideológicas. Tras la CEDA estaban la CNCA, la ACNP, los Sindicatos obreros católicos (poco numerosos los últimos, es verdad); con la CEDA, el bloque socialmente dominante recuperaba su representatividad, los mecanismos de su base social, la hegemonía sobre una base popular del campo y en ciertos medios de pequeña burguesía urbana (de zonas de preponderancia rural, sobre todo; en otros sitios, como Madrid, resulta de las investigaciones de Tusell, que la mayoría de afiliados serían de burguesía media y sector superior de pequeña burguesía, con afiliación femenina entre 40 y 45 %) [236, F, 213-214]. Estaba en marcha el partido hegemónico del bloque dominante, que se quebraría cuando este, en julio de 1936, optase por la violencia armada.

Porque un rasgo esencial de la CEDA es la opción de la vía legal y posibilista dentro del régimen; en sus planteamientos lo esencial será la cuestión de clase y no la cuestión de régimen [155, I, 425].

Todo se comprende mejor al saber que, previamente a la constitución de la CEDA en marzo de 1933, Goicoechea y la extrema derecha monárquica habían abandonado Acción Popular, descontentos de la asamblea de octubre de 1932. El 23 de febrero de 1933 se constituyó «Renovación Española», presidida por Goicoechea, de filiación netamente monárquica, con nostalgias tradicionalistas, lo que lógicamente conduce a la creación de la TYRE, en el mes de marzo, oficina electoral de Tradicionalistas y Renovación Española.

7. CHOQUES SOCIALES FRONTALES

El número de huelgas registradas en 1933 por el Ministerio de Trabajo fue casi el doble del año precedente: 1127, y de ellas tuvo información completa de 1046 en las que hubo 843 303 huelguistas. En realidad, hubo más huelgas y más huelguistas, amén de otras formas de enfrentamientos sociales. La mayor duración de las huelgas indica mayor resistencia patronal; sin embargo, los obreros ganaron más que en 1932. Más de la mitad de los huelguistas fueron obreros agrícolas, de la construcción y mineros, de los tres sectores donde el desempleo era pavoroso y los empresarios no daban trabajo y despedían (40,7 % de las huelgas registradas son del sector agrario; en realidad, muchas más). En cabeza de huelgas y huelguistas están Asturias, Barcelona, Jaén...; en proporción a la población está en cabeza Asturias (13 % de la población y alrededor de 40 % de la población activa y la zona minera de Palencia); Jaén y Córdoba pasan del 10 % de la población total, Salamanca llega al 9,4 % y Barcelona al 8,5 %. Esta estimación cuantitativa pone en duda el tópico de que las huelgas eran sobre todo asunto de los anarquistas; se trata de provincias de neta mayoría socialista (excepto Barcelona), aunque en Córdoba hubiese bastantes localidades de mayoría cenetista y algunas comunistas. De todas formas, lo que se deduce del conjunto de datos es que, a pesar del paro creciente y la crisis, hay una combatividad ascendente de la clase obrera del campo y de las ciudades, lo que contradice la teoría economicista-reformista de que en tiempos de paro y crisis decrece necesariamente la combatividad obrera. En esta España de 1933 —como en otros momentos de nuestra historia— se llega a un nivel de conciencia colectiva en que los huelguistas creen que la inacción les es mucho más perjudicial que los riesgos de una huelga. Hay, por otra parte, el hecho de que ganar huelgas siempre ha resultado un estimulante para otras acciones. Habría que añadir que los Jurados mixtos resolvieron más conflictos (evitando así otras tantas huelgas) que en 1932 y en porcentaje aún más favorable a los obreros, pese a la gran campaña que no solo la derecha, sino también los radicales, desataron contra ellos.

Hay, pues, que tener en cuenta, junto a la agravación de la crisis y del paro, la conciencia de réplica ante la patronal que hay en los trabajadores; desde luego, el sector «cenetista» se había endurecido tras la eliminación de los treintistas, pero parece todavía más esencial que las direcciones centrales socialista y ugetista no pudieron frenar más a sus organizaciones agrarias y mineras. También es cierto que desde la crisis

Huelgas en 1933. Número de huelguistas I

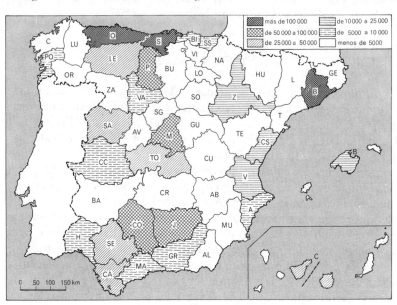

Venta de «Mundo Obrero» en mayo de 1933 II

de junio (formación del último gobierno Azaña) y el giro antisocialista de la mayoría de un partido paradójicamente llamado Radical-Socialista, los militantes de la UGT a niveles locales empezaron a perder la confianza en las posibilidades del gobierno; dirigentes importantes, como Largo Caballero, una gran parte de las Juventudes, etc., empiezan una radicalización que no tardará en producir efectos; la radicalización del socialismo español de 1933 a 1936 es, en efecto, un fenómeno histórico relevante del que por desgracia no podemos ocuparnos aquí con el detalle que merece.[7]

8. DE LA CRISIS GUBERNAMENTAL DE JUNIO A LA DE SEPTIEMBRE DE 1933

Se aproximaba el verano de 1933 en condiciones poco fáciles para el gobierno; el Congreso del Partido Radical-Socialista acababa de mostrar la existencia de una mayoría, dirigida por Gordón Ordax, a quien secundaba Fernando Valera, netamente hostil a la permanencia de los socialistas en el Poder y favorable, en cambio, a reanudar un entendimiento con los radicales. Aquello bien pudiera haber sido el sueño de una república de pequeños propietarios, pero en las condiciones específicas de España en 1933 era un triunfo de la presión ideológica de la gran burguesía y un paso para aislar a la clase obrera.

Por añadidura, Carner, ministro de Hacienda, estaba seriamente enfermo (esa dolencia le llevaría al sepulcro un año después) y era preciso relevarlo; pensó Azaña en remodelar el gobierno, pero al decírselo al presidente de la República fue ocasión para que este le plantease la necesidad de abrir una crisis total. Así se hizo; Alcalá Zamora encargó a Besteiro la formación de gobierno, gestión que, naturalmente, no pudo llevar a cabo. Luego le tocó el turno a Prieto; estuvo a punto de lograrlo, pero su grupo parlamentario decidió que no se invitaría a los radicales, condición puesta por el jefe del Estado. Al final, pues, Azaña formó gobierno con escasas variaciones; además de Carner, salieron Zulueta y Giral, y se desdobló Agricultura de Industria y Comercio. El catedrático republicano Agustín Viñuales fue a Hacienda; De los Ríos a Estado, entrando en Instrucción Pública el profesor Francisco Barnés (eminente personalidad de la Institución Libre de Enseñanza); siguió Domingo en Agricultura y el federal Franchy Roca tomó Industria y Comercio. Para Marina, llegó desde Barcelona nada menos que Luis Companys, a quien reemplazó Joan Casanovas en la presidencia del Parlamento catalán.

El gobierno del 14 de junio no podía resolver nada. Los socialistas se encuentran ya incómodos en el gobierno. El discurso de Largo Caballero en el cine Pardiñas y su conferencia en la Escuela Socialista de Verano, son otras tantas llamadas a la lucha dicotómica entre proletarios y burguesía.

En verdad, esos discursos, probablemente apasionados (más, desde luego, que la tesis expuesta por Prieto también en la Escuela de Cercedilla: necesidad de unión con la burguesía republicana para salvar la República), se producen no como iniciativa, sino más bien como réplica, en el clima cargado que ha creado la ofensiva patronal; no es posible ignorar que unos días antes se había celebrado la asamblea económico-social patrocinada por Unión Económica, «de donde surgió el acuerdo de formar un comité de enlace de entidades patronales encargado de dirigir la oposición a la política laboral del Gobierno» [33, 147]; que la patronal de Madrid, aprovechando el conflicto de la dependencia mercantil, llamaba también a luchar contra el gobierno reincidiendo en la habitual hipostatización de identificar sus intereses de clase con «la defensa de los sacratísimos intereses de la economía patria» (15 de julio); que El Sol, cuyo mayor accionista, Miquel, ya se había desvinculado de Azaña, participaba en la operación «anti-socialista». Como también ha escrito Marta Bizcarrondo, «Velada o abiertamente, las organizaciones políticas republicanas respondieron a esa presión patronal exigiendo el fin de la colaboración socialista en el Gobierno, desde el republicano conservador Miguel Maura hasta el radical socialista Gordón Ordax» [133, 148, 149].

El Partido Socialista contaba con más de 81 000 afiliados, además de los 30 000 de las Juventudes; la UGT tenía bastante más del millón (se usa habitualmente la cifra de 1 041 539 de un año antes, pero estimando las altas y bajas dadas por las reuniones de CE se comprende que desbordaba ampliamente los 1 100 000 afiliados, de los cuales más de 450 000 integrados en la combativa Federación de Trabajadores de la Tierra). Falto de un análisis teórico riguroso sobre la formación social española, podía ser fácilmente presa de la tentación de responder a la ofensiva patronal con una lucha frontal, táctica tanto más arriesgada cuanto que la división de la clase obrera era manifiesta; la CNT tendría aproximadamente los mismos afiliados; y el núcleo comunista, aunque pequeño, se había multiplicado por veinte en los dos últimos años.

Se había aprobado la LEY DEL TRIBUNAL DE GARANTÍAS CONSTITUCIONALES, del que fue nombrado presidente Álvaro de Albornoz; pero el 3 de septiembre había que elegir quince vocales regionales del Tribunal, en elección de segundo grado, por concejales. Solo cinco vocales de los elegidos pertenecían a la mayoría gubernamental. La derecha aprovechó el traspiés; se anunciaba la marcha sobre Madrid de cien mil patronos agrarios. El gobierno no podía contar ni siquiera con buena parte de la pequeña burguesía, en la que había prendido la propaganda encaminada a atemorizarla ante la participación socialista y a hacer recaer sobre el gobierno las consecuencias negativas producidas por la crisis económica. ¿Qué poder tenía ya aquel gobierno en septiembre de 1933? Ciertamente, todavía pudo ganar Azaña una votación de confianza, pero dejándose en los desgarrones de la contienda parlamentaria abstenciones y ausencias inquietantes (solo hubo 146 a favor y 3 en contra; el resto abstenciones y ausencias). Alcalá Zamora aprovechó para forzar la situación en el consejo del 8 de septiembre; abrió consultas y ofreció el Poder a Lerroux.

Veinte días duró el primer gobierno Lerroux; del 12 de septiembre al 2 de octubre.[8] Gobierno que expresaba una alianza de burguesía media con pequeña burguesía, fue acogido en las calles de Madrid por manifestaciones importantes de hostilidad que, por vez primera, hermanaban a jóvenes socialistas y comunistas.

Pocos días después, el Partido Radical-Socialista, que había dicho contar con 126 585 afiliados, estallaba en una escisión que parecía dar la mayoría a Gordón y sus amigos moderados, pero que en realidad lo deshacía como una pompa de jabón en el aire.

En Euzkadi, rota definitivamente la alianza PNV y Tradicionalismo, se había votado un nuevo Estatuto (limando en el proyecto los artículos que antes fueron conflictivos) que, sometido a referéndum el 5 de noviembre, fue aprobado por 411 765 votos (84 % del censo electoral) contra 14 196. Sin embargo, la mayoría obtenida en Álava era solo relativa (46 %). En Madrid, Largo Caballero arrebató de entusiasmo a un auditorio obrero en el cine Europa al decir: «Hemos cancelado nuestros compromisos con los republicanos [...] Hemos de luchar hasta convertir el régimen actual en una república socialista».

Al mismo tiempo, la Agrupación Socialista de Madrid votaba por la ruptura de la coalición. Según ha contado Azaña, esa actitud ya se la había comunicado Largo Caballero en uno de los últimos consejos de ministros.

Ineluctablemente, Lerroux fue derrotado en las Cortes. Alcalá Zamora pensó en Marañón y Sánchez Román, primero, y en Pedregal, después, para que formasen gobierno. Finalmente fracasó el encargo hecho al viejo institucionista, profesor Adolfo Posada. Pero fue Martínez Barrio —todavía lugarteniente de Lerroux— el encargado de formar un gobierno de «concentración» republicana, con el decreto de disolución en el bolsillo y la subsiguiente convocatoria de elecciones. El radical sevillano tenía más prestigio moral que su jefe. Y logró colaboraciones muy diversas; tenía también la de los socialistas, que inopinadamente (al menos en apariencia) fue denegada de madrugada, cuando habían quedado solos con Martínez Barrio los tres antiguos ministros socialistas (Prieto, De los Ríos, Largo Caballero) y Besteiro. (La negativa fue refrendada por el grupo parlamentario socialista a las cuatro de la madrugada, al aprobar una nota redactada por Prieto).

Esa negativa escoraba hacia el centro el gobierno que se formó el 12 de octubre, de dirección radical, con figuras de otros partidos republicanos y cierto tono de burguesía republicana. Los radicales guardaban la Presidencia (Martínez Barrio), Hacienda (A. Lara), Obras Públicas (Guerra del Río); Acción Republicana parecía estar representada por Sánchez Albornoz, de pocos vínculos con Azaña, en Estado; la derecha mayoritaria radical-socialista obtenía Industria y Comercio (Gordón) e Instrucción (Domingo Barnés), los minoritarios tenían la consolación de Comunicaciones (E. Palomo) y la Izquierda Radical-Socialista, el Ministerio de Justicia (Botella Asensi); los catalanes de Esquerra tenían a Pi i Sunyer en Trabajo; próximos al Jefe del Estado, C. del Río, progresista (Agricultura), el autonomista gallego y católico Pita Romero (Marina). En fin, dos personalidades independientes para Gobernación y Guerra: Rico Avello (antiguo directivo de la patronal asturiana) y Vicente Iranzo, respectivamente, también próximos al jefe del Estado.

Fueron disueltas las Cortes Constituyentes y se convocaron elecciones legislativas, según la nueva ley electoral, para el 19 de noviembre en primera vuelta y el 3 de diciembre en segunda. Se aplicaba por vez primera el voto de la mujer; por ello ascendían a 8 711 136 españolas y españoles los que eran llamados a las urnas.

NOTAS DEL CAPÍTULO V

1. La Ley establecía un complejo sistema de tierras expropiables con indemnización. Según la base 5.ª eran susceptibles de expropiación: las tierras ofrecidas por sus dueños; las transmitidas contractualmente sobre las que el Estado pudiese ejercer el derecho de retracto; las adjudicadas al Estado, región, provincia o municipio; las de corporaciones, etc., que no las explotasen en forma directa; las que procediesen de señoríos jurisdiccionales; las incultas o manifiestamente mal cultivadas; las no regadas existiendo embalses o aguas provenientes de obras hidráulicas costeadas por el Estado; las de un solo propietario que constituyesen un líquido imponible superior al 20 % del cupo total de riqueza rústica de un mismo término municipal; las situadas a menos de dos kilómetros de pueblos de menos de 2500 habitantes si su propietario tenía en ese término fincas cuya renta catastral excediese a las 1000 pesetas; las explotadas en arrendamiento a renta fija durante doce o más años (las dos últimas categorías, de poca eficacia, contribuyeron a crearle a la reforma numerosos enemigos que no tenían por qué haberlo sido). En fin, luego venían las expropiaciones más importantes: las propiedades en secano de 300 a 600 hectáreas, de 150 a 300 si eran olivares, de 100 a 150 si eran viñedos, de 100 a 200 las de árboles frutales; las dehesas de pasto y labor comprendidas entre 400 y 750 hectáreas; y en las tierras de regadío eran expropiables las de 10 a 50 ha regables gracias a obras realizadas con auxilio del Estado.

La Ley debía aplicarse en Andalucía, Extremadura, Ciudad Real, Toledo, Albacete y Salamanca. Para extenderla a otras provincias sería necesaria una ley votada por las Cortes previo informe del Instituto de Reforma Agraria.

2. El artículo 1.º decía: «Cataluña se constituye en Región autónoma dentro del Estado español, con arreglo a la Constitución de la República y al presente Estatuto. Su organismo representativo es la Generalidad y su territorio el que forman las provincias de Barcelona, Gerona, Lérida y Tarragona en el momento de promulgarse el presente Estatuto.» Posteriormente, en 1933, el Parlamento catalán votaba un «Estatuto interior» cuyos primeros artículos eran: 1.º El poder de Cataluña emana del pueblo, que lo ejerce mediante los organismos de la Generalidad. 2.º La capital de Cataluña es Barcelona. 3.º La lengua propia de Cataluña es la catalana.»

3. Los datos comprobados en toda la prensa —que difieren un poco de los que Vidarte da en sus Memorias— son los siguientes:

Tradicionalistas: 411; Jaimistas, 8; Monárquicos, 28; Unión de Derechas, 88; Otros grupos católicos, 26; Derecha independiente, 13; Católicos, 329; Independientes, 367; Acción Popular, 339; Agrarios, 2625; Conservadores (¿republicanos de Maura?), 1115; Republicanos independientes, 211; Liberales demócratas, 106; Progresistas, 88; Al servicio de la República, 26; Republicanos gallegos, 115; Nacionalistas vascos, 506; Radicales, 1940; Acción Republicana, 1052; Radical-Socialistas, 1276; Republicanos de izquierda, 11; Federales, 33; Socialistas, 1557; Comunistas, 26.

Se trataba de 2478 ayuntamientos con un censo electoral de casi millón y medio de votantes, radicados principalmente en Castilla, Navarra y País Vasco. La estimación está hecha por concejales elegidos y no se ha conservado la de votos emitidos.

4. «La Guardia Civil —escribe el profesor Juan García Pérez— constituyó para los propietarios el símbolo del orden y la tranquilidad en sus campos, con su intervención e incluso dirección cuando se trataba de defender los intereses patronales, casi todos ellos de políticos de derechas y muchos viejos caciques monárquicos y su falta de acción cuando eran éstos los que llevaban la iniciativa de la represión y persecución de cuantos habían votado en socialista. Ella fue quien llevó a cabo una estrecha vigilancia de las fincas, seguida de la dispersión y expulsión de los yunteros de éstas, quienes se retiraban pacíficamente ante su presencia, cuando se produjeron las masivas invasiones y roturaciones que caracterizan los meses iniciales de 1933». J. García Pérez: tesis sobre *«Estructura agraria y conflictos campesinos en la provincia de Cáceres durante la II República»* (ejemplar mecanografiado; folios 559/560.)

5. Las fuentes locales utilizadas por Pérez Yruela para Córdoba y por García Pérez para Cáceres, ofrecen un número mucho más elevado de huelgas. Sin embargo, hay que tener en cuenta que Sevilla-Guzmán contabiliza como una sola huelga varios conjuntos de huelgas acaecidas al mismo tiempo en diversos municipios en 1933.

6. La asamblea económico-agraria de marzo de 1933 reunió a las siguientes asociaciones patronales agrarias: Propietarios de Fincas Rústicas, Agricultores, Ganaderos, Olivareros, de Montes Alcornocales, Instituto Agrícola Catalán, Agrupación Forestal, Unión Nacional de Exportación Agrícola y también (aunque con base social en parte no patronal) a la Confederación Católica Agraria. En las resoluciones se insiste en que «la economía agraria del país es la base de sustentación del mismo, y cuanto afecte a ella repercute en toda la industria y comercio...»

7. Sobre el particular hay que consultar las obras de Santos Juliá, Marta Bizcarrondo y de Blas Guerrero citadas en la bibliografía.

8. El gobierno estaba así formado: *Presidencia,* A. Lerroux (PRR); *Estado,* C. Sánchez Albornoz (AR); *Gobernación,* D. Martínez Barrio (PRR); *Guerra,* J. Rocha (PRR); *Hacienda,* A. Lara (PRR); *Obras Públicas,* R. Guerra del Río (PRR); *Trabajo,* R. Samper (PRR); *Justicia,* J. Botella Asensi (IRS); *Agricultura,* R. Feced (PRR-S); *Industria y Comercio,* L. Gómez Paratcha (ORGA); *Instrucción Pública,* D. Barnés (PRR-S); *Marina,* V. Iranzo (indep., procedente de Agrupación al Servicio de la República); *Trabajo,* M. Santaló (ERC).

Intermedio decisivo

1. LAS ELECCIONES DE NOVIEMBRE DE 1933

El 19 de noviembre votó el 67,46 % del censo electoral: Cádiz, la provincia de Sevilla y la de Málaga marcaron las más altas cotas de abstencionismo: 66,73 %, 50,16 % y 49,47 %, un total de 389 000 abstencionistas en zonas de indudable influencia anarquista donde la consigna, «¡obreros, no votéis!» tenía indiscutible repercusión; la Galicia costera y Aragón seguían esa tendencia; por el contrario, en provincias de dominio derechista —Navarra, Segovia— se consiguió que la abstención no llegase al 20 %.

¿Cómo se había realizado aquella campaña electoral?

Sabemos que las izquierdas fueron divididas, con raras excepciones (Bilbao, Málaga, capital) y las derechas unidas; la unión de estas se hizo extensiva a los radicales, en algunas circunscripciones desde la primera vuelta (Badajoz, Zamora, Jaén) o en la segunda (Granada, Córdoba). Desde el 12 de diciembre funcionó un comité de enlace que reunía a CEDA, Agrarios, Tradicionalistas y Renovación. Los representantes del bloque económicamente dominante se aprestaban a conquistar el Parlamento, centro decisorio del poder político. En la candidatura del frente de derechas por Madrid, además de Gil Robles y Goicoechea, figuraban miembros de la oligarquía tan eminentes como Mariano Matesanz (presidente del Círculo Mercantil y de la Asociación de Agricultores de España), Juan Ignacio Luca de Tena (director de *ABC*), Adolfo Rodríguez-Jurado (presidente de la Asociación de Propietarios de Fincas Rústicas, vicepresidente del Comité de Enlace de entidades agropecuarias), Honorio Riesgo (personalidad de primer orden de las empresas de hostelería), Antonio Royo Villanova (catedrático, consejero de grandes compañías azucareras y otras empresas, anticatalanista notorio),

Elecciones de 1933. Candidaturas que obtienen las mayorías **III**

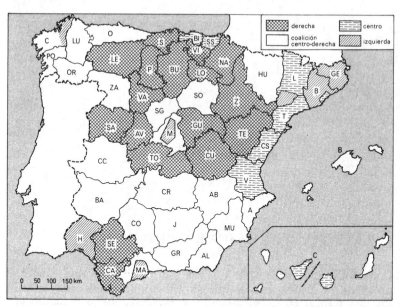

Elecciones de 1933. Abstenciones **IV**

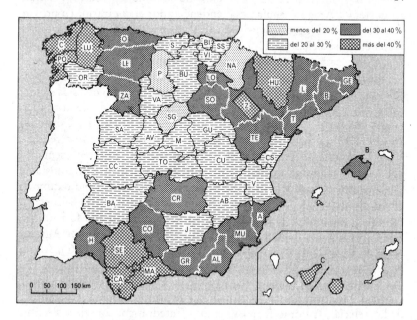

Juan Pujol (director de *Informaciones*, vinculado a March y luego a la Alemania hitleriana), Rafael Martín Lázaro (antiguo político maurista y de la ACNP y autor del dictamen para que la Iglesia sacase sus bienes de España y los pusiese en bancos extranjeros con testaferros), José M. Valiente (presidente de las Juventudes de Acción Popular y uno de los portavoces de la extrema derecha en la CEDA).

Hueso, secretario de la Patronal Agrícola, Javier Martín Artajo (de la Federación Matritense y de ACNP), Fernández Heredia (secretario de la Unión de Remolacheros) y otros por el estilo figuraban en la candidatura de Madrid provincia. Y en cada circunscripción, un somero análisis sociológico permitía detectar en las candidaturas del frente de derechas a miembros importantísimos de la oligarquía económica, a grandes terratenientes, a capitanes de industria. La batalla se daba en toda regla y el bloque electoral de derechas centraba su campaña en tres objetivos:

1.º Revisión de lo que llamaban «legislación laica y socializante» de la República, llegando hasta la Constitución.

2.º «Una rigurosa defensa en el Parlamento de los intereses económicos del país, reconociendo a la agricultura su legítima preponderancia como base de la riqueza nacional.»

3.º Amnistía para todos los delitos políticos, que comprendía, en primer lugar, a Sanjurjo y demás complicados del 10 de agosto, así como a Calvo Sotelo, candidato, que hizo su propaganda electoral por discos grabados en París o por artículos, como uno publicado en *ABC* que decía:

Ahora no podremos sustraernos al influjo corporativo y fascista... Tengo por evidente que este Parlamento será el último de sufragio universal por luengos años.

La campaña electoral fue apasionada e intensa, pero pacífica. El 19 de noviembre se votó por vez primera; allí donde ninguna candidatura había obtenido 40 % de votos se fue a la segunda vuelta, permitiendo la ley modificada nuevas alianzas electorales para ella.

¿Qué resultó de aquella contienda electoral? Como toda elección, puede estimarse en sufragios emitidos y en puestos conquistados. Digamos de antemano que en los segundos hubo neta mayoría de centroderecha. Cuando en el mes de diciembre quedó definitivamente constituido el Congreso, su composición era la siguiente:

CEDA	115	
Agrarios	36	
Renovación y Tradicionalistas	35	Derecha
Varios de derechas	17	
Lliga	24	

Radicales	102	
Conservadores republicanos (M. Maura)	18	
Progresistas	3	Centro
Lib. demócratas (de Melquíades Álvarez)	9	
Partido Nacionalista Vasco	12	

Socialistas (PSOE)	61	
Unió Socialista de Catalunya	3	
Acción Republicana	5	
Radical-Socialistas (de Gordón)	1	
Radical-Socialistas (de M. Domingo)	4	Izquierda
ORGA	6	
Esquerra	19	
P. Comunista	1	
P. Federal	1	

La proporción de votos emitidos no se correspondía exactamente, ni mucho menos, con la composición de la cámara; además de la prima concedida a las mayorías (la minoría solo guardaba 20 % de puestos), el juego de alianzas en la segunda vuelta desnaturalizó mucho más el sufragio; de esa manera, el Partido Socialista solo obtenía las minorías en provincias donde era indiscutiblemente el primer partido (Jaén, Granada, Córdoba, Badajoz, Cáceres, Asturias). Aunque una estimación exacta es difícil teniendo en cuenta las coaliciones, se puede obtener con importante valor de aproximación, repartiendo a partes iguales los votos obtenidos por coaliciones Radicales-CEDA o Radicales y Agrarios. De esta manera se llega al siguiente resultado:

Derecha:	3 365 700 votos
Centro:	2 051 500 votos
Izquierda:	3 118 000 votos[1]

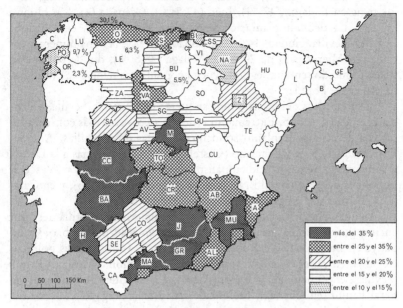

Esos resultados ofrecían una interesante imagen política del país; el Partido Socialista recogía por sí solo 1 618 000 votos, pero teniendo en cuenta los sitios de candidatura conjuncionista ese número podía elevarse, por lo menos, a 1 800 000 (20,6 % de votos emitidos); los comunistas 195 000 (incluyendo 18 000 del BOC), es decir, 2,23 %. No es desatinado afirmar que los socialistas no habían sufrido pérdida de sus bases electorales; en cambio, los partidos republicanos de izquierda se desplomaron, con la excepción de Esquerra de Catalunya, sin duda por su contenido nacionalista y su base de influencia agraria y vastas capas medias.

Las mujeres fueron, en general, poco abstencionistas. ¿Votaron tanto a las derechas como se ha dicho? No es nada seguro. Obsérvese que en Madrid, donde más del 52 % del censo estaba compuesto por mujeres, cabe suponer que estas votaron a las izquierdas. No sería lo mismo en regiones de fuerte influencia eclesiástica.

En cambio, es evidente que el abstencionismo anarquista mermó considerablemente los votos de las izquierdas. De estas, el PSOE se afirmó en su triángulo tradicional: Madrid (38 % de votos y victoria total en segunda vuelta), Asturias y Bilbao. Los porcentajes más altos los tiene en Badajoz (47 %), Jaén (42,5 %), Granada (41 %), Huelva (37 %). La débil implantación comunista se concentra en Córdoba (9,5 %), Sevilla, ciudad (14,5 %), Bilbao (7,8 %), la zona minera asturiana (en Mieres pasa de 20 %) y Málaga (25,5 %), donde obtiene su único diputado, en una segunda vuelta con una coalición que prefiguraba el Frente Popular.

Los radicales conservaron toda su fuerza en Canarias, Sevilla, Valencia y, en cierto modo, Extremadura (donde su base era más conservadora). La derecha se implantó sólidamente en las dos Castillas, Aragón, Extremadura, País Valenciano (Castellón y Valencia gracias a la DRV), y su fuerza extrema, el tradicionalismo, en Navarra. En el País Vasco se impone la hegemonía del PNV (con la excepción de Bilbao), y en Cataluña, Esquerra y Lliga se disputan las grandes bases.

Algunas personalidades obtuvieron resultados muy brillantes, por encima de sus propias candidaturas: Azaña, en Madrid y Bilbao; Companys en Barcelona; Gil Robles, en Salamanca. Otros líderes políticos elegidos, en cabezas de lista eran los cedistas Salmón (Murcia) y Pabón (Sevilla), el tradicionalista Oriol (Álava), Calvo Sotelo (Orense), el general Fanjul (en Cuenca), Melquíades Álvarez (coaligado a la derecha, en Oviedo), José Antonio Aguirre y J. M. Leizaola, ambos nacionalistas vascos (en Vizcaya, provincia y Guipúzcoa respectivamente), Santiago Alba, convertido en radical lerrouxista (Zamora), el monárquico Fuentes Pila (Santander), los socialistas Besteiro y Jiménez de Asúa (Madrid), Crescenciano Bilbao y Ramón González Peña (Huelva); en Salamanca, Manso, con 40 000 votos, obtenía siete mil más que el resto de la candidatura socialista; en fin, en Málaga, el comunista Dr. Bolívar, y en Valencia, Lerroux.

Sociológicamente hablando, una vez más representantes directos de los centros del poder económico, de la oligarquía dominante, se sentaban en los escaños: Cambó, Ventosa, Romanones, Juan March, Villalonga, Oriol, entre los más poderosos de los consejos de administración; y también Royo, Bau, Vallellano, Oreja, Goicoechea, Riesgo... Junto a ellos, los representantes de la gran propiedad agraria: Rodríguez-Jurado, Matesanz, José María Hueso, el conde de Mayalde, Cándido Casanueva. En la candidatura de derecha victoriosa por Cádiz, junto al monárquico y acaudalado propietario Carranza, el hijo del general Primo de Rivera, José Antonio, que en un acto celebrado en el teatro de la Comedia de Madrid el 29 de octubre, acababa de fundar un partido de corte fascista; semanas después tomaría el nombre de Falange Española.

El bienio reformista había terminado definitivamente. Ahora, era la hora de Lerroux. Pero solo podía gobernar apoyado en la derecha.

2. INSURRECCIÓN ANARQUISTA

La CNT, que boicoteó las elecciones, había paradójicamente decidido lanzarse a una revolución en vista de que las derechas ganaban las elecciones (Plenos de Regionales del 30 de octubre y del 26 de noviembre). Y a esa revolución se lanzaron el 8 de diciembre (sin que participasen G. Oliver y el grupo «Nosotros», muy quebrantados por el golpe del mes de enero). El gobierno lo sabía y aquella noche practicó cientos de detenciones, entre ellas las de Durruti, Puente y Mera que estaban en el comité revolucionario en Zaragoza, se apoderó de depósitos de armas y explosivos, etc. Se combatió, sin embargo, con singular dureza; en Zaragoza se luchó a tiros y en barricadas (en las estrechas calles del barrio de San Pedro) hasta el día 14. También en Calatayud; y en Daroca se proclamaba «el comunismo libertario», igual que en cinco pueblos de Huesca y algunos otros de la Rioja, Teruel e incluso Álava. En cambio en Barbastro, donde empezó la lucha al descubrir la Guardia Civil un arsenal de armas, se restableció antes el orden. Por todo el país fueron estallando focos revolucionarios dispersos: en Cataluña, tan solo en Prat de Llobregat; pero los mineros de Fabero (León) proclamaron a su vez el «comunismo libertario», tomaron el cuartel de la Guardia Civil de Vega de Espinareda y solo fueron contenidos al llegar a la carretera entre Ponferrada y Villafranca del Bierzo. En Andalucía, los revolucionarios fueron dueños de Bujalance (Córdoba) hasta el 11; en Valencia, la voladura de un puente en Puzol produjo un descarrilamiento con 20 muertos; y en Villanueva de la Serena (Badajoz), el sargento Pío Sopena con varios soldados y quince paisanos resistieron en el edificio de la Caja de Reclutas hasta ser tomado por asalto el día 11.

La intentona anarquista costó, según datos oficiales, 75 muertos y 101 heridos entre los revolucionarios; 11 guardias civiles muertos y 45 heridos; 3 guardias de asalto muertos y 18 heridos. Y, naturalmente, más de 700 encarcelamientos, clausuras de locales, suspensiones de prensa, etc., además de dar pretexto a otras represiones y de amedrentar a las capas medias.

3. BIENIO RESTAURADOR, 1934 Y 1935

Ahora podía formar gobierno Lerroux sin miedo de que le derrotasen en el Parlamento; le bastaba negociar con la derecha cedista y agraria. Gil Robles, que por vez primera había sido llamado a consulta, manifestó públicamente su acatamiento al régimen, su apoyo a Lerroux si rectificaba la obra de las Cortes Constituyentes y su esperanza de tener todo el Poder el día de mañana. Dos editoriales de *El Debate* (15 y 17 de diciembre) apoyaron esa postura no exenta de ambigüedades, lo que hizo que los socialistas, por boca de I. Prieto, creyesen ver en las palabras del jefe cedista un propósito de golpe de Estado, y dijesen, en el debate parlamentario, que, «en ese caso, el Partido Socialista contrae pública y solemnemente el compromiso de desencadenar la revolución».

Tras ese debate, el gobierno del 18 de diciembre,[2] que reunía a la plana mayor del Partido Radical, con distintos políticos de la burguesía (incluso de derechas como Cid, de la Patronal «ilustrada», como Rico Avello, de la gran banca, como Álvarez-Valdés, el viejo amigo de Melquíades Álvarez), obtuvo un confortable voto de confianza; sólo votaron en contra los socialistas, la Esquerra, los raros republicanos de izquierda y el grupo monárquico y tradicionalista (TYRE). Los Agrarios, por boca de Martínez de Velasco (subsecretario en el último gobierno de la monarquía y amigo desde joven de Alcalá Zamora), declararon «aceptar el régimen legalmente constituido», lo que acarreó la salida del grupo del general Fanjul (que, sin embargo, quince meses después sería subsecretario de Guerra con Gil Robles de ministro).

Se iba rápidamente a una LEY DE AMNISTÍA pedida por la derecha (de la que se excluía a los anarquistas alzados el 8 de diciembre), se exigía la LEY DE TÉRMINOS MUNICIPALES, y el 11 de febrero se derogaron las disposiciones de intensificación de cultivos hechos por el gobernador general de Extremadura, lo que equivalía a un desahucio para el 1.º de agosto de miles de yunteros (hubo diputados-propietarios como Rodríguez Jurado, Casanueva y Azpeitia, que querían expulsar a los yunteros sin perder un solo día). Otro decreto de 4 de mayo anuló las expropiaciones de fundos de la nobleza hechas después del 10 de agosto, y otro de 28 del mismo mes «dejaba los salarios rurales a capricho de los terratenientes» [222, 106].

Había empezado el gran desquite de los patronos agrarios, que era mucho mayor que el desquite legal obtenido por sus representantes en el Parlamento; era el desquite de «¡Comed república!», de no dar trabajo o darlo con salarios de hambre, de destituir ayuntamientos socialistas y cerrar locales obreros; al mismo tiempo se suprimía el turno para el trabajo, seleccionaban los patronos el empleo a su capricho, etc., etc.

Pronto cambió el gobierno: Rico Avello lo abandonó, pasando a la Alta Comisaría en Marruecos, y su cartera fue desempeñada por Martínez Barrio, que cedió el Ministerio de la Guerra al notario extremeño Diego Hidalgo. En febrero, el ala izquierda radical abandonó el gobierno, y luego el partido; salieron Martínez Barrio y A. Lara. El 3 de marzo, el abogado Rafael Salazar Alonso entraba en Gobernación, el también radical Marraco (personalidad de la burguesía zaragozana) recibía la cartera de Hacienda y el diplomático Salvador de Madariaga, se convertía en ministro de Justicia de la República moderada tras la obligada dimisión de Álvarez-Valdés, que había quedado en muy mala postura en una justa parlamentaria con Prieto.

En las nacionalidades, la actualidad política se centró, por lo que respecta a Cataluña, en la muerte de Macià al terminar 1933. Fue sustituido en la presidencia de la Generalitat por Companys, que formó un gobierno reuniendo las diferentes corrientes de la izquierda catalana; esta triunfó plenamente en las elecciones municipales del 14 de enero, probablemente en virtud de esa unión.

Los diputados nacionalistas de Euzkadi presentaron al nuevo presidente del Parlamento (Santiago Alba) su proyecto de Estatuto aprobado por el pueblo vasco. Inmediatamente empezaron las dificultades. Oriol organizó la oposición basándose en que en Álava solo había dicho «sí» el 46 % del censo. No consiguieron separar a Álava, pero tras una primera discusión, el 27 de febrero, el proyecto de autonomía vasca sufrió su primera paralización.

En la calle el clima era tenso: había huelgas en las fábricas, enfrentamientos en las Universidades, malestar en los campos. ¿Qué había sido de los partidos políticos entre tanto?

4. LOS PARTIDOS POLÍTICOS AL EMPEZAR EL SEGUNDO BIENIO

La extrema derecha seguía sin aceptar la legitimidad del régimen y aprovechando el Parlamento como tribuna o como cobertura de conspiraciones. En Renovación, unos 12 000 afiliados [196, 290] constituían una agrupación de notables, cuyo monarquismo dejaba la vía liberal para tomar la «corporatista» y acercarse al tradicionalismo. Este había cobrado nuevo vigor tras el nombramiento del abogado andaluz Manuel Fal Conde como Secretario General Regio, el cual comenzó a formar lo que llamaba «la verdadera milicia nacional contrarrevolucionaria» y organizó diversas concentraciones de carácter paramilitar. El carlismo basa ya su estrategia en proyectos de alzamiento armado.

La Falange, creada en octubre de 1933, se fusiona con las JONS el 13 de febrero de 1934. Falange aportaba uno o dos millares de afiliados;[3] dos diputados (J. A. Primo de Rivera y el marqués consorte de Eliseda, casado con una hija del duque del Infantado, que abandonará poco después Falange) y el Sindicato Español Universitario (más milicia de acción que otra cosa). Las JONS contaban con varios centenares de afiliados, la mayoría de Valladolid y estudiantes. Al unificarse se le dio el mando de las fuerzas de choque al aviador Ansaldo y los actos de agresión violenta no tardaron en producirse y, naturalmente, en encontrar réplica. En el verano de 1934 un intento de crear la Central Obrera Nacional Sindicalista (CONS) no tuvo largo alcance. Precisamente, en el verano de 1934, se manifestó la crisis interna de Falange que terminaría con la salida de Ledesma en enero de 1935. Ya en el verano de 1934,

J. A. Primo de Rivera era la primera figura; fue entonces cuando firmó dos acuerdos, uno con Goicoechea y otro con Sainz Rodríguez, que permitieron durante todo el año 1934 una ayuda financiera de Renovación a Falange [99, 442-444; 235, II, 226]; otras ayudas procedieron de Lequerica y, según G. Caballero, de J. March. Falange celebró una serie de concentraciones en localidades de la España rural; su propaganda fue también de preponderancia ruralista.

A diferencia de los partidos señalados, la CEDA representaba la vía de acceso legal al poder para barrer lo que ellos llamaban revolución. Todavía el 7 de abril decía Gil Robles: «Vamos a conquistar el poder. ¿Con qué régimen?; con el que sea, con lo que sea y como sea...» Hubo un momento, a fines de abril, en que Casanueva propuso a Lerroux la destitución de Alcalá Zamora y la elevación a la jefatura del Estado del jefe radical (lo que suponía la del gobierno para Gil Robles). Lerroux no se decidió o no quiso. Pero, sobre todo, la expresión ideológica de la CEDA se realizaba aparentemente a través de la JAP, de regusto fascistizante; y la propia heterogeneidad de la CEDA permitía que en ella hubiese, junto a demócratas auténticos como Giménez Fernández, hombres de extrema derecha, para quienes la CEDA era posada en su camino hacia el fascismo, tales como Serrano Suñer, Finat, Valiente, F. Ladreda y muchos más.

El Partido Radical tuvo durante nueve meses la hegemonía gubernamental y ocupó los más diversos puestos en la administración. Se trataba de una implantación seria; con una doble contrapartida: por un lado, el sometimiento a las presiones de la derecha (la CEDA sobre todo), por otro, la pérdida de su ala izquierda, encabezada por Martínez Barrio, con repercusiones no solo en Andalucía, sino también en Valencia, Canarias e incluso Madrid. A primeros de mayo, la separación de Martínez Barrio y 19 parlamentarios condujo a la formación del Partido Radical-Demócrata (que en septiembre, al fundirse con los mayoritarios del disgregado Radical-Socialista, daría nacimiento a Unión Republicana). En Valencia, los autonomistas radicales, dirigidos por V. Marco Miranda, se atrajeron otros sectores valencianistas y fundaron la Esquerra Valenciana, mientras que otro sector evoluciona con Julio Just hacia Izquierda Republicana. Unión Republicana nace, pues, a finales de septiembre de 1934, definiéndose como enemigo de todas las dictaduras; de derechas o socialistas. En su Comité Nacional figuran, junto a Martínez Barrio, F. Gordón Ordax, A. Lara, B. Giner de los Ríos, M. Torres Campañá, Pedro Rico (alcalde de Madrid), F. Valera y otros.

En realidad, tras la experiencia de gobierno y la frustración de las elecciones del 33, los grupos republicanos buscaban cada uno su identidad, su razón de ser; Acción Republicana, el Partido Radical-Socialista Independiente (de M. Domingo) y la ORGA, constituían, en abril de 1934, el nuevo partido de Izquierda Republicana, llamado a tener importancia en medios pequeño-burgueses e intelectuales; de Acción Republicana venían catedráticos como M. Martínez Risco y M. Ruiz Funes y otras personalidades como Carlos Esplá, Ramos, Velao, Barcia... Del radical-socialismo, Victoria Kent, Francisco Barnés, Ballester Gozalvo, José Salmerón...

El Partido Socialista era el otro polo que del lado opuesto de la CEDA constituía el eje en torno del que giraba la política española. El año 1934 fue para él decisivo, conflictivo y hasta dramático. La izquierda (Largo Caballero) y el centro (Prieto) llegaron a un entendimiento pragmático y coyuntural: la preparación de un movimiento revolucionario si la CEDA (a la que se estimaba antirrepublicana y de un seudofascismo como el de Dollfuss, que aplastaba en febrero de 1934, a hierro y sangre, a los socialistas austríacos) llegaba a acceder al Poder. Para su preparación era preciso eliminar de la dirección de la UGT a Besteiro y sus partidarios; tras una campaña bien orquestada por *El Socialista* y partiendo de una realidad —la radicalización de la base del partido—, Besteiro, Trifón Gómez y Saborit se vieron derrotados en la reunión del CN de la UGT del 27 de enero de 1934. El 29 de enero se nombró nueva Ejecutiva, con Largo Caballero de secretario general y Anastasio de Gracia de presidente. Poderosas federaciones como las de Trabajadores de la Tierra y Ferroviarios cambiaron su dirección por otra «izquierdista». Igual suerte corrió la Agrupación Socialista de Madrid, donde Trifón Gómez fue reemplazado en la presidencia por Álvarez del Vayo. Y el V Congreso de Juventudes Socialistas (18-20 de abril), al elegir como secretario general al joven de 19 años que ya dirigía el semanario *Renovación*, Santiago Carrillo, marcaba también el golpe de timón hacia la izquierda.

El PCE seguía desgarrado entre proponer, por un lado, el frente antifascista y no abandonar, por otro, la consigna de los soviets. Sin embargo, tras su Pleno de julio de 1934, entró en una serie de contactos con la CE del Partido Socialista. Las Juventudes Socialistas y Comunistas mantuvieron conversaciones en el verano de 1934, aunque no llegaron a un acuerdo (los jóvenes socialistas planteaban «la insurrección y la conquista del poder obrero»; los comunistas proponían acciones concretas coyunturales); aquellos creían que la unidad debía hacerse en Alianza Obrera, y estos que en el Frente Antifascista. Se trataba, sin duda, de dos estrategias diferentes. Sin embargo, el hecho real de los contactos y, sobre todo, la unidad de acción pragmática, en hechos y acontecimientos (huelgas políticas frente a la CEDA, repeler las agresiones falangistas —asesinatos de Juanita Rico y Joaquín de Grado—, etc.), crearon un clima de relaciones más cordiales. El ingreso del PCE, el 12 de septiembre de 1934, en las Alianzas Obreras —patrocinadas por el PSOE— contribuyó a mejorar las relaciones entre los dos partidos obreros.

La situación orgánica del PCE había sido explicada por su secretario general, José Díaz, en el Pleno ampliado de julio:

Señalemos un aumento de afiliados —que hoy son unos 25 000 en todo el país— en las organizaciones del Partido de Galicia, Asturias, Castilla la Nueva, Cáceres, Córdoba, Canarias, etc. Estancamiento y crecimiento insuficiente en Madrid, Valencia, Zaragoza, Cataluña, Levante y pérdidas sensibles en Sevilla, Badajoz, Jaén, Almería, Vizcaya y Alicante.

En el aspecto sindical, al Congreso de la CGTU (único que celebró) del 25 al 29 de abril, acudieron 135 delegados en representación de 180 000 trabajadores, pero no todos integraban orgánicamente aquella central. Por último, las JJCC (dirigidas, primero, por Jesús Rozado y, luego, por Trifón Medrano) tenían cerca de 12 000 afiliados cuando llega octubre. (Su II Congreso se había celebrado a finales de abril.)

La CNT, lanzada a una gran actividad huelguística, a pesar del quebranto sufrido tras el fallido golpe de diciembre de 1933, rechazó en un Pleno celebrado en febrero la idea de Alianza Obrera, lo que no impidió que el 28 de marzo la Regional de Asturias firmase con la UGT de la región un pacto «para trabajar de común acuerdo hasta conseguir el triunfo de la revolución social en España, estableciendo un régimen de igualdad económica, política y social, fundado sobre principios socialistas federalistas». El pacto preveía la constitución de comités locales de Alianza.

Por su parte, los sindicatos escindidos o expulsados de la CNT («treintistas» o de la Oposición) celebraron un Congreso en Valencia, con más de 23 000 representados. Pestaña se decide, por su parte, a fundar el Partido Sindicalista (abril de 1934), de escasa implantación.

Entre los partidos específicos de las nacionalidades, la Lliga de Cataluña renació catalizando la representación de la burguesía catalana, aunque «desbordados por su derecha» por la CEDA, que llegó a arrebatarles la dirección del Instituto Agrícola Catalán de San Isidro, mostrando así su vocación hegemónica en el sector agrario.

La Esquerra mantendrá su hegemonía en las clases medias, pero con problemas internos que venían, sobre todo, de la tendencia a un nacionalismo extremado de proclividad fascista representado por Dencás, frente a la mayoría representada por Companys, que acabará afianzándose.

La Unió Socialista de Catalunya, que se había fusionado en 1933 con la Federación catalana del PSOE, se encontró con que la CE de este rechazaba las bases de fusión; no obstante, muchos militantes socialistas permanecieron en la USC, que siguió colaborando en el gobierno de la Generalitat, lo que motivó algunas críticas de su sector «izquierdista». Evidentemente, hasta la insurrección de octubre, la estrategia de USC había diferido de la del PSOE, pero al final aquella se vio arrastrada a una insurrección que, como ha comentado Balcells, «nada tenía en principio de socialista, a diferencia de lo que ocurrió en Asturias.»

El Bloque Obrero y Campesino centró sus actividades en Cataluña en torno a la Alianza Obrera constituida en Barcelona el 9 de diciembre «con carácter defensivo frente a la progresión reaccionaria y fascista», pero también estrictamente obrero (línea de Maurín y de Largo Caballero). La Alianza Obrera de Barcelona estaba formada por USC, PSOE de Cataluña, UGT, BOC, Federación Sindicalista Libertaria (Juan López), Sindicatos de Oposición y otros expulsados de la CNT, y la Izquierda Comunista, de Andrés Nin. A nivel obrero catalán era coalición de grupos minoritarios.

En Euzkadi, el PNV fue distanciándose cada vez más de una derecha que obstruía el camino hacia el Estatuto de autonomía. El verano de 1934 marcará una aproximación entre nacionalistas y socialistas vascos, en su oposición a las disposiciones de Marraco, ministro de Hacienda (ESTATUTO DEL VINO). Aunque los dirigentes del PNV y de SOV no se definieron en octubre de 1934, la represión alcanzó a muchos de sus afiliados y el centralismo a ultranza de los gobiernos radical-cedistas empujó todo el nacionalismo a la oposición.

NOTAS DEL CAPÍTULO VI

1. El cuadro en detalle de las elecciones de 1933 y un estudio más circunstanciado de las mismas, puede verse en M. Tuñón de Lara, *La segunda república*, Madrid, 1976, t. II, pp. 1-16. Clasificamos como votos de derecha los 413 000 obtenidos por la Lliga y los tradicionalistas catalanes.

2. El gobierno estaba así formado: *Presidencia*, A. Lerroux (PRR); *Estado*, L. Pita Romero (indep., procedente de ORGA); *Gobernación*, M. Rico Avello (ex secretario de la Patronal Minera de Asturias); *Justicia*, R. Álvarez Valdés (seguidor de Melquíades Álvarez desde los tiempos del reformismo, secretario general del Banco Hispanoamericano y consejero del Banco Herrero); *Obras Públicas*, R. Guerra del Río (de la «vieja guardia» lerrouxista); *Hacienda*, Antonio de Lara (abogado canario del ala izquierda radical); *Guerra*, Diego Martínez Barrio (PRR); *Marina*, José Rocha (otro abogado de la «vieja guardia» incondicional de Lerroux); *Agricultura*, Cirilo del Río (progresista terrateniente, hombre de confianza de Alcalá Zamora); *Instrucción Pública*, José Pareja (rector de la Universidad de Granada y PRR); *Trabajo*, José Estadella (PRR); *Comunicaciones*, José María Cid (Agrario, antiguo «albista» que se había declarado republicano); *Industria y Comercio*, Ricardo Samper (PRR, abogado valenciano).

3. Según Payne o según Robinson, respectivamente; el segundo se apoya como fuente en una entrevista de J. A. Primo de Rivera publicada a finales de 1933.

CAPÍTULO VII

Los conflictos básicos del año 34

1. HUELGAS URBANAS. NUEVO GOBIERNO

Se entró en aquel año bajo el signo de la conflictividad, con el estado de alarma declarado que, alternando con el de prevención, se irá prorrogando indefinidamente. En el campo, los propietarios comenzaban su desquite, pero querían más: la estrangulación de la reforma agraria. La Federación de Propietarios de Fincas Rústicas se quejó al ministro de que el Instituto de Reforma Agraria continuase, aunque tímidamente, aplicando la Ley, expropiando y asentando. Las huelgas empezaron a tomar alcance y significación extraordinarios; en Bilbao, dos huelgas generales: el 20 de enero, contra una conferencia del monárquico García Sanchiz; el 13 de febrero, contra la actuación de la fuerza pública después de un mitin comunista.

En Madrid (ciudad con clase obrera de influencia socialista), donde en todo el año 1933 se habían producido 29 huelgas, hubo ya 37 en el primer semestre de 1934. En marzo comenzaron las huelgas de dos grandes sectores madrileños: la metalurgia y la construcción, ambas por la semana de 44 horas (con salario de 48) y diversas reivindicaciones sobre salarios y condiciones de trabajo. El 20 de marzo, el Ministerio de Trabajo dictaba un laudo aceptando la jornada de 44 horas y un aumento de 8 % de salarios. En la metalurgia resistieron los patronos; organizóse entonces una larga huelga con un comité central unitario (socialistas, comunistas y cenetistas); consiguieron los obreros que el asunto fuese llevado al Jurado mixto, que falló en su favor el 1.º de junio.

Mientras tanto, en Zaragoza se produjo una huelga en protesta por malos tratos infligidos en una comisaría a unos obreros detenidos. Era el 28 de marzo. El gobernador declaró la ilegalidad de la huelga (según él, los autobuses eran un servicio público y no podían ir a la huelga). Como hubo represaliados, el asunto se complicó y se fue a otra huelga, el 4 y 5 de marzo, declarada a su vez ilegal; entonces los patronos del comercio despidieron a 400 dependientes y la huelga se prolongó ya indefinidamente. Se entraba en una testaruda prueba de fuerza; hubo explosiones de bombas, manifestaciones de mujeres, asaltos de tiendas y tahonas, incluso tiroteos; pero también detenciones por doquier, ilegalización de los sindicatos CNT, etc. Entró en juego la solidaridad y cientos de niños de huelguistas fueron acogidos en hogares de Cataluña y de Madrid. Se llegó a una situación de agotamiento por ambas partes; los obreros casi morían de hambre, pero los patronos habían perdido 70 millones de pesetas. Y el 9 de mayo se llegó a un acuerdo; se readmitieron los despedidos y se liberó a los presos.

La marcha de la CEDA hacia el Poder estaba esmaltada por concentraciones multitudinarias, como la organizada por la JAP para el domingo 22 de abril en la lonja del monasterio de El Escorial. Las organizaciones obreras de Madrid respondieron con la huelga general, que paralizaba la urbe mientras 25 000 «japistas» aclamaban al «jefe» en un marco evocador de Felipe II. Era aquella una situación muy crítica; dos días antes se había votado la LEY DE AMNISTÍA, a la que Alcalá Zamora había opuesto larga resistencia, porque permitía la reintegración al servicio activo de los militares sublevados el 10 de agosto y otros desafectos al régimen [6, 271-276], y se produjo el intento de sustituir a Alcalá Zamora por Lerroux (combinación dirigida por Casanueva, Gil Robles y Cambó). Alcalá Zamora quiso suspender la concentración de El Escorial, que fue autorizada por Salazar Alonso, ministro de la Gobernación, aunque en aquel momento era dimisionario, pues tras la LEY DE AMNISTÍA, se produjo la crisis. Fueron momentos muy tensos y Gil Robles, en sus Memorias, ha confesado que amenazó con «la posibilidad de resolver el problema de España por la fuerza» [99, 120].

Formóse, por fin, nuevo gobierno el 28 de abril, presidido por el abogado radical de Valencia Ricardo Samper, bien visto por Alcalá Zamora. Según Lerroux, este dio su consentimiento, «pero tengo que declarar que le puse una condición, una sola: Salazar Alonso tenía que seguir siendo ministro de la Gobernación» [130, 228]. Aunque miembro del Partido Radical, la evolución derechista y autoritaria de dicho ministro le identificaba cada día más con la CEDA y «sus hombres».[1] En el nuevo gobierno persistía la hegemonía radical, pero ya del sector más burgués y moderado del partido. Alcalá Zamora podía tener confianza (además de en Del Río) en los ministros de Estado y Guerra, pero ninguna en el de Gobernación.

En la práctica, ante cada decisión, ante cada conflicto, este gobierno actuaría casi al dictado de las presiones cedistas, cada día mayores. Mientras tanto, los niveles de conflictividad eran múltiples; entre patronos y obreros, terratenientes y campesinos, gobierno central y gobierno catalán, estudiantes fascistas y antifascistas... sin excluir las contradicciones internas dentro de cada bloque. La violencia callejera provocada por la extrema derecha era paralela a la preparación de un golpe de fuerza; en efecto, el 31 de marzo se entrevistaron en Roma Goicoechea, el general Barrera y los carlistas Olazábal y Lizarza, con Mussolini, Italo Balbo y el coronel Longo. Allí se firmó un acuerdo (documento que hoy es muy conocido, ya que fue encontrado por los norteamericanos entre los documentos de asuntos extranjeros italianos) de ayuda del gobierno italiano a la ultraderecha española, en el que se preveía la entrega de 10 000 fusiles, 20 000 granadas y 200 ametralladoras. Mussolini les dio medio millón de pesetas y, poco después, Olazábal recibió un millón. Jóvenes tradicionalistas fueron enviados a Italia «para instruirse en el uso de las armas». En mayo de 1934 se constituyó la Junta Central de la Unión Militar Española (UME), creada aquel invierno por el capitán Bartolomé Barba y el coronel retirado Rodríguez Tarduchy; dicha Junta no tuvo, al principio, militares de alta graduación, pero estableció pronto algunos contactos con los generales Goded y Mola. El talante agresivo de las escuadras falangistas fue manifestándose en el asalto a la Casa del Pueblo de Cuatro Caminos, al Fomento de las Artes de Madrid, a una exposición en el Ateneo... Tras una reyerta en El Pardo, los falangistas «se vengan» asesinando a la joven socialista Juanita Rico en las calles de Madrid, y un mes después también dan muerte al joven comunista Joaquín de Grado, cuyo entierro constituyó una inmensa demostración de obreros socialistas y comunistas, que en cierto modo se repite unos días después (septiembre de 1934) en el mitin de unidad que Juventudes Socialistas y Comunistas organizan en el estadio Metropolitano de Madrid. Al mismo tiempo, Gil Robles concentraba sus huestes ante la gruta de Covadonga, mientras las juventudes obreras de Asturias respondían con la huelga.

El gobierno radical y su mayoría se enfrentarían pronto con las nacionalidades catalana y vasca. En Cataluña, el Parlamento había votado el 21 de marzo una LEY DE CULTIVOS, promulgada el 12 de abril; no era nada revolucionaria, sino que preveía la transformación de los payeses arrendatarios en pequeños propietarios, a término de quince años y pagando precios basados en un valor imponible de las tierras en 1930. La *rabassa morta* era considerada como un censo enfitéutico, redimible a voluntad del *rabassaire*.

Rápidamente se movilizaron los propietarios, agrupados en el Instituto Agrícola Catalán de San Isidro, y con ellos toda la patronal catalana. La Lliga apoyó a los propietarios, no sin vacilar antes; la derecha centralista tomó la iniciativa. El 24 de abril, la mayoría del Parlamento español pedía al gobierno que plantease el asunto al Tribunal de Garantías Constitucionales. Era, a la vez, una agresión de clase y centralista; una vez más Cambó se aliaba al centralismo y cuando, días después, cientos de miles de rabassaires invadieron las calles de Barcelona, también una vez más resonó el grito de «¡Mori Cambó!».

El 8 de junio (en plena huelga de campesinos en toda España), el Tribunal de Garantías, por 13 votos contra 10, declaraba incompetente en la materia al Parlamento catalán; la agresión se había consumado. Diputados catalanes y vascos abandonaron las Cortes, y el 12 de junio, el Parlamento catalán votaba una segunda ley, exactamente igual que la primera. Dencás —consejero de Gobernación de la Generalitat— agravó el problema con sus alusiones a la violencia (que, en realidad, aplicaba mucho más contra los obreros de la CNT). Sin embargo, Alcalá Zamora, por intermedio de Amadeo Hurtado, negociaba con los catalanes y recibió a Lluhí Vallescá, también ministro de la Generalitat. Se había llegado a un acuerdo, en el que participaron Samper y Companys; se votó en el Parlamento catalán un nuevo texto refundido, el 21 de septiembre. Pero la CEDA, que se había apoderado del Instituto Agrícola Catalán de San Isidro, rechazó todo compromiso, a diferencia de la Lliga. Así estaban las cosas cuando llegó octubre.

En Euzkadi había gran descontento porque las Cortes habían desechado, por 158 votos contra 87, una proposición de Aguirre encaminada a que se reconociese que el Estatuto había sido aprobado por más de dos tercios del cuerpo electoral vasco. Poco después, una disposición de Marraco, encaminada a proteger la producción de vinos, constituyó un ataque a los conciertos económicos que acarreaba la pérdida de más de doce millones de pesetas para los ayuntamientos vizcaínos. La protesta alcanzó las más vastas capas de población vasca; hubo asamblea de ayuntamientos el 5 de julio, y elección, el 12 de agosto, de representantes municipales para constituir una comisión de defensa de los derechos vascos, pese a la prohibición y medidas coactivas del gobernador, el radical Velarde. Por vez primera, nacionalistas y socialistas marcharon unidos, lo que motivó que se separase el sector católico-fuerista de *La Gaceta del Norte*. El 2 de septiembre hubo asamblea de parlamentarios y representantes municipales en Zumárraga, con participación de parlamentarios catalanes y de alcaldes navarros. Se celebró (hablaron en ella Prieto, Monzón y Santaló), aunque el Director de Seguridad, Valverde y el jefe de Asalto, Muñoz Grandes, tomaron militarmente las carreteras y lugares próximos. El 11 de septiembre eran detenidos veinte concejales vizcaínos. *Euzkadi*, periódico del PNV, atacó violentamente a la CEDA.

2. EL CAMPO Y LA HUELGA GENERAL DE CAMPESINOS

No solo los salarios se fueron degradando en el campo desde las elecciones de 1933, sino que también el paro aumentó (en el verano de 1934 el número de parados pasó la cota de los 700 000, de ellos 400 000 del sector agrario) y el coste de la vida se elevó en el invierno de 1933 a

1934; en los pueblos se volvió a la discriminación para dar trabajo, según que los jornaleros fueran «rebeldes» o sumisos (*El Debate* aconsejaba que se diese prioridad a los católicos), infringiendo así los preceptos de turno establecidos; por añadidura, como siempre se estaba en estado de excepción (alarma o prevención), los alcaldes carecían de todo poder y la Guardia Civil, siempre a bien con los propietarios, tenía entera libertad de acción. Los campesinos no habían esperado al cambio de gobierno para exasperarse y hasta dirigentes tan reformistas como Martínez Hervás habían dicho, en 1933, que los trabajadores del campo estaban perdiendo la paciencia.

La nueva ejecutiva de la FNTT (dirigida por el maestro navarro Ricardo Zabalza, pero con numerosos militantes andaluces) representaba el espíritu más radical de la nueva dirección de la UGT; pero en el campo se necesitaba poco para encontrarse desbordados por la radicalización de las bases e incluso de los dirigentes locales. La CE estudió en su reunión del 22 de febrero la posibilidad de una «huelga de la cosecha» por tres objetivos esenciales: el turno riguroso en la contratación, el cumplimiento estricto de las bases de trabajo y la restricción del empleo de máquinas agrícolas. Más adelante, la CE aceptó la propuesta de la Federación de Toledo de añadir a las reivindicaciones el establecimiento de comisiones locales para inspeccionar la aplicación de las bases, etc.

A medida que pasaban los días y las semanas, la situación se hacía más tensa; en Fuente del Maestre, pueblo de Badajoz, la Guardia Civil tiró sobre una manifestación de obreros agrícolas y mató a cuatro de ellos. El paro era mayor cada día. Sin embargo, la CE de la UGT, y particularmente Largo Caballero, insistieron cerca de los dirigentes de la FNTT para que se evitase la huelga general del campo o, por lo menos, se sustituyese por una serie de huelgas escalonadas. Una vez más se encontraban el PSOE y la UGT ante el tremendo problema de un movimiento prematuro que podía hacer abortar toda una revolución; esto era, al menos, lo que pensaban Largo Caballero y sus amigos; no se podía movilizar a los obreros de las ciudades en solidaridad hacia los del campo, porque eso equivalía a deshacer todos los laboriosos preparativos para un movimiento revolucionario general que dirigía el mismo Largo Caballero con un equipo de confianza; y dejar la huelga indefinida en el campo era condenar a los obreros agrícolas y campesinos a una derrota segura y a la desarticulación de sus organizaciones. Porque lo que más temían era que la casi segura represión contra el movimiento sindical en el campo destrozaría buena parte de las posibilidades del plan revolucionario. (Como así fue.) Además, las concepciones de Largo Caballero y la izquierda socialista admitían de mala gana las luchas parciales, incluso en las ciudades (estimaron «perjudiciales» las huelgas de metalúrgicos y de artes gráficas, en Madrid). A fin de cuentas, esa había sido también la táctica socialista en el segundo semestre de 1930.

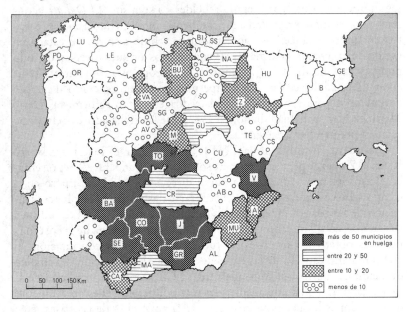

Pero la CE de la FNTT no cambió de criterio; tal vez no podía cambiar, porque la presión de organizaciones locales y provinciales lo impedía. Y en su reunión de 11 y 12 de mayo decidió el principio de la huelga para el 5 de junio, a base de diez reivindicaciones; las más importantes eran el cumplimiento de las bases de trabajo y legislación social, aplicación del turno, reglamentación de máquinas y forasteros, efectividad de la LEY DE ARRENDAMIENTOS, medidas contra el paro, aceleración de los asentamientos acordados, rescate de bienes comunales; formación de comisiones mixtas inspectoras en cada localidad.*

Los ministros de Agricultura y de Trabajo, C. del Río y Estadella, criticaron las reivindicaciones; sin embargo, estaban dispuestos a negociar y, de hecho, empezaron las negociaciones. Pero Salazar Alonso no lo quería, ni sus amigos de la CEDA. Aquellos días se derogó la LEY DE TÉRMINOS MUNICIPALES, lo que sin duda constituía una provocación. Y cuando, el 24 de mayo, la FNTT presentó los oficios de huelga, Salazar Alonso no tardó en declararla ilegal, pretendiendo que «la cosecha es un servicio público», lo que por cierto ya había dicho Antonio Maura una treintena de años atrás. La mayoría parlamentaria se comportó provocativamente en la sesión del 30 de mayo, dando la razón a Salazar Alonso, que la consideraba «huelga revolucionaria contra el gobierno» y, por consiguiente, ilegal. Contra ella preparó un dispositivo de batalla, seguro como estaba de que precipitar los actos «revolucionarios» era favorable a la derecha (así lo afirmó posteriormente en un libro); ahora entreveía la posibilidad de desguazar la federación más importante de la UGT (con más del 45 % del total de sus afiliados) y privar a cientos de pueblos de los alcaldes socialistas democráticamente elegidos. El 2 de junio, el ministro Estadella aceptaba crear las comisiones de inspección. Poca cosa y muy tarde. El martes 5 de junio empezaba la huelga.[2]

El paro en las labores agrícolas alcanzó a 38 provincias, pero su verdadero alcance se manifestó en Andalucía, Extremadura, Castilla la Nueva y Valencia. ¿En cuántos pueblos se paró, cuántos trabajadores pararon y hasta cuándo duró la huelga? Es difícil responder con exactitud matemática a esas tres preguntas, pero en cambio el estado de la investigación histórica permite ya dar una respuesta aproximada.[3]

La estimación del Boletín del Ministerio de Trabajo (1563 declaraciones de oficios de huelga y 435 municipios en paro efectivo) puede quedarse corta ante lo que fue una realidad ignorada por la opacidad contrainformativa. La huelga ha empezado con singular amplitud y violencia, empleándose los piquetes con profusión, llegándose en ocasiones a enfrentamientos, así como a algunos actos de sabotaje (incendios de mieses o de almiares, arranque de cepas, destrucciones de máquinas) con cierto regusto anarquista. La represión, a cargo de Guardia Civil y de Asalto, no ha sido menos violenta, incurriendo también en numerosos excesos. Desde el primer día la huelga ha sido efectiva en más de 60 municipios de Jaén y de 55 en Sevilla (donde el gobernador confesaba ya 38 pueblos en huelga el día 6), 50 en Córdoba, 70 en Toledo (citados por el gobernador; más de cien, si se cree el informe del Comité Provincial del PC, con fecha 12 de junio), 60 en Valencia según los despachos del gobierno civil, probablemente más. De Badajoz no hay demasiadas precisiones numéricas, pero sí la certeza de la intensidad y amplitud de la huelga; el gobernador civil no vacila en decir «huelga casi total» (la provincia tiene 162 municipios y la FNTT tenía 110 secciones locales) y el informe de las JJCC habla de «100 pueblos en huelga». El número de detenidos pasó del millar; muchos de ellos fueron transportados por tren especial a Cádiz. Los datos indican que en Huelva se sumaron 10 pueblos y en Almería tan solo cuatro. En Granada la FNTT era menos importantes; pero el gobernador telegrafiaba: «huelgan la mayoría de los pueblos de la provincia, pacíficamente». Entre las escasas violencias de esa provincia hubo la ruptura de todas las comunicaciones con Baza durante 24 horas; pero la huelga terminó el día 12, se ha dicho que tras una gestión de F. de los Ríos (extremo a comprobar). En Ciudad Real la huelga alcanzó por lo menos a 25 municipios, entre ellos todos los importantes demográficamente. Otros datos comprobados (nos referimos, por consiguiente, a un nivel mínimo) son Cáceres (9 pueblos), Albacete (7), Cádiz (13, según el gobierno civil), Málaga (22 pueblos, y «la mayoría» según datos de la comisión agraria del PCE); Madrid (19 pueblos, los más importantes, como Aranjuez, Alcalá, Carabanchel, Villaviciosa de Odón...), 11 pueblos en Zaragoza y un número indeterminado («varios», según despachos oficiales) en Teruel; en Albacete (7), Cuenca (5), Alicante (15, con grandes concentraciones demográficas), Murcia (17), Castellón (2), Baleares (2), Guadalajara (20), Ávila (7), Segovia (2: San Ildefonso y Cuéllar); Salamanca (7 aproximadamente, importante en Peñaranda); Burgos (14), Álava (2), Logroño (8; importante en Haro, con CNT y Católicos); Navarra (4), León (4), Soria (1), Asturias (algunas pequeñas localidades), Zamora (5), Valladolid (19).

Nuestro cálculo, ateniéndonos a los informes gubernamentales, arroja un total de 704 municipios (hemos estimado para Badajoz 60 municipios, tan solo 37 % del total; y 40 para Granada). De ahí resulta que no parece nada desatinado el resumen del Secretariado agrario de la CGTU que dice: «500 pueblos de 37 provincias; 300 000 huelguistas aproximadamente.»

Sin duda, la huelga se desarrolló de manera muy diferente y, aunque en general duró hasta el 18 o el 20, en los sitios más débiles no se sostuvo más allá de cinco o seis días y en algunos pueblos todavía menos. Para los arrendatarios, la propia FNTT dio orden de volver a trabajar el día 10. La implantación de la FNTT se observó en la importancia y virulencia de la huelga en Jaén (donde hubo una situación pre-revolucionaria, con gente echada al campo, incendios, muertes por ambos lados, detenciones masivas y deportaciones), Toledo, Badajoz, Ciudad Real, Valencia y Córdoba (aquí menor en la zona anarquista de Bujalance y Baena y en la olivarera de Lucena y Priego). En Sevilla, la extraordinaria amplitud e intensidad es debida, más que a la FNTT (allí débil) a la implantación comunista y «cenetista»; sindicatos «rojos» y anarquistas participan a fondo. En cambio, la ausencia de participación anarquista se observa en Cádiz y, relativamente, en Málaga.

Durante toda la huelga menudearon los choques violentos entre huelguistas y esquiroles, huelguistas y fuerza pública, con un resultado (datos oficiales) de 13 muertos y varias decenas de heridos de consideración. Todas las Casas del Pueblo y locales obreros de las localidades rurales fueron clausurados (lo mismo «ugetistas» que «cenetistas» o comunistas); *El obrero de la Tierra* y varios periódicos más fueron suspendidos *sine die*. El número de detenidos parece superior a los 7000 citados por el progubernamental *El Debate* y reproducidos por Malefakis, a la simple lectura de los despachos oficiales y comunicaciones de la fuerza pública y gobernadores. Muchos fueron liberados semanas después, pero otros permanecieron encarcelados (lo seguían estando cuando el estallido revolucionario del mes de octubre) y fueron juzgados por consejos de guerra y condenados a largas penas de prisión.

Durante la huelga, el PCE intentó también organizar huelgas en las grandes ciudades por solidaridad; en Sevilla se llegó a un acuerdo CGTU-UGT-CNT, pero los de UGT recibieron consigna de Madrid de retirarse; a pesar de eso, la huelga del 16 y 17 tuvo importancia en Sevilla; también la de Málaga, el día 12, que paralizó toda la capital; y la de Yecla y Cieza, del 8 al 10; fracasaron las de Córdoba y Jaén.[4]

Al terminar el mes de junio, el Estado Mayor de Largo Caballero estaba en situación de comprobar cuánta razón tenía desde el punto de vista de su particular estrategia; pero las organizaciones campesinas habían quedado desarticuladas y muchas deshechas, sus «cuadros» encarcelados o huidos. Una vez más en la historia contemporánea de España, el desfase del movimiento obrero del campo y de las ciudades llevaba al «solo» funerario de que Marx hablara con motivo de junio de 1849 en París, para mayor provecho del bloque dominante.

3. EL MOVIMIENTO OBRERO EN VÍSPERAS DE OCTUBRE DE 1934

A través de los conflictos de los primeros nueve meses de 1934 hemos podido observar la tendencia a una polarización de fuerzas en presencia, la frecuente degeneración en violencia de los enfrentamientos políticos y la vehemente insistencia del partido hegemónico del bloque dominante (CEDA) en reclamar el ejercicio directo del poder político.

En el movimiento obrero se ha observado: 1.º una neta radicalización del Partido Socialista. Este y la UGT habían llegado a la decisión —mantenida en secreto— de preparar un movimiento revolucionario en el momento que se juzgase adecuado. El programa (que solo conocieron un puñado de dirigentes), redactado por Prieto, preveía la nacionalización de las tierras, la disolución de las órdenes religiosas y de la Guardia Civil, transformación total del ejército y del sistema tributario, cese en sus funciones del presidente de la República. *No se trataba de una revolución socialista.* Sin embargo, el tono de los discursos de Largo Caballero y de los artículos de *Renovación,* el periódico de las JJSS, parecía indicar lo contrario.

Desde comienzos del año estaba en marcha la preparación técnica de la insurrección. A tales efectos se creó un comité dirigido por Largo Caballero, y del que formaban parte Enrique De Francisco y Juan S. Vidarte por el PSOE, Carlos Hernández Zancajo y Felipe Pretel por la UGT y Santiago Carrillo por las Juventudes Socialistas. Aparte, Prieto llevaba el contacto con los militares y se entendía directamente con

Largo Caballero [250, 185-186; 200, I, 371-374]. Al mismo tiempo, durante todo el verano se mantenían contactos regulares entre el PSOE y el PCE [250, 187]. Respecto a los anarquistas, tan solo tuvo contactos Largo Caballero con el «treintista» Juan López (que dirigía entonces la Federación Sindicalista Libertaria), pero sin llegar a un acuerdo. Funcionaban, eso sí, las Alianzas Obreras. Ya hemos dicho el carácter minoritario de la de Cataluña y, por el contrario, el alcance de la de Asturias.

Aunque los delegados del PSOE explicaban la posición de este y sus planes revolucionarios, en términos generales, nunca admitieron compartir el poder decisorio ni tampoco los aspectos conspirativos de su actividad. Por supuesto que, aunque propugnaban la creación de las Alianzas, tampoco pensaban ceder a estas la hegemonía del movimiento. En cuanto a los republicanos, Largo Caballero y su sector se opusieron a que se rebasase para nada su colaboración, cosa que por otra parte no hubieran conseguido, dada la negativa de Azaña a cualquier intento de este tipo. En cambio, Companys —a través de Lluhí— hizo saber al PSOE durante el verano que si la situación se agravaba estaba dispuesto a lanzarse; pero el PSOE no le participó sus planes.

Por el contrario, el acercamiento entre socialistas y comunistas fue todavía mayor cuando el pleno del CC del PCE acordó, el 12 de septiembre, su ingreso en las Alianzas Obreras. Tendría entonces el PCE unos 20 000 afiliados (informe de J. Díaz, en el pleno del CC, julio de 1934) sin contar las Juventudes. No obstante, todavía no había cambiado su estrategia; todavía en esa resolución se habla de la lucha por el poder en forma de soviets.

En esas condiciones del movimiento obrero y sin conexión con partidos y organizaciones de pequeña burguesía y capas medias, se llega a octubre y a la crisis del gobierno Samper.

NOTAS DEL CAPÍTULO VII

1. El gobierno quedó así formado: *Presidencia*, R. Samper (PRR); *Estado*, L. Pita Romero (indep.); *Gobernación*, R. Salazar Alonso (PRR); *Justicia*, V. Cantos (PRR); *Hacienda*, M. Marraco (PRR); *Guerra*, D. Hidalgo (PRR); *Marina*, J. Rocha (PRR); *Obras Públicas*, R. Guerra del Río (PRR); *Industria y Comercio*, V. Iranzo (indep.); *Agricultura*, C. del Río (progresista de Alcalá Zamora); *Instrucción Pública*, F. Villalobos (liberal demócrata); *Trabajo*, J. Estadella (PRR); *Comunicaciones*, J. M. Cid (Agrario).

2. Pocos días antes el PCE había propuesto al PSOE una reunión de las directivas de ambos partidos con objeto de aprovechar la huelga y lanzarse a un movimiento revolucionario. Largo Caballero (por medio de Vidarte, que es la fuente única hasta ahora de esta información) rechazó de plano la sugestión [250, 153].

Por el contrario, y según fuente comunista [246 bis bis, I, 50], se trataba solo de una propuesta de huelga de solidaridad en las ciudades. Efectivamente, hemos podido comprobar documentalmente que el PCE intentó estas huelgas urbanas de solidaridad (Informes de los CCPP y de las Juventudes durante la huelga agraria. Archivo de la FIM).

3. Hasta ahora había sido muy difícil el manejo de fuentes sobre la huelga de campesinos. Por ejemplo, Malefakis tuvo que reducirse a los datos del Boletín del Ministerio de Trabajo. La estricta censura gubernativa no solo minimizó aquella huelga en su tiempo, sino también ante la historia. Hemos podido utilizar, además, los telegramas de los gobernadores al Ministerio de la Gobernación (AHN Leg. Gobernación, 50, A), los informes de la CGTU y del PC (Archivo FIM), el Boletín de la UGT, así como las excelentes investigaciones a nivel provincial de Pérez Yruela y J. García Pérez.

4. La represión fue muy dura. El CN de la FNTT publicaba el 25 de junio un comunicado de prensa (que recogemos de *El Liberal*) denunciando «las atrocidades cometidas con motivo de la huelga de campesinos... los directivos de la organización y cuantos individuos —fueran o no campesinos— señalaban los caciques, fueron detenidos y maltratados muchas veces, como lo han comprobado los médicos en la cárcel. Pueblos de Badajoz hubo, como Azuaga, donde se apaleó a la gente simplemente por estar en la calle, y con tal ceguedad que se agredió hasta a los mismos radicales... De Mérida se llevaron catorce hombres uniéndolos a todos con una soga que les ataron al cuello. De Córdoba nos comunican que hicieron tomar carabaña a varios presos sin duda como ensayo para cuando venga el fascio.»

Capítulo VIII

La oligarquía en el poder

1. OCTUBRE DE 1934

En efecto, Gil Robles había exigido la entrada de la CEDA en el gobierno y Lerroux había cedido. Samper va al sacrificio y tiene que dimitir cuando las Cortes se abren, el 1.º de octubre. Mientras se abrían las consultas y se forcejeaba sobre el número de «cedistas» que serían ministros, el Partido Socialista piensa que se acerca la hora; el día 2, cuando no había gobierno, el PCE le propone que se declare ya la huelga general. No acepta Largo Caballero; ¿tal vez confiaba en su fuero íntimo en que Alcalá Zamora no cedería? ¿O cree que aceptar esa proposición trastocaba los planes insurreccionales? En la tarde del día 4 la entrada de la CEDA en un nuevo gobierno Lerroux es un hecho; participa con tres ministros.[1] Largo Caballero se reúne en el local de la Ejecutiva de la UGT.[2] Se iba a pasar a la acción. Pero el gobierno no estaba desprevenido, y los hallazgos de algunos depósitos de armas y, todavía más, del alijo de armas del vapor *Turquesa*, había acabado de ponerle en guardia; así pues, aquella noche del día 4, las tropas fueron acuarteladas.

El 5 de octubre el paro era general en todas las ciudades del país. En cambio, en el campo nada pasaba, lógica consecuencia de los hechos de junio. ¿Qué sería aquella huelga general y qué objetivos perseguía? Si juzgamos *a posteriori*, es evidente que para los obreros que protagonizaron los combates de Asturias se trataba de una revolución socialista (en algunos casos, con matiz libertario). A nivel de dirigentes era fácil el argumento de que se defendía la «legitimidad republicana» frente a una infiltración criptofascista. Es decir, que la *legalidad* no era en aquel momento sino un modo de romper la *legitimidad*. Este argumento será esgrimido más tarde por miembros de la dirección del PSOE. Sin duda, Prieto pensaba en hacer retroceder a Alcalá Zamora y volver a los tiempos de la conjunción. ¿Y Largo Caballero? Difícil es saberlo. Amaro del Rosal ha contado que en la respuesta que Largo Caballero dio a la CNT el 6 de octubre, sobre los objetivos de la lucha, había dicho:

que le podíamos asegurar que lo que estaba en juego era la lucha contra la reacción y el avance del fascismo, la recuperación de la república y las libertades como cuestión previa para lograr una *república social* [200, I, 405].

No obstante, parecía compartir los objetivos de revolución socialista y de poder proletario, que se marcaban las Juventudes y el equipo de la revista *Leviatán* encabezado por Araquistáin.

La óptica de defensa de la legitimidad se expresaba en las notas que el 5 de octubre publicaron Unión Republicana, Izquierda Republicana, Partido Conservador Republicano, Partido Republicano Federal y Partido Nacional Republicano (Sánchez Román); y ese carácter tenían las dimisiones de Albornoz de la presidencia del Tribunal de Garantías, de Zulueta y Barnés de sus respectivos puestos de embajador.

Asturias

En 24 horas los obreros asturianos, que habían atacado todos los cuartelillos de la Guardia Civil de la zona minera, se apoderaron de cuarenta de ellos. De hecho, el 6 de octubre, un poder obrero, que orgánicamente se expresaba por comités comunes (de Alianza Obrera), se instala ya a nivel local en la zona minera. El cuartelillo de Sama, el que más resistió, cayó también el día 6. Las columnas obreras procedentes de la cuenca del Caudal y de Langreo, libran favorablemente un combate en Olloniego y comienzan la penetración hacia Oviedo. Al mismo tiempo, en Gijón, los obreros se apoderan del barrio de Cimadevilla y construyen barricadas. En Avilés ocupan la fábrica de gas. Otros destacamentos obreros se apoderaron de la fábrica de Trubia. A mediodía del 6 de octubre las columnas mineras conseguían entrar en Oviedo por el barrio de San Lázaro, acogidos por el entusiasmo de las barriadas populares. En el casco viejo, la lucha era más difícil; a las dos y media de la tarde se apoderaron del Ayuntamiento. Por la noche, la columna de González Peña descendía desde el Naranco y ocupaba el Hospital Provincial. En la madrugada del 7, la columna mandada por Juan Ambou se apoderó de San Pedro de los Arcos y del depósito de máquinas. Desde allí prepararon un tren que ocupó la estación. Durante el día 7 se combatía ferozmente en el campo de San Francisco y la calle Uría. Los revolucionarios tomaban Telégrafos, pero los gubernamentales se hacían fuertes en el Gobierno Civil, la Telefónica, la catedral y el cuartel de Pelayo.

En el sur de Asturias, el puerto de Pajares, que había sido primero ocupado por las patrullas obreras, fue franqueado el mismo 5 por la columna gubernamental que venía de León y llegó hasta Campomanes. Pero al día siguiente, el conjunto de fuerzas que mandaba el general Bosch fue paralizado por la resistencia de los revolucionarios a la altura de Vega del Rey, donde se creó un frente estabilizado que duró dos semanas.

Mientras tanto, los comités obreros organizaban en Mieres, La Felguera, Sama, etc., el abastecimiento de las unidades en lucha, los servicios sanitarios, el reclutamiento de nuevos combatientes, pero también la marcha de la vida normal en las ciudades: servicios públicos, conservación y cuidado de las minas («toda la superestructura económica fue mantenida intacta», relata un conservador como Josep Pla [175, III, 306], ferrocarriles y transportes dentro de la zona, energía eléctrica a través de la central de Hulleras de Turón, la Radio de Mieres, el comercio y los abastecimientos de la población no combatiente, etc., etc. Efectivamente, aquello no era un motín; era una revolución.

Madrid

Pero ¿y en el resto del país? Eloy Vaquero (un maestro cordobés, antiguo amigo de Lerroux, a quien este hace ministro de Gobernación) decía en Madrid por la radio: «La tranquilidad reina en España». La verdad era que en Madrid mismo —ya sin comercios, sin pan, sin prensa, salvo *ABC* y *El Debate*, sin «Metro» ni tranvías, sin nadie en fábricas y talleres, las milicias socialistas, mandadas por el capitán Condés, habían fracasado en su intento de asalto al Ministerio de la Gobernación, así como al Parque Móvil. En el Círculo Socialista de la Guindalera varios destacamentos de milicias chocaron con los guardias de Asalto y, al fin, tuvieron que rendirse; fracasó también un asalto a la central telefónica de la calle Hermosilla... hubo barricadas en barrios populares, encuentros armados en Tetuán, etc. En Madrid siguieron oyéndose los tiroteos varios días más y los «pacos» estaban apostados en tejados y balcones. Los esquiroles de las Juventudes de Acción Popular no daban gran resultado, pero marcaban bien las fronteras de cada clase; así como la manifestación de falangistas, con José Antonio Primo de Rivera en cabeza, arengando a la gente desde un montículo de unas obras en la Puerta del Sol, evocando la batalla de Lepanto y agradeciendo al gobierno Lerroux-Ceda «que nos ha devuelto la unidad de España». Lerroux recibió en su despacho al joven jefe de Falange. Siguieron los encuentros aislados, siguió la huelga... Lerroux recibía el apoyo de toda la derecha: *ABC* del domingo, 7 de octubre, escribía: «Hoy no hay monárquicos ni republicanos. No hay más que españoles y traidores que merecen dejar de serlo.» Y seguían los tiros. Los socialistas atacaron el día 8, con bombas de mano, el depósito de máquinas de Las Peñuelas, estación que tuvieron cercada; se frustraron nuevos ataques a Correos, a la Dirección de Seguridad... que se transformaron en diversos combates de guerrilla callejera. El Comité de huelga era alcanzado; en la madrugada del 8 eran detenidos en el estudio del pintor Quintanilla, De Francisco, Hernández Zancajo, Santiago Carrillo, Pretel y Díaz Alor. Largo Caballero y Prieto estaban en otros lugares; el primero acabará por irse a su casa, donde será detenido el día 14. Negrín y A. del Vayo se refugiaron en casa del periodista norteamericano Jay Allen. Otros muchos eran detenidos; Jiménez de Asúa, el cenetista G. Inestal, el secretario general de las Juventudes Comunistas, Trifón Medrano.

Cataluña

A todo eso, ya se habían producido los acontecimientos de Barcelona. El día 5 toda Cataluña estaba en huelga. La CNT, que no secundaba el movimiento, se encontró momentáneamente desbordada. Dencás, al incautarse del local de *Solidaridad Obrera,* contribuyó a distanciarla. En cambio, no disponía de la fuerza que le había ofrecido a Companys, a quien no dejaba de inquietar; se había instalado por su cuenta en la Consejería de Gobernación. Paradójicamente, Dencás atendió las peticiones de la Guardia Civil, que le pedía fuerzas para coadyuvar a reprimir el movimiento en la provincia. Porque ya en Vilanova i Geltrú los obreros se habían apoderado del Ayuntamiento y proclamado la «República Socialista Comunista Ibérica».

Companys vaciló durante día y medio. Fue el día 6 cuando, reunido el gobierno de Cataluña, decidió pasar a la acción. Y a las ocho de la noche Companys decía ante el micrófono:

Catalans! Les forces monarquitzans i feixistes que d'un temps ençà pretenen de traïr la República han aconseguit llur objectiu i han assaltat el Poder.

Proclamaba el «Estado Catalán de la República Federal Española» e invitaba a que se estableciese en Cataluña un gobierno provisional de la República.

Se adhirió el Ayuntamiento a esa declaración, pero no el jefe de la división orgánica, general Batet, quien, a las órdenes del gobierno Lerroux, proclamó el estado de guerra a las nueve de la noche. El dispositivo de Dencás y sus *escamots* resultó ineficaz; el comisario general a sus órdenes, Coll y Llach, se marchó a su casa y Companys tuvo que nombrar al capitán Escofet, pero ya no tenían fuerzas a las que mandar. Los militantes de Alianza Obrera resistieron hasta la madrugada en los locales del CADCI, sin recibir ninguna ayuda de la Consejería de

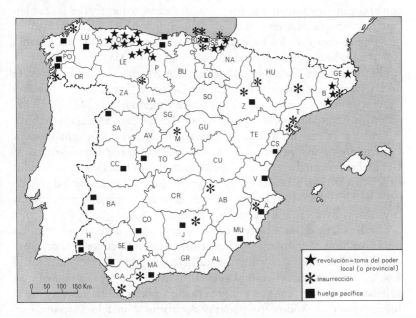

revolución = toma del poder local (o provincial)

insurrección

huelga pacífica

0 50 100 150 Km

Gobernación, que estaba a unos cientos de metros. Allí murieron Jaime Compte, del Partit Català Proletari; Amadeu Bardina, del Partit Comunista, y Manuel González Alba, del BOC.

Desde las once de la noche la artillería tiró sobre la Generalitat; las fuerzas de infantería y Guardia Civil fueron rechazadas por los mozos de escuadra mandados por el comandante Pérez Farrás. A las dos de la mañana Batet ordenó suspender el fuego, pero a las seis tiraron de nuevo los cañones. Companys se rendía; con él todo el gobierno de Cataluña, el alcalde de Barcelona Pi i Sunyer, el comandante P. Farrás y los capitanes Escofet y Gatell. Solo Dencás había huido por el alcantarillado; horas después pasaría la frontera y luego se marcharía a Italia. Aquella mañana, la CNT (dirigida por los «faístas» Ascaso, Sanz y Navarro) daba orden de volver al trabajo, grabada en un disco que se radió desde Capitanía General. A escala de toda España, el CN de la CNT (instalado en Zaragoza) permaneció totalmente inactivo. El día 6 establecieron un contacto en Madrid con Amaro del Rosal, en el que pedían, como condiciones, «que no se instaurase la dictadura del proletariado; que no hubiese ejército regular y que los anarquistas no corriesen la misma suerte que en Rusia» [200, I, 404]. La versión dada por el CN de la CNT en su Congreso de 1936 es que «no aconsejamos a nadie que secundase la revolución ni que dejase de secundarla». Sus contactos con el comité revolucionario los explican diciendo que el día 8 les habían comunicado que «Largo Caballero daba el movimiento por fracasado y que por lo tanto no les facilitarían armas» (en realidad, el día 8 había sido detenido el comité de madrugada) [66, 131-133].

En el resto de Cataluña, los comités de Alianza Obrera tomaron el poder local en Sabadell, Vilanova i la Geltrú y Granollers; el día 8 el ejército dominó la situación, pero la huelga siguió hasta el 11. En Gerona, Miguel Santaló proclamó también el «Estado catalán en la República federal», y se resistió al ejército hasta la tarde del día 7, igual que en Lérida, donde los guardias de Asalto defendieron la Comisaría de la Generalitat. Aquella tarde del 7 desembarcaba en Barcelona una bandera del Tercio y un batallón de cazadores de África, fondeaban buques de guerra... Los 2000 hombres que desde Sabadell y otros lugares fueron enviados a Barcelona no llegaron a tiempo.

...¿Bandera de la Legión? Sí, en efecto, porque una vez más las unidades de la Legión eran traídas a España con fines represivos. Porque, desde el día 5, el gobierno (al parecer por proposición de Gil Robles y sus amigos) llamó al general Franco, que accidentalmente se hallaba en Madrid (aunque era gobernador militar de Baleares), el cual fue investido de todos los poderes decisorios e instaló su puesto de mando en el mismo despacho de Diego Hidalgo, ministro de la Guerra, con quien ya mantenía muy buenas relaciones. Fue Franco quien llamó a Yagüe (que estaba de permiso, en su pueblo), quien ordenó traer a España dos banderas de la Legión y dos tabores de Regulares. Del mando en Asturias fue encargado el general López Ochoa, porque ya era inspector general de Asturias, León y Galicia. El subsecretario de Guerra, general Castelló, y el jefe de Estado Mayor, general Masquelet, quedaron prácticamente arrumbados, acaso por «demasiado republicanos».

País vasco y otras zonas

En Euzkadi la huelga tomó también aspectos insurreccionales; en Bilbao mismo, la huelga fue estrictamente pacífica (aunque luego se encontraron allí 2800 fusiles). El comité socialista, presidido por Paulino Gómez, estaba dividido sobre la manera de actuar. No tenían relaciones con CNT ni con PC-CGTU, aunque formalmente estos estaban en la Alianza. La huelga duró hasta que el día 12 la UGT dio orden de volver al trabajo. Pero en las localidades obreras de la ría y en la zona minera se produjo una verdadera revolución; aquí sí funcionaron los comités de Alianza y antifascistas, que levantaron barricadas y se adueñaron por completo del triángulo Somorrostro-San Salvador del Valle-

Portugalete. También Erandio, al otro lado de la ría, estuvo varios días en poder de los obreros. Hasta el día 11 no entraron en Erandio los escuadrones de caballería enviados desde Burgos y Vitoria.

En Guipúzcoa, los revolucionarios tomaron el poder local en Eibar y Mondragón (en esta localidad dieron muerte al diputado tradicionalista y gerente de «Unión Cerrajera, S.A.», Marcelino Oreja). Eibar tuvo que ser tomado por columnas militares. Tiroteos y huelgas se extendieron por Pasajes y San Sebastián hasta el día 10.

La huelga pacífica paralizó Aragón (y hubo además dos alzamientos armados, en Tauste y Uncastillo), las ciudades de Jaén, Córdoba, Málaga, (en Sevilla, la CNT no declaró la huelga y el PCE estaba muy quebrantado). Pararon las cuencas mineras de Río Tinto, de Puertollano, de Linares-La Carolina. En esta, los obreros resistieron armados en la Casa del Pueblo... La huelga fue total en Murcia, parcial en Valencia y Alicante. Hubo actos insurreccionales aislados en Villarrobledo (Albacete), Teba (Málaga), Prado del Rey (Cádiz), Villena (Alicante), en varios pueblos de la Rioja y en Medina de Rioseco, donde los ferroviarios resistieron, dueños de la ciudad, durante más de un día a las fuerzas del ejército. En Valladolid, como en Santander y Reinosa, nadie trabajaba. Esta última ciudad estuvo 24 horas en poder de los obreros de la Constructora Naval.

León y Palencia tienen sus cuencas mineras. Hubo, pues, verdadera insurrección; tres días de «República socialista» en Guardo, Barruelo (Palencia), Cistierna, Villablino, Riaño, Matallana, etc., de León, tomados todos por asalto por las milicias mandadas por A. Nistal y A. Marcos, que no pudieron dominar la capital.

Revolución y represión en Asturias

La lucha seguía en Asturias, bajo la dirección de un Comité en el que estaban representadas todas las organizaciones obreras. López Ochoa, que desde Lugo avanzó hasta Grado, tuvo que retroceder y optó por la conquista de Avilés, el día 9, dejando Trubia. En cambio, en Gijón, la llegada del crucero «Libertad», el día 7, agravó la situación; pero solo en la madrugada del 10 pudieron desembarcar las tropas coloniales. Aquel 9 de octubre, mientras los mineros conquistaban la Telefónica y la Audiencia de Oviedo, los comités de Mieres, Sama, Grado, etc., organizaban la vida de la retaguardia y se trabajaba a pleno rendimiento en La Felguera y Trubia —para aprovisionar a las columnas obreras—, el gobierno Lerroux-CEDA obtenía la confianza de unas Cortes de las que estaban ausentes todos los grupos de oposición, con la sola excepción del PNV. Y aquel mismo día era detenido Azaña, en Barcelona, en casa de su amigo el doctor Gubern, e inmediatamente acusado sin pruebas, injuriado por la prensa de derechas y encausado por rebelión, aunque Lerroux —lo ha dejado escrito— no creía en su culpabilidad.

López Ochoa volvió a avanzar, poniendo en cabeza de sus tropas a los prisioneros que hacía (lo que le parecía «normal como ardid de guerra», según dijo después); así murió Bonifacio Martín, teniente alcalde socialista de Oviedo. El 11 por la tarde, López Ochoa llegó a Oviedo y enlazó con los que resistían en el cuartel de Pelayo. La situación se agravó para los revolucionarios; el Comité entró en crisis y, a pesar del criterio opuesto de los comunistas y de J. M. Martínez, en nombre de la CNT, se aceptó la proposición de G. Peña de organizar la retirada. Pero la decisión fue mal aceptada en las bases; entonces una asamblea de obreros elige un nuevo Comité con mayoría de comunistas, sobre todo jóvenes. Este comité reorganiza los de Mieres y Sama, para que sigan funcionando los servicios y trata de organizar un «ejército rojo». Pero a mediodía del 12 de octubre, legionarios y regulares mandados por Yagüe iniciaban el asalto a Oviedo (López Ochoa seguía encerrado en el cuartel de Pelayo). A las cinco de la tarde tomaban la fábrica de armas, y el 13 por la mañana, la estación. En San Pedro de Arcos moría al pie de su ametralladora una muchacha, casi una chiquilla, que ha pasado a la leyenda: la joven comunista Aida Lafuente. A las cuatro de la tarde las tropas del gobierno desfilaban por la céntrica calle de Uría; a su cabeza, el abanderado; era un moro. Todavía se siguió luchando en múltiples lugares y los legionarios no conquistaron el ayuntamiento hasta el domingo, día 14.

Fue entonces cuando se constituyó en Oviedo el tercer comité, con socialistas y comunistas (con «centristas» también, pero sin representación oficial), presidido por Belarmino Tomás, que decidió instalarse en Sama. Mientras tanto, los obreros defendían el terreno palmo a palmo; Yagüe no pudo desalojarlos de San Lázaro hasta el día 16 y entrar en Trubia hasta el 17; el general Bosch seguía sin poder avanzar en Campomanes y todavía los obreros hacían retroceder a los gubernamentales de Grado a Pravia.

La resistencia permitió la negociación. En la tarde del 18 se entrevistaron López Ochoa y B. Tomás. El Comité aceptaba rendirse a condición de que las fuerzas coloniales no entrasen en vanguardia. El general aceptó. Los miembros del comité (tres socialistas y dos comunistas) explicaron la situación desde el balcón del Ayuntamiento de Mieres, a los mineros allí congregados.

El día 19, las tropas que el coronel Aranda tenía desplegadas en un arco de 150 km desde Galicia hasta Palencia descendieron para ocupar la zona minera. Todo había terminado. 400 guardias civiles se encargaban de las operaciones de «limpieza». Llegaba el comandante Doval, para «recuperar armas» y dirigir la represión. Y Alarcón, el juez especial, para instruir procesos.

Aquel movimiento fue, en Asturias, una verdadera revolución obrera, la primera revolución socialista en España; durante dos semanas hubo centros decisorios de poder, ejército, administración, sistema de transportes y abastecimiento, mantenimiento de la industria siderúrgica, conservación de las minas, tendido de líneas telefónicas, organización de servicios sanitarios, etc.; todas las funciones estatales básicas.

Sin embargo, como movimiento en toda España estaba condenado al fracaso desde que fracasó su realización en Madrid, encomendada a reducidos grupos de combate para dar audaces golpes de mano sin apoyatura de una acción de multitudes. En cambio, en Asturias, de 27 600 obreros, unos 20 000 lucharon con las armas en la mano y los restantes en distintos servicios, así como millares de metalúrgicos y millares de mujeres.

El balance de sangre de octubre de 1934 fue muy duro: 1051 muertos y 2051 heridos «paisanos» (es decir, revolucionarios al 99 %); 284 muertos de fuerza pública y ejército (de ellos, 100 de la Guardia Civil) y 900 heridos.[3] Es obvio que millares de heridos de menor consideración entre los revolucionarios escaparon al control de los datos oficiales que utilizamos. Sin embargo, estas cifras se agrandan a causa de la represión posterior (militar, policial y antiguerrilla), de los fusilamientos sin formación de causa en el cuartel de Pelayo. De la represión posterior quedó como símbolo el asesinato del periodista Luis de Sirval a manos de un extranjero, oficial del Tercio, el teniente Dimitri I. Ivanov. Unamuno, Machado, Valle-Inclán, Besteiro fueron los primeros en protestar contra aquel crimen. En cuanto a Doval, cuyos excesos en los «interrogatorios» llegaron a la aplicación de la tortura, fue destituido en diciembre por el Director General de Seguridad.

Octubre de 1934 ofrecía, además, un triste balance de unos 30 000 encarcelados y de muchos más sometidos a represalia, expulsados de sus lugares de trabajo. Siembra de odios que agravaría la polarización de fuerzas.

Durante meses, la mayor preocupación gubernamental y de la mayoría parlamentaria pareció ser la represiva; Alcalá Zamora era atacado en pleno Congreso por su deseo de evitar ejecuciones de pena capital, Thiers era evocado con admiración por su represión de «la Commune» nada menos que por Melquíades Álvarez. No faltó la voz de Calvo Sotelo para aplaudir los fusilamientos de los «communards». Y tuvo que alzarse Cambó para decirles a los ministros que «no pensaban más que en examinar sentencias y en represiones... Sois tantos que no cabéis en el banco azul. ¿Por qué no hacéis una distribución de trabajo entre vosotros...?»

El primer conflicto se produjo tras las condenas a muerte de los militares catalanes Pérez Farrás, Escofet y Ricard. Los salvó la tenacidad de Alcalá Zamora y el temor de Lerroux y de Gil Robles (a pesar de dejar constancia escrita de su voluntad de ejecutar a los acusados) de enfrentarse abiertamente con la opinión pública. Fueron indultados el 2 de noviembre. También, el 28 de diciembre, el Tribunal Supremo ponía en libertad a Azaña, por ausencia de pruebas contra él, arrostrando la ira de la prensa de derechas.

Cuando el indulto de Pérez Farrás, la derecha pensó ya en el golpe de Estado; Gil Robles (por intermedio de Casanueva) consultó con los generales Goded y Fanjul, y estos les respondieron, tras un sondeo: «no dimitan ustedes, porque el ejército no está hoy en condiciones de impedir que el poder caiga en manos de las izquierdas...» [103, 147-148]. Por eso no hubo golpe militar. Pero del gobierno fueron expulsados Samper e Hidalgo (aunque este andaba en manejos con coroneles); Lerroux tomó la cartera de Guerra y su amigo Rocha la de Estado. Y, poco a poco, los centros decisorios del Estado, las palancas de sus centros operativos, de sus aparatos fueron pasando a manos de representantes de la derecha clásica, y más específicamente, de la oligarquía tradicionalmente hegemónica que reconquistaba sus posiciones.

De la mano de Lerroux, el general Franco fue ascendido y destinado a mandar el ejército de África; más tarde, cuando el 6 de mayo de 1935 Gil Robles llegue al Ministerio de la Guerra, Franco será el Jefe del Estado Mayor Central; Fanjul, el subsecretario de Guerra; Goded, Director General de Aeronáutica; Mola, jefe del Ejército de África. Ciertamente, los radicales siguen acaparando puestos (Valdivia y, luego, Santiago, son Directores generales de Seguridad; Abad Conde, presidente del Consejo de Estado; tienen también las delegaciones en Campsa, Telefónica, etc., puestos lucrativos a cambio de hacer la política de la derecha. Solo la caída de Lerroux y la vigilancia de Alcalá Zamora impidieron que Martín Báguenas (el conspirador de 1932 y de 1936, el jefe de la brigada social con Berenguer, etc.) fuera nombrado Director general de Seguridad, pero Gil Robles consiguió que lo nombrasen jefe superior de Policía de Barcelona; la mayoría de los diplomáticos eran adversarios del régimen, y Agramonte, nuevo embajador en Berlín (y en 1931 subsecretario de Estado con Lerroux) manifestó «el deseo de su gobierno de suscitar la colaboración de la policía política española con la policía secreta de Estado alemana», es decir, con la Gestapo.[4] Según textos de los archivos alemanes, se trataba de obtener «comunicación recíproca de hechos importantes evitando la vía diplomática».

¿Qué decisiones, además de las represivas, adoptaba aquel gobierno? Una de las fundamentales fue la suspensión del régimen autonómico de Cataluña (la LEY DE SUSPENSIÓN no fue reconocida por el Tribunal de Garantías, pero la suspensión fue efectiva hasta 1936); supresión de la semana de 44 horas de los metalúrgicos y otros oficios; LEY DE ARRENDAMIENTOS RÚSTICOS prohibiendo el acceso de los arrendatarios a la propiedad y favoreciendo por completo a los propietarios. El proyecto de

Giménez Fernández fue desnaturalizado por los mismos cedistas (Casanueva, Mayalde, Rodríguez Jurado, Serrano Suñer, Fernández Ladreda), que además lo maltrataron de palabra. Anguera de Sojo, ministro de Trabajo, preparó un proyecto de ley para controlar los sindicatos netamente prefascistas, tanto, que asustó a los radicales y no llegó a pasar. Había, sin duda, contradicciones en el seno del gobierno; por eso tuvo que dimitir Villalobos, ministro de Instrucción, y Pita Romero, cuya gestión en Roma desde junio de 1934 —con objeto de lograr un *modus vivendi* con el Vaticano— se había estrellado ante las presiones de la derecha integrista; un nuevo viaje, en noviembre de 1934, sirvió para demostrar que el papado apostaba no por la derecha católica gubernamental, sino por la extrema derecha conspiradora, y que Pío XI diría, según Pacelli, «no considera oportuno acceder a la propuesta de llegar ahora a concluir el mencionado acuerdo provisional». En Roma, Calvo Sotelo y Goicoechea (ayudados probablemente por Gomá) ganaban una batalla a Herrera y a Vidal y Barraquer. Al mismo tiempo, en España, se constituía el Bloque Nacional, capitaneado por Calvo Sotelo, que rompía con los que tildaba de «legalistas»; Calvo, Maeztu, Sainz Rodríguez, Goicoechea, Rodezno (casi todo el equipo de la revista *Acción Española*) no querían ninguna componenda con la democracia, sino conquistar el Estado para hacerlo corporativo, unitario, «integral»; había que dar prioridad a la agricultura y reconocer que «el Ejército no es solo el brazo sino la columna vertebral de la patria». Paralela y clandestinamente se desarrollaba la ya citada Unión Militar Española.

2. CONTRA LAS PENAS DE MUERTE

Los pelotones de ejecución funcionaron en el mes de febrero; el día 1 fue fusilado el sargento Vázquez, el 9 era condenado a muerte Teodomiro Menéndez, y el 15, Ramón González Peña. A pesar de la censura, la campaña por salvar a estos condenados y a otros muchos revolucionarios de Asturias tomó proporciones gigantescas. El testimonio de Alcalá Zamora, nada sospechoso de simpatizar con los socialistas, es de indudable valía:

En el país procuraron aquellos —los socialistas— una manifestación imponente en favor del indulto, que formó contraste con el abandono en que las derechas dejaron a Sanjurjo. Las grandes mesas de la presidencia de la República desaparecían bajo los montones de cartas y telegramas [6, 304].

En realidad, las tomas de posición contra la represión no se limitaron a los socialistas, ni siquiera a los comunistas y republicanos; es evidente que los cenetistas (que tenían también sus presos, sobre todo asturianos) estaban en esa línea; pero, sobre todo, se trataba de una emotividad colectiva a nivel del pueblo español (como ya había pasado cuando la represión de la huelga de 1917), un poderoso acicate sentimental que no es posible ignorar cuando se trata de los orígenes del Frente Popular en España. Es muy significativo que en ese mes de marzo de 1935, mientras que el propio gobierno se dividía en favor o en contra de las penas de muerte, aborrecidas por las grandes mayorías del país, se formase un organismo, el Comité de Ayuda, que prefiguraba lo que luego será el Frente Popular; entran en él (que llegará a celebrar un congresillo en las afueras de Valencia en septiembre de 1935, en el que participó el autor) la UGT, la CGTU, el PSOE, el PCE, las Juventudes de Izquierda Republicana, socialistas y comunistas, la FUE, el Partido Federal, la Izquierda Radical Socialista, la Esquerra Valenciana, el Socorro Rojo y personalidades a título individual. En Cataluña, los comités pro amnistía tuvieron una naturaleza parecida. Al mismo tiempo, la unidad socialista-comunista se había reforzado desde octubre; en 1935 existían 13 comités provinciales de Alianza Obrera, 150 locales, 21 de empresa y 22 de barriada. En puridad eran, sobre todo, comités de enlace PSOE-PCE. Las Juventudes tenían 22 comités de coordinación a nivel provincial y local.

Al fin, siguiendo los radicales la sugestión de Alcalá Zamora, fueron indultados González Peña y 19 revolucionarios más. La CEDA, que había exigido la cabeza de Peña, operó una retirada táctica del gobierno, para luego volver con fuerza. En efecto, un gobierno homogéneo de Lerroux duró tan solo treinta días, y el 6 de mayo se formaba otro con cinco ministros cedistas, encabezados por Gil Robles como ministro de la Guerra y Casanueva de Justicia. Era un gobierno de la oligarquía clásica, donde solo Marraco y Dualde representaban a la burguesía media.[5] La mayoría de los ministros del 6 de mayo de 1935 no eran republicanos el 14 de abril de 1931 (verdad es que el caso de ministros que se han subido al tren de un nuevo régimen cuando este ya estaba en marcha se ha repetido luego en la historia de España).

A despecho de voluntarismos y malos humores, la izquierda tendía a cierta unidad de acción desde la primavera de 1935. El cruce de cartas entre Vidarte (vicesecretario y secretario general en funciones del PSOE) y Prieto, seguido de la circular n.º 3, firmada por Cabello y Vidarte, suponían una perspectiva de contactos tanto con otras organizaciones obreras como con los republicanos. Al mismo tiempo, el PCE (Circular a los Comités Provinciales del 2 de marzo) se orienta a «una amplia concentración compuesta por todos los elementos y organizaciones que realmente están dispuestos a luchar contra el fascismo... y que no pueden estar en la Alianza: republicanos, intelectuales, pequeña burguesía, etc.» En cuanto a Azaña, que al principio solo pensaba en renovar la conjunción de 1931, dice ya ante 80 000 personas de todas las tendencias de izquierda: «La condición fundamental, hoy por hoy, es la unión electoral de las izquierdas.» Azaña ya se ha puesto de acuerdo con Martínez Barrio y Sánchez Román para elaborar un programa republicano mínimo; la unidad de la izquierda no pasa de ser, para él, una coalición electoral como lo dice en su *Diario* [20, IV, 567].

3.   ¿POR QUÉ LO LLAMARON «NEGRO»?

Sin embargo, aquel verano de 1935 era dramático para las gentes sencillas del país. Las Cortes votaron una LEY DE CONTRARREFORMA AGRARIA (1.º de agosto), en la que se suprimía el inventario de propiedad expropiable y las indemnizaciones se estimaban caso por caso, pudiendo el propietario recurrir ante el Tribunal Supremo; el coste de expropiación era inmenso, y, al mismo tiempo, se recortaba el presupuesto del Instituto de Reforma Agraria. Aquella Ley, que además carecía de sinceridad, era un conjunto de obstáculos para que, en realidad, ningún propietario pudiese ser afectado por la reforma. Al mismo tiempo, no se renovó la LEY DE YUNTEROS (que Giménez Fernández había sacado *in extremis* el año anterior, lo que le costó ser expulsado del gobierno) y todos ellos fueron expulsados de sus tierras al terminar el verano; los salarios agrarios siguieron bajando y el paro, que en verano era de 732 000 personas, en noviembre alcanzaba a 806 221 (alrededor del 10 % de la población activa y más del 20 % de la población asalariada). Como ha señalado Eduardo Sevilla-Guzmán, el que el indicador de huelgas campesinas diera sus tasas más bajas en 1935,

> no significa, empero, que la *conflictividad latente* no continuase como el año anterior ni que las luchas campesinas, contra el paro y las reivindicaciones salariales cesaran. La represión que siguió a toda manifestación de protesta y las fuertes medidas de control desplegadas por la Guardia Civil en el campo, son sin duda la causa de la baja conflictividad manifiesta [222, 116].

Los 33 000 huelguistas reseñados en 1935 no son sino una apariencia, como lo prueba el hecho de que solo en enero de 1936 las estadísticas contasen ya 16 000 huelguistas.

La situación política era muy dura. Lerroux se plegaba a todo y preparaba una revisión de la Constitución; la Juventud de Acción Popular (que Gil Robles ha reconocido era la avanzadilla de propaganda de la CEDA) planteaba así el dilema: «No cabe diálogo ni connivencia con la anti-España. Nosotros y no ellos. O Acción Popular acaba con el marxismo o el marxismo acaba con España.» Como ha destacado Santos Juliá [123, 61], «el planteamiento básico de la JAP es idéntico al de Calvo Sotelo (este decía: "hay que exterminar el marxismo si no se quiere que el marxismo destruya a España")». Y Fal Conde, pasando revista a sus requetés en la explanada de Montserrat el 3 de noviembre, dijo: «Si la revolución quiere llevarnos a la guerra, habrá guerra». Sí, la preparación (ideológica y material) de la guerra civil estaba en marcha. La Junta Política de Falange, reunida en Gredos, en el mes de junio, aprobó las palabras.de José A. Primo de Rivera: «Nuestro deber es ir, por consiguiente, y con todas sus consecuencias, a la guerra civil.» Falange, que tendría entonces entre 5000 y 8000 miembros, disfrutaba de financiación a través de su jefe y de la embajada italiana en Francia, como ha demostrado el profesor Ángel Viñas [255, 302-303]. En el informe de José A. Primo de Rivera a la Embajada italiana puede leerse: *«Si la révolution socialiste éclate contre le Gouvernement, la Falange, aux côtés de la Garde Civile, pourra s'emparer de quelques villages, peut-être même d'une province, et proclamer la révolution nationale...»*

Primo de Rivera estimaba que el ejército seguiría a quien lanzase «la consigna de revolución nacional». Pero, en 1935, la extrema derecha del ejército instalada en los altos mandos, parecía optar por la vía de la «penetración legalista». La derecha se debatía entre la ruta legalista y la ruta de la violencia; la primera estaba personificada en Gil Robles, la segunda en Calvo Sotelo. ¿Con quién estarían los militares, a fin de cuentas? Goded ya le hizo ver a Alcalá Zamora que un cambio hacia la izquierda sería «inadmisible» [6, 321].

4. EL «STRAPERLO»

A mediados de septiembre, Alcalá Zamora recibió una denuncia apoyada documentalmente de un holandés, Daniel Strauss, que por medio de cohecho había obtenido el año precedente que se implantase un juego de ruleta por él inventado en San Sebastián y en Formentor; duró tan solo horas en Donostia y una semana en Mallorca. Estimándose frustrado y engañado, el holandés recurrió a Lerroux, amenazó incluso; no se le hizo caso. Dirigióse entonces al presidente de la República; el asunto era escabroso y, aunque solo le habían «regalado» quinientas mil pesetas, resultaban complicados el subsecretario de la Presidencia (Benzo), el Director general de Seguridad (Valdivia), Salazar Alonso, Pich y Pon, que había sido gobernador general de Cataluña; el diputado radical Sigfrido Blasco; Galante, delegado del Estado en MZA; Vinardell, jefe de la oficina de Turismo en París, y, para colmo, el hijo adoptivo del presidente, Aurelio Lerroux, delegado del Estado en la Telefónica. Todos eran del Partido Radical.

La crisis de gobierno (cuyos motivos reales nunca estuvieron claros, pero que probablemente tenía por objeto la eliminación de Portela, odiado por cedistas y radicales; v. editorial de *La Libertad,* 26 de septiembre) se produjo aparentemente por dimisión de Royo el 19 de septiembre; la víspera, Alcalá Zamora había planteado el asunto a Lerroux. Este no podía seguir siendo jefe de gobierno; lo fue un amigo de siempre de Santiago Alba y reciente de la República, Joaquín Chapaprieta, acumulando Presidencia y Hacienda; Lerroux pasaba a Estado; salía Portela reemplazado por el radical De Pablo Blanco; seguía Gil Robles, con Salmón y con Lúcia; Martínez de Velasco totalizaba Agricultura, Industria y Comercio, y entraba la Lliga con Rahola en Marina. (Este gobierno fue el que nombró a Goded, que ya era Inspector general del Ejército, como Director general de Aeronáutica.) Empezó a actuar el 26 de septiembre y se encontró ante el caso Strauss; Chapaprieta y Gil Robles quisieron echar tierra encima. Alcalá Zamora los puso en el aprieto de entregarles oficialmente los papeles; por consiguiente, estaban obligados a pasar tanto de culpa a los Tribunales. Creyeron evitar el escándalo. Pero se acercaba el mitin de Azaña en la madrileña explanada de Comillas, verdadera concentración de un Frente Popular en ciernes que reunió, a decir de su adversario y jefe del gobierno Chapaprieta, a 300 000 personas (movilización de masas jamás alcanzada hasta entonces en España). Y ante la posibilidad de que fuese Azaña quien hiciese público el asunto del *Straperlo*, el gobierno no tuvo más remedio que adelantarse. El escándalo era imparable y el día 22 tomó estado parlamentario. El 28 de octubre se hundía el Partido Radical; la comisión parlamentaria aceptó la culpabilidad de todos los acusados y si Salazar Alonso salvó el deshonor de las «bolas negras» en plenaria (tuvo 140 votos a favor contra 137 «bolas negras», gracias a Gil Robles), Lerroux, Rocha y la vieja guardia radical desaparecieron para siempre por el escotillón del teatro de la historia. El segundo gobierno Chapaprieta[6] nació con apenas vida; siguió otro escándalo de cohecho en un suministro de barcos a Guinea, de otro cercano colaborador de Lerroux. Gil Robles creyó llegada su hora y exigió el Poder; negóse Alcalá Zamora y, una vez más, el hijo predilecto de la Asociación Católica Nacional de Propagandistas soñó con el mando supremo obtenido gracias al golpe de fuerza castrense; una vez más Fanjul y Goded sondearon a los generales. Una noche, entre el 10 y el 11 de diciembre, la pasó en vela Gil Robles esperando la respuesta; pero el más cauto de los generales creyó que no había llegado todavía la hora: Francisco Franco era hombre paciente.

Mientras tanto, Largo Caballero había sido absuelto y había dejado sus reticencias a un Frente Popular con republicanos. En el Congreso de la IC del 25 de julio al 21 de agosto, el popular Jorge Dimitrof había lanzado la idea del Frente Popular y abierto el camino a un cambio de estrategia comunista (que el Congreso, tímidamente, llamó cambio de táctica); la alternativa que planteaba el revolucionario búlgaro, secretario de la Tercera Internacional, era la de democracia o fascismo; los partidos socialistas ya no son fuerza gemela del fascismo como había dicho Stalin, sino parte integrante del movimiento obrero.

La coyuntura española era tal, que no habría necesitado ni el Congreso de la IC ni el modelo del Frente Popular francés para emprender la ruta de la unidad popular antifascista. Ciertamente, todavía José Díaz, al volver del Congreso (mitin del Pardiñas del 3 de noviembre) cree que «el bloque popular... lleva por la senda del gobierno obrero y campesino». Solo en la circular del CC del PCE del 10 de diciembre se plantea la nueva estrategia: «mantener o desarrollar formas democráticas frente a la ofensiva fascista». Los discursos de J. Díaz en enero y febrero de 1936 mostrarán ya un Frente Popular como instrumento de defensa y desarrollo de la revolución democrática.

Por otra parte, la CGTU había entrado en la UGT, se formaba el Frente de la Juventud, los estudiantes socialistas y comunistas confirmaban en un Congreso de la FUE su dirección unida de la organización estudiantil. Cierto, en el seno del PSOE renació la vieja querella Prieto-Caballero, y este dimitió de la Ejecutiva del PSOE en diciembre; desde entonces, el ala caballerista se expresa por la UGT y el ala llamada centrista se expresa por la Ejecutiva del PSOE.

NOTAS DEL CAPÍTULO VIII

1. El gobierno estaba así formado: *Presidencia,* A. Lerroux (PRR); *Estado,* R. Samper (PRR); *Gobernación,* Eloy Vaquero (PRR); *Justicia,* R. Aizpún (CEDA, consejero del Crédito Navarro); *Hacienda,* M. Marraco (PRR); *Guerra,* D. Hidalgo (PRR); *Marina,* J. Rocha (PRR); *Obras Públicas,* J. M. Cid (Agrario); *Industria y Comercio,* A. Orozco (PRR); *Agricultura,* Manuel Giménez Fernández (CEDA); *Trabajo,* J. O. Anguera de Sojo (que desde 1931 había evolucionado hacia la derecha, afiliándose a la CEDA); *Instrucción Pública,* J. Villalobos (Liberal-demócrata); *Comunicaciones,* César Jalón (PRR y cronista taurino). *Ministros sin cartera:* J. Martínez de Velasco (Agrario) y L. Pita Romero (indep.), ambos amigos del presidente de la República.

2. Largo Caballero llamó, para formar el futuro gobierno, al local de la CE del PSOE en Carranza, 20, a las siguientes personas:

Indalecio Prieto, J. Negrín, F. de los Ríos, Álvarez del Vayo, Jiménez de Asúa, Amador Fernández, M. Pascua, Carlos Hernández, Felipe Pretel, J. S. Vidarte, De Francisco y S. Carrillo.

3. Utilizando las estadísticas oficiales de la Dirección General de Seguridad, seguramente inferiores a la realidad.

4. Documento del legajo 83-60, IV/3 del Ministerio alemán (fotocopia cortesía del profesor A. Viñas).

5. He aquí la lista de los gobiernos del 3 de abril y del 6 de mayo:

Presidencia:	A. Lerroux (PRR)	A. Lerroux (PRR)
Estado:	J. Rocha (PRR)	J. Rocha (PRR)
Gobernación:	M. Portela Valladares*	M. Portela Valladares
Justicia:	V. Cantos (PRR)	C. Casanueva (CEDA)
Guerra:	General Masquelet	J. M. Gil Robles (CEDA)
Marina:	Vicealmirante Salas	A. Royo Villanova (Agrario)
Hacienda:	J. M. Zavala (PRR)**	J. Chapaprieta (ind. derecha)
Instrucción:	R. Prieto Bances (lib. demócrata)	J. Dualde (lib. demócrata)

* Portela, antiguo político de la Monarquía, ministro con G. Prieto en 1923, incorporado a la República tras Alcalá Zamora (pero independiente), era también consejero del Banco Central, gran accionista de Minas del Rif y masón.

** Zavala pasó a ser gobernador del Banco de España.

Obras Públicas:	R. Guerra del Río (PRR)	M. Marraco (PRR)
Industria		
y Comercio:	M. Marraco (PRR)	E. Aizpún (CEDA)
Agricultura:	J. Benayas (PRR)	N. Velayos (Agrario)
Trabajo:	E. Vaquero (PRR)	F. Salmón (CEDA)
Comunicaciones:	C. Jalón (PRR)	L. Lúcia (CEDA)

6. La formación de los dos gobiernos Chapaprieta fue la siguiente:

	25 septiembre	*29 octubre*
Presid. y Hacienda:	J. Chapaprieta (indep.)	J. Chapaprieta (Indep.)
Estado:	A. Lerroux (PRR)	J. Martínez de Velasco (Agr.)
Guerra:	J. M. Gil Robles (CEDA)	J. M. Gil Robles (CEDA)
Marina:	P. Rahola (Lliga)	P. Rahola (Lliga)
Gobernación:	J. de Pablo-Blanco (PRR)	J. de Pablo-Blanco (PRR)
Instrucción:	J. Rocha (PRR)	L. Bardaji (PRR)
Obras Públicas y		
Comunicaciones:	L. Lúcia (CEDA)	L. Lúcia (CEDA)
Trabajo y Justicia:	F. Salmón (CEDA)	F. Salmón (CEDA)
Agricultura,		
Industria y Comercio:	J. Martínez de Velasco (Agr.)	J. Usabiaga (PRR)

En el segundo gobierno Chapaprieta puede decirse que había solo 3 republicanos.

CAPÍTULO IX

El Frente Popular

1. GOBIERNO PORTELA Y ELECCIONES DEL 16 DE FEBRERO

Tras un encargo a Miguel Maura de formar gobierno, frustrado por la oposición de la CEDA, Portela Valladares conseguía formarlo el 12 de diciembre, sin la CEDA y sin los radicales.[1] Gil Robles atacó a fondo, seguro ya de que se iba a nuevas elecciones, para formar una coalición centro-derecha «contra la revolución y sus cómplices», apoyada desde el gobierno por Chapaprieta, Martínez de Velasco y Melquíades Álvarez. Tras una dramática reunión el 31 de diciembre, el gobierno se deshacía y antes de tomar las uvas de la medianoche, Portela formaba otro gobierno, pero esta vez con el Decreto de disolución de Cortes en el bolsillo.

El nuevo gobierno era estrictamente centrista, de políticos bien vistos por el presidente de la República.[2] Las elecciones se convocaban para el 16 de febrero. Los dados estaban echados.

La situación no permitía demoras y los frentes electorales, viva imagen de la polarización hispánica, se formaron apresuradamente, aunque no sin graves problemas internos. El pacto constitutivo del Frente Popular se firmaba el 15 de enero, con un programa más bien modesto; amnistía general y reintegración de los sometidos a represalia, nueva puesta en vigor de la reforma agraria y del Estatuto de Cataluña, reforma de las leyes municipal, provincial y de orden público, derogación de la LEY DE ARRENDAMIENTOS y revisión de desahucios, política de obras públicas, rectificación del «proceso de derrumbamiento de los salarios en el campo», reorganización de la jurisdicción del trabajo, impulso de la enseñanza primaria y media y democratización de la superior... Se trataba de liquidar las secuelas de octubre y de restaurar la legislación del primer bienio. Propósito en apariencia modesto, obtenido gracias a la flexibilidad de socialistas y comunistas, que cedieron en diferentes puntos. Sin embargo, la aplicación de esa legislación en 1936 podía llevar mucho más lejos en las transformaciones socioeconómicas de España.

Hasta última hora, los republicanos maniobraron para impedir un Frente Popular y limitarlo todo a una coalición republicano-socialista estilo 1931; en resumen, se negaron a que firmaran el pacto los comunistas. Largo Caballero hizo saber que, en ese caso, tampoco contasen con la UGT ni con él personalmente. Deliberaron los republicanos, y aceptaron; pero Sánchez Román y su partido pusieron el anticomunismo por encima de todo y se retiraron del Frente Popular. Este estaba, pues, constituido por Izquierda Republicana, Unión Republicana, Partido Socialista, UGT, Partido Comunista, Juventudes Socialistas, Partido Sindicalista y POUM. (En Cataluña se formó un *Front d'Esquerres* con Esquerra, Acció Catalana Republicana, Partit Nacionalista Republicà Català, Unió Socialista de Catalunya y todas las organizaciones que habían integrado Alianza Obrera).

En el frente contrarrevolucionario, la CEDA, los monárquicos y los tradicionalistas (es decir, el Bloque nacional) pudieron llegar a un acuerdo. Por otra parte, la CEDA llegó a algunos acuerdos parciales con Lliga, radicales y centristas. En cambio, fracasaron todas las negociaciones entre Gil Robles y José A. Primo de Rivera.

En fin, en Euzkadi, los nacionalistas del PNV presentaron candidatura aparte, a pesar de las presiones directas de que fueron objeto por el Vaticano para que se integraran en el frente de derechas.

La propaganda electoral fue apasionada e intensa, pero sin violencias de hecho. Para 473 puestos se presentaron 977 candidatos (en 31 circunscripciones hubo lucha frontal, y en las 27 restantes, tripartita).

El tono de los discursos subió con frecuencia, sobre todo en los de Calvo Sotelo y Largo Caballero, pero solo hubo incidentes menores. El 16 de febrero España votó en calma; al caer la noche empezaron a conocerse los resultados, que fueron refrendados oficialmente tras la reunión de las juntas electorales provinciales, el 20 de febrero: el Frente Popular había triunfado en 37 circunscripciones y en todas las ciudades de más de 150 000 habitantes. Contaba definitivamente con 257 diputados, la derecha con 139 y el centro con 57. Por falta de *quorum* se hacía necesaria una segunda vuelta en Vizcaya (provincia), Guipúzcoa, Álava, Soria y Castellón.

Sobre esa realidad de las cifras electorales y la no menos evidente de los entusiasmos multitudinarios, empezaron a proyectarse maniobras y a tramarse golpes de fuerza desde la noche del 16. Franco, jefe del Estado Mayor Central, llamó al general Pozas, Director general de la Guardia Civil, y le pidió que declarase el estado de guerra; negóse Pozas, pero durante la madrugada Gil Robles hacía análoga petición a Portela (Franco y Gil Robles estaban en contacto a través del conde de Peña-Castillo y del comandante Carrasco Verde). Hubo nuevas presio-

Elecciones de 1936. Candidaturas que obtienen las mayorías   VIII

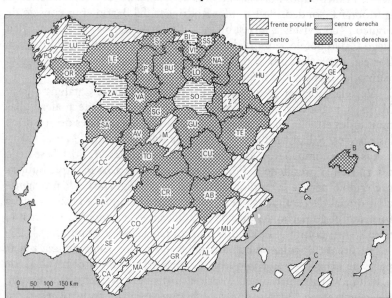

Elecciones de 1936. Abstenciones   IX

nes de Franco sobre Portela, intentos de Goded de sublevar el cuartel de la Montaña, sondeos de Fanjul y Rodríguez del Barrio «por consejo de Franco... con vistas a una sublevación inmediata» [64, 640]. Entró en juego Calvo Sotelo, en una dramática entrevista en el Palace Hotel con Portela, preparada por el banquero Bau. Se intentó todo, y sobre este asunto las fuentes son múltiples.[3]

Portela había ya nombrado gobernador general de Cataluña a Juan Moles y negociaba con Martínez Barrio el traspaso de poderes; las multitudes estaban en la calle y empezaban las liberaciones de presos de las cárceles. Salían también, del Penal de Puerto de Santa María, Companys y sus compañeros. En la mañana del miércoles 19, Portela se negó a seguir en la presidencia. Fue preciso convencer a Azaña, que hubiera preferido esperar a la reunión de Cortes o, por lo menos, a la proclamación oficial de resultados. Pero no era posible; aquella tarde quedaba formado el gobierno Azaña, de republicanos de izquierda solamente, pero sostenido por los partidos obreros (socialista y comunista).[4]

El Frente Popular se había beneficiado de los votos de una buena parte de «cenetistas». Aunque la Conferencia regional de la CNT de Cataluña se había pronunciado por la abstención, lo cierto es que hubo dirigentes como Durruti que aconsejaron votar; en realidad, eso hizo también la Regional de Aragón al decidir suspender toda campaña contra el voto.

¿Cuáles fueron los resultados cuantitativos? Todavía hoy se discute sobre ello. La discusión parece superflua, porque nada varía los grandes resultados y porque no puede haber identidad total debido a la diferencia de métodos empleados (p. ej. sobre distinción entre derecha y centro en once circunscripciones, donde iban juntos; sobre cómo se computan los votos de las cinco circunscripciones donde hubo segunda vuelta, y de las dos donde se repitieron; sobre sumar los votos obtenidos por los cabezas de lista, o los promedios de estas, sin olvidar que la ley electoral autorizaba la mezcla de nombres de diversas candidaturas en una sola papeleta). A pesar de sus defectos, los resultados de la obra de Tusell[5] pueden aceptarse globalmente, sobre todo procediendo de alguien nada sospechoso de proclividad hacia el Frente Popular. Según él, y por el procedimiento de computar los cabezas de lista de cada candidatura, votaron 9 864 783 electores, lo que supuso una participación del 72 % del censo. De ellos, 4 654 116 habrían votado por el Frente Popular; 125 714 por los nacionalistas vascos; 400 901 por el centro y 4 503 524 por las derechas, teniendo en cuenta que de estas últimas candidaturas 2 636 524 pertenecían a candidaturas mixtas de derecha y centro, lo cual disminuye mucho la estimación cuantitativa de la derecha antidemocrática y agresiva. Lo que es evidente es que si los españoles estaban muy divididos políticamente, ninguno de los electores centristas era partidario de dirimir por las armas los destinos del país. Los resultados de febrero de 1936 en modo alguno constituyen una legitimación anticipada de la rebelión armada de julio del mismo año.

Otras observaciones interesantes que se desprenden del resultado electoral son:

a) La hegemonía frentepopulista en las aglomeraciones urbanas e industriales y en las zonas de latifundio de Andalucía y Badajoz.

b) La eliminación de la derecha clásica en Cataluña y Euzkadi marítimo (Vizcaya y Guipúzcoa).

c) Confirmación de base de masas de la derecha en la mayoría de Castilla la Vieja y también en la Nueva, pero en esta última sin hegemonía, sino en reñida competencia con la izquierda (zonas latifundistas de Toledo, Ciudad Real, etc.).

d) El voto de anarquistas es importante, pero no decide los resultados; el fuerte abstencionismo de las provincias de Málaga (40,8 %), Sevilla (45 %) y Cádiz (40,5 %) muestra que allí la mayoría de los «cenetistas» no votó; las izquierdas progresaron, con relación a 1933, en 1 400 000 votos, de los cuales alrededor de una cuarta parte serían «cenetistas» (piénsese que en mayo de 1936 la CNT reunificada apenas llegaba a 700 000 afiliados, muchos de ellos menores de 23 años).

En definitiva, el Congreso quedó constituido así:[6]
Socialistas, 99; Izquierda Republicana, 87; Unión Republicana, 39; Esquerra de Cataluña, 36; Comunistas, 17; Nacionalistas vascos, 10; Progresistas, 6; radicales, 4; republicanos conservadores, 3; Lliga, 12; CEDA, 88; Bloque Nacional, 13; Agrarios, 11; Tradicionalistas, 9; Independientes, 10; independientes de derecha, 3; Mesócratas, 1; Varios, 6; Vacantes, 3. Total: 473.
(Datos oficiales después de la 2.ª vuelta y de la repetición de elecciones en Granada y Cuenca) [40].

2. GOBIERNO AZAÑA. AGRAVACIÓN DE CONFLICTOS

En su *Diario* ha dejado escrito Azaña, el 19 de febrero: «Una vez más hay que segar el trigo en verde». Gran drama el de Azaña, que no comprendió que la praxis política era distinta de la concepción modélica.

Su gobierno llega en una coyuntura popular de esperanza renovada, pero también de exasperación de las clases económicamente dominantes que, no viendo ya otra salida para recuperar el poder político, pasan a la organización de contrapoderes para preparar la ruptura violenta del consenso. Es muy significativo que la reunión de políticos del Bloque Nacional (extrema derecha) celebrada tras las elecciones afirme «*la ur-*

gencia de coordinar las fuerzas contrarrevolucionarias para una eficaz defensa del orden social», a la vez que se otorga un voto de confianza a Calvo Sotelo para la reorganización del bloque.

También los generales (Mola, Ponte, Orgaz, Varela, Villegas, Saliquet, García de la Herrán, Franco, G. Carrasco, R. del Barrio y el teniente coronel Galarza) se reunieron, en la primera semana de marzo, «para acordar un alzamiento que restableciera el orden en el interior, y el prestigio internacional de España...»

Si esta actitud parece exclusiva de la extrema derecha, no hay que olvidar que el sector más derechista de la CEDA parecía desengañado de la vía legal tras la derrota electoral y dispuesto a pasar a las vías de hecho (en este sector figuraban, entre otros, Serrano Suñer, Fernández Ladreda, el conde de Mayalde, Valiente, R. Jurado, etc.).

Mientras tanto, ¿qué hacía el gobierno Azaña? ¿Y qué hacían los partidos, los sindicatos y sus bases? El gobierno se apresuró a recabar el acuerdo de la Comisión permanente de las Cortes —que le fue concedido— para promulgar, el 21 de febrero, una amplia amnistía, reanudar la aplicación de la LEY DE REFORMA AGRARIA y abrir el Parlamento catalán (que reelegirá a Companys y sus compañeros). Por decretos de 28 de febrero y 3 de marzo disponía la suspensión de juicios de desahucio contra arrendatarios, colonos y aparceros (salvo por falta de pago) y la reintegración de los yunteros de Extremadura en el uso y disfrute de las tierras que en años anteriores habían utilizado en virtud de la LEY DE INTENSIFICACIÓN DE CULTIVOS. Otro Decreto de 14 de marzo extendía este asentamiento a las provincias limítrofes de Extremadura.

Igualmente se dispuso la reintegración a sus puestos de trabajo de todos aquellos que habían sido despedidos por represalia política a partir de octubre de 1934. En fin, el 20 de marzo, el Ministerio de Agricultura autorizaba al Instituto de Reforma Agraria a ocupar inmediatamente cualquier finca, de manera provisional, cuando lo considerase necesario «por causa de utilidad social» (principio establecido en la Constitución).[7]

El triunfo del Frente Popular acarreó también una situación de hecho en que los trabajadores del campo y sus organizaciones se convertían en fuerza local dominante, apoyados con frecuencia por los Ayuntamientos reconstituidos, mientras que los patronos no parecían dispuestos a ceder y se apoyaban a su vez, la mayor parte de las veces, en la fuerza pública existente en las localidades rurales.

La derecha conspiraba. La Junta Suprema Militar Carlista, instalada en San Juan de Luz, preparaba un alzamiento. Falange buscaba un camino de «revolución preventiva», y ese era el fin de la entrevista Franco-José Antonio, en casa de Serrano Suñer, en la primera quincena de marzo, que fracasó por la actitud evasiva del primero [221, 54-56]. Ciertamente, Falange era declarada ilegal el 15 de marzo y José A.

Primo de Rivera era encarcelado; pero ya había pasado a la acción terrorista, puesto que el 10 de marzo sus hombres habían intentado asesinar al profesor Jiménez de Asúa y dado muerte al policía Gisbert, que lo escoltaba. Todavía el 4 de mayo José A. Primo de Rivera llamará al ejército a la rebelión:

> Sin vuestra fuerza —soldados— nos será titánicamente difícil vencer en la lucha... Medid vuestra terrible responsabilidad. El que España siga siendo depende de vosotros.

La rápida aplicación de la reforma agraria será un importante factor conflictivo. En Salamanca, Toledo, etc., se produjeron ocupaciones de fincas en la primera quincena de marzo. La FNTT y los trabajadores del campo preceden y presionan a la administración. Ya el 11 de marzo el Secretariado de FNTT de Badajoz escribía al Instituto de Reforma Agraria pidiendo los asentamientos rápidos y la inmediata reinstalación de yunteros (decretada, pero todavía no aplicada), explicando la urgencia porque «llegada la decena siguiente de este mes de marzo, comenzarán las tierras a perder su sazón para realizarse en ellas la barbechera», tema que recoge también el editorial de *El obrero de la tierra*.

En esas condiciones, se produjo la movilización de una masa de trabajadores del campo: estimada en más de 60 000, ocupó unas 3000 fincas en la provincia de Badajoz, bajo inspiración de la FNTT, en orden perfecto y comenzando acto seguido su roturación. En los días y semanas sucesivos, otros millares de campesinos ocuparon tierras y organizaron su explotación en las provincias de Jaén, Sevilla, Córdoba, Toledo, Madrid, Salamanca y Cáceres. Aunque hubo un primer reflejo gubernamental de emplear la fuerza represiva (incluso por gobernadores, como el de Córdoba), rápidamente se cambió de criterio; el Instituto de Reforma Agraria fue admitiendo las ocupaciones (que no eran sino aplicación de leyes y decretos) y enviando técnicos para organizar las explotaciones. El 15 de junio, el Parlamento reponía íntegramente la Ley de Bases de 1932, pero ya el 7 de mayo se dictaron órdenes para simplificar los trámites de expropiación. El 26 de junio, el ministro de Agricultura, Ruiz Funes, presentaba al Parlamento un proyecto de ley para devolver a los municipios las tierras comunales que les habían sido expropiadas a partir de la desamortización de 1855 (incluso una interpretación extensiva del proyecto pedía ampliar su aplicación hasta los fundos desamortizados desde la guerra de Independencia). En resumen, desde febrero hasta el 17 de julio fueron expropiadas 537 475 hectáreas, distribuidas entre 108 000 familias campesinas; era la transferencia de propiedad rústica más importante desde 1931, pero su alcance era limitado, puesto que 7,5 millones de hectáreas estaban comprendidas en latifundios mayores de 500 hectáreas.

Evidentemente, el clima de conflictividad se cargó en el campo. Como ha escrito Pérez Yruela,

La conflictividad se sentía mayor de lo que en realidad fue por la permanente amenaza de la hostilidad entre las clases sociales. En realidad [...] el número y tipo de conflictos no fue más alto de lo que había sido en años precedentes, pero la estabilidad del orden social vigente estaba en parte amenazada [171, 214; 222, 122].

Los propietarios se resistían; algunos abandonaban los pueblos, pero otros se negaban a realizar las labores y se resistían por todos los medios. Los enfrentamientos entre campesinos y Guardia Civil se produjeron en varias ocasiones y con particular dramatismo en Yeste (provincia de Albacete), donde la muerte de un guardia por campesinos que talaban árboles de una propiedad invadida y querían liberar a uno de los suyos detenido se transformó en una verdadera caza del hombre, dando muerte la fuerza pública a 17 campesinos e hiriendo a muchos más. Con la proximidad de la recolección, aumentaron las reivindicaciones salariales (que suponían un importante aumento de los costos); los patronos se negaban y declaraban estar dispuestos «a que el grano se pudra o se queme». Casos hubo como el de Almendralejo, donde los propietarios amenazaron de muerte a cualquiera de ellos que diese trabajo con los jornales que pedían los obreros [prensa diaria y 41, 20].

Otro tipo de conflictividad social, el de las ciudades, se desató en parte por la presión de la CNT en demanda de alza de salarios, pero solo ya mediada la primavera. Para entonces, el general Mola (que al ser destituido de su mando en África ocupó el gobierno militar de Pamplona) aprovechó su nuevo destino —decretado el 14 de marzo— para mejor tender desde Navarra las redes de conspiración. La primera Junta de generales había proyectado un golpe de fuerza para abril, pero el entonces coordinador general, Rodríguez del Barrio, desistió de ello (estaba muy enfermo y falleció poco después). El 19 de abril asume Mola la dirección; por entonces se adhieren Queipo y Cabanellas a la conspiración [50, 316].

3. DESTITUCIÓN DE ALCALÁ ZAMORA. AZAÑA, PRESIDENTE DE LA REPÚBLICA

El Congreso se constituyó definitivamente el 3 de abril. Indalecio Prieto obtuvo de su grupo parlamentario el acuerdo para destituir a Alcalá Zamora. Los socialistas aceptaron, si bien la idea había nacido de cambios de impresiones entre Prieto, Casares, Sánchez Román y el propio Azaña, aunque este no dio su asentimiento explícito hasta el último momento [195, 674-676; 259, I, 20; 248, 71-73]. Para ello se recurrió a un artificio jurídico —y paradoja política—: declarar que la disolución de las anteriores Cortes no había sido necesaria, con lo cual, y en virtud del artículo 81 de la Constitución, se producía la destitución inmediata del presidente de la República. Y así se hizo; el 7 de abril Alcalá Zamora era destituido por 238 votos contra 5. No me parece descabellada la hipótesis de que aquella medida fuese uno de los mayores desaciertos del Frente Popular.

Martínez Barrio asumió la interinidad de la presidencia, en su calidad de presidente del Parlamento. Todavía Azaña sostuvo con éxito un debate político en el banco azul, mientras Prieto postulaba su candidatura. Y, en efecto, Azaña era elegido presidente de la República por diputados y compromisarios electos a tal fin y reunidos el 3 de mayo en el palacio de cristal del Retiro. Pero los socialistas, en plena crisis interna, bloquearon la designación de Prieto para formar gobierno. Fue entonces cuando Azaña designó a Casares.

Pero de abril a mayo el engranaje de la violencia se agravó considerablemente; fue asesinado el magistrado Pedregal, al que la extrema derecha acusaba de haber condenado al asesino del policía Gisbert; hubo otros atentados, contra Eduardo Ortega y Gasset, contra los hermanos Badía (asesinados en Barcelona, nunca se supo si por la extrema derecha o por algunos anarquistas); hubo artefacto explosivo en la tribuna del gobierno cuando el desfile del 14 de abril, seguido de tiroteo y de la muerte del alférez Reyes (que no estaba de servicio); el entierro de este originó nuevos enfrentamientos entre falangistas y guardias de Asalto, con muertos y heridos. La violencia no descansaba: en Carrión de los Condes ahorcaron al presidente de la Casa del Pueblo, pero en otros pueblos los trabajadores apaleaban a los «ricos». La muerte a tiros, en Santander, del periodista Luciano Malumbres y, en Madrid, del capitán Carlos Faraudo eran reivindicadas por Falange. Pero la derecha montaba una operación psicológica basada en el «desorden y la falta de autoridad». Gil Robles dijo en las Cortes, el 16 de junio, que en cuatro meses se habían quemado 170 iglesias, se habían cometido 269 homicidios y se habían declarado 133 huelgas generales y 216 parciales (podía replicarse que solo en Barcelona y en 1921, se habían producido 228 asesinatos en las calles sin contar los heridos). La manipulación era cierta, pero la violencia también lo era. Sin embargo, y pese a ese clima, los campos andaluces habían conocido una situación mucho más tensa en 1919 y 1920.

El entorno internacional también era tenso: Hitler había dispuesto la militarización de Renania; Mussolini había ocupado Etiopía y, en sentido opuesto, el Frente Popular francés ganaba las elecciones y León Blum formaba gobierno en el mes de mayo.

Los diferentes partidos acoplaban sus estrategias al galope de la cambiante coyuntura; en el PSOE, hondamente dividido, la izquierda gana puntos en la Agrupación de Marid, que elige presidente a A. del Vayo; en el grupo parlamentario, en la UGT... y naturalmente en las Juventudes, pero aquí se trata de algo diferente: del proceso de unificación con las Juventudes Comunistas, que se inicia orgánicamente en abril, en forma de entrar estas en la Federación de Juventudes Socialistas, pero bajo la égida de la Internacional Juvenil Comunista, lo cual desborda, desde luego, los planes de Largo Caballero y sus amigos.[8] Sin embargo, el sector heterogéneo que recibe el nombre de «centrista» conserva la CE y prepara para octubre el Congreso nacional que debe tener lugar en Langreo: la elección de vacantes en la CE da lugar a una polémica algo leguleyesca; la Ejecutiva contabilizaba los votos para puestos vacantes y anulaba todas las papeletas en que se votaba por el total de puestos vacantes o no; de esta manera, su resultado fue de 10 933 votos por González Peña (presidencia del PSOE) y 2876 para Largo Caballero, al que se le anulaban 7442 votos; pero sumando votos válidos y votos anulados de cada uno, Peña obtenía 12 088 y Largo Caballero 10 624. Por el contrario, la izquierda publicó en el diario *Claridad* unos resultados —procedentes de datos enviados por las agrupaciones, pero donde es posible que hubiese votos simplemente «ugetistas» [122, 307]— según los cuales Largo Caballero obtenía 21 965 votos y A. del Vayo 20 160 para vicepresidente [122, 305-310; 37, 66-67]. También, con motivo del referéndum sobre el Congreso, la CE del PSOE censó 59 846 afiliados «al corriente de sus pagos» (*El Socialista*, 17-7-1936); una estimación de unos 80 000 afiliados en total parece estar cerca de la verdad.

La estrategia del ala izquierda del PSOE se apoyaba sobre una unidad obrera —que diese la hegemonía a un PSOE «bolchevizado» o «depurado»— y una negligencia por la unidad con las capas medias (Frente Popular), a la vez que en una minimización del peligro fascista. El centro apostaba por una solución «conjuncionista», aunque dentro de él muchos estaban dispuestos a respetar el Frente Popular.

Mientras tanto, el PCE crecía vertiginosamente desde febrero; las cifras dadas sobre el particular discrepan (Cattell, Hermet, Latzich, etc.) y oscilan entre 50 000 y 102 000 en vísperas de la guerra. José Díaz, en el pleno del CC de 28, 29 y 30 de marzo habla de «30 000 nuevos afiliados» que, sumados a los 30 000 que aproximadamente habría en febrero, da una suma de 60 000, corroborada en parte por *Mundo Obrero* del 2 de abril, que dice «más de 50 000».

La estrategia del PCE consiste en consolidar la alianza de clases que es el Frente Popular, pero estructurándola orgánicamente en comités de abajo a arriba y haciendo su eje en la alianza social-comunista. Se piensa ya en el Frente Popular como medio de desarrollar la revolución democrática. Paradójicamente, si el PCE está más cerca del ala «caballerista» en cuestiones de unidad obrera, se entiende mejor con el «centro» socialista en cuestiones de táctica general (alianza con republicanos). Prieto, sin embargo, era opuesto al frentepopulismo, una vez pasadas las elecciones; «ese Frente Popular —cuenta Vidarte que dijo— es una entelequia, que ya se debía haber disuelto» [248, 99]. Sin embargo, cuando cientos de miles de obreros desfilaron por Madrid el 1.º de mayo, Azaña, al recibir las conclusiones afirmó su fe en el Frente Popular. Los partidos republicanos del gobierno parecían más preocupados por los temas parlamentarios y gubernamentales que por una estrategia de Frente Popular. En cuanto a la CNT, desligada de todo compromiso, seguía una carrera ascendente de reivindicaciones (hasta, por ejemplo, la semana de 36 horas), transformadas rápidamente en huelgas, sobre todo a partir de mayo, tratando de desbordar «por la izquierda» a socialistas y comunistas (reunidos en la UGT), preocupados por no crear demasiadas dificultades al gobierno. El 1.º de mayo, la CNT celebraba su Congreso nacional en Zaragoza. Participaron 649 delegados en representación de 982 sindicatos y 550 559 afiliados (incluidos los 69 621 de los Sindicatos de Oposición, que se reintegraban a la central, con excepción de los 16 000 de Sabadell, que terminarán entrando en la UGT). Esta vez, el mayor número de afiliados estaba en Andalucía (33,88 %) y no en Cataluña (26,29). El Congreso insistió en la negativa a todo pacto con partidos, pero se ocupó más que otras veces de una posible —pero todavía lejana— unidad con la UGT. En el programa adoptado figuraban reivindicaciones como la semana de 36 horas y la expropiación sin indemnización de toda finca mayor de 50 hectáreas. Desde fines de mayo se agravaron las huelgas en Madrid, donde las de la Construcción y la Madera tuvieron particular importancia.

Digamos que, mientras tanto, las autonomías se desarrollaban. En Cataluña de nuevo con su gobierno y su Parlamento y la atribución de potestades como las referentes a orden público, que permitirá al gobierno catalán prever y dominar la sublevación de julio mucho mejor que el gobierno central. En cuanto a los partidos obreros, tienden hacia su homogeneización. Por un lado, tras el Congreso de la Unió Socialista (16 de mayo), un Comité de enlace prepara la unidad de este partido con el PC de Catalunya, la sección catalana del PSOE y el Partit Català Proletari. De ellos saldrá, al empezar la guerra, el Partit Socialista Unificat, adherido a la III Internacional, cuyo secretario general será Comorera. Con una estrategia mucho más «izquierdista», subsistía el POUM, dirigido por Maurín.

En cuanto a Euzkadi, la Comisión parlamentaria admitió el valor del plebiscito de 1933 y la inclusión de Álava (con el único voto en contra de Serrano Suñer). El Estatuto era ya una realidad; el 5 de junio quedaron definitivamente aprobados los títulos de Justicia, Enseñanza y Orden Público. El 25 de junio se decidió que el Estatuto pasase a plenaria, para su aprobación antes de las vacaciones parlamentarias del verano.

La autonomía vasca no fue, pues, una concesión circunstancial de la guerra, sino una decisión anterior de la mayoría frentepopulista.

También los gallegos plebiscitaban su Estatuto el 28 de junio; votó alrededor del 70 % del censo y el resultado fue 991 476 votos a favor y 6085 en contra.

4. GOBIERNO CASARES: VÍSPERAS DE LA TORMENTA

Azaña había sido elegido jefe del Estado por 754 votos de diputados y compromisarios a favor y 88 en blanco (los de la CEDA). Por él votaron, además de los partidos del Frente Popular, los republicanos conservadores, los radicales, los nacionalistas vascos, la Lliga y los centristas. Azaña fue así no solo el presidente de la izquierda, sino también de todo el centro y de las nacionalidades.

No pudo Prieto formar gobierno, pese a la designación de Azaña, por la oposición que encontró en su propio grupo parlamentario, donde Largo Caballero tenía mayoría. Llamó entonces Azaña a su antiguo ministro de Gobernación, Casares Quiroga. ¿Era eso lo que se proponía, como Prieto ha escrito alguna vez en uno de esos arranques viscerales tan suyos? [179, 44-45]. Otras versiones [248, 117-123] y las del propio Azaña [195, 335] hacen pensar que no fue así; y también que, contra lo que se ha dicho otras veces, Casares actuó muy poco vinculado a Azaña, que se desentendió bastante de la política cotidiana en los dos meses que precedieron a la guerra.

El gobierno Casares siguió siendo un gobierno de intelectuales republicanos (con varios catedráticos y muchos abogados), gobierno esencialmente de pequeña burguesía, aunque hubiese podido tener vínculos con cierta burguesía media.[9]

Este gobierno no pasó de la energía verbal en las Cortes, lo que dio motivo a una intervención, aún más violenta y amenazadora, de Calvo Sotelo. Ocurrió ello en la sesión del 16 de junio, cuando la oposición de derecha planteó la cuestión del orden público. Pero buena parte de esa oposición se aprestaba ya, no a perturbar el orden, sino a derribar el orden constitucional republicano por vía de la violencia armada.

Los conspiradores habían reanudado las viejas relaciones con el gobierno de Mussolini, a través del agente de este en Barcelona, Ernesto Carpi (que primero tuvo contacto con el conde de Gamazo, miembro de 27 consejos de administración de grandes empresas), y luego con Sainz Rodríguez, quien negoció un acuerdo «con autorización y en nombre de Goicoechea, Calvo Sotelo y Rodezno» —y firmado por ellos— con Italo Balbo

...en el que se fijaba que, en el caso de que por las circunstancias políticas de España hubiese un alzamiento contra la República, el gobierno de Italia le auxiliaría, prestándole apoyo incluso militar si ello llegara a ser necesario [209, 232].

Por su parte, el periodista de derechas Luis Bolín contrataba en Inglaterra al piloto aviador capitán Bebb para que fuese a Canarias con el avión *Dragon Rapid* de la Olley Airways Co, a ponerse a las órdenes del general Franco. Bebb despegaba de Inglaterra el 11 de julio. Sin duda, continuaba urdiéndose la complicada trama de la conspiración: Mola tenía problemas con Fal Conde y se recurría al arbitraje de Sanjurjo; José A. Primo de Rivera había ordenado el 29 de junio la particiación en el alzamiento.[10] El 23 de junio, el general Franco, comandante general de Canarias, dirigía una carta ambigua a Casares, que era una amenaza apenas esbozada; y el 29 de junio, en las maniobras militares del ejército de África en Llano Amarillo, se ultimaron aspectos de la conspiración.

Se iba, pues, irremisiblemente, al gran enfrentamiento fratricida. ¿Acaso todo el antiguo bloque de poder se lanzaba a la sangrienta aventura? ¿O, en un sentido más sociológico, todo el bloque de las clases dominantes? No, ciertamente. La puesta en marcha del mecanismo de la guerra civil era obra de una minoría, obra, en general, de la oligarquía que se había visto desposeída de nuevo de los centros del poder político y que temía verse desposeída definitivamente del poder económico. Sin duda, dicho así, parece reduccionista y carente de matices. Porque ni siquiera toda la fracción de la burguesía formada por grandes terratenientes, financieros, monopolistas, etc., quería la guerra. Pero la querían sus élites decisivas, y no hay que olvidar que en ese sector la hegemonía correspondía a la alta burguesía agraria (noble o no). En cambio, dentro de los aparatos de Estado había sectores importantes, procedentes del viejo régimen, que no podían aceptar la convivencia con el nuevo; es el caso del importante sector del ejército que se sublevará, de bastantes miembros de la policía, de algunos diplomáticos, magistrados, etc. Este personal de aparatos de Estado será instrumentalizado por la oligarquía para resolver por la violencia (y por la identificación de Estado con clase dominante) la crisis orgánica abierta desde 1917 y que todavía no había encontrado solución. Para ello, desde luego, buscará también el apoyo de algunas capas intermedias, e incluso de una base social en el campesinado pobre de la meseta y en un sector de pequeña burguesía provinciana.

Los sublevados buscaron pretextos y justificaciones, casi siempre toscos, para explicar su acción. Frente a eso se opuso lo inadmisible que era el rompimiento de un orden de base democrática y de soberanía popular, por defectos que tuviese. Pero no deja de ser también una explicación idealista que tiene poco que ver con la historia. Siempre he pensado que, desde su clase y desde su óptica, no le faltó razón a Gil Robles al escribir:

En la primavera de 1936 no existía un verdadero complot comunista, según han pretendido hacer creer los historiadores de la España oficial; pero se había iniciado en muchos sectores de la Península una profunda revolución agraria, que llevó el desorden y la anarquía a una gran parte del campo español [99, 647].

No se iba a ninguna revolución proletaria. Pero, como otras veces he escrito,

...es verdad que se iba al cambio de las relaciones de producción en la España agraria; a una mayor presencia de los sindicatos en la producción industrial y, tal vez, al control harto moderado que Caballero había propuesto, sin éxito, cuando el primer bienio [219, II, 180].

Sevilla-Guzmán ha explicado también:

La República burguesa, estaba tornándose por primera vez en una auténtica República de trabajadores. El pronunciamiento militar del 17 de julio evitó que ello llegase a realizarse [222, 122].

Con terminología distinta, Malefakis viene a decir lo mismo:

La magnitud de la amenaza que la Ley Agraria planteaba a las clases poseedoras no las permitía tolerar su realización [137, 449].

Febrero de 1936 significaba una pérdida del poder político mucho más grave para las antiguas clases dominantes, que la de 1931.

Para la fracción más intransigente de esas clases, es decir, para aquella que se sentía directamente amenazada (grandes propietarios agrarios, un sector del capital financiero), no podía haber ya opción. Y las hipostatizaciones ideológicas que confunden la salvación de la patria con el interés de clases, etc., empezaron a funcionar.

Era el 12 de julio. Pese a las tensiones y a la gravedad de la situación, la mayoría de la izquierda —y, desde luego, el gobierno— no esperaba un estallido inminente. Largo Caballero, Vayo, G. Peña y otros dirigentes socialistas asistían en Londres a un Congreso de la Federación Sindical Internacional. También estaban ausentes los dos máximos dirigentes de las organizaciones juveniles en trance de fusión: S. Carrillo y T. Medrano. Y aquel día, a primeras horas de la noche, cuando el teniente de Asalto José del Castillo salía de su casa en la calle de Hortaleza para ir a tomar el servicio, era asesinado por unos pistoleros (al parecer, de Falange).

La réplica fue inmediata; del cuartel de Pontejos salió un grupo de guardias de Asalto, acompañados por el capitán de la Guardia Civil,

Fernando Condés, y por el socialista Victoriano Cuenca; van a casa de Calvo Sotelo, y Condés le dice que lo llevan a la Dirección General de Seguridad. Pero cuando el coche se pone en marcha, Calvo Sotelo es abatido de un pistoletazo, al parecer tirado por Cuenca; sin saber qué hacer, depositan el cadáver en el cementerio. Terrible ley del Talión y provocación cumplida. Pero por abominables que sean —y lo son— estos dos crímenes, nadie puede pretender que ni la sangre de Castillo ni la de Calvo Sotelo haya sido la causa de la guerra.[11]

A primeras horas de la mañana se presentaron en casa de Martínez Barrio, Vallellano, Fuentes Pila y dos diputados más de derechas, para protestar del secuestro de su colega. Martínez Barrio telefoneó a Moles, que no sabía nada; minutos después, el mismo Moles le telefoneaba la noticia del macabro hallazgo en el cementerio. «¡Te vengaremos!», gritó Fuentes Pila; y acto seguido él y sus compañeros abandonaron el domicilio del presidente del Congreso.

El 14 de julio Mola aceptaba, al fin, las proposiciones de Sanjurjo y de los tradicionalistas; ese mismo día reunía en el monasterio de los Escolapios de Irache a los coroneles jefes de las guarniciones de Pamplona, Logroño, Vitoria, San Sebastián y Estella. El alcalde de esta última localidad, Fortunato de Aguirre, hizo rodear el convento por la Guardia Municipal y avisó al gobernador civil. Este telefoneó a Casares, que ordenó que se retirasen los guardias.

El día 15 se reunió la Diputación permanente de las Cortes. Suárez de Tangil anunció que su grupo (Bloque Nacional) se retiraba de las Cortes. Pero la intervención más dura fue la de Gil Robles, aunque no creía «que el gobierno esté directamente mezclado en un hecho criminal de esta naturaleza» (el asesinato de Calvo Sotelo). Pero, amenazador, agregó: «Vosotros, que estáis fraguando la violencia, seréis las primeras víctimas de ella.»

El presidente Martínez Barrio explicó que ya habían sido detenidas 150 personas sospechosas de haber intervenido en la muerte de Calvo Sotelo (entre ellos, dos capitanes y tres tenientes de Asalto). Barcia habló en tonos conciliatorios; también Prieto, aunque recordando que la derecha también había ejercido la violencia en 1934. Corominas subrayó la gravedad de las frases de Gil Robles y José Díaz dijo palabras que la historia habría de confirmar: «Estamos completamente seguros de que en muchas provincias de España, en Navarra, en Burgos, en Galicia, en parte de Madrid y otros puntos se están haciendo preparativos para el golpe de Estado...»

Cuando, cerca de las tres de la tarde, Martínez Barrio levantó la sesión, la tragedia española era ya irreversible. En Barcelona, el gobierno autónomo (de acuerdo con el general Aranguren, jefe de la Guardia Civil, y sus coroneles Escobar y Brotons) tomó todas las medidas de precaución desde el día 16. En Madrid, en la madrugada de aquel mismo día recibía a los periodistas el Director General de Seguridad, y les decía:

En algunos periódicos de la noche se dice que con motivo del hallazgo de pistolas ametralladoras se habían practicado 185 detenciones. Estas detenciones obedecen en verdad a jefes y subjefes de Falange Española en toda España, que habían recibido instrucciones para provocar un movimiento subversivo uno de estos días.

[Añadió que] esta madrugada se han practicado en Madrid numerosas detenciones de jóvenes pertenecientes a Falange Española que en grupos de tres o cuatro se hallaban por las calles, sin que nada justificara esta actitud en horas tan avanzadas de la madrugada.

Estas declaraciones, que tomamos de *Heraldo de Aragón* (Zaragoza, 16-7-36) parecen indicar que los órganos de seguridad del Estado estaban al corriente de lo que se preparaba. Sin embargo, el gobierno no actuó en consecuencia; es más, tras el asesinato de Calvo Sotelo cursó un telegrama a los gobernadores civiles «con la advertencia de que debíamos desconfiar de la oficialidad de Asalto» [246, 87 y 100].[12] Este telegrama, poco conocido hasta ahora, da cabal idea de la persistencia del gobierno Casares en luchar contra dos adversarios y en dos frentes (derecha y lo que él creía extrema izquierda), en el mismo momento en que la primera tenía a punto su dispositivo contra el Estado democrático. Y es más, he aquí lo que relata el entonces gobernador civil de Sevilla, J. M. Varela Rendueles, refiriéndose al 18 de julio:

A media mañana me llamó Casares Quiroga. Era necesario que inmediatamente diera orden a los dirigentes de las organizaciones obreras de que, a la mayor brevedad y sin admitir excusa ni pretexto, retiraran a sus afiliados de las inmediaciones de los cuarteles [246, 119].

En la tarde del 17 de julio, Martín Báguenas, el comisario de policía conspirador de 1932, reintegrado y ascendido por Lerroux y Gil Robles, se presentaba al primero para decirle: «Don Alejandro, mañana nos sublevamos». A aquellas horas, las fuerzas coloniales del Ejército de África se habían apoderado de Melilla, después de detener al general Romerales. Y en Gran Canaria, Bebb y su *Dragon Rapid* esperaban desde el día 15. La extraña muerte del general Balmes permitió a Franco trasladarse desde Tenerife a Las Palmas. Aquella mañana, el conspirador Maíz enviaría desde una oficina de Correos francesa (la de Bayona), las órdenes cifradas de sublevación, y en Pamplona, aquella noche, los hombres de Mola darían muerte al teniente coronel de la Guardia Civil Rodríguez-Medel, última garantía en aquella ciudad de la legalidad republicana.

En Madrid, los militantes de las organizaciones obreras y juveniles estaban movilizados día y noche en sus locales de barriada. En Carranza

20, Prieto, Zugazagoitia y otros están en perpetua guardia; José Díaz, en el local del PCE en la calle Piamonte (Mije en Carranza, haciendo de enlace de ambos partidos)...

Aquella mañana del 18 de julio, Casares Quiroga reunía por última vez a sus ministros. Un período de la historia de España había terminado.

NOTAS DEL CAPÍTULO IX

1. El gobierno estaba así compuesto:
Presidencia y Gobernación: Portela (centro); *Estado,* J. Martínez de Velasco (Agrario); *Hacienda,* J. Chapaprieta (indep. de derecha); *Guerra,* General N. Molero; *Marina,* vicealmirante Salas; *Justicia, Trabajo y Sanidad,* Alfredo Martínez (liberal-demócrata y médico de Melquíades Álvarez); *Obras Públicas,* C. del Río (progresista); *Agricultura, Industria y Comercio,* J. de Pablo Blanco (radical fuera de la disciplina de su partido); *Instrucción,* M. Becerra (rad. indep.); *Ministerio sin cartera,* P. Rahola (Lliga).

2. El gobierno estaba así compuesto:
Presidencia y Gobernación: M. Portela (centro); *Estado,* J. Urzáiz (progresista); *Hacienda,* M. Rico Avello (indep.); *Guerra,* general N. Molero; *Marina,* contraalmirante Azarola; *Trabajo, Sanidad y Justicia,* M. Becerra (rad. ind.); *Instrucción,* F. Villalobos (lib.-demócrata); *Obras Públicas y Comunicaciones,* C. del Río (progresista); *Agricultura, Industria y Comercio,* J. M. Álvarez Mendizábal (ind.).

• 3. Las fuentes sobre los intentos de golpe entre el 16 y el 19 de febrero son numerosas: Joaquín Arrarás: *Historia de la segunda república española;* Gil Robles: *No fue posible la paz;* R. de la Cierva, *Historia de la guerra civil;* tomo I; Alcalá Zamora, *Memorias;* J. S. Vidarte, *Todos fuimos culpables;* Azaña, Correspondencia con Rivas Cherif en segunda edición de *Retrato de un desconocido* de este autor.

4. El Gobierno estaba así formado:
Presidencia, M. Azaña (IR); *Estado,* A. Barcia (IR); *Gobernación,* Amós Salvador Carreras (IR); *Justicia,* Antonio Lara (UR); *Hacienda,* Gabriel Franco (IR); *Guerra,* general Masquelet; *Marina,* J. Giral (IR); *Obras Públicas,* S. Casares (IR); *Agricultura,* M. Ruiz Funes (IR); *Industria y Comercio,* P. Álvarez Buylla (UR); *Trabajo,* Enrique Ramos (IR); *Instrucción Pública,* M. Domingo (IR); *Comunicaciones,* M. Blasco Garzón (UR).

Gobierno de pequeña burguesía y burguesía media, con mayoría de abogados, y con dos catedráticos de Universidad.

5. La conocida obra de J. Tusell computa por el procedimiento de sumar los votos obtenidos en cada provincia por el cabeza de lista de candidatura (y no por el promedio aritmético de las mismas). Sin duda, podrán discutirse algunos de sus resultados por circunscripción, pero parece una querella vana discutir sobre las grandes magnitudes. Las comprobaciones que he podido hacer no se distancian en más de un 5 % de las de Tusell.

6. Conviene observar que la lista de grupos parlamentarios elaborada por la secretaría del Congreso difiere en algunos aspectos de la nomenclatura de candidaturas por las que fueron elegidos. Así, los de Unión Socialista, Rabassai-

res e incluso Acció Catalana están agrupados bajo la etiqueta de Esquerra. En la clasificación oficial no se puede saber que hay un diputado del POUM (Maurín) y otro del P. Sindicalista (Pestaña).

7. El Decreto de 20 de marzo declaraba expropiables con indemnización, basándose en el artículo 44 de la Constitución, las fincas que radicasen en términos municipales de gran concentración de la propiedad, censo elevado de mano de obra agraria, predominio de cultivos extensivos, etc., y disponía, por el momento, su ocupación temporal, conservando mientras tanto sus propietarios el dominio de la tierra.

8. En julio, la organización que ya se llamaba Juventudes Socialistas Unificadas (pero cuyos Congresos provinciales de unificación se estaban celebrando sobre la base orgánica de la antigua Federación de Juventudes Socialistas y con nuevos dirigentes procedentes de ambas organizaciones) contaba 140 000 afiliados y un nuevo órgano de prensa, *Juventud*, con 150 000 ejemplares de tirada. En muchos lugares, como Madrid, ingresaban numerosísimos jóvenes que antes no habían militado en ninguna de las dos organizaciones que se fusionaban. Sin embargo, siguieron existiendo las dos direcciones nacionales (había, además, una Comisión Nacional de Unificación, que integraban Carrillo, Melchor y Hernández Zancajo por la FJS, y Medrano, Vidal y Arconada por la UJC) y no pocas reticencias recíprocas, como lo prueba el que las milicias de las Juventudes Socialistas continuaron sin ninguna unificación —v. importante testimonio de Tagüeña en sus Memorias—, y los comunistas siguieron en las MAOC (que eran milicias del PCE, ya que su Juventud no disponía de ellas).

9. El gobierno estaba así formado:

Presidencia y Guerra, S. Casares Quiroga (IR); *Estado*, A. Barcia (IR); *Gobernación*, Juan Moles (republicano independiente); *Justicia*, M. Blasco Garzón (UR); *Hacienda*, Enrique Ramos (IR); *Marina*, José Giral (IR); *Obras Públicas*, Antonio Velao (IR); *Industria y Comercio*, P. Álvarez Buylla (UR); *Agricultura*, M. Ruiz Funes (IR); *Trabajo*, J. Lluhí i Vallescá (Esquerra); *I. Pública*, Francisco Barnés (IR); *Comunicaciones*, B. Giner de los Ríos (UR).

10. El Juzgado de Instrucción había declarado la ilegalidad de Falange Española, pero José A. Primo de Rivera había sido condenado a cinco meses de prisión por tenencia ilícita de armas, y trasladado a la cárcel de Alicante.

11. Sobre Condés, Prieto ha escrito: «Fernando Condés, lo digo en honor suyo, pretendió efectuar una detención, desde luego arbitraria, porque a Calvo Sotelo le amparaba su inmunidad de diputado, pero nunca pensó que el detenido iba a ser asesinado. Se lo oí de sus propios labios, mostrándome propósitos de suicidarse como castigo al deshonor en que había caído, y fui yo quien le disuadió de ese propósito, diciéndole que la sublevación era inminentísima y que en vez de quitarse la vida, debía jugársela en el campo de batalla» [179, 40]. Vidarte ha contado también su entrevista y de Lamoneda con Condés en la mañana del 13 de julio [248, 213 ss.].

En efecto, Condés moriría a los pocos días en los primeros encuentros habidos en Somosierra, y también Cuenca encontraría la muerte en los primeros combates.

12. El texto del telegrama de Casares decía así: «Desconfíe V.E. de oficialidad de Asalto que puede hacer causa común con compañeros suyos cuya busca y captura se ordena».

Los oficiales en cuestión eran aquellos de los que se sospechaba iban en la camioneta n.° 17 de las fuerzas de Asalto donde fue asesinado Calvo Sotelo, así como el capitán Condés, este de la Guardia Civil.

FUENTES Y BIBLIOGRAFÍA PRIMARIA

1. *ABC,* Madrid, 1931 y 1934.
2. AGUADO SÁNCHEZ, FRANCISCO, *La revolución de octubre de 1934,* Madrid, 1973.
3. AGUILÓ LÚCIA, LUIS, *Las elecciones en Valencia durante la segunda república,* Valencia, 1974.
4. AGUIRRE, JOSÉ ANTONIO, *Entre la libertad y la revolución, 1930-1935,* Bilbao, 1935.
5. *Ahora,* Madrid, 1931, 1933, 1936.
6. ALCALÁ ZAMORA, NICETO, *Memorias,* Barcelona, 1977.
7. ÁLVAREZ DEL VAYO, JULIO, *Les batailles de la liberté,* París, 1963.
8. ANSALDO, JUAN ANTONIO, *¿Para qué? Memorias,* Buenos Aires, 1951.
9. ANSÓ, MARIANO, *Yo fui ministro de Negrín,* (primera parte), Barcelona, 1976.
10. *Anuario financiero y de sociedades anónimas,* Madrid, 1935.
11. ARAGÓN, MANUEL, *Posibles bases para la comprensión de la obra política de Azaña* (IV Coloquio de la Universidad de Pau), Madrid, 1934.
12. ARAGÓN, MANUEL, *Estudio preliminar* a la «Vela de Benicarló» de M. Azaña, Madrid, 1974.
13. ARBELOA, VÍCTOR MANUEL, *Aquella España católica,* Salamanca, 1975.
14. ARBELOA, VÍCTOR MANUEL, *La semana trágica de la Iglesia en España (1931),* Barcelona, 1976.
15. Archivo Histórico Nacional (AHN): Gobernación, 7-A y 50-A.
16. Archivo Vidal y Barraquer, *Església i Estat durant la segona república espanyola,* edición presentada y comentada por M. Batollori y V. M. Arbeloa, 5 vols. publicados, Monasterio de Montserrat, 1971-1977.
17. ARNAU, ROGER, *Marxisme català, 1930-1936,* 2 vols., París, 1974.
18. ARRARÁS, JOAQUÍN, *Historia de la segunda república española,* 4 vols., Madrid, 1963-1968.
19. ARRÚE, VINCENT, «L'ambient electoral durant les eleccions de febrer de 1936» en *El pais valencià, 1931-1936, Arguments,* Valencia, 1974.
20. AZAÑA, MANUEL, *Obras completas* (presentadas por Juan Marichal), 4 vols., México, 1966-1968.
21. BALCELLS, ALBERT, *El problema agrari a Catalunya, 1890-1936,* Barcelona, 1968.
22. BALCELLS, ALBERT, *Crisis económica y agitación social en Cataluña, 1930-1931,* Barcelona, 1971.
23. BALCELLS, ALBERT, *El socialismo en Barcelona durante la II República* (III Coloquio de Pau), Madrid, 1973.

24. BALCELLS, ALBERT, *Trabajo industrial y organización obrera en la Catalunya contemporánea, 1900-1936.* Barcelona, 1974.

25. BALCELLS, ALBERT, «El seis de octubre en Cataluña», en *Historia-16,* núm. 18, Madrid, octubre 1977.

26. BALCELLS, ALBERT, *Marxismo y catalanismo: 1930-1936,* Barcelona, 1977.

27. Banco de España (Servicio de Estudios), *Ritmo de la crisis económica española en relación con la mundial.* Dos informes. Madrid, 1933 y 1934.

28. BÉCARUD, JEAN, *La segunda república española,* Madrid, 1967.

29. BÉCARUD, JEAN, y Evelyne López Campillo, *Los intelectuales españoles durante la segunda república.* Madrid, 1978.

30. BENAVIDES, LEANDRO, *La política económica en la segunda república.* Madrid, 1972.

31. BENAVIDES, MANUEL, *La revolución fue así,* Barcelona, 1935.

32. BERENGUER, DÁMASO, *De la dictadura a la república,* 2.ª ed., Madrid, 1975.

32 bis. BERNAL, A. MIGUEL; «La cuestión agraria» en *HISTORIA-16,* n.º 50, aniversario de la República, Madrid, abril, 1981.

33. BIZCARRONDO, MARTA, «Araquistáin y la crisis socialista de la II República», *Leviatan, 1934-1936,* Madrid, 1975.

34. BIZCARRONDO, MARTA, Introducción y notas documentales al libro de G. Mario de Coca, *Anti-Caballero,* Madrid, 1975.

35. BIZCARRONDO, MARTA, *Octubre del 34: reflexiones sobre una revolución* (con una segunda parte documental), Madrid, 1977.

36. BIZCARRONDO, MARTA, *De las alianzas obreras al Frente Popular* (Comunicación al symposium de la FIM sobre el PCE y el Frente Popular), Madrid, 1980.

37. BLAS GUERRERO, ANDRÉS DE, *El socialismo radical en la II República,* Madrid, 1978.

38. *Boletín del Ministerio de Trabajo y Previsión,* 1931-1936.

39. *Boletín Provincial* de Álava, Guipúzcoa, Vizcaya, Navarra, Oviedo, Sevilla..., 1933-1936.

40. *Boletín de la UGT,* 1934.

41. BOLLOTEN, BURNETT, *La revolución española,* México, 1962 (hay 2.ª edición en castellano, Barcelona, 1980).

42. BONAMUSA, FRANCESC, *El Bloc Obrer i Camperol, 1930-1932,* Barcelona, 1974.

43. BOWERS, CLAUDE G., *Misión en España,* México, 1955 (la primera parte).

44. BRADEMAS, JOHN, *Anarcosindicalismo y revolución en España, 1930-37,* Barcelona, 1974.

45. BRAVO, FRANCISCO, *Historia de Falange Española y de las JONS,* Madrid, 1940.

46. BREY, GERARD, *Socialistas, anarcosindicalistas y anarquistas en la provincia de Cádiz, 1932-1933* (III Coloquio de la Universidad de Pau), Madrid, 1973.

47. BREY, GERARD y JACQUES MAURICE, *Historia y leyenda de Casas Viejas,* Madrid, 1976.

48. BULLEJOS, JOSÉ, *España en la segunda república,* México, 1967.

49. BULLEJOS, JOSÉ, *La Comintern en España. Recuerdos de mi vida,* México, 1972.

50. CABANELLAS, GUILLERMO, *La guerra de los mil días*, t. I, Buenos Aires, 1973.

51. CABRERA, MERCEDES, *Organizaciones patronales y cuestión agraria, 1931-1936.* (VI Coloquio de la Universidad de Pau), Madrid, 1976.

52. CABRERA, MERCEDES, «La estrategia patronal en la segunda república», en *Estudios de Historia Social*, núm. 7, Madrid, octubre-diciembre 1978, pp. 7-161.

53. CALERO, ANTONIO M., *Movimientos sociales en Andalucía*, Madrid, 1976.

54. CAMÍN, XAVIER, *Movimientos sociales en el País Vasco, 1934-1936*, Memoria de Investigación y Estudios presentada en la Universidad de Pau, 1974.

55. CARR, RAYMOND y otros, *Estudios sobre la república y la guerra civil*, Barcelona, 1973.

56. CARRIÓN, PASCUAL, *Los latifundios en España*, Madrid, 1932.

57. CARRIÓN, PASCUAL, *La reforma agraria de la segunda república y la situación actual de la agricultura*, Barcelona, 1973.

58. CARRIÓN, PASCUAL, *Estudios sobre la agricultura española* (Introducción de José Luis García Delgado).

59. CASTERÀS, RAMÓN, *Diccionario de organizaciones políticas juveniles durante la segunda república*, La Laguna, 1974.

60. CASTERÀS, RAMÓN, *Las JSUC ante la guerra y la revolución* (primera parte), Barcelona, 1977.

61. CASTILLO, JUAN JOSÉ, *Propietarios muy pobres. Sobre la subordinación política del pequeño campesino*, Madrid, 1979.

62. *Censo de población*, 1930.

63. *Censo social de Jurados Mixtos*, 1933.

64. CIERVA, RICARDO DE LA, *Historia de la guerra civil*, I, Madrid, 1969.

65. COMÍN COLOMER, EDUARDO, *Historia del Partido Comunista de España*, 3 vols., Madrid, 1965-1967.

66. *Congreso confederal de Zaragoza de mayo de 1936* (extractos de las actas) s.l. (Francia), 1935.

67. Congreso de los Diputados, *Diario de sesiones*, 1931-1936.

68. *IV Congreso del Partido Republicano Radical-Socialista de España* (actas taquigráficas), Madrid, 1933.

69. *XIII Congreso del Partido Socialista Obrero Español* (6-13 de octubre de 1932), Madrid, 1934.

70. CONTRERAS CASADO, MANUEL, *El Partido Socialista Obrero Español: estructura organizativa y conflictos ideológicos, 1931-1936*, tesis doctoral, Universidad de Zaragoza, Madrid, 1981.

71. CORDÓN, ANTONIO, *Trayectoria. Recuerdos de un artillero*, París, 1971.

72. *Correspondance Internationale, La*, París, 1930, 1931, 1932, 1933, 1934, 1935.

73. *Crisol*, Madrid, 1931.

74. CULLÀ I CLARÀ, JOAN B., *El catalanisme d'Esquerra*, Barcelona, 1977.

75. CHAPAPRIETA, JOAQUÍN, *La paz fue posible* (Memorias), Barcelona, 1971.

76. DESVOIS, JEAN-MICHEL, «La presse pre-fasciste et fasciste en Espagne», en *Presse et société*, Universidad de Rennes, 1979.

77. DÍAZ NOSTY, BERNARDO, *La Comuna asturiana*, Madrid, 1974.

78. Díaz Nosty, Bernardo, *La irresistible ascensión de Juan March*, Barcelona, 1977.

79. Díaz Plaja, Fernando, *La España política del siglo XX*, II, Barcelona, 1975.

80. Dirección General de Seguridad (Sección de Estadística, Información y Enlace), *Estadística del movimiento revolucionario de octubre*, enero, 1935.

81. Elorza, Antonio, *La utopía anarquista bajo la segunda república española* (incluye trabajos sobre sindicalismo católico), Madrid, 1973.

82. Escofet, Frederic, *Al servei de Catalunya i de la República*, 2 vols., París, 1973.

83. *España Económica*, Madrid, 1933-1935.

83 bis. Espín, Eduardo, *Àzaña en el poder: el partido de Acción Republicana*, Madrid, 1980.

84. *Estadísticas básicas de España, 1900-1970* (publicadas por la Confederación de Cajas de Ahorro), Madrid, 1975.

85. Esteban Infantes, Emilio, *La sublevación del general Sanjurjo. Relato de su ayudante*, Madrid, 1933.

86. *Euzkadi* (Bilbao), 1931-1936.

87. Fernández Clemente, Eloy, *Aragón contemporáneo*, Madrid, 1975.

88. *Frente Rojo* (Madrid), 1932.

89. Fundación de Investigaciones Marxistas (FIM). Archivo y fondo de microfilmes.

90. Fusi, Juan Pablo, *El problema vasco en la II República*, Madrid, 1979.

91. Gabriel, Pere, *El moviment obrer a Mallorca*, Barcelona, 1973.

92. Galindo Herrero, Santiago, *Los partidos monárquicos bajo la segunda república*, Madrid, 1956.

93. García-Nieto, María Carmen y J. M. Donézar, *Bases documentales de la España contemporánea*, tomos VIII y IX, Madrid, 1974.

• 94. García-Venero, Maximiano, *Santiago Alba, monárquico de razón*, Madrid, 1963.

95. García-Venero, Maximiano, *Falange-Hedilla*, París, 1967.

96. Garrido González, Luis, *Colectividades agrarias en Andalucía: Jaén 1931-1939*, Madrid, 1979.

97. Garriga, Ramón, *El cardenal Segura y el nacional-catolicismo*, Barcelona, 1977.

98. Germán, Luis G., *El socialismo en Aragón* (última parte, 1923-1936), Zaragoza, 1979.

98 bis. Germán, Luis G., Jesús Bueno y Concepción Gaudó, *Elecciones en Zaragoza durante la II República*, Zaragoza, 1980.

99. Gil Robles, José María, *No fue posible la paz* (Memorias), Barcelona, 1968.

100. Girón, José P., *Las elecciones generales de 1933 en Asturias*, tesis de licenciatura, Universidad de Oviedo, 1970.

101. Girón, José P., *La ciudad de Oviedo en las elecciones generales de 1933* (III Coloquio de Pau), Madrid, 1974.

102. González Casanova, José Antonio, *Federalismo y autonomía. Cataluña y el Estado español, 1868-1938*, Barcelona, 1979 (edición original en catalán, 1974).

103. González Muñiz, Miguel Ángel, *Problemas de la segunda república*, Madrid, 1974.

104. GONZÁLEZ ROTHVOS, *Anuario de política social, 1934-1935,* Madrid, 1935.

105. GROSSI, MANUEL, *L'insurrection des Asturies,* París, 1972.

106. *Guía oficial de la República,* Madrid, 1935.

107. GUZMÁN, EDUARDO DE, *1930,* Madrid, 1974.

108. *Heraldo de Aragón,* Zaragoza, 1936.

108 bis. HERNÁNDEZ LAFUENTE, ADOLFO, *Autonomía e integración en la II República,* Madrid, 1980.

109. HEUGAS DE VALDÉS, SIMÓN, *Asturias: economía, sociedad, política, 1930-1933,* Memoria de Investigación y Estudios, Universidad de Pau, 1977.

110. HIDALGO, DIEGO, *¿Por qué fui lanzado del Ministerio de la Guerra?,* Madrid, 1934.

111. HIDALGO DE CISNEROS, IGNACIO, *Memorias, t. II, Cambio de rumbo,* París, 1964 (hay edición en España, de 1977).

112. HOYOS, MARQUÉS DE, *Mi testimonio,* Madrid, 1962.

113. HURTADO, AMADEO, *Quaranta anys d'advocat. Historia del meu temps,* tomo II, Barcelona, 1967.

114. IBÁRRURI, DOLORES, *El único camino* (Memorias), París, 1962.

115. Instituto Nacional de Estadística, *Anuario Estadístico de España,* 1931, 1932-33, 1934.

116. Instituto Nacional de Estadística, *Principales actividades de la vida española en la primera mitad del siglo XX,* Madrid, 1951.

117. Instituto de Reforma Agraria, *La reforma agraria,* Valencia, 1937.

118. ITURRALDE, J, *El catolicismo y la cruzada de Franco, I.* Aubin (Francia), 1955.

119. JACKSON, GABRIEL, *The Spanish Republic and the Civil War,* Princeton, 1965.

120. JIMÉNEZ ARAYA, TOMÁS, «Formación de capital y fluctuaciones económicas, 1886-1970», en *Hacienda Pública Española,* núm. 27, 1974.

121. JIMÉNEZ DE ASÚA, LUIS, *La Constitución de la república española y el problema regional,* Buenos Aires, 1946.

122. JULIÁ, SANTOS, *La izquierda del PSOE (1935-1936),* Madrid, 1977.

123. JULIÁ, SANTOS, *Orígenes del Frente Popular en España (1934-1936),* Madrid, 1979.

123 bis. KRAMER, ANDRÉS M., *La mecánica de guerra civil. España, 1936,* Barcelona, 1981.

124. LACOMBA, JUAN ANTONIO, *Introducción a la historia económica de la España contemporánea* (epílogo 2.ª edición), Madrid, 1972.

125. LAMO DE ESPINOSA, EMILIO, *Filosofía y Política en Julián Besteiro,* Madrid, 1973.

126. LANZAS, ROBERTO (seudónimo de Ramiro Ledesma Ramos), *¿Fascismo en España?,* Madrid, 1935.

127. LARGO CABALLERO, FRANCISCO, *Mis recuerdos* (edición de E. de Francisco), México, 1954.

128. LASAGABASTER, EDURNE, y CHRISTIANE LESCHER, *Sociedad y partidos políticos en el País Vasco,* Memoria de Investigación y Estudios, Universidad de Pau, 1976.

129. LAVAL, MONIQUE, *Condición de vida y actividades sindicales del trabajador de la tierra, 1931-1936,* Memoria de Investigación y Estudios, Universidad de Pau, 1972.

130. LERROUX, ALEJANDRO, *La pequeña historia,* Buenos Aires, 1945.

131. *Leviatán* (Director, L. Araquistáin), Madrid, 1934-1936.
132. *Liberal, El,* de Madrid, 1931 y 1934; de Sevilla, 1930-1934; de Bilbao, 1933-1936.
133. *Libertad, La,* Madrid, 1931, 1933, 1935.
134. LIZARZA IRIBARREN, *Memorias de la conspiración,* 3.ª edic., Pamplona, 1954.
134 bis. LOZANO, CLAUDIO, *La educación republicana,* Universidad de Barcelona, 1980.
135. LLANO ROZA DE AMPUDIA, AURELIO DE, *Pequeños anales de quince días.* La revolución en Asturias, Oviedo, 1935.
136. MADARIAGA, SALVADOR DE, *España. Ensayo de historia contemporánea,* Buenos Aires, 1972.
137. MALEFAKIS, EDWARD, *Reforma agraria y revolución campesina en la España del siglo XX,* Barcelona, 1971.
138. MARCO-CEREZAL, CECILIA, *El movimiento obrero en Sevilla 1930-1934,* Memoria Universidad de Pau, 1971.
139. MARQUÉS, JOSÉ-VINCENT, «Derecha regional valenciana» en el núm. de *Arguments* sobre el Pais Valencià, Valencia, 1974.
140. MARTÍ, CASIMIRO, J. VICENS VIVES y JORDI NADAL, «Les mouvements ouvriers en temps de depression économique (1929-1939)», en *Résumes de certains rapports preparés pour les colloques internationaux de Strassbourg et Stokholm,* París, 1960.
141. MARTÍN I RAMOS, JOSEP LLUIS, *Els origens del Partit Socialista Unificat de Catalunya, 1930-1936,* Barcelona, 1977.
142. MATEOS RODRÍGUEZ, MIGUEL-ÁNGEL, y JOSÉ SÁNCHEZ SÁNCHEZ, *Elecciones y partidos en Albacete durante la II República, 1931-1936,* Albacete, 1977.
143. MAURA Y GAMAZO, GABRIEL, *Recuerdos de mi vida,* Madrid, 1934.
144. MAURA Y GAMAZO, MIGUEL, *Así cayó Alfonso XIII,* México, 1962.
145. MAURICE, JACQUES, *L'anarchisme espagnol,* París, 1973.
146. MAURICE, JACQUES, *Problemas de la reforma agraria de la II república* III y IV Coloquios de la Universidad de Pau, Madrid, 1973 y 1974.
147. MAURICE, JACQUES, *La reforma agraria en España en el siglo XX,* Madrid, 1975.
148. MAURICE, JACQUES, *Togliatti y España,* en VIII Coloquio de la Universidad de Pau («La crisis del Estado español»), Madrid, 1978.
149. MAURÍN, JOAQUÍN, *Revolución y contrarrevolución en España,* París, 1966.
150. Ministerio de Trabajo y Previsión, *Estadística de huelgas. Memoria de los años 1930 y 1931,* Madrid, 1932.
151. Ministerio de Trabajo y Previsión, (B. de Quirós), *Memoria sobre el paro de los jornaleros en el campo andaluz. 1930.*
152. MIRALLES, R., «La construcción de Euzkadi», en *Historia de la guerra civil en Euzkadi,* t. I, San Sebastián, 1979.
153. MOLA, EMILIO, *Obras completas,* Valladolid, 1940.
154. MOLAS, ISIDRE, *El sistema de partits polítics a Catalunya (1931-1936),* Barcelona, 1972.
155. MONTERO, JOSÉ R., *La CEDA: catolicismo social y político en la II República,* 2 vols., Madrid, 1977.
156. MORODO, RAÚL, *Acción Española. Orígenes ideológicos del franquismo,* Madrid, 1950.

157. *Mundo Obrero*, 1931, 1932, 1933, 1934, 1936.

158. *Nueva España* (semanario), Madrid, 1930.

159. *Obrero de la Tierra, El* (órgano de la FNTT), 1933, 1934, 1936.

160. *Octubre, segunda etapa* (Folleto de la Federación de Juventudes Socialistas), 1935.

161. OSSORIO Y GALLARDO, ÁNGEL, *Mis memorias*, Buenos Aires, 1946.

162. PABÓN, JESÚS, *Cambó*, vol. III, Barcelona, 1960.

163. *Palabra, La* (bisemanario que sustituye a *Mundo Obrero*), Madrid, 1932.

164. PARIS EGUILAZ, HIGINIO, *El movimiento de precios en España*, Madrid, 1943.

165. PASTOR, JEANNE, *Estructura social y movimiento obrero de Zaragoza y su provincia (1916-1936)*, Memoria del «Centre de Recherches» de la Universidad de Pau, 1972.

166. PAYNE, STANLEY J., *Phalange: histoire du fascisme espagnol*, París, 1965.

167. PAYNE, STANLEY G., *The Spanish Revolution*, Londres, 1970.

168. PEIRATS, JOSÉ, *La CNT en la revolución española*, 3 vols., Toulouse, 1951-1952.

169. PÉREZ CASADO, RICARD, *La crisis dels anys trenta al Pais Valencià* en *El Pais Valencià*, Valencia, 1974.

170. PÉREZ GALÁN, MARIANO, *La enseñanza en la segunda república española*, Madrid, 1975.

171. PÉREZ YRUELA, MANUEL, *La conflictividad campesina en la provincia de Córdoba (1931-1936)*, Madrid, 1979.

172. PESTAÑA, ÁNGEL, *Trayectoria sindicalista* (antología con introducción de Antonio Elorza), Madrid, 1974.

173. PICARD-MOCH, JULIETTE ET JULES, *L'Espagne républicaine*, París, 1933.

174. PITARCH, ISMAEL E., *Sociología dels polítics de la Generalitat, 1931-1939*, Barcelona, 1977.

175. PLA, JOSEP, *Historia de la segunda república española*, 4 vols., Madrid, 1940-1942.

176. PRESTON, PAUL, «Spain's October Revolution... Grasp for Power», en *Journal of Contemporany History*, vol. 10, núm. 4, 1975.

177. PRESTON, PAUL, *La destrucción de la democracia en España*, Madrid, 1978.

178. PRIETO, INDALECIO, *Posiciones socialistas del momento*, Madrid, 1935.

179. PRIETO, INDALECIO, *Cartas a un escultor*, Buenos Aires, 1961.

180. PRIETO, INDALECIO, *Convulsiones de España*, 2 vols., México, 1967.

181. PRIETO, INDALECIO, *De mi vida. Recuerdos, siluetas, estampas, sombras*, 2 vols., México, 1968.

182. PRIETO, INDALECIO, *Discursos fundamentales* (selección e introducción de E. Malefakis), Madrid, 1976.

183. *PSOE y las Cortes Constituyentes, El* (presentado y anotado por Enrique López Sevilla), México, 1969.

184. RAGUER I SUÑER, HILARI, *La Unió Democràtica de Catalunya i el seu temps*, Monasterio de Montserrat, 1976.

185. RAMA, CARLOS M., *Ideología, regiones y clases sociales en la España contemporánea*, Montevideo, 1958.

186. RAMA, CARLOS M., *Fascismo y anarquismo en la España contemporánea*, Barcelona, 1979.

187. RAMÍREZ JIMÉNEZ, MANUEL, *Los grupos de presión en la II República*, Madrid, 1969.

188. RAMÍREZ JIMÉNEZ, MANUEL, *Estudios sobre la II República española* (en colaboración con C. Alba, A. Bar Cendon, M. Beiras, M. Contreras, R. de la Cierva, J. L. G. de la Serrana, Juan Marichal, José R. Montero, F. Murillo y J. Vilas), Madrid, 1975.

189. RAMÍREZ JIMÉNEZ, MANUEL, *Las reformas de la II República*, Madrid, 1977.

190. RAMÍREZ JIMÉNEZ, MANUEL, *Los partidos políticos durante la II República*, en VIII Coloquio de la Universidad de Pau («La crisis del Estado español»), Madrid, 1978.

191. RAMOS OLIVEIRA, ANTONIO, *El capitalismo español al desnudo*, Madrid, 1935.

192. RAMOS OLIVEIRA, ANTONIO, *Historia de España*, III, México, 1954.

193. REDONDO, GONZALO, *Las empresas políticas de José Ortega y Gasset*, tomo II, Madrid, 1970.

194. RIDRUEJO, DIONISIO, *Casi unas memorias*, Barcelona, 1976.

195. RIVAS CHERIF, CIPRIANO, *Retrato de un desconocido (vida de Manuel Azaña)*, 2.ª edición, única con texto íntegro y 181 páginas de correspondencia entre Azaña y Rivas Cherif), Barcelona, 1980.

196. ROBINSON, RICHARD, *Los orígenes de la España de Franco*, Barcelona, 1974.

197. ROMANONES, CONDE DE, *Las últimas horas de una monarquía*, Madrid, 1931.

198. ROMERO SOLANO, L, *Vísperas de guerra en España*, México, 1947.

199. ROSADO, ANTONIO, *Tierra y libertad. Memorias de un campesino anarcosindicalista andaluz*, Barcelona, 1979.

200. ROSAL, AMARO DEL, *Historia de la UGT*, tomo I, Barcelona, 1977.

201. RUIPÉREZ, MARÍA, «Azaña, memoria viva de España», en *Tiempo de Historia*, núm. 65, Madrid, abril, 1980.

202. RUIZ, DAVID, *Aproximación a octubre de 1934*, (III Coloquio de la Universidad de Pau), Madrid, 1973.

203. RUIZ, DAVID, «La revolución de Asturias», en *Tiempo de Historia*, núm. 1, Madrid, diciembre, 1974.

204. RUIZ, DAVID, *Asturias contemporánea*, Madrid, 1975.

205. RUIZ SALVADOR, ANTONIO, *Ateneo, Dictadura y República*, Valencia, 1976.

206. SABORIT, ANDRÉS, *Julián Besteiro*, México, 1961.

207. SABORIT, ANDRÉS, *Asturias y sus hombres*, Toulouse, 1964.

208. SAINZ, JOSÉ, *Los salarios en Madrid en el año 1932*, Madrid, 1932.

209. SAINZ RODRÍGUEZ, PEDRO, *Testimonio y recuerdos*, Barcelona, 1978.

210. SAINZ DE VARANDA, RAMÓN, *La autonomía de Aragón en el período del Frente Popular*, en VIII Coloquio de la Universidad de Pau «La crisis del Estado español», Madrid, 1978.

211. SALAS LARRAZÁBAL, RAMÓN, *Historia del ejército popular de la República*, (los dos primeros capítulos), Madrid, 1973.

212. SANFELICIANO, MARÍA LUZ, «El sindicato obrero metalúrgico de Vizcaya durante la II República», en *«Estudios de Historia social»*, Madrid, núm. 4, 1978.

213. SANTULLANO, GABRIEL, *Las organizaciones obreras asturianas en los comienzos de la II República* (III Coloquio de la Universidad de Pau), Madrid, 1973.

214. SARDÁ, JUAN, «El Banco de España, 1931-1962», en *El Banco de España, una historia económica*, Madrid, 1970.

215. SCHAPIRO, ALEXANDER, «Informe sobre actividad de la CNT, 1933», en *Estudios de historia social*, núm. 5-6, Madrid, 1978.

216. SCHWEITZER, MARCEL N., *Notes sur la vie économique de l'Espagne en 1931-1932*, Argel, 1932.

217. SECO SERRANO, CARLOS, *Historia de España. Época contemporánea*, Barcelona, 1966. '

218. SECO SERRANO, CARLOS, Prólogo a los *Discursos parlamentarios* de Gil Robles, Madrid, 1971.

219. SECO SERRANO, CARLOS, «Chapaprieta, un técnico anterior a la tecnocracia», introducción a las memorias de Chapaprieta, *La paz fue posible*, Barcelona, 1974.

220. SERRANO, CARLOS, «Togliatti, l'IC, et l'Espagne (1927-1934)», en *Cahiers d'histoire de l'Institut Maurice Thorez*, núm. 22, París, 1977.

221. SERRANO SÚÑER, RAMÓN, *Memorias*, Barcelona, 1977.

221 bis. SERRANO, V. ALBERTO y J. M.ª SAN LUCIANO, *Azuña* (libro colectivo con Bergamín, Ayala, Marichal, Aragón, S. Julià, Tuñón de Lara y otros), Madrid, 1981.

222. SEVILLA-GUZMÁN, EDUARDO, *La evolución del campesinado en España*, Barcelona, 1979.

223. *Socialista, El*, Madrid, 1931-1934.

224. *Sol, El*, Madrid, 1931, 1933, 1936.

225. *Solidaridad Obrera*, Barcelona, 1931 y 1935 (números sueltos).

226. SORIANO FLORES DE LEMUS, JULIÁN, *Calvo Sotelo ante la II República*, Madrid, 1975.

227. TAGÜEÑA, MANUEL, *Testimonio de dos guerras* (las 73 primeras páginas), Barcelona, 1978.

228. TAIBO, FRANCISCO I, «Terror blanco en Asturias», en *Historia-16*, núm. 18, Madrid, octubre 1977.

229. TAMAMES, RAMÓN, *La República. La era de Franco*, Madrid, 1973.

230. *Temps, Le*, París, 1931 y 1934.

231. *Tierra, La*, Madrid, 1931 y 1934.

232. TOGLIATTI, PALMIRO, («Ercoli»); Textos sobre España 1927-1936, presentados por J. Maurice, C. Serrano y J. L. Guereña, bajo el título genérico: *Dossier: l'IC et l'Espagne. Autour des textes de P. Togliatti*, en *«Cahiers d'histoire»* de l'Institut M. Thorez, núm. 22, París, 1977.

233. TOGLIATTI, PALMIRO, *Escritos sobre España* (la primera parte), Barcelona, 1980.

234. TORRES, MANUEL DE, *Juicio de la actual política económica española*, Madrid, 1956.

235. TUÑÓN DE LARA, MANUEL, *La segunda república*, 2 vols., Madrid, 1976.

236. TUÑÓN DE LARA, MANUEL, «Octubre de 1934: el alzamiento revolucionario» en *Historia-16*, núm. 18, Madrid, octubre 1977.

237. TUÑÓN DE LARA, MANUEL, «Objetivo: acabar con la República (1931-1936)», en *«Historia-16»*, núm. extra III, Madrid, junio 1977.

238. TUÑÓN DE LARA, MANUEL, (y A. Balcells, J. Solé-Tura, Aguiló Lúcia,

M. Ramírez, P. Aubert, J. M. Desvois, Antonio R. Las Heras y otros), *La crisis del Estado español* (VIII Coloquio de la Universidad de Pau), Madrid, 1978.

239. TUÑÓN DE LARA, MANUEL, *Luchas obreras y campesinas en la Andalucía del siglo XX*, Madrid, 1978.

240. TUÑÓN DE LARA, MANUEL, *Estudios de Historia contemporánea*, Barcelona, 1978.

241. TUÑÓN DE LARA, MANUEL, «Un paralelo de dos conflictos sociopolíticos; 1917 y 1934», en *Arbor*, núm. 399, Madrid, marzo 1979.

242. TUÑÓN DE LARA, MANUEL, «Iglesia y Estado durante la segunda república», en *Estudios sobre la Iglesia española contemporánea*, El Escorial, 1979.

243. TUSELL, JAVIER, *La segunda república en Madrid; elecciones y partidos políticos*, Madrid, 1970.

244. TUSELL, JAVIER, *Las elecciones del Frente Popular*, 2 vols., Madrid, 1971.

245. TUSELL, JAVIER, *Historia de la democracia cristiana*, 2 vols., Madrid, 1974.

246. VARELA RENDUELES, JOSÉ MARÍA, (gobernador civil de la República en Sevilla), *Memorias; rebelión en Sevilla* (inédito; texto mecanografiado, tomo I).

246 bis. VARELA, SANTIAGO, *Partidos y Parlamento en la segunda república*, Madrid, 1978.

246 bis bis. Varios (D. Ibárruri, M. Azcárate, L. Balaguer, A. Cordón, I. Falcón, A. González, E. Rapp y J. Sandoval), *Guerra y revolución en España. 1936-1939*. Moscú, 1966-1971, 3 vols. Un IV volumen de 1977, redactado por Dolores Ibárruri, Irene Falcón, Alberto González y Eloina Rapp).

247. VENEGAS, JOSÉ, *Las elecciones del Frente Popular*, Buenos Aires, 1942.

248. VIDARTE, JUAN-SIMEÓN, *Todos fuimos culpables —Memorias—*, México, 1973.

249. VIDARTE, JUAN-SIMEÓN, *Las Cortes constituyentes de 1931-1933 (Testimonio)*, Barcelona, 1976.

250. VIDARTE, JUAN-SIMEÓN, *El bienio negro y la insurrección de Asturias. Testimonio*, Barcelona, 1978.

251. VILAR, PIERRE, *La guerra de 1936 en la historia contemporánea de España* (en puridad, un planteamiento metodológico del siglo XX y de la República en España). Coloquio de Moscú sobre historia contemporánea de España, 1967. Traducción al castellano en *Realidad*, núm. 16, febrero-marzo, 1968.

252. VILAR, PIERRE, «Le socialisme en Espagne, 1918-1939», en *Histoire Générale du Socialisme*, t. III, París, 1977.

253. VILAR, PIERRE, Historia de España (ed. renovada), Barcelona, 1978.

254. VIÑAS ÁNGEL, «Informe de J.A. Primo de Rivera a la Embajada italiana en París», en *Actualidad Económica*, Madrid-Barcelona, núm. 371, 23 noviembre 1974, pp. 70-75.

255. VIÑAS, ÁNGEL, *La Alemania nazi y el 18 de julio* (segunda edición revisada), Madrid, 1977.

256. VIÑAS, ÁNGEL, *Política comercial exterior en España (1931-1975)*, cap. 1.° del tomo I (pp. 1-39) (en colaboración con S. Florensa), Madrid, 1979. (Agradecemos aquí a nuestro amigo y colega el catedrático Ángel Viñas su preciosa ayuda a nuestras fuentes al facilitarnos fotocopias de legajos de los Archivos de Asuntos Extranjeros de Alemania y de los Archivos Nacionales Norteamericanos de Washington).

257. *Voz de Guipúzcoa, La,* 1930, 1931, 1932, 1933, 1936.

258. ZAPATERO, VIRGILIO, *Fernando de los Ríos; los problemas del socialismo democrático,* Madrid, 1974.

259. ZUGAZAGOITIA, JULIÁN, *Guerra y vicisitudes de los españoles,* I (primer capítulo), París, 1968.

TERCERA PARTE

LA GUERRA CIVIL

por
Manuel Tuñón de Lara
y
M.ª Carmen García-Nieto

CAPÍTULO PRIMERO

Estalla la guerra

1. LA REBELIÓN. 18 A 21 DE JULIO

Melilla. En la tarde del 17 de julio. Los conspiradores, dirigidos por el coronel Solans, y los tenientes coroneles Seguí, Gazapo y Bertomeu están reunidos en el edificio de la Comisión Geográfica de Límites. El general Romerales, comandante general de la zona no cree en el peligro de rebelión. Todavía se lo ha dicho por la mañana a su ayudante. Sin embargo, por orden de Madrid, ordena que se haga un registro en el edificio de la Comisión. Llegan los guardias, poco después de las tres; Gazapo discute con ellos y, mientras tanto, La Torre previene por teléfono al Tercio. Todo se precipita; Solans, Seguí y el comandante Zanón, pistola en mano, detienen a Romerales. Las fuerzas del Tercio y Regulares llegan de Segangan y Tahuima para ocupar Melilla, venciendo la resistencia que durante breves horas encuentran en los barrios obreros.

Casi al mismo tiempo, a las cinco de la tarde, Yagüe sale con la Legión del campamento de Dar Riffien y ocupa Ceuta. El coronel Sáenz de Buruaga domina Tetuán, con los regulares del teniente coronel Asensio. El alto comisario, Álvarez Buylla, se encuentra sitiado en su residencia; estaba hablando por teléfono con Hidalgo de Cisneros cuando le dice: «Ya están ahí», y la comunicación se cortó; solo queda fiel el aeródromo, al mando del comandante Lapuente Bahamonde, primo hermano de Franco, pero de neta significación izquierdista. En Melilla se prepara una columna para enviarla a la Península en el destructor *Sánchez Barcáiztegui*, pero la tripulación se niega a ello, abre fuego contra la ciudad y zarpa sin nadie a medianoche.

En Las Palmas, Franco ha presidido el entierro del general Balmes. A las dos de la madrugada del día 18 recibe el telegrama cifrado anunciándole que el ejército de Marruecos está ya sublevado (a esa hora empieza la sublevación en Larache, donde obreros y militares republicanos, mandados por el capitán López de Haro, resistirán cuatro días). Horas después Radio Canarias lanza a las ondas el llamamiento del general Franco. Este deja a Orgaz al frente de la sublevación en Canarias y toma el *Dragon Rapid*; pero aquella noche dormirá en Casablanca, en zona francesa; y solo el domingo, día 19, llegará a Tetuán.

El Consejo de Ministros, en sesión ordinaria, se reunió el viernes, día 17, por la tarde; mediada la reunión, Casares informó de que Melilla estaba sublevada. No se tomó medida alguna; se suspendió la reunión y Casares quedó encargado de tener al corriente a los ministros. A las ocho de la mañana del día 18, Unión Radio de Madrid anuncia que se ha producido una sublevación militar en Marruecos, pero que nadie la sigue en la Península.

La expectación y la inquietud aumentan por doquier, mientras el gobierno pierde horas preciosas; no da instrucciones a los gobernadores civiles, que le dicen que no hay novedad. Solo las organizaciones obreras, el Inspector de Aeronáutica, general Núñez del Prado y los jefes de Aviación, el coronel Carratalá, jefe de Ingenieros de Campamento y los jefes y oficiales del Ministerio y del batallón presidencial empiezan a tomar medidas. Pero Casares Quiroga se negaba a facilitar armas a las organizaciones obreras: «Mientras yo sea presidente no se armará al pueblo», dijo taxativamente.

Mientras en Madrid se discutía en vano, la rebelión empezaba en Andalucía; en Sevilla, el general Queipo de Llano (que era inspector general de Carabineros), acompañado por cuatro oficiales, detiene por un golpe de audacia al general Villa Abrille y al coronel del regimiento de Granada. Poco después de mediodía, Queipo tenía la guarnición en sus manos, tras apoderarse de la estación de radio con cien soldados y quince falangistas. De las fuerzas armadas, solo los Guardias de Asalto, mandados por el comandante Loureiro, se atrincheran en la Plaza Nueva con el capitán Escribano, en defensa de la República, a la vez que dan ochenta mosquetones a las organizaciones obreras que se movilizan inmediatamente, pero carecen de todo otro armamento. En breves horas los sublevados se apoderan del Ayuntamiento y de Teléfonos, mientras las fuerzas de Asalto se baten desesperadamente en el Hotel de Inglaterra; la artillería dispara contra el hotel, y entonces el gobernador civil da orden de cesar el fuego, allí es hecho prisionero el comandante Loureiro. Los de Asalto se rinden, pero el comandante Loureiro y el capitán Escribano serán fusilados, así como el capitán Álvarez y varios oficiales más. A las seis de la tarde, los sublevados dominan el centro de la ciudad y los obreros se reagrupan en los barrios periféricos; se alzan barricadas en Triana, la Macarena, San Bernardo...

En la estación de telecomunicaciones de la Marina, instalada en

Madrid (Ciudad Lineal), el radiotelegrafista Benjamín Balboa intercepta el mensaje que Franco lanzaba desde Canarias a todas las unidades, detiene al jefe de servicios —que quería retransmitir el mensaje— y establece contacto directo con los operadores de los buques, diciéndoles que vigilen a los mandos; a estos se les ordenó que dieran su posición geográfica cada dos horas.

La sublevación se extiende por Andalucía. En Cádiz, el general López Pinto (cuya significación de extrema derecha era conocida), proclamó el estado de guerra. El gobernador civil, comandante Zapico, organizó la resistencia y se distribuyeron a las organizaciones obreras los pocos mosquetones que sobraban a los Guardias de Asalto. Continuó la lucha, pero en la madrugada del 19 llegaba de Ceuta el destructor *Churruca* con las primeras tropas enviadas desde Marruecos: una bandera del Tercio, un tabor de Regulares y un escuadrón de Caballería. Estas fuerzas tomaron por asalto el Ayuntamiento y el Gobierno Civil. El gobernador Zapico fue fusilado. En el Arsenal de la Carraca la lucha duró hasta el 22 de julio, pero su resultado fue el mismo.

En Almería, los militares sublevados se apoderaron de la Casa del Pueblo, pero en el Gobierno Civil se formó un núcleo de resistencia. En Algeciras, Jerez, La Línea, etc., la rebelión triunfó el día 19. En Córdoba, el gobernador militar, coronel Ciriaco Cascajo, se hizo dueño de la situación.

Huelva resistía momentáneamente, y en Jaén (donde no había unidades militares) el comité del Frente Popular tomó en su mano la situación, mientras el gobernador concentraba la Guardia Civil en la capital. En fin, en Málaga, el general Patxot declaró el estado de guerra, pero sin mucha convicción. Los de Asalto dieron algunos mosquetones a las organizaciones obreras. En Granada no ocurría aparentemente nada.

En Madrid, el Casares jactancioso de la mañana del 18, era un hombre abrumado por su fracaso en la tarde del mismo día. El Estado republicano carecía en aquel momento de órganos de poder y Casares no encontraba otra solución que presentar la dimisión; de tan poco lucida manera hacía mutis en la Historia.

Un consejillo reúne a los ministros y a Martínez Barrio, Prieto y Largo Caballero. Casares confiesa que dimite porque no tiene medios para hacer frente a la rebelión. Largo Caballero dice que si el gobierno no puede hacer frente, habrá que armar al pueblo para que este se defienda. Prieto, sin tomar posición en ese asunto, dijo que ya debía haberse formado un gobierno de resistencia y de guerra. Mientras que esos dirigentes socialistas estaban allí, nada sabía oficialmente la Comisión Ejecutiva de su partido.[1] Nada se resolvió, y Casares fue a entrevistarse con Azaña, que había venido de El Pardo y estaba en el Palacio de Oriente.

A las nueve de la noche, el CC del Partido Comunista y la CE del

Partido Socialista daban una nota movilizando a todos sus militantes y ofreciéndose al gobierno.

Sin embargo, la idea de Azaña en aquellas horas era que había la posibilidad de negociar. Tal vez es una sugerencia de Sánchez Román, con quien ha conversado largamente durante la mañana.

En efecto: poco después de medianoche, Martínez Barrio es encargado de formar un gobierno de conciliación.[2] Miaja y Martínez Barrio, ayudados por Rafael Sánchez Guerra, hacen todo lo posible por llegar a un entendimiento por teléfono. Martínez Barrio conferencia telefónicamente con Mola, a una hora en que este no había aún proclamado el estado de guerra. Pero ningún acuerdo es posible, aunque jamás se supo en concreto qué proposiciones hizo Martínez Barrio a los rebeldes. Sí es indiscutible la negativa de Mola; también Cabanellas le dijo: «no hay nada que hacer» (en aquellos momentos ya había sido detenido el general Núñez del Prado, que había ido a Zaragoza para hablar con Cabanellas; poco después será fusilado).[3]

Mientras Azaña y Martínez Barrio mantenían esperanzas de conciliación, el alzamiento se extendía aquella noche por toda Castilla. En Burgos, el general González de Lara —jefe de la XI Brigada— había sido arrestado por el gobierno, que envió al general Mena para sustituirle; pero los oficiales de la guarnición lo detienen aquella misma tarde. Por la noche del 18, el teniente coronel Aizpuru detiene al general Batet, comandante general de la región —que será fusilado meses después—, mientras que el coronel Gistau y el coronel Gavilán detienen al gobernador. En Valladolid, el viejo general Saliquet (en situación de disponible, por considerársele desafecto al régimen) y el general Ponte llegan a Capitanía General con varios oficiales y exigen del general Molero, jefe de la séptima división orgánica, que les entregue el mando. Molero se niega; los sublevados tiran, los ayudantes de Molero también; hay tres muertos: los comandantes Riobóo y Liberal, ayudantes de Molero, y el abogado Estefanía, que iba con Saliquet. Este se hace cargo del mando. Molero es detenido, los de Asalto se unen a la rebelión y los militantes sindicales y de izquierdas se encierran en la Casa del Pueblo con el gobernador.

En Zaragoza, dos días antes, una asamblea de militantes de la CNT había aprobado la conducta de los dirigentes Abos y Ejarque de seguir los contactos con autoridades civiles y militares en espera de acontecimientos, rechazando las proposiciones de Chueca de prepararse para el combate y apoderarse de armas [172, 141]. A primeras horas de la noche del 18, tras la detención de Núñez del Prado, Cabanellas ordena situar baterías en lugares estratégicos de la ciudad; horas después ya estaban detenidos 360 dirigentes de organizaciones cenetistas y del Frente Popular [59 bis, I, 245]. Una nueva reunión de la CNT, en los locales del sindicato de la edificación, llegaba demasiado tarde. A las cinco de la madrugada era declarado el estado de guerra, de texto ambiguo, que decía:

Las circunstancias extraordinariamente graves por que atraviesa España, debidas principalmente a la ausencia total del poder público, en quienes por mandato constitucional debieran de tenerle, me obligan, pensando solo en los altos intereses de España y de la República, a hacerme cargo del mando absoluto de la plaza y provincia de Zaragoza con el fin exclusivo de restablecer el orden indispensable para el normal desenvolvimiento de la vida nacional...

Y añadía Cabanellas que eran «conocidos de los aragoneses mi tradición democrática y mi amor a España y a la República...».

A la misma hora se detenía al gobernador civil, Vera Coronel (masón, como Cabanellas), que tanto había apaciguado a los directivos de la CNT; él y su secretario serían fusilados días después; el intento de huelga del día 19 y siguientes era ya un combate sin esperanza.[4]

Unos y otros, con bandos y fórmulas diferentes, seguían fielmente en los hechos las instrucciones de Mola, «el Director»; este, dueño de la situación en Pamplona, continuó impávido y sin hacer ningún gesto todo el día 18; el jefe de la Guardia Civil, comandante Rodríguez Medel, conocido por sus ideas democráticas, es asesinado de un pistoletazo en la puerta de su cuartel antes de que se declare el estado de guerra; el gobernador civil deja el campo libre a cambio de un salvoconducto. Pamplona fue la única ciudad donde el alzamiento contó con un apoyo popular inequívoco; «más que en Burgos», precisa Salas Larrazábal, donde también había una mayoría de derechas capaz de dar una base popular.

Martínez Barrio comprendió, sin duda, que su misión no era realizable. Y antes de que amaneciera ya había dimitido.

2. 19 DE JULIO EN MADRID Y BARCELONA

Muy de mañana Azaña llama a Ruiz Funes para que forme gobierno, pero el catedrático de Derecho Penal se niega. Y es otro catedrático, el doctor José Giral, hasta entonces ministro de Marina, republicano desde sus lejanos años de estudiante y de inquebrantable fidelidad a Azaña, quien, a media mañana, acepta esa inmensa responsabilidad. Y con ella, la de ordenar que se distribuyan armas a las organizaciones del Frente Popular y a los sindicatos. El coronel Rodrigo Gil había conseguido los días anteriores 5000 cerrojos de fusil, de los que estaban almacenados en el cuartel de la Montaña para disponer de otros tantos fusiles en condiciones de usarse; y aquella noche, el capitán Barceló proporcionaba varios cientos de pistolas a la Casa del Pueblo; otros directivos de la UGT estaban en contacto con Carratalá para obtener armas; pero este fue asesinado por tres oficiales cuando, en las primeras horas de la mañana, intentaba dar 400 fusiles.

Casi al mismo tiempo, el *Dragon Rapid* aterrizaba en Tetuán y Franco tomaba el mando del Ejército de África. Allí, la represión fue implacable; Lapuente Bahamonde, que resistió hasta que el aeródromo fue asaltado por los regulares —y consiguió inutilizar todos los aviones— fue fusilado tras ser consultado su primo; también el capitán Leret, que resistió en la base de hidros del Atalayón. Salas Larrazábal escribe: «La represión en África fue dura y rápida; el capitán Álvarez Buylla, el general Romerales, el teniente coronel Caballero, los comandantes Seco, De la Puente, Ferrer y Madariaga, los capitanes Leret y Bermúdez de Reina y bastantes otros murieron fusilados» [257, I, 81]. Añade que el general Gómez Morato, apresado al bajar del avión en Melilla, fue condenado a 30 años. La lista podría ser completada con los nombres del capitán López de Haro, el comandante de Marina, Guimerá, los tenientes Reinoso, Bozas y los numerosos civiles asesinados en las primeras horas de la sublevación.

Mañana del 19 de julio. Forma gobierno el doctor Giral; en puridad, es el mismo de Casares sin este, con Giral en Presidencia y Marina, el general Pozas en Gobernación y el general Castelló en Guerra (la lista del gobierno se hará pública a la una y cuarto de la tarde). Pero al amanecer del domingo, día 19, alumbra ya el triunfo de los sublevados en casi toda Castilla la Vieja, Navarra, Salamanca, Zamora, Cáceres, Álava, Sevilla, Cádiz, Córdoba, Canarias y Baleares. La Guardia Civil sublevada se apodera de Albacete.

Hay algo más grave todavía. Antes que el día despuntase, las fuerzas de la guarnición de Barcelona salen de sus cuarteles y avanzan convergentemente sobre la plaza de Cataluña. Pero la Consejería de Orden Público tiene ya dispuestas sus fuerzas (la CNT se ha apoderado, la tarde antes, de un cargamento de fusiles que había en un barco; fueron recuperados por el jefe de servicios de orden público, comandante Guarner, pero, según algunas fuentes, solo de modo parcial).

Hacia las cinco de la mañana, las fuerzas procedentes del cuartel de Pedralbes, al llegar al cruce llamado «El cinco de oros», entre Paseo de Gracia y Diagonal, se encontraron con cuatro compañías y un escuadrón de fuerzas de Seguridad, ayudadas por grupos obreros. La tropa se dispersó o se entregó después del violento choque; los mandos, con lo que quedaba, se refugiaron en el convento de Carmelitas de la calle de Lauria, donde solo resistieron algunas horas.

Pero el 7.º regimiento de Artillería Ligera conseguía llegar a la calle de la Diputación. Por el contrario, el regimiento de Artillería de Montaña n.º 1, que avanzaba por la avenida de Icaria, se encontró con una masa de obreros que habían sido armados en el cuartel de Orden Público de la Barceloneta. Un verdadero torrente popular, luchando a pecho descubierto y apoyados por una compañía de Asalto, avanzó bajo el fuego de ametralladoras y cañones que, hacia las diez de la mañana, eran abandonados por sus servidores, mientras otras baterías retrocedían; muchos soldados tiraban las armas o se pasaban a los grupos obreros. Los del Grupo de Información de San Andrés se negaron a salir.

Sin embargo, el capitán López Varela intentó asaltar la Consejería de Gobernación, defendida por guardias y obreros tras barricadas improvisadas con bobinas de papel de periódico. López Varela acabó siendo hecho prisionero. No obstante, a media mañana los sublevados habían llegado a la plaza de Cataluña y ocupado el hotel Colón y la Telefónica. Pero sus fuerzas estaban partidas en dos y el dispositivo de ataque, roto.

Las sirenas de todas las fábricas habían sonado llamando a los trabajadores a la lucha; la CNT organiza su Comité de Defensa en la plaza del Teatro, donde emplazan unas ametralladoras mandadas por Durruti, y otras en el Sindicato de la Edificación y junto al Fomento del Trabajo. El general Fernández Burriel dirigía la sublevación, en espera de Goded, que estaba en Palma; Llano de la Encomienda fue hecho virtualmente prisionero en Capitanía General.

A mediodía llegaba de Mallorca una escuadrilla de cuatro hidros, en la que iban el general Goded y su hijo. Goded se trasladó a Capitanía y se dio cuenta de que la situación no era muy favorable a los insurrectos, que, si bien habían tomado una serie de plazas y edificios, no habían alcanzado ningún centro vital (Generalitat, Gobernación, Comisaría de Orden Público, Correos, estaciones, aeródromo, radio, etc.) y ahora se encontraban con que la aviación, al mando del teniente coronel Díaz Sandino, se unía a las fuerzas gubernamentales. Dio órdenes para apoderarse del aeródromo del Prat, pidió refuerzos a Palma, dio más órdenes para atacar la Consejería de Gobernación. Todo en vano y demasiado tarde. El golpe definitivo para los sublevados lo constituyó la actitud de la Guardia Civil. Hacia las dos de la tarde, esta, mandada por el coronel Escobar, salió de la Consejería de Gobernación —donde había sido concentrada— y avanzó desplegada, en formación de combate, Vía Layetana arriba; Escobar, el coronel católico (el héroe de *L'Espoir* de Malraux con nombre de coronel Ximenez), en mitad de la calle, armado tan solo con el bastón de mando y en medio de sus hombres, al llegar frente a la Comisaría de Orden Público, en cuyo balcón está el presidente Companys, da orden de alto, gira sobre sus talones y se cuadra militarmente: «A sus órdenes, señor Presidente».

Poco después, la Guardia Civil, con Escobar siempre al frente, acompañada de la columna del Grupo de Intendencia (mandada por el comandante Sanz Neira) que había permanecido fiel, reconquistaba la plaza de la Universidad y luego, por la ronda de la Universidad y el Paseo de Gracia entró en la Plaza de Cataluña, combinando su ataque con las fuerzas de Asalto que, mandadas por el comandante Gómez

García, había llegado por el subterráneo del «Metro», y con las masas populares que avanzaban impetuosamente desde las Ramblas y las calles Pelayo y Fontanella. A las tres de la tarde caía la plaza de España, y poco después el cuartel del regimiento de Montesa estaba también en poder de los gubernamentales.

Goded llamó por teléfono a Aranguren, intentando un arreglo. El general de la Guardia Civil le respondió: «Si mañana me fusila usted, habrá fusilado a un general que ha hecho honor a su palabra y a sus juramentos militares. Pero, si mañana le fusilamos nosotros fusilaremos a un general traidor que ha faltado a su palabra y a su honor».

Prosiguió la lucha. Goded telefoneó de nuevo y habló con el Consejero de Gobernación. Aceptó rendirse si iba por ellos la Guardia Civil. Poco después de las siete de la tarde, seguían tirando desde Capitanía, cuya resistencia dirigía el capitán Lizcano de la Rosa; el comandante Pérez Farrás entra con una multitud y detiene a Goded. Este dice a Companys: «Yo no me he rendido. Me han abandonado. Si usted lo cree conveniente, señor Presidente, diré que he caído prisionero». Minutos después declaraba ante los micrófonos: «La suerte me ha sido adversa y he caído prisionero. Por tanto, si queréis evitar que continúe el derramamiento de sangre, los soldados que me acompañábais quedáis libres de todo compromiso».

Goded fue trasladado al barco *Uruguay*. Juzgado por un consejo de guerra, fue fusilado en el mes de agosto. Su hijo fue canjeado en octubre de 1937.

El domingo, día 19, que vio el fracaso del alzamiento en toda Cataluña, fue también decisivo, en uno u otro sentido, en todo el país. En Madrid, el gobierno Giral celebraba su primera reunión en la tarde de aquel domingo. Desde por la mañana se tomó la disposición de facilitar armas a las organizaciones populares, aunque solo se disponía de 5000 fusiles con cerrojo, y los 45 000 cerrojos restantes estaban en el cuartel de la Montaña, donde la fuerza, al mando del coronel Moisés Sierra, daba la impresión de estar en rebeldía (en realidad ya estaban dentro varias docenas de falangistas y monárquicos). Además, en las primeras horas de la mañana, el coronel Carratalá había sido muerto por los sublevados en el cuartel de Zapadores de Campamento. Pero la sublevación estaba completamente desarticulada en Madrid [129]. Los cuarteles de la Guardia Civil se negaron a secundar el alzamiento y el general Villegas no se decidió a intentar la ocupación de Capitanía General. Fanjul llegaba al cuartel de la Montaña poco después de las doce. Allí redactó el bando que, como todos los inspirados por las instrucciones de Mola, era de una dureza extraordinaria y comprendía la supresión de todas las libertades, la prohibición de prensa sin permiso previo y la disolución de sindicatos «marxistas». En cuanto a García de la Herrán, se fue al cuartel de Zapadores de Campamento, del que se había apoderado Álvarez de Rementería.

3. LA SUBLEVACIÓN SE EXTIENDE A TODO EL PAÍS

El gobierno no tenía ningún control sobre el país y en muchas ciudades eran los sublevados quienes tomaban el teléfono cuando llamaban desde Gobernación. En otras, donde el alzamiento había fracasado, el poder de hecho empezaba a estar en manos de los comités del Frente Popular o de unidad sindical. En todas las ciudades de Castilla la Vieja y de Aragón el estado de guerra había sido proclamado, las tropas estaban en la calle, y todos los sospechosos de republicanismo activo eran detenidos. Los obreros de Valladolid resistían aún en la Casa del Pueblo, que acabará siendo tomada por los rebeldes. Desde Pamplona sale una columna mandada por el coronel García Escámez, que tendrá que detenerse un día en Logroño hasta tomar por asalto la fábrica de Tabacos, donde lucharon los obreros parapetados más de 24 horas.

De Burgos sale la columna que manda el coronel Gistau (dos batallones de Infantería y un grupo de Artillería) y varios cientos de jóvenes monárquicos de «Renovación» dirigidos por los hermanos Miralles. Todos van hacia Madrid por el puerto de Somosierra. En Valladolid se prepara otra columna mandada por el coronel Serrador: un batallón de San Quintín, un escuadrón de Caballería, una compañía de ametralladoras, dos baterías de artillería del 7, 5 y 150 falangistas.

En Andalucía los sublevados mejoran sus posiciones; dominan Cádiz y el centro de Sevilla, donde al finalizar el día llegan unos cuantos legionarios, procedentes de Ceuta, mandados por el comandante Castejón. Queipo los hace montar en camiones y dar vueltas por la ciudad para simular que tiene muchos más hombres de los que en realidad posee. En Granada siguen las dudas; los gobernadores civil y militar no quieren dar armas (a pesar de las órdenes del nuevo gobierno y del requerimiento del alcalde, Fernández Montesinos).

En Bilbao, donde Asalto y Guardia Civil están con el gobierno, un intento de sublevación en el cuartel de Basurto es rápidamente dominado.

En Vitoria, Camilo Alonso Vega se apodera de la ciudad. Entonces, desde San Sebastián se organiza una columna obrera que sale hacia Vitoria, el día 20, lo que aprovechan los militares para salir de los cuarteles, declarar el estado de guerra y apoderarse de la radio, el gobierno civil, el hotel María Cristina y la comandancia militar. Los elementos populares organizaron la resistencia y la columna que había salido regresó desde Eibar, reconquistando la mayor parte de la ciudad, mientras los sublevados se hicieron fuertes en el hotel María Cristina, donde resistieron hasta el día 24 (los cuarteles de Loyola solo fueron tomados por las milicias el día 29). En Vizcaya y Guipúzcoa la posición de los gubernamentales se ve reforzada con la declaración de los dirigentes del Partido Nacionalista Vasco en favor de la legalidad republicana. El diario nacionalista *Euzkadi* dice en su edición del domingo 19, que en la lucha planteada entre el fascismo y la república el PNV está con la República.

En Asturias la situación era más compleja: el coronel Aranda había ido dando largas al Comité Unitario de Oviedo, sin entregar ningún arma. En cambio, dio 250 fusiles a dos columnas de mineros (2500 hombres) que se enviaban a Madrid, vía León, argumentando él mismo que esas columnas «asegurarían las comunicaciones entre Asturias y Madrid». González Peña empezó a desconfiar (también los comunistas) y se lo dijo por teléfono a Prieto, pero este respondió que «Aranda era una persona de absoluta confianza y que tuvieran fe en él» [298, 331].

La columna obrera marchará a León, donde será bien acogida por la población y recelosamente por el general Bosch. Una parte seguirá hacia Madrid, adonde llegará por casualidad: la mayoría desviará hacia Zamora, pero en Benavente, al saber lo ocurrido en Oviedo, regresará a Asturias no sin sufrir cuantiosas pérdidas.

¿Lo ocurrido en Oviedo? Pues que el día 19, el coronel Aranda, que estaba reunido con el Comité Unitario, salió «a dar un paseo», pero en realidad a ponerse al frente de una rebelión con 3500 soldados y guardias civiles y 856 voluntarios falangistas y derechistas de Fernández Ladreda. En complicidad con el capitán Caballero, de Asalto (que dio muerte a su comandante, Ros), domina la ciudad en breves horas; muchos obreros escapan y se unen a las milicias que ya se organizaban en la cuenca minera. Gijón era dominado, en cambio, por las organizaciones obreras ayudadas por los guardias de Asalto.

¿Y Galicia? En apariencia no pasaba nada. Solo en El Ferrol, tras zarpar los buques *Libertad* y *Miguel de Cervantes*, se alzaron los marinos. En La Coruña, el gobernador civil, Pérez Carballo, y el gobernador militar, Caridad Pita, no saben aún qué hacer; el general Salcedo, jefe de la división orgánica, ha rechazado sumarse a la rebelión. El alcalde dice: «Y si armamos al pueblo, ¿quién lo contiene luego?». Pero Carballo amenaza con dar las armas si se proclama el estado de guerra. En Vigo, el alcalde le dijo confiadamente al jefe de Asalto de la ciudad: «Márchese tranquilo a casa. No se atreverán» (a sublevarse).

El 20 de julio sería decisivo en Madrid, y se consolidarían las posiciones republicanas en Barcelona; pero también lo sería, en sentido opuesto, en toda Galicia, en Sevilla, en Granada...

Al amanecer, el regimiento de Artillería de Getafe, sublevado, inició el fuego contra el aeródromo. En aquel momento se hallaban sublevados el cuartel de la Montaña, los de Campamento, el de Artillería de

Getafe; el gobierno contaba con el regimiento de carros de combate, el parque de Artillería, los aeródromos de Getafe y Cuatro Vientos y, naturalmente, con las fuerzas de Asalto (la Guardia Civil permanecía a la *expectativa*), pero el día 20 obedece al gobierno. Pronto se hizo con el regimiento de Infantería n.º 6, mientras que la situación en el n.º 1 (cuartel de María Cristina) seguía incierta. En cuanto al regimiento de Transmisiones de El Pardo, se había pasado al enemigo y llegaba a Segovia, llevando en calidad de rehén al hijo de Largo Caballero.

En puridad, la única organización efectiva que hay en Madrid en esos momentos es la del Partido Socialista, Partido Comunista y Juventudes Unificadas. Sus órganos de dirección organizan las primeras milicias, los abastecimientos y transportes y toman algunas medidas de seguridad. Los grupos de milicianos van rodeando el cuartel de la Montaña y se emplazan en la plaza de España unos cañones del 7,5 y del 15,5, mandados por el capitán Urbano Orad de la Torre, que empiezan a tirar tras la segunda negativa a rendirse de Fanjul, hacia las seis y media de la mañana. Milicianos, guardias civiles y de Asalto tiran sobre el cuartel, con fuego de armas automáticas y de morteros. Los impactos del cañón del 15,5 instalado en la calle Bailén, alcanzaron de lleno el edificio del cuartel e hirieron a Fanjul. Poco después fracasó una salida por la puerta del paseo Rosales y, pese a los esfuerzos de Fanjul, la desmoralización cundió entre la tropa. El capitán Martínez Vicente, que había sido encerrado en una habitación por los sublevados, consiguió liberarse y organizó con varios más la resistencia activa. El resto lo hizo un avión lanzando varias bombas dentro del cuartel. La resistencia cesó prácticamente y millares de hombres se lanzaron al asalto del cuartel, donde ya solo disparaban oficiales, cadetes y falangistas. Los oficiales republicanos y los guardias de Asalto consiguieron detener a Fanjul y al general Fernández Quintana, e impedir así su linchamiento (juzgados por consejo de guerra el 15 de agosto, fueron fusilados dos días después), así como evitar que aquella avalancha humana diera muerte a la inmensa mayoría de oficiales o civiles que encontraban a su paso.

Mientras eso ocurría, la situación también se despejaba en los acantonamientos militares de Madrid. El comandante Enrique Jurado, que había sido apresado por los sublevados de artillería de Getafe, consiguió liberarse y recuperar el mando, de modo que cuando el teniente coronel Camacho llegó desde Vicálvaro con una columna para reducir la rebelión, esta ya había sido liquidada. A partir de mediodía, los milicianos mandados por el coronel Mangada y los de Asalto avanzan sobre Campamento, que ya es bombardeado desde Getafe; el propio Jurado avanza después con otra columna. En la mayoría de cuarteles de Campamento empiezan a aparecer las banderas blancas; empieza el asalto y son los propios soldados quienes dan muerte al general García de la Herrán. Rementería se defiende y morirá minutos después. Eran poco más de las dos de la tarde; la rebelión había terminado en Madrid. Pero Alcalá, Guadalajara y Toledo estaban en manos de los sublevados; al día siguiente, 21, una columna mandada por el coronel Puigdengolas entraba en Alcalá, y el día 23 en Guadalajara. En Toledo, las milicias mandadas por el general Riquelme dominaron la situación, pero el coronel Moscardó, jefe de la Escuela Central de Gimnasia, se hizo fuerte en el Alcázar, con un grupo de cadetes (ocho, porque era época de vacaciones), numerosos guardias civiles y falangistas, con sus familias, y también con rehenes tomados a los republicanos, entre ellos varias mujeres.

También en Barcelona la batalla había sido decidida. Los cuarteles que aún resistían fueron asaltados por los obreros, y el de Atarazanas con la colaboración de las fuerzas de Asalto (en esos combates murió el dirigente anarquista Francisco Ascaso). Pero la CNT se convierte rápidamente en dueña de la situación, sobre todo tras haberse apoderado del parque de Artillería de San Andrés. Sus principales dirigentes (Durruti, García Oliver, Aurelio Sanz, Abad de Santillán) tuvieron una primera entrevista con Companys el mismo día 20, de la que solo se conoce la versión que ellos mismos dieron, y según la cual el presidente de la Generalitat se plegaba enteramente. La segunda entrevista tuvo lugar después del pleno de Federaciones locales de la CNT, el día 21; allí se impuso el criterio de aceptar la colaboración de los restantes sectores de izquierdas, aunque se procurase mantener la hegemonía cenetista, ya que no era posible implantar en Cataluña el comunismo libertario.[5] La CNT propone nombrar un Comité de Milicias Antifascistas, y las restantes organizaciones lo aceptan. Todas están en él representadas,[6] pero los dirigentes anarquistas se encargan de los departamentos de Guerra, Organización de Milicias, Seguridad y Abastecimientos, un verdadero poder de hecho. Si se da crédito al informe que dio la FAI año y medio después, Companys y la Generalitat habrían sido tan solo, para ellos, una especie de fachada ante las potencias extranjeras. Sin duda, el citado Comité fue el verdadero Poder en Cataluña —y sobre todo en Barcelona— durante varias semanas, y la Generalitat ratificaba «a posteriori» lo que él decidía.

En el País Valenciano la situación es relativamente incierta; sin duda, la indecisión de los conspiradores ha sido aprovechada por las organizaciones populares, que han tomado la iniciativa.[7] En Valencia, han formado un Comité Ejecutivo Popular al que se ha sumado la CNT (pero el gobernador, Braulio Solsona, es enemigo de dar armas y cree que los anarquistas son más peligrosos que los militares). El jefe de la división orgánica, general Martínez Monge, sabe que varios regimientos, que están acuartelados, se hallan comprometidos en el alzamiento; pero él no se atreve a tomar medidas. Para hacer más compleja la situación, se instaló en Valencia una Junta Delegada de Gobierno, presidida por Martínez Barrio, cuyo poder es puramente nominal. La Guardia Civil opta por el gobierno, lo que aclara bastante la situación. Pero esta no se normalizó hasta el asalto a los cuarteles, la noche del 29 de julio, y la fusión de la Junta de Gobierno (sin Martínez Barrio, que regresó a Madrid) con el Comité Ejecutivo Popular.

Muy otra era la situación en Andalucía. En Almería, la llegada de una columna que procedía de Granada, fugitiva y, sobre todo, la presencia del destructor *Lepanto*, mandado por el capitán de corbeta Valentín Fuentes, hicieron que en pocas horas se rindieran las fuerzas del ejército y de la Guardia Civil.

En Málaga, el general Patxot, tras la presencia en el puerto del destructor *Sánchez Barcáiztegui*, ordenó que las tropas volviesen a los cuarteles y se produjo un verdadero desbordamiento popular.

En Granada, el general Campíns era detenido en la tarde del 20 por los coroneles Muñoz y León Maestre (Campíns, trasladado a Sevilla, será juzgado y fusilado allí) que sacan las tropas a la calle, así como la Guardia Civil y de Asalto, ayudados por algunos falangistas. Los grupos obreros, armados con escopetas de caza y pistolas, se replegaron al Albaicín, donde resistieron con heroísmo y sin esperanza, batidos por la artillería, todo el día 21.

En Sevilla, la quinta bandera de la Legión, mandada por Castejón, se lanza al asalto del barrio de Triana, con ferocidad sin par. El día 21, esta acción exterminadora habrá logrado la dominación de Triana, pero debe proseguir hasta el 25 en otros barrios como la Macarena, San Julián, San Bernardo, el Pumarejo, donde los obreros resistieron en barricadas y casa por casa a los legionarios y regulares.[8] El tono de la represión en Sevilla se colige por esa orden firmada por Queipo, el 23 de julio, y publicada en *ABC*, que decía:

Primero: En todo gremio en que se produzca una huelga o un abandono de servicio que por su importancia pueda estimarse como tal, serán pasadas por las armas inmediatamente todas las personas que compongan la Directiva del gremio y además un número igual de individuos de éste discrecionalmente escogidos.

Segundo: Que en vista del poco acatamiento que se ha prestado a mis mandatos advierto y resuelvo que toda persona que resista las órdenes de la autoridad o desobedezca las prescripciones de los bandos publicados o que en lo sucesivo se publiquen, será también fusilada sin formación de causa.

Al otro extremo de España, en La Coruña, se rompía la falsa calma. El coronel Martín Alonso y el coronel Cánovas de la Cruz se hicieron con el mando de la plaza y detuvieron a los generales Salcedo y Caridad Pita (que pagarían su extremada confianza con la muerte). PérezCarballo resistió hasta el atardecer, en el Gobierno Civil, con los de Asalto. En los barrios obreros se alzaron barricadas y solo entonces se les dieron algunas armas —no había más allí —en el Gobierno Civil. Todo fue en vano. Pérez Carballo también pagó con su vida: fue asesinado, así como su mujer, que se hallaba encinta. En los barrios obreros continuó la resistencia, acrecentada por la llegada, el día 21, de una columna de mineros de Noya, procedentes de Santiago, con algunos rifles y dinamita. Los mineros llegaron hasta el centro de la ciudad, pero al fin tuvieron que replegarse; muchos de ellos embarcaron el 25 en dos bous, para Bilbao.

En Pontevedra la sublevación triunfa fácilmente el día 20, pero no así en Vigo ni en Tuy; en la primera de esas ciudades, los obreros alzan barricadas en el barrio de Lavadores, donde resistieron hasta el día 22, en que la Guardia Civil se pasó a los sublevados; los destacamentos obreros se replegaron hacia Porriño, donde aún resistieron hasta el 25. En Tuy, donde los carabineros se mantuvieron con la República, se resistió hasta el 29 de julio, en que se agotaron las municiones; entonces, carabineros y milicianos pasaron a Portugal, pero las autoridades de Salazar los entregaron a los sublevados de Galicia.

En fin, aquel 20 de julio, un acontecimiento de los que suelen clasificarse como «azares históricos» intervino con indudable fuerza en la coyuntura histórica; el general Sanjurjo, a quien todos los sublevados aceptaban como jefe, perece al intentar despegar en una avioneta pilotada por Ansaldo, en el hipódromo de Cascaes, cerca de Lisboa. Lizarza, encargado de la misión de buscar a Sanjurjo, fue detenido por los gubernamentales; se ofreció entonces Ansaldo, que se presentó en Lisboa con la avioneta. Las autoridades portuguesas le sugirieron que despegase desde un terreno poco conocido, para evitarse reclamaciones de Madrid. Pero el avión no pudo allí tomar velocidad y el accidente sobrevino. Ansaldo estaba herido; cuando pudo sacar a Sanjurjo, este ya estaba muerto.

Otras batallas se habían librado aquellos días: las de la flota y la aviación. Esta última, cuyos mandos y oficialidad eran más jóvenes, quedó al lado del gobierno en su inmensa mayoría. Hidalgo de Cisneros ha estimado que quedaron junto al gobierno 80 % de los aviones, 35 % de jefes y oficiales y 90 % de mecánicos y soldados. Solo el aeródromo de León participó activamente en la sublevación.[9] No se puede hablar aquí de batallas. Como dice Salas Larrazábal, en aviación, la regla general fue seguir a los mandos.

Por el contrario, la lucha por el dominio de la flota adquirió caracteres de tragedia. Todos los buques importantes quedaron en poder del gobierno (con los sublevados, tan solo el destructor *Velasco*, cuatro cañoneros, tres torpederos y seis guardacostas; su situación mejoraría poco después al ponerse en servicio el acorazado *España* y el crucero *Almirante Cervera*, que estaban en dique, y al terminarse la construcción de los cruceros *Canarias* y *Baleares,* en septiembre y diciembre respectivamente), pero solo después de una lucha sangrienta en la que quedaron diezmados los cuadros de la oficialidad. El primer encuentro se produjo en el crucero *Libertad*, el 19 de julio, apoderándose los auxiliares y marinería de la dirección del buque y telegrafiando al gobierno para ponerse a su disposición. Algo análogo sucedió, pero con lucha más sangrienta, en el acorazado *Jaime I*, el .día 20. El crucero *Miguel de Cervantes* fue tomado también por la marinería, el domingo 19. La lucha fue violenta en las cuatro bases navales (Cartagena, Mahón, Cádiz y El Ferrol; las dos últimas fueron dominadas por los sublevados). En El Ferrol (de donde zarparon el *Libertad* y el *M. de Cervantes* el mismo día 18), estaban en dique el *Almirante Cervera* y el *España*, pero fueron batidos por las ametralladoras de tierra. El contraalmirante Azarola y Sánchez Ferragut, capitán de navío que mandaba el *A. Cervera*, fueron fusilados. La represión fue durísima.

Al final de todos aquellos combates, la flota republicana contaba con un acorazado, tres cruceros (uno de ellos, el *Méndez Núñez*, muy viejo), 16 destructores, 12 submarinos y varios cañoneros, torpederos y guardacostas.

La flota republicana, prácticamente en poder de los comités de marinos pero obedeciendo las órdenes del gobierno, fondeaba en Tánger (ciudad y puerto internacionales) al atardecer del 20 de julio. Al día siguiente, el general Franco (que comprendía que se quedaba paralizado mientras esa flota controlase el Estrecho), dirigió una nota al Jefe de control de la zona internacional de Tánger, diciendo que había que calificar a «la flota roja», como compuesta por «barcos piratas»; pedía que, consiguientemente, no se le autorizase a permanecer en el puerto, pues con ello peligraban la seguridad de la Zona y de Marruecos. El día 22 envió otra nota, insistiendo, y acusando al cónsul de España en Tánger de «conspirar contra la integridad del Protectorado de Marruecos».

4. ESPAÑA DIVIDIDA EN DOS ZONAS

Aquel 21 de julio parecían dibujarse dos zonas. Salas Larrazábal comenta: «El día 21 de julio termina la fase que podemos definir como de golpe de Estado. El país se enfrenta con la terrible perspectiva de una guerra civil en la que desemboca necesariamente la situación en tablas en que había quedado el golpe de mano de los sublevados. Ni estos habían logrado alzarse con el poder, ni el Estado había conseguido dominarlos» [257, I, 181]. Ciertamente, el golpe de fuerza había fracasado en su objetivo de apoderarse rápidamente del Poder; pero, en cambio, había conseguido hacer desaparecer el Poder del Estado republicano sobre una parte del territorio y de la población. Ese Estado, siempre débil, siempre con su lastre heredado del viejo Estado monárquico, había entrado en crisis. Y el Poder se encontraba disperso, fragmentado y no solo partido en dos zonas. La pluralidad de poderes de hecho era también una evidencia en los sublevados; esto es, las estructuras del Poder habían sido puestas en cuestión en todas partes.

En Madrid, el gobierno continuaba la legalidad formal. Pero cabía preguntarse si contaba con las palancas de poder, con la capacidad de hacer cumplir sus decisiones que caracteriza el Poder. En aquellos días, la red de gobernadores civiles se había hecho trizas; incluso aquellos que habían conseguido dominar la situación, lo habían hecho contando con el apoyo de los partidos del Frente Popular y de los sindicatos y a base de armar sus organizaciones paramilitares.

En Cataluña, el Gobierno autónomo no ha sufrido modificación alguna desde el punto de vista formal. De hecho, el problema del Poder es más complejo que en ninguna otra parte; las organizaciones obreras armadas están bajo dirección anarquista, que no reconoció nunca la legitimidad republicana. En el norte, el corte geográfico planteará dificultades cotidianas, a lo que hay que añadir la especificidad de Euzkadi (que ya había plebiscitado su Estatuto) y el *rol* preponderante del Partido Nacionalista.

¿Y a nivel central? ¿Cuáles eran los poderes del gobierno Giral el 21 de julio? Tiene sus generales a la cabeza de las regiones militares que conserva (Riquelme es nombrado jefe de la primera división orgánica), pero esos generales no disponen ya de regimientos organizados, sino de milicias obreras en formación, de unidades de Guardias de Asalto y de otras —dispersas y poco seguras— de Guardia Civil. En el Ministerio de la Guerra hubo que improvisarlo todo. El ministro está solo con el nuevo subsecretario, general Bernal, con el teniente coronel Hernández Sarabia (persona de toda confianza de Azaña) y el comandante Menéndez; con ellos organizaron dos grupos de trabajo, integrados por el capitán de artillería Cordón (que se había retirado en 1932), los comandantes diplomados de EM, José Fontán, Manuel Fe y Segismundo Casado, el capitán de EM, Manuel Estrada, el capitán Díaz Tendero (procedente de la antigua escala de reserva y gran organizador de la UMRA)... La organizacion embrionaria de Milicias se intentaba coordinar en un anexo del Ministerio, por el mismo Díaz Tendero, el capitán Barceló, el teniente de EM Ciutat, el doctor Díaz-Trigo y varios más. Por lo que respecta a las fuerzas de Aviación, las dirigían el teniente coronel Pastor, el comandante Hidalgo de Cisneros y el capitán Núñez Maza.

El ministro de Estado apenas contaba con su propio despacho; los embajadores en Francia, Alemania, Inglaterra, etc., abandonaban sus puestos o se pasaban abiertamente a los sublevados (en París, el agregado militar, teniente coronel Barroso, pasaba documentos confidenciales al periodista de derechas De Kerillis y al embajador alemán, mientras el embajador Cárdenas y el ministro-consejero, Del Castillo, saboteaban el envío de armamento a los republicanos, antes de abandonar definitivamente sus puestos). Cada día que pasaba aportaba una nueva defección de diplomáticos.

Los servicios de policía, además de no ser seguros, estaban desbordados por la situación, por la aparición de grupos armados que creaban múltiples servicios paralelos. Las comunicaciones, los ferrocarriles, etc., reemprendieron su funcionamiento, pero gracias a los comités sindicales.

En fin, un rasgo de la situación es la potencia de medios de comunicación y propaganda de que disponía aquel gobierno; pero si se analiza más detalladamente el fenómeno, nos daremos cuenta de que, en buena parte, disponía de esos medios (prensa, radio, mitines y conferencias a todos los niveles, plásticas, etc.), a través o gracias a los partidos y sindicatos.

En cuanto a los sublevados, es difícil hablar de un Poder durante la primera semana de hostilidades; hay una pluralidad de poderes militares, según las regiones. Es lo que el profesor Carlos Rama ha definido como «anarquía militar» [235, 206 ss.]. Digamos que la creación de la Junta de Burgos presidida por Cabanellas y manejada por Mola, el día 23, no pone freno, por el momento, a esa pluralidad de poderes castrenses.

La cuestión que inevitablemente se plantea es la de estimar, por superficialmente que sea, la correlación de fuerzas materiales que podía darse entre los que eran ya bandos en presencia, cuando el fracaso del golpe militar lo transforma en lucha más prolongada.

Cuando los republicanos toman Albacete y Guadalajara (y pierden Huelva), el gobierno controla 21 capitales de provincia, y los sublevados 29 más la zona del Protectorado marroquí. Sin embargo, el gobierno controla unos 270 000 km^2 frente a unos 230 000 los sublevados; el primero, unos 14 millones de habitantes; el segundo, unos 10,5 millones, más 110 000 de Ceuta y Melilla y la base demográfica del Protectorado. Los republicanos tienen la costa mediterránea y parte de la atlántica, y la parte mejor comunicada de la frontera con Francia; los sublevados tienen la mayor parte de la frontera con Portugal.

El gobierno controlaba las zonas industriales más importantes (siderometalurgia del norte y de Sagunto, metalurgia, químicas, etc., tanto en el norte como en Cataluña, y toda la industria textil concentrada en esta; las regiones agrícolas del este (naranjas, arroz, almendras) y parte de las zonas olivareras, los cereales de Castilla la Nueva; el carbón y el hierro de Asturias y Vizcaya, el mercurio de Almadén, el plomo de Linares... Los sublevados tienen las grandes regiones trigueras de Castilla la Vieja, el ganado de Galicia, el carbón de Peñarroya y de León, al que se unirán inmediatamente el cobre y piritas de la cuenca de Río Tinto (que conquistan a finales de agosto); tienen la vid de vinos expor-, tables, gran parte de olivo, la remolacha, los productos de Canarias... En suma, los gubernamentales tienen las zonas industriales y pobladas y algunos productos agrícolas básicos, como arroz y naranjas; los sublevados, las zonas rurales y menos pobladas, las reservas trigueras y de otros productos agrícolas. Los republicanos poseían también la mayor parte de la flota (pero casi sin mandos) y de la aviación. Los sublevados disponían de un ejército de 22 regimientos de infantería, 15 de artillería, 7 de caballería, etc., que suponía unos 44 000 hombres organizados, más los 47 000 del ejército colonial de África, además de unos 27 000 hombres de fuerzas de Orden Público. No se puede establecer ningún parangón con las fuerzas del ejército que quedaron en zona republicana, pues sabido es que fueron disueltas como tales y que la organización castrense fue enteramente desarticulada, además de privada de mandos: los que había se dedicaron a encuadrar formaciones improvisadas de milicias populares, fuerzas de Orden Público (sobre todo, de Asalto), y restos desperdigados de unidades militares. Por consiguiente, los alardes de erudición que se hacen para comparar fuerzas militares de uno y otro bando el 18 (o el 21) de julio pecan de puerilidad o de mala fe (incluso en todos ellos se da el regimiento de Transmisiones de El Pardo, como «gubernamental»; eso prueba el alcance de todas esas manipulaciones de cifras y estadillos). Es un caso más de «ideologización» de la historia, intentando revestirse de una cobertura «científica» y hasta «cuantitativa».[10]

En cuanto a los oficiales del Ejército (incluidos los de Guardia Civil y Asalto), había un total de 15 626, de los cuales 8851 destinados en el ejército de la Península (y Asalto), 3107 en Guardia Civil y Carabineros, 1683 en Marruecos y el resto sin destino. Salas Larrazábal y el historiador Palacio Atard, proclive al franquismo, estiman en 3500 los oficiales profesionales que de una manera u otra colaboraron con el gobierno y se integraron en sus nuevas unidades militares. Michael Alpert, tras un minucioso estudio, limita ese número a 2000, con lo que coincide en las apreciaciones de jefes militares de la República como Rojo y Líster.[11]

Tratándose de altos mandos, la cuestión es diferente: de los 17 generales que tenían mando supremo en julio de 1936, solo cuatro se sublevan (Cabanellas, Franco, Goded, Queipo); 22 generales quedan en servicio a las órdenes del gobierno de la República, cuatro generales de división con mando y dos de brigada son fusilados por los sublevados, que también encarcelan a otros tres generales de división (Molero, Villa Abrille y Gómez Morato), y uno de brigada (Mena). Ciertamente, quince generales son fusilados a causa de la sublevación, y siete separados del servicio. De los 28 restantes, 10 fueron separados del servicio en zona rebelde y 18 fueron los generales de plantilla que actuaron al frente del ejército sublevado.

Como puede colegirse, aquello de que «los generales se habían alzado contra la democracia» no pasa de ser una leyenda: una fracción de generales. Incluso si la mayoría de oficiales del ejército se alinea con los rebeldes, no es menos cierto que un porcentaje de militares profesionales, que oscila probablemente entre el 14 y el 20 %, estuvieron con la República. Mal que bien, se empezaron a tomar en Madrid toda clase de medidas entre el 21 y 22 de julio. Hemos visto que el Ministerio de la Guerra y un embrión de EM marchaban gracias a los militares de la UMRA (Unión Militar Republicana Antifascista), que, de hecho, habían tomado todas las palancas. Se creó oficialmente la Inspección General de Milicias (6 de agosto) mandada por Barceló, para tratar de coordinar las columnas y batallones que se formaban, los estadillos de fuerzas, el municionamiento e intendencia, etc. Porque cada organización política o sindical creaba unidades armadas. La que tuvo mayor alcance fue la del llamado Quinto Regimiento, que crea el Partido Comunista al finalizar el día 20, en el convento de Salesianos de Francos Rodríguez (Cuatro Caminos), donde se habían instalado las MAOC de aquel barrio. La importancia del 5.º Regimiento es que fue un centro de organización y adiestramiento, del que fueron surgiendo unidades de milicias con el claro propósito de sentar bases para formar un nuevo ejército, contando para ello con la colaboración de numerosos militares profesionales. Los primeros mandos o «responsables» fueron Enrique Castro, Juan Guilloto (Modesto), Barbado, Heredia y el diputado comunista por Cádiz, Daniel Ortega, así como Vitorio Vidali (Carlos Contreras), comunista italiano, procedente de Latinoamérica. (Días después se incorpora Líster, que había salido al frente como delegado político de la columna formada a base del antiguo regimiento n.º 1 al mando del capitán Benito). Las primeras unidades de combate que formó fueron las «Compañías de Acero», mandadas por el capitán Márquez. Los jóvenes socialistas formaron inmediatamente los batallones «Octubre n.º 1», «Octubre n.º 11» y «Largo Caballero», mandados por Etelvino Vega, Fernando de Rosa (italiano exiliado que era jefe de las milicias socialistas), V. Marcos y el capitán González Gil, que morirá en los primeros combates. El Comité de Defensa de la CNT también creó sus Milicias. Y otras eran organizadas en los Círculos Socialistas, en la Casa del Pueblo, etc.[12]

Desde el día 21 comenzaron las incautaciones de servicios públicos tales como ferrocarriles, Gas y Agua, Teléfonos, compañías de electricidad, depósitos de la CAMPSA, etc., responsabilizándose los comités UGT-CNT de la marcha de servicios. Empezó igualmente la incautación de palacios abandonados, que eran ocupados por las organizacio-

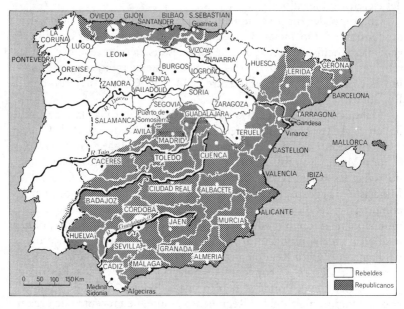

nes políticas y sindicales o por los servicios administrativos de Milicias. Fueron igualmente incautados los periódicos de derechas, el mismo día 20. En Madrid, solo volvió a salir de ellos *ABC*, pero con director y redactores republicanos. Los problemas de abastecimiento de Milicias fueron muy graves los primeros días; el día 25, el gobierno ordenaba su centralización en el Parque de Intendencia.

El abandono de empresas por los propietarios o gerentes, que se escondían atemorizados, facilitó la incautación de fábricas y empresas, que empezaron a funcionar con órganos espontáneos de autogobierno, de base sindical.

Ya sabemos que la columna Serrador, procedente de Valladolid, la de García Escámez, de Pamplona (detenida un día en Logroño y luego intentando en vano una penetración hacia Guadalajara) y la de Gistau, formada en Burgos, debían converger sobre Madrid. En la capital, también se tiene conciencia de ese peligro y se inicia entonces una carrera por la posesión de puertos y cumbres del Guadarrama, barrera orográfica entre Madrid y Castilla la Vieja.

Desde Madrid, parte de la columna del coronel Castillo había ocupado el puerto del León (Guadarrama) el día 21, pero fue desalojada de él por la columna Serrador tras duros combates, que duraron todo el día

22. Por el contrario, Burillo y su Grupo de Asalto y los milicianos de Modesto alcanzaron el puerto de Navacerrada y llegaron a bajar hasta Balsain. En Somosierra, la columna que mandaba Francisco Galán (capitán retirado de la Guardia Civil e instructor de las MAOC) venció la resistencia de los voluntarios monárquicos y falangistas, mandados por los Miralles —que murieron allí—, pero tuvo que ceder el día 23 ante la presión de fuerzas muy superiores, las columnas de García Escámez y Gistau, estabilizándose luego el frente entre Robregordo y Paredes de Buitrago. En fin, el teniente coronel Mangada (ascendido el 6 de agosto), al mando de una columna importante con varios batallones de Milicias (entre ellos, los mineros asturianos que consiguieron llegar a Madrid), penetró por Ávila, ocupando el día 22 Cebreros, y el 23, Navalperal.

Tal era la situación en Madrid; en Barcelona, la columna Durruti (con el comandante Pérez Farrás) sale el 23 y ocupará Fraga y Bujalaroz el día 25. En el frente vasco, Mola inicia una triple operación por los valles del Bidasoa, Urumea y Orio; la columna que mandaba Beorlegui llegó a las inmediaciones de Oyarzun el día 23, pero allí quedó inmovilizada y casi aislada durante dos semanas.

En Andalucía, «la expansión de Queipo» continuaba ocupando para el día 25 las localidades importantes de la provincia (Utrera, Carmona, Écija, Constantina, donde, según escribe Rafael Abella, «la llegada de moros y legionarios provocaba ecos de pavor en los campesinos. La entrada del Tercio en los pueblos era espectáculo en que el blandir del arma blanca se acompañaba de la explosión de las bombas de mano...» [2, 45].

La evidencia de que la lucha tendría inevitables y largas prolongaciones aconsejó a los dos bandos, desde el mismo día 20, la búsqueda de ayudas exteriores. Giral se dirigió urgentemente a Léon Blum, que desde el 4 de junio era jefe del gobierno en Francia. La respuesta de principio es favorable. Pero, el día 22, Blum y su ministro de Asuntos Extranjeros, Y. Delbos, deben encontrar en Londres a sus homólogos Baldwin y Eden, que presionarán sobre él. Los ingleses son hostiles a toda ayuda militar al gobierno español. Y lo más grave es que el secretario general del Quai d'Orsay, Alexis Léger (conocido en el mundo de las letras con el seudónimo célebre de «Saint-John Perse»), es del mismo criterio. Por añadidura, los diplomáticos españoles en París (Cárdenas, embajador; Del Castillo, ministro-consejero; Barroso, agregado militar) torpedean las gestiones, y Barroso transmite documentación sobre la proyectada compra de aviones a De Kerillis, el director del derechista *«L'Echo de Paris»*, que el día 23, bajo la firma de R. Cartier, publica un artículo, «Le Front Populaire français osera-t-il armer le Front Populaire espagnol?». Ese mismo día 23, F. de los Ríos llegaba a París para hacerse cargo de la embajada de España. En Londres, al mismo tiempo,

Baldwin y Eden almorzaban con Blum y Delbos y les ponían en guardia contra toda veleidad de ayudar a la República española.

Mientras eso ocurría, Franco, en Tetuán, comprende que necesita ayuda urgente para trasladar su ejército a la Península. El día 20, Franco ordena telegráficamente la incautación de un aparato comercial alemán de la «Lufthansa» que se encontraba en Canarias. Al mismo tiempo, había pedido al agregado militar alemán Kühlental (que residía en París) diez aviones de transporte en telegrama firmado por Beigbeder, gestión que no dio resultado. Pero Franco se entrevista el día 21 con un comerciante alemán residente en Marruecos desde 1929, miembro del partido nazi y muy bien visto por las autoridades hitlerianas: Johannes Bernhardt. Este individuo tenía muy buenas relaciones con algunos de los militares sublevados, como Sáenz de Buruaga, Yagüe, etc.; Bernhardt se ofreció a ir a Berlín, hablar hasta con el mismo Hitler, y pedir ayuda en armamento, aviones de caza y diez aviones de transporte. Se decidió que con Bernhardt fuesen, en el avión de la «Lufthansa», Adolf Langenheim, jefe del partido nazi en Marruecos español, y el capitán Francisco Arranz. La salida tuvo lugar el día 23, y harían la primera escala en Sevilla, donde Queipo fue puesto al corriente de la gestión. Ese mismo día Franco enviaba a Bolin a Roma, para una gestión análoga.

Mola no perdía el tiempo, pues el mismo día 23 —en que también se encarga de poner en marcha la Junta Militar de Burgos— envía a Roma una comisión compuesta por Goicoechea, Sainz Rodríguez y L. Zunzunegui, que obtendrá todo lo que no pudo obtener Bolin. En cambio, el marqués de Portago, enviado por Mola a Berlín, con el marqués de Valdeiglesias, fueron completamente ineficaces.[13]

NOTAS DEL CAPÍTULO PRIMERO

1. Véase testimonio de Vidarte, op. cit., p. 257.

2. El gobierno non-nato estaba así formado: *Presidencia*, Martínez Barrio; *Estado*, Justino Azcárate; *Gobernación*, Augusto Barcia; *Justicia*, Blasco Garzón; *Hacienda*, Enrique Ramos; *Guerra*, general Miaja; *Marina*, José Giral; *Industria y Comercio*, Plácido Álvarez Buylla; *Agricultura*, Ramón Feced; *Obras Públicas*, Antonio Lara; *Instrucción Pública*, Marcelino Domingo; *Comunicaciones*, Lluhí i Vallescà; *Sin cartera*, Felipe Sánchez Román.

Los puntos de su programa eran:
— alto el fuego por ambas partes;
— desarme de las milicias en los dos bandos;
— incorporación de los trabajadores a sus tareas y supresión de huelgas;
— constitución de un gobierno nacional, excluyendo a los comunistas;
— incorporación de los sublevados a sus puestos, sin represalias;
— disolución de las Cortes;
— constitución de un consejo consultivo con seis miembros de cada partido, para elaborar un proyecto de reconstitución nacional, el cual decidiría el momento de consultar al país sobre elecciones y régimen;
— elección de alcaldes entre los mayores contribuyentes;
— compromiso por la oposición de no hacer uso de la fuerza.

3. Sobre la comunicación telefónica de Martínez Barrio con Mola, se pueden citar los testimonios de Iribarren (secretario de Mola), Largo Caballero, Bertrán Güell, Clara Campoamor, Luis Romero y, naturalmente, aunque tengan poco valor, los diarios de Pamplona.

Sobre la detención de Núñez del Prado existen otras versiones. Una atribuyéndosela al general Álvarez Arenas; otra, que fue detenido el día 19 después de haber almorzado con Cabanellas. Desde luego, fue trasladado a Pamplona, donde se le dio muerte, seguramente sin formación de causa, puesto que no ha quedado rastro de ello.

4. Aquella noche viajaba en el exprés Barcelona-Madrid el ex director general de Seguridad, Arturo Menéndez, que fue detenido en la estación de Calatayud, trasladado a Pamplona y fusilado.

5. El punto de vista mayoritario estuvo defendido —según C. Lorenzo— por Mariano R. Vázquez. Por el contrario, García Oliver era partidario de una dictadura anarquista (Lorenzo, op. cit., pp. 102-107).

6. El Comité de Milicias Antifascistas estaba así formado:
Por la CNT: J. García Oliver, J. Asens y B. Durruti.
Por la FAI: Aurelio Fernández y Diego Abad de Santillán.
Por la UGT: J. del Barrio, S. González, A. López.
Por el PSUC: J. Miret.

Por el POUM: J. Rovira.
Por la Esquerra: J. Miratvilles, A. Aiguader, J. Pons.
Por Unión de Rabassaires: J. Torrents.
Por Acció Catalana: T. Fábregas.

Como representante de la Generalitat, Luis Prunes, y como asesores militares, los hermanos Guarner, Díaz Sandino, el coronel de artillería Jímenez de la Beraza y el comandante H. Durán.

7. El general González Carrasco, designado por los conspiradores para dirigir la rebelión en Valencia, no llegó a intervenir y huyó al extranjero.

8. Sobre la dominación de los barrios obreros sevillanos dicen los autores franquistas Alfonso G. de la Higuera Velázquez y Luis Molina Correa, en su libro *Historia de la revolución española* (Cádiz, 1940), p. 89, citado por Miguel Cabanellas en op. cit., lo siguiente: «Al día siguiente —21— prosiguió la incursión de las fuerzas de Castejón, con unos 20 legionarios más, siendo por fin liberada Triana de las garras rojas, a través de una acometida enérgica, tajante y dura de los asaltantes nacionales, bajo el signo de la cruz trazada sobre el cuerpo de cada víctima yacente en la vía pública con el cadáver de un asesino rojo. Ojo por ojo, diente por diente».

«No menos enérgica hubo de ser la represión en la Macarena que, pese al duro castigo infligido a Triana, resistió con furia demente hasta el día 24, no sin haber repelido antes la incursión de un escuadrón de caballería que intentaba penetrar por Osorio. Ante la enérgica resistencia roja, esta vez la Legión hubo de actuar con el ímpetu guerrero que le es peculiar, lanzándose como una tromba, cuchillo en mano, sobre las barricadas de la calle de San Luis, tras una granizada preliminar de bombas».

Y Ortiz de Villajos, en el suyo, *De Sevilla a Madrid: ruta liberadora de la columna Castejón*, Granada, 1937, añade: «Pero el duro castigo impuesto a Triana no sirvió de ejemplo al otro barrio popular de Sevilla, la Macarena, que aún resistía, enloquecido por la furia roja... Pero el escarmiento fue ejemplar. Cayó todo el Comité revolucionario con su cabecilla al frente».

9. Hidalgo de Cisneros, op. cit., t. II, pp. 283-289.

Bravo Morata (que fue aviador republicano durante la guerra) da la siguiente estadística:

Aviones militares con el gobierno:	160
Aviones civiles con el gobierno:	25
Aviones militares con los sublevados:	41
Aviones civiles con los sublevados:	11

Historia de Madrid, t. III, p. 174.

10. Si se tiene en cuenta el personal efectivo que había en los cuarteles —habida cuenta de los permisos— el 18 de julio, la distribución de fuerzas era la siguiente:

	Zona gubernamental	Sublevados
Infantería:	14 595	18 181
Tanques:	267	248
Artillería:	7 064	7 543
Ingenieros:	3 996	1 759
Caballería:	1 203	2 756
Otras unidades:	2 708	
Total, incluido Intendencia y Sanidad:	34 280	31 860

	Zona gubernamental	Sublevados
Total efectivos incluidos los de permiso:	46 188	44 026
Aviación	3 300	2 200
		A los que habría que añadir 47 127 del ejército de África

En cuanto a las Fuerzas de Orden Público, había un total en España de 34 391 de la Guardia Civil, 15 249 de Carabineros y 17 660 de Seguridad y Asalto.

Según la estimación de Salas, quedan con el gobierno unas 29 Comandancias de la Guardia Civil y 30 con los sublevados; el gobierno contaría con 275 compañías de Seguridad, frente a 165 los sublevados; y 69 y 40 Comandancias de Carabineros respectivamente, con una estimación total de 40 500 hombres para el gobierno y 27 000 para los sublevados.

La estimación de Michael Alpert es la siguiente:

	Gobierno	Sublevados
Guardia Civil:	108 Compañías	109 Compañías
Carabineros:	54 Compañías	55 Compañías
Seguridad y Asalto:	11 Grupos	7 Grupos

Habría un total de 64 642 (frente a los 67 500 de Salas), de los cuales 33 600 quedan con el gobierno y 31 000 con los sublevados.

Alpert pone buen cuidado en explicar la esterilidad histórica de estas cifras (por no decir la falsedad histórica), dado que la Guardia Civil se sublevó por su cuenta en la zona gubernamental en Murcia, Granada, Málaga, Jaén, Almería, etc.; se pasó al campo adverso en Valencia, en Asturias, la columna de Huelva a Sevilla, sin hablar de los 800 guardias civiles del Alcázar y de que, incluso en Barcelona —señala Alpert—, el 40 % de sus oficiales fueron destituidos por las autoridades republicanas. «La lealtad del cincuenta por 100 de comandancias de la Guardia Civil que no estaban implicadas en la rebelión —concluye Alpert— era también dudosa».

La estimación numérica de Salas Larrazábal es ligeramente superior, tanto para ejército como para fuerzas de O.P., pero guarda análogo porcentaje de correlación de fuerzas, lo que hace pensar que la diferencia consiste en que incluye jefes y oficiales, y Alpert no.

11. El total de jefes y oficiales era de 15 626 (estimación Alpert) y de 15 343 (estim. Salas). Había 8851 destinados en el ejército (incluido Asalto), 3107 en Guardia Civil y Carabineros y 1683 en el ejército de África. Quedaban 2608 sin destino. La suma de esas cifras, dada por Alpert, resulta 16 249.

Salas estima en algo más de 7600 los militares que quedaron en zona gubernamental (incluyendo músicos, interventores, profesores de equitación, veterinarios, oficinistas, etc.), de los cuales unos 3500 servirían en el ejército republicano.

El 18 de julio había 2271 jefes y oficiales en activo en la zona que quedó en poder del gobierno (Alpert), estimación en la que, sin duda, no se tienen en cuenta las FOP.

12. Conviene observar que jóvenes socialistas y comunistas organizaron

por separado los batallones de milicias, aunque la unificación ya se había realizado en Madrid en abril de 1936. La explicación pudiera estar en que las Juventudes Socialistas habían guardado intacta la estructura de sus Milicias, con pocos partidarios de la unificación entre sus máximos responsables, mientras que los jóvenes comunistas habían siempre carecido de organización paramilitar y los que realizaban esa actividad era dentro de las MAOC, dirigidas por el PCE. También se daba el caso de que las direcciones centrales no habían realizado aún la unificación (que se realizará a fines de agosto).

13. Hay dos fuentes para comprobar lo que antes eran hipótesis: que el gobierno italiano estaba de acuerdo con los conspiradores españoles e informado por estos de que iba a producirse la sublevación. Y esto, no solo por el pacto de 1934, sino por otro posterior intuido por Viñas y cuya existencia ha corroborado detalladamente Sainz Rodríguez en sus *Testimonios y recuerdos* (pp. 232-240), que había sido firmado por Goicoechea, Calvo Sotelo y el conde de Rodezno. Solo a quien fuera de su parte podía atender Mussolini. Véase también Viñas, op. cit., 2.ª edición, pp. 308-310, donde se reproduce el informe sobre el viaje de Goicoechea, Sainz Rodríguez y Zunzunegui, cuyo original se encuentra en el Servicio Histórico Militar.

Capítulo II

Guerra y pluralismo de poderes

1. FRENTES Y MILICIAS

1.1. La guerra en Andalucía y Extremadura

En un primer momento, la iniciativa de la acción militar correspondió al gobierno de la República al ordenar, el 27 de julio, al general Miaja marchar con una columna por el camino de Despeñaperros hacia Córdoba y Sevilla. En su apoyo, desde Cartagena y Murcia, avanzaron columnas formadas a base de las guarniciones locales y de las milicias de Cartagena, Almería y Málaga. El general Martínez Cabrera marchó hacia Granada sobre el eje Murcia, Lorca, Guadix.

Miaja tlegó el día 29 a Montoro y, después de establecer su cuartel general en Andújar, se dedicó a operaciones de limpieza por la zona, sin atacar Córdoba. No lo hizo hasta el 20 de agosto, y entonces tuvo que replegarse por la acción del general Varela, el día 29 [257, I, 279-305].

En Andalucía occidental, Queipo de Llano, una vez consolidado el poder de los sublevados, continuó su plan de dominio de la zona. El 29 de julio envió una columna a Huelva, la cual tuvo que hacer frente a los mineros de Río Tinto y Nerva que resistieron hasta agosto.

Al mismo tiempo, Franco, desde África, ponía en marcha en los primeros días de agosto un plan de acción encaminado a recuperar las tierras extremeñas y poder entroncar con las tropas de Mola. Plan que pudo realizarse por las ayudas recibidas de Italia y de Alemania.

En Italia, Sainz Rodríguez, agente secreto de los rebeldes, fue quien dirigió, consiguió y organizó la ayuda italiana en el verano de 1936. Cuando Ciano, ministro de Asuntos Exteriores de Italia, en algún momento dudó, influido por la postura que iban tomando las democracias occidentales, Sainz Rodríguez venció todas las dificultades, y cooperó en la creación de un organismo comercial a través del cual se enviaron armas a Ceuta y Melilla para el ejército africano del general Franco, y a La Coruña para el del general Mola. También en contacto con el conde de los Andes, inició la búsqueda de fondos y gestionó directamente con Juan March el dinero necesario para pagar los primeros aviones: un millón de libras esterlinas [255, 385-387; 307, 50-51 y 452; 95, 318; 83 bis, 81-82]. Poco después llegó a Roma el marqués de Magaz, como representante de la Junta de Defensa.

Al mismo tiempo, los agentes de Franco y Mola habían llegado a Alemania. El 25 de julio fue el día clave. Después de una conversación con Rudolf Hess, este organizó la entrevista directa con Hitler, que se desarrolló ese mismo día en la ciudad wagneriana de Bayreuth. El Führer no dudó ya en apoyar la sublevación. Tres factores influyeron en la postura del III Reich. Primero, el componente ideológico, que justificó a lo largo de toda la contienda su ayuda a los rebeldes, fue la lucha contra el comunismo; segundo, un factor estratégico encaminado a tener un punto de apoyo en el Mediterráneo que sirviera de freno a Francia; y por último, el factor económico, la obtención de materias primas minerales con las que el «nuevo Estado» financió en parte esta ayuda.

En la pequeña localidad bávara se tomaron acuerdos importantes: *a*) el envío de aviones Junkers, cuya misión sería el paso del ejército de África a la Península; *b*) el reclutamiento de voluntarios, y *c*) la creación de dos empresas comerciales, una inmediatamente, la «Hispano-Marokanische Transport» (HISMA), otra en el mes de octubre, la «Rohstoffe und Waren Einkaufgesellschaft (ROWAK, Sociedad de compras de materias primas y mercancías), a través de las cuales se canalizaron las compras y envíos de armamentos y se pergeñaron los primeros canales de un comercio exterior volcado casi exclusivamente en Alemania. Ambas sociedades estuvieron bajo el control directo del partido nacional-socialista, y Tetuán se convirtió en el centro del comercio y del espionaje [306, 466 ss.; 312, I, 141-248].

Se iniciaron inmediatamente los preparativos para hacer efectiva la ayuda decidida por el Führer: contratación de un barco que realizara el transporte a España, puesta a punto del material y reclutamiento del personal de esta primera expedición. Todo debía realizarse a través de los ministerios de Finanzas y Economía del III Reich, ya que estaba vigente una ley que prohibía exportar armas y material procedente de las fuerzas armadas. El barco fue el *Usarano* de las «Afrikalinien Hamburg», que el 1.º de agosto zarpó rumbo a Cádiz [306, 392-406].

Franco había conseguido la infraestructura y las condiciones necesarias para transportar tropas marroquíes a la Península. Con el Estrecho libre de la marina republicana, y con el apoyo de la aviación alemana e italiana, el 5 de agosto se estableció un puente aéreo que transportó las primeras fuerzas moras a Algeciras, y cuya acción se intensificó a lo largo de todo el mes de agosto y de septiembre [160, 26; 256, 105]. El día 7 de agosto, Franco estaba en Sevilla. Secundó la marcha hacia Extremadura que unos días antes habían iniciado las columnas de Tella, Asensio y Castejón, y les unió una columna de choque de tropas africanas, Tercio y Legión al mando del teniente coronel Yagüe. Ante este ataque coordinado, los campesinos extremeños se defendieron. La lucha fue dura y estos fueron vencidos en Jerez de los Caballeros, Zafra y Almendralejo. Mérida resistió hasta el día 11, en que cayó en manos de la columna de Yagüe y quedó cortada la línea férrea Madrid-Badajoz. El día 13 empezó el ataque a la capital extremeña. La batalla duró día y medio. La población se defendió con el apoyo de unos 3000 milicianos y 500 soldados. Los legionarios y moros penetraron en los arrabales de Badajoz en la mañana del día 14, y la ocupación terminó al caer la tarde.

La victoria estuvo unida a una operación de «limpieza». La exterminación era un criterio táctico en el campo rebelde. Se ejecutó a la población civil, a milicianos y a militares, entre los que se encontraban los coroneles Pastor Palacios y Cantero y el comandante Alonso. El jefe de la plaza, coronel Puigdendolas, consiguió salir con parte de sus hombres y se internó en Portugal. La concentración de la población en la plaza de Toros y la matanza en masa constituye uno de los hechos más trágicos y horribles de la guerra [154, 300; 274, 126]. John Whitaker, corresponsal del *New York Herald* con las tropas de Franco, a propósito del suceso de Badajoz reproduce la respuesta de Yagüe a la pregunta del periodista:

Naturalmente que los hemos matado —me dijo—, ¿qué suponía Vd.? ¿Iba a llevar 4000 prisioneros rojos en mi columna, teniendo que avanzar contra reloj? ¿O iba a dejarlos a mi retaguardia para que Badajoz fuera rojo otra vez? [313, 113; 274, 123].

No era la primera vez que esto ocurría. En Andalucía, Queipo de Llano había realizado también una «limpieza a fondo». «En Dos Hermanas solo quedó un vecino» [154, 187].

La ocupación de las tierras extremeñas y la toma de Badajoz permitió el enlace con las provincias dominadas del norte desde el inicio de la sublevación, el transporte de las tropas y la ayuda directa a Mola. El 16 de agosto, Franco y Mola se entrevistaron en Burgos; y a los pocos días este establecía el cuartel general del norte en Valladolid, mientras Franco lo hacía en Cáceres.

Queipo de Llano, en Andalucía, no había permanecido inactivo. Estableció un enlace con Granada, apoderándose a mediados de agosto de La Roda, Antequera, Archidona y Loja. Esta acción, junto a la de Varela en Córdoba, aseguró una línea de frente que permanecería aproximadamente hasta 1939.

Todo ello permitió a lo largo del mes de septiembre una operación conjunta en el valle del Tajo, que se inició con la ocupación de Talavera el día 3 de septiembre.

1.2. LA LUCHA EN LA SIERRA MADRILEÑA

El frente estuvo situado en los tres puntos clave de los primeros días de julio: Somosierra, Guadarrama y Navacerrada. En la zona republicana fue una lucha difícil, a causa de la desorganización de las fuerzas; y fue el momento de mayor actuación de las milicias, todavía en formación y faltas de experiencia militar. El gobierno encargó el 6 de agosto al general Riquelme la dirección del «Teatro de Operaciones del Centro» (TOCE), nueva organización militar de este sector, pero el día 10 fue sustituido por el coronel de EM José Asensio Torrado. La lucha fue dura, y en muchos momentos resultó difícil unificar las decisiones del jefe del TOCE con las de los milicianos y sus jefes.

En Somosierra, desde el 25 de julio, la línea quedó establecida en Paredes de Buitrago, y su defensa, encomendada en parte a las milicias confederales, entre la que destacó la mandada por el coronel del Rosal y el líder anarquista Cipriano Mera. Su acción se centró en la defensa del canal de Lozoya, indispensable para suministrar el agua a la capital, y del enlace con Cuenca y Sigüenza [197, 69-86; 181 bis, 27-30].

En Navacerrada, la iniciativa se mantuvo en manos republicanas. Fue una de las zonas en las que actuó el Quinto Regimiento, que desde allí participó a lo largo del mes de agosto en acciones combativas de los otros sectores.

Por fin, en el tercer sector, el de Guadarrama, hubo combates ininterrumpidos desde el 24 de julio hasta el 15 de agosto. En la defensa del Alto de los Leones participaron, al lado de los batallones de infantería, transmisiones y Guardia Civil, las milicias de falangistas y requetés, por el lado rebelde; y en la parte del gobierno, junto a las columnas del capitán Benito, y de Líster, milicias de la CNT, UGT, JSU y el Quinto Regimiento.

A partir del 20 de agosto, otro sector que registró batallas continuas fue el de la sierra de Gredos. Fuerzas rebeldes, al mando del comandante Doval, atacaron a los milicianos de la columna Mangada que operaba en el sector de Navalperal y Peguerinos. Las tropas rebeldes habían recibido refuerzos del ejército de África, con algún tabor de regulares, y atacaron y ejercieron una acción represiva durísima en la zona de Peguerinos.

En resumen, fue una lucha de posiciones en toda la sierra, que en gran parte se mantuvieron hasta el final de la guerra.

1.3. EL FRENTE DE ARAGÓN Y LA EXPEDICIÓN A MALLORCA

La acción bélica estuvo encaminada a la recuperación de las tres capitales aragonesas en las que había triunfado la sublevación. Fue Cataluña, y más en concreto el Comité Central de Milicias Antifascistas, quien dirigió la ofensiva y organizó la actuación coordinada de una serie de columnas, en las que participaron milicias de todas las organizaciones sindicales, con claro dominio anarcosindicalista.

La resistencia de las tropas rebeldes se endureció, de suerte que se configuró un frente sólido muy dfícil de romper, a pesar de la acción coordinada de estas columnas.

La primera fue la dirigida por el líder anarcosindicalista B. Durruti, que logró avanzar hacia Lérida y Bujaraloz hasta 18 km de Zaragoza. Se le unió la columna «Marx», integrada por militantes del PSUC y de la UGT, al mando de José Del Barrio y Luis Trueba, que desde Lérida se dirigió hacia Tardienta, Monzón y Sariñena. La acción conjunta de ambas logró evitar el avance de los sublevados.

La segunda columna, también anarcosindicalista, dirigida por el carpintero Antonio Ortiz y el comandante de infantería Fernando Salavera, desde Lérida, marchó hacia Caspe y Alcañiz y consiguió su ocupación en los últimos días de julio. Se les unieron otras columnas confederales —la «Hilario Zamora», la «Carod», etc.— que ocuparon el espacio sur aragonés.

Una tercera columna fue la «Francisco Ascaso», así llamada en memoria del militante de la FAI muerto en los primeros momentos de la sublevación, y dirigida por dos anarcosindicalistas, Cristóbal Aldabaltrecu y Gregorio Jover, la cual, unida a las fuerzas militares del coronel Villalba, se dirigió hacia Huesca e inició su asedio. Formaban también parte de ella otra serie de unidades, entre las que había varios grupos del POUM dirigidos por José Rovira y Jordi Arquer, que después adquirieron una organización autónoma con el nombre de columna «Lenin». El 20 de agosto se les unió una nueva columna de la FAI, «Los Aguiluchos», dirigida por García Oliver, quien a los pocos días tuvo que regresar a Barcelona a causa de su responsabilidad como presidente del Comité Central de Milicias, y fue sustituido por el también «faísta» García Vivancos.

Desde Valencia también se dirigieron varios contingentes hacia Teruel, destacando las columnas «Hierro» y «Uribarry», que junto a otras que salieron de Tarragona ocuparon la zona sur del Ebro [257, I, 305-312].

Las Baleares se presentaban al gobierno de la República y al de la Generalitat como un objetivo militar primordial y político de primer orden. Rovira i Virgili, desde las páginas de *La Humanitat*, en varios artículos defendió este punto de vista [85, 104 ss.]. Coincidiendo con ellos tuvo origen el proyecto de la expedición a Mallorca. Uno de sus promotores fue el capitán de Aviación Alberto Bayo, quien se puso en contacto con el presidente de la Generalitat, Luis Companys, y con el Comité Central de Milicias. Companys objetó que la expedición era imposible sin un fuerte apoyo naval. No obstante, dio el visto bueno y escribió al presidente del gobierno Giral, y a Lluhí Vallescà, ministro de Trabajo y Sanidad, representante de Cataluña en el gobierno central. Les comunicaba el proyecto y solicitaba ayuda. El Consejo de Ministros no lo aprobó, argumentando que no se podían distraer fuerzas de otros frentes más importantes [257, I, 312-314 y 334-335; 143, 181-198; 40, 285-320].[1]

A pesar de la negativa gubernamental y de algunas dificultades por parte del Comité Central de Milicias, la empresa mallorquina aglutinó a fuerzas navales y milicias de Estat Català, de la CNT y del PSUC bajo la dirección del capitán Bayo, a las que se sumaron, esporádicamente, milicias valencianas. Y zarparon hacia las islas a principios de agosto.

En Barcelona, el Comité de Milicias, ante los informes que recibía de Mallorca, deseaba el abandono de la empresa. Prieto, el 28 de agosto, en un discurso se pronunciaba por la necesidad de unificar el mando en toda la zona republicana, y en contra de la expedición mallorquina. La lucha se recrudeció en los primeros días de septiembre, pero su fin estaba muy próximo. El día 4 se formó nuevo gobierno, y Prieto, ministro de Marina, ordenó la retirada inmediata de todas las fuerzas de milicias y republicanas [143, 195].

Mallorca quedaba en poder de los sublevados y bajo la influencia fascista del conde de Rossi, cuya actuación sumamente autoritaria dio ocasión a una fuerte represión política en toda la isla [83 bis, 136-142; 186; 255].

1.4. LA GUERRA EN EL NORTE [78; 257, I, 357-400]

En la fachada cantábrica hay que diferenciar cuatro sectores: Guipúzcoa, Vizcaya, Santander y Asturias.

Guipúzcoa fue la zona sobre la cual el general Mola concentró mayor número de tropas. Su objetivo era la conquista de Irún con el fin de cerrar la frontera francesa, punto clave para la comunicación con Cataluña y toda la zona republicana. A las tres columnas de Mola se opusieron las milicias organizadas por la Comandancia Militar de Guipúzcoa.

Una de las columnas de Mola, el día 11 de agosto, ocupó Tolosa, y el 9 de agosto la columna del coronel Beorlegui había iniciado el ataque directo a la ciudad de Irún. Se le opusieron las milicias y fuerzas populares mandadas por el dirigente comunista Manuel Cristóbal Errandonea, ayudadas eficazmente por carabineros al mando de los tenientes Gómez y Ortega. Las tropas de Beorlegui incrementaron sus efectivos de artillería, y la ayuda decisiva para la victoria fue la incorporación a ellas de la segunda bandera de la Legión y de tropas marroquíes. Al fin, la ciudad en ruinas fue tomada el 4 de septiembre.

En *Vizcaya* y *Santander*, a lo largo del mes de agosto se fijaron posiciones que, por una parte, defendían la línea limítrofe con Guipúzcoa y Álava, y por otra, las alturas de la cordillera que separa estas provincias de Burgos.

En *Asturias* todos los objetivos militares se centraron sobre Oviedo. Por una parte, los rebeldes enviaron columnas falangistas desde Galicia para proteger y sostener a la ciudad. Por otra, tomado el cuartel de Simancas, en Gijón, el 21 de agosto por las milicias populares, estas concentraron también todas sus fuerzas sobre la capital, para recuperarla.

2. «REVOLUCIÓN» EN LA ZONA REPUBLICANA

2.1. ASALTO POLÍTICO DEL PODER POPULAR

Coincidieron una serie de fenómenos tales que produjeron cambios estructurales: la inexistencia de hecho del aparato del Estado en las primeras semanas de la guerra, la debilidad y falta de representación del gobierno Giral, la colaboración de numerosos propietarios y patronos con la sublevación o su simple huida y, naturalmente, la reacción popular apoyada en la influencia mayoritaria de los partidos obreros y las centrales sindicales.

En el aspecto político, se derrumbó todo el Poder en provincias y municipios y fue sustituido por un poder popular espontáneo, plural, contradictorio, sin unidad ni coherencia política, caracterizado por la diversidad de formas y diferentes estrategias, reflejo de la pluralidad del movimiento obrero. Los órganos populares se caracterizaron por ejercer el Poder y dirigir la vida ciudadana en todos sus aspectos: «orden público», abastos, vivienda, organización de los medios de producción; y aunque con muchas contradicciones, fueron expresión unitaria de todas las fuerzas políticas antifascistas.

En el País Valenciano, desde los últimos días de julio, el único órgano de poder revolucionario era el «Comité Ejecutivo Popular de Levante», presidido primero por el coronel Arín, y después por el socialista Zabalza, y en él participaron miembros de CNT-FAI, UGT,

PSOE, POUM, PCE, IR, UR, Izquierda Valenciana y Partido Sindicalista. Junto a él surgieron Comités locales en Alcoy, Sagunto, Játiva, Elche, Gandía, Alicante, Monóvar, Alcira, etc., etc.

Murcia organizó toda su vida económica y política en torno a dos centros: Cartagena, que abarcaba la zona industrial, comercial y militar, con predominio del sector anarcosindicalista; y Murcia, centro administrativo y de la actividad agrícola, y en el que dominaban los socialistas.

En Andalucía surgieron multitud de órganos locales autónomos entre sí, tales como el Comité de Salud Pública de Málaga, el Comité Central de Motril, el de Defensa de Ronda, el de Almería, etc.

En Asturias se formaron muchos comités y, a medida que se estrechaba el cerco en torno a Oviedo, se hizo necesario unificar la organización. El 6 de septiembre quedó constituido el Comité Provincial del Frente Popular en Gijón, presidido por el delegado del gobierno, el socialista Belarmino Tomás.[2]

En Santander, un Comité de Frente Popular ampliado con la participación de la CNT-FAI actuó desde julio hasta otoño, en que se creó el Consejo Interprovincial de Santander-Burgos-Palencia.

En el País Vasco, en los primeros momentos de la sublevación se formaron en Vizcaya y Guipúzcoa Comités de Frente Popular presididos por sendos gobernadores civiles —José M. Echevarría y Jesús de Artola, ambos de IR—. En agosto, los órganos de gobierno fueron la «Junta de Defensa»[3] con participación de todas las fuerzas políticas.

En toda la zona de Castilla la Nueva, la Mancha y en Badajoz se formaron Comités populares que, al igual que en los otros territorios, desarrollaron el proceso revolucionario.

Madrid —la calle rebosante de «milicianos» que marchaban al frente, restaurantes y bares abiertos al público sin distinción, indumentaria que había abandonado los «hábitos» y «signos» de clase (corbatas, sombreros, zapatos, etc.), banderas de partidos, pancartas y letreros con consignas que recordaban a la población la guerra y la defensa de la República— era la expresión de la impotencia del gobierno y de la hegemonía del poder popular, que se manifestaba a través del Comité Nacional del Frente Popular, y de los diversos Comités e iniciativas que los Partidos Socialista y Comunista y la UGT y CNT tomaron para organizar no solo las milicias sino toda la vida civil: abastecimiento, transportes, vida laboral, asistencia social y sanidad —guarderías, hospitales—, defensa del patrimonio artístico y cultural, etc. [298; 315, I; 323; 296].

2.2. Transformaciones económicas

Después de los primeros días de lucha —a la que acompañó una huelga general, a partir del 24-25 de julio, en Madrid [296] y en Barcelona [57, I, 185]— se inició la normalización de la vida laboral, con llamamientos tanto de los sindicatos —UGT y CNT— y los partidos obreros, como de los gobiernos. Era urgente en las dos capitales y en todas las ciudades y pueblos reanudar el proceso de producción y ponerlo al servicio de la guerra. Pero la situación de las empresas no era la misma que el 17 de julio. Muchos propietarios habían desaparecido o huido, otros estaban a la expectativa y acabaron aceptando la nueva situación. Los obreros no dudaron en tomar el control, de una u otra forma, de los medios de producción en todo el territorio que quedó en poder de la República, con la excepción del País Vasco y de pequeñas empresas cuyos patronos, de filiación izquierdista, quedaron al frente de ellas. En el campo, la ocupación de grandes propiedades —y de algunas que no lo eran— fue completa.

Las formas en que se realizó no fueron uniformes —incautaciones, intervenciones—, ni realizadas por los mismos órganos —obreros, sindicatos, gobierno de la República o de la Generalitat—, ni obedecían a un proyecto planificado [217, I, 169], pero todas condujeron a la colectivización y socialización de los medios de producción que llevó a una nueva organización laboral.

En las regiones agrarias, según dominasen los sindicatos de la CNT o de la UGT, variaron las formas de ocupar la tierra. En aquellas en que predominó el anarquismo se impuso la colectivización a ultranza, con experiencias de «comunismo libertario» a base de suprimir el comercio, la moneda, los impuestos, etc.

En Andalucía y La Mancha, regiones de latifundio y donde los campesinos eran trabajadores agrícolas, la explotación colectiva fue un fenómeno normal. Estuvo dirigida por la CNT y la FNTT.

El apoderamiento de los medios de producción se llevó a cabo también en las industrias esenciales, los servicios públicos, los ferrocarriles, transportes urbanos, compañías navieras, etc. Comités de la CNT y UGT tomaron en sus manos la producción y gestión de las empresas de manera autónoma. Obvio es añadir que, en el clima pasional de los primeros momentos, la calificación de los propietarios, sobre todo de los pequeños, fue en muchos casos arbitraria. El hecho fue que se asistió a un fenómeno de *colectivización* y sindicalización,[4] que en realidad suponía la administración de la empresa por los obreros que trabajaban en ella. Y esto ocurrió no solo en grandes fábricas metalúrgicas, textiles, etc., sino incluso en minúsculas zapaterías, panaderías, peluquerías, etc. En Asturias, todas las minas e industrias estaban en manos de los obreros.

2.3. GIRAL Y LA GENERALITAT INTENTAN «GOBERNAR»

El gobierno central y el gobierno de Cataluña, desde los últimos días de julio tuvieron que aceptar la nueva correlación de fuerzas, y su tarea se redujo a canalizar, o/y mejor, legalizar la «revolución» a través de una serie de decretos que se encaminaban a restablecer la normalidad en la vida económica.

El 25 de julio se decretó «la intervención directa del Estado en todas las industrias, y muy especialmente en las que afectaban a servicios públicos», y se creó un Comité encargado de realizarlas.

El 2 de agosto, otro decreto disponía la incautación por el Estado de todas las empresas industriales y comerciales cuyos propietarios o gerentes las hubieran abandonado.

Siguieron otros —14 y 20 de agosto y 1 de septiembre— por los cuales el gobierno nombraba delegados del Estado en compañías de electricidad, navieras, CAMPSA, con poderes de intervención en cuestiones técnicas y administrativas y regulación de los precios. Se tomaron medidas restrictivas en el movimiento de cuentas corrientes, se prohibieron las transmisiones de bienes inmuebles y derechos reales, se facilitó el pago de alquileres, etc.

En Cataluña, a partir de agosto, la Generalitat, ante la situación creada tomó una postura que se reflejó en la serie de disposiciones dadas por iniciativa del consejero de economía, Josep Tarradellas, encaminadas a asegurar la continuidad del trabajo, mantener el ritmo de la producción, organizar la industria de guerra, etc.[5] De particular importancia fue la creación, el 11 de agosto, del *Consejo de Economía de Cataluña*, órgano ordenador de toda la vida económica catalana e integrado por delegados de partidos políticos y centrales sindicales, cuya actuación fue importante hasta otoño [57, I, 183-192 y 260-262].

3. CONTRARREVOLUCIÓN EN LA ZONA SUBLEVADA

3.1. LA JUNTA DE DEFENSA NACIONAL

La lectura de los distintos bandos en los que los generales declaraban el estado de guerra, pone de manifiesto que fue un alzamiento «nacionalista» y conservador, en cuanto rechazaba el Estado integral de la Segunda República.

En la zona en que habían triunfado no había gobierno. Urgía vertebrar y unificar el mando, y poner los fundamentos de una administración civil y militar.

El 24 de julio se constituyó en Burgos la Junta de Defensa Nacional, «que asumió todos los poderes del Estado y representó legítimamente el país ante las potencias extranjeras» [47, núm. 1, 25 julio 1936]. Estuvo presidida por el general Cabanellas e integrada únicamente por militares: los generales Saliquet, Ponte, Mola y Dávila, y los coroneles Montaner y Moreno Calderón. Sucesivamente, a lo largo del mes de agosto, se incorporaron a ella los generales Franco, Gil Yuste, Queipo de Llano y Orgaz.

Su objetivo fundamental fue la coordinación militar de las columnas de militares y civiles (banderas de Falange y tercios de Requetés, entre otras), como embrión de un mando único militar, e instrumento de cohesión espiritual y moral de aquellas. La Junta empezó a ser, al mismo tiempo, un órgano de gobierno administrativo y político. Así daba paso a una nueva legalidad opuesta al régimen republicano, y ponía las bases del nuevo Estado, como expresión política de la sublevación.

El restablecimiento oficial, el 29 de agosto, de la bandera «nacional» —la roja y gualda— como bandera de España, en contraposición de la tricolor, símbolo de la España republicana, vino a ser el signo externo que confirmaba lo iniciado en el orden institucional.

La Junta actuó como poder soberano, ayudada por comisiones que fueron creándose en el verano de 1936, para atender todas las esferas de la vida ciudadana: económica, cultural, etc. Algunos civiles formaron parte de ellas.[6]

La formación del nuevo Estado en circunstancias excepcionales de guerra, hizo que todas sus necesidades se sometieran a las exigencias del aparato militar. El ejército fue la columna vertebral del nuevo régimen, y de él salieron los hombres y los primeros esquemas organizativos [271, 18].

El día 27 de julio se procedía a la destitución de los gobernadores civiles y se encomendaba a los jefes militares el gobierno y nombramientos necesarios en las localidades que se «ocupaban»; y el 14 de septiembre se estableció el cargo de gobernador militar. Singular importancia tuvo el «Bando» del 28 de julio, por el que la Junta de Defensa hacía extensivo el estado de guerra «a todo el territorio nacional» y dictaba una serie de normas que marcaron la vida bajo la ley marcial: jurisdicción militar, juicios sumarísimos, prohibición de reuniones, censura total de prensa y publicaciones, incautación de todos los vehículos y medios de comunicación, etc.

La Junta actuaba sin tener en cuenta a los partidos políticos que habían apoyado la sublevación, porque esta, calificada ya como «movimiento redentor», iba clarificando su orientación política, basada en el «Ejército, símbolo efectivo de la Unidad nacional», enemigo del parlamentarismo y de los partidos políticos. Consecuente con ello, por dos decretos sucesivos de 13 y 25 de septiembre, se suprimieron respectivamente todos los partidos políticos del Frente Popular y se prohibió toda actividad política y sindical, sea cual fuere su signo. El primero de estos decretos incluía la incautación de los bienes de dichas organizaciones y la depuración de los funcionarios públicos afectos a ellas. El segundo alcanzó también a los monárquicos de Renovación, a los tradicionalistas, falangistas, juventudes de Acción Popular, etc., que veían mermada su actividad política, a la que no habían renunciado al apoyar el alzamiento. Se autorizaban únicamente las agrupaciones profesionales, pero sometidas a la Junta de Defensa.

La última disposición de la Junta, el 30 de septiembre, reorganizaba los ayuntamientos y declaraba «el Municipio, piedra en la que se apoya la vida del Estado».

La política económica estuvo dirigida a cubrir las necesidades de la guerra y su financiación, y fue una política que dio a la Junta la organización, dirección y control de la escasa industria existente y que puso la Banca a su servicio.[7]

Respecto a todo lo relacionado con el Banco de España y el problema del «oro» [307, 31, 46-47, 158-166 y 452; 312, I, 143-144], la Junta de Defensa ejerció una política pragmática al filo de los acontecimientos basada, por una parte, en la declaración del carácter delictivo «de las exportaciones de oro de la nación en el Banco de España» (Decreto 14 de agosto), y por otra, en ir dando normas y creando instrumentos de crédito para financiar la guerra, que culminó con la reunión, el 14 de septiembre, de una junta extraordinaria del Consejo del Banco de España en Burgos.

Entre las medidas que adoptó la Junta de Defensa de Burgos, se halla la ayuda privada de financieros, entre los que destaca Juan March, que desde la preparación hasta el final de la contienda apoyó y facilitó ayudas directamente, o en general a través de organizaciones bancarias extranjeras como Kleinwort and Sons. Co., de Londres [307, 452-453; 134, 379-380; 95, 318-321].

Las tierras ocupadas por los rebeldes eran las tierras agrícolas y ganaderas, que abarcaban la mayor parte de la producción triguera y de leguminosas (maíz, azúcar, patatas), y las de pastos. Interesaba, por tanto, garantizar y controlar la producción, la distribución y los precios. Ya el 29 de julio se dio un decreto para salvar la recolección de cosechas, por el cual se ordenaba a los Ayuntamientos la organización de «un servicio de prestación personal con los vecinos», y también en agosto se adoptaron varias medidas destinadas a intervenir el mercado del trigo.

Ahora bien, lo más importante en el sector agrario consistió en lo que puede denominarse contrarreforma agraria, encaminada a anular los cambios introducidos por el Instituto de Reforma Agraria. Tres decretos especialmente lo confirman. Los dos primeros son del 28 de agosto, relativo uno de ellos a los «Yunteros» de Extremadura y que anulaba los decretos de 3 y 14 de marzo de 1936, por los cuales el Frente Popular les había concedido el usufructo de las tierras que trabajaban; el otro revocaba normas anteriores y decretaba nuevas medidas que debían tomar los gobernadores civiles. El tercer decreto, del 25 de septiembre, devolvía a sus propietarios las tierras expropiadas a partir de marzo de 1936.

Finalmente quedan dos sectores importantes de la organización del Poder: Justicia y Ejército. La Justicia quedó prácticamente bajo control militar al declararse el estado de guerra, de suerte que la función judicial quedó relegada a un segundo plano, y la mayoría de las causas pasaron, en función del estado de guerra y la ley marcial, a la jurisdicción militar [47, 30, julio 1936]. El ejército mantuvo la misma estructura organizativa y estaba formado por tropas regulares de la Península y de África, y por las milicias de voluntarios de Navarra, Castilla, Galicia y Andalucía, a las que se les asignó, por Decreto de 30 de julio, un haber diario de 8 pesetas [77, 237-265; 256, 159-160]. A pesar de ello, se acudió ya en esas fechas al reclutamiento de los reemplazos de 1933, 1934 y 1935 (decretos de 8 de agosto). Lo más importante fue el Decreto de 4 de septiembre que creaba el «alférez provisional» para subsanar la necesidad de mandos inferiores.

3.2. LA VIDA EN LA RETAGUARDIA

El clima que, en conjunto, se vivió fue el de euforia y triunfo, fomentado en gran parte por la prensa y la radio y por el aire marcial del ejército. Impidió que se trasluciera el miedo y la angustia de los sectores que se vieron sujetos a represión.

El aspecto externo de la vida cambió. Nuevos símbolos, nuevas banderas, nuevas indumentarias. Junto al yugo y las flechas de Falange Española, y las camisas azules, aparecían las boinas rojas de los requetés, la cruz de San Andrés, la flor de lis y las «margaritas». La bandera republicana ondeó todavía hasta que desapareció en agosto, sustituida por la que sería «bandera nacional». Junto a ella, la roja y negra de Falange. Los símbolos militares se introdujeron en la vida civil; así, era frecuente ver a hombres y mujeres tocados con el gorro de legionario o la boina roja o verde.

Desde mediados de agosto, quizá con motivo de la entrada de las tropas de Yagüe en Badajoz, todas las ciudades celebraron el acontecimiento con manifestaciones y desfiles que provocaban un verdadero «delirio y orgía» en la población [241, 65].

La retaguardia organizó la «segunda línea» y surgió un voluntariado cuya misión fue la vigilancia de las ciudades y la prestación de servicios auxiliares: guardias cívicos, milicias nacionales, Defensa Armada, Caballeros de Santiago, Voluntarios de España, Caballeros de La Coruña, etc. [2, 50]. Hubo, por fin, que organizar y crear ayudas para los nuevos personajes que irrumpieron en la vida: el herido de guerra, el refugiado que «huía» de la España republicana y el desplazado.

Los partidos políticos —Tradicionalistas, Falange, Renovación Española, JAP, Partido Nacionalista Español—, no habían renunciado a sus programas políticos. Tal vez muchos no habrían apoyado la sublevación si hubieran vislumbrado el régimen autoritario que fue configurándose desde la Junta de Defensa [255, 250-252]. Falange y Requetés aumentaron sus militantes. Falange se vio en cierto modo desbordada por los que más tarde se llamaron los «nuevos» y que en aquel verano de 1936 acudían a sus filas para tener el carnet de adhesión al Movimiento que les garantizara el pan y la vida y les librase de la represión y las depuraciones.

Falange se reorganizó. Su jefe nacional y muchos de sus mandos estaban en la cárcel en zona republicana —José Antonio, sus hermanos Fernando y Miguel, Ruiz de Alda, Sancho Dávila, Fernández Cuesta, etc.— o habían muerto en el frente —O. Redondo—. Esto originó una debilidad teórica y rivalidades. Después de conversaciones y diversas negociaciones, el 2 de septiembre se convocó en Valladolid una reunión de Consejeros Nacionales y Jefes provinciales, y se nombró una *Junta de Mando provisional* integrada por M. Hedilla, Aznar, Sainz, Muro, Redondo y Moreno. De entre estos se eligió a Hedilla como Jefe. La Junta se domicilió en Burgos, pues era necesario estar cerca del Poder representado por la Junta de Defensa [214, 96-99; 130, 77-86].

El Tradicionalismo reforzó su estructura, quebrantada o amenazada por la situación bélica. El 1.º de septiembre su jefe, Fal Conde, anunció una nueva estructura organizativa. Se creó la *Junta Nacional de Guerra* presidida por él, y de la que formaron parte Zamanillo, delegado del Requeté y jefe de la sección militar; Lamamié de Clairac, secretario general; Valiente, en la sección de asuntos generales; el conde de Rodezno, delegado político; y el 19 de septiembre entró a formar parte de ella Arauz de Robles, encargado de gremios y corporaciones. La Junta asumía «todos los poderes» y «todas las facultades» de los organismos existentes, y afirmaba la individualidad del carlismo dentro del Movimiento [45, núm. 7].

4. REPRESIÓN Y TERROR

Múltiples factores se combinaron entre sí en ambas zonas e hicieron explotar una atmósfera de represión y terror a lo largo de toda la contienda, particularmente intensa en los meses del verano de 1936. Factores comunes los más —guerra civil, incontrolados, venganzas personales, represalias, persecución política—, y otros específicos en cada una de las zonas que matizarían la persecución y le darían unas connotaciones determinadas.[8]

4.1. LA PERSECUCIÓN EN LA ZONA SUBLEVADA

La represión la iniciaron los sublevados la tarde del 17 de julio. Se sublevaron asesinando y los días 18, 19 y 20 se caracterizaron por una sucesión de asesinatos. Sus primeras víctimas fueron los generales, gobernadores civiles y militares que no se sumaron a la rebelión. Es el caso de los generales Romerales en Tetuán, Caridad Pita y Salcedo en La Coruña, Núñez del Prado en Zaragoza, Batet en Burgos, y Campins en Granada; de F. Pérez Carballo, gobernador civil de La Coruña; de L. Lavín Gautier, gobernador civil de Valladolid; de Álvarez Buylla, Alto Comisario de Marruecos, etc., etc. [257, I, 188-189; 238, 108-109; 298, 326]. Siguieron los asesinatos y encarcelamientos de otros muchos militares, y de la población civil —maestros y médicos de pueblos calificados de republicanos, obreros, etc., etc.—. Había que «eliminar» a cuantos no aceptaran el Movimiento.

Esta «eliminación» respondía a una cuestión de principio: el aniquilamiento del adversario, proclamado ya en las bases del Alzamiento dadas por Mola en la primavera de 1936.

La base quinta de la Instrucción reservada número 1, firmada en Madrid el 25 de mayo de 1936, decía:

Se tendrá en cuenta que la acción ha de ser en extremo violenta para reducir lo antes posible el enemigo, que es fuerte y bien organizado. Desde luego serán encarcelados todos los directivos de los partidos políticos, sociedades o sindicatos no afectos al Movimiento, aplicándoles castigos ejemplares a dichos individuos para estrangular los movimientos de rebeldía o huelgas [238, 124].[9]

En los primeros días del Alzamiento abundaron declaraciones de los generales Franco, Queipo de Llano y del mismo Mola, reafirmando su voluntad de eliminar al adversario [230, 364-370; 154, 292].

En meses sucesivos se dieron normas que fueron regulando la administración de la justicia y se establecieron los Consejos de guerra sumarísimos.[10]

En la España republicana se mataba por iniciativas personales en la forma salvaje llamada *paseo*. En el bando nacional intervenían casi siempre los Tribunales Militares [218, 149-154].

Y Mola, en agosto, decía:

Hace un año hubiese temblado de firmar un fusilamiento. No hubiera podido dormir de pesadumbre. Hoy le firmo tres o cuatro todos los días al auditor, y ¡tan tranquilo! [154, 245].

Existió, además, una distorsión, o mejor, aberración jurídica, en la que se basaban los Consejos de Guerra, al aplicar el calificativo de *rebeldes* a los que defendían la legalidad [238, 105; 266, 243-252]. Y hubo otra forma de represión, que, iniciada con carácter retroactivo en julio de 1936, perduró durante treinta y nueve años. Fue la depuración y separación de sus cargos y puestos de trabajo de toda clase de funcionarios calificados también de *rebeldes*, y que tuvo efectos masivos en el campo de la enseñanza.[11]

Junto a esta represión «oficial» y «jurídica», se dio, en verdadera concurrencia de tolerancia y motivos y vergonzosamente admitida, la del tiro en la nuca en cada carretera, en cada muro de cementerio, ejercida por las «escuadras» falangistas en unos lugares, y por grupos de requetés en otros, tolerada y animada por las autoridades militares. Valladolid, Navarra, Galicia, Málaga, Zaragoza, Huesca y Barbastro, Burgos,[12] Granada, donde el 18 de agosto fue asesinado Lorca, son algunas de las muestras de este terror, al que acompañaban dos hechos paradójicos: la asistencia de muchas personas, incluso niños, que iban a presenciar los asesinatos, hasta que fue aconsejada por las autoridades la no participación [45; 154].

4.2. Persecución política y religiosa en la zona republicana

Los días 18, 19 y 20 de julio, frente a un Estado que estaba muy desarticulado, brotó una represión de origen popular que paulatinamente fue degenerando, por el hecho de no existir organismos de Estado capaces de ejercer el control. Surgieron las «patrullas de control», los «comités», etc., que «tomaron por su mano la justicia», y la ejercieron asaltando casas, desvalijando, quemando y asesinando en los tristemente célebres «paseos». Se cometieron crímenes, se mató, la mayor parte de las veces, sin juicio, en descampados, en las cunetas de las carreteras, etcétera.

Las detenciones, saqueos y asesinatos se dirigieron hacia la aristocracia y la burguesía que ejercían el poder económico, y hacia los militares y políticos no integrados en el Frente Popular, «facciosos» en el lenguaje del momento. Era la expresión de una guerra de clases que impulsó a matar a muchos solo por la posición social que tenían.

Hubo otro factor que se inscribe en la tradición española de los siglos xix y xx, en ese engranaje clericalismo-anticlericalismo cuya base no la constituyen, únicamente, cuestiones ideológicas, sino que es, una vez más, la dominación de clase que durante siglos ejerció la Iglesia, y que en julio de 1936 añadió, desgraciadamente, el matiz religioso a la persecución en la zona gubernamental [22; 230].

Murieron obispos, párrocos, sacerdotes y religiosos, y en número mucho menor, religiosas: 283 monjas, frente a 6549 sacerdotes y religiosos varones [200, 762], es un dato significativo que ofrece una pista para orientar una revisión crítica de los datos que se poseen y que permite hablar de una persecución «anticlerical», más que «antirreligiosa». El gobierno Giral hizo esfuerzos por recuperar el control judicial. En Cataluña se intentó a través de la Comisión Jurídica del Comité de Milicias. Todo fue inútil. El primer intento que abrió el camino a una nueva estructura del aparato judicial fue la creación del Tribunal Especial de Madrid, por Decreto de 23 de agosto de 1936, para juzgar los delitos de rebelión y sedición y todo cuanto fuera contra la seguridad del Estado. El tribunal estaba formado por tres funcionarios judiciales y catorce jurados populares, nombrados por los partidos del Frente Popular y organizaciones sindicales. Este decreto dio origen a los Tribunales Populares que actuarían sumariamente en todo el territorio [298, 425-426]. Surgieron en un momento álgido de la persecución, ya que los días 21, 22 y 23 de agosto se había producido en Madrid el intento de asalto, saqueo e incendio de la cárcel Modelo que causó el terror en los presos [167 bis, 155-161; 266, 128-143], y la muerte de hombres políticos, algunos realmente comprometidos con la sublevación, otros «liberales»: Melquíades Álvarez, Rico Avello, Álvarez-Valdés, Fernando Primo de Rivera, Ruiz de Alda, Albiñana. Señalemos también que pocos días antes, el 17, tras juicio sumarísimo, habían sido fusilados los generales Fanjul y Villegas.

5. EL ENTORNO INTERNACIONAL

5.1. REPERCUSIONES EN LAS CANCILLERÍAS OCCIDENTALES

La rebelión se produjo en un momento en que las relaciones internacionales eran sumamente tensas y numerosos factores amenazaban romper el equilibrio y la paz establecidos en Versalles y Locarno y débilmente defendido por la Sociedad de Naciones.

La actividad diplomática se intensificó a partir del día 23 de julio, fecha en que se reunieron en Londres británicos y franceses. No es arriesgado pensar que en esta reunión quedó esbozada la *No Intervención*. En París, el gobierno del Frente Popular presidido por el socialista Léon Blum, en el Consejo de Ministros del día 25, decidió no intervenir en los asuntos internos de España. ¿Por qué? Hubo, sin duda, dos factores que influyeron en esta toma de postura. El primero, la línea británica en política exterior, que creía posible asegurar la paz cediendo ante las exigencias cada vez más ambiciosas de Italia y Alemania. El segundo fue la presión de los sectores conservadores y financieros franceses, temerosos de una revolución socialista que pondría en peligro los intereses económicos franceses en España [50; 300].

La prensa, como elemento de propaganda y contrapropaganda, información y contrainformación, jugó un papel de primer orden. En Francia, *L'Echo de Paris* desató una violenta campaña contra el gobierno francés por sus planes de ayuda a la República; *Le Temps* reclamaba la neutralidad en un editorial del día 26. En Alemania, el *Völkischer Beobachter* señaló el peligro de un estado soviético en España y atacaba al gobierno francés.

El 25 de julio, la sublevación militar no solo se había transformado en guerra civil, sino que un hecho español se había convertido en elemento de discusión y acción diplomática, con consecuencias en toda la política europea. La guerra de España se internacionalizaba.

La Junta de Defensa de Burgos, que había entrado en contacto con Italia y Alemania, lo hizo también con Portugal y Estados Unidos. La ayuda de Salazar fue fundamental desde el primer momento, no tanto en armas y en hombres, que no faltarían en meses sucesivos, sino en cuanto a apoyo logístico y diplomático [258; 307, 452].

En las decisiones de ayuda a Franco tomadas por Estados Unidos pesaron, más que la actitud y las informaciones de su embajador en Madrid, Bowers, amigo del gobierno español, las del Secretario de Estado, Cordell Hull, que impulsó a la administración Roosevelt a observar frente a España una postura «neutral» y a «abstenerse de toda interferencia».

Está actitud se plasmó, el 7 de agosto de 1936, en una circular enviada a todos los cónsules norteamericanos en España. No hay que insistir en que era una falsa neutralidad. De hecho, a lo largo de la guerra y ya desde el verano de 1936, Estados Unidos apoyó la sublevación a través de la compañía petrolífera Texaco, filial de la Standard Oil, que desde el inicio de la insurrección suministró «a crédito» al campo rebelde el petróleo necesario; y permitió también el trato comercial a compañías como la Studebaker, Ford, General Mottors, Glenn, etc., que facilitaron la venta de aviones, camiones y armas directamente o a través de Alemania e Italia.

5.2. EL COMITÉ DE «NO INTERVENCIÓN»

El Comité de «No Intervención» tuvo su origen en la política exterior británica y francesa, y en el hecho de que las distintas potencias europeas —Alemania, Italia, Francia, Inglaterra, URSS, Portugal— intervinieran en la guerra civil de España prestando ayuda, de una forma directa o encubierta, al bando cuyo triunfo consideraban más favorable a sus propios intereses.

La política de «apaciguamiento», el temor a Hitler y a`Mussolini, inspiró, pues, la «No Intervención». Esta incluía dos aspectos: la neutralidad ante el conflicto español, y la prohibición de enviar material de guerra a España. Su origen se halla ya en la actividad diplomática del mes de julio de Gran Bretaña y Francia, y su nacimiento concreto, en la propuesta que el gobierno francés hizo el 2 de agosto a Inglaterra e Italia. No fue un tratado ni un acuerdo sino la adhesión de los países europeos a la proposición francesa [30; 307].

Gran Bretaña fue la primera en adherirse, el día 6 de agosto. Sucesivamente a lo largo de ese mes lo hicieron Italia, Alemania, Portugal, la URSS, Bélgica, Rumania, Polonia, etc., hasta 27 países europeos.

El gobierno francés, consecuente con su propuesta, el 8 de agosto prohibía exportar armas a España, y más tarde, el 6 de septiembre, prohibió también el tránsito de armamento por su territorio, medidas que, naturalmente, perjudicaban al gobierno español cuando este no solo solicitaba ayuda, sino que había iniciado la venta del oro del Banco de España a Francia con el fin de obtener las armas necesarias [307, 27-30]. También Inglaterra, el 19 del mismo mes, declaró el embargo de todo armamento. Y, en esas mismas fechas, Alemania e Italia daban, como decíamos más arriba, su adhesión a la «No Intervención», al mismo tiempo que prometían nuevas concesiones de armas a los rebeldes, «a crédito».

Es el momento, también, de la adhesión de la URSS. Entre las razones que movieron a Stalin a ello, cuenta, sin duda, la política exterior soviética de acercamiento a Francia frente a Alemania, plasmada en el tratado de alianza franco-soviético del 2 de mayo de 1935, y, al mismo tiempo, la política encaminada a impedir que el conflicto militar español se transformara en mundial. La URSS, en meses siguientes, procuró contrarrestar cualquier acción internacional que tendiera a empeorar la situación de la República [29, III, 475-479].

La comunicación oficial del acuerdo de «No Intervención» al gobierno de Madrid tuvo lugar, al igual que a las potencias, en los primeros días de agosto. El gobierno español contestó con una carta en la que se declaraba dispuesto a aceptar el acuerdo a condición de que fuera aplicado a unos y otros con total y absoluta imparcialidad [30, 138].

A propuesta también de Francia, se formó un Comité que debía ocuparse de la aplicación del acuerdo de «No Intervención». Así nació el tristemente célebre Comité de Londres.

Su primera reunión tuvo lugar el 9 de septiembre en la capital británica, sede del mismo, y fue elegido presidente lord Plymouth, representante inglés. Para facilitar los trabajos, se constituyó un subcomité formado por cinco potencias: Italia, Alemania, Francia, Gran Bretaña y

URSS. En esta primera sesión se trataron cuestiones de procedimiento, y se aprobó una cláusula de gran trascendencia que marcaba la línea a seguir. El meollo radicaba en que el Comité evitaría todos los debates políticos. Es decir, no juzgaría el envío de tropas o armas italianas, alemanas, portuguesas, soviéticas, etc., sino que tan solo se fijaría en cuestiones llamadas «técnicas», tales como: son o no son armamento las caretas antigás, es o no es contrabando el mineral de hierro, debe o no debe hacerse extensivo el acuerdo a casos de intervención indirecta, etc. En los primeros meses de su actuación —septiembre a diciembre de 1936— se celebraron 14 sesiones plenarias y 17 del subcomité. Fueron «formularias».

El resultado práctico de denuncias y contradenuncias, discusiones y enfrentamientos, entre Ribbentrop y Grandi por un lado, Máisky por otro, fue la aprobación, el 12 de noviembre, de un primer plan de control, a efectuar sobre los puertos, para asegurar la ejecución de la «No Intervención». Acuerdo que fue también inoperante.

5.3. SE INTENSIFICAN LAS AYUDAS EN OTOÑO

No obstante la «No Intervención», las ayudas de las potencias fascistas no cesaron. Italia y Alemania prestaron sin interrupción la ayuda iniciada. La Junta de Defensa, a través de los generales Franco y Mola, el 19 de agosto envió a Roma un agente acompañado de Santiago Muguiro, que se entrevistó con Ciano el día 24 y también sostuvo varias reuniones con Sainz Rodríguez, Víctor Urrutia y Juan March [307, 47-48].

Pocos días después, Roma y Berlín llegaron al acuerdo de enviar a Franco una misión militar italo-alemana al mando del general Roatta y del teniente coronel Warlimont, con la finalidad de asesorar a los sublevados. Su objetivo principal, no obstante, era estudiar sobre el terreno las posibilidades de incrementar las ayudas no solo en armas y aviones, sino también en personal militar [83 bis, 106; 307, 49].

Otro momento decisivo fue en octubre. Del 23 al 25 de ese mes el conde Ciano y el Führer se entrevistaron en Berchtesgaden y decidieron intensificar su ayuda a Franco, y reconocer oficialmente a la España franquista. Este reconocimiento se hizo público el 18 de noviembre. En el aspecto internacional acababa de iniciarse el «Eje» [83 bis, 112-114 y 125-126]. La diplomacia italiana dio un paso más firmando con Franco un tratado, el 28 de noviembre.

En la zona gubernamental, desde el inicio de la contienda la actitud de la Unión Soviética fue favorable a la Segunda República. Se caracterizó, en un principio, en una actitud de reserva, que pasó al poco tiempo a una actuación decidida. La ayuda empezó a materializarse a finales del mes de agosto, coincidiendo con la adhesión de la URSS a la «No

Intervención». El cambio de actitud respondía a la política exterior soviética de acercamiento a Francia e Inglaterra, para poner freno a la agresividad manifestada ya en estos meses por Alemania e Italia. El primer paso fue el restablecimiento de las relaciones diplomáticas plenas. El 25 de agosto llegó a Barcelona el primer cónsul soviético, Vladimir Antonov-Ovseenko. El 27 lo hacía el primer embajador, Marcel Rosenberg, a Madrid, y el día 29 presentaba sus cartas credenciales, cuando la casi totalidad de las embajadas se habían trasladado a Hendaya, dejando tan solo algún «encargado de negocios» [19, 148; 29, III, 475-479]. El primer embajador de España en Moscú fue el socialista Marcelino Pascua, que llegó a Moscú el 16 de septiembre [295, I, 170].

Fue entonces cuando llegó seguramente el primer personal soviético de técnicos y asesores militares [9, 82-99; 72, 97-98].

La guerra de España fue uno de los fenómenos históricos que tuvo una incidencia mayor en la opinión pública. En especial en Francia, Inglaterra [30, 45-50] y en la URSS [72, 90] surgieron una serie de iniciativas promoviendo acciones de solidaridad en favor del pueblo español al lado de la democracia republicana.

El 13 de agosto se celebró la 1.ª Conferencia Europea para la defensa de la República Española de la Paz. Fue el punto de partida de mitines, de propaganda y recaudaciones para el envío de víveres, ropa, etc., que no cesaron, y se prolongaron incluso en 1939 en el exilio.

NOTAS DEL CAPÍTULO II

1. De toda la bibliografía utilizada creemos haber sintetizado el problema de la expedición a Mallorca. Salas es el único que atribuye al gobierno central la iniciativa de la expedición [257, I, 312-313].

2. La composición del Comité del FP en Asturias era la siguiente: *Presidente*, B. Tomás (PSOE); Guerra, J. Ambou (PCE); *Interior*, A. Fernández (PSOE); *Obras Públicas,* J. San Martín (IR); *Hacienda, R. Fernández (JSU); Industria,* J. Tourman (CNT); *Comunicaciones*, A. González (FAI); *Agricultura,* García Alvarez (PCE); *Sanidad*, F. Paredes (IR); *Instrucción Pública*, M. Suárez Vallés (JSU); *Marina Mercante y Pesca*, E. Vázquez (CNT); *Asistencia Social*, E. Fanjul (FAI).

3. Junta de Defensa en Vizcaya: *Presidente e Interior*, J. Echevarría Novoa (IR); *Comercio y Abastos*, R. M. Aldasoro (IR); *Comunicaciones*, A. Espina (UR); *Defensa*, P. Gómez Saiz (PSOE); *Transportes*, J. de Astigarrabía (PCE); *Hacienda*, H. de la Torre (PNV); *Industria*, J. de Jáuregui (PNV); *Trabajo*, H. Gorostiza (PNV); *Salud pública*, J. de Basterra (ANV); *Asuntos Sociales*, Valle (CNT).

Junta de Defensa de Guipúzcoa: *Presidente*, M. de Amilibia (PSOE); *Interior*, T. de Monzón (PNV); *Guerra*, J. Larrañaga (PCE); *Comunicaciones y Transportes*, M. González Inestal (CNT); *Trabajo e Industria*, Torrijos (PSOE).

4. En la colectivización, la empresa es propiedad colectiva de todos los que trabajan en ella; en la sindicalización, la empresa es propiedad del sindicato y los derechos del trabajador hacia ella lo son en tanto que sindicato.

5. Decretos de la Generalitat de 6, 8, 21 y 24 de agosto, Orden de 28 de agosto y Decretos de 2 de septiembre.

6. Entre otras se crearon en julio la Comisión directiva del Tesoro Público; la Asesoría de Hacienda, y el gabinete diplomático. En agosto, el gabinete de Prensa, después oficina de Prensa y Propaganda; el Comité Nacional de la Banca Privada, la Comisión para reorganizar la Justicia y la Comisión de Industria y Comercio. Vocal de la Asesoría de Hacienda fue Andrés Amado. Al frente del gabinete de Prensa estaban Juan Pujol y Joaquín Arrarás. El comité de la Banca Privada lo presidía Pedro Alfaro, y en la Comisión de Industria y Comercio, entre otros, estaban Joaquín Bau Nolla, Demetrio Carceller, Pedro González Bueno, y hombres de la oligarquía terrateniente y financiera, J. Claudio Güell y Churruca y E. Santos de Lamadrid. Todos fueron personajes destacados en el régimen franquista.

7. Decretos sobre clasificación de fábricas e industrias; incautación de minas; regulación de precios; ordenación de pagos; normas sobre cuentas corrien-

tes, etc. Monopolio de petróleos con la oficina central de CAMPSA en Burgos, dirigida por Juan Navarro-Reverter.

8. Inmensa es la bibliografía a este respecto (Thomas, Jackson, Bolloten, Peirats, Lorenzo, Iribarren, Lacruz, Iturralde, Guerra y Revolución), y particularmente destacan (Montero, Raguer, Salas) pero ninguna puede considerarse definitiva. Remitimos al trabajo de A. Reig (artículo de *Sistema*), en el que realiza una crítica rigurosa de toda la historiografía y plantea nuevas líneas metodológicas para realizar una investigación objetiva e histórica.

9. Según A. Reig, que toma la cita de Ricardo de la Cierva, *Historia de la guerra civil Española*, Tomo I, p. 771, esta instrucción del «Director» es de 25-V; Vidarte [278, 383-384] la data en abril y presenta otras instrucciones de 25-V y 20-VI que reiteran el carácter violento del Alzamiento: «He de advertir a los tímidos y vacilantes, que aquel que no esté con nosotros, está contra nosotros y como enemigo será tratado. Para los compañeros que no son compañeros, el movimiento será inexorable».

10. Cf. *BJDN*, 29 de agosto-36; 5 septiembre, 12 septiembre, 17 septiembre, entre otros; y *BOE*, 6 octubre, 27 octubre y en especial el de 1 de noviembre de 1936 creando el Tribunal de Justicia Militar.

11. Cf. *BJDN* 30 agosto, 8 septiembre, 10 septiembre y muchos otros que culminan con el Decreto-Ley dado por Franco el 5 de diciembre de 1936.

12. Hasta hoy, dada la represión mantenida durante los años de la Dictadura, muchos datos no se conocían, hoy empiezan a publicarse. Es el inicio de una investigación que requiere mucho trabajo. Remitimos a artículos publicados en *La Calle*, núms. 6, 9, 23 (mayo y agosto 1978); *Triunfo*, núm. 680 (febrero 1976); *Historia 16*, núm. 19 (noviembre 1977), núm. 22 (1978); *Historia y Vida*, núm. 107 y 110 (1977). *Interviu*, núms. 55, 56, 66, 67, 77, 81 (1977); *Andalán*, núm. 241 (1979).

CAPÍTULO III

Reconstrucción del Estado en las dos zonas

1. VIDA POLÍTICA Y CAMBIOS ESTRUCTURALES EN LA ESPAÑA REPUBLICANA

1.1. LOS DOS GOBIERNOS LARGO CABALLERO

El 4 de septiembre, Azaña dio el visto bueno a un nuevo gobierno que respondía a la necesidad de que la dirección militar y política del país estuviera dirigida por todas las fuerzas que defendían la legalidad republicana. Giral planteó al presidente de la República, y al mismo tiempo al Partido Socialista, su proyecto de dar paso a un gobierno de coalición. Tras una serie de conversaciones con las Ejecutivas del PSOE y de la UGT, Largo Caballero aceptó la presidencia del gobierno, exigió la entrada en él de los comunistas, e intentó la incorporación del otro sector del proletariado, la CNT, que todavía no aceptó, pero sí apoyó.[1] Quedó, así, formado un gobierno de mayoría socialista, aunque hay que señalar que Largo Caballero, A. del Vayo y Galarza fueron designados por la UGT (es decir, por el ala «caballerista» del partido). La representación del PSOE estaba ostentada por Prieto, Negrín y A. de Gracia. Las minorías estaban formadas por republicanos, comunistas y partidos nacionalistas.[2] Ahora bien, J. A. de Aguirre no aceptó en un primer momento la participación en el gobierno del Estado. Fueron necesarias conversaciones y pactos. Largo Caballero prometió la aprobación inmediata del Estatuto Vasco, y el PNV aceptó la participación. El día 17 de septiembre, M. de Irujo era nombrado ministro sin cartera; y Julio Just, de IR, sustituía a Aguirre en Obras Públicas. Este fue el primer gobierno presidido por un dirigente obrero, y la primera vez que en una democracia occidental participaban en la gestión gubernamental los comunistas.

Esta reconstrucción del Poder no podía llevarse a cabo sin la incorporación de la CNT. Largo Caballero insistió y obligó a esta a realizar una revisión de los postulados anarcosindicalistas. Entre los confederales partidarios de la entrada en el gobierno destacó Horacio Prieto, Secretario del Comité Nacional de la CNT.

Los Plenos del 15 y 18 de septiembre propusieron la creación de un Consejo Nacional de Defensa integrado por cinco miembros de la CNT, cinco de UGT y cuatro republicanos. Esto no fue aceptado por el gobierno. Al fin, en el Pleno del 18 de octubre se aprobó la colaboración ministerial, que dos meses antes se había iniciado en Cataluña. H. Prieto inició las gestiones. No fueron fáciles. Hubo que vencer la resistencia de Azaña [29; 19], problemas entre Prieto y Largo Caballero, y la aceptación de los mismos confederales. H. Prieto, quiso llevar al gobierno los dos sectores de la CNT —el sindicalista puro y el anarquista—. Peiró y López, antiguos treintistas, aceptaron enseguida; pero hubo que vencer la resistencia de los «faístas» García Oliver y Federica Montseny, quien tuvo que superar fuertes problemas de conciencia [116, 238-239].

Vencidas todas las dificultades, el 4 de noviembre quedó formado el segundo gobierno Largo Caballero.[3] La entrada de los cuatro ministros anarquistas supuso un salto sin precedentes, tanto en el desarrollo interno de la CNT-FAI como en la dinámica del Poder en el gobierno. Fue el gobierno de mayor hegemonía de las organizaciones obreras.

La reorganización y reparto de las carteras ministeriales quería reforzar la línea iniciada en septiembre, tendente a la reestructuración de la economía, el robustecimiento del Poder, integrando los cambios estructurales realizados en los meses anteriores. El propósito de unidad era evidente, pero las contradicciones políticas no desaparecieron y la tarea del gobierno Largo Caballero fue muy difícil.

La primera dificultad se presentó inmediatamente. Madrid estaba asediada por las tropas rebeldes (cf. cap. IV), y el peligro que esto suponía obligó al gobierno a abandonar la capital [315, I, 171; 19, 160-163].

1.2. La Junta de Defensa de Madrid

En Madrid se encargó al jefe militar de la Defensa, general Miaja, la constitución de «una Junta de Defensa de Madrid, con representación de todos los partidos políticos que forman parte del Gobierno y en la misma proporcionalidad que en este tienen dichos partidos, Junta cuya presidencia ostentará V.E. Esta Junta tendrá facultades delegadas del Gobierno para la coordinación de todos los medios necesarios para la defensa de Madrid...».

La Junta quedó formada en la tarde del mismo 7 de noviembre,[4] con proporcionalidad algo distinta de la del gobierno, correspondiendo más a la situación específica de Madrid; las organizaciones obreras en su conjunto, y el PCE en particular, obtenían mayor representación (a través de las JSU y de la UGT). También estaba representado el Partido Sindicalista.

La misión asignada a la Junta era tan compleja como difusa, y no es extraño que se generasen recelos de ella hacia los organismos centrales y viceversa. Dada la coyuntura bélica, el poder de la Junta era omnímodo; pero, en realidad, no tuvo ningún conflicto con el mando militar y sus decisiones se limitaron al orden público y a la organización de servicios (abastecimientos, transportes, evacuación civil, etc.). Hubo fricciones internas entre grupos políticos y sindicales, y algún problema en las relaciones con el gobierno; en puridad, las fricciones fueron, sobre todo, entre Miaja y Largo Caballero, aunque este siempre desconfió de toda la Junta y en sus *Memorias* la acusa, con notoria injusticia, de «estar en franca oposición al Gobierno». Los textos de los teletipos entre Miaja y Pozas desde Madrid, con Largo Caballero y Asensio desde Valencia, denotan que los dos generales estaban de acuerdo. La tensión fue a veces importante; el 16 de noviembre, Miaja se presentó en la reunión de la Junta enarbolando un ejemplar de *ABC* de Madrid, que contenía unas declaraciones del jefe del gobierno (sobre la eventualidad de una caída de Madrid) que produjeron muy mal efecto en los reunidos, según se desprende de la lectura del acta de esa reunión. Ese día, «la Junta, por unanimidad aprueba la conducta de los dos generales», es decir, la negativa de Miaja y Pozas de ir a Valencia a entrevistarse con Largo Caballero, dado que la gravedad de la situación militar no aconsejaba que dejasen sus puestos de combate. Largo Caballero reaccionó violentamente. El asunto se allana, varios días después, cuando una comisión de la Junta se entrevista en Valencia con Largo Caballero. Pero la Junta tiene sus días contados: el 30 de noviembre, una Orden gubernamental precisa sus atribuciones[5] y dispone su reorganización. El 1 de diciembre se creará la nueva «Junta Delegada de la Defensa de Madrid», que durará hasta abril de 1937, en que será definitivamente disuelta, pasando la mayoría de sus funciones al Ayuntamiento de Madrid, cuyos nuevos concejales son designados por los partidos y sindicales, no sin tensiones y recelos mutuos [289].

Al mismo tiempo el gobierno, en Valencia, creaba el Consejo Superior de Guerra, el 9 de noviembre, para unificar toda la dirección de la misma. Estuvo formado por Largo Caballero, Prieto, Uribe, Just, García Oliver y Álvarez del Vayo.

1.3. Economía y cambios estructurales

A pesar de las diferencias y del pluralismo existentes en el seno del gobierno, todos coincidían en la necesidad de encauzar y consolidar la labor iniciada en los primeros meses, encaminándola ahora a conseguir una economía de guerra.

En el sector financiero, uno de los principales logros fue conseguir que el sistema bancario y monetario del país y sectores importantes de la economía quedaran sometidos a la autoridad y dirección del gobierno, con el apoyo y colaboración de los sindicatos. Respecto a la Banca Privada y Compañías de Seguros —Decretos de 3 y 6 de octubre— y al Consejo Superior Bancario, se crearon Comités con una participación triple, es decir, un delegado del gobierno, representantes sindicales y un representante de los accionistas elegido de entre los que permanecían en zona republicana.

El Banco de España, sin modificar su estatuto legal, en la práctica se convirtió en un organismo dirigido y controlado por el Ministerio de Hacienda. Esto permitió al gobierno movilizar los depósitos de oro como instrumento principal de financiación de la guerra y hacer frente a la inflación, en la que uno de los factores que influyó fue la depreciación de la moneda, provocada en parte por la Bolsa extranjera.

El sistema bancario sufrió, así, un cambio radical y con hondas repercusiones sociales. Se había eliminado a los adversarios de la democracia y la representación sindical en los Comités permitía el control popular de estos.

Hubo tres aspectos más en la política financiera de Negrín. En primer lugar, se canalizó la entrega del oro y de divisas al Estado por parte de los ciudadanos, y al mismo tiempo se prohibía la exportación de monedas. En segundo lugar, se realizó una política de créditos no solo a las empresas y a los Ministerios de Guerra, Aire y Marina, sino también para atender sectores importantes de la vida en la retaguardia.

Por último, se creó la Dirección General de Economía, cuya función fue la coordinación de todos los factores económicos del país, y se reorganizó el Cuerpo de Carabineros, dependiente directamente del Ministerio de Hacienda.

Otro sector que se vio afectado por la reforma económica fue la tierra. Vicente Uribe, ministro de Agricultura, impulsó, completó y mejoró las medidas que a través de incautaciones y colectivizaciones se habían realizado en el verano de 1936. La política agraria dirigida por Uribe partió del Decreto de 7 de octubre, que se promulgó tras duro debate en el Consejo de Ministros. El contenido del Decreto era: 1) expropiación sin indemnización y en favor del Estado de las tierras de cuantas personas físicas habían intervenido en el movimiento contra la República; 2) se preveía en el artículo 4 el uso y disfrute de las mismas «a los braceros y campesinos del término municipal de su emplazamiento o colindantes», atendiéndose a unas normas que se fijaban; 3) «la explotación de estas fincas se hará colectiva o individualmente, según la voluntad de la mayoría de los beneficiados, mediante acuerdo tomado en la asamblea convocada a tal efecto»; 4) el Instituto de Reforma Agraria era el órgano encargado de llevar a cabo toda esta labor.

La importancia de este Decreto estriba en que ratificó la modificación de las relaciones de propiedad en el campo y creó su forma jurídica. Supuso el acceso a la propiedad de la tierra de numerosos campesinos, y fue también una protección para numerosos pequeños propietarios, que salvaron sus tierras de la colectivización forzosa de los primeros meses. El Decreto se completó con normas sucesivas de protección y ayuda en la producción, etc. Fue duramente criticado tanto por la CNT como por la FNTT en la persona de Ricardo Zabalza, su secretario general. El PCE apoyó esta política, que encontró eco entre los pequeños propietarios, sobre todo de Valencia, donde los comunistas crearon la «Federación Campesina» como organización sindical.

En los sectores del comercio y de la industria, que desde noviembre estuvieron dirigidos por Peiró y López, se continuó la intervención e incautación de empresas, y el gobierno intentó la reorganización de estas, ya que la producción había descendido y no había capacidad de encauzarla hacia una potente industria de guerra. El rasgo dominante en la industria era la dispersión y la atomización. En muchos casos se repartían beneficios sin reponer los depósitos ni tener en cuenta las amortizaciones. Pasados unos meses, los Comités estaban en quiebra y acudían al gobierno. En enero de 1937 «había 11 000 instancias solicitando incautación o intervención de las industrias (por parte del Estado, se entiende), pero la realidad es que se trataba de 11 000 peticiones al Estado de ayuda económica». Así lo exponía Peiró el 3 de junio, al dar cuenta de su gestión. Esto provocó un contencioso entre los dos Ministerios, Hacienda e Industria.

Otro problema fue el derivado del hecho de que muchas fábricas tenían sus clientes en territorio «ocupado», y como el procedimiento de venta era, en general, el de letras a noventa días, se encontraron con una masa de créditos incobrables, que en muchos casos cobraban los propietarios pasados a la otra zona.

Mención aparte merece el caso de las empresas extranjeras. La norma del gobierno fue respetarlas. No siempre fue posible en regiones que escapaban a su control (Huelva al principio, Asturias más tarde). Hubo casos, como el de la SOFINA (Barcelona Traction) en que fueron las empresas extranjeras las que ordenaron a su personal el abandono de toda actividad. En otras, los consulados intervinieron rápidamente para protegerlas, y la intervención se limitó al funcionamiento del Comité de Control obrero. La obstrucción y sabotaje por parte de algunas de ellas fue evidente [50].

Las consecuencias negativas de la colectivización industrial fueron la falta de aprovisionamiento, la ausencia de control y contabilidad, la fabricación de objetos de lujo inútiles, la resistencia de muchas empresas a transformarse en industrias de guerra. No obstante, el gobierno y la mayor parte de los partidos del Frente Popular y los mismos ministros de la CNT hicieron esfuerzos para encauzar la producción.

El 22 de febrero de 1937, desde el Ministerio se daba un decreto por el que se establecía la limitación de la colectivización y el control de las empresas industriales indispensables para la guerra.

El 2 de marzo se dictaron las normas para su aplicación, pero en la práctica los sindicatos ejercían el control, y le fue difícil hacerlo al Estado.

El PCE insistió en la necesidad de una intervención mayor del Estado para conseguir una fuerte industria de guerra y una mayor producción que permitiera vencer a los rebeldes, como base indispensable para todo cambio estructural.[6]

1.4. VIDA INSTITUCIONAL Y POLÍTICA

Martínez Barrio, presidente del Congreso, al abrir la sesión del 1.º de octubre decía:

Está aquí reunida la representación legítima del pueblo español; está aquí, y con el solo hecho de su presencia prueba su inalterable fidelidad a la Constitución de la República... a la lealtad que debe al gobierno legítimo de la República.

Desde el punto de vista jurídico, el gobierno, la presidencia de la República, las Cortes, conservaron la normalidad constitucional.

La situación de guerra obligó a proclamar el estado de alarma y a reducir las sesiones del Congreso únicamente a tres en estos meses, 1.º de octubre en Madrid, y 1.º de diciembre y 1.º de febrero en el Ayuntamiento de Valencia. Entre sesión y sesión, la Diputación Permanente asumía los decretos y leyes que dictaban los distintos ministerios, de los cuales luego daba cuenta a las Cortes de acuerdo con una proposición de ley votada en la sesión del 1.º de octubre.

Por otra parte, en las tres sesiones, el presidente del gobierno, Largo Caballero, al explicar el programa de gobierno y analizar la situación, pedía la confianza a la cámara, en la que estaban representados todos los partidos del Frente Popular. La confianza y el apoyo fueron unánimes.

Son muy expresivas las palabras de Largo Caballero en la sesión del 1.º de octubre:

Todos nosotros, con diferentes ideologías, al construir el gobierno, renunciamos, de momento, a cuanto pudiera significar principios ideológicos, de tendencia de toda clase, para unirnos en una sola aspiración, que es común a todo el gobierno: la de vencer al fascismo, en lucha contra España... hay que vencerlo no solo en los frentes, en las trincheras, sino también en lo que es fundamental para él: en todos los privilegios que tiene, tanto en el orden jurídico como en el político, en el económico y en el social. A esto tenderá el gobierno, dentro siempre de la observancia más rígida posible de la Constitución (Diario de Sesiones, núm. 61).

Desde un punto de vista político, como complemento de la nueva realidad socioeconómica que se fue generando, se tomaron una serie de medidas encaminadas a la reestructuración del Poder del Estado y a la reorganización de la administración. Dos criterios estaban subyacentes en ellas: las necesidades bélicas y la Constitución.

La separación geográfica de la zona cantábrica del resto de la España republicana, movió al gobierno a legalizar y dar forma definitiva a los «Comités» que se habían formado en los inicios de la sublevación. Por Decreto de 23 de diciembre quedaron creados el «Consejo de Asturias y León» —poder local esencialmente obrero—[7] y el «Consejo interprovincial de Santander, Burgos y Palencia»,[8] que adquirían así absoluta autonomía.

De la misma manera, el «Consejo Revolucionario de Aragón», que en sus inicios en septiembre de 1936 constituyó un poder autónomo exclusivamente libertario [172, 147-155], en noviembre fue oficialmente reconocido a regañadientes de Valencia y Barcelona, y por fin, el 23 de diciembre, era legalizado.

A partir de este momento el Consejo continuó bajo la hegemonía libertaria, pero estuvo integrado por todos los partidos del FP. En enero de 1937, al quedar definitivamente constituido, fijó su sede en Caspe.[9] Aragón fue una de las zonas más inseguras y conflictivas. Zona de frente que hizo muy difícil la tarea de «gobierno» al Consejo. Una vez más los anarquistas aragoneses aceptaban la legalidad del Estado, y en cierto modo dependían de él, aunque en la realidad fue un gobierno autónomo. Las contradicciones aparecieron también en la práctica. Su objetivo era la implantación de una sociedad libre de productores libres, pero la realidad les obligó a una serie de realizaciones más cercanas a un comunismo de guerra que al comunismo libertario [172; 195; 294].

Un paso importante fue el que se dio en la administración local a finales de diciembre por un decreto, en virtud del cual quedaban suprimidos «los Comités de Defensa, Juntas, Comisiones gestoras... surgidos en los primeros días de la sublevación», se facultaba a los gobernadores civiles para constituir los Consejos Municipales, que, en tanto no hubiese elecciones, estarían formados por representantes de los partidos del Frente Popular y de las organizaciones sindicales, en proporción a la influencia que tenían en la localidad. El acuerdo entre las fuerzas antifascistas no fue fácil, y la formación de los Consejos Municipales fue lenta. En Madrid se hizo en abril —y una vez más se constata, como en todas las instituciones— una hegemonía socialista (seis concejales); el mismo número tuvo UGT; cinco CNT y PCE; tres IR; dos UR y uno Izquierda federal, FAI, JSU, Juventudes libertarias y Juventudes republicanas. Complemento de estos decretos son los que se dictaron de cara a garantizar la vida en la retaguardia, el orden público y la justicia. En primer lugar, la supresión de los «controles» y disolución de las «milicias de vigilancia de la retaguardia» (20 de septiembre), seguidas de la unificación total de la policía bajo el control del ministro de la Gobernación y del director general de Seguridad, Wenceslao Carrillo, y del Consejo Nacional de Seguridad, creado el 15 de diciembre. En segundo lugar, en el campo estrictamente judicial, se dieron algunos decretos encaminados a combatir la corrupción en el Ministerio de Justicia, y otros que querían, por una parte, reforzar el poder judicial de acuerdo con la sociedad que se formaba —amnistía por todos los delitos cometidos antes del 15 de julio de 1936 (22 diciembre); concesión a las mujeres de la «capacidad jurídica» (4 febrero); legalización de las uniones libres, de las viudas de milicianos muertos en la lucha contra el fascismo y para facilitar la adopción de los hijos (13 abril)—; y por otra, asegurar el control de especuladores y traficantes de «mercado negro» (12 diciembre) y de los desafectos a la Repúbilca y de la «quinta columna»; creación de campos de trabajo (28 diciembre), ampliación de las funciones de los Tribunales populares (13 marzo); a los que habría que añadir el Decreto de 24 de noviembre de 1936 por el que se concedía a todo acusado el derecho de defensa propia, sin tener que acudir a un abogado.

En el marco de esta renovación hubo otro aspecto interesante, el referente a la salud pública y asistencia social, que en una coyuntura de guerra se veían afectados por múltiples problemas tanto en el campo de batalla como en la retaguardia. Se crearon servicios propios de la sanidad militar, pero se atendió sobre todo a proteger la salud de los ciudadanos, a base de campañas de orientación, y se concedió una atención particular a la infancia: hogares, colonias, comedores, evacuación al extranjero, etc. En este sentido, el antiguo Consejo Superior de Protección de Menores se transformó en el Consejo Nacional Tutelar de Menores, que lo mismo que el Comité Nacional de Refugiados, creado en octubre, se integraron a partir del 1.º de febrero de 1937 en el Ministerio de Sanidad y Asistencia Social, al que se incorporó de hecho también todo lo referente a la beneficencia, que de derecho ya se había decretado el 1.º de agosto de 1936. Fueron los meses en que al frente del Ministerio estuvo Federica Montseny, primera mujer que ocupaba un cargo ministerial en España. Su labor no llegó hasta donde ella hubiera querido a causa de dificultades económicas y falta de créditos [116, 228-266]. Es en este sector donde hubo una colaboración mayor de la solidaridad internacional —Comité de Higiene de la Sociedad de Naciones, Socorro Rojo Internacional, etc., etc.—; de las organizaciones políticas y sindicales y de las femeninas: Mujeres Antifascistas, Unión de Muchachas, Associació de la Dona, Emakume y Mujeres Libres.

1.5. Partidos políticos y sindicales

La correlación de fuerzas políticas no era la misma que en julio. En primer lugar, los partidos políticos burgueses de «derecha» (monárquicos, tradicionalistas, CEDA, Falange) perdieron su espacio y fueron los partidos del Frente Popular los que estuvieron en la escena política.

• *Partido Socialista Obrero Español* (PSOE): ejercía la hegemonía en el Poder, y a pesar de las distintas tendencias que había en su seno, con notable esfuerzo de su Comisión Ejecutiva Nacional[10] todas quedaron integradas en la acción gubernamental en un momento grave como era el de la guerra. Solo Besteiro estuvo al margen.

• *Partido Comunista de España* (PCE): en el primer año de guerra, el Partido Comunista de España adquiere una incidencia mayor en la vida política en dos direcciones: en la participación en el gobierno y en el ejército, y en muchos sectores de la población. J. Díaz, en su informe al Pleno Ampliado del CC en marzo de 1937, daba el número de 249 149 militantes, de los cuales 131 600 estaban en el frente, el 35 % eran obreros industriales, 25 % obreros agrícolas, 30 % campesinos, 6,2 % clases medias urbanas y un 2,9 % intelectuales y profesiones liberales. Su acción política se centró en la defensa de la democracia republicana y del Frente Popular.

• *Partido Sindicalista:* minoritario, tuvo su representante en las Cortes en el indiscutible líder A. Pestaña, hasta su muerte en plena guerra, y participó en el Consejo de Aragón y en la Junta de Defensa Nacional de Madrid.

• *Partidos Republicanos (IR, UR, Federal)*: sin abandonar el Frente Popular, conservaron numerosas parcelas de Poder y supieron asumir la nueva situación. Unas palabras de un diputado de UR, Leone, en la sesión de Cortes de 1.º de diciembre, son muy expresivas al respecto:

> Alumbra una nueva constitución económica, social, que culminará en una plasmación política. La serviremos con entusiasmo, porque nosotros serviremos siempre la voluntad del pueblo y, tomando la democracia como instrumento, aspiraremos a la Libertad y a la Justicia.

• *Unión General de Trabajadores* (UGT): central sindical vinculada por tradición al PSOE, pero en este período también en cierta medida al PCE, con una incidencia grande en la clase obrera, en todos los ámbitos de la vida económica y social. En estos meses de guerra destacaron por su actividad sindical sobre todo sus Federaciones de Banca y Bolsa, Enseñanza (FETE) y trabajadores de la tierra (FNTT) [250].

• *Confederación Nacional del Trabajo (CNT) y Federación Anarquista Ibérica (FAI):* son las dos organizaciones libertarias. Su actuación partía de los acuerdos del Pleno celebrado en Zaragoza en mayo de 1936. A pesar de las protestas y ataques al Estado, a los otros partidos, y a las resistencias ante leyes y decretos, hubo sectores cenetistas que colaboraron y defendieron una política de unidad de la clase obrera, que fue objeto de discusión en los Plenos y Congresos celebrados en estos meses.[11]

Junto a los partidos, las organizaciones juveniles —JSU, FIJL y las Juventudes Republicanas— tuvieron un papel importante tanto en la guerra como en la retaguardia.

En las dos zonas de gobierno autónomo —Cataluña y Euzkadi— la correlación de fuerzas fue en parte similar a la del Estado, pero con características específicas. En Cataluña la hegemonía la tuvo la clase obrera, con predominio, en un principio, de la CNT, que paulatinamente se vio contrapesado por comunistas (PSUC-UGT) y republicanos nacionalistas (ERC, ACR, UDR), y un partido comunista —no integrado en la III IC— de implantación fuerte en algunas zonas catalanas como Lérida (POUM). En Cataluña coexistió el primer partido demócrata cristiano que había surgido en el Estado español en 1931, y que, consecuente con su ser democrático, siguió fiel a la República: fue la UDC; políticamente estuvo en la oposición, pero su postura de apoyo a la Generalitat y su acción social y humanitaria fueron importantes [230, 388-395].

En el País Vasco fue diferente. La hegemonía la detentó la burguesía nacionalista y su partido, el PNV.

Ahora bien, en todo proceso histórico de cambio, el problema del Poder es fundamental. Estas fueron las fuerzas políticas, pero, ¿en manos de quién estuvo el Poder? La clase obrera tuvo en sus manos las armas, ejerció una cierta hegemonía y ocupó algunas parcelas de Poder, pero siempre dividida en varias organizaciones. La realidad fue que los resortes básicos del aparato estatal, tanto en los gobiernos —septiembre y noviembre de 1936— como en el Congreso y en la Administración, estuvieron en manos de socialistas, pero también de republicanos. Es importante este hecho, que ayuda a clarificar muchos aspectos del proceso político. He aquí una pequeña muestra realizada a base de 39 altos cargos de la Administración de septiembre de 1936 a marzo de 1937:[12]

15 subsecretarios: 5 PSOE; 3 IR; 3 CNT; 2 ERC; 1 PCE; 1 independiente.

17 Directores Generales: 5 IR; 4 PSOE; 4 PCE; 2 CNT; 2 independientes.

7 cargos diplomáticos: 4 IR; 2 PSOE; 1 independiente.

Presidente Consejo de Estado: ERC.

Presidente Tribunal de Cuentas: IR.

Jefe Superior de Policía: PSOE.
Presidente de la Junta de Compras de Material de Guerra: PSOE.

1.6. LOS GOBIERNOS AUTÓNOMOS

En Cataluña, en el mes de septiembre se produjeron modificaciones, por la nueva correlación de fuerzas en la población catalana, que tuvieron su repercusión política, de la que no fue ajeno el gobierno de la Generalitat [57, I, 244 s.; 49, 530 s.]. El PSUC había aumentado su fuerza y su influencia. El 9 de septiembre, PSUC y UGT lanzaron un manifiesto en el que se hacía una dura crítica a la obra de la CNT, y se exigían cambios en la dirección de la guerra y en la política del país. El 11, la jornada nacional catalana fue una gran manifestación de masas en apoyo de la lucha contra el fascismo y la unidad democrática. El 14, Esquerra pedía por primera vez en un mitin el «cese del terrorismo».

Al mismo tiempo, la CNT y FAI revisaban su postura. Resultado de todo ello y fruto de numerosas negociaciones, el 26 de septiembre se formó un gobierno que por primera vez integraba *todas* las fuerzas políticas y sindicales.[13] El 1.º de octubre quedó disuelto el «Comité de Milicias» y sus funciones se traspasaron al Consejero de Defensa, cuyo secretario siguió siendo García Oliver. El Consejo de Economía y el CENU conservaron solo una función de asesoramiento. Pero lo importante es que, en Cataluña, a partir de aquel momento solo hubo un depositario del poder político; la CNT colaboraba y dejó de ser un poder paralelo. El primer «conseller», J. Tarradellas, que asumió también Hacienda, fue quien ejerció realmente el Poder.

La acción de gobierno de la Generalitat tuvo tres ejes: 1) Reafirmar sus poderes de cara a un nuevo esquema de relaciones entre la región autónoma y el Estado central. El 6 de diciembre se creó el «Ejército de Cataluña»; y en enero de 1937, Companys, en defensa de un Estado federal, se entrevistó en Valencia con Largo Caballero y recabó mayores derechos. 2) Dominar el problema de Orden Público y la autonomía de los «Comités». Un Decreto de 9 de octubre los disolvía, y se daba paso a ayuntamientos integrados por los partidos y sindicatos, según la proporción que estos tuvieran en el gobierno de la Generalitat. Se reformó la administración regional creando, por Decreto de 23 de diciembre, 31 unidades básicas o comarcas en 9 regiones o «veguerías». En orden a reforzar el poder de la Generalitat recortando la autonomía de los municipios, fue importante el Decreto de 9 de enero (Decretos de S'Agaró) por el que pasaba a la Generalitat lo relativo al paro, a la guerra y asistencia social, mientras que los servicios públicos se municipalizaron. En marzo se disolvió el Consejo de Seguridad, las «patrullas» que todavía ejercían el control en las fronteras, y se constituyó la «Dirección de Seguridad de Cataluña». 3) Controlar la nueva economía a través de créditos. Fue en este último aspecto en el que hubo mayores roces con el gobierno central. Este no podía controlar la mayor parte de la industria catalana y la Generalitat recababa mayor libertad financiera.

El 17 de diciembre se produjo una crisis cuyo resultado fue un nuevo gobierno sin la participación del POUM.[14] Esta crisis y las de abril reflejaban la dificultad de resolver el problema del control del orden público —cabeza de turco del gobierno— y las dificultades económicas que la guerra imponía (cf. cap. VI).

Para Euzkadi, el 1.º de octubre fue una fecha importante. Se reunieron las Cortes, en cumplimiento de los preceptos constitucionales. Tras un breve discurso del jefe del gobierno, que obtuvo un voto de confianza unánime, se dio lectura al proyecto de Estatuto Vasco, y José Antonio Aguirre, muy ovacionado, explicó que los nacionalistas vascos estaban junto a la democracia republicana, como vascos y como cristianos. Tras varias otras intervenciones, el Estatuto (análogo al catalán) fue aprobado por unanimidad. Una semana después, el gobierno vasco era nombrado por votación de los concejales de elección popular. José Antonio de Aguirre —que entonces contaba 32 años— fue proclamado presidente del gobierno vasco y prestó juramento ante el árbol de Guernica, el 7 de octubre:

Ante Dios humillado, en pie sobre la tierra vasca, con el recuerdo de los antepasados, bajo el árbol de Guernica, juro cumplir fielmente mi mandato.

Se formó un gobierno de concentración de todos los partidos, pero con hegemonía del PNV.[15]

El gobierno vasco publicó una declaración por la que se fijaba el «supremo designio de conseguir la victoria y establecer y organizar definitivamente la paz». Se proponía establecer el mando único y militarizar las milicias, medidas moderadas de política social y libre práctica de confesiones y asociaciones religiosas.

El gobierno vasco organizó, para el 20 de noviembre, 27 batallones de Infantería que contaban en total con 25 000 hombres. Organizó igualmente la policía vasca («Ertzañak») disolviendo la Guardia Civil y de Asalto. El gobierno tuvo que hacer frente al acomodamiento de 100 000 refugiados procedentes de Guipúzcoa y Álava. En cuanto a la industria, las empresas privadas continuaron funcionando y las de personas desafectas al régimen fueron regentadas por consejos de administración, con representantes de todas las organizaciones.

2. MANDO ÚNICO MILITAR Y POLÍTICO: FRANCO

2.1. LOS NOMBRAMIENTOS DE FRANCO

En el ambiente pesaba la necesidad de un mando único, pero no fue hasta finales de septiembre cuando la Junta de Defensa y algún otro militar afrontaron el problema.

Candidatos posibles podían ser Mola, que tenía el mando del Ejército del Norte, o Queipo, cuyo centro de operaciones era el sur. Nadie pensaba en el general Cabanellas, elegido presidente de la JDN por compromiso y por razones más bien de tipo internacional. Franco había jugado un papel decisivo en la sublevación y en la guerra, y el traslado de su cuartel general a Cáceres ponía de manifiesto sus intenciones de ampliar su radio de acción y control. Hombre de personalidad muy ambigua, fue el punto de mira de algunos militares proclives a la monarquía, que creyeron ver en él el instrumento para garantizar la restauración monárquica al terminar la guerra [266, 164-165]. Kindelán fue una de las cabezas de este plan, al que se sumaron Orgaz, Millán Astray y Yagüe, por «fidelidad personal», y Nicolás Franco, hermano del candidato.[16]

En este nombramiento, más que una maniobra directa de Franco, hubo el juego de intereses de unas fuerzas políticas, junto con ambiciones personales. Ambos factores se conjugaron en su persona, que aceptó sin titubeos la oferta de mando. A partir de ese hecho inició la marcha hacia la acumulación de funciones y la eliminación de cuantas personas le estorbaron para ejercer un poder absoluto.

En dos reuniones sucesivas, los días 21 y 28 de septiembre [59 bis, I, 642-656], celebradas en un pequeño aeródromo instalado en la finca de Pérez Tabernero, cerca de Salamanca, los generales trataron de resolver el problema. En ellas se decidió no solo el problema de mando, sino el futuro de España.

Participaron los generales Queipo de Llano, Saliquet, Franco, Dávila, Mola, Orgaz, Gil Yuste y Kindelán, y los coroneles de Estado Mayor Montaner y Moreno Calderón. El día 21 se planteó solo el problema referente al mando único militar. Hubo un solo voto en contra, el del presidente de la reunión y de la JDN, general Cabanellas, por no estimarlo necesario y no estar de acuerdo con el procedimiento. Kindelán se atribuye la paternidad de la idea de designar a Franco, que fue aceptada por los demás [160, 49-50].

Ni Franco ni sus promotores se contentaron con el mando militar. Fue el día 28 cuando se consiguió el poder político, después de bastantes horas de discusiones. No se aceptó el proyecto de decreto redactado por Kindelán con la ayuda de Nicolás Franco, y terminada la reunión, Cabanellas regresó a Burgos, donde encargó a Yanguas Messía, catedrático de Madrid, antiguo ministro de la Dictadura, y asesor de la JDN, la redacción del Decreto sumamente ambiguo por el que se designaba al general Franco «Generalísimo de las fuerzas nacionales de tierra, mar y aire» y «jefe del gobierno del Estado español», a quien se le otorgaban además «todos los poderes del nuevo Estado».

El Decreto se promulgó el 29 de septiembre, y la proclamación de Franco y el traspaso de poderes tuvieron efecto el 1.º de octubre en Burgos. Inmediatamente se trasladó a Salamanca y se instaló en el palacio episcopal cedido por el obispo Pla y Deniel. El séquito lo hizo en el palacio de Monterrey.

Franco actuó desde el primer momento como *Jefe del Estado*, y muy pronto como tal se autodenominaría en leyes y decretos.[17]

2.2. La Junta Técnica del Estado, embrión de gobierno

El primer acto de «gobierno» de Franco fue la creación de una «Junta Técnica del Estado» por Ley de 1.º de octubre de 1936, como «anuncio de una estructuración del nuevo Estado español [...] a establecerse, una vez dominado todo el territorio nacional».[18] Esta estructuración, aunque provisional, se hacía «dentro de los principios nacionalistas» mediante la creación de «órganos administrativos que, prescindiendo de un desarrollo burocrático innecesario, respondan a las características de autoridad, unidad, rapidez y austeridad» (*BOE*, 1, 10, 1936).

Las tres ciudades castellanas: Salamanca, Valladolid y Burgos, se repartieron los distintos organismos. En Salamanca, junto al Cuartel General del Generalísimo, se instalaron la Secretaría General, regentada por Nicolás Franco, la oficina de Prensa y Propaganda aneja a ella y en manos de Millán Astray, y la de Relaciones Exteriores. Colaboraban allí el terrateniente andaluz Moreno Torres, el profesor Ibáñez Martín, ex colaborador de la Dictadura, y como consejero privado de Franco, el dominico Menéndez Reigada.

En Valladolid se instaló la jefatura de los servicios de Orden Público, y en Burgos vegetaba la presidencia de la Junta Técnica, con unos cuantos servicios, cuasi ministerios rudimentarios.

La Junta confirmaba y ampliaba la nueva legalidad creada por la Junta de Defensa, bajo el signo militar. Era un «Ejército que, rompiendo con el Estado preexistente, tenía que inventarse un Estado nuevo para sus propios fines» [266, 158]. Colaboraban en ella algunos civiles, pero el ejército tenía en sus manos todos los resortes y palancas de mando: gobiernos civiles, orden público, tribunales, transportes, abastecimientos, industrias militarizadas, incluso la censura y, en gran parte, la dirección de la radio y la prensa.

El autoritarismo y el control en todos los aspectos se reflejaron en la legislación. En política económica, además de los Decretos destinados a regular el control del oro y la circulación de monedas de plata, los precios, el comercio exterior e interior, las sociedades anónimas, etc.[19], se consolidó el apoyo a la banca privada por Decreto de 17 de febrero de 1937, por el que quedaban «en suspenso» las disposiciones legales para formalizar balances, reunir juntas generales, etc., completado con decretos posteriores.

En Justicia se creó el Tribunal de Justicia Militar y se regularon los Consejos de guerra (cf. c. II), a la vez que se dictaron amplias medidas de depuración de funcionarios, empleados y personal docente, y normas para la incautación de locales y bienes de todos los partidos del Frente Popular.[20]

Un aspecto de la política represiva y de control de especial interés fue el encaminado a dotar al «nuevo Estado» de un aparato ideológico, cuyos pilares fueron el sentimiento nacional y la hispanidad, unidos al catolicismo. Desde la Comisión de Cultura y Enseñanza, presidida por Pemán, se dictaron normas para consolidar la enseñanza y prácticas religiosas en las escuelas. Además se hizo una regulación del libro por Decreto de 23 de diciembre de 1936 (*BOE* del 24), por la que se prohibía la producción pornográfica, y toda literatura socialista, comunista, libertaria, en una palabra, «disolvente».

La guerra se vivió en la retaguardia por la implantación del «Plato Único», el «aguinaldo del combatiente», las cuestaciones y el «Auxilio de Invierno». Disposiciones en las que se unían las medidas de autoridad y la exaltación nacionalista.[21]

2.3. HACIA LA UNIFICACIÓN POLÍTICA

El Poder estaba en manos del ejército. Sin embargo, las fuerzas sociales cuyos intereses eran defendidos a sangre y fuego, que daban dinero y hombres para la lucha, necesitaban un aparato u organización política que se hiciera cargo de un Estado embrionario, y diera a la acción emprendida un ropaje ideológico que, entre otras funciones, cumpliese la de lograr una base social que no fuera la adquirida por la coacción, la indiferencia o la rutina.

No fue fácil. Las tres fuerzas políticas —monárquicos, tradicionalistas, Falange— no renunciaban a su programa.

Los monárquicos, con una organización de partido mínima, reducida casi exclusivamente a las milicias de Renovación, tenían en cambio un peso respetable en la incipiente vida política del nuevo Estado y ocupaban ciertas áreas de Poder en la Junta Técnica, o de influencia entre los militares: Yanguas, Sainz Rodríguez, Pemán, Amado, Ibáñez Martín,

Vegas Latapié, Goicoechea, Vigón, etc., son «personalidades» que se movían en Salamanca y Burgos [266, 165].

Sin embargo, carlistas y falangistas eran las masas del Movimiento. Tenían sus milicias, con miles de hombres armados. En el otoño de 1936 ambos crearon sus escuelas-academias de formación militar y constituían, por ello, una preocupación para el Cuartel General, hasta el punto que el recelo motivó el destierro del jefe del carlismo Fal Conde, que en diciembre tuvo que exiliarse y se instaló en Lisboa.[22]

En la retaguardia, Falange veía aumentar sus militantes —eran 30 000 a finales de 1936 [214, 118]— y ensanchaba su influencia a través de los servicios de Juventud, Auxilio de Invierno, Sección Femenina, las centrales sindicales de obreros y empresarios [241, 78-84], aunque en su interior continuaba la lucha por el Poder.

Los carlistas tenían mayor peso con sus Tercios en los frentes que en retaguardia, donde habían creado la Obra Nacional Corporativa, relacionada con el movimiento sindical cristiano [43, 379-381; 71]. Además se quebró también la unidad en la dirección entre «colaboracionistas», que intentaron un acercamiento al Cuartel General y a los monárquicos —Rodezno, Arellano, Bilbao, Bau, Florida, Oriol, etc.—, y los «puros» e intransigentes, representados por Fal Conde, Zamanillo y Lamamié entre otros, y en el regente don Javier [43, 377; 266, 169].

La necesidad de «unificar», o mejor, «coordinar» estas fuerzas políticas para conseguir mayor eficacia era compartida por algunos sectores del carlismo —Oriol, Rodezno, Arauz— y del falangismo —Gamero del Castillo, González Bueno, Escario e incluso Sancho Dávila—, que actuaron con el visto bueno de Hedilla. Con este fin hubo conversaciones en Lisboa y Salamanca en el mes de febrero, pero no se consiguió un acuerdo definitivo, pues ambas formaciones mantenían sus programas, difíciles de conciliar entre sí [43, 389-390; 214, 121 ss.; 130, 162-172]. A finales de marzo el mismo Hedilla se entrevistó en Villarreal de Álava con dos miembros de la Junta Nacional de Guerra Carlista, Lamamié y Arauz de Robles. Ninguno estaba entusiasmado con la idea de la unión, pero consideraban mejor la unificación espontánea que la imposición. Hedilla insistió en la urgencia de realizarla. Los carlistas, aunque de acuerdo, insistieron en consultar al regente y a Fal. La postura de estos fue negativa. En Villarreal se acordó también que, en caso de unificación forzosa, los presentes no aceptarían ningún cargo del partido único [43, 397], Hedilla fue consecuente.

Desde Salamanca se había dado un Decreto el 20 de diciembre de 1936 (BOE del 22) por el que se militarizaban las milicias, quedando sometidas a la disciplina del ejército. Franco temía su fuerza, y este fue un primer paso para su integración en el ejército. Un mes más tarde, el 19 de enero de 1937, Franco pronunció un discurso en el que se manifestó contrario a los partidos políticos y al parlamentarismo; habló de un Estado católico; exaltó la unidad de la patria y hechos históricos tales como la Reconquista, Felipe II, las guerras carlistas y la dictadura de Primo de Rivera. En sus palabras no había una doctrina política coherente, pero sí elementos tradicionalistas, influencia de «Acción Española», y no faltaban los fascistas y falangistas. Quien iba a dar forma coherente a todo ello fue Serrano Suñer, que desde su llegada a Salamanca, el 20 de febrero, se convirtió en el mentor político del Generalísimo «para dejar a las masas concurrentes al Movimiento subordinadas bajo su mando y sometidas a los controles del poder militar» [266, 172]. La unificación se aceleraba, y en abril fue un hecho.

NOTAS DEL CAPÍTULO III

1. El 3 de septiembre tuvo lugar un Pleno Nacional de Regionales de la CNT en Madrid, que en su mayoría rechazó la colaboración ofrecida por Largo Caballero. Los catalanes proponían la formación de un gobierno revolucionario compuesto únicamente por CNT y UGT, presidido por Largo Caballero. La resolución final fue: 1) Apoyo total de la CNT al nuevo gobierno. 2) La creación en cada Ministerio de una comisión auxiliar formada por representantes de CNT, UGT, FP y un delegado del gobierno. Largo Caballero no aceptó las propuestas confederales.

2. El gobierno del 4 de septiembre era el siguiente: *Presidencia y Guerra*, F. Largo Caballero (PSOE); *Estado*, J. Álvarez del Vayo (PSOE); *Gobernación*, A. Galarza (PSOE); *Hacienda*, J. Negrín (PSOE); *Marina y Aire*, I. Prieto (PSOE); *Industria y Comercio*, A. de Gracia (PSOE); *Justicia*, M. Ruiz Funes (IR); *Agricultura*, V. Uribe (PCE); *Trabajo, Sanidad y Previsión*, J. Tomás Piera (ERC); *Comunicaciones y Marina Mercante*, B. Giner de los Ríos (UR); *Obras Públicas*, J. A. de Aguirre (PNV); *Ministro sin cartera*, J. Giral (IR).

3. El gobierno del 4 de noviembre fue el siguiente: *Presidencia y Guerra*, F. Largo Caballero (PSOE); *Estado*, J. Álvarez del Vayo (PSOE); *Marina y Aire*, I. Prieto (PSOE); *Hacienda*, J. Negrín (PSOE); *Gobernación*, A. Galarza (PSOE); *Instrucción Pública*, J. Hernández (PCE); *Trabajo y Previsión*, A. de Gracia (PSOE); *Agricultura*, V. Uribe (PCE); *Justicia*, J. García Oliver (CNT-FAI); *Industria*, J. Peiró (CNT); *Comercio*, J. López (CNT); *Sanidad*, Federica Montseny (CNT-FAI); *Obras Públicas*, J. Just (IR); *Propaganda*, C. Esplá (IR); *Comunicaciones*, B. Giner de los Ríos (UR); *Ministros sin cartera*, J. Giral (IR); M. de Irujo (PNV) y J. Aiguader (ERC).

Estaban ausentes el pequeño Partido Sindicalista de A. Pestaña, representado, no obstante, en las Cortes, y el POUM, de implantación fundamental en Cataluña, en cuyo gobierno tuvo cierta participación.

4. La composición de la Junta fue la siguiente:
Presidente: General José Miaja.
Secretario: Fernando Frade (PSOE). Suplente: Máximo de Dios (PSOE).
Guerra: Antonio Mije (PCE). Suplente: Isidoro Diéguez (PCE).
Orden Público: Santiago Carrillo (JSU). Suplente: José Cazorla (JSU).
Industrias de Guerra: Amor Nuño (CNT). Suplente: Enrique García (CNT).
Abastecimientos: Pablo Yagüe (UGT). Suplente: Luis Nieto (UGT).
Comunicaciones y transportes: José Carreño (IR). Suplente: G. Saura (IR).
Finanzas: Enrique Jiménez (UR). Suplente: Luis Ruiz (UR).

Información y Enlaces: Mariano García (Juv. Libertarias). Suplente: Antonio Oñate (Juv. Libertarias).

Evacuación civil: Francisco Caminero (P. Sindicalista). Suplente: A. Prexes (P. Sindicalista).

5. La Orden del 30 de noviembre dice así: «El jefe de la Plaza, hoy general Miaja, es el que asume realmente el Mando. El jefe de la Plaza delega en los representantes de Partidos y Organizaciones sindicales, las funciones que él considera necesarias para atender a la defensa de Madrid; estas funciones en la orden que recibió el General Miaja se precisaba que eran Orden Público, Transportes, Abastecimientos, etc. Ahora bien, en ningún caso las actividades de la Junta de Madrid, deben de salirse del área marcada para la cuestión de la defensa de Madrid y no deben nunca invadir las atribuciones del Organismo nacional.»

La segunda «Junta Delegada de Defensa de Madrid» quedó así constituida el 1.º de diciembre de 1936:

Presidencia: General José Miaja.
Secretario: Máximo de Dios (PSOE).
Orden Público: Santiago Carrillo (JSU).
Evacuación: Enrique Jiménez (UR).
Abastos: Pablo Yagüe (UGT).
Delegación Milicias: Isidoro Diéguez (PCE).
Transportes: Amor Nuño (CNT).
Propaganda y Prensa: José Carreño (IR).
Industrias Guerra: Enrique García (Juv. Libertarias).
Servicios del Frente: F. Caminero (P. Sindicalista).

6. Cf. Manifiesto del CC, 18 de agosto de 1936; Manifiesto CC, 18 de diciembre de 1936; Pleno ampliado CC celebrado en Valencia, 5-8 de marzo de 1937. Discurso de J. Díaz en la Asamblea del PCE en Madrid, 26 de enero de 1937, con motivo de la disolución del 5.º Regimiento; conferencia en el teatro Olimpia de Valencia el 2 de febrero de 1937; discurso en el Olimpia de Valencia el 8 de febrero de 1937.

7. La composición del Consejo, con el cargo de gobernador civil, delegado del gobierno, fue la siguiente:

Presidencia y Guerra, gobernador civil, Belarmino Tomás (PSOE); *Comercio,* A. Fernández (PSOE); *Marina,* V. Calleja (PSOE); *Comunicaciones,* A. Roces (UGT); *Finanzas,* R. Fernández (JSU); *Justicia,* L. Sánchez Roca (JSU); *Instrucción Pública,* J. Ambou (PC); *Agricultura,* G. López (PC); *Propaganda,* A. Ortega (IR); *Obras Públicas,* J. Maldonado (IR); *Industria,* S. Blanco (CNT); *Asistencia Social,* M. Llamedo (CNT); *Trabajo,* O. García (FAI); *Pesca,* R. Álvarez (FAI); *Sanidad,* R. Fernández (FIJL).

8. El Consejo interprovincial legalizado en diciembre incorporó miembros de la CNT y FAI, su composición fue remodelada en enero de 1937 y permaneció así hasta su desaparición en agosto, al entrar las tropas franquistas. Su *presidente y gobernador civil* fue J. Ruiz Olazarán (PSOE) y lo integraban 9 socialistas, 2 comunistas, 3 republicanos y 3 libertarios.

9. Composición del Consejo de Aragón:

Presidente y gobernador general de Aragón, J. Ascaso (CNT); *Vicepresidente y Trabajo,* M. Chueca (CNT); *Información y Propaganda,* E. Viñuales (CNT); *Orden Público,* A. Ballano (CNT); *Finanzas, Economía y Abastos,* E. Martínez (CNT); *Justicia,* J. I. Mantecón (IR); *Cultura,* M. Latorre (UGT); *Obras Públicas,* J. Ruiz Borao (UGT); *Sanidad y Asistencia Social,* J. Duque

311

(PC); *Industria y Comercio,* C. Peñarrocha (PC); *Secretario General,* B. Pabón (PS); *Agricultura,* A. Arnal (CNT); *Transportes y Comunicaciones,* L. Montoliu (CNT).

10. Formaban parte de la Ejecutiva, entre otros: Besteiro, Jiménez de Asúa, Lamoneda, Vidarte, Albar, Cordero, Prieto, F. de los Ríos, A. de Gracia.

11. Cf. nota 1, a los que hay que añadir el Pleno Nacional de 18 de noviembre, en el que dimitió como Secretario general H. Prieto y fue nombrado M. Vázquez, y por último el Congreso extraordinario de marzo de 1937.

12. *Socialistas:* R. Llopis, W. Carrillo, Aguirre, R. Lamoneda, Redondo, F. de los Ríos, Bugeda, Aliseda, Prat, De Francisco, Fabra Ribas, Zabalza. *Comunistas:* W. Roces, C. Lombardía, J. Renau, E. Castro, M. Delicado. *CNT:* Maestre, Canet, Carnero, Sánchez. *IR y ERC:* Rivas, Martín, López Rey, Vázquez, Palomo, Ossorio, Tomás, Esplá, Méndez Aspe, Senyal, Aiguader, Corominas.

13. El gobierno catalán formado el 26 de septiembre fue el siguiente: *Presidente,* L. Companys (ERC); *Consejero primero y Hacienda,* J. Tarradellas (ERC); *Cultura,* V. Gassol (ERC); *Seguridad interior,* A. Aiguader (ERC); *Economía,* J. P. Fábregas (CNT); *Abastos,* J. P. Doménech (CNT); *Sanidad y Asistencia Social,* A. García Birlán (CNT); *Servicios Públicos,* J. Comorera (PSUC); *Trabajo y Obras Públicas,* M. Valdés (PSUC); *Agricultura,* J. Calvet (UDR); *Justicia y Derecho,* A. Nin (POUM); *Defensa,* F. Díaz Sendino (indep.); *Sin cartera,* R. Closas (ACR).

14. Respecto al gobierno anterior, los cambios son los siguientes: *Cultura,* A. Sbert (ERC); *Economía,* D. A. de Santillán (CNT); *Abastos,* J. Comorera (PSUC); *Sanidad y Asistencia Social,* Pedro Herrera (CNT); *Servicios Públicos,* J. F. Doménech (CNT); *Trabajo,* Miguel Valdés (UGT); *Defensa,* F. Isgleas (CNT); *Justicia,* R. Vidiella (UGT).

15. El gobierno vasco fue el siguiente: *Presidencia y Defensa,* J. A. Aguirre (PNV); *Interior,* T. de Monzón (PNV); *Hacienda,* H. de la Torre (PNV); *Justicia y Cultura,* J. M. de Leizaola (PNV); *Industria,* S. Aznar (PSOE); *Agricultura,* G. Nardiz (ANV); *Obras Públicas,* J. Astigarrabia (PCE); *Trabajo, Previsión y Comunicaciones,* J. de los Toyos (PSOE); *Bienestar Social,* J. García (PSOE); *Comercio y Abastecimientos,* R. M. de Aldasoro (IR); *Sanidad,* A. Espinosa (UR).

16. El nombramiento de Franco ha dado pie a numerosas especulaciones. Hay *dos* versiones de *dos* testigos y protagonistas (Kindelán.- Dávila). Difieren en muchos aspectos: fechas de las reuniones, orden de discusión, redacción del Decreto, etc. Ambos confirman aspectos importantes: a) la oposición de Cabanellas y Mola, b) que las decisiones políticas se obtuvieron en reuniones parciales. Una tercera versión la ofrece Guillermo Cabanellas, hijo del que fue presidente de la JDN [59 bis, I, 642-656]. De él tomamos las fechas de las reuniones.

17. En la primera ley promulgada por Franco, la constitución de la Junta Técnica, art. 5, dice: «Se crea la Secretaría General del Jefe del Estado».

18. Componentes de la Junta Técnica: *Presidente,* general Fidel Dávila; *Gobernador general,* general F. Fermoso; *Secretaría de Guerra,* general G. Gil Yuste; *Hacienda,* A. Amado; *Justicia,* J. Cortés; *Industria, Comercio y Abastos,* J. Bau; *Agricultura,* E. Olmedo; *Trabajo,* A. Gallo; *Cultura y Enseñanza,* J. M.ª Pemán; *Obras Públicas y Comunicaciones,* M. Sorret; *Secretario general del Jefe del Estado,* N. Franco; *Secretario general de Relaciones Exteriores,* F. Serra Bonastre.

19. Decretos de 13 y 17 de octubre relativos a precios y el oro; 9 y 12 de noviembre y 14 de marzo de 1937, regulando la circulación de la moneda de plata y el estampillado de los billetes; 22 de diciembre, 4 y 22 de enero de 1937, regulando el comercio de exportación e importación, 15 y 27 de febrero, reorganizando sociedades anónimas y las Cámaras de Comercio, Industria y Navegación, etc.

20. Entre otros Decretos, de 30 de octubre y 3 de noviembre destinados a funcionarios públicos; 8 de noviembre, 5 y 7 de diciembre, a la enseñanza; 10 de febrero y 9 de marzo, a empleados de empresas, servicios públicos y privados; y Decretos de 10 de enero y 6 de febrero de 1937.

21. Decretos 4 de diciembre de 1936, 2 de febrero de 1937.

22. Los carlistas se propusieron crear la Real Academia Militar de San Javier en Toledo. Falange tuvo dos escuelas, y una de ellas, la de Pedro Llen, subsistió hasta la crisis de abril de 1937.

CAPÍTULO IV

La batalla de Madrid y otros frentes

1. LA BATALLA DE MADRID

1.1. LA MARCHA HACIA LA CAPITAL

Como hemos dicho, en las vertientes guadarrameñas que dan acceso a Madrid se equilibraron las fuerzas y el frente quedó inmovilizado. Algo análogo ocurrió en Aragón, después que las columnas milicianas alcanzaron Pina y las cercanías de Huesca. En cambio, hemos ya visto la fulgurante progresión de las columnas mandadas por Yagüe que —desechando el plan inicial de alcanzar la ruta de Madrid por Despeñaperros— progresaron por Extremadura, primero, y luego por el valle del Tajo hasta tomar Talavera. En el norte, la caída de Irún señalaba también un cambio de situación en favor de Mola.

El mismo día en que caía Irún se había formado el gobierno Largo Caballero, y entre sus primeros nombramientos figuró el de Asensio Torrado (que ascendía a general) para jefe del ejército del Centro, sustituyendo a Riquelme; Rodrigo Gil era nombrado subsecretario de Guerra; el comandante Estrada, jefe de EM, e Hidalgo de Cisneros, jefe de las Fuerzas Aéreas (puesto que ocupará hasta el final de la guerra). Asensio, con fuerzas traídas de la Sierra, contraataca sin éxito ante Talavera. En cambio, el día 8, las columnas Tella y Serrano Delgado (del ejército de Yagüe) enlazan en Ramacastañas con la columna de caballería de Monasterio, que venía de Ávila, y ocupan Arenas de San Pedro. Yagüe avanza ahora con más dificultad, pero el día 20 consigue tomar Santa Olalla, y el 21, Maqueda. Entonces es cuando Franco decide atacar Toledo antes que Madrid; Yagüe no debía estar muy de acuerdo y eso explica su sustitución en el mando por Varela. Sin duda, Franco prefería un éxito seguro en Toledo al riesgo de atacar Madrid sin una

315

previa reorganización y reforzamiento de las columnas que venían avanzando desde Sevilla.

Los sitiados del Alcázar resistieron todos los ataques gubernamentales y, así, la última semana de septiembre, el avance de Varela hace prever su liberación. El 26, la columna Asensio Cabanillas cortaba por Bargas la carretera Madrid-Toledo; al día siguiente las fuerzas de El Mizzian tomaban contacto con el Alcázar, y al día siguiente por la mañana son dueños de Toledo. El 29, Franco prende la laureada en la guerrera de Moscardó; es un éxito de prestigio muy logrado. Pero aquel mismo día, la represión más cruel se ejerce sobre Toledo, en manos de legionarios y regulares, donde hasta los heridos del hospital son rematados en sus lechos.

No es ocioso recordar la coincidencia de la toma de Toledo con la designación de Franco como «Generalísimo y Jefe del Gobierno del Estado español». El mismo día se reunía en Madrid el Congreso de los Diputados para cumplir los preceptos constitucionales: además de votar la confianza al gobierno, aprobó por unanimidad el Estatuto del País Vasco.

Pero la situación militar de la zona gubernamental se había agravado considerablemente. En Andalucía, Varela (antes de tomar el mando del frente de Toledo) conquistó Ronda, creando una amenaza sobre Málaga; otras fuerzas terminaron con la empecinada resistencia de los mineros de Río Tinto, y también perdieron los republicanos en Córdoba las localidades de Espejo y Peñarroya. Sin embargo, la situación más grave era la de Euzkadi, tras la caída de Irún. El 5 de septiembre los sublevados se posesionaban de la frontera de Hendaya; el norte de la Península, fiel a la República, quedaba cortado del mundo por vía terrestre. Además, la situación de San Sebastián se hizo insostenible; el 12 de septiembre fue evacuada la ciudad, donde entraron el 13 las fuerzas mandadas por el coronel Los Arcos (que había sustituido a Beorlegui, muerto a consecuencia de heridas en combate). En lo que quedaba de mes se desplomaron las defensas guipuzcoanas. Solo el 29 de septiembre las fuerzas vascas, apoyándose en el río Deva, consiguieron estabilizar el frente, conservando Eibar y Elgueta, pero con una cabeza de puente franquista en la costa, comprendiendo Motrico y Ondárroa. Así quedó el frente vasco en invierno.

En el frente asturiano, los republicanos intentaron el asalto de Oviedo desde el 4 de octubre, pero los rebeldes, que habían ocupado Grado el 15 de septiembre, consiguieron romper las líneas gubernamentales y tomar contacto con Aranda el día 17. En verdad, las fuerzas republicanas en el norte distaban mucho de estar coordinadas, con el consiguiente perjuicio para su eficacia bélica.

En el extenso frente de Aragón, de casi 400 km, la actividad bélica fue bastante limitada de una y otra parte.

Mientras tanto, las fuerzas de Varela prosiguen su presión, a la vez que las de Mola; Madrid sufre bombardeos aéreos el 2 y 6 de octubre; el 8, Valdés Cabanillas ocupa Navalperal, y el 16, Saliquet se apodera de Robledo de Chavela.

Desde que Franco es jefe supremo se han dividido las fuerzas sublevadas en Ejército del Norte, que manda Mola, y del Sur, que manda Queipo. Por consiguiente, Mola es el jefe —aunque siempre subordinado a Franco— del ataque a Madrid, si bien tácticamente son las fuerzas de Varela las que parecen mejor situadas para el asalto. Ahora opera con ocho columnas reorganizadas de legionarios y regulares, cada una con dos baterías de artillería y los servicios de Sanidad, Ingenieros e Intendencia. En primera línea va también la columna de caballería de Monasterio; y, en segunda línea, fuerzas del ejército, requetés, milicias de Falange y los voluntarios de Sevilla. De manera autónoma apoya la operación la reserva general de artillería y las primeras fuerzas alemanas de carros y blindados, cuya base se instaló en Olias del Rey (Toledo).

El 18 de octubre, Illescas caía en poder de los franquistas (a partir de ahora puede ser válido este calificativo). Los republicanos responden con un vigoroso contraataque de tres columnas que mandan, respectivamente, el comandante Vicente Rojo (destacado desde el EM del Ministerio, con el que colaboraba), Mena y Modesto, pero sus resultados fueron nulos.

En muchos medios oficiales de Madrid empezaba a cundir el desconcierto. Hubo que optar porque el presidente de la República saliese ya de la capital y se instalase en Barcelona. El propio Asensio no parecía más optimista sobre la suerte del frente del centro.

Franco, decidido a dar el golpe definitivo, firmó el 19 de octubre las últimas instrucciones para el ataque decisivo a Madrid:

> ...concentrar en los frentes de Madrid la máxima atención y los medios de combate de que se dispone, a fin de precipitar la caída de la capital [...] Por lo tanto, dispongo que a este objetivo principal se subordinen los futuros planes de operaciones.

El primer golpe de esta nueva fase de ataque fue la toma de Navalcarnero, el 21 de octubre, y el corte del ferrocarril entre Madrid y el sur, a la altura de Ciempozuelos, que se produjo el 25. Las columnas Tella y Monasterio, que habían tomado Navalcarnero, salvaron luego la situación de la columna Barrón en Illescas, y llegan a ocupar la línea Griñón-Seseña el 27 de octubre. Durante ese tiempo se reorganizan mandos en Madrid: Asensio pasa a ser subsecretario de Guerra, y Pozas, jefe del ejército del Centro; Miaja, jefe de la División orgánica, cargo que en aquel momento era puramente administrativo. El 30 de septiembre se había decretado la militarización de las Milicias, y el 10 de octubre, la creación de las seis primeras brigadas mixtas, primer paso hacia la creación de un ejército regular. El 15 de octubre se creó el Comisariado político en todas las unidades.

Llegaban a Madrid refugiados de Toledo y Extremadura (y de la misma provincia de Madrid) por decenas de millares, creando inmensos problemas de abastos y alojamiento. Y al mismo tiempo, ya había que ir pensando en una eventual evacuación del gobierno y de la población no combatiente de Madrid.

A todo esto llegaron los primeros tanques soviéticos. Con ellos se intenta un contraataque el día 29, insólitamente anunciado por una proclama de Largo Caballero, dirigida la víspera a todos los combatientes. El contraataque fue un fracaso, ya que si los tanques entraron en Seseña, la infantería —no acostumbrada a combatir cooperando con carros— no los siguió, y aquellos tuvieron que abandonar el pueblo. Al siguiente día Madrid era bombardeado con más violencia que nunca: las bombas causaron 41 muertos y 30 heridos de la población civil. Al día siguiente otro bombardeo causa 125 muertos y más de 300 heridos. Varela reemprende sus ataques, el día 31, por la carretera de Navalcarnero. El avance es más difícil; contraatacan las fuerzas de Burillo y Líster..., pero al final no se sostiene el frente. El 2 de noviembre caen Móstoles y Pinto. El 4, la línea Alcorcón-Leganés-Getafe está en manos de las fuerzas de Franco (ha vuelto Yagüe, pero manda solo tres columnas: las de Asensio, Delgado Serrano y Castejón). La batalla directa por Madrid va a comenzar.

En Madrid se produce una verdadera movilización popular: los partidos y los sindicatos, el 5.º Regimiento, las JSU, la FUE, etc., movilizan todas las personas y energías a su alcance.

La salida del gobierno se hizo pública el 6 de noviembre; cada ministro y sus respectivos colaboradores salieron por su cuenta, y algunos de sus coches fueron interceptados a la altura de Tarancón por milicianos anarquistas. Prieto (que, según testimonio de su compañero y amigo Julián Zugazagoitia, estaba muy pesimista) salió en avión.

En ese momento de traslado de servicios, de confusión y de inminencia del peligro se produjo un hecho trágico, sobre el que valen la pena algunas precisiones: nos referimos a la matanza de Paracuellos del Jarama. Había en las cárceles de Madrid unos 8000 presos del campo adversario. De ellos, cerca de la mitad «cuadros» políticos y casi dos mil con formación militar. El gobierno decide su evacuación. Hasta aquí nada anormal; pero desgraciadamente una parte de ellos, que no ha sido evaluada con pruebas hasta ahora a nuestro conocimiento, pero probablemente alrededor de 2000, eran asesinados al llegar a Paracuellos. ¿Por orden de quién? Cierto, aún subsistían policías paralelas. Pero nada se puede afirmar en un sentido o en otro; más claro está que nada tiene que ver con aquello el consejero de Orden Público de la Junta de Defensa de Madrid, designado cuando los hechos se habían ya producido.[1]

Al mismo tiempo, entre los sitiadores de Madrid ya estaban preparados «ocho consejos de guerra permanente para el restablecimiento del orden jurídico en la plaza de Madrid, auxiliados por las columnas de "policía y orden" compuestas por guardias civiles, falangistas y requetés». Drástica labor que cumplirían con creces, pero no entonces, sino dos años y medio más tarde.

Otro hecho, y este sí que fue una decisión del gobierno, que tiene lugar antes de la salida de Madrid, es el debatido envío de oro del Banco de España a la Unión Soviética. Largo Caballero ha explicado la cuestión en sus *Recuerdos*:

> Inglaterra y Francia eran el alma de la no intervención. ¿Se podía tener confianza en ellas? ¿En dónde depositarlo? No había otro lugar que Rusia, país que nos ayudaba con armas y víveres [...] De ese oro se pagaba todo el material que enviaba Rusia, a cuyo efecto se abrió una cuenta corriente. También se utilizaba lo necesario para otras compras, cuyas operaciones se hacían con un banco de París...

Fue Negrín, ministro de Hacienda, quien inició la gestión, con el beneplácito de Largo Caballero. Y fue el gobierno quien decidió; si bien Prieto ha llegado a decir que conoció el embarque del oro, pero no su destino (!), Galarza, Zugazagoitia, Vayo y Vidarte testimonian en el mismo sentido que Largo Caballero.

En cuanto al decreto básico, firmado por Azaña, tiene fecha de 13 de septiembre de 1936.

Se enviaron 510 toneladas de oro en aleación, que salieron desde Cartagena, realizándose el último envío el 25 de octubre (hay que recordar que a Francia habían sido ya enviadas 193 toneladas, transformadas en cuenta de contrapartida en libras por valor de 12 millones de estas). Hoy es de sobra conocido que ese oro (equivalente a 1586 millones de pesetas oro) fue utilizado para pagar parte de armamentos y mercancías suministrados por la Unión Soviética (también se pagó con saldos de comercio exterior) y también para pagar compras en otros países a través del Banco de Europa del Norte instalado en París, pero este fue tema que alimentó campañas de finalidad política coyuntural durante bastantes años.[2]

1.2. NOVIEMBRE DE 1936

El 5 de noviembre, las tropas coloniales de Franco se batían ya en los Carabancheles. Comenzaba el ataque frontal para asaltar Madrid, concebido con una maniobra táctica: fijar fuerzas por presión sobre los puentes de Toledo, Princesa y carretera de Extremadura, para desviar a la izquierda del atacante por la Casa de Campo, cruzar el río y ocupar la

Ciudad Universitaria y la Moncloa, entrando en el centro de Madrid por las grandes arterias del oeste de la ciudad.

El día 6, las columnas franquistas de vanguardia alcanzaron la línea Retamares-Carabanchel-Villaverde. El gobierno salía de Madrid, dejando encargado de su defensa al general Miaja. Sucedió, sin embargo, que el jefe del gobierno dejó dos sobres lacrados con órdenes a los generales Pozas y Miaja, los cuales no deberían abrirse hasta las seis de la mañana. A Miaja se le ocurrió no esperar y se encontró con que dentro del sobre dirigido a él estaba una orden para Pozas, encargándole del mando de todas las fuerzas del centro y de instalar su puesto de mando en Tarancón. Pozas estaba aún en Madrid y el entuerto se arregló fácilmente. A Miaja se le ordenaba «la defensa de la capital a toda costa» y, en caso de tener que abandonarla, el repliegue en dirección a Cuenca, para crear una línea donde indicase Pozas.

Aquella misma noche es designado jefe del EM de la Defensa de Madrid, el ya teniente coronel Vicente Rojo, que había sido destinado a Subsecretaría (para encargarse de organización y movilización) el 2 de noviembre. Con Rojo, formaron el EM el teniente coronel Fontán, el teniente coronel F. Urbano, el comandante Matallana, el teniente coronel R. López y el comandante Suárez Inclán. Se les unió el comandante Ortega, enviado por la Jefatura del 5.º Regimiento.

Aquellos hombres se pasaron la noche tratando de localizar dónde estaban las fuerzas, de restablecer enlaces, de intentar crear un frente continuo de combate que, como Rojo ha escrito, «prácticamente no existía». Tenían las columnas de Barceló, Mena, Escobar y Prada, a las que se unen la de Clairac, la de Carabineros mandada por José M. Galán y la de Líster. La de Bueno estaba todavía el día 7 en Arganda. Las organizaciones políticas tenían varios batallones en período de formación. El conjunto de fuerzas de que disponían Miaja y Rojo no pasaba de unos veinte mil hombres. En la mañana del día 7 se había estructurado un primer sistema de defensa a lo largo de un frente de treinta kilómetros. En las primeras 48 horas de esta fase cubrieron la defensa en la siguiente forma: Columna del comandante Lister, la zona de Villaverde-Entrevias; teniente coronel Bueno, Vallecas; coronel Prada, Puente de la Princesa; comandante Rovira, Carabanchel; coronel Escobar (herido y sustituido por el teniente coronel Arce), carretera de Extremadura; coronel Clairac (herido y sustituido por el teniente coronel Galán traído de Somosierra), comandante Enciso y comandante Romero, Casa de Campo; comandante J. M. Galán, la zona Humera-Pozuelo, y coronel Barceló, la de Boadilla del Monte.

Entre el 8 y el 15 la defensa fue reforzada por la 4.ª Brigada, la columna Durruti, la Motorizada Socialista mandada por Sabio, las columnas de Mera, Perea y F. Cavada, y las XI y XII Brigadas Internacionales. Puede estimarse que hubo entonces algo más de 30 000 hombres en línea.

Las fuerzas que mandaba el general Varela eran 5 columnas (mandadas por los tenientes coroneles Asensio, Castejón, Barrón, Delgado y Tella). El conjunto de las cinco columnas (todas de legionarios y regulares, y con una batería) estaba mandado por el coronel Yagüe. Luego venían las dos columnas del segundo escalón, compuestas igualmente, y mandadas por Bertomeu y Alonso respectivamente; y el tercer escalón de dos columnas de falangistas, requetés y otros voluntarios. En fin, la columna Monasterio (de Caballería), 2 tabores más de Regulares, 16 baterías de artillería, 3 compañías de carros, ingenieros, servicios diversos, etc.[3] En total, unos 30 000 hombres, pero con formación castrense mucho más sólida que la de los defensores, mandos medios más capacitados, etc.

Un hecho casual, si bien no fue decisivo, contribuyó a facilitar la difícil tarea de los defensores de Madrid. Hacia las diez de la noche, los milicianos se apoderaron de una tanqueta, cuyo capitán había muerto; llevaba encima la orden de operaciones firmada por Varela, n.º 15, sin fecha precisa, pero que, por la marcha de los acontecimientos, se colegía fácilmente que era para el día siguiente. La «idea de maniobra» de los sitiadores era «atacar para fijar al enemigo en el frente comprendido entre el puente de Segovia y el puente de Andalucía, desplazando el núcleo de maniobra hacia el noroeste para ocupar la zona comprendida entre la Ciudad Universitaria y la plaza de España, que constituirá la base de partida para avances sucesivos en el interior de Madrid». Poco después de medianoche, Rojo tuvo todos esos elementos en su mano. Antes de las seis de la mañana todas las fuerzas de defensa estaban alertas. Tres cuartos de hora después, empezó el ataque de moros y legionarios. La columna Delgado Serrano abrió un boquete por la Casa de Campo y ocupó el monte Garabitas (donde emplazaron artillería para tirar sobre Madrid); pero las fuerzas de Clairac y Enciso conservaron el lago, apoyadas por las de Escobar desde la carretera de Extremadura, y por las de Barceló y J. M. Galán, que contraatacaba desde Humera. Las columnas de Barrón y Tella se estrellaron ante los puentes de Segovia y Toledo, y en el barrio de Usera (defendidos por Escobar, Rovira, Mena y Prada), mientras Líster contraatacaba en Villaverde.

Los defensores de Madrid habían hecho fracasar el plan de asalto previsto por Franco y Varela para ese día, pero la lucha continuaba con singular dureza. El día 9 entró en fuego la XI Brigada Internacional mandada por «Kleber»[4] con De Vitorio («Nicoletti») de comisario, que antes había sido aplaudida frenéticamente al desfilar por la Gran Vía. El parte de guerra de Franco del día 10 era más prudente: «En el frente sur de Madrid continúa la progresión de nuestras tropas». *ABC* de Sevilla hablaba de «operaciones preliminares para la entrada en Madrid» y solo el impenitente *Le Temps* de París atribuía la situación a que Franco «por simples razones humanitarias, no se decide a poner en acción todos los medios de que dispone».

Como ya hemos dicho en el capítulo precedente, el día 8 había quedado constituida la Junta de Defensa de Madrid, también presidida por Miaja. Dado el momentáneo descrédito del gobierno en Madrid a causa de su súbita evacuación, se creó en contrapartida una extraordinaria popularidad de la Junta, que llegó a inquietar a Largo Caballero, por un lado, y por otro, a despertar algún relente «cantonalista».

Seguía la lucha en cada arrabal de un Madrid lluvioso, que soportaba estoicamente los bombardeos aéreos y de artillería, sacudido por una onda de heroísmo y, sin embargo, habituándose a no interrumpir los gestos de la vida cotidiana a despecho de la presencia permanente de la muerte.

Sin embargo, la fase crítica del ataque frontal de la batalla de Madrid debía durar aún dos semanas. Entre el 10 y el 14, los defensores de la capital recibieron importantes refuerzos ya citados: la entrada en liza de los aviones soviéticos montados en Cartagena había inclinado momentáneamente en su favor la balanza de fuerzas aéreas; y, sobre todo, se creó un nuevo clima y una moral de resistencia en combatientes y retaguardia inmediata (una retaguardia de casi un millón de personas, pues si en aquellos días se evacuaron ya 200 000, hay que contar el aflujo de refugiados de provincias extremeñas y castellanas). El 11 y el 12, Miaja y Rojo intentaron pasar a la contraofensiva, pero en esto no tuvieron el mismo éxito que en la defensa. Ese intento, renovado el día 15, choca con un nuevo ataque de Varela. La columna de Asensio Cabanillas consigue, en un frente muy estrecho, producir una ruptura. Dejemos que se lo explique Miaja a Asensio en su conversación por teletipo aquella misma tarde:

...me encontré con la desagradable sorpresa de que parte muy pequeña del enemigo había vadeado el río entre el puente de los Franceses y San Fernando a pesar de tener toda la brigada Durruti en ese frente esta no la contuvo y ahora se está combatiendo en los jardines de la Moncloa.[5]

A las nueve y media de la mañana del día 16, Pozas conferenciaba con Asensio y le decía:

En este momento el enemigo está tratando de ampliar el boquete por donde ayer pudo hacer entrar en la Ciudad Universitaria algunos elementos a pie que esta noche se hicieron fuertes en los edificios de la Ciudad Universitaria (sic); anoche se dieron órdenes para que la columna Durruti y la brigada internacional actuaran al amanecer combinadamente para recuperar dichos edificios y restablecer la línea, pero no lo han hecho.[6]

Se había creado la cabeza de puente de la Ciudad Universitaria; la zona de paso del río era muy estrecha, porque el comandante Romero y sus fuerzas, que defendían el puente de los Franceses, resistieron todos los ataques, a pesar de haber quedado, por momentos, aislado. La resistencia en el puente de los Franceses, los días 16 y 17, estropea la operación ofensiva de las fuerzas franquistas. Salas Larrazábal lo comenta así: «por la estrecha brecha que da acceso a la Ciudad Universitaria penetran las columnas de Barrón y Delgado Serrano, pero quedan encerradas todas en la ratonera en que se está convirtiendo la Ciudad Universitaria sin apenas poder ensanchar la cuña...» [257, I, 602]. El general Rojo ha señalado cómo esa semiestrangulación de la cuña de penetración fue posible gracias a las fuerzas de Romero, y también a dos batallones de la Internacional situados en Puerta de Hierro y a la Brigada 2, mandada por el comandante Martínez de Aragón, que aguantaba el ataque frontal.

El ataque fue acompañado con bombardeos masivos de Madrid, y entre ellos fue trágicamente espectacular el de la noche del día 16, que Malraux ha inmortalizado en *L'Espoir*. Por añadidura, el 17 de noviembre apareció la Legión Cóndor en el cielo de Madrid.[7]

Se lucha casa por casa, piso por piso, en el hospital clínico, la casa de Velázquez y otros edificios de la Ciudad Universitaria; era como una premonición de los combates de Stalingrado. Pero Romero (ascendido a teniente coronel) toma el mando desde el puente de Segovia al de los Franceses y deja casi estrangulada la cuña. El 23 de noviembre, Franco renuncia a tomar Madrid por ataque frontal. Había perdido la primera fase de esta batalla. En aquel momento las fuerzas de defensa eran ya unos 40 000 hombres, con más de 100 cañones y algo más de 30 000 fusiles. Los asaltantes también habían engrosado sus filas y material; pero ahora intentarían tomar la capital por movimientos envolventes. Y en Madrid comenzaba una larga guerra de trincheras.

1.3. BATALLA DE LA CARRETERA DE LA CORUÑA

Desde el 30 de noviembre hasta el 15 de enero se desarrollará la primera fase de ataque indirecto a Madrid a partir del triángulo Boadilla-Húmera-Aravaca. Un primer ataque dirigido por García Escámez, a partir del 29 de noviembre, contra las líneas de Húmera-Pozuelo, fracasó cinco días después. El ataque se reanuda con mayor violencia el 13 de diciembre en dirección a Boadilla del Monte, con unos 15 000 hombres, dos secciones de carros y más de 100 cañones (de ellos cuatro baterías del 15,5). El 16 consiguieron ocupar Boadilla tras encarnizada lucha, viéndose el Tercio obligado a conquistar el castillo, habitación por habitación (según el historiador franquista Lojendio), de cuyas habitaciones «hubo que retirar más de un centenar de cadáveres». El día 21, Orgaz —que mandaba la operación— se concedió una pausa de dos semanas. En efecto, el 3 de enero se reanuda el ataque con fuerzas reorganizadas que pueden estimarse en cerca de 20 000 hombres y un número superior a 100 cañones, consiguen romper el frente y llegar el día 4 a Villanueva del Pardillo y Majadahonda, alcanzando algunas vanguardias la carretera de La Coruña. Se trataba de cortar las comunicaciones entre Madrid y las fuerzas republicanas de la sierra; a pesar de que Rojo reaccionó inmediatamente y de que se combatía con denuedo, fueron cayendo sucesivamente El Plantío, Las Rozas, Pozuelo... Orgaz se adueñaba de la carretera de La Coruña. Sin embargo, el mando republicano obtiene refuerzos... llega la XIV Brigada Internacional, mandada por Walter; Burillo se hace cargo del mando de toda la agrupación y se le afectan las fuerzas de tanques que había en Madrid; el 11 de enero consiguen recuperar Villanueva del Pardillo y, en el otro extremo, el puente de San Fernando, manteniendo la línea en las lindes de El Pardo, por donde pasaron desde entonces las comunicaciones con El Escorial y sector occidental de la sierra. Aun habiendo conquistado terreno, el objetivo táctico del mando franquista no había sido logrado. Al parecer, por falta de reservas agotó su capacidad de maniobra.

Pero la lucha por la capital alcanzaría una fase más violenta en lo que ha pasado a la historia con el nombre de *batalla del Jarama*.

1.4. LA BATALLA DEL JARAMA

El EMC (dirigido por el general Martínez Cabrera, que había sustituido a Estrada) planeó una ofensiva que, partiendo del sector del Jarama, debía cortar las comunicaciones del ejército franquista entre Toledo y el frente de Madrid; la operación, a cargo de Pozas, debía combinarse con otra hacia Navalcarnero y Brunete, dirigida desde Madrid por Miaja. Al mismo tiempo, el EM de Madrid supo que se preparaba una ofensiva adversaria; en efecto, el alto mando franquista se proponía cortar las comunicaciones Madrid-Valencia por Arganda y Loeches. El mal tiempo hizo que esta ofensiva se aplazase unos diez días. Pero también surgieron problemas en la preparación de Pozas-Miaja; de modo que fueron las fuerzas de Orgaz quienes tomaron la iniciativa el 6 de febrero, atacando entre Ciempozuelos y Perales de Tajuña, ocupando aquella localidad y La Marañosa. Eran cinco columnas o agrupaciones mandadas por García Escámez, Rada, Asensio Cabanillas, Barrón y S. de Buruaga, más dos brigadas de reserva (unos 35 000 hombres con estas últimas) con apoyo masivo de artillería, tanques y, por vez primera, despliegue importante de la Cóndor en el aire.

Los republicanos, que movilizan unidades que se preparaban para la proyectada ofensiva, vacilan mucho, dando la impresión de que el EMC (de Valencia) no había dado importancia a las informaciones de Rojo; en realidad, la lucha de competencias entre defensa de Madrid (Miaja y Rojo) y Ejército del Centro (Pozas) con EMC frenaba en parte la acción republicana. Durante tres días sus esfuerzos son muy insuficientes, pero las lluvias dificultan la acción de ambos bandos. Sin embargo, el día 11, los Tiradores de Ifni atravesaban el Jarama por el puente de Arganda (por el que pasaban entonces las comunicaciones Madrid-Valencia), y el coronel Cebollino desplegó su columna de caballería en la llanura. Los tres días siguientes la 11ª División, mandada por Líster, la Brigada 5 y las Internacionales (la XV entraba en línea por vez primera) libraron una difícil y cruenta batalla defensiva. El día 14 se constituye una nueva agrupación, mandada por Modesto; prosigue la batalla de desgaste, con más potencia de fuego y más bajas que nunca por ambas partes. Por fin, el día 15, el mando republicano concentra el máximo de fuerzas en el Jarama, y Miaja (con Rojo) obtiene el mando total. Se reorganizan las fuerzas nombrando a Burillo para mandar tácticamente todo el frente de combate desde Vaciamadrid hasta Aranjuez; tiene a sus órdenes las divisiones de Líster, Gal (internacional), teniente coronel Rubert y comandante Güemes, con un total aproximado de 25 000 hombres. Entraron en acción los tanques que, por vez primera, lograron una verdadera cooperación con el resto del ejército, y refuerzos de aviación. Vino entonces la fase de contraataque republicano concentrado sobre La Marañosa y las alturas del Pingarrón.

Durante cuatro días los republicanos se lanzaron una y otra vez a la reconquista del monte Pingarrón, fracasando al cabo en su intento, a pesar de haberlo ocupado en dos ocasiones, tal era la tenacidad combativa de ambos bandos. El desgaste en hombres y material fue inmenso; Orgaz no recibió las reservas pedidas y Franco desistió de alcanzar la línea del Tajuña; también el mando republicano dejó de insistir en el contraataque tras los combates del día 23. Así acababa, prácticamente en tablas, una durísima batalla frontal, pero en la cual tampoco se había logrado el objetivo estratégico de Franco.

1.5. LA BATALLA DE GUADALAJARA, ÚLTIMA DEL CICLO «BATALLA DE MADRID»

Apenas habían transcurrido dos semanas, y mientras las fuerzas de la defensa de Madrid (ahora todo el centro al mando de Miaja) se reorganizaban, cuando se desató una ofensiva con el evidente propósito de obtener el cerco de Madrid y enlazar con las tropas de Orgaz por la penetración Guadalajara-Alcalá, realizada por las columnas motorizadas del Cuerpo expedicionario italiano (que ya había actuado decisivamente en la toma de Málaga a que nos referimos en el punto siguiente): las divisiones I, II y III a las órdenes respectivas de los generales Coppi, Rossi y Nuvolari; la división «Littorio» mandada por el general Bergonzoli; las brigadas mixtas «Flechas Azules» y «Flechas Negras», el batallón de carros de combate, la artillería divisionaria y de Cuerpo, las baterías antitanques y la DCA, los lanzallamas, motoametralladoras y los servicios de un Cuerpo de Ejército de 40 000 hombres a las órdenes del general Roatta.

El ya general Moscardó, con una división hispano-marroquí, debía limitarse a apoyar la operación por el flanco derecho.

«Nunca hasta entonces se habían visto en España —escribe Salas Larrazábal— unidades tan poderosas y al completo de elementos y armas» [257, I, 863]. Llevaban 170 cañones, cifra jamás puesta en línea por ninguno de los contendientes. «Actuaba —sigue diciendo Salas— autónomamente, en dependencia directa del Generalísimo y eludiendo, por tanto, la autoridad del general Mola, jefe del Ejército del Norte, que, como es natural, estaba bastante molesto.»

El 8 de marzo, la División I, reforzada con tres grupos de artillería, rompió el frente atacando en tres direcciones y ocupando las localidades de Almadrones, Mirabueno y Alaminos. Al día siguiente se agravó la situación; no había frente prácticamente y en los Estados Mayores de Madrid y Valencia se pensó que la vía de entrada hacia Madrid había quedado abierta. Los fascistas italianos, protegidos por 90 aviones, llegaban al pueblo de Hontanares y avanzaban por la carretera hacia

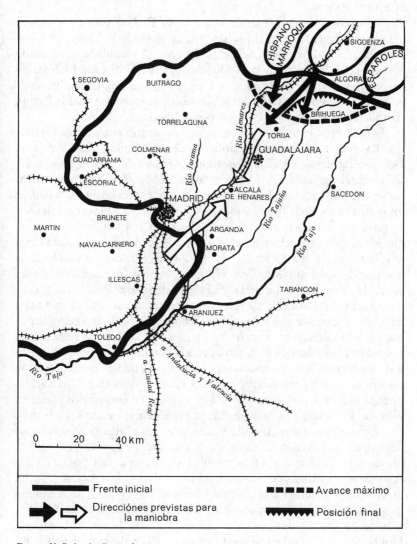

Fuente: V. Rojo, *La España heroica*

Brihuega, donde entraron el día 10, salvándose el CG del sector porque le avisaron desde Madrid (!). En la noche del 9 al 10, sin saber la situación exacta de los atacantes, bajo la lluvia y con frío intenso, se envían los primeros refuerzos; pero ese mismo mal tiempo dificultó la maniobra italiana.

Rojo reorganizó sus fuerzas creando un IV Cuerpo de Ejército al mando del teniente coronel Jurado, con la 11 División Lister, 14 División (Mera), 12 División (Lacalle), la Brigada 72 y unidades diversas de la defensa de Madrid. En la 14 División iba la XII Brigada Internacional, con sus voluntarios italianos y Luigi Longo de Comisario. En total, unos 30 000 hombres. Coopera la brigada de tanques que manda Pavlov (Lacalle es reemplazado el 13 por Nino Nanetti). El día 10 tuvieron lugar los primeros encuentros entre los dos ejércitos. Las fuerzas de Roatta presionaban desde Brihuega hacia Torija; la División Littorio conquista Trijueque el día 11 y Moscardó presionaba sobre Hita. La División Coppi había ocupado el Palacio de Ibarra, haciendo de él una fortaleza, pero en el bosque circundante se hallaban los garibaldinos de la Internacional. A partir del día 12 los republicanos lograron poderosas concentraciones de aviación y artillería (mientras que los aeródromos adversarios, enfangados por las lluvias, estaban casi inutilizables). El día 13 las fuerzas de Iister contraatacan y la brigada que manda Valentín González («El Campesino»), recupera Trijueque. El día 14 se rinden los fascistas del Palacio de Ibarra. Pero el contraataque general (tras dos días de relativa calma, en que Roatta se va a ver a Franco) se produce el 18 de marzo. Bajo una cortina de agua, chapoteando los hombres en el barro, empieza a tirar la artillería republicana poco después de las dos de la tarde; cuarenta minutos después entran en línea las fuerzas aéreas mandadas por el propio Hidalgo de Cisneros, se ponen en marcha los tanques y, tras ellos, los hombres. Al caer la noche, Miaja y Rojo van recibiendo en su puesto de mando los partes de victoria; el enemigo huye y abandona prisioneros, cañones, camiones, etc. Brihuega es reconquistada y rebasada. En el flanco izquierdo de Trijueque, la División Littorio sufre una severa derrota. Villaviciosa, Masegoso, Gajanejos y otros pueblos van cayendo en poder de los republicanos. Moscardó recibe también órdenes de retirarse y es el único que se repliega con relativa facilidad. El 19 y 20, la infantería continúa avanzando hasta el kilómetro 95 de la carretera de Aragón; más de 15 km en dos jornadas. El día 21 fijan la nueva línea ante Hontanares y Cogollor, llegando cerca de Argecilla por el flanco izquierdo. Sin otras reservas, Rojo no puede explotar más el éxito. La batalla de Guadalajara ha terminado, y con ella la batalla por Madrid. Franco desiste de tomar la capital y su estrategia se encaminará entonces a la conquista del Norte.[8]

2. LA CAÍDA DE MÁLAGA Y OTROS FRENTES EN EL INVIERNO 1936-1937

Si la larga batalla por Madrid había frustrado los planes de Franco, no por eso sus tropas dejaban de conquistar posiciones en otros frentes de batalla. Su triunfo más importante fue la ocupación de Málaga y de toda la franja costera hasta más allá de Motril.

La dominación del arco Ronda-Antequera-Loja proyectaba una seria amenaza sobre el extenso y poco organizado sector malagueño. Tras la fácil ocupación del litoral entre Estepona y Marbella a mediados de enero, a la vez que de Alhama, ocho días después, en el frente sureste, solo faltó aguardar la llegada del Cuerpo Expedicionario Italiano para realizar una conquista relativamente fácil; el arco se hizo más reducido y fue ahora de Marbella-Antequera-Alhama.

El 5 de febrero comenzó la gran ofensiva con diez columnas totalizando unos 20 000 hombres, 100 cañones (además de la DCA), tanques y blindados, protegidos desde el mar por los cruceros *Baleares* y *Canarias*. De esas fuerzas, las verdaderamente organizadas eran los 13 batallones italianos mandados por Roatta (que tras la toma de Málaga fue ascendido por Mussolini a general de división). La protección aérea también era italiana, formada por 40 aviones. Estas fuerzas rompieron el frente por varios puntos el 5 de febrero; el cerco se estrecha más al día siguiente; las milicias malagueñas, a cuyo mando estaba el coronel Villalba, no habían alcanzado el nivel de militarización, a lo que se unía su deficiente armamento. Ese día, las fuerzas del duque de Sevilla, que avanzaba por la costa, habían llegado a Fuengirola, mientras que los italianos procedentes de Alhama, se acercaban a Vélez-Málaga, lo que virtualmente suponía el copo. Se decide entonces la evacuación de la ciudad, que es ocupada el día 8 por las tropas del duque de Sevilla (moros y falangistas), aunque desde el día 7 había podido ser ocupada por los italianos que, procedentes de Almogía y de Loja, habían alcanzado los arrabales, pero que por conveniencias políticas cedieron el paso. Largo Caballero reacciona enérgicamente cuando ya es demasiado tarde y se ha producido la desbandada. No solo de milicianos, sino de mujeres, niños, ancianos y en general población no combatiente, en volumen de decenas de millares, bombardeada «gloriosamente» por los marinos del *A. Cervera* y del *Canarias*, ametrallados todos por la aviación mussoliniana. Este genocidio es uno de los actos más innobles que se produjeron en nuestra guerra civil; «el calvario de Málaga a Almería/el despiadado crimen...» que Rafael Alberti inmortalizará en sus poemas.

El día 10 llegaron las unidades franquistas a Motril. Tan solo en la madrugada del día 11, la Brigada n.º 6, mandada por el comandante Gallo, se enfrentó al adversario en la carretera entre Motril y Albuñol,

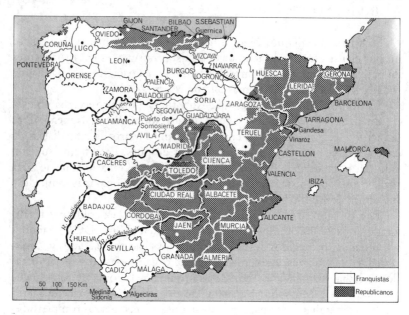

donde logra contenerle al cabo de tres días, gracias también a los ataques de diversión lanzados desde Sierra Nevada y en el sector de Lopera y Alcalá la Real.

La pérdida de Málaga acarreó serios trastornos políticos en el campo republicano. Largo Caballero tuvo que ceder a las acerbas críticas de comunistas y del sector socialista que le era adverso, y separar a Asensio de la subsecretaría, el 20 de marzo. Pero fue para nombrar a un civil, Carlos Baraibar, hombre de confianza suyo al ciento por ciento. También nombró ocho inspectores generales con el grado de coronel, que eran otros tantos leales a su persona, mientras destituía a Cordón, a Arredondo y a Díaz Tendero (a quienes acusaba de comunistas, lo que solo era cierto para el primero); pero también tenía que desprenderse de Martínez-Cabrera, procesado (igual que Asensio y que Villalba) tras la caída de Málaga. Lo quiso sustituir por Rojo, que rechazó discretamente so pretexto de la gravedad del frente del centro; entonces fue nombrado 'Jefe del EMC el coronel Álvarez Coque. Pero el gobierno Largo Caballero presentaba ya síntomas de grave quebranto.

En Euzkadi se había organizado el XIX Cuerpo de Ejército, al mando del comandante Arámbarri, que contaba ya con 44 batallones. Este fue el que intentó, a finales de otoño, la penetración Villarreal-Vitoria, con 15 batallones (7500 hombres) y 25 piezas de artillería.

Empezaron su ataque el 30 de noviembre, y aunque lograron abrir una brecha, no aprovecharon el factor sorpresa. Alonso Vega, que mandaba en Vitoria, obtuvo reservas y la ofensiva vasca fracasó.[9]

En Asturias, aunque los combates habían menudeado todo el invierno, cobraron particular importancia con la ofensiva republicana sobre las comunicaciones de Oviedo, a partir del 20 de febrero. El día 21 se intentó simultanear la acción con un ataque directo a Oviedo, llegando a entrar las brigadas asturianas y vascas en buena parte de la ciudad. Aranda tenía en Oviedo 36 000 hombres y 102 cañones, contra los que atacaron unos 30 000 hombres con 150 piezas artilleras. La lucha fue de extrema dureza (según el mismo Aranda, las bajas sufridas por sus fuerzas en siete días de combates eran 143 oficiales y 3527 soldados). El 6 de marzo la ofensiva republicana se encontraba desgastada; sin embargo, había conseguido cortar la carretera de Oviedo (vía que Aranda sustituyó por un camino de herradura). Desde finales de marzo, la ofensiva de Mola contra el País Vasco obligó a concentrar en aquel frente lo más eficaz del Ejército del Norte, y en Asturias solo hubo ya combates defensivos.

En Andalucía, Queipo prepara una operación que sirviese, a la vez, para ocupar la zona olivarera de Andújar a Martos, liberar a los guardias civiles encerrados en el Santuario de la Virgen de la Cabeza (en Sierra Morena, a pocos kilómetros de Andújar) y suprimir el entrante republicano de Montoro y El Carpio.

Las unidades marroquíes y de tropas regulares, apoyadas por tanques y aviación, rompieron el frente sin grandes dificultades entre el 15 y el 19 de diciembre, conquistando rápidamente Adamuz y Bujalance. El mando republicano del sector (que lo ostentaba Hernández Sarabia) cayó en total desconcierto. Los primeros refuerzos no consiguieron detener a las tropas franquistas, que ocuparon El Carpio, Montoro, Villa del Río (alejando así el frente de la capital cordobesa) y Lopera en el extremo occidental de la provincia de Jaén. Esa era la situación cuando el día 24 entra en fuego la XIV Brigada Internacional, mandada por Walter (todavía en formación). Tres días después llegaron las brigadas de José M. Galán y de Martínez Cartón (la 16), que recobraron Montoro y Villa del Río, pero no pudieron impedir la pérdida de Porcuna (provincia de Jaén). Tras dos semanas de mortíferos combates (en los que, por cierto, cayó el escritor inglés Ralph Fox), las líneas se estabilizaron de nuevo.

Pero Queipo de Llano tomó otra vez la iniciativa el 6 de marzo, con el objetivo de ayudar al capitán Cortés y sus guardias civiles (en situación cada vez más desesperada), y más todavía de presionar en su sector izquierdo para ocupar Pozoblanco y amenazar toda la zona minera de Almadén. El 6 de marzo, tres columnas que comprenderían algo más de 15 000 hombres avanzaron en la dirección Villaharta-Pozoblanco; el día

20 consiguieron llegar por el flanco izquierdo hasta Alcaracejos, a 11 km de Pozoblanco. Las columnas republicanas formadas principalmente por mineros de Linares y La Carolina, y mandadas por el teniente coronel Joaquín Pérez Salas, jefe del sector, soportaron, no obstante, la embestida y dieron tiempo a la llegada de dos brigadas y una escuadrilla de aviación como refuerzos. A partir del día 13 las fuerzas de Queipo empezaron a abandonar posiciones, retirándose a las bases de partida el día 16. Entonces, el día 24, Pérez Salas inicia un movimiento envolvente, que acarrea la ocupación por los republicanos de Valsequillo, Los Blázquez, La Granjuela, quedando las líneas a muy pocos kilómetros de Peñarroya; por el sur, otra columna ocupaba Villaharta, a 40 km de Pozoblanco, que quedó ya lejos del frente durante toda la guerra. Esta victoria republicana fue poco conocida porque coincidió con la de Guadalajara.

El enclave de la Virgen de la Cabeza fue liquidado el 1.º de mayo, cuando el capitán Cortés cayó herido (a consecuencia de lo cual moriría días más tarde); los combatientes fueron hechos prisioneros y las mujeres y niños evacuados a la retaguardia.

3. ORGANIZACIÓN DEL EJÉRCITO POPULAR

En el transcurso de cinco meses, y fundamentalmente a base de la experiencia de la batalla de Madrid, las primitivas milicias, tan desorganizadas como entusiastas, y poco eficaces para una guerra larga y dura, fueron transformándose en auténticas unidades de un ejército. Este ejército, aunque la inmensa mayoría de sus mandos importantes, sus estados mayores, etc., era de militares profesionales, tenía también una matización democrática y popular. En primer lugar, porque esos militares estaban allí después de haber hecho una opción decisiva; en segundo lugar, porque junto a ellos estaban los mandos de origen popular, los llamados «de milicias», que tenían prácticamente la totalidad de mandos medios y de batallón y ya bastantes de brigada; en tercer lugar, porque el origen de ese ejército habían sido las milicias de voluntarios y, aunque haya antes alguna llamada de reservistas, la primera movilización de quintas verdadera que se hace en zona republicana tiene lugar en febrero de 1937; en cuarto lugar, por la existencia del Comisariado a que nos referimos más adelante. En resumen, se trataba de un ejército popular por la composición social, en conjunto, de sus jefes y oficiales y por sus motivaciones, pero ya tenía un nivel mínimo de eficiencia y tecnicidad.

El decreto de militarización de milicias (octubre de 1936), la formación de las primeras brigadas mixtas, unidad básica del Ejército Popular de la República (las seis primeras, creadas en octubre de 1936; en mayo de 1937 había 153 brigadas en la zona central y sur de Aragón, sin contar las del norte), la organización de un Estado Mayor Central, y de los EEMM de ejército, cuerpo de ejército, etc., fueron otros tantos pasos en la creación de ese Ejército. Las tres primeras divisiones fueron estructuradas en el frente de Madrid en noviembre de 1936, y se formaron otras cinco antes de terminar el año, todas mandadas por militares profesionales, excepto la IV, que mandaba Modesto [11, 85]. El primer Cuerpo de Ejército, el de Madrid, fue creado el último día del año.

En Cataluña se decretó también la militarización en el mes de octubre, pero el proceso de organización fue más lento y no sin rozamientos con el Estado Mayor Central; sin embargo, en la primavera de 1937 puede hablarse ya de una total transformación de las milicias en ejército. También en el norte hubo problemas entre el Ejército Vasco (o XIV Cuerpo de Ejército, según la nomenclatura central) y el EM del Ejército del Norte. Sin embargo, y a pesar de las dificultades de orden material, la militarización se llevó a cabo tanto en Euzkadi como en Santander y Asturias. Ciertamente, una transformación de este género no se opera sin altos y bajos y siempre a ritmos distintos, según el género de combates, las unidades y el material que entran en línea, las comunicaciones con el mando central e incluso, en este caso concreto, las corrientes políticas de mayor importancia en cada sector. Sin duda, en el proceso de formación de aquel Ejército, las unidades que actuaban en el centro maduraron antes que las otras. Tras los sucesos de mayo de 1937 en Cataluña y la caída del norte de España en octubre del mismo año, puede decirse que la homogeneidad en estructura, mando y aplicación de decisiones fue total (aunque en los últimos meses de la guerra, el mando de la llamada zona centro-sur no aplicase siempre las directivas del EMC, que residía entonces en Barcelona).

Señalemos, de manera más casuística, que el EMC fue reorganizado el 2 de noviembre de 1936 con el teniente coronel A. Cordón de secretario general y, como adjuntos, el teniente coronel Cerón, el comandante Blázquez y el capitán Matz. Ya el gobierno en Valencia, hay una reorganización más a fondo, con el general Martínez-Cabrera de jefe del EMC (puesto en que seguirá hasta la caída de Málaga), y como jefes de sección el comandante Fernández Berbiela, el teniente coronel M. Estrada, el teniente coronel Segismundo Casado, el comandante Joaquín Alonso y el capitán de EM, Suárez Inclán. Según Salas Larrazábal, «el nuevo Estado Mayor representa un fortalecimiento de Largo Caballero frente a los comunistas», de donde se desprende que a partir de ese período, Largo Caballero se distancia de los comunistas (a la vez que del sector socialista centrista) y entra bajo la influencia del sector Araquistáin-Baraibar-Llopis [250, 592-627]. Esa significación tenía el cambio de Estrada, de Cordón y de Arredondo.

Elemento significativo en la estructuración del Ejército Popular (y, sin embargo, muy debatido) fue la institución del Comisario político, que de hecho existió en muchos batallones de milicias desde el principio, pero que fue institucionalizado bajo el nombre de Comisariado de Guerra por Decreto de Largo Caballero en octubre de 1936. Otro Decreto, de 21 de noviembre, sancionaba la práctica, creando comisarios en todos los escalones: compañía, batallón, brigada, etc.

Comisario general fue nombrado Álvarez del Vayo (acumulándolo con su cargo de ministro de Asuntos Exteriores); secretario general, Felipe Pretel (PSOE); y subcomisarios generales, A. Mije (PCE), Crescenciano Bilbao (PSOE), Ángel Pestaña (P. Sindicalista), Ángel Gil (CNT). La primera tanda oficialmente nombrada de comisarios de brigada (21 de noviembre), en realidad para ocupar puestos de ejército, cuerpo de ejército, división y sectores del frente, comprendía 31 socialistas, 7 de la UGT (en realidad, también socialistas), 14 de la JSU (entre los cuales había 5 comunistas), 11 comunistas y 12 de la CNT. Como puede observarse, hay una hegemonía total de las organizaciones obreras; no puede decirse lo mismo de las comunistas, a pesar de lo que tantas veces se ha escrito, con fines más que nada de propaganda.

Sin embargo, en el transcurso de la guerra hubo una cantidad creciente de comisarios comunistas, sobre todo en los escalones inferiores, pero nombrados provisionalmente. Largo Caballero, y todavía más Prieto, en su etapa de ministro de Defensa, daban con cuentagotas esas confirmaciones de comisarios e intentaban establecer una barrera frente a lo que ellos trataban de «proselitismo».

La institución del Comisariado (que tiene sus primeros antecedentes en los ejércitos de la Revolución francesa) estaba destinada a hacer comprender a los combatientes el carácter del Frente Popular y de su heterogénea composición social, los fines de la lucha, etc., pero sus funciones eran más vastas, ya que iban desde la ayuda y control de todos los servicios de la unidad, hasta las tareas de propaganda, prensa y cultura; en ocasiones, a petición del mando superior (como Rojo, en algunos momentos de la defensa de Madrid), tuvieron que inspeccionar todo el funcionamiento de la unidad, como hombres de confianza que eran. Sabido es la importancia que tuvo en el ejército republicano la prensa de unidades militares, dirigida por los comisarios, pero escrita en las grandes unidades por periodistas y hombres de letras; en la campaña de alfabetización —que fue muy eficaz— descansaron principalmente en el cuerpo de milicianos de la cultura, después que este fue creado en el verano de 1937.[10]

El mayor problema que siempre tuvo el Comisariado fue el de equilibrar la pertenencia del comisario a un partido u organización y el carácter pluralista de la política oficial de la República. Buena parte de los conflictos vinieron de dicha contradicción.

En fin, para completar la visión básica de la organización militar republicana, conviene hacer mención de las Escuelas populares de Guerra; en realidad, las de verdadera importancia fueron las de preparación de oficiales de artillería y la Escuela Popular de Estado Mayor; las restantes resultaron poco eficaces y la oficialidad media estaba mayoritariamente formada por hombres ascendidos en el mismo campo de batalla.

Por último, hay dos factores específicos que merecen ser tratados en este epígrafe: la formación de las Brigadas Internacionales y la participación de los consejeros soviéticos.

Al principio hubo los voluntarios extranjeros espontáneos y dispersos (algunos de ellos habían venido a la Olimpiada Popular de Barcelona). Luego, en el seno de varios partidos comunistas occidentales nace la idea de organizar el reclutamiento de voluntarios; por fin, la Internacional Comunista patrocina esa idea (que coincide aproximadamente en la fecha con las primeras ayudas de armamento soviético). De todos los países empezaron a afluir voluntarios, procedentes de las más distintas organizaciones y corrientes de izquierda, a la oficina que centralizaba en París el alistamiento.

Una delegación, compuesta por el polaco Wisniewski, el francés Ribière y el italiano Luigi Longo (Gallo) se entrevista con Azaña, que los acogió cortés pero sin entusiasmo; después, con Largo Caballero, aún más frío, pero que los remite a Martínez Barrio, delegado del gobierno en Albacete, que dará muchas más facilidades. Por fin, el 22 de octubre, la *Gaceta de la República* da el espaldarazo legal a las Brigadas Internacionales, como unidades subordinadas al mando militar del Estado republicano. Dos semanas después entraban en fuego los primeros internacionales. Su importancia principal fue su carácter modélico, desde el punto de vista militar, en el período de transición de milicias a ejército regular. Llegaron a ser alrededor de 35 000, de los cuales cerca de 7000 (de ellos 3000 franceses) perecieron combatiendo en la tierra de España; no obstante, al mismo tiempo, nunca hubo más de 15 ó 17 000 «internacionales» en la España Republicana. En 1937, las Brigadas serán reorganizadas sobre una base «lingüística» y serán seis; pero desde ese verano, las Brigadas Internacionales contarán con más de la mitad de efectivos españoles.[11]

El tema de combatientes extranjeros nos lleva al muy asendereado de los llamados «consejeros» soviéticos y otras fuerzas de ese país. Según estimaciones de fuentes muy diversas (Azaña, Alpert, Krivitsky, Vidali, Soria, Vidarte, etc.), el número total de soviéticos en España sería de unos 2000. ¿Cuántos de ellos consejeros? 222 según Vidali, hasta 450 según las nóminas del Ministerio, 781 según Azaña y Largo Caballero. ¿Cuándo llegan? A mediados de septiembre de 1936 llegan los primeros, según Casado, lo que parece confirmado por los testimonios contenidos en el libro soviético *Bajo la bandera de la España republicana*. ¿Hasta cuándo? La mayoría actuarán de noviembre de 1936 hasta el veranootoño de 1937 (es también la impresión de Azaña). Quedarán los de rango más elevado (salvo los repatriados y «liquidados» antes por Stalin y su equipo, como Berzin, que era al principio el jefe de todos; como Goriev, que colaboró con Rojo y Miaja en la defensa de Madrid, y luego con los mandos del norte). Su función (y en ello coinciden desde Rojo hasta Salas Larrazábal) no fue nunca la de tomar decisiones, ejercer el mando, aunque la colaboración de algunos como Goriev o Malinovski fuese muy activa; la excepción puede ser la de los jefes de tanquistas (Krivoshein, primero, y luego Pavlov) y la del célebre «Douglas» para la aviación. En la defensa de Madrid intervienen unos 100 aviadores soviéticos [188] y unos 50 tanquistas, pero constituían la totalidad de esa fuerza. A partir de la batalla de Guadalajara (explica Hidalgo de Cisneros) ya no hay mayoría de aviadores soviéticos y, en el último período de la guerra, la mayoría es de españoles (en total hubo 772 aviadores de la URSS); los tanquistas fueron unos 350, pero a mediados de 1937 su porcentaje era muy reducido, al lado de los españoles.

4. LA GUERRA EN EL NORTE

Tras la batalla de Guadalajara, el plan estratégico de Franco y su EM va a cambiar por completo. Por el momento, se renuncia a conquistar Madrid y se acepta el principio de una guerra más larga; el objetivo es, en ese caso, la conquista del norte con su potencial industrial y con la perspectiva de unificar la línea de frentes.

El 31 de marzo desatan la ofensiva las fuerzas de Mola (cuyo jefe de EM es el coronel Vigón). Atacan las cuatro brigadas navarras de Solchaga; una brigada italiana de «Flechas» y la División, también italiana, «23 de marzo» con 250 cañones, 60 tanques y un «techo» de 150 aviones. Los combatientes vascos eran superiores en número, pero aún estaban organizados tan solo en batallones y disponían de poco armamento. Por añadidura, el Ejército del Norte existía solo en el papel, con mando —ficticio— del general Llano de la Encomienda, pero en realidad había un ejército vasco (al que se convino en llamar XIV Cuerpo de Ejército) a las órdenes directas de Aguirre, como presidente y consejero de Defensa del gobierno vasco, mandado por el comandante Arámbarri, con el teniente coronel Montaud de jefe de EM. Las fuerzas de Santander y de Asturias actuaban por su cuenta. Por otra parte, la zona republicana del norte era una larguísima faja de litoral, pero con una profundidad hacia el interior entre 30 y 40 km, lo que hacía particularmente difícil la existencia y protección de aeródromos.

Ante esa situación, el gobierno vasco venía insistiendo en recibir refuerzos aéreos y protección de la escuadra.

Las brigadas navarras, apoyadas por la aviación alemana (que inauguró ese día el método de cooperación aire-tierra aplicado en la guerra mundial), rompieron las defensas y se apoderaron de Ochandiano. Replicaron los vascos (mandados por el comandante de la Guardia Civil Juan Ibarrola); se llegó a un acuerdo momentáneo con Llano de la Encomienda para coordinar fuerzas y llegaron refuerzos de Asturias. El 4 de abril, el ataque quedaba contenido al norte de Ochandiano. Atacaron entonces los franquistas por el frente de Guipúzcoa (montes de Elgueta). Y durante esos días la aviación Cóndor actuó sin tregua: Ochandiano, primero; Elorrio, después, pero también Durango se convirtió en montones de ruinas. En esta última localidad figuraban entre las víctimas numerosas monjas y dos sacerdotes, uno de los cuales oficiaba la misa cuando le alcanzó el bombardeo.

Mientras tanto, el gobierno vasco seguía pidiendo aviones; el envío de ellos en vuelo directo era imposible si se trataba de cazas, por no tener estos el radio de acción suficiente; sin embargo, para los consejeros vascos del PNV se trataba de mala voluntad de los aviadores soviéticos, aunque no de su general.[12]

El 20 de abril reanudó Mola su ofensiva por el frente de Guipúzcoa. Durante dos días, los vascos rechazaron los ataques frontales en el sector de Elgueta; pero el 23, las brigadas navarras ocuparon la peña Udala e hicieron un movimiento envolvente por el valle de Elorrio. Mola concentró en el sector 32 batallones, que aplastaron a los 6 batallones vascos, ocuparon Elorrio, Eibar y Elgueta, mientras los italianos avanzaban por la costa.

Interviene entonces un trágico acontecimiento que ha adquirido categoría de símbolo universal, como expresión de los crímenes contra la humanidad perpetrados por el fascismo; nos referimos al bombardeo que produce la destrucción de Guernica, el 26 de abril. No vamos a insistir en la descripción de escenas de horror, el empleo de bombas destinadas a producir incendios, la persistencia en la agresión, etc. Nos remitimos a la extensa bibliografía que hay sobre estos hechos.[13] Pero lo fundamental de la destrucción de Guernica (de la que hoy parece fuera de dudas fueron Mola y su jefe de EM los principales responsables) fue que, dándose cuenta, aunque tarde, de la torpeza política que suponía, el CG de Franco y todos los aparatos de propaganda del incipiente Estado franquista negaron los hechos, contra toda evidencia, y atribuyeron a «los dinamiteros asturianos rojos» aquel desaguisado. Ese dislate fue oficialmente mantenido durante decenios, hasta que la historiografía franquista de una segunda época se consagró no ya a negar los hechos —comprendiendo la vacuidad de tal propósito— sino a minimizarlos y a eximir de responsabilidad a los jefes españoles, para culpar tan solo a los nazis (que, después de vencidos, «tienen buenas espaldas»).

La destrucción e incendio de Guernica ilustraba el género de «guerra total» que más tarde generalizarían los alemanes (aunque sus bases teóricas procedían de Lundendorf, el mariscal del Kaiser) y en el que el terrorismo, como factor de desmoralización, desempeña un papel primordial. Sin embargo, la noticia conmovió hondamente a la opinión internacional y fue determinante para que Mauriac y otros católicos, vacilantes en los primeros meses de la contienda, se convirtiesen en partidarios del bando republicano.

Pero la guerra continuaba. Los navarros entraron el 27 en Durango y el 29 en Guernica; los italianos, el 28 en Lequeitio. La fuerza aérea de los republicanos era nula: de 15 cazas ya no les quedaba más que uno, y el jefe de todos, Del Río, había muerto en combate. El gobierno vasco hizo un esfuerzo supremo de movilización (llegándose a contar 140 000 hombres, entre Euzkadi, Asturias y Santander, pero sin armas para todos) y de transformación de los batallones en brigadas y divisiones. El gobierno central envió el 8 de mayo una escuadrilla de 15 «cazas», confiando en que podrían repostar en Francia; pero en Toulouse fueron obligados por los agentes de la No-Intervención a regresar a Barcelona.

En la ría de Guernica los vascos resistieron y contraatacaron, llegando a reconquistar Bermeo, donde fueron derrotados los italianos; casi la totalidad de un batallón de «Flechas Negras» fue hecho prisionero del 1 al 2 de mayo.

En cambio, en el sector de Guernica, al contraatacar por el sur cayeron prisioneros un jefe de división, el coronel Llarch, con dos capitanes y un teniente. Horas después, antes de que anocheciese (era el 29 de abril), fueron fusilados en Ajanguiz por orden de Solchaga.

La defensa vasca se apoyaba en las alturas de Jata, Sollube y Bizcargui, haciendo un triángulo de cobertura de Bilbao. Para forzarla, Mola hizo intervenir otras dos brigadas de Navarra (algo más de 12 000 hombres), para la motorizada italiana «23 de marzo» —que solo entonces entra en acción— y varios tabores de Regulares, apoyados por 200 cañones con una protección aérea que ya se elevaba a 200 aparatos. Se trata de hacer saltar las defensas vascas; pero resisten en las estribaciones de Jata, y más abajo en las alturas de Peña Lemona, distinguiéndose dos mayores (llamados «comandantes» popularmente) de milicias: el minero Marquina y el obrero Manuel Cristóbal Errandonea, que ya se había distinguido en la defensa de Irún. Pero Mola va lanzando por el sur las nuevas brigadas de Navarra que entran en liza. La verdad es que ni la mayor potencia de fuegos de los atacantes ni la casi inexistencia de arma aérea en los republicanos (con su inevitable repercusión en la moral) dieron al traste con la resistencia de estos, que siguieron sin ceder terreno hasta finalizar el mes de mayo. Durante diez días, unos 85 batallones vascos, asturianos y santanderinos resistieron en aquel triángulo (y en el frente de Burgos, por Orduña, ya en movimiento) la acometida de unos 95 batallones de navarros, la División motorizada italiana «23 de marzo» y la brigada «Flechas Negras».

El 29 de mayo llegaba el general Gamir Uribarri (nombrado por el gobierno, a propuesta expresa de Prieto, frente al candidato del jefe del EM Martínez Cabrera), que se hace cargo de todo el Cuerpo de Ejército Vasco, mientras que Llano de la Encomienda (y González Peña, que era su comisario) se retiraban a Santander. En aquel momento, Gamir solo puede disponer de 29 300 hombres en sus unidades, a lo que había que añadir cuatro brigadas asturianas y una santanderina (según los «papeles» que utiliza Salas, pero solo tres brigadas, según las memorias de Gamir).

Durante todo ese mes el gobierno de Euzkadi siguió pidiendo envío de aviación. El gobierno central le envió primero la escuadrilla que tuvo que regresar desde Toulouse. Se repitió el intento el 18 de mayo, con dos escuadrillas, 33 aviones en total, mandadas por Jover y Alonso. Varios tienen que volverse a causa de un violento temporal y 17 aterrizan en el aeródromo de Pont-Long, en Pau; pero allí son descubiertos por los agentes franquistas que se movían a sus anchas en el Departamento de Bajos Pirineos.[14] Solo se les dejaba continuar el viaje si eran desarmados; en esas condiciones, el gobierno republicano optó por que regresasen a la zona central. Entonces, se reforman los «cazas» para aumentar su radio de acción y enviarlos en vuelo directo desde Alcalá de Henares. Según Salas, el 22 de mayo seis aviones, al mando de García Gil, realizan con éxito el vuelo Algete-Santander; y también llega parte de otra expedición enviada el 27. Según las fuentes republicanas (Ciutat), y más del gobierno vasco, solo llegan dos escuadrillas; una, el 2 de junio, de 12 cazas (que manda el soviético Gregori Tjor); otra, mandada por Victor Ujov, que ya no puede tomar tierra en Lamiaco, pues es el 17 de junio, y aterriza en La Albericia (Santander) —estos datos no coinciden en fechas con las que dan los hermanos Salas—. De todas maneras, es mínima la capacidad aérea de los defensores de Bilbao; de no ser así carecerían de sentido los reiterados y angustiosos telegramas de Aguirre en demanda de aviones. Lo que no quiere decir que hubiese mala voluntad por parte de los organismos centrales, como parece colegirse de algunos documentos de origen nacionalista vasco.

Pero si el jefe del gobierno de Euzkadi se refería a la angustiosa situación de Bilbao, no hemos sabido que comunicara nunca al gobierno central (al menos no hemos conocido ningún documento sobre el particular) los intentos de mediación que habían llegado hasta él a partir del 8 de mayo, emanando del gobierno italiano (previo acuerdo con Franco y Mola), que fueron iniciados por el marqués de Cavaletti, cónsul general de Italia en San Sebastián; el diplomático italiano utilizó dos canales, uno el del canónigo Onaindia, a quien visitó en San Sebastián [206, 205, ss.], y otro el del P. Pereda, S. J. [61 bis, 186], y por ambos llegó hasta el presidente Aguirre (al parecer hubo un intento del cardenal Gomá de entrevistarse con Onaindia, el 7 de mayo, según dice este último).

Aquellos contactos no tuvieron ningún resultado positivo; pero, por su parte, el gobierno vasco ignoraba lo que el gobierno central sabía durante aquellas mismas semanas: que el Vaticano, nada menos que por medio de su secretario de Estado —y futuro papa— monseñor Pacelli, había hecho al gobierno de Euzkadi una proposición de paz por separado, de acuerdo con Franco, si se entregaba Bilbao y se deponían las armas. El telegrama fue enviado, por equivocación, vía Valencia y los servicios del gobierno central lo interceptaron. Largo Caballero, en consejillo restringido con cinco ministros, decidió que la recepción del mensaje quedase en el más riguroso de los secretos. Aguirre e Irujo nada supieron de semejante propuesta hasta 1940.

Los combates adquirieron singular dureza en la primera semana de junio; uno de aquellos días, el 3 de junio, se estrellaba el avión del general Mola, en el monte de la Brújula, cerca de Burgos. Las operaciones no se interrumpieron por eso; días después fue nombrado el general Dávila para sustituirlo. Von Faupel comunicaba a Berlín que «el generalísimo, desde la muerte del general Mola, se siente visiblemente más cómodo en cuanto a la dirección de las operaciones» (del informe del 9 de julio de 1937).

Todavía, ese mismo 3 de junio, la brigada de Cristóbal Errandonea recuperaba las peñas de Lemona. Llegaron de Madrid nuevos mandos: Nino Nanetti —que más tarde encontrará la muerte combatiendo—, De Pablo, Putz, Galán... Los navarros no conseguían llegar a la línea fortificada del «cinturón» de Bilbao; pero el más importante constructor de esa línea, ingeniero Goicoechea, se había pasado meses antes al bando franquista, con toda clase de planos e informes (por añadidura, el valor del «cinturón» ha sido puesto en duda por jefes de ambos bandos, como Gamir Uribarri y García Valiño). Tan solo entre el 11 y el 12 de junio, apoyada en una masa de aviación, consigue la primera ruptura la brigada que manda Valiño. La situación de Bilbao empieza a ser desesperada...

5. FRENTES SECUNDARIOS

El Estado Mayor republicano intentaba aliviar la situación del norte con ataques por otros frentes que, al mismo tiempo, tenían una finalidad táctica. Uno de los más importantes fue el encaminado a apoderarse de La Granja y Balsaín, a cargo del primer Cuerpo de Ejército mandado por el coronel Moriones. El peso de la operación recaía sobre el polaco Swierzewski (Walter) al mando de tres brigadas, mientras que otras tres brigadas harían un movimiento de diversión hacia el Alto del León. La operación empezó en la madrugada del 30 de mayo, y al día siguiente las fuerzas de Walter lograron romper las líneas adversarias en el sector de Navacerrada. Las brigadas españolas 31 y 69 llegaron hasta La Granja y a rodear las inmediaciones del Palacio, pero la XIV Internacional se estrelló una y otra vez ante Balsain. El EM de Franco se alarmó, y Varela, que mandaba este sector, se vio reforzado por siete batallones más y varios tabores moros, y obligó a las fuerzas republicanas a replegarse a sus bases de partida, al cuarto día de combates.

La otra ofensiva, intentada el 12 de junio en el frente de Huesca, tenía por objetivo la toma de la ciudad; los franquistas tenían guarnecido el sector con dos divisiones y dos brigadas autónomas, más la guarnición de la capital, sumando, según Salas, más de 40 000 hombres. Los republicanos atacaron tras el contratiempo sufrido la víspera, el 12 de junio, consistente en la muerte del escritor húngaro Zalka («general Luckacs»), que mandaba la 45 División, producida por la artillería adversaria al atravesar un trozo de carretera que estaba batido.

La 28 División comenzó el ataque el 13 de junio, mientras otras tres divisiones debían realizar operaciones secundarias. Mandaba todo el frente el coronel Vicente Guarner. El resultado fue totalmente ineficaz, y un nuevo ataque, el 16 de junio, tampoco dio resultados. En sus memorias, Guarner culpa —naturalmente— a los demás.

NOTAS DEL CAPÍTULO IV

1. El consejero de Orden Público de la Junta, Santiago Carrillo, fue nombrado en la noche del 7 de noviembre, y casi todas las matanzas se producen entre el 1 y el 7. Según la «Causa General», las órdenes de conducción de presos estaban firmadas por Manuel Muñoz, D. G. de Seguridad. Carrillo tomó posesión de su cargo el día 8, y las cuestiones referentes a detenciones, presos y medidas policiales directas eran firmadas por Segundo Serrano Poncela, designado «delegado para la Dirección General de Seguridad».

2. El libro de Ángel Viñas, *El oro español en la guerra civil* (1976), es indispensable para el conocimiento de este tema. V. también Sardá, «El Banco de España-1962» en la obra *El Banco de España: una historia económica*, Madrid, 1970.

Marcelino Pascua, «Oro español en Moscú», en *Cuadernos para el diálogo*, núm. 81-82, Madrid, julio, 1970.

3. En un artículo publicado en mayo de 1939 en la revista alemana *Die Wehrmacht*, el general de aviación Sperrle, recuerda las instrucciones del ministro de la Guerra von Blomberg sobre ayuda a la España «nacionalista», dadas el 30 de octubre de 1936. Precisa que a mediados de noviembre llegaron a Cádiz 6500 voluntarios alemanes, y añade: «Alemania creó igualmente en España una organización de instrucción muy ramificada, que instruyó en primer lugar a los jefes de Infantería, y luego a las tropas de otras armas. Los instructores alemanes dieron igualmente cursos sobre el uso de lanzaminas, servicios de exploración, protección contra gases, etc. [...] Incluso la Marina de guerra española recibió para sus aspirantes y suboficiales una educación alemana de Infantería». Precisa Sperrle que 56 000 militares españoles recibieron esa instrucción. ñoles recibieron esa instrucción.

En el mismo número explica el coronel barón Von Funck que desde septiembre de 1936 se envió a España una sección de carros de combate y que «los soldados alemanes tomaron parte en los combates en sus propios tanques».

De donde se colige que en otoño de 1936 había los tanques y tanquistas alemanes por un lado, y soviéticos por otro; otro tanto puede decirse de la aviación, aunque en el campo republicano nadie gozó de la plena autonomía que disfrutaba la Legión Cóndor en el campo de Franco, ni se hicieron operaciones de hegemonía de fuerzas extranjeras como, por lo menos, las de Málaga, Guadalajara, Santander, etc., con los ejércitos de la zona franquista.

4. El general Rojo ha abierto en sus libros el debate sobre el día de entrada en línea de la XI Brigada Internacional. Como es sabido, esas Brigadas dependían directamente del Ministerio y, al principio, no tenían orden de entrar en fuego en Madrid. Cuando la pidieron Miaja y Rojo, Pozas no podía atenderles y

su participación se demoró unos días. ¿Cuántos? Salas Larrazábal la sitúa, según los partes de operaciones, el mismo día 7 ante el Cerro de los Ángeles (t. I, p. 584) y reproduce más adelante (t. III) un estadillo de fuerzas del día 8 incluyendo la XI Br. I. Pero en la p. 588 y en la p. 645 (tomo I), nota 20, señala el 9 de noviembre como fecha de bautismo de fuego de los Internacionales. Por otra parte, esa es la misma fecha que da Luigi Longo en su libro *Le Brigate Internationale in Spagna*. Parece, pues, juicioso inclinarse por esta hipótesis que, a fin de cuentas, solo difiere en 24 horas de la interpretación de Rojo. Recordemos que, mandados por Kleber, entraron en fuego dos batallones simplemente, el «Dombroswky» y el «Commune de Paris».

5.   Anexo al Acta de la Junta de Defensa del 16 de noviembre.

6.   Los hechos estuvieron precedidos por una áspera discusión en la Junta de Defensa sobre la negativa a actuar de la Columna Durruti, a causa, según Miaja, «de la intervención del representante político, no de Durruti». Se ausenta Miaja y vuelve a las ocho y media de la noche comunicando que, gracias a su gestión, la columna entrará en acción.

7.   El ministro de la Guerra alemán había sido muy crítico sobre la manera de llevar la guerra por los franquistas. Para incrementar su ayuda ponía las siguientes condiciones:

1.°) Aceptación de un mando alemán autónomo, único consejero de Franco, y que solo a él rendiría cuentas. 2.°) Reunir bajo su dirección todas las formaciones alemanas de combate y servicios en un Cuerpo especial alemán. 3.°) Dar protección a sus bases en forma conveniente a su seguridad. 4.°) Llevar la dirección de la guerra de forma más racional y activa, dando prioridad a la captura y neutralización de los puertos por los que los republicanos reciben ayuda soviética.

Franco da su conformidad y la Legión Cóndor empieza a actuar con su propia estructura en la segunda decena de noviembre de 1936. Según Manfred Merkes, el número de miembros de la Cóndor durante toda la guerra fue de 18 000. Véase *Die deutsche politik gegenüber dem spanichen bürgerkrieg*, Bonn, 1969.

8.   Pese a haber tratado de compulsar todos los textos y versiones, testimonios, disposiciones, etc., el tema es de tanta complejidad que no se excluye la existencia de errores de hecho de menor cuantía.

9.   Sobre esta operación hay versiones contradictorias de protagonistas como el presidente Aguirre (*Informe al gobierno de la República*, p. 34), y el entonces capitán Ciutat (jefe de EM del Ejército del Norte (*Relatos y reflexiones*, pp. 44, 46); las relaciones entre ese EM y el gobierno de Euzkadi nunca fueron fáciles.

10.   Sobre este tema véase la tesis de Licenciatura de María Luisa Mohedano: *La enseñanza durante la guerra civil*. Facultad de Geografía e Historia, Universidad Complutense, 1978.

11.   Salas Larrazábal, como todos los historiadores y cronistas afines al franquismo, tiene tendencia a aumentar el supuesto número de voluntarios de las Internacionales, elevándolo hasta 70 000. Dice que nunca hubo menos de 30 000 al mismo tiempo y arguye incluso, con estadillos de diciembre de 1937, que eran en aquel momento 45 000. Nadie ignora, y Salas Larrazábal lo reconoce, que en aquellas fechas la mayoría de soldados de esas brigadas ya no eran voluntarios extranjeros, sino españoles, voluntarios y reclutas.

Sobre ese mismo asunto, el teniente coronel Francisco Ciutat, dice en su libro *Relatos y reflexiones de la guerra de España*, Madrid, 1978: «A lo largo de toda la guerra no sumaron más de 35 000, sin exceder nunca de la mitad la cifra de los que se encontraban presentes en la misma fecha» (p. 57).

Castells, en su libro sobre las Brigadas Internacionales, concluye en una estimación de 59 000 voluntarios.

12. Hay dos versiones diferentes sobre el asunto: Hidalgo de Cisneros (edic. 1964 de Bucarest, p. 220), insiste en que los cazas no tenían radio de acción suficiente y en que las autoridades francesas, a pesar de lo negociado con ellas, intervinieron las escuadrillas que tocaron tierra en sus dominios; dice que el intento de enviar los aviones en barco «resultó un desastre»; luego se refiere a las dos expediciones de junio.

Aguirre, en su *Informe al Gobierno de la República*, cita un telegrama de Irujo en el que se dice (p. 177): «...hasta dentro de unos días solo hay pilotos rusos, los cuales se habían negado, a luchar en el norte siendo precisa gestión general ruso que ordenó concurrir a los frentes que el Gobierno designe».

Del Informe se desprende que Hidalgo de Cisneros y Martínez Cabrera (entonces jefe del EMC), celebraron ya en marzo diversas reuniones para tratar del envío de aviones a Euzkadi.

13. Para conocimiento de la destrucción de Guernica, sus antecedentes y sus consecuencias, es muy conveniente consultar:

Ángel Viñas: «Informe del 41 aniversario (sobre las responsabilidades de la destrucción de Guernica)», *Historia-16*, mayo 1978. Gordon Thomas y Max Morgan: *El día en que murió Guernica*, Barcelona, 1976. Herbet R. Southworth: *La destruction de Guernica*, París, 1975.

Para una versión «exculpadora» de las autoridades franquistas, véase Vicente Talón: *Arde Guernica*, Madrid, 1970.

Es interesante la lectura de la descripción del bombardeo hecha por el alcalde de Guernica en carta dirigida a la diputada socialista belga Isabelle Blume, reproducida por *La Vanguardia* de Barcelona, de 1.º de mayo de 1937.

14. Sobre este asunto puede consultarse la Memoria de «Maîtrise» de Robert Mesplé-Somps (Burdeos, 1970), pp. 62 ss., así como las investigaciones posteriores del mismo autor en los archivos departamentales de Pau.

CAPÍTULO V

Crisis política en Salamanca y partido único

1. LA LUCHA POR EL MANDO EN FALANGE: PRIMER ACTO DE LA «CRISIS DE SALAMANCA»

A lo largo de los nueve primeros meses de guerra, y sobre todo desde la muerte de José Antonio, en el interior de Falange se habían formado varios sectores, enfrentados entre sí, más que por motivos ideológicos, por aspiraciones de *mando*. La lucha por el poder llegó a su punto álgido en abril de 1937, cuando se percibía en el ambiente un cambio en la política a iniciativa del Cuartel General.

Fue en ese momento, el 16 de abril, cuando explotó la chispa en la cumbre falangista y se planteó la lucha abierta por el *mando* en la Junta. Los iniciadores fueron Sancho Dávila, Aznar, Moreno y Garcerán, que acudieron al local de la Junta de Mando, presentaron un pliego de cargos contra Hedilla y consiguieron su destitución, que debía suplirse por un triunvirato integrado por ellos. A partir de ese momento se sucedieron una serie de hechos que desembocaron en la *noche trágica* del 16 al 17. Hedilla no aceptó ser desposeído, y quiso sin duda detener a los «rebeldes».[1] La resistencia de Dávila costó dos muertos: Alonso Goya, enviado de Hedilla, y Manuel Peral, de la escolta de Dávila.

La Guardia Civil acudió al lugar de los sucesos y quedaron detenidos Aznar, Dávila y Garcerán. Esta lucha interna entre falangistas hizo el juego al Cuartel General, que precipitó sus decisiones unificadoras.

El día 17, Hedilla convocó urgentemente el Consejo Nacional, que se reunió el día 18 y le reeligió por 10 votos, contra 8 en blanco y 4 dispersos. Al día siguiente, día 19, en una segunda sesión del Consejo, Hedilla, en previsión de lo que pudiera suceder, nombró a varios miembros para la Junta Política: Pilar Primo de Rivera, Yagüe, Ridruejo,

Sainz, Martínez Mata y otros. Después visitó a Franco y apareció a su lado en el balcón de Capitanía. Por la noche, Radio Nacional daba a conocer el Decreto [130; 214; 241; 274 y 275].

En la actuación de Hedilla no hubo hostigación al Cuartel General ni oposición a la Unificación; hubo, sí, lucha por recuperar un *mando* con el que creía poder influir en la nueva situación política desde su postura de Falange [241, 93].

2. EL DECRETO DE UNIFICACIÓN Y LA JUNTA POLÍTICA

La gestión y elaboración del proyecto fue realizada desde las alturas, y sin participación de las partes interesadas. Fue un acto unilateral de Franco impulsado por Serrano Suñer, con una doble finalidad: poner fin a la situación de caos y confusión política, y «convertir el Alzamiento en una empresa política». «Urgía la configuración del Movimiento como un Estado» [265, 27-28]. Tampoco faltaron las presiones del embajador alemán, Von Faupel, para que Franco entregara el poder a Falange. Pero, frente a esta postura totalizadora y exclusivista alemana, prevaleció el criterio integrador de Serrano, que quedó patente en el Decreto cuya redacción material fue obra suya.

Franco había llamado a los carlistas y había tenido conversaciones con falangistas y monárquicos, pero había sido tan solo a título informativo. También, antes de su promulgación, convocó a Mola y a Queipo de Llano para que dieran su aprobación. Simplemente eso, la decisión fue suya.

El Decreto del 19 de abril de 1937 reunía en una «sola entidad política de carácter nacional», a Falange Española y Requetés, que «han sido los dos exponentes auténticos del espíritu del alzamiento nacional iniciado por nuestro glorioso Ejército el diecisiete de julio», pero en realidad unificaba a todos los españoles, ya que a medida que se desarrolló el Decreto, se exigió para poder acceder a la mayor parte de cargos de la vida ciudadana y del gobierno, pertenecer a esa «fuerza nueva» que «por vía de superación» integraba todas «las demás organizaciones y partidos políticos». Ahora bien, consciente Franco de la importancia de Falange y Requetés, quiso que fueran ellas las que aportaran la fuerza y el espíritu de renovación por un lado, y la tradición y la espiritualidad católica por otro. El nombre del nuevo partido único era expresión de ello: «Falange Española Tradicionalista y de las JONS». Los monárquicos y la gran masa «neutra», pero católica y conservadora, que había aceptado la situación militar, quedaron absorbidos, y tuvieron que aceptarla, incluso los restos de la CEDA y las milicias de las JAP. Gil Robles, desde Lisboa, escribía a Franco y ponía «en sus manos toda la organización, tanto el partido... como las Milicias..., para que adopte las medidas que estime convenientes en orden a esa deseada Unificación» [266, 184]. Los monárquicos se sumaban oficialmente el 16 de mayo. Pero la que dio la vestidura y el ropaje externo, con su programa —los 26 puntos— y símbolos, a una obra de la que solo era parte, fue Falange. La Unificación no fue el resultado de un apoyo masivo de falangistas y requetés. Fue el Estado quien se apoderó del partido y lo sometió a sus intereses [241, 106]. Más aún, fue Franco quien lo hizo para reforzar la concentración del Poder, de mando, de jefatura en su persona. «Esta unificación que exijo en nombre de España y en el nombre sagrado de los que por ella cayeron [...] bajo Mi Jefatura» (del Decreto de 19 de abril, BOE del día 20). En aquel momento y después se sirvió y utilizó al nuevo partido para reforzar su poder, y no dudó en eliminar a cuantas personas podían estorbarle, ya fuera desde el punto de vista ideológico o político. Así, no tardó en estallar el segundo acto de los sucesos anteriores a la promulgación del Decreto. Más que la institucionalización de un «partido único», la «Unificación» supuso la consolidación del «Franquismo», cuya primera piedra se había puesto el 1.º de octubre de 1936 [241, 110; 266, 186].

En el nuevo Estado, que se estaba formando, Franco, desde el 19 de abril, concentraba todo el Poder en su persona: ejército, gobierno del Estado, partido único, Milicia Nacional.[2]

Tres días más tarde, el 22, Franco procedía a constituir la Junta Política o Secretariado, designando los seis miembros que como Jefe del Estado debía nombrar.[3] Los otros seis serían elegidos por el Consejo Nacional, el segundo órgano rector del partido.

Correspondía a la Junta Política «establecer la constitución interna de la entidad para el logro de su finalidad principal, auxiliar a su Jefe en la preparación de la estructura orgánica y funcional del Estado, y colaborar, en todo caso, a la acción de gobierno». En realidad la Junta Política, como después el Consejo Nacional, fueron órganos *nominales* sin poder ejecutivo, que lo tuvo siempre el Jefe, Franco, limitándose la Junta Política a «auxiliar» y «colaborar».

Con la constitución de la Junta Política, Franco reafirmó la Unificación, y las personas que nombró, a excepción de Hedilla, que aparecía como uno más, eran reflejo de lo que fue y pretendió la Unificación. Cuatro carlistas, no de los incondicionales a Fal Conde, sino de los «colaboracionistas» y «flexibles», y cinco falangistas «nuevos». Todas personas poco representativas de las dos organizaciones unificadas, pero favorables y *dóciles* a Franco. La fidelidad y lealtad al Jefe será algo *imprescindible* en el «franquismo» para acceder a cualquier puesto de mando.

3. SEGUNDO ACTO DE LA «CRISIS DE SALAMANCA»

«No estábamos contentos, esa era la verdad [...] sabíamos que el falangismo perdía su autonomía», escribe Ridruejo [241, 93-94]; pero también es cierto que nadie resistió a la Unificación ni en la retaguardia ni en el frente. Sí se pensaba que el Decreto podía abrir un proceso de integración de programas, doctrinas y fuerzas. Con este fin, Hedilla y falangistas se reunieron y trabajaron en los días que siguieron a la promulgación del Decreto, con ánimo de mantener y defender la esencia falangista, negociar con la nueva jefatura de Franco y también para mantener esferas de poder en el nuevo partido. No fue así, las decisiones eran únicas y personales de Franco y había que acatarlas sin cuestionarlas. Hedilla, uno más en la Junta Política, no aceptó el cargo, fiel a los acuerdos tomados con los carlistas.[4] Este hecho y las reuniones de aquellos días se interpretaron como una rebelión y un bloqueo personal a Franco [241, 93-94; 214; 130, 213 ss.]. Hedilla fue detenido el día 25 de abril. El ejecutor de la detención fue el comandante Doval, hombre clave de los servicios policiales en Salamanca. Casi un centenar de falangistas fueron detenidos. Entre ellos: Arrese, Almagro, Serrallat, Alcázar de Velasco, etc.

El 11 de mayo, F. González Vélez fue nombrado miembro de la Junta Política en sustitución de Hedilla.

A las detenciones siguieron dos consejos de guerra los días 5 y 7 de junio. La acusación principal era la de desacato al Decreto unificador, y se juzgaron también los hechos acaecidos en la «noche trágica» del 16 de abril.[5] Hubo diversas condenas, algunas absoluciones totales y cinco penas de muerte, entre las que estaba Hedilla. La medida era dura y podía tener consecuencias políticas graves. El embajador alemán Von Faupel, el cardenal Gomá, Pilar Primo de Rivera, entre otros, iniciaron gestiones para que no se ejecutara la sentencia. Fue, sin duda, la influencia de Serrano la que decidió a Franco a conceder el indulto el 19 de julio, conmutándola por reclusión y destierro [241, 94-98; 266, 190-191; 130, 221-224].

Así quedaba saldada la «crisis de Salamanca», ratificada la Unificación y consolidada la jefatura absoluta y personal de Franco, con la eliminación política de Hedilla y la adhesión personal de los absueltos, que en meses sucesivos ocuparían cargos importantes, hasta llegar incluso Arrese a ser ministro por dos veces.

4. DESARROLLO DE LA UNIFICACIÓN

A partir de la designación de la Junta Política se inició el proceso de desarrollo de la Unificación, como base ideológica y política del nuevo

Estado. Por una parte, Serrano Suñer, sin ostentar cargo político alguno, pero como inspirador, «eminencia gris», «cuñado», como empezó a denominársele en los círculos políticos de Salamanca y Burgos, fue el que llevó a cabo la operación unificadora. Frente a él unas veces, secundándole otras, se situaron militares, monárquicos, carlistas y falangistas en verdadera lucha por el Poder y la influencia en el gobierno. Los militares, en general, aceptaron con agrado el Decreto. El ejército era la base del Poder. Querían y defendían la unidad y el orden público, y la Unificación garantizaba esa unidad y ese orden al poner todo bajo el *mando* del Generalísimo de los Ejércitos. Los militares no solo continuaron al frente de los tres Ejércitos y de la vida ciudadana desde la Junta Técnica, sino que Franco los integró en los órganos del nuevo partido. No había contradicción aparente en esta afiliación política de los mandos militares, ya que el Jefe era uno y el mismo. La doble fidelidad al ejército y al partido quedaban fundidas en una sola.

Los monárquicos aceptaron el hecho consumado con la esperanza de que un día llegaría la monarquía, y consideraban el nuevo partido como un mero instrumento. El grado de unificación no fue igual en todos; y su integración se realizó más desde parcelas de gobierno que a través del partido. Ninguno de ellos fue designado para la Junta Política, y solo seis serían nombrados en el Consejo Nacional; pero, sin embargo, su influencia pesó en el ejército, en la Junta Técnica y en el primer gobierno de Franco. Después se produjo el distanciamiento, e incluso el destierro.

Carlistas y falangistas, las dos piezas clave de la Unificación, en conjunto no se opusieron, más aún, hubo sectores como los carlistas navarros que la recibieron con entusiasmo, manifestado en expresiones de júbilo callejero. Pero en los cuadros dirigentes de ambas formaciones hubo diversas posturas, y lo principal fue que en ambas se inició la lucha por el poder local y provincial, a medida que *Falange Española Tradicionalista y de las JONS* se estructuraba y se implantaba en la zona «ocupada».

Entre los carlistas, Fal Conde y el regente mantuvieron un silencio que entrañaba aislamiento ante la nueva realidad no aceptada. Fal seguía en el destierro. En cambio, la aceptación fue incondicional en Navarra, y «razonada» en otros como Valiente, Lamamié, Arauz, etc., por imperativo, sobre todo, de la coyuntura de guerra.

Entre los falangistas se dieron, a grandes rasgos, tres posturas: los hedillistas, los contestatarios[6] y el grupo que fue formándose en Salamanca en torno a P. Primo de Rivera, que puede calificarse de integrador y negociador. Allí estaban los «viejos», Aznar, González Vélez, Ridruejo, y los «nuevos», L. Bassa, G. Bueno, entre otros. Fieles al pensamiento y a la doctrina falangista de José Antonio, con fuertes influencias fascistas del momento, quisieron aprovechar el partido único creado por Franco, para imponer su «revolución». Intentaron dominarlo y convertirlo en ámbito de toda la política y en base fundamental del aparato del Estado [241, 112]. No fue fácil: Franco mantuvo siempre una autonomía frente al partido, y su Jefatura indiscutible. No obstante, Falange tuvo un peso indiscutible en toda la vida política del momento. Su programa y su aparato externo fueron elementos clave en la configuración del nuevo Estado; y sus hombres ocuparon la mayor parte de los puestos de mando en los organismos del nuevo partido y de la Administración. El programa carlista, sus obras y sus hombres quedaron amalgamados, absorbidos y sometidos a Falange. Así, por ejemplo, la Obra Nacional Corporativa, a partir de abril de 1937, poco a poco fue integrándose en las asociaciones sindicales de obreros y patronos.

Se suprimieron las antiguas juntas y jefaturas y todas las actividades carlistas y falangistas. Se formó un secretariado, dirigido por López Bassa primero, y después por Miranda, falangistas los dos. Se crearon 14 delegaciones, de las cuales solo tres fueron dirigidas por carlistas;[7] de las nuevas jefaturas provinciales, siete estuvieron en manos carlistas, las que correspondían a Navarra, País Vasco, Rioja y alguna desperdigada de Castilla y Andalucía; las demás estuvieron ocupadas por falangistas.[8] La puesta en marcha de la nueva máquina política se hizo con dificultades y roces, y con la represión frente a algún intento que pudo suponer un freno a la Unificación. Fue en octubre de 1937. Con motivo del Día de la Raza, hubo una concentración de estudiantes en Burgos. Los requetés de la AET decidieron no participar en ella; y este acto de indisciplina fue causa de diversas sanciones a J. M. Zaldívar, J. M. Arauz de Robles, M. Puigdollers y T. Lucendo (*BMFET* 1, noviembre, 1937).

La Unificación se completó en los meses siguientes con la promulgación, por Decreto, de los Estatutos de Falange (*BOE*, 7 de agosto), el nombramiento del Consejo Nacional (*BOE*, 21 de octubre), y con la creación del Sindicato Español Universitario y promulgación de sus Estatutos (*BOE*, 23 de noviembre); además de la instauración del Servicio Social de la Mujer y de la «Gran Orden Imperial de las Flechas Rojas», concedida inmediatamente a los dos dictadores Hitler y Mussolini y al rey de Italia Víctor Manuel, los protectores de la España «nacional».

Todo lo que se hallaba en embrión en el Decreto de abril quedó desarrollado y plasmado en los Estatutos, en los que prevaleció la doctrina, emblemas y símbolos de Falange; se precisaba la penetración del partido en todo el entramado de la vida política y militar del país: son militantes los generales, jefes, oficiales y clases de los tres Ejércitos; los mandos de los Sindicatos procederán también del partido, etc., y se concretizaba mucho más el mando y autoridad de Franco como Jefe Nacional del Movimiento:

«El Jefe Nacional de Falange Española Tradicionalista y de las JONS, Supremo Caudillo del Movimiento, personifica todos los Valores y todos los Honores del mismo. Como autor de la Era Histórica donde España adquiere las posibilidades de realizar su destino, y con él los anhelos del Movimiento, el Jefe asume en su entera plenitud la más absoluta autoridad. El Jefe responde ante Dios y ante la Historia.»

Él era quien nombraba directamente los jefes provinciales, los inspectores regionales y el Consejo Nacional. Era la autoridad única e indiscutible. Por Decreto de 19 de noviembre nombró el Consejo Nacional, que al igual que la Junta Política fue más honorífico que real. Estuvo integrado por 50 Consejeros, todos de designación nominal de Franco, y reflejo una vez más de la Unificación: 26 falangistas, 12 carlistas, 6 monárquicos y 6 militares.[9] Integración y superación de todos los partidos como quiso Serrano, pues se nombró a Fal Conde llamándolo del destierro; pero no aceptó, por no considerar el partido único como la forma política adecuada. No se aceptó su renuncia hasta marzo de 1938. La constitución efectiva del Consejo fue el día 2 de diciembre con la jura solemne en el Monasterio de las Huelgas de Burgos, celebrada con un cierto arcaísmo esteticista y gran pompa. Antes de constituirse el gobierno, en enero de 1938, celebró una sesión sin trascendencia alguna [241, 121; 130, 232]. Ese mismo día era nombrado por Decreto, secretario general de FET, N. Fernández Cuesta, recién liberado de la zona republicana por un canje con el republicano Justino de Azcárate [266, 186].

En estos meses, un pequeño muestreo de 118 cargos en el aparato de FET y de las JONS revelaba un claro predominio de los falangistas (72, con 32 carlistas, 7 monárquicos y 7 militares), iniciando una implantación e influencia —más burocrática que ideológica y de poder— del falangismo en el nuevo Estado. Falange fue la etiqueta externa. Franco no era falangista. No olvidemos que lo que estaba surgiendo era el «franquismo» [266, 186 y 197; 240, 99-108].

5. LA LEGISLACIÓN Y LA VIDA CIVIL

La vida en la retaguardia se desarrollaba entre el entusiasmo que la población manifestaba en expresiones de júbilo callejero por los éxitos en el frente y la «ocupación» de nuevas zonas que se «liberaban»; la propaganda desde la prensa y la radio que exaltaba como valores fundamentales «un Dios, una Patria, un Caudillo», lema y consigna que orientaba toda la vida; la normalización paulatina de la vida civil —en agosto se lanzaba la primera emisión de sellos de correos, y en diciembre se restablecía la lotería—,[10] y nuevas fiestas que reflejaban los intereses de la nueva legalidad e iban completando el calendario franquista; así, el 13 de julio se declaraba día de luto nacional, y a Calvo Sotelo, primer mártir; el 18 de julio, fiesta nacional, aniversario del alzamiento «en que España se alzó unánimemente en defensa de su fe, contra la tiranía comunista y contra la encubierta desmembración de su solar...» (Decreto 15 de julio 1937, *BOE* del día 16); el 1.º de octubre, «Fiesta Nacional del Caudillo». Otras iniciativas traducirían el signo de «austeridad» y «caridad» que imponía la guerra: el día sin postre, el aguinaldo del combatiente, el Auxilio a los refugiados.[11] La «unificación» impregnó todo el tejido y todos los ámbitos de la vida, y en ocasiones imprimió el sello de la represión y del control. Así, al «liberarse» Vizcaya se dictaron medidas por las que el País·Vasco quedaba *sometido* y se borraban sus rasgos peculiares: supresión del régimen económico concertado; disolución del cuerpo de «Migueletes» y «Miñones» de las diputaciones de Vizcaya y Guipúzcoa; derogación de los Fueros del País Vasco; supresión de «Euzkadi» en los documentos públicos notariales, sustituyendo esta palabra por «Burgos»; reorganización de la industria vizcaína, creando a tal fin una «Comisión Militar de incorporación y movilización industrial».[12] Después se formó también la de Asturias.[13]

Esta política represiva era reflejo del carácter «nacionalista» del «nuevo Estado», y del Partido. Así, el secretario de la Junta de Falange formada tras la «unificación», López Bassa, firmaba el telegrama circular n.º 24, dirigido a los Jefes provinciales de FET y de las JONS, que decía:

> Interesa resalte nuestra prensa importancia decreto suspendiendo privilegio económico provincias vascas rebeldes como acto de justicia, comentando manifestaciones espontáneas de alegría en Salamanca y otras capitales (*BMFET*, n.º 2, 15 agosto 1937).

En el terreno cultural se proseguía la legislación encaminada a la «unificación» ideológica desde la escuela primaria hasta los niveles superiores de enseñanza e investigación (cf. cuarta parte). En lo económico se reafirmaba el apoyo a la banca privada al regular las funciones del Banco Central, del de Crédito Local y del Hipotecario;[14] y se ponían las bases de una política económica autárquica por el Decreto de 23 de agosto, de ORGANIZACIÓN TRIGUERA, y la creación del Servicio Nacional del Trigo, pero sobre todo con el Decreto de 6 de noviembre, de PROTECCIÓN Y FOMENTO DE LA INDUSTRIA NACIONAL, completado con el de 29 de diciembre que regulaba los actos mercantiles de las sociedades anónimas y declaraba

...nulos y sin ningún valor los actos, disposiciones o acuerdos del llamado Gobierno de Barcelona (antes de Madrid y de Valencia), del llamado Gobierno

Vasco y de cualquier otro gobierno marxista o separatista en contra de los Consejos de Administración... Igualmente son nulos, por consiguiente, y sin ningún valor, los actos, decisiones o acuerdos de los Consejos, Comités, Directores, ·Apoderados o Administradores, designados al amparo de disposiciones ilegales emanadas de los llamados Gobiernos antedichos, así como los actos y contratos realizados o consentidos por tales ilegítimas representaciones, Consejos, Apoderados y Administradores, que nunca fueron nombrados válidamente ni con arreglo a las disposiciones estatutarias de las respectivas Sociedades o Compañías (art. 30).

Y todo ello con efectos retroactivos a 18 de julio. No solo se regularizaba e intervenía la vida económica sino que se reafirmaba una nueva legalidad frente al gobierno de la República, negándole la eficacia de todos sus actos. A lo largo de estos meses se dictaron también numerosos decretos encaminados a la intervención y regulación de los precios, compra y venta de determinados productos (naranja, algodón, aceite, jabón), principio de una política sindical de control.

Franco había unificado en su persona todo el Poder, y a través de la legislación creaba el entramado jurídico de un nuevo Estado autoritario. La muerte de Mola, en accidente aéreo, el 3 de junio, eliminó toda rivalidad posible en cualquier aspecto. Reorganizó entonces los mandos de la Junta Técnica y los Ejércitos. Designó a Dávila jefe del Ejército del Norte, a Saliquet del Ejército del Centro y a Gómez Jordana presidente de la Junta Técnica, que a los pocos meses desapareció para dar paso al primer «gobierno» de Franco.

NOTAS DEL CAPÍTULO V

1.   Otra versión de los hechos es la de que Hedilla preparaba su golpe frente a los «rebeldes» desde tiempo atrás (A. de Velasco).

2.   Las Milicias de Falange y de Requetés habían sido militarizadas por Decreto de 20 de diciembre de 1936. Por el Decreto de Unificación «quedan fundidas en una sola Milicia Nacional... auxiliar del Ejército. El Jefe del Estado es Jefe Supremo de la Milicia». Por Decreto de 11 de mayo se confirmaba esta unificación y se nombraba «Jefe directo» de la misma al general Monasterio, con dos asesores políticos, Aznar y Elizalde, de Falange y Requetés respectivamente.

3.   Los miembros designados por Franco fueron: M. Hedilla; T. Domínguez Arévalo; D. Gazapo; T. Dolz; J. Miranda; L. Arellano; E. Jiménez Caballero; J. M.ª Mazón; P. González Bueno; L. López Bassa (Decreto de 22 de abril de 1937, *BOE* día 25).

4.   Acuerdos tomados a finales de marzo en Villarreal de Álava. También en el carlismo, Zamanillo, uno de los incondicionales de Fal, al producirse la Unificación se retiró de la política y se fue al frente.

5.   Comparecieron ante el Consejo de Guerra del día 5: M. Hedilla, J. Chamarro, J. Rodiles, A. Ruiz Castillejos, F. López Ontiveros, A. Inaraja, M. Merino, R. Nieto, L. de los Santos, A. Alcázar de Velasco, J. L. Arrese. Se leyeron los nombres de los acusados que estaban en rebeldía: V. Cadenas Vicent, V. Gaceo, R. Gabarain, E. Araoz. Al Consejo del día 7 comparecieron, además: M. Hedilla, D. López Puertas, F. Ruiz de la Prada, S. Carral, M. Almagro, A. Corpas, A. Gutiérrez, R. Garcerán, S. Dávila, A. Aznar [266, 191, nota 2].

6.   V. Cadenas Vicent, que desde Francia, adonde pudo huir, defendió la «Falange Auténtica».

7.   Las delegaciones dirigidas por carlistas fueron: *Sanidad*, B. Oreja; *Frentes y Hospitales*, M. R. Urraca Pastor y C. Ampuero; *Administración*, F. Gaiztarro.
Por falangistas, entre otras: *Organización Sindical*, G. Bueno; *Sección Femenina*, P. Primo de Rivera; *Juventud*, comandante Torres; *Prensa y Propaganda*, F. Yzurdiaga y M. Almagro; *Auxilio Social*, M. Sanz Bachiller.

8.   Jefaturas provinciales dirigidas por carlistas: *Burgos*, J. M. Valiente; *Valencia*, Cárcer; *Vizcaya*, J. M. Oriol; *Guipúzcoa*, Muñoz Aguilar; *Álava*, Echave, Sustaeta; *Logroño*, Herrero Tejada; *Granada*, Garzón (BMFET, 15 agosto 1937).

9.   Formaban parte del Consejo Nacional, entre otros: P. Primo de Rivera; J. M. Pemán; E. Bilbao; R. Fernández Cuesta; F. Dávila; J. Suevos; J. Yanguas

Messía; J. M. Valiente; D. Ridruejo; R. Serrano Suñer; P. Sainz Rodríguez; F. Gómez Jordana; J. M. Oriol; J. A. Girón; S. Dávila; R. de Toledo, etc.

10. Decretos de 21 de agosto y 13 de diciembre.

11. Decretos de 16 de julio, 11 de agosto y 20 de noviembre de 1937.

12. Decretos de 23 de junio, 23 de agosto, 24 de noviembre y 13 de diciembre.

13. Decreto de 23 de noviembre.

14. Decretos de 5 de junio, 24 de septiembre y 12 de noviembre.

CAPÍTULO VI

Mayo de 1937: crisis política

1. LA CRISIS DE BARCELONA

La situación interna de Cataluña había sido rica en tensiones durante el primer año de guerra. El anarcosindicalismo había puesto todo su empeño en mantener la hegemonía conseguida en las primeras semanas que siguieron al 19 de julio. Esa hegemonía suponía el control del orden público a través de unas llamadas «patrullas de control» que habían resistido a las transformaciones de los aparatos de seguridad del Estado; el control de la frontera; el control indirecto de la mayor parte de la producción fabril a través de los comités, en los que la CNT tenía las palancas decisivas; cierta intervención en los asuntos militares gracias a la existencia de una Consejería de Defensa en el gobierno autónomo, siempre ocupada por la CNT, e incluso algunas reservas en material bélico (incluido «ametralladoras y hasta artillería», según Abad de Santillán) procedentes de los asaltos de cuarteles en julio de 1936.

Si, en un plano de dirección nacional, la CNT colaboraba en el gobierno a través de los ministros y actuaba conforme a la línea común gubernamental, no se puede decir lo mismo de los órganos regionales de Cataluña y de las Juventudes Libertarias. En realidad, una mayoría de la CNT tenía una estrategia consistente, dicho de una manera elemental, en: a) que se estaba realizando una revolución proletaria, la cual era frenada desde el gobierno, y que, sin embargo, era la tarea esencial, lo que daba su contenido a la guerra contra el fascismo; b) que de ninguna manera podía ceder sus posiciones prioritarias en Cataluña. Esto la llevaba a un conflicto permanente con el PSUC y la UGT (que en Cataluña era mayoritariamente comunista) y, aunque de manera más larvada, con el gobierno autónomo, que tendía a recuperar facultades propias de que había sido privado por la CNT en julio de 1936.

357

Los anarquistas tenían un aliado coyuntural en el POUM, que, aunque de inspiración marxista, también pretendía que el gobierno era una fuerza contrarrevolucionaria y que solo una revolución proletaria permitiría salvar la revolución y ganar la guerra. POUM y FAI-CNT coincidían en tener los mismos adversarios en Cataluña y los mismos objetivos inmediatos. Recordemos que, por presión del comunismo oficial (PSUC), Andrés Nin había dejado de ser ministro del gobierno autónomo en diciembre de 1936. Y el POUM, a pesar de que un año antes había firmado el pacto del Frente Popular, sostenía ahora una estrategia de revolución proletaria a ultranza. Estrictamente minoritario, podía realizar una labor más amplia a través de las masas «cenetistas». Durante todo el mes de abril de 1937, *La Batalla*, órgano central del POUM, había hecho campaña contra la coalición antifascista gubernamental y en favor de «una revolución de obreros y campesinos», a base de Comités, que se opondrían a los órganos del Estado, constituyendo un doble poder (esquema copiado de la Rusia de 1917 y de sus soviets). El aumento del coste de la vida en la retaguardia catalana (que alcanzaba al 100 % en muchos productos de alimentación) servía también de pretexto a este frente de anarquistas y «poumistas».

Por el contrario, el PSUC se hacía intérprete de los puntos de vista del gobierno central y tendía a reforzar sus posiciones dentro del gobierno autónomo, donde su representación era, sin embargo, ligeramente inferior a la de la CNT (tres consejeros frente a cuatro). Por otra parte, tendía a potenciar la UGT, que había crecido durante el último año, entre otras razones por la incorporación a ella de los antiguos sindicatos «treintistas» de Sabadell y Manresa y pequeñas organizaciones sindicales como UGSOC, el FOUS, la USC, el CADCI, etc. (unos 160 000 de antes de julio de 1936, pero más de ese número procedentes del aluviniüoserior, más moderado).

En cuanto al gobierno autónomo, si por un lado era celoso de sus prerrogativas frente a la «invasión» del anarcosindicalismo, no lo era menos frente al gobierno central. Ya Tarradellas (entonces consejero de Hacienda) se había negado en septiembre de 1936 a que la cuenta del Tesoro Público que había en la sucursal de Barcelona fuese traspasada a la central del Banco de España [240, 530-532]. La centralización de industrias de guerra, pedida por el gobierno central, tampoco tenía efecto, y sobre ese particular la entrevista de Companys con Largo Caballero, el 18 de enero en Valencia, no había hecho sino confirmar las divergencias.

En ese entorno político se produjo la reorganización de los servicios de seguridad, decidida por el gobierno catalán con el voto favorable de los consejeros «cenetistas», concentrando el Orden Público en manos de la Generalitat (cf. cap. III 1.6.). Bajo la presión del sector más radicalizado (FAI y medios análogos)[1], los consejeros «cenetistas» dimitieron el 16 de marzo. Se abrió una crisis que el presidente Companys no llegaba a solucionar; la CNT hizo fracasar un intento suyo de crear, el 3 de abril, un gobierno restringido. Por fin, se pudo formar un gobierno el 16 de abril.[2] Este nombró un comisario general de Orden Público (Rodríguez Salas), pero no pudo disolver las Patrullas de Control.

Los «faístas» y el POUM respondieron con la consigna de no dejarse desarmar. La tensión estalló el 25 de abril con el asesinato del «ugetista» Roldán Cortada (secretario de Vidiella) por un comando «faísta» en Molins de Llobregat. El entierro fue una gran manifestación de duelo, pero Rodríguez Salas tuvo que liberar a los supuestos asesinos, a los que ya había detenido [29, IV, 576].

Por otra parte, fuerzas de Carabineros fueron a ocupar los puestos fronterizos y encontraron resistencia armada. La situación era tan tensa que en Barcelona no se pudo celebrar el 1.º de mayo.[3]

Los sucesos de mayo

Por último, en la tarde del día 2 se producirá el incidente grave, que opera como chispa para producir el incendio. Se trata de un intento de ocupación de los locales de la Telefónica. Los servicios de teléfonos no estaban en poder de ningún servicio estatal (catalán o central) sino de un comité CNT-UGT, controlado en realidad por la primera, sobre todo lo que se refería a comunicaciones oficiales situadas en este edificio. El presidente Azaña había visto interferidas sus conferencias telefónicas por ese servicio, donde habían llegado a decirle lo que debía o no hablar por teléfono; y Prieto, al día siguiente, cuando se le ocurre llamar al gobierno catalán, recibe como respuesta: «Aquí no hay más que el Comité de Defensa de Barcelona».

¿Qué había pasado? Que, en la tarde del 3 de mayo, Aiguader había dado orden a Rodríguez Salas de ocupar el edificio de la Telefónica (Tarradellas ha dicho después que Aiguader lo había puesto al corriente, pero después de haber dado la orden). Rodríguez Salas y sus guardias llegaron a la planta baja de la Telefónica y fueron recibidos a tiros. Inmediatamente, el sector extremista de la FAI, las Juventudes Libertarias y el Comité Central del POUM dieron las órdenes de huelga y de alzar barricadas por doquier. En cuanto a los responsables regionales de la CNT, fueron a la Generalitat a pedir la dimisión de Aiguader y de Rodríguez Salas, y la reorganización del gobierno autónomo con las consejerías de Defensa, Seguridad e Industrias en manos de la CNT.

Al caer la noche, anarquistas y sus aliados «poumistas» estaban ya atrincherados; los dirigentes del PSUC pensaron primero en parlamentar, pero se fortificaron a su vez, así como la Generalitat, etc. Quien estaba casi desguarnecido era Azaña; hacia las once de la noche, Tarradellas pudo llegar a verle y le confesó que el gobierno catalán no era dueño de la situación en la calle; y que todo se arreglaría mediante negociaciones, «aunque fuese sacrificando a Aiguader y Rodríguez Salas» [29, IV, 577-578].

Pero Barcelona era un campo de batalla en la mañana del martes, 4 de mayo. Era una insurrección con ataque a los centros oficiales (Generalitat, Consejería de Gobernación, Parlamento Catalán), políticos (Hotel Colón, sede de la JSU; local del PSUC, locales de la UGT) y estratégicos (estaciones de ferrocarril), utilizando incluso tanquetas. Los dirigentes regionales seguían discutiendo en la Generalitat, pero tanto Peirats como Abad de Santillán han escrito después que habían ordenado a las baterías antiaéreas de Montjuich (controladas por la CNT) apuntar sobre el edificio de la Generalitat «y hacer fuego si en algún momento no les respondíamos».

En Valencia se reunía urgentemente el gobierno; la reunión se desarrolló en un ambiente de crispación. Por fin, con cierta tendencia al compromiso, se acordó que fuesen a Barcelona dos ministros de la CNT (Montseny y G. Oliver) y un representante de cada central sindical (M. Vázquez, secretario general del CN de la CNT, y Hernández Zancajo, fiel a Largo Caballero, de la CE de la UGT). Sin embargo, se tomaron algunas disposiciones más enérgicas, sobre todo el envío por Prieto de dos destructores de la Armada para ponerse a las órdenes de Azaña, y por Galarza (criticado por todos, ya que la situación le había sorprendido sin enterarse de nada) de una columna de 1500 guardias (que tardó en llegar a Barcelona, porque tuvo que vencer resistencias de importancia a su paso por Tortosa y Amposta). Prieto envió también una escuadrilla de veinte aviones, que se instaló en Reus como base. Hidalgo de Cisneros y el comandante Barbeta contribuyeron a liquidar la sublevación en Reus y Tarragona.

Los enviados del gobierno llegaron por avión el día 4 (excepto Federica Montseny, que viajó por tren el 5 de mayo) y se reunieron con los representantes de las organizaciones en la Generalitat. Hablaron por la radio en tono pacificador, pero no consiguieron mucho. Por fin, el miércoles día 5, se llegaba a un acuerdo, según el cual se formaría un gobierno catalán reducido, con los secretarios de la CNT y de la UGT, un representante de Esquerra y otro de Rabassaires (la CNT estaba de acuerdo porque así eliminaba a Aiguader y Rodríguez Salas, según explicó luego Vázquez); se disolverían definitivamente las patrullas de control y los servicios de Teléfonos pasarían a poder del gobierno. Pero todo quedó frustrado al ser asesinado Antonio Sesé, secretario general de la UGT, cuando se dirigía a tomar posesión de su puesto en el gobierno. Por el lado opuesto, también era asesinado un anarquista italiano, Camilo Berneri, que venía actuando de teórico de los extremistas. Y «Los amigos de Durruti» reclamaban el fusilamiento de los guardias que habían entrado en la Telefónica. No obstante, Mariano R. Vázquez y Rafael Vidiella (este por la UGT) hicieron por la radio nuevos llamamientos para interrumpir los combates. También se tomaron medidas para que al día siguiente saliesen los diarios. Además, el gobierno central había decidido incautarse de los servicios de Orden Público de la Generalitat, nombrando para ello al general Pozas como jefe de la cuarta división orgánica (Cataluña) y de todo el frente de Aragón; el coronel Escobar sería el delegado de Orden Público. Estas medidas hirieron la susceptibilidad de los medios de Esquerra, pero ante la gravedad de la situación optaron por callarse.

El día 6 los dirigentes cenetistas querían la paz y Federica Montseny hacía todos los esfuerzos para ello, aunque a la vez parlamentaba con Galarza para que los guardias que este enviaba (llegaron 5000 por mar el día 7) trajeran orden de no tirar y que no entraran en Barcelona hasta después de las nueve de la mañana de ese día.

Pero el sector de «Los amigos de Durruti» y parte de las Juventudes Libertarias seguía irreductible; dispararon y lanzaron bombas contra los tranvías que salieron a la calle en la mañana del jueves, día 6; el «Metro», que había empezado a rodar, tuvo que cerrarse. Fue asaltado con fusiles y bombas de mano el Casal de la Esquerra del distrito sexto, y en la plaza de Ferrer Guardia tiraban bombas a los guardias desde las azoteas. Pozas se instaló en la Consejería de Defensa, pero el coronel Escobar fue gravemente herido cuando iba a tomar posesión de su cargo. Aquella tarde, Mariano R. Vázquez tuvo una dramática reunión en el Comité Regional de la CNT; por fin, consiguió que aceptasen la autoridad de Pozas y el alto el fuego, si se les daba tres horas sin hostilizarles para abandonar las barricadas (pero los acuerdos los tomaban por teléfono con Galarza, pasando por encima del gobierno de la Generalitat). Fueron desmontadas finalmente el día 7 por los guardias y por militantes del PSUC.[4]

El presidente de la República, todavía sitiado el jueves 6, fue hasta el puerto a la mañana siguiente, protegido por los marinos, y desde allí en gasolinera hasta el aeródromo del Prat, para dirigirse a Valencia. Al mismo tiempo, siguiendo las instrucciones de CNT y UGT, los obreros volvían a las fábricas y lugares de trabajo. Los últimos estertores de la insurrección fueron los disparos de una batería de costa de la que se había apoderado un grupo de jóvenes libertarios y el reducto del palacio de los Escolapios que tuvo que asaltar Burillo con sus guardias.[5]

La insurrección había costado unos quinientos muertos y cerca de dos mil heridos; la sensación causada en España y en el mundo era grande. Franco quiso atribuírselo, diciéndole al embajador Faupel que «los combates callejeros de Barcelona habían sido desatados por sus agentes» (que no pasaban de 13, según su hermano Nicolás), con lo cual contribuía involuntariamente a la tesis comunista, elaborada en Moscú, de que la insurrección era obra del POUM al servicio del nazismo y del franquismo, según los cánones estalinianos de la época.[6]

2. CAÍDA DEL GOBIERNO LARGO CABALLERO Y FORMACIÓN DEL GOBIERNO NEGRÍN

Cuando estallaron los sucesos de Barcelona, las contradicciones internas del gobierno eran ya suficientes para producir su desintegración en cuanto surgiese una cuestión polémica de cierta entidad. Hay que recordar que Largo Caballero había aceptado de mala gana el desprenderse de su subsecretario, general Asensio, y que había reaccionado eliminando del EM a los que consideraba comunistas y, por otra parte, nombrando seis amigos políticos suyos, con poderes para vigilar a generales, jefes y oficiales, altos cargos del Comisariado y toda clase de comisarios (Orden Circular de 23 de febrero de 1937). Los diarios de Valencia *Frente Rojo* (órgano del CC del PCE) y *Adelante* (socialista, portavoz de la tendencia de Largo Caballero), se entregaron durante un par de meses a una polémica constante.[7] El informe de José Díaz en el pleno del CC del PCE (8 de marzo) era una crítica implícita de la política militar de Largo Caballero. Este, por su parte, rompe violentamente por aquellos días con el embajador de la URSS, Rosenberg, al que echa de su despacho (donde acudía con frecuencia a visitarle) acusándole de intromisión. El gobierno español pidió la sustitución de Rosenberg; el gobierno soviético accedió y fue reemplazado por Gaiski, que llegaría dos meses después. Pero la tensión interna no hacía sino aumentar. Sabemos que Largo Caballero había estado receloso de la Junta de Defensa de Madrid. En el mes de abril terminó por declararla disuelta por simple oficio dirigido a Miaja, y sus funciones civiles fueron realizadas por un nuevo Ayuntamiento, no de elección popular, sino de representantes de partidos y organizaciones; los socialistas consiguieron mayoría y dirigieron el Ayuntamiento, con Henche de la Plata, alcalde.

Sin duda, tantas tensiones tenían bases políticas. Largo Caballero había soñado siempre con una unidad obrera y revolucionaria en el seno de las organizaciones socialistas. Por eso estuvo satisfecho cuando la CGTU entró en la UGT (1935) y durante el primer período de unificación de las Juventudes, hasta la guerra. La entrada de los dirigentes de la antigua Juventud Socialista en el PCE —coincidiendo con la formación de la Junta de Defensa de Madrid— constituyó para él una dura decepción. Al mismo tiempo, la mayoría de sus consejeros (Araquistáin, que estaba de embajador en París, en primer lugar) cambiaron de orientación y a ellos se sumaron otros, «los nuevos caballeristas», todos inquietos por la progresión comunista y por su llamado «proselitismo» (cuyos excesos fueron ciertos, reconocidos por Dolores Ibárruri en su informe al CC de noviembre de 1937 hablando de «exceso de celo»). Largo Caballero no había sido nunca un hombre de sólida formación teórica, sino un obrero que, desde muy joven, había luchado por la defensa de su clase de la manera que creía más útil: en los sindicatos, en los municipios, en las mutualidades, ante la organización mundial del trabajo, en organismos del Estado. Hombre íntegro a carta cabal, durante el primer bienio republicano se convirtió en «la bestia negra» de la reacción y de los propietarios, por una serie de decretos de política social. Dolorido por los ataques y por la salida de los socialistas del gobierno, reacciona emotivamente hacia posiciones revolucionarias y, por ese camino, llega a ser la cabeza del alzamiento de octubre de 1934; lee algunos textos de Lenin y se entusiasma con la idea de dictadura del proletariado (pero no con la de los soviets), y llega a creer que el Partido Socialista está llamado a jugar en España el papel que tuvieron los bolcheviques en la revolución rusa. Acepta, sin embargo, la política de Frente Popular, pero sin renunciar a los objetivos revolucionarios: rodeado de un «brain-trust» de socialistas de izquierda, impedirá que Prieto forme gobierno en mayo de 1936 y, creyendo encontrarse en una situación prerrevolucionaria y sin necesidad de aliados para la clase obrera, se coloca en una postura muy tensa dentro del PSOE.

Sus decepciones políticas y personales, las dificultades crecientes de la guerra, la política de varios de sus antiguos colaboradores y de otros que luego lo rodean, le llevarán a nuevas reacciones emotivas y sin base teórica, como todas las suyas. Como siempre ha soñado con la unidad obrera, se aferra entonces a una idea de unidad sindical (que otras veces creyó imposible) y, sobre todo, de gobierno sindical, que además le permitiría seguir sin comunistas y sin pequeño-burgueses republicanos.

En tan escabrosa situación vino a producirse otro asunto conflictivo: durante el mes de marzo, Largo Caballero adoptó un proyecto de ofensiva por Extremadura, destinado a partir en dos la zona franquista y caer después sobre Andalucía. El plan había sido preparado por el teniente coronel Segismundo Casado (antiguo jefe de la Escolta republicana) y aprobado sin más por el coronel Álvarez Coque, jefe del EMC (relevado Martínez Cabrera en marzo, Largo Caballero había designado a Rojo, pero vino entonces la batalla de Guadalajara y Rojo consiguió rechazar el puesto, para el que fue designado Álvarez Coque); a juzgar por lo que ha escrito Vidarte, el plan era obra originaria del general Asensio.

La ofensiva de Extremadura, que Largo Caballero pensaba dirigir personalmente trasladándose a los frentes de combate [29, IV, 589, 591], exigía el traslado de siete brigadas del Ejército del Centro. Miaja se resistía a dar esas brigadas, y eso encolerizó al jefe del gobierno, que además se quejaba de una reunión de jefes del Ejército del Centro para juzgar desfavorablemente aquel proyecto. El 1.º de mayo, Largo Caballero quería proponer a Azaña la destitución de Miaja; no se vieron entonces, y al entrevistarse en Valencia el día 7, volvió a la carga, diciéndole a Azaña que «Miaja estaba insubordinado». Consiguió Azaña eludir toda decisión y aquella misma noche pudo comprobar que, a pesar de las protestas, Miaja había obedecido y enviado las tropas requeridas. Lo que no había dicho Largo Caballero —y tal vez no lo supiese— es que Prieto consideraba el plan de Extremadura como una ilusión y añadía que él no podía facilitar más de ocho o diez aviones [298, 656]. En cuanto al documento, que estaba encabezado por Miaja y Rojo, aunque tenía un aspecto crítico, ratificaba la obediencia al Mando superior.[8] Por fin, la operación se fijó para el 14 de mayo; se suspendió ese día por falta de apoyo aéreo, dejándola para el 21. La crisis del gobierno y el consiguiente cambio de mandos la hizo imposible, siendo en la práctica sustituida por la operación Brunete, mejor vista por Rojo, que ya será definitivamente Jefe del Estado Mayor Central.

Los antecedentes expuestos, aunque no trazan un cuadro completo de la situación, son más que suficientes para comprender la atmósfera cargada de electricidad de los medios gubernamentales en la que fue a caer la chispa de los sucesos de Barcelona.

Nada ocurrió en el Consejo de Ministros del día 8, y todo parecía dispuesto para la operación de Extremadura. Largo Caballero pensaba salir para aquel frente el domingo, 16; pero la crisis estalló en la reunión del jueves, 13 de mayo. Los dos ministros comunistas plantearon las cuestiones de fondo sobre política militar y de orden público; pidieron, además, la disolución del POUM y preguntaban qué otras medidas se habían tomado para castigar a los responsables del *putsch* de Barcelona. El jefe del gobierno consideró que las primeras cuestiones no era el momento de tratarlas; sobre lo de Barcelona, trató de minimizar los hechos diciendo que no eran actos contra el gobierno sino conflicto entre dos elementos sindicales y políticos de Cataluña; en cuanto al POUM, se negó, desde luego, a disolverlo. Los ministros comunistas se levantaron y abandonaron la reunión. Largo Caballero pretendió seguir como si nada hubiese pasado, pero intervino Prieto diciendo que la coalición había sido rota y que la reunión no podía seguir: «La crisis ha quedado abierta y el presidente de la República debe ser informado».

Largo Caballero estaba informando a Azaña de lo ocurrido, mientras en la antesala le esperaban Galarza y Llopis. Largo no quería dimitir y, según Azaña, no hacía sino poner de manifiesto lo inoportuno de una crisis. La cuestión quedó en suspenso aquella noche, en cuyas altas horas Azaña conferenció con Prieto y Giral (y a la mañana siguiente con Martínez Barrio). Como casi todos temían la crisis, Azaña dijo a Largo Caballero que creía oportuno aplazar la crisis hasta que regresase de Extremadura y que convenciese a los comunistas de seguir mientras tanto, indicándoles el motivo del aplazamiento. Aceptó Largo Caballero; pero, contra lo que esperaba Azaña, ni habló con los comunistas ni les informó del aplazamiento de la crisis. La Ejecutiva del Partido Socialista le comunicó que así no podía seguirse y que debía considerar como dimisionarios a Prieto, Negrín y De Gracia. En la noche del día 14, Largo Caballero presentaba la dimisión, y a la mañana siguiente Azaña abría las consultas. Este ha dejado escrito que Largo Caballero se fue sin tan siquiera darle una opinión sobre la formación de gobierno, lo que no fue óbice para que Azaña le encargase aún de formarlo (a sabiendas de que sobrevendría el fracaso). Pero Largo Caballero se obstinaba en conservar la cartera de Guerra, e incluso quería tomar Marina y Aire, dejando a Prieto Agricultura e Industria. Los comunistas rechazaron la proposición, y los socialistas también, sobre todo porque estimaban necesaria la presencia de los comunistas; paradójicamente, tampoco estaba de acuerdo la CNT, porque el proyecto les reservaba solo dos carteras, igualándolos al PCE, lo que estimaban vejatorio. Solo Unión Republicana y la UGT aceptaban.

No se veía la solución y Azaña optó por reunir a los representantes de los partidos el domingo, 16, por la tarde. No hubo avenencia.

En la noche del 17 de mayo quedaba constituido el gobierno Negrín,[9] y en él el Consejo de Guerra (que entendía de los asuntos militares) quedó formado por Prieto, Negrín, Giral y Uribe.

Para la subsecretaría de Guerra se nombró a Fernández Bolaños, teniente coronel de Ingenieros, de tendencia socialista, que se hallaba retirado. Subsecretario del Aire, Camacho; de Marina, Antonio Ruiz; de Armamento, Otero (PSOE). Vidarte fue subsecretario de Gobernación, Mariano Anso (de IR), de Justicia. Prat (socialista de la tendencia derechista) era nombrado subsecretario de la Presidencia. Bugeda seguía en Hacienda, Lamoneda era subsecretario de Industria. F. Melchor, D. G. de Propaganda. En cuanto al Estado Mayor Central, Rojo era nombrado definitivamente su jefe.

Digamos que un comunista, Ortega, era nombrado director general de Seguridad (puesto en el que duraría muy poco), y un incondicional de Prieto, Ángel Díaz Baza, sería el primer jefe del SIM, creado mes y medio después (el servicio anterior, DIDE, dependiente del Ministerio de la Gobernación y que entró a formar parte del SIM, había estado dirigido por otro socialista, Francisco Ordóñez). Después de Ortega, será Gabriel Morón (PSOE), que ya era subdirector, el director general de Seguridad; porque, según cuenta Vidarte, «Ortega [...] no nos ofrecía la menor confianza».

Desde el punto de vista del control de los aparatos de Estado, no parece exagerado decir que el gobierno Negrín acentuó la parte primordial que tenía el PSOE en ese control (a los altos cargos señalados hay que añadir los de Abastos, representaciones del Estado en Tabacalera,

Campsa, etc., las embajadas en Estados Unidos, Unión Soviética, Checoslovaquia, Bélgica... (la de Francia pasaba a Ossorio y Gallardo, tras la dimisión de Araquistáin, solidario de Largo Caballero). No solamente tenía 6 ministerios entre 13, sino también subsecretarías clave, embajadas, centros de operaciones de Seguridad. Esta preponderancia la mantuvo el PSOE desde septiembre de 1936 hasta el final de la guerra. Ciertamente, el aparato militar presentaba otro aspecto. En primer lugar, la importancia decisiva (y con frecuencia olvidada por los historiadores) de los militares profesionales, de opción democrática, pero procedentes de las clases medias; ese es el caso de hombres clave en el aparato militar del Estado, como Rojo, Hernández Sarabia, Pozas, Asensio, Menéndez, Burillo, Jurado, etc. Por otro lado, la presencia comunista —muy escasa en otros aparatos de Estado, salvo en los «ideológicos», más o menos conectados con el Ministerio de Instrucción— se manifestaba de vez en cuando en los altos niveles, bien por militares profesionales cuya adhesión al PCE no era coyuntural sino con bases sólidas (p. ej., Cordón, Hidalgo de Cisneros, Ciutat), o bien por militantes elevados desde el mando de milicias (casos muy contados, como el de Modesto). Otra cosa era a nivel de mandos de división y de brigada, es decir, escalones intermedios. Y eso podía ser una fuerza de maniobra política o de amenaza, pero en ningún caso son centros decisorios del Estado los simples puestos de mando de una brigada o de una división.

3. LOS PARTIDOS POLÍTICOS

Los partidos tenían numerosos problemas entre ellos. Cuando se forma el gobierno Negrín, el Partido Socialista se ve atacado desde dentro por el ala «caballerista», que también opera en la CE de la UGT. Sin embargo, en su reunión del 28 de mayo, el Comité Nacional de la UGT desaprueba la conducta de la Ejecutiva (de la que se habían separado Amaro del Rosal, Pretel y Génova), encaminada a organizar la oposición contra el gobierno Negrín. Pero Largo Caballero y sus amigos reaccionan días después expulsando a 29 Federaciones de Industria «por falta de pago». Al mismo tiempo se apoderan de la Agrupación Socialista de Madrid. Se crea un comienzo de escisión y durante cinco meses habrá dos direcciones nacionales de la UGT. En el seno del PSOE la actividad de ese grupo (Araquistáin, Baraibar, Llopis, Pascual Tomás, etc.), se reduce a organizar la oposición contra el gobierno. Por su parte, Besteiro permanece aislado en Madrid, en total retraimiento, aunque sus amigos Trifón Gómez y Saborit ocupan altos cargos en la administración del Estado.

La CNT, que en mayo es hostil al gobierno, suavizará poco a poco sus posiciones; el 1.º de junio, su Comité Nacional se entrevistó con Negrín y le ofreció el «apoyo moral y material de la CNT... para cuanto signifique defensa de la dignidad de la República y de la integridad de su territorio». El Pleno de Regionales, celebrado el 3 de junio, dio por roto el acuerdo que habían firmado con la Ejecutiva UGT de Largo Caballero y se orientó a buscar una nueva participación en el gobierno. Según el diario de Azaña [29, IV, 636], unos días antes de esa fecha, Martínez Barrio había transmitido a Negrín «las quejas de la CNT. Quieren volver al gobierno. Se quejan de que se les persigue».

Los partidos republicanos no daban la impresión de ser importantes (Azaña decía que Unión Republicana era Martínez Barrio y su secretario, afirmación injusta, pero es evidente que su peso orgánico, y también —aunque no tanto— el de Izquierda Republicana, era muy liviano). El PNV se debatía en el drama de la pérdida del territorio de Euzkadi, y dentro de él hubo posiciones muy distintas. En cuanto a Esquerra, se veía ante el problema de que si había logrado recuperar ciertas palancas de mando en la Generalitat, que los anarquistas le habían arrebatado durante diez meses, se encontraba ahora ante algunas intromisiones del poder central; este se apoderó indebidamente de la delegación de Orden Público y, a partir de ahí, empezaron querellas y resquemores entre el presidente de la Generalitat y el jefe del gobierno español.

En fin, el paso de Largo Caballero a la oposición tendría repercusiones, primero en la UGT, pero también en algunas Federaciones socialistas y de la JSU. En cambio, Largo Caballero y sus amigos se vieron desposeídos del diario madrileño *Claridad*, cuyo equipo (I.R. Mendieta, A. del Rosal, O. Preteceille, Polanco, Pérez y Bueno) se puso junto al Comité Nacional y frente a la Ejecutiva de Largo Caballero.

No ofrecía, pues, aspectos de bonanza la coyuntura política de la España republicana al hacerse cargo de ella el gobierno Negrín. Por añadidura, las contraofensivas tácticas de La Granja y Huesca no dieron resultado alguno y en la segunda semana de junio la situación de Bilbao se puso gravísima. El gobierno estaba obligado, por razones de eficacia bélica, a tomar medidas que reforzasen la autoridad del Estado. Pero los «coletazos» de los sucesos de Barcelona le crearía nuevos problemas. Primero fue la adopción de medidas contra el POUM, reclamada insistentemente por el PCE. El 16 de junio, cuando la resistencia de Bilbao se estaba desplomando, el gobierno decidió la disolución del POUM y la detención de sus miembros. Pero si el *putsch* de mayo y el rigor de la política de guerra podían explicar alguna de estas medidas, la amalgama que realizaron los servicios de Seguridad entre las actividades de dicho partido y las de una auténtica organización fascista descubierta por aquel entonces en Madrid, era tan reprobable como inquietante.

El asunto del POUM tuvo una larga instrucción procesal; la vista tuvo lugar más de un año después, en un clima ya diferente, y los dirigentes del POUM fueron condenados por los sucesos de mayo de 1937, por atentado contra el orden público y la legalidad vigente, pero no por delitos de traición ni de inteligencia con el enemigo.

Pero este asunto tuvo otro aspecto más siniestro, que contribuyó a complicar las tareas del gobierno Negrín en sus primeras semanas: la desaparición de Andrés Nin, detenido como los demás y que, so pretexto de diligencias es trasladado a Madrid, luego a Alcalá, para acabar escapando al control de la policía y no tenerse más noticia de él. Con la perspectiva que da el distanciamiento histórico, «la desaparición» de Nin puede encuadrarse muy bien en un capítulo sangriento que por entonces iniciaba el stalinismo, y puede admitirse la hipótesis de que fue liquidado físicamente por agentes de la NKVD soviética a las órdenes de Orlov (que poco después «escogerá la libertad»). Muchos comunistas, veteranos de la guerra de España, cayeron víctimas de esta represión, como cayeron Rosenberg, Antonov-Ovsenko, Goriev, etc., estando limpios de toda sospecha. Nin, vinculado a Trotski desde hacía muchos años, adversario decidido de la política frentepopulista, era una víctima propiciatoria.

Este crimen disfrazado de «desaparición» dejó perpleja a la opinión de izquierdas, sembró la confusión y la duda en el mismo gobierno; los ministros comunistas aseguraban que nada sabían de ello, y seguramente decían la verdad, pero el coronel Ortega respondía con torpezas a las preguntas de Zugazagoitia, ministro de la Gobernación, sobre el paradero de Nin. El *affaire* le costó a Ortega y al PCE la Dirección General de Seguridad. Y muchas personas, incluso avezadas en la política, siguieron sin comprender; era un momento en que la confusión en el movimiento obrero internacional hizo que se llegase a dar por válida la condena de Tukhachevski y que se diese crédito a una rocambolesca versión sobre la muerte de Gorki. La contradicción era palmaria: al mismo tiempo que la Unión Soviética apoyaba la política de Frente Popular, ayudaba a España y se oponía a la No Intervención, el stalinismo se lanzaba a la práctica de la peor violencia y a la desnaturalización del marxismo, con lo que de hecho no hacía sino alimentar la propaganda ideológica del fascismo internacional.

En el caso concreto de España, esta conducta política solo servía para debilitar y romper el frente unido del pueblo español, con su gobierno, en defensa de la democracia republicana.

NOTAS DEL CAPÍTULO VI

1. El sector más extremista del anarquismo estaba organizado en una asociación llamada «Los amigos de Durruti», que poseía un órgano de prensa: *El amigo del pueblo*, y estaba dirigida por los «faístas» Pablo Ruiz, Jaime Balius y Eleuterio Roig. Se declaraban enemigos de la transformación de las milicias en ejército regular, de la participación en el gobierno, etc. [172, 268-270].

2. El gobierno catalán del 16 de abril estaba así formado: *Primer consejero y Finanzas*, Tarradellas (ERC); *Seguridad interior*, A. Aiguader (ERC); *Cultura*, José M. Sbert (ERC); *Defensa*, F. Isgleas (CNT); *Economía*, A. Capdevila (CNT); *Servicios Públicos*, Doménech (CNT); *Justicia*, F. Comorera (PSUC); *Abastos*, J. Miret (PSUC); *Trabajo y Obras Públicas*, R. Vidiella (PSUC); *Agricultura*, J. Calvet (U. de Rabassaires).

3. Con motivo del 1.º de mayo, el POUM había publicado un manifiesto en el que se decía:

«Consciente de su responsabilidad histórica, el POUM, partido de la Revolución, invita a todos los trabajadores a formar, en este Primero de Mayo, el Frente Obrero Revolucionario, por la lucha contra el enemigo común, que es el capitalismo, por el socialismo, por la destrucción de todas las instituciones burguesas y por la constitución de un Gobierno obrero y campesino.»

Más prudente, *Solidaridad Obrera*, si bien protestaba de lo que calificaba de «cruzada contra la CNT», añadía: «Hemos de deponer actitudes violentas entre hermanos que no pueden beneficiar más que al enemigo común».

4. Tras la muerte de Sesé, el gobierno catalán quedó formado por Valerio Más (CNT), Rafael Vidiella (UGT), Martí Feced (ERC) y Joaquín Pou (Rabassaires), bajo la presidencia de Companys.

El gobierno se reorganizó por completo el 30 de junio, pero ahora sin participación de la CNT (y duraría así hasta enero de 1939, sin que el reingreso de la CNT en el gobierno central en abril de 1938 se reflejase en la composición del gobierno catalán). Su composición era esta: *Presidencia de la Generalidad*, Companys; *Finanzas*, Tarradellas (ERC); *Gobernación*, Sbert (ERC); *Cultura*, Pi y Sunyer (ERC); *Abastos*, Serra Pàmies (PSUC); *Economía*, J. Comorera (PSUC); *Trabajo y Obras Públicas*, R. Vidiella (PSUC); *Justicia*, Bosch Gimpera (ACR); *Agricultura*, J. Calvet (U. de Rabassaires).

5. *Solidaridad Obrera* del 8 de mayo publicaba un llamamiento del C. Regional de la CNT que empezaba así: «Terminado el trágico incidente que ha llenado de luto a Barcelona, y para que todo el mundo sepa a qué atenerse, el Comité Regional de la CNT y la Federación Local de Sindicatos Únicos manifiestan su voluntad unánime de colaborar con la mayor eficacia y lealtad al restablecimiento del orden público en Cataluña, cesando con la etapa de actua-

ción partidista que llevó precisamente a la situación insostenible que desencadenó la tragedia».

Por su parte, Mariano R. Vázquez, en su informe al C. Nacional de la CNT, redactado el 13 de mayo [55, 255 ss.], decía:

«En último extremo, aun suponiendo, que era mucho suponer, que la organización aplastara a todos en Cataluña ¿qué haríamos con la victoria? El desastre mayor esperaba a la lucha antifascista. Los frentes se romperían. El extranjero, visiblemente encarnado en las escuadras que habían anclado en el puerto de Barcelona, intervendría para imponer el armisticio que tanto deseaban muchos. Por otra parte, no había que olvidar que, perdida la guerra, se había perdido la revolución y toda conquista proletaria.»

6. Como principales fuentes para este tema se han utilizado: la prensa de la época, varios testimonios personales y las *Memorias* de Azaña, Zugazagoitia, Abad de Santillán; los libros de Peirats, Orwell, C. Lorenzo, London, Teresa Pàmies, «Informe, Barcelona-1937» en *Historia-16*, núm. 12, 1977.

7. Véase sobre este asunto B. Bolloten: *La revolución española*, 1962, México, pp. 270-278, bien documentado, a pesar de un apriorismo anticomunista.

Con una óptica distinta, Amaro del Rosal, *Historia de la UGT*, Barcelona, 1977, t. II, pp. 621 ss.

8. El documento estaba firmado por Miaja, Rojo, Antón (Comisario del Ejército del Centro) y por los jefes y comisarios de los seis cuerpos de ejército de la zona (el V considerado como fuerza de maniobra). Consideran que las medidas dictadas tienen muchos inconvenientes y que, en cambio, «es necesario [...] alejar del Manzanares el frente de combate de Madrid». Como conclusión dicen:

«1.º Que el Ejército del Centro facilitará cuantos medios considere necesarios el Mando Superior para el éxito de las operaciones proyectadas, aunque estas se ignoren.

2.º Que se considera conveniente, para la mayor eficacia en nuevas operaciones que puedan planearse, una colaboración más estrecha entre los Mandos superiores, V.E. y su E.M.

3.º Que se tenga en cuenta la situación defensiva en que queda este Ejército, la posibilidad de una ofensiva enemiga en sus frentes, y la falta de medios para contenerla.

4.º Que se tenga en cuenta la situación moral de los combatientes para abrir cauce a operaciones ofensivas en todos los frentes y principalmente con la finalidad de alejar la presión sobre Madrid.

5.º Que se imponga una inmediata movilización de hombres para asegurar con tiempo suficiente la instrucción y que las unidades puedan conservar en todo momento su plantilla.

6.º Que a falta de otras unidades con que aumentar sus reservas, se dote a este Ejército de un mínimo de 15 000 fusiles, artillería pesada, ametralladoras y fusiles ametralladores en cantidad suficiente para dejar dotadas a sus Brigadas como lo están las recientemente organizadas.»

9. La composición del primer gobierno de Negrín fue la siguiente: *Presidencia, Hacienda y Economía*, J. Negrín (PSOE); *Defensa Nacional*, I. Prieto (PSOE); *Estado*, J. Giral (IR); *Gobernación*, J. Zugazagoitia (PSOE); *Justicia*, M. de Irujo (PNV); *Obras Públicas y Comunicaciones*, B. Giner de los Ríos (UR); *Agricultura*, V. Uribe (PCE); *Instrucción Pública*, J. Hernández (PCE); *Trabajo y Asistencia Social*, J. Aiguader (ERC).»

CAPÍTULO VII

La difícil primavera de 1937

1. LA SITUACIÓN INTERNACIONAL Y EL BOMBARDEO DE ALMERÍA

Alemania e Italia aumentaron su apoyo al general Franco en los seis primeros meses de 1937: envío de armas, aumento de ayuda militar en hombres y todo lo necesario para hacer de España una potencia naval. La ayuda italiana fue particularmente importante tanto en la batalla de Guadalajara [284, 245], como en la ofensiva del norte. Las tropas italianas tenían sus batallones propios, formando los CTV (Cuerpos de Tropas Voluntarias), uno de cuyos mandos fue el general Roatta. Las últimas investigaciones de Coverdale dan la cifra de 47 176 italianos —Ejército y Milicias— llegados a España entre los meses de noviembre de 1936 a marzo de 1937 [9; 83 bis, 372]. En abril se aumentó y fortaleció la aviación legionaria en apoyo del frente del norte [307, 341] y, junto a ella, la alemana jugó un papel clave en toda la campaña de Euzkadi.

También Portugal prosiguió y acrecentó su apoyo a la Junta de Salamanca. A las ayudas diplomáticas y financieras, y a las de propaganda a través de Radio Club, en esos meses resaltaron dos aspectos nuevos del apoyo luso. El primero fue la ayuda en víveres, ropas, medicamentos, etc., a través de las «Moçedades portuguesas» y la Cruz Roja; pero, sobre todo, fue relevante la realizada por asociaciones —«Nucleo Pro Amore Pro Pace» y «Brigada de Socorro»— creadas con este fin. Con frecuencia, detrás de una función humanitaria se ocultaba el contrabando de armas. El segundo aspecto fue la llegada de los primeros voluntarios en enero de 1937, los famosos «Viriatos».

En Lisboa, el 20 de febrero se dio un decreto-ley que prohibía el alistamiento de voluntarios en cualquiera de las fuerzas armadas españolas en lucha. No afectó a los «Viriatos» y sí, en cambio, a los portugue-

371

ses que clandestinamente tenían que dejar su país para alistarse en las Brigadas Internacionales. Diez de ellos sufrirían una condena larga una vez terminada la guerra civil española [258].

El gobierno republicano, por su parte, continuó recibiendo la ayuda soviética e hizo esfuerzos por mantenerla, ya que sus suministros de material bélico y aviones eran un factor esencial para contrarrestar el fortalecimiento del ejército franquista y mantener la defensa de la República.

El caso español seguía siendo punto de mira y objeto de largas discusiones tanto en la Sociedad de Naciones como en el Comité de «No Intervención» [15, 243 y 256-257]. Al plan de control propuesto por el Comité en diciembre, siguió una política abstencionista por parte de Alemania e Italia, apoyadas por Portugal y el silencio de Salamanca, que hizo imposible ponerlo en práctica. El 11 de enero, Gran Bretaña prohibía el alistamiento de voluntarios para luchar en España, y dos días más tarde, la Cámara de Diputados francesa concedía a su gobierno una autorización en el mismo sentido.

Durante el mes de febrero el Comité elaboró un segundo plan de control, aprobado en la sesión del 8 de marzo con el título de «Plan de observación de las fronteras españolas terrestres y marítimas», organizado de tal manera que su puesta en práctica se hiciera sin la participación de las dos partes en guerra.

El gobierno español manifestó su postura contraria al control de sus buques, calificando como una «monstruosidad jurídica y moral» el hecho de que el mismo se confiara a Alemania e Italia, dos potencias que en estos meses habían violado repetidas veces todos los acuerdos [30, 145-155]. No obstante, el plan entró en vigor la noche del 19 al 20 de abril y su aplicación provocó una serie de incidentes en el Mediterráneo.

El primero ocurrió los días 24 y 25 de mayo a causa de los bombardeos del puerto de Palma de Mallorca por la aviación de la República, al que siguieron una serie de notas y protestas diplomáticas.

Más grave, por sus consecuencias, fue lo que ocurrió en aguas de Ibiza el 29 de mayo por la tarde. Según el parte oficial del gobierno español, dos aviones ejercían funciones de vigilancia sobre las Baleares y al sobrevolar Ibiza fueron atacados por un buque de guerra allí fondeado. Los aviones respondieron y a bordo del buque, que era alemán, se produjo un violento incendio. Después se supo que se trataba del acorazado *Deutschland*.

Hay que tener en cuenta que los barcos extranjeros encargados del control debían estar a diez millas de la costa, y este estaba en la bahía. Además, según las decisiones del Comité de «No Intervención», esa zona correspondía a la vigilancia de la escuadra francesa y no a la alemana.

La versión que el ministro alemán de Asuntos Exteriores, barón von

Neurath, dio al embajador alemán en Londres fue diferente. Afirmaba que el acorazado alemán *Deutschland* formaba parte de las fuerzas encargadas del control marítimo internacional y que había sido bombardeado por aviones del gobierno «rojo», y que, a su vez, el acorazado no había tirado sobre los aviones.

Este trágico incidente tuvo una consecuencia más trágica. El gobierno del III Reich, a modo de represalia, sin previo aviso y sin perseguir ningún objetivo militar, ordenó el bombardeo de Almería, ciudad abierta y totalmente desprovista de fortificaciones y defensas. Fue el 31 de mayo. Los daños fueron cuantiosos y las reacciones ante un hecho tan criminal se produjeron de inmediato. El gobierno español mandó una nota a Inglaterra, sede del Comité [315, I, 287-288; 30, 157-165]. De nada sirvió. La «No Intervención», *no intervino*. Pero los sucesos de Almería sí repercutieron en el Comité de Londres y pusieron a prueba su endeble estructura.

Alemania e Italia se retiraron definitivamente del Comité de Control naval el 23 de junio. Poco después se suprimió el control terrestre en la frontera portuguesa. Quedaba abierta una de las crisis más graves del Comité de «No Intervención».

La tensión aguda duró poco. En julio, Comité y Subcomité reanudaron las sesiones. Como fórmula de arreglo se propuso la «beligerancia» de las dos partes en guerra y la retirada de voluntarios. Sin ningún resultado positivo, el 6 de agosto, el Comité se fue de vacaciones, y en España continuaba la guerra, las intervenciones y las ayudas.

2. LA CAÍDA DE EUZKADI

En capítulos anteriores hemos visto que la situación del frente vasco se hizo sumamente crítica después de la primera semana de junio.

El 11 de junio empezó el asalto de las brigadas navarras; el 12, tres brigadas navarras apoyadas por 70 trimotores de bombardeo y 50 cazas y más de 100 piezas de artillería, «la más formidable preparación artillera y de aviación que se había visto en la campaña» —escribe García Valiño y confirma Salas Larrazábal—, rompieron la defensa del «cinturón de hierro» hacia la una de la tarde, ensanchando esa brecha al caer el día. Ese mismo día, el general Gamir, que ya mandaba el XIV Cuerpo, es decir, el ejército vasco, le pide refuerzos a Llano de la Encomienda, quien le envía sin perder un minuto tres brigadas asturianas.

Mientras tanto Aguirre seguía pidiendo aviación (tras la escuadrilla enviada el 2 de junio, Prieto consigue enviarle otra el día 17, pero ya no puede aterrizar en Lamiaco y lo hace en territorio santanderino). El día 13, Aguirre telegrafía a Negrín: «Resistencia hácese imposible. Enemigo entrado Zamudio dirígese cerrar puerto envolviendo cinturón». Ese día, los italianos no habían podido romper las líneas vascas, pero las brigadas navarras habían penetrado en dirección a Derio. El día 14, tras la entrada en línea de las brigadas procedentes de Asturias, hay serios contraataques de los defensores de Bilbao que, sin embargo, no logran cambiar la situación; el día 15 perdían Derio y Lemona. Las alturas del sur de Bilbao (línea de resistencia de sus defensores durante los dos célebres sitios del siglo XIX) aún estaban en poder de los vascos el día 15; pero ahora la penetración por el noreste parecía imparable; la artillería atacante tiraba sobre el casco de la ciudad, cuya población civil es evacuada en la medida de lo posible, en condiciones muy difíciles. La defensa era desesperada en Archanda, Santo Domingo, etc., y cede al fin, el día 16, dejando Bilbao a tiro de fusil de los asaltantes; los atacantes llegan a Dos Caminos también. El gobierno se trasladó a Trucios, dejando en Bilbao una Junta de defensa de tres ministros (Leizaola, Aznar y Astigarrabía), presidida por el general Gamir, después de una reunión celebrada esa misma mañana, en la que se llegó a la convicción de que «la defensa es militarmente imposible, no cabiendo más opción que la de morir» [5, 13].

El gobierno vasco se opuso a la destrucción de industrias, lo que supuso un inmenso potencial bélico y económico que iba a pasar a manos de los franquistas. En el acta de la reunión del gobierno con los mandos militares, ese criterio queda expuesto con la argumentación que puede verse:

«Examinada la necesidad de las destrucciones que imponga la defensa de Bilbao, expuesto el criterio del Gobierno de que debe limitarse a lo militarmente razonable, el Mando se ha hecho cargo del deseo significado por el Gobierno de que las destrucciones no deben exceder de lo que reclamen las exigencias de la lucha, ya que el aniquilamiento total de la industria y de la edificación sería organizar el hambre para el momento de la victoria.»

Ese mismo día empezó a hundirse la moral y los tibios, incluso del EM, abandonaron la ciudad; los destructores *José Luis Díez* y *Ciscar* habían zarpado el 15, so pretexto de proteger la evacuación de civiles, y con ellos marchó el jefe de las fuerzas navales, Enrique Navarro. Sin embargo, aquella tarde todavía telegrafía Prieto insistiendo en «la enorme responsabilidad que sería entregar mediante una retirada precipitadísima toda la potencia industrial de Vizcaya», prometiendo la ayuda aérea que, en efecto, sale al día siguiente por la mañana.

El día 17, sale el gobierno de Bilbao; los gudaris del batallón Gordéxola hacen todavía en Archanda lo que Salas Larrazábal califica de «heroica resistencia».

El 18 y el 19 todo termina. Putz se retira hacia dentro de la ciudad, después de volar los puentes. La división mandada por el nacionalista vasco Beldarrain hace fuego contra las unidades militares que querían volar las instalaciones fabriles. Hay ya unidades que se repliegan sin combatir y cinco batallones vascos se rinden a la brigada de García Valiño.

Para comprender mejor este estado de cosas hay que tener en cuenta la grave situación política que se había creado desde una semana antes. La dirección del PNV, el llamado «Euzkadi-Buru-Batzar», resolvió que el gobierno central «había dejado abandonado a Euzkadi» y que, en consecuencia, todos los ministros del PNV (salvo Aguirre, que era presidente del País Vasco) debían dimitir, y también Irujo del gobierno central. Aguirre —según su informe— consigue que no dimitan los consejeros del gobierno vasco, pero estaba ya definida la política del Consejo Supremo del PNV de desentenderse de lo que pasase de entonces en adelante. Ajuriaguerra bombardea literalmente a Irujo con telegramas para que dimita en los momentos en que los franquistas llegaban a las inmediaciones de Bilbao [5, 173-175]. Naturalmente, Negrín se negaba, en aquellas condiciones, a admitir la dimisión y mucho más a que la prensa la publicase.

Otra parte del Informe de Aguirre al gobierno de la República es muy esclarecedora:

> Principalmente, los elementos nacionalistas, desde la caída de Bilbao, sufrieron en todo su ser la sensación de que ya para ellos todo estaba perdido. Los demás partidos tenían una continuidad política en los demás territorios. Ellos, no. Se atravesaban las fronteras de nuestro pueblo, donde la gente hablaba otro idioma.

Al anochecer del día 19, Bilbao estaba en poder de las Brigadas navarras y las fuerzas italianas cruzaban ya la ría. El Ejército del Norte se replegó, combatiendo en gran parte. Todavía quedaba la cuenca minera; pero el día 21 los franquistas atravesaron el Cadagua y ocuparon la zona del Desierto con los altos hornos, tras la rendición de tres batallones nacionalistas duramente criticados por Llano de la Encomienda en su informe al gobierno [257, I, 1414 y 1439/40], en lo que coincide con los recuerdos de Amilibia [17, 160/162].[1]

La punta máxima de avance de García Valiño fue Valmaseda, ocupada el 29 de junio. Los republicanos consiguieron estabilizar el frente desde Ontón, en la costa, hasta las alturas de Ordunte en el sur —ya en la provincia de Burgos— y el puerto de los Tornos. Pero las infraestructuras del Ejército vasco habían quedado deshechas y ahora era preciso reorganizarlo todo apoyándose en Santander.

El 23 de junio, apenas ocupado Bilbao, un Decreto del general Franco derogaba el Estatuto de autonomía del País Vasco y el Concierto económico de las provincias de Vizcaya y Guipúzcoa en «castigo» a su comportamiento.

La ofensiva republicana de Brunete iba a paralizar la franquista del norte durante todo el mes de julio; por su parte, los republicanos realizaban diversos ataques de diversión en las alturas de Ordunte, el valle de Villarcayo y las comunicaciones entre Oviedo y Grado.

3. LA GUERRA EN EL MAR

Tanto la insubordinación de las tripulaciones de los destructores *José Luis Díez* y *Ciscar*, como la deserción posterior del jefe de aquellas fuerzas, ponía en entredicho, una vez más, la eficacia de las fuerzas navales republicanas. Estas no habían podido impedir el paso del Estrecho por las tropas de Franco desde el momento en que aviones italianos y alemanes empezaron a tirar sobre ellos. La flota, tras una expedición a Vizcaya en septiembre de 1936, y un regreso hostigada por la aviación, se instaló en la base de Cartagena. Mientras tanto, los franquistas tenían ya en servicio los cruceros *Canarias* y *A. Cervera*, que hundieron el destructor republicano *Almirante Ferrándiz* y bombardearon las posiciones republicanas del litoral sur de Andalucía. Ellos y el *Baleares* (que entró en servicio al empezar 1937) participaron en la operación de Málaga y en el bombardeo de la población civil fugitiva.

En apariencia, la flota republicana estaba inactiva; en realidad, desde el otoño de 1936, estaba escoltando los transportes de armas desde los puertos soviéticos hasta Cartagena.

En la primavera de 1937, la presencia de la flota italiana con pretexto de la «No Intervención» exigía que toda la flota republicana protegiese los convoyes. Por otra parte, no es posible ignorar que en el norte, además de los dos destructores citados, y de tres submarinos que se batieron todo lo posible, hubo una marina auxiliar formada por los *bous* pesqueros artillados para esos fines, que estuvo en continua actividad, y llegó hasta a enfrentarse con el *Canarias* en la llamada batalla del cabo Machichaco (5 de marzo de 1937) [270].

En abril de 1937 se realizó una salida de Cartagena de dos cruceros y seis destructores que se limitó a bombardear Melilla y Motril. Los cruceros *Méndez Núñez* y *Libertad* (a los que se les unió el *Jaime I*, que estaba en Almería, en reparación) y seis destructores participaron en la operación; al regreso encontraron al *Canarias* y al *Baleares* ya cerca de Cartagena, pero ese encuentro no tuvo mayores consecuencias. Otro choque del *Baleares* con una flotilla de destructores se produjo el 11 de julio, cerca de Barcelona. En realidad, las bases de Mallorca daban todo género de facilidades, no solo a los navíos de Franco, sino también a los de Mussolini. En efecto, Franco sugirió que la misma flota italiana tomase a su cargo cerrar el camino de los buques que hacían el suministro entre la Unión Soviética y España [257, I, 1565]. Mussolini aceptó, y durante agosto de 1937 se produjeron 18 ataques de submarinos italianos a barcos mercantes españoles o de otras nacionalidades (ingleses, sobre todo) con destino a la España republicana. Además, Franco compró a Italia cuatro destructores y dos submarinos. En cambio, en aguas del norte había perdido el *España* cuando era atacado por un avión republicano, pero en realidad a causa de haber chocado con una mina o de un torpedo de origen británico. Los republicanos perdieron el *Jaime I*, al explotar su santabárbara en la misma base de Cartagena, sin llegar a saberse si por imprudencia o por sabotaje.

En fin, se produjo otro combate importante, originado también por la protección de un convoy, de Argel a Cartagena, llevada a cabo por la flotilla de destructores. Se encontraron con el *Baleares* al alborear del día 7 de septiembre; la lucha, muy viva, empezó hacia las diez de la mañana, paró hora y media después, y se reanudó por la tarde durante una hora. El *Baleares*, al que se agregaron unos pequeños navíos, tuvo bajas y un incendio a bordo y no consiguió alcanzar a los destructores, pero uno de los transportes republicanos embarrancó, perdiéndose su carga.

En los últimos meses de 1937 se hizo ya muy difícil el envío de expediciones desde el Mar Negro a Cartagena. Kuznetsov ha escrito:

Hubo necesidad de recurrir al camino que llevaba desde el Báltico hasta los puertos franceses de El Havre y Cherburgo y, de allí, por ferrocarril a través de Francia. Esta vía no ofrecía peligros para los barcos que traían el armamento de la URSS, pero era muy insegura desde el punto de vista político: el tránsito a través de Francia dependía totalmente de los cambios rápidos de gobierno y de la coyuntura política de la Tercera República.

En diciembre, Buiza fue sustituido en el mando de la flota por González Ubieta, nombrándose a Pedro Prado jefe del EM. Durante todo el tiempo fue Comisario general de la Flota el diputado socialista Bruno Alonso.

4. DISCREPANCIAS EN LA CUMBRE DEL ESTADO:
   LA POLÍTICA DE MEDIACIÓN DE AZAÑA

Como trasfondo de la situación política y diplomática, que raras veces podía verse al trasluz de esta por la gran mayoría, existía una divergencia sobre las posibilidades bélicas del Estado republicano entre su jefe o presidente de la República y sus gobiernos, de base parlamentaria y frentepopulista.

Ya a finales de octubre, cuando Azaña se instala en Barcelona, envía al profesor Bosch Gimpera a Londres, con una carta para el embajador Pablo de Azcárate. Este mensajero expuso el criterio de Azaña: era imposible una victoria militar, la situación interior era peligrosa, y se imponía que Inglaterra tomase la iniciativa de una mediación [30, 61, 64]. El mismo Azcárate testimonia de una entrevista con Azaña en febrero de 1937, en la que el presidente reitera su punto de vista. Viene meses después la coronación de Jorge VI de Inglaterra. Y Azaña encuentra la ocasión de enviar a Besteiro a Londres, con tal motivo —o mejor, pretexto—, para realizar una gestión con el Foreign Office (el nombramiento correspondía a Azaña, puesto que se trataba de una delegación del Jefe del Estado).

Se interfieren entonces los sucesos de Barcelona, pero cuando Azaña sale de allí y aterriza en el aeródromo valenciano de Manises, se encuentra a Besteiro que va a salir para Londres. Dejando de lado al gobierno, se encierra con él durante una hora en una de las dependencias del aeródromo. Según las fuentes del propio Azaña (*Diario*), este le propuso que sugiriese a Eden una suspensión de hostilidades, de la que Inglaterra tomaría la iniciativa, tras un acuerdo sobre retirada de combatientes extranjeros, que posibilitaría la aplicación de dicho acuerdo. Según Besteiro interpretó [29, IV; 39], Azaña proponía anteponer la suspensión de hostilidades a todo, que era precisamente el punto de vista opuesto al del gobierno. Más tarde, en su *Diario*, Azaña se queja de que Besteiro no le ha comprendido. Este se entrevistó, en efecto, con Eden, el 11 de mayo, y habló después del asunto con Azcárate y con el general Matz, que le acompañaba en la delegación oficial a la coronación. Eden acogió con satisfacción la idea de una suspensión de hostilidades, porque, según dijo, esperaba que una vez suspendidas las hostilidades ya no se reanudarían. Como era de suponer, las propuestas en ese sentido que el gobierno británico hizo una semana después, fueron rechazadas por los gobiernos de Alemania e Italia, así como por la Junta de Franco. Ninguno de ellos aceptaba la suspensión de hostilidades. (Por su parte, el gobierno republicano, tampoco aceptó la propuesta británica inspirada por Azaña, vía Besteiro.) El propio Azaña comprendía que, tras la pérdida de Vizcaya, su sugestión había perdido virtualidad.

No obstante, Azaña había seguido esa política personal a través de otras personas, tales como Amadeo Hurtado y como su propio cuñado, Cipriano Rivas Cherif, mientras estuvo de cónsul en Ginebra [242, 275].

Por su parte, Besteiro informó a su regreso a Azaña, tanto de la gestión en Londres como de otras hechas en París; estas, cerca de Léon Blum y sin ningún resultado. En efecto, la tendencia de Besteiro era menos grata o menos afín a Blum que la de la Ejecutiva socialista cuya hegemonía en un gobierno (del que parecían prescindir Azaña y Besteiro) parecía indudable. A su regreso a Madrid, el líder de la derecha socialista parecía «justamente enojado» con Azaña —según su biógrafo Saborit—; cuando, días después, el presidente visitó Madrid y frentes del centro, Besteiro se negó a asistir a los actos organizados en su honor.[2]

5. LA BATALLA DE BRUNETE

A primeros de julio, aunque estabilizadas momentáneamente las líneas en el frente del norte, la situación de este se hacía cada día más angustiosa. La dificultad de los transportes obligaba al EM republicano a practicar una defensa estratégica, desatando ofensivas importantes en otros frentes del país. Se trataba ahora de poner en práctica el plan elaborado hacía tiempo por el EM de Madrid (cuando Rojo era su jefe), con el fin táctico de descongestionar la capital, alejando al adversario de sus alrededores, y con el fin estratégico de contener el avance franquista en el norte. Prieto aceptó el plan Brunete de Rojo. Este plan tenía la ventaja de utilizar un máximo de fuerzas sin desguarnecer el frente de Madrid; las fuerzas veteranas allí en línea, eran reforzadas por las nuevas unidades de maniobra, el V y el XVIII Cuerpo de Ejército, mandados respectivamente por Modesto y Jurado. El conjunto de fuerzas las mandaba Miaja, con Rojo de jefe de EM; la aviación la mandaba Hidalgo de Cisneros, y la artillería DCA, Hernández Sarabia. Entraban en línea unos 50 000 hombres, con 150 tanques y 198 piezas de artillería.

El 5 de julio se hizo una operación de diversión en el sector de la cuesta de la Reina (Aranjuez). Durante la noche del 5 al 6 empezó la ofensiva republicana. Tras romper el frente por sorpresa, la 11 división, mandada por Líster, avanzó diez kilómetros; la vanguardia, formada por la 100 brigada al mando de Luis Rivas, ocupó Brunete a las ocho de la mañana. Por su parte, la 46 división (V. González (a) «Campesino»), que también había conseguido romper el frente, quedó paralizada ante el pueblo de Quijorna, mientras que, a su izquierda, el XVIII Cuerpo encontraba vivísima resistencia en Villanueva de la Cañada, defendido por varias banderas de Falange. Tan solo por la noche, y en la madrugada del día 7 pudieron los hombres de la 34 división (José M. Galán) hacerse dueños del pueblo. Mientras tanto, las vanguardias de Lister habían progresado hasta Sevilla la Nueva y hubieran podido cortar la carretera entre Navalcarnero y Alcorcón sin encontrar resistencia. Pero el mando republicano vaciló; probablemente se mantuvo apegado al esquema inicial sin tener en cuenta la coyuntura de la acción; por otra parte, la coordinación entre el V y el XVIII Cuerpo de Ejército era escasa o nula. En un flanco, aunque ocupado Villanueva de la Cañada, quedaba Villanueva del Pardillo, que no caería hasta el día 11; por el otro, la 46 división, tras obtener refuerzos, solo ocupó Quijorna el 9 de julio. Mientras así se hacía más lento el avance republicano, sus adversarios movilizaban ya la 13 División franquista mandada por Barrón, y con toda celeridad enviaban refuerzos por carretera hacia el frente del centro. Se luchaba con gran violencia, en un suelo reseco y bajo un sol abrasador, interviniendo ambas aviaciones; durante los tres primeros

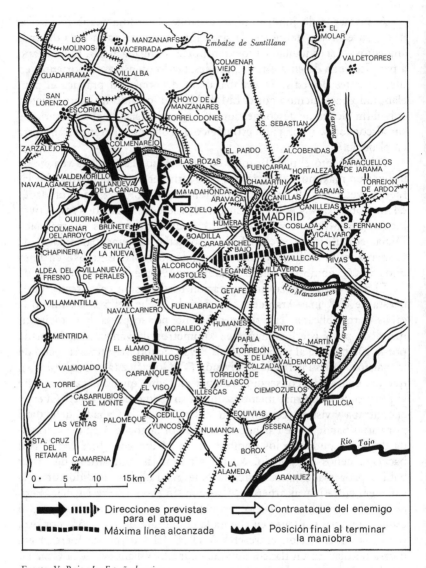

Fuente: V. Rojo. *La España heroica.*

días los aviones republicanos dominaron el cielo, pero a partir del cuarto día perdieron su hegemonía.

En el campo de Franco, el general Varela tomó el mando general de las operaciones, y el día 8 llegó una división más de refuerzo, la mandada por Asensio Cabanillas. Del norte llegaron luego la 105 división, mandada por Sáenz de Buruaga, las 4.ª y 5.ª Brigadas navarras, y la 108 división, que venía de Galicia, además de toda la Legión Cóndor, que fue movilizada a partir del 9 de julio. Ese mismo día entraban en Quijorna las fuerzas de la 46 división y de la 11 Brigada Internacional, precedidas por los tanques, en cruentos combates, lanzando granadas de mano, bajo un sol de 45°, que aumentaba las fatigas y la sed.

Todavía tardaron los republicanos día y medio en conquistar Villanueva del Pardillo; el factor sorpresa ya no existía, y de nuevo todo lo decidía la potencia de fuegos y de material.

Se había llegado a un momento de equilibrio de fuerzas, con inmenso desgaste de hombres y material por ambas partes. «Nuestro frente quedaba asegurado —ha comentado el general Rojo—, pero era demasiado tarde para seguir el ataque y la maniobra.» [I; 86]. El 13 de julio, el mando republicano daba orden de pasar a la defensiva.

El 18 de julio atacó Varela con cerca de 50 000 hombres y más de 200 piezas de artillería. Durante dos días no pudieron entrar ni en Brunete ni en Villafranca del Castillo, y también fracasaron los intentos de Asensio y Sáenz de Buruaga de cerrar la embocadura de la bolsa republicana. Varela lanzó otra ofensiva el 23 de julio, consiguiendo una ruptura del frente en el sector del río Guadarrama; los carros franquistas llegaban a las primeras casas de Brunete, donde entrarán los Regulares al día siguiente. Los republicanos se replegaban combatiendo; se lucha así hasta el 28 de julio, en que Varela (que quería seguir atacando para cortar el saliente republicano de El Escorial) recibe órdenes de Franco, seguramente influenciado por Vigón (jefe de EM del Ejército del Norte), que temía «que el generalísimo se dejara atrapar por la ilusión de Madrid», con grave perjuicio para la ofensiva del norte. El 28 de julio quedaban estabilizadas las líneas, con un entrante conquistado por los republicanos en el que estaban Villanueva de la Cañada y Villanueva del Pardillo, e iba hasta las afueras de Quijorna; así quedarán las líneas hasta 1939.

La batalla de Brunete había demostrado la existencia de un ejército republicano, o de su armadura fundamental, pero, tanto en su aspecto táctico como estratégico, fue de resultados muy limitados para sus iniciadores. El gobierno republicano carecía en aquel momento de reservas militares encuadradas; podía utilizar el factor sorpresa, pero a la larga le resultaba muy difícil frenar el avance franquista en el norte, que tenía todos los caracteres de una lucha desigual.

NOTAS DEL CAPÍTULO VII

1. Zugazagoitia ha escrito en sus Memorias: «Las destrucciones ordenadas por Prieto, al que interesaba privar a los rebeldes de las instalaciones industriales de Baracaldo y Sestao, no se cumplen. Hay un batallón que se niega a autorizarlas y monta una guardia de fusiles en las fábricas. Decidido a entregarse a los vencedores, esperando encontrar gracia en ellos entregándoles intactas las importantes factorías siderometalúrgicas, las defiende. Le falla el cálculo. El vencedor lo diezma en una justicia rápida» [315, II, 13].

2. Las fuentes básicas para este asunto han sido: Las *Memorias* de Azaña, las de P. de Azcárate, *La vida de Manuel Azaña* de Rivas Cherif, y el *Julián Besteiro* de Saborit.

CAPÍTULO VIII

La cuestión eclesiástica

1. DE «ALZAMIENTO» A «CRUZADA»

El 17 de julio nadie pensó en una guerra de religión ni en una «cruzada». La sublevación había sido contra el gobierno de la República [266, 275-279]. Ni en los bandos, ni en los manifiestos de los generales sublevados, ni tampoco en el decreto de constitución de la Junta de Defensa Nacional apareció ninguna alusión a motivos religiosos. Fueron manifiestos contrarrevolucionarios, anticomunistas, antiseparatistas, antigubernamentales y defensores de un «orden» basado en unos principios de autoridad e integridad «nacional».

Ahora bien, Navarra, una de las zonas que apoyó la sublevación, fue una excepción. Allí desde el primer momento, el sentimiento de que las armas se tomaban en defensa de la religión, se manifestó tanto en los requetés como en los falangistas, aunque unos y otros unían a su motivación fuertemente religiosa «formas políticas en las que afloraba la idea de separatismo incluso racista», o «fascistas con la exaltación de los valores de patria y raza» (entrevista J. Mañeru, 20 nov. 79). Uno de los primeros que utilizó el calificativo de «cruzada», ya en agosto de 1936, fue el sacerdote falangista navarro F. Yzurdiaga, después jefe de Prensa y Propaganda [233, 236]. También lo hizo Mola, en un famoso discurso por radio al pueblo castellano [231, 67].

Del mismo modo, también en grandes sectores de la población se tenía la conciencia de que la lucha contra el gobierno de la República entrañaba la defensa de la religión. ¿Por qué? Porque la prensa católica y los partidos políticos de la derecha habían explotado de forma tendenciosa la legislación republicana en torno a la enseñanza, al matrimonio y a los desórdenes públicos, presentándolos como males que amenazaban la sociedad y que minaban de raíz el sentimiento religioso, ocultando las verdaderas raíces y motivos de descontento popular: hambre, desempleo, explotación del obrero y del campesino, acción política poco eficaz. La gran mayoría de los combatientes, fueran requetés, falangistas o soldados, llevaban en el pecho el «detente», y colgados, crucifijos, rosarios y estampas. Antes de entrar en combate había confesiones masivas y absoluciones por parte del «pater». Incluso los moros eran portadores de toda clase de símbolos religiosos [154, 271-272; 230, 300-305].

Fue la Iglesia la que, sin participar directamente en la preparación del «Alzamiento», tomó una postura beligerante ya antes del 18 de julio a través de sus organizaciones apostólicas —AC y ACNP sobre todo— y sindicales —CNCA, CESO, Frente Nacional del Trabajo— [71, 361-392]; y la que en agosto de 1936 se manifestó abiertamente en favor de un bando. No solo eso, sino que al tomar partido, lo hacía en nombre de Dios, confundiendo la parte (persecución religiosa) con el todo y convirtiendo una sublevación política en guerra de religión. La Iglesia hizo una perfecta ecuación de orden, paz y religión con los intereses políticos y económicos de una clase, olvidando e ignorando donde estaba la verdad de un pueblo oprimido, y que en el otro bando la «persecución religiosa» fue en gran parte la respuesta a la agresión violenta del bando que la Iglesia defendía.

Y es que, con palabras del historiador Raguer,

Espanya ha travessat a mitjan segle xx el mateix drama espiritual que França va passar a la darreria del segle xviii: l'afrontament entre Església catòlica i la Revolució [230, 7].

Este «afrontamiento» es básico para comprender el papel que la Iglesia desempeñó en los años de guerra y que condiciona la evolución posterior del drama hasta 1980. Además, la tardanza de este «afrontamiento» acumula sobre él todas las consecuencias del desarrollo económico y social en el siglo xx y de su concomitante «revolución cultural». La Iglesia no aceptaba la nueva sociedad del siglo xx con sus avances técnicos, ni con su nueva cultura, ni su realidad social [13, 254].

Si por Iglesia entendemos el episcopado español —en su mayoría—, no el Vaticano, ni todo el pueblo español, puede afirmarse que la Iglesia fue beligerante desde julio de 1936. Los generales no pidieron nada, fue la Iglesia la que se lo dio todo. Ya el día 23, al constituirse la Junta de Defensa, el arzobispo de Burgos mandó echar al vuelo las campanas [154, 131; 292, 133], y en Sevilla el cardenal Ilundáin aparecía en público con Queipo de Llano. Siguieron inmediatamente documentos pastorales, discursos, etc., con toda la trascendencia e influencia que el «magisterio» tiene en el pueblo español.

A este respecto, el primer documento oficial de la Iglesia fue la carta pastoral conjunta de los obispos de Pamplona y Vitoria, el 6 de agosto de 1936, dirigida a sus fieles de la zona vasco-navarra. Quería ser un «documento de paz» para contribuir a solucionar el problema de orden «religioso-político» de aquel momento; en realidad fue un llamamiento unilateral al pueblo vasco para que apoyase el alzamiento, ya que «no es lícito... fraccionar las fuerzas católicas ante el común enemigo» [123, 241-246].

En la misma línea, pero mucho más categórica, fue la pastoral del obispo de Salamanca, E. Pla y Deniel, fechada el 30 de septiembre. Su repercusión y consecuencias fueron grandes, pues su publicación coincidió con *los nombramientos de Franco*. En ella se calificaba la lucha como un «alzamiento de la nación en armas»; se repetían condenas hacia «los comunistas y anarquistas... hijos de Caín, fratricidas de sus hermanos, envidiosos de los que hacen un culto a la virtud y por ello les asesinan y les martirizan»; se daba la confusión entre nación y religión al decir «una España laica no es ya España». Pero lo más importante estriba en que se ponían unas bases doctrinales a la rebelión: «Reviste, sí, la forma externa de una guerra civil, pero, en realidad, es una cruzada. Fue una sublevación, pero no para perturbar, sino para restablecer el orden» [6, 89-90]. La Iglesia, una vez más, se identificaba con un orden conservador, e hipotecaba su libertad evangélica.

La Iglesia continuaba siendo, como lo fue desde los años de la Restauración, elemento clave del aparato ideológico del Estado, legitimadora del *bloque de poder*, y se aprestaba a serlo del nuevo Estado que surgía de la «sublevación». Su «palabra beligerante» fue la que legitimó la sublevación.

Si algún sector podía estar remiso ante la sublevación, la «palabra» de los obispos lanzó a la mayoría de la población, por un lado, al apoyo masivo a los generales y a Franco, y por otro, a la condena total, sin juicio crítico ninguno, de cuanto ocurría en la España republicana.

A partir de este momento se sucedieron los discursos o escritos de militares y eclesiásticos que hablaban de «cruzada». Por su amplitud e importancia destaca la pastoral del cardenal primado monseñor I. Gomá, *El caso de España*, de 23 de noviembre. La editó en Pamplona, su residencia entonces. Su difusión fue tal, que a los pocos días se hizo una segunda edición de 20 000 ejemplares patrocinada por la Diputación de Navarra. En ella se daba, de nuevo, la ecuación de que hablábamos entre lo auténtico español y la religión, y el «afrontamiento» con la cultura moderna:

...Es guerra de sistemas o de civilizaciones; jamás podrá ser llamada guerra de clases. Lo demuestra el sentido de religión y de patria que han levantado a España contra la Anti-España [138, 27].

No todos los obispos fueron «beligerantes». El cardenal Vidal i

Barraquer, arzobispo de Tarragona, en su exilio forzoso, continuó siendo el «cardenal de la paz», como en los años 1931 a 1936, manteniéndose en una actitud de equilibrio y con una visión pastoral que le impedía optar decididamente por un bando cuando en la España republicana numerosos fieles suyos empuñaban las armas en defensa del gobierno, de la democracia, de la justicia, y también de España. A lo largo de toda la guerra, Vidal i Barraquer mantuvo el contacto con sus diocesanos, con los militantes de UDC, y con la Santa Sede, a la que continuamente informaba de la situación de la Iglesia catalana. Esta postura «pastoral» del cardenal fue la causa de que no pudiera regresar con vida a su diócesis de Tarragona [201; 230].

2. RELACIONES CON LA SANTA SEDE

El Vaticano permanecía prudentemente a la expectativa. Era lógico en el contexto internacional del momento. Roma fue, al principio, cautelosa y mantuvo un distanciamiento frente a los dos campos.

Pero, en los primeros días de la sublevación, la actitud prudente de Pío XI contrastaba con el decidido «anticomunismo» que se manifestaba en el órgano de prensa del vaticano, *L'Osservatore Romano*, que una vez más incurría, como otros sectores de la prensa y del mundo católico, en etiquetar a la España republicana con un único calificativo, ignorando la realidad política de ella.

En los meses de julio y agosto se intercambiaron notas entre el Vaticano y el embajador de la República, Luis de Zulueta, católico liberal. En agosto se complicó la situación al presentarse en Roma el marqués de Magaz, como agente oficioso de la JDN, quien el día 16 solicitaba el «placet» de la Santa Sede para establecer relaciones oficiosas. Tras una serie de incidentes, el 30 de septiembre Zulueta se vio obligado a abandonar la Embajada, y ese mismo día por la noche Magaz se instalaba en el edificio. Con todo, Zulueta seguía siendo embajador ante la Santa Sede, y desde París, donde se instaló, escribía al Vaticano con papel de la Embajada. La Nunciatura Apostólica de Madrid estuvo abierta hasta el final de la guerra [156].

La primera declaración pública del Vaticano fue el 14 de septiembre de 1936, cuando Pío XI recibió en audiencia a un grupo de españoles que abandonaban la zona republicana. El papa les confortó en sus sufrimientos y su persecución:

> Venís a decirnos vuestro gozo por haber sido dignos, como los primeros apóstoles, de sufrir pro nomine Iesu...

No hubo en sus palabras ni una condena explícita y clara, que provocara la ruptura de relaciones con el gobierno republicano, ni una aprobación plena a los sublevados. Esta actitud sorprendió y disgustó a muchos políticos y a sectores de la población de la zona rebelde, que hubiesen deseado algún gesto espectacular con el fin de utilizar este dato de inmenso valor en favor suyo.

La gestión de Magaz en Roma, el cual llegó a enfrentarse con el cardenal Pizzardo, fue otro elemento que contribuyó a una actitud poco definida del Vaticano. Además, en septiembre se produjo la expulsión de monseñor Múgica, obispo de Vitoria, y poco después llegaban al Vaticano noticias de fusilamientos de sacerdotes vascos por las tropas de Franco, que Pío XI juzgó con severidad (Documento Ministerio Asuntos Exteriores, cedido por el profesor Vignaux).

El cardenal Gomá viajó en diciembre a Roma para informar sobre los acontecimientos y plantear el reconocimiento de la Junta Técnica por el Vaticano. La gestión no resultó fácil al primado español. Encontró cierta frialdad, que él atribuía a informaciones tendenciosas de catalanistas, nacionalistas vascos y antifascistas católicos.

En realidad, era consecuencia de las dos posiciones que se daban en el Vaticano. Por un lado, la de Pío XI y monseñor Pizzardo, claramente contraria a todo régimen de tipo totalitario y fascista. No negaban su apoyo moral a Franco, pero eran más reticentes ante un compromiso político y un expreso apoyo ideológico. Y, por otra parte, la del cardenal Pacelli, menos eclesial y más política, que desde la Secretaría de Estado fue adoptando poco a poco posturas cada vez más claras de apoyo al bando que presumía vencedor. Superó así la cuestión de principio de apoyo al régimen legal, y apoyó, de hecho, la que juzgó mejor solución para la Iglesia. El Vaticano, al obrar así, inauguraba una etapa claramente política del papado que se realizó, sobre todo con Pío XII, en la posguerra mundial. Hay que situar también esta política del Vaticano entre el decidido apoyo de Alemania e Italia a Franco y la «No Intervención» de las democracias europeas.

Gomá redactó entonces un documento en el que planteó la cuestión en términos tajantes y claros: «en la contienda se juega la suerte definitiva de la España católica». Por fin, el 17 de diciembre, la Congregación de Asuntos Extraordinarios acordó reconocer, en cierta medida, a la Junta Técnica, y Gomá fue nombrado «encargado de negocios oficioso y confidencial» [230, 331]. A partir de entonces comenzó un período de inhibiciones de la Secretaría de Estado ante los problemas que la Iglesia tenía en la España republicana.[1] Pero Pío XI mantuvo una postura de equilibrio y firmeza ante el problema de Euzkadi. No condenó y no excomulgó al pueblo vasco católico que luchaba al lado de la República, a pesar de los deseos del propio Franco, que juzgaba la palabra del papa en este sentido de gran importancia para conseguir que el pueblo vasco depusiera las armas y, así, «ocupar Bilbao y toda la riquísima zona del norte, con repercusiones favorables para la marcha general de la guerra» [Doc. Ministerio Asuntos Exteriores de Italia, cedido por el profesor Vignaux].

3. 1937. LA PASTORAL COLECTIVA

La repercusión de la guerra entre los católicos de Francia e Italia, de Estados Unidos e Inglaterra, etc., fue grande y provocó reacciones y posturas encontradas [7 bis; 230; 274]. No hubo un apoyo decidido y masivo a las tropas de Franco.

Fueron varios los factores que influyeron en ello, entre los que, indudablemente, pesó el problema del País Vasco y la actitud de muchos católicos que apoyaban a la República.

Franco, que había aceptado el apoyo que los obispos españoles le habían dado, necesitaba y quería también el apoyo *total* del Vaticano y de *toda* la Iglesia en un momento muy importante para Salamanca. Se acababa de formar el partido único, se realizaba la ofensiva en el norte, los bombardeos de Guernica y Durango habían conmovido al mundo, y muy especialmente la inquietud aumentaba en los medios católicos progresistas. Franco sugirió al cardenal Gomá en una entrevista, el 10 de mayo de 1937, la publicación de un documento colectivo de todo el episcopado que diera a conocer en el extranjero la verdad de España. La petición de Franco reafirmó al cardenal en su propósito de redactar una pastoral que ya él había pensado, si bien dirigida únicamente a los españoles [142 bis]. Ahora el documento iba a tener una difusión y amplitud mayores. Gomá comenzó las consultas con la Secretaría de Estado y con los obispos españoles para su elaboración [231, 102-119; 6, 27-28].

El 1.º de julio se publicó la carta colectiva del Episcopado español, redactada por el propio Gomá, que es el documento más solemne y con mayor repercusión en España y en el extranjero. El documento justificaba la sublevación y se caía en el error histórico de que esta se preparó para evitar «una revolución comunista». Los obispos calificaban el conflicto como un «plebiscito armado», y justificaban la guerra porque «es a veces el remedio heroico, único, para centrar las cosas en el juicio de la justicia y volverlas al reinado de la paz». Afirmaban que realmente la Iglesia no había conspirado, pero, una vez iniciada, sí la legitimaba, considerándola el instrumento para salvar la religión y España [123, 292-303]. Todo el documento reflejaba la identificación de la Iglesia con un bando, y era el espaldarazo definitivo a la postura beligerante tomada por el episcopado desde el verano de 1936. Esta actitud reafirmó la cohesión de las masas populares en torno al general Franco. Ya no había duda de que la religión católica sería uno de los elementos fundamentales del «nuevo Estado», como algo inherente a la nación española, a pesar de las reticencias y desconfianzas de algunos hombres de Falange [241].

Cinco obispos no firmaron la carta colectiva por diversas razones: los de Orihuela, Menorca, Vitoria, Tarragona y el cardenal Segura.[2] El cardenal Gomá insistió repetidas veces al cardenal de Tarragona, pero Vidal i Barraquer, consecuente con su actitud, resistió a todas las presiones y no puso la firma, ya que su criterio era el de que la Iglesia no debía aparecer beligerante en una guerra civil.

Las cinco firmas que faltaban no mermaron importancia y difusión a la carta, cuyas consecuencias «políticas» y «eclesiales» fueron enormes. En el primer aspecto, Franco, pocos meses después, en unas declaraciones a *L'Echo de Paris* (16 noviembre 1937) abiertamente manifestó que los fines de la guerra eran «nacionales» y «religiosos»: «Nuestra guerra es una guerra religiosa. Nosotros, todos los que combatimos, cristianos o musulmanes, somos soldados de Dios y no luchamos contra hombres, sino contra el ateísmo y el materialismo, contra todo lo que rebaja la dignidad humana, que nosotros queremos elevar, purificar y ennoblecer».

4. EL VATICANO RECONOCE EL «NUEVO ESTADO»

En Roma, la actitud ante la carta colectiva, una vez más, había sido «posibilista». Pío XI ni la prohibió ni la desautorizó. Iba imponiéndose con fuerza la línea política impulsada por el cardenal Pacelli desde la Secretaría de Estado, y en septiembre de 1937 se dio un paso en la normalización de las relaciones con Franco al nombrar a monseñor Ildebrando Antoniutti encargado de Negocios. Prácticamente era el reconocimiento oficial del «nuevo Estado». Unos meses más tarde, en junio de 1938, las relaciones entre Burgos y la Santa Sede quedaron perfectamente reguladas al ser nombrado Nuncio monseñor Gaetano Cicognani, y embajador de España, Yanguas Messía. Estos nombramientos se produjeron después de que el primer gobierno de Burgos había derogado la legislación laica de la 2.ª República, reemplazándola por una nueva legislación por la que la Iglesia obtuvo una posición de privilegio para ejercer su función «espiritual».[3]

La inserción de la Iglesia en el «nuevo Estado» se produjo en todos los aspectos: económico y social, ideológico y político. Esta inserción o unión de la Iglesia con el régimen, viene denominándose nacional-catolicismo, concepto que expresa la identificación de lo nacional con lo católico, de la integridad del Estado con su confesionalidad religiosa.

5. LA IGLESIA EN LA ESPAÑA REPUBLICANA

En la zona republicana el episcopado, prácticamente en su totalidad, estaba ausente, a excepción del anciano obispo de Menorca y de monseñor Polanco, obispo de Teruel, encarcelado hasta los primeros meses de 1939, en que fue fusilado [233].

Pero la Iglesia estuvo presente a través de los laicos y de los representantes de la Jerarquía. Destacaron dos actitudes que revelan, por una parte, una Iglesia identificada plenamente con la «palabra beligerante» de los obispos; y otra Iglesia, que actúa en una doble fidelidad evangélica-eclesial y de ciudadanía activa pero crítica ante el gobierno republicano. En la primera se halla la actitud del padre Torrent, vicario general de Barcelona, sobre el que recayó toda la responsabilidad pastoral después de la muerte del obispo Irurita, y que representa una Iglesia clandestina y tolerada por el gobierno de la República, pero reacia a una existencia normal en la legalidad republicana.[4] En la segunda estuvieron sacerdotes y religiosos más en la línea pastoral del cardenal Vidal i Barraquer —el canónigo Rialp, su vicario en Tarragona, Gallegos Rocafull, etc.—, y en especial numerosos laicos que desde el gobierno o implicados en otras tareas de la retaguardia, y desde posiciones políticas diferentes, defendieron la legalidad republicana, y realizaron una labor humanitaria y social importante.[5]

NOTAS DEL CAPÍTULO VIII

1. Esta inhibición se manifestó en todo lo relacionado con los intentos del gobierno para restablecer el culto público; en las relaciones con Irujo, ministro de Justicia; ante la actitud del P. Torrent, vicario general en Barcelona; en la falta de apoyo y en la condena al silencio a que sometió al cardenal Vidal i Barraquer [178].

2. Fueron: el anciano obispo de Menorca, Torres y Ribas, que se hallaba respetado pero incomunicado con el exterior. Monseñor Javier de Irastorza, que se había distinguido por las cuestiones sociales, estaba en Londres y no se sabe si fue consultado por Gomá o no, ni cuál fue su respuesta. El cardenal Segura, que estaba en Roma, y no hay noticias de que se le pidiera la firma. El obispo de Vitoria, monseñor Múgica, expulsado de su sede en septiembre de 1936. El cardenal Vidal i Barraquer, en exilio [233].

3. Los principales decretos en este sentido son: la regulación de la enseñanza de la religión en los Institutos de Enseñanza Media, de 9 de octubre de 1937; la derogación de la LEY DE MATRIMONIO CIVIL Y DEL DIVORCIO, en marzo de 1938; el restablecimiento de la Compañía de Jesús en mayo de 1938, completada ya en enero de 1939 con la concesión de una retribución a los sacerdotes con cura de almas en territorio liberado; y en marzo de 1939, una ley derogaba la de Confesiones y Congregaciones religiosas de 2 de junio de 1933, y otra eximía del pago de la contribución territorial a los bienes de la Iglesia.

4. Resistencia a los intentos del gobierno de la República, a través de Irujo, ministro de Justicia, al restablecimiento del culto público, en especial a partir de mayo de 1938, en que uno de los puntos del programa de gobierno de Negrín reconocía la libertad de conciencia.

5. Políticos: Ossorio (republicano indep.), Irujo (PNV), Bosch Gimpera (ERC), Nicolau d'Olwer (ERC), J. Garganta (ACR), J. M.ª Bellido (ACR), Carrasco Formiguera (UDC) y P. Romeva (UDC). Militares: Rojo, Ibarrola, Escobar, entre otros.

CAPÍTULO IX

La guerra (Norte-Belchite) y los intereses internacionales

1. DE SANTANDER A GIJÓN. EL VERANO DE 1937

Franco había trasladado su cuartel general a Burgos, que recibió el nombre de *Terminus*. Tenía a sus órdenes directas al general Juan Vigón y, como jefe de EM, al general Francisco Martín Moreno. Segundo jefe de EM era el coronel Luis Gonzalo, y jefe de operaciones, el teniente coronel Barroso. Ese Estado Mayor es el que se asigna como objetivo la liquidación total de la zona republicana en el norte de España. Por consiguiente, una vez pasado el peligro y el desgaste de la batalla de Brunete, se va a emprender la ofensiva contra Santander. Para ello está el Cuerpo de Ejército italiano mandado por Batisco (tres divisiones, con destacamentos de carros y 80 piezas de artillería), las seis Brigadas de Navarra mandadas por Solchaga (que, por su número, son ya como divisiones) y la Brigada de Castilla. El total de artillería es de 300 piezas; aviación, la Cóndor y la Legionaria (unos 300 aparatos); los hombres en acción, unos 60 000.

Por su parte, las fuerzas republicanas se habían reorganizado en la medida de sus modestas posibilidades. Prieto, poco conforme con los nombramientos hechos por Llano de la Encomienda, sustituyó a este por Gamir Ulibarri en el mando de todo el Ejército del Norte, y el mayor Ángel Lamas fue nombrado jefe de EM en sustitución de Ciutat. El coronel Prada fue enviado desde Valencia para mandar el XIV Cuerpo de Ejército.

El frente santanderino tenía una honda penetración que llegaba a la línea Valdecebollas-Mataporquera-Bárcena de Ebro, Soncillo-Las Machorras por el puerto de los Tornos hasta delante de Valmaseda, llegando al mar por Ontón-Mioño, que cubrían las posiciones de Castro

393

Urdiales. La penetración hacia el sur era una bolsa de estrangulación relativamente fácil y con solo dos carreteras hacia la retaguardia: las de Reinosa y puerto del Escudo. Eran posiciones frágiles, guarnecidas por dos divisiones, que sería difícil mantener según el plan del EM de Llano, que pretendía estabilizar la defensa más cerca de Santander. Otro fue el criterio de Gamir, tal vez con la idea de conservar Reinosa, por su importancia industrial. El Ejército del Norte constaba de 14 divisiones divididas en tres Cuerpos de Ejército: el XIV, mandado por Prada, el XV, por el teniente coronel G. Vayas, y el XVII, por el teniente coronel Linares. Como comisario de todo el Ejército siguió Ramón González Peña; los de los tres cuerpos eran, respectivamente, J. Larrañaga (comunista), A. Somarriba (socialista) y A. G. Entrialgo (anarquista). Estas unidades, que contaban con cerca de 100 000 hombres, tenían 102 piezas de artillería, algunos carros viejos de tipo «Renault» o fabricados en Trubia, 17 piezas de la DECA y 40 aviones.

Con esas fuerzas tuvo que hacer frente el general Gamir a la ofensiva del ejército franquista desatada el 14 de agosto, después de mes y medio de paralización causada por la batalla de Brunete.

En efecto, al amanecer del 14 de agosto, la ofensiva franquista, protegida con 300 piezas de artillería, llegaba en el sector de Valdecebollas a ocupar el macizo de Peña Labra y las posiciones de Soncillo en dirección al puerto del Escudo.

El día 15 prosiguieron las brigadas navarras su penetración para envolver Reinosa, mientras que en el sector de Concorte —ya junto al embalse del Ebro— tiene lugar un violento combate de carros, entre los italianos de la División «23 de marzo» y los españoles del Regimiento de Samaniego. Al día siguiente, la lucha es violentísima en el puerto del Escudo, atacado por 80 carros italianos y 100 aviones, mientras que la bolsa de Reinosa es estrangulada y la ciudad cae en poder de los navarros, tras una resistencia encarnizada del batallón asturiano «Sangre de octubre», que la defendía, del que solo quedaron 68 combatientes. La fábrica, «Constructora Naval», fue volada con sus hornos y taller por técnicos enviados por el mando, pero la mayoría de los obreros se opusieron a sacar los vagones con el resto del material y dieron muerte al director; de los 1700 obreros solo se presentaron 700 [120, 125, Doc. 13].

Al día siguiente los italianos alcanzaban el puerto del Escudo, mientras que la agrupación navarra intentaba penetrar hacia Torrelavega por el valle del Besaya (ese día huye el jefe de la 54 división, yéndose a Francia en una avioneta de su propiedad). Esa penetración aumenta en los días siguientes haciendo patente el peligro de un corte entre Santander y Asturias. Prada ordena el repliegue de las fuerzas que ocupaban el valle del Mena y Villasana (Burgos), hacia una línea delante de Ramales.

El día 21 Ibarrola, que tiene su división en la zona de Cabuérniga, extiende sus fuerzas hacia su izquierda para impedir la penetración franquista; entonces, tres batallones de nacionalistas vascos (porque en Euzkadi, de hecho, las unidades habían conservado su carácter de partido), los «Arana Goiri», «Padura» y «Munguía», que habían valerosamente combatido, ocupan las posiciones de montaña para cerrar el paso a la penetración señalada. Pero esos batallones reciben órdenes de la dirección de su partido de abandonar el frente y concentrarse en Santoña. El día 22 cae Ontaneda y los citados batallones nacionalistas se marchan a Laredo y Santoña; las brigadas navarras ocupan el monte Ibio. La situación de los republicanos se agrava de hora en hora: por la tarde se reúnen los Mandos militares, Junta delegada de gobierno y representantes de los partidos. Asiste el presidente de Euzkadi (que los días precedentes había propuesto trasladar las unidades vascas al frente de Aragón, medida que había sido desestimada por el Consejo Superior de Guerra). En aquella reunión, aunque no se toman acuerdos, parece dominar la idea de resistir en Santander y provincia, idea reforzada por un telegrama de Prieto en el mismo sentido, indicando la proximidad de una ofensiva republicana en la zona central.

Sin embargo, el día 23 empieza la evacuación hacia Asturias de las fuerzas del XV Cuerpo de Ejército y de las reservas. Según Gamir, «al producirse la noche de este día el aconchamiento de los batallones nacionalistas vascos que no cumplen órdenes, sobre Santoña y Laredo, se ha desmoronado el plan de las 72 horas de resistencia para agotar, hasta lo humanamente posible, la posesión de Santander y resto de la provincia...» [120, 88]. En esto se basa para ordenar la retirada hacia Asturias. En la tarde del 24 de agosto las fuerzas franquistas rebasaban Torrelavega, y al establecer una cabeza de puente en Barreda dejaban cortadas las comunicaciones por tierra entre Santander y Asturias. A partir de ese momento, se evacuó Santander en el mayor desorden en tres barcos para Asturias. Los mandos militares y la Junta delegada de gobierno salían en un submarino aquella madrugada. Se utilizó la flota pesquera y todo barco o motora fondeados en la bahía para evacuar todas las fuerzas posibles, estableciéndose una nueva línea de frente a la altura de San Vicente de la Barquera.[1] El 25, los guardias de asalto de Santander se pasaban al enemigo, y el 26, brigadas navarras y unidades italianas hacían su entrada en la ciudad, de mayoría derechista y visiblemente alborozada.

2. EL INCIDENTE DE SANTOÑA

Mientras tanto prosiguió el enojoso incidente de los batallones vascos que, en Laredo y Santoña, creyeron que podían hacer una rendición separada pactada con los italianos. En la noche del 23 al 24, los batallones vascos de hegemonía del PNV se concentraban en Santoña y Laredo: eran ocho, más cuatro baterías de artillería y, según el Mando, trataban de apoderarse de la flotilla pesquera. ¿Para qué se concentraban allí, rompiendo toda disciplina con el Mando del Ejército? (El presidente Aguirre había dicho en la reunión del 22, en Santander: «sin disciplina no hay Ejército. Los militares deben señalar la norma y a los demás solo les incumbe obedecer».) Allí estaban también, nada menos que el Jefe de Estado Mayor, Lamas y algunos otros jefes y oficiales. En cuanto a los propósitos del consejero Leizaola, parecen diverger de los de Aguirre, según el telegrama que dirige a este, desde Bayona (Francia) el 21 de agosto, que dice así:

> Entérome instrucción Valencia de resistir Santander y luego evacuar a Asturias. Esa instrucción es tan despreocupada como fueron falsos ofrecimientos de evacuación pueblo tropas. Aquí empujaremos lleguen posibles medios evacuación pero vosotros debéis emplearlo en lo que dicte vuestro deber y no en seguir como autómata lo que ordenan cómodamente quienes no quieren presentarse Euzkadi[2] ni ayudarle. —Leizaola.

El día 24, los batallones nacionalistas «habían tomado la plaza de Santoña y [que] otros batallones nacionalistas se repliegan hacia la costa de Laredo, Colindres, Santoña, en desobediencia de órdenes del mando...»[3] [120; 78, 80; 315, II, 15; 157, III, 275-280]. Ya esa tarde se dice en Santoña que existía un pacto con los italianos para que los «gudaris» dieran por terminada la guerra y, a cambio de ello, se les dejase regresar libremente a sus hogares, y a los responsables políticos emigrar a Francia.

Ajuriaguerra, dirigente del «Euzkadi-Buru-Batzar», regresa desde Francia a Santoña el 23 de agosto. Al anochecer del día 25 entraron los italianos en Laredo. Ajuriaguerra se lo telegrafía a Aguirre (que está en Bayona, tras haber salido de Santander el día 24, en avión) y añade que se han rendido los cuatro batallones que amparaban Limpias y Ampuero, mientras los barcos siguen sin llegar. Aguirre consigue entonces que dos barcos de pabellón inglés, el *Bobie* y el *Seven Seas Spray*, saliesen de Bayona a Santoña. Al día siguiente, Ajuriaguerra y Arteche van a Vitoria a parlamentar con el general Manzini, que manda el Cuerpo de Ejército Italiano; el PNV se lo telegrafía a Aguirre diciéndole: «situación gravísima. Barcos no llegan». Los barcos llegan, pero a las cinco de la tarde, y poco después entra el primer batallón italiano de «flechas negras». Mientras tanto, Ajuriaguerra y Arteche han firmado con Manzini, en Vitoria, una capitulación (lo que pasará a la historia con el nombre de «pacto de Santoña») por la cual las tropas vascas, tras rendirse y ser desarmadas, quedarían libres y los funcionarios y dirigentes políticos podrían salir al extranjero.[4] En Santoña, el coronel italiano Farina, que manda la tropa, declara que «queda terminada la guerra con los vascos». Empieza el embarque hasta de 3000 personas en los buques citados, entre las ocho y las doce de la mañana del día 27; pero a esa hora aparece un oficial español (con uniforme italiano e insignias de falangista) que ordena suspender la operación. El pacto no es sino un papel mojado, que Franco y su general Dávila desautorizan.

Y los capitanes de los buques son obligados a desembarcar a todo el mundo, amenazándoles con los cañones del *Cervera* si se niegan a ello, a la vez que los italianos emplazan sus ametralladoras frente al puerto (aunque algunos de sus jefes estaban indignados). El día 28, los barcos parten vacíos y los combatientes vascos son conducidos como prisioneros a los campos de concentración en las playas de Laredo y Santoña, así como al penal del Dueso. Catorce fusilamientos inauguraban días después la represión.

Prieto, al enterarse de la capitulación de Santoña, planteó el asunto en Consejo de Ministros; nadie, ni siquiera Irujo, defendió el comportamiento de aquel sector. El presidente Aguirre, en su *Informe*, evita pronunciarse sobre el asunto, dejando que «la historia examine en conjunto todos los hechos». Sin duda, faltan todavía datos y fuentes no para juzgar aquellos actos (que no es función de la historia científica) sino para explicarlos, para explicarse por qué un sector del nacionalismo vasco se consideraba desligado de todo compromiso al ver invadida la totalidad de su territorio; o si se trató simplemente de una ruptura de disciplina que, mal calculada, tuvo consecuencias trágicas. La investigación histórica aún tiene trabajo ahí.

Al caer Santander desaparecía automáticamente la Junta delegada de gobierno para el norte. El Consejo provincial de Asturias y León, asumía el 29 de agosto las funciones de Consejo soberano; inmediatamente, destituía a Gamir y nombraba a Prada para sustituirle y hasta se dirigía por telegrama a la SDN, cuyos funcionarios, asombrados, reexpidieron el despacho al Ministerio de Estado de Valencia. Prieto se indignó ante semejante situación y, por fin, Belarmino Tomás, gobernador civil y primera autoridad de Asturias, telegrafiaba a Negrín y le decía: «Jamás rehuiremos órdenes Gobierno... Dirección guerra está a sus órdenes, como siempre».

Sin embargo, el aislamiento geográfico daba toda su fuerza al Consejo que, en muchos aspectos, obró según su solo criterio en el mes y medio que aún resistió Asturias.

3.   ARAGÓN Y LA BATALLA DE BELCHITE

Rojo preparaba un nuevo ataque, también con doble fin: táctico, de poner en peligro Zaragoza; estratégico, de ayudar al norte. Pero antes conviene señalar los hechos políticos que habían intervenido en Aragón. El Consejo de Aragón, reconocido por Largo Caballero en diciembre de 1936, había ampliado su composición con representantes de todas las organizaciones, pero seguía siendo de hegemonía anarquista y obraba también según su buen criterio en cuestiones de orden público, economía, hacienda, etc. Negrín, inquieto por ello, confió el estudio del caso a Zugazagoitia, que ha afirmado «la denuncia de sus actos irregulares tenía unanimidad insospechada. Los detalles de cada queja escalofriaban... Delegué en un amigo de mi absoluta confianza una discreta comprobación sobre el terreno. Tenía que huir de los informes oficiales y de las exageraciones partidistas. Dictamen: las denuncias tenían un ochenta por ciento de exactitud» [315, I, 299].

Fue, pues, Zugazagoitia quien —con la perspectiva de que debía realizarse una ofensiva en Aragón— preparó el decreto de disolución del Consejo, que fue unánimemente aprobado por el Consejo de Ministros. Prieto fue encargado de hacerlo aplicar y, para eso, llamó a Líster y a su V División (Líster se ha quejado luego, diciendo que quería hacerle cargar con esa «operación» para echarle las culpas cuando los anarquistas protestasen). La operación supuso un centenar de detenciones, pero no tuvo mayores repercusiones. Protagonistas y testigos divergen apasionadamente sobre el Consejo de Aragón y su disolución. César M. Lorenzo, el autor de *Les anarchistes espagnols et le pouvoir*, critica la «brutalidad» al suprimir el Consejo, pero en lo que se refiere a las «colectividades» de Aragón estima que «unas funcionaban bien, y otras mal, según la capacidad y preparación de quienes las animaban», y que las milicias que fueron de Cataluña «suscitaron más de una vez el más vivo descontento de la población». El Consejo actuó a veces como un Estado autónomo, llegando a mantener relaciones directas con el extranjero [172, 144-145; 29, IV, 732-733; 167, 151-162; 166, 83 ss.; 295, III, 262-270; 83, 351-352].

El EM reunió seis divisiones, más otras dos en reserva, con un total de 80 000 hombres, al mando del general Pozas, que llevaba al teniente coronel Cordón de jefe de EM. Se trataba de romper el frente por tres puntos y envolver Zaragoza, si no se la llegaba a ocupar. Se iban a aplicar mayores efectivos que en Brunete.

¿Cómo estaba, en realidad, aquel frente? Dejemos que sea el mismo general Rojo quien lo explique:

...la mayor parte de las unidades conservaban una estructura netamente política y miliciana; el frente se mantenía de modo bastante arbitrario, aunque eficazmente por la especial aptitud guerrillera que siempre han tenido nuestros combatientes [...] Más que una línea de defensa organizada había unos modestos elementos de resistencia que servían de refugio para el descanso y unos observatorios que ni siquiera aseguraban la continuidad de vistas a lo largo del frente... [243, 90].

La ofensiva empieza el 24 de agosto (con fallo de la columna motorizada y defectos de transporte y aprovisionamiento). A mediodía, la 27 División, mandada por Trueba, había roto el frente y llegado hasta la estación de Zuera. Más al sur, la 45 División (cuyo mando se le había dado a «Kleber»), penetró hasta Villanueva del Gállego, que no pudo ocupar. En el sector del sur del Ebro, donde operaba el V Cuerpo —mandado por Modesto—, la sorpresa es total; en pocas horas toman el pueblo de Codo y cortan las comunicaciones entre Quinto y Zaragoza. La V División de Lister llegó hasta Fuentes de Ebro haciendo una penetración de más de treinta kilómetros; pero la resistencia del adversario en la línea Mediana-Fuentes de Ebro paralizó a los republicanos durante todo el día 25, mientras Quinto y, sobre todo, Belchite, muy fortificados, resistían a pesar de quedarse aislados. Dos días más, y el alto mando franquista pudo movilizar reservas, con tanta más razón cuanto que Santander había caído ya. Pozas solo consigue los éxitos locales de conquistar Quinto y Belchite; al caer el primero, tras varios días de lucha, los guardias civiles y requetés de allí se repliegan a Belchite. En fin, cuando las fuerzas motorizadas estuvieron dispuestas, el día 27, ya era tarde para marchar sobre Zaragoza. La poca costumbre que el ejército republicano tenía de la guerra de movimiento (era mucho más fácil resistir que atacar) y la dificultad de comunicaciones esterilizaron su acción, hecho agravado por la preocupación que el mando tenía por guarnecer siempre sus flancos, temiendo el estrangulamiento de las bolsas creadas en cada ruptura de frentes.

Franco, que al principio se había preocupado y salió hacia Zaragoza, no llegó a esta ciudad, limitándose a tener una reunión de jefes militares en la casilla del portazgo de Alfaro.

Quinto cayó al tercer día de lucha; pero Belchite resistió hasta el 3 de septiembre y sus defensores se batieron con enorme denuedo, aunque llegaron a carecer de agua y de luz. El alcalde murió luchando y su hija fue hecha prisionera con las armas en la mano. La 35 División (Walter) se batió con igual empeño, conquistando el pueblo casa por casa. La División Barrón (franquista) fracasó en su intento de salvar Belchite, pero la operación general no consiguió sus objetivos. A pesar de la inmensa concentración de fuerzas y de aviación, se produjeron serias fallas organizativas, mal empleo de tanques, etc. Una segunda operación de carácter más local, encomendada al XXI Cuerpo de Ejército (Casado), con 40 tanques, fue intentada en la segunda quincena de septiembre, pero no logró ninguno de sus objetivos.

4. VIDA POLÍTICA

En el verano de 1937 hubo, ciertamente, una relativa tirantez entre la CNT y los medios gubernamentales; y, sobre todo, el grupo de Largo

Caballero y sus amigos se consagró a una política de oposición al gobierno y dedicó sus esfuerzos a luchar contra los restantes sectores de la UGT, apoderarse de la Agrupación Socialista de Madrid, etc. En cambio, durante esos mismos meses se observaron síntomas de evidente acercamiento tanto entre el PSOE y el PCE como en las organizaciones juveniles. Los dos partidos obreros, reunidos en su Comité de Enlace, publicaron un programa conjunto el 17 de agosto. Los objetivos de ese programa quedaban mucho más acá de las ambiciones comunistas de preparar un partido único, pero enfocaban con precisión la acción conjunta en el Ejército popular, industria de guerra, economía, respeto a las nacionalidades, orden público, vigorización del Frente Popular y de la JSU, unidad sindical, unidad de organizaciones internacionales y defensa de la URSS; todo ello con la consigna de que los grupos de ambos partidos en el Parlamento, Consejos provinciales, Ayuntamientos y Sindicatos obraran conjuntamente. Este programa (que para unos sería mínimo y para otros máximo) revestía, si se aplicaba, extraordinaria importancia, como mucho después ha subrayado J. Simeón Vidarte (uno de los firmantes por el PSOE) en sus *Memorias*. Por el PSOE lo firmaron Vidarte, R. González Peña, R. Lamoneda y M. Cordero. Por el PCE, José Díaz, Dolores Ibárruri, Pedro Checa y L. Cabo Giorla.

Las organizaciones juveniles no habían conseguido hasta entonces superar las posiciones que oponían, por un lado, a las Juventudes Libertarias y, por otro, a la JSU y Juventudes de los partidos republicanos que, cuando actuaban en común, tomaban el denominador de Frente de la Juventud. Sin embargo, la Conferencia Nacional de Estudiantes de la FUE (Valencia, 2, 3 y 4 de julio), que eligió presidente de la organización estudiantil a José Alcalá-Zamora, invitó a las restantes organizaciones de jóvenes. Allí hablaron Serafín Aliaga, por las Juventudes Libertarias; Santiago Carrillo, por la JSU; Noguera, por la Juventud de Izquierda Republicana; Álvarez, por la Juventud Republicana Federal, y López, por la Juventud de Unión Republicana. Este primer contacto fue seguido de una serie de reuniones de dichas organizaciones, que llegaron a constituir la Alianza Juvenil Antifascista, con un programa mínimo común, en la primera quincena de septiembre.

En Salamanca, Serrano Suñer proseguía su laboriosa tarea de modelar los futuros órganos de gobierno y lo que, según él, debía ser el partido único del régimen que saldría de la guerra. Las primeras consecuencias de la unificación fueron, en el orden militar, la sumisión de las milicias al mando del ejército, y la atribución de la calidad de militante de FET y de las JONS a todo jefe u oficial del ejército. Las de orden político comenzaron a expresarse en el Decreto de 4 de agosto de 1937, que aprobaba los Estatutos de Falange Española Tradicionalista y de las JONS. El nuevo partido, organizado jerárquicamente, tenía como jefe supremo al mismo del Estado. El artículo 47 precisaba: «... el Jefe asume con su entera plenitud la más absoluta autoridad. El Jefe responde ante Dios y ante la Historia». Así, pues, en España, a diferencia de Alemania e Italia, era el jefe militar, caudillo de la contrarrevolución, quien ponía a sus órdenes a la organización de tipo fascista (a la que se le agregan apresuradamente ingredientes de simple reaccionarismo), que se convertirá en instrumento suyo. La Junta política y la Secretaría, así como el Consejo Nacional, no pasarán de ser simples organismos consultivos. Y aun así, la lucha por la Secretaría general fue muy áspera; a ella accedió el viejo falangista Raimundo Fernández Cuesta, que había sido canjeado de la zona republicana.

5. ASTURIAS

La ofensiva de Belchite no paralizó la del ejército franquista del norte. La línea de San Vicente de la Barquera había de durar muy poco, puesto que el general Dávila, tras reorganizar sus fuerzas, reemprendió el ataque el 1.º de septiembre: Solchaga, con cuatro brigadas navarras y la de Castilla, atacó por la costa, mientras que Aranda, con tres divisiones, más dos brigadas navarras, desplegaba estos efectivos por el norte de la provincia de León para forzar el paso de los puertos. Todo ello bajo la protección de una masa de 250 aviones.

La Asturias republicana había quedado sola, aislada, con restos de ejércitos tras las derrotas de Bilbao y Santander, inmensas dificultades de suministro y tan solo unas dos docenas de aviones. Sus efectivos numéricos (algo menos de 90 batallones) eran inferiores netamente a los puestos en línea por Dávila, y su potencia de fuego era todavía menor. La moral tenía que oscilar, en tan duras condiciones, entre el «numantinismo», con todas las exageraciones en que a veces incurrió el Consejo de Asturias, y el desplome, cuando las líneas se quebraban a pesar de un derroche de sangre muy superior al de otros frentes de combate.

Empezó, pues, la ofensiva y Solchaga consiguió que sus hombres llegasen a Llanes el 5 de septiembre. Al día siguiente, las brigadas navarras se estrellaban ante las posiciones republicanas del Mazuco, posición fortificada, junto a Posada de Llanes, que defendía la 134 brigada vasca mandada por Miguel Arriaga. Desde allí hasta la línea defensiva del Sella, las brigadas navarras solo pudieron avanzar esos doce kilómetros en un mes de combates, hasta el 8 de octubre; la defensa de toda la línea del Sella estaba a cargo del XVI Cuerpo de Ejército reorganizado, al mando de Francisco Galán, con dos divisiones mandadas, respectivamente, por Ibarrola (comandante de la Guardia Civil) y Bárzana (Mayor de Milicias). El mando de todo el ejército fue confiado al coronel Prada, con el Mayor Ciutat de Jefe de Estado Mayor.

Por su parte, Aranda había avanzado muy difícilmente; Dávila tuvo

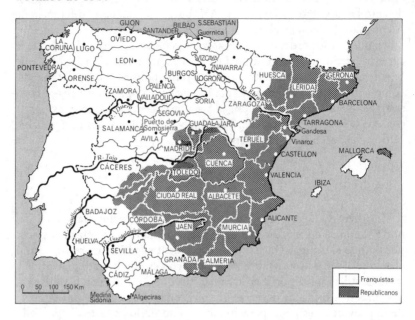

que añadir una agrupación de 24 batallones mandados por Muñoz Grandes (ante los puertos de San Isidro y de Tarna) y luego hacer intervenir por la costa occidental al Cuerpo de Ejército italiano. Solo Muñoz Grandes logró una penetración por el puerto de Tarna, llegando hasta Campo de Caso. En cambio, Aranda, con doble número de fuerzas que los defensores [257], seguía sin conseguir apoderarse del puerto de Pajares. Solo el 4 de octubre consiguió ocupar el puerto de San Isidro.

Pero, en realidad, el cambio decisivo de la situación se produce a partir del 10 de octubre, cuando, tras la destrucción casi total de las localidades de Arriondas e Infiesto por la aviación Cóndor, Solchaga consigue romper las líneas de Galán e Ibarrola; se produce entonces el desbordamiento de la línea defensiva del Sella por su ala derecha, penetrando los atacantes desde Cangas de Onís y ocupando Arriondas el día 14. En ese momento se inicia el ataque italiano contra Avilés.

La tragedia asturiana se acercaba a su desenlace. Durante quince meses Asturias había vivido una experiencia específica, con su Consejo convertido en «Soberano» a partir de agosto de 1937, sus ensayos de socialización, pero también de colaboración de los campesinos, su industria de guerra en Trubia, sus tensiones internas por la Consejería de guerra, etc.[5] Fue en Asturias donde primero se firmó un pacto PSOE-

PCE, el 16 de enero de 1937, y donde otro pacto UGT-CNT llegaría a producir, meses más tarde (en junio), un programa sindical común.

Pero, en esa segunda decena de octubre, la gravedad de la coyuntura acarrea nuevas tensiones entre los partidos y organizaciones, que contribuyen a minar más todavía las posibilidades de defensa republicana. Al mismo tiempo, el gobierno de la República comunica a Prada la orden de evacuación general; pero es muy difícil de cumplir; apenas hay barcos y para perseguirlos está la flota de guerra franquista y la aviación Cóndor.

El bloqueo era casi total. Fueron hundidos el destructor *Ciscar* y el submarino *C-B*, y los barcos extranjeros no se atrevían a llegar a Gijón para evacuar niños y mujeres.

El 17 de octubre ya no hay línea continua de frentes y el EM no sabe dónde están las unidades adversarias; en realidad, las fuerzas de Solchaga avanzan hacia Villaviciosa, y el 20 ocupan un arco que va desde Villaviciosa —ya ocupada— hasta Infiesto y Pola de Laviana. El EM republicano quiere evacuar a los mejores combatientes, y con este fin recurre a la treta de pedir voluntarios para un batallón de choque en cada división. Las restantes unidades fueron abandonando las posiciones para dirigirse hacia los puertos de Gijón y Avilés, mientras se dispersaban, y muchos de sus miembros se aprestaban a continuar en los montes una difícil guerrilla. El 20 de octubre se celebró, a mediodía, la última reunión del Consejo Soberano.[6] Aquella tarde salieron de Gijón sus miembros, y a la mañana siguiente los mandos militares: Prada salió en el torpedero n.º 3; Ciutat, con varios dirigentes políticos, en el último barco, el *María Santiuste*. En la tarde del día 21, la IV brigada de Navarra entraba en Gijón: 22 batallones cayeron prisioneros de las fuerzas de Dávila; los restantes fueron deshechos, salvo unos nueve o diez que, seleccionados, fueron evacuados. La suma de componentes de cinco o seis batallones se echó al monte por grupos dispersos que correrían diversa fortuna, desde el inmediato aniquilamiento de unos, hasta conseguir otros empalmar con las guerrillas de 1945.

La «limpieza de rojos» comenzó en toda la región. Si la plaza de toros de Gijón fue atestada de presos, en la región de Mieres a Pola de Laviana las mujeres de los mineros fueron objeto de múltiples vejaciones, en todas partes actuaban sin descanso los piquetes de ejecución; las unidades de Regulares tenían carta blanca. En raros lugares el odio de clase ha tenido una carga tan virulenta como en Asturias contra sus mineros. Fue aquello, pues, una verdadera ocupación por ejércitos extranjeros (ya se había conocido la de 1934) de las cuencas mineras, que duraría hasta después de terminada la guerra.[7]

Pero el alto mando franquista podía estar satisfecho: el frente del norte no existía ya; todas las unidades podían alinearse en un frente ininterrumpido desde el Pirineo hasta la costa subtropical del sur de

Sierra Nevada. Habría más recursos mineros e industriales, más puertos, y la zona republicana sería fácilmente bloqueada por mar. Era un paso adelante decisivo y no andaba muy errado Prieto cuando, en uno de sus habituales cambios de humor, se consideró fracasado y presentó la dimisión. Negrín no se la aceptó; seis meses más tarde sería otra cosa.

6. LA SITUACIÓN POLÍTICA

Antes de que Asturias cayese se reunieron las Cortes en el edificio de la Lonja de Valencia. Unos doscientos diputados estuvieron presentes y entre ellos, por vez primera, algunos que no pertenecían al Frente Popular; ese era el caso notorio de Portela Valladares o de Guerra del Río. Tras la declaración del gobierno leída por Negrín, intervinieron los representantes de los grupos parlamentarios: González Peña, Velao, Dolores Ibárruri... La oposición, constituida de hecho por los amigos de Largo Caballero, no llegó a expresarse, aunque se había rumoreado que pensaba hacerlo. Y unánimemente se votó la confianza a Negrín.

Por cierto que, semanas después (el 31 de octubre, tras la caída de Asturias), el gobierno decidió trasladar su sede a Barcelona. Era un propósito que Negrín perseguía desde hacía algún tiempo, convencido de que repercutiría en la eficacia gubernamental y en el control de las industrias de guerra. Cabe plantearse si así fue, pero lo que no deja lugar a dudas es que suscitó recelos e hirió sentimientos en los medios catalanes, además de provocar no pocos conflictos jurisdiccionales. Si, en una primera parte de la guerra, Cataluña parecía tomar aspecto de cantón independiente, desbordando el encuadramiento constitucional, en esta segunda parte parecía producirse el fenómeno opuesto, y algunas injerencias del poder central (p. ej. en la delegación de orden público) desbordaban a su vez el marco constitucional e irritaban a no pocos.

Otros acontecimientos de aquel otoño fueron la agravación del pleito interno de la UGT, que llegó a tener dos Comisiones Ejecutivas; una, presidida por Díaz Alor, con Largo Caballero de secretario general, y otra, presidida por González Peña, con Rodríguez Vega en la secretaría. Solo gracias a la intervención de la FSI y al arbitraje de su secretario general Léon Jouhaux (secretario general de la CGT de Francia), se llegaría en enero de 1938 a reconstituir una sola Ejecutiva: cuatro miembros de la CE de Largo Caballero se incorporaron a la presidida por González Peña con Rodríguez Vega de secretario general; de ellos, solo dos, Zabalza y Hernández Zancajo, participaron de hecho en sus tareas. Bajo una aparente conciliación, la división seguía siendo profunda.

También destacó la celebración en Valencia de otro pleno ampliado del PCE (12-14 noviembre), en el que José Díaz lanzó la idea de una consulta electoral, tanto legislativa como a nivel provincial y municipal.

Como era de suponer —pues solo el PCE podía obtener ventaja de esa consulta—, la proposición no encontró eco en los restantes partidos del Frente Popular.

7. LAS GUERRILLAS

Varios millares de combatientes se lanzaron al monte tras el hundimiento del frente de Asturias; y ya se habían formado varios grupos guerrilleros con restos de fuerzas militares que, al cortarse las comunicaciones, no habían podido evacuar Santander a finales de agosto. Se formaron en aquellos meses los llamados «ejército guerrillero de reconquista», «brigada guerrillera de los Picos de Europa», etc., que actuaron en las montañas de Asturias y León.

En Peña Labra y en la región de Villarcayo actuaron ya las partidas guerrilleras procedentes de la Montaña en el otoño de 1937; en Asturias, y sobre todo en el vértice de las provincias Oviedo-León-Santander, actuaron varias partidas desde el otoño de 1937, mientras que otras aún se batieron en zona minera entre Pola de Laviana y La Felguera; y otras, en los puertos de Piedrafita y Vegarada y cortando numerosas veces las comunicaciones entre Gijón, Pola de Laviana y León [224, 176-192]. No es exagerada la estimación de más de 2000 hombres armados en las partidas guerrilleras del otoño de 1937 e invierno de 1938. Uno de sus jefes, que ha sobrevivido, José Mata Castro, le ha dicho a Eduardo Pons Prades en su testimonio:

Asturias posee una vegetación terrible, donde tienen que pisarte para verte, sobre todo en otoño. Al venir las nieves ya no es lo mismo. Permanecimos ocultos durante todo ese primer invierno. Al llegar la primavera de 1938 ya organizamos las guerrillas que basarían su acción en acciones de hostigamiento, en actos de defensa, de desgaste, eludiendo siempre los enfrentamientos directos con el ejército nacionalista [...]. Así estuvimos hasta que nos hicimos fuertes, hasta que les obligamos a que concentrasen fuerzas, pero al monte no les dejábamos subir, porque un guerrillero detrás de una piedra detiene a una compañía... [224, 181].

De una manera oficial o «administrativa», la actividad guerrillera para sabotajes, golpes de mano, etc. (unida a tareas de información periférica), se organiza ya por el Ministerio de Defensa en Valencia desde la formación del gobierno Negrín, aunque sus orígenes están en el Ejército del Centro[8] [11, 291-296; 167, 277-278; 313, 143-152]. Después de la caída de Euzkadi, la nomenclatura de «XIV Cuerpo de Ejército», que era la del ejército vasco, pasó a denominar el Cuerpo de Ejército de unidades guerrilleras (que se estructuraba en tres divisiones). El XIV Cuerpo fue mandado por Domingo Ungría, y tuvo a los comandantes Cristóbal Errandonea (comunista vasco) y Luis Bárzana (comunista asturiano) como jefes de división. Estas guerrillas encuadradas en el Ejército Regular no llegaron a tener contacto con las procedentes del Ejército del Norte, mucho más numerosas, pero acrecentaron notablemente su acción durante 1938, según confirman los informes militares de sus adversarios (Franco llega a ordenar personalmente la destrucción de las partidas guerrilleras a su Servicio de Información y Policía Militar, en agosto de 1938). Las guerrillas del norte y las necesidades de reorganización de los ejércitos de Franco iban a crear un breve paréntesis de combates importantes; noviembre de 1937 aparenta una relativa calma que encubre la preparación febril, por una y otra parte, de nuevos planes, de encuadramiento de reservas y de puesta a punto de grandes unidades de maniobra.

8. LOS INTERESES INTERNACIONALES Y ESPAÑA

Los cambios de gobierno que se produjeron en la primavera de 1937 en Inglaterra y Francia no favorecieron a la República. En Londres, desde mayo, el gobierno estaba presidido por A. N. Chamberlain, cuyo nombramiento abrió esperanzas en la España de Franco [54, 385].

En París, Léon Blum fue sustituido un mes más tarde por Chautemps, cuya política exterior seguía con fidelidad las orientaciones británicas [100, 227]. El nuevo *premier* inglés orientó toda su política exterior hacia un acercamiento a Italia y Alemania, manteniendo la alianza con Francia. Frente a España, se tradujo en una «limpísima» política de «No Intervención» que fue inclinándose hacia un acercamiento a la Junta Técnica de Burgos en meses sucesivos.

El primer paso en este sentido fue la propuesta hecha por Lord Plymouth para que Inglaterra y Francia reconocieran la beligerancia al gobierno de la República y a las autoridades franquistas, como fórmula de arreglo, ante la postura intransigente de Alemania e Italia en el Comité de Londres. Un viaje a París del presidente del gobierno de la República, Negrín, acompañado de Giral, ministro de Estado, y de Azcárate, embajador en Londres, contribuyeron «a la negativa rotunda y categórica que opuso el gobierno francés a todo intento de reconocimiento de beligerancia a las autoridades franquistas» [30, 177]. No fue fácil. A lo largo de los meses de julio y agosto hubo sucesivas reuniones del Subcomité y del Comité de Londres, en las que se enfrentaron distintas proposiciones franco-británicas, por una parte, y germano-italianas, por otra, barajándose la fórmula de beligerancia y la de retirada de España de los «voluntarios» extranjeros [30, 178-187].

Mientras las potencias discutían, durante el verano de 1937, los submarinos italianos torpedearon numerosos barcos de países neutrales que se dirigían a los puertos de la España republicana. Hoy se sabe que actuaban así por decisión expresa de Mussolini. El gobierno republicano recurrió ante el Consejo de la SDN invocando el artículo 11 del Pacto de la SDN, y pedía que se inscribiera en el orden del día del Consejo esta cuestión. Envió también una nota a los gobiernos europeos denunciando los hechos. Pero Londres y París temían enfrentarse con Roma y Berlín. Chamberlain buscaba infatigablemente un acuerdo con Italia. Sin embargo, después que los submarinos «desconocidos» atacaron, el 31 de agosto, el cazatorpederos británico *Havok*, y hundieron un mercante de la misma nacionalidad el 2 de septiembre, Inglaterra empezó a alarmarse, y con ella, Francia.

Ante estos hechos, Gran Bretaña y Francia propusieron celebrar una reunión en la que participaran todos los países ribereños del Mediterráneo y del mar Negro, y en la que se afrontara el problema de la seguridad marítima en ellos. Se comunicó a Alemania y a Italia, que rechazaron la invitación [30, 191-192].

La conferencia tuvo lugar el día 10 de septiembre en Nyon —localidad cercana a Ginebra— y participaron en ella los representantes de Gran Bretaña, Francia, Unión Soviética, Bulgaria, Egipto, Grecia, Rumania, Turquía y Yugoslavia. La URSS había pedido que el gobierno de España, país mediterráneo, participase, pero esta sugerencia no fue aceptada. El gobierno francés insistió, pero Eden les disuadió de tal propósito.

El día 14 se firmó el acuerdo de Nyon, que preveía una acción naval colectiva, concretada en la autorización a las patrullas navales francesas e inglesas para atacar, a partir de Malta, todo submarino sospechoso que se encontrase en el Mediterráneo. Este acuerdo se completó con otro, firmado el día 17, que extendió este género de medidas a la conducta a seguir con los aviones que atacaran a los buques mercantes.

Ahora bien, los gobiernos inglés y francés estimaron conveniente que Italia participara en el nuevo sistema de control, y con este fin se celebraron conversaciones en París en los últimos días de septiembre. En ellas se acordó que la zona de patrulla que correspondía a Italia sería la que se hallaba entre las Baleares y Cerdeña. Mussolini la aceptó y prometió a Delbos y Eden que no enviaría más ayuda a Franco, pero, al mismo tiempo, este se la pedía y Mussolini aseguraba a Hitler que la actuación de los submarinos continuaría a despecho de cualquier decisión internacional.

En los mismos días de septiembre se celebraba en Ginebra el Consejo de la Sociedad de Naciones. El día 16, Negrín pronunció un discurso ante la Asamblea en el que analizó los acuerdos de Nyon, como insuficientes y peligrosos, en estos términos:

Hemos llegado a un punto en que empeñarse en mantener la ficción de la no

407

intervención es trabajar, conscientemente o no, para prolongar la guerra... He aquí lo que el gobierno de la República se considera con derecho a pedir: 1.º Que se reconozca la agresión de que España es objeto por parte de Alemania e Italia; 2.º que sobre la base la SDN examine con toda urgencia los medios de poner fin a tal agresión; 3.º que se devuelva íntegramente al gobierno español el derecho de procurarse libremente todo el material de guerra que estime necesario; 4.º que los combatientes no españoles sean retirados del suelo de España; 5.º que las medidas de seguridad adoptadas en el Mediterráneo sean extendidas a toda España y que se asegure a España la participación que legítimamente le corresponde» (*La Vanguardia*, Barcelona, 17 septiembre, 1938).

Solo los representantes de la Unión Soviética y de México insistieron en que se condenase como agresores a Alemania e Italia.

A petición del gobierno de la República, en esta XVIII sesión ordinaria de la Asamblea se discutió la situación de España y los problemas que se derivaban de ella. El asunto se envió a la VI Comisión, que elaboró un proyecto de resolución declarativo, muy moderado, que no rompía con la política de «No Intervención» ni obligaba a las potencias fascistas a poner término a su intervención armada en España. No tenía ninguna finalidad práctica. La resolución fue aprobada por 32 votos a favor, 2 en contra (Portugal y Albania) y 14 abstenciones [30, 196-200].

La misma ambigüedad reinaba en el Comité de Londres, desde que Alemania e Italia se habían retirado en el mes de junio. El Subcomité se reunió el 16 de octubre. En esa reunión se presentó la proposición francesa sobre retirada de «voluntarios», beligerancia y control. Nada se consiguió ese día, ni en las reuniones sucesivas, que continuaron hasta el 4 de noviembre, en que se aprobó el plan británico de retirada de voluntarios, que debía someterse a los dos bandos contendientes. El general Franco aceptó el principio de la retirada de voluntarios, pero con una serie de limitaciones y a condición de obtener los derechos de beligerancia. El gobierno de la República aceptaba, por su parte, la propuesta el 1.º de diciembre, pero enumeraba ciertos puntos que reclamaban mayores precisiones [30, 200-216].

El Comité de Londres nombró comisiones y subcomisiones, y durante meses se discutieron los detalles del Plan, limitándose así la actuación del Comité, bloqueada por este asunto. El gobierno francés, a pesar de haber cerrado su frontera con la España republicana, se mostraba más enérgico, pero en el seno del británico, Chamberlain, cada vez más decidido a pactar con los dictadores —pesaba con mayor fuerza que Eden—, ya se daba cuenta del fracaso de la «No Intervención».

La realidad de la política británica se mostraba con mayor claridad en sus relaciones con la Junta de Burgos. Después de la caída de Bilbao en el mes de junio, Chilton pidió a Sangróniz el *exequatur* para mantener un cónsul británico en la capital vasca. Sangróniz respondió que la condición para ello era el reconocimiento de los derechos de beligerancia. Londres respondió indirectamente, a través de Portugal, que el reconocimiento podría efectuarse en breve plazo.

En el mes de octubre tuvieron lugar conversaciones entre Gran Bretaña y la Junta de Burgos, que condujeron a un acuerdo para intercambiar misiones semioficiales bajo la capa de «agente comercial». El 16 de noviembre, Sir Robert Hodgson fue nombrado «agente comercial británico en la España nacionalista». Su misión estaba integrada, además, por dos militares: el coronel De Ronzy Martin y el mayor Desmont Mahony. Hodgson confiesa que, a pesar del título de «agente comercial», él disfrutó de todos los privilegios de un diplomático [148, 79].

Al mismo tiempo que Hodgson se trasladaba a Salamanca, llegaba a Londres el duque de Alba, también como «agente comercial», lo cual equivalía, en cierto modo, a un reconocimiento de Franco *de facto* por parte de Inglaterra.

Además del intercambio de misiones, se firmaron varios acuerdos comerciales relacionados con el mineral de Río Tinto y Vizcaya.[9] Este acercamiento Londres-Burgos inquietó en más de una ocasión a Hitler, pero sus representantes fueron tranquilizados por Franco y los miembros de la Junta Técnica, como consta en numerosos documentos diplomáticos alemanes de la época.

Realmente, en los meses de verano y otoño de 1937, la Junta de Burgos ganaba puntos en el orden diplomático: Checoslovaquia, Holanda, Bulgaria, Noruega, Polonia, Dinamarca, Finlandia y Uruguay habían realizado canje de notas o firmaban acuerdos comerciales. Japón, el 1.º de diciembre, reconocía oficialmente a la Junta Técnica. Por su parte, el Vaticano enviaba el 17 de noviembre como encargado de negocios a monseñor I. Antoniutti [cf. cap. VIII, 4].

9. LAS INTERNACIONALES OBRERAS Y EL CONFLICTO ESPAÑOL

Desde los primeros meses de guerra, ya en 1936, la Internacional Comunista (IC) había propuesto a la Socialista (IOS) un acuerdo de acción común para ayudar a la España republicana. Pero la IOS no se había decidido a aceptar. En su seno había distintas posturas ante el conflicto español. De sus dirigentes, Adler, Citrine y Schvenels, incluso Blum y Spack, eran partidarios de la No Intervención. Otros, como su presidente, De Brouckère, Vanderbelde y Pietro Nenni, que luchaba en España, eran partidarios de la ayuda a la República, e incluso de una acción común con la IC. Vanderbelde dimitió del gobierno belga por disconformidad con la «imparcialidad irrisoria» de la «No Intervención».

Tanto el PSOE como la UGT de España se habían dirigido a la IOS y a la Federación Sindical Internacional (de matiz socialista) reclamando una acción común y eficaz. Esto coincidió con un acercamiento de socialistas y comunistas en el plano interior que se plasmó en la formación de un Comité de Enlace de los órganos dirigentes de los dos partidos, así como en las organizaciones provinciales.

Sin embargo, la acción concorde en el gobierno, en los sindicatos y en los Comités de Enlace tuvo repercusión no solo en España, donde se llegó a un programa común firmado por ambos partidos en agosto de 1937, sino también en el internacional.

Después de los sucesos de Almería, Ramón Lamoneda, en nombre del PSOE, José Díaz, en el del PCE y Felipe Pretel, en el de la UGT, dirigieron telegramas a la IC, a la IOS y a la FSI, urgiendo a estas organizaciones de la clase obrera internacional a emprender acciones en ayuda de la República y del pueblo español.

Durante quince días se cursaron mensajes entre Valencia-Moscú-Bruselas. Así se llegó a la Conferencia de Annemasse (Francia), el día 21 de junio de 1937, que reunió a las dos Internacionales. De Brouckère y Adler representaban a la Internacional Socialista; Cachin, Thorez, Longo, Dahlem y Checa, a la IC. Togliatti, que estaba en Francia como delegado de esta, no participó, pero la siguió muy de cerca [284, IV-1, 253-257]. Se llegó a un acuerdo de principio para protestar del bloqueo de la España republicana y para actuar de común acuerdo en la medida de lo posible, a su favor. Era más un propósito que un programa de acción, un acuerdo frágil que encontró serios obstáculos en la práctica, por la crisis interna de la IOS, donde primaba solo el propósito de una acción humanitaria hacia la España republicana, y en la que se temía más la absorción comunista que el triunfo del fascismo.[10]

En el sector juvenil también se celebró una reunión conjunta. A finales de junio de 1937 llegaron a España los líderes de la Internacional Juvenil Socialista y de la Internacional Juventud Comunista, presididas respectivamente por Erick Ollenhauer y Michail Wolf. Visitaron los frentes y se organizó un mitin en Madrid y una Conferencia Conjunta con la JSU de Valencia, el 5 de julio. Era la primera vez que ambas organizaciones juveniles internacionales se encontraban y discutían.

NOTAS DEL CAPÍTULO IX

1. Seis batallones de la 50 División, mandados por Ibarrola, se hicieron fuertes en las alturas de Cabuérniga y en el cruce de Puentenansa, permitiendo la evacuación de restos de las unidades por el corredor de Santillana del Mar.

2. Alusión a Negrín y a Prieto.

3. Testimonio del Comandante médico Rodríguez Mata, que constituye el documento anexo núm. 29 del Informe de J. A. Aguirre (pp. 439-443).

4. Según Aguirre, en su Informe al gobierno de la República, las cláusulas esenciales del pacto eran:

Por parte vasca:

a) deponer todas las armas y remitir el material a las fuerzas legionarias italianas que ocuparían sin lucha la región de Santoña;

b) conservar el orden público en la zona que allí ocupaban;

c) asegurar la vida y la libertad de los rehenes políticos de las cárceles de Laredo y Santoña.

Por parte de las fuerzas italianas:

a) garantía para la vida de todos los combatientes vascos;

b) garantía de vida y autorización de salida para el extranjero a todos los funcionarios de Euzkadi y personas políticas vascas que se encontraban en el territorio de Santoña y Santander: se extendían estos beneficios para los santan-derinos y asturianos comprendidos en el mismo territorio;

c) considerar libres de toda obligación de tomar parte en la guerra civil a los combatientes vascos objeto de la capitulación;

d) asegurar que la población vasca leal al Gobierno de Euzkadi no será perseguida [5, 236, 237].

5. Una síntesis breve, pero rigurosa, de Asturias en guerra es la comunicación de Antonio Masip al III Coloquio de Pau: «Apunte para un estudio sobre la guerra civil en Asturias», en *Sociedad, Política y Cultura de España, siglos xix-xx*, Madrid, 1973, pp. 303-317.

6. Antonio Masip ha publicado con notas críticas el acta de la última reunión del Consejo, cf. *El Basilisco*, núm. 2, mayo-junio 1978, 70, 74, Oviedo.

7. Eduardo Pons Prades ha publicado en su libro *Guerrillas españolas* un importante testimonio de J. M. Álvarez Posada («Celso Amieva»), del que reproducimos el siguiente fragmento:

«En Asturias, dados los antecedentes rebeldes de la población, la represión tenía que ser espantosa y lo fue, pues espantosa fue la desesperada lucha de los que no emigraron, por mar o por tierra hacia afuera. Se dijo que hasta la aviación intervino contra los irreductibles. Se sabe que en la cuenca minera hubo guarniciones de tropas moras durante muchos años... Hubo comarcas en que se

411

quemó toda casa, toda cabaña, todo invernal, hasta los árboles, para arrebatarles a los guerrilleros el menor apoyo...»

8. En diciembre de 1936, Rojo da una instrucción, como jefe de EM de la defensa de Madrid, para formación de unos grupos de guerrilleros partiendo de la XII Brigada Internacional y del 5.º Regimiento (que debía disolverse días después). El breve artículo sobre «organización de la guerra en la retaguardia enemiga», publicado en *Milicia Popular* del 8 de octubre de 1936, no parece haber tenido ninguna trascendencia.

Ciertamente, el ruso Orlov ha hablado de «millares» de guerrilleros preparados por los especialistas soviéticos, pero tiene todo el aspecto de las exageraciones habituales en ese tipo de agentes cuando pasan de un campo a otro. Incluso en las fuentes de origen franquista, tan amigas de ver rusos por todas partes, no aparece esta hipótesis, que, de haber sido lo masiva que Orlov dice, hubiera incidido en el curso de la guerra.

Por su parte, Líster ha escrito duras críticas contra ministros y altos mandos por no haber aprovechado las bases de un movimiento guerrillero que existían en zona franquista, contraponiendo el ejemplo del PCE, que, según él, organizó algunas escuelas de guerrilleros. Tiene criterio más favorable para Negrín, del que afirma haber sido el organizador del XIV Cuerpo de Ejército.

9. Cf. *Archives Secrètes*, particularmente en núm. 54, informe enviado por Von Stohrer al III Reich el 24 de octubre de 1937.

10. A este respecto es clarificadora el acta de la reunión del Presidium de la IC en septiembre de 1937 con participación de una delegación del PCE. Se trató el problema de España, la acción conjunta PCE-PSOE y de las relaciones que deben mantenerse tanto con la IC como con la IOS. Cf. este documento de la IC, que procede del Archivo del Instituto de Marxismo-Leninismo de Moscú, en *Guerra y Rev.*, III, 218.

CAPÍTULO X

Teruel y estructuración del Estado en la España "nacional"

1. LA BATALLA DE TERUEL

Tras el fin de los combates en el norte se abría un paréntesis que, de hecho, constituía una carrera de velocidad entre los Estados Mayores de los ejércitos contendientes, para tomar la iniciativa de nuevas operaciones. Franco preparaba una nueva ofensiva sobre Guadalajara con el propósito de realizar con éxito el plan concebido en marzo de 1937, envolver Madrid y tomarlo. Concentró doce divisiones, que se escalonaron en el valle del Jalón hasta Medinaceli. Según ha escrito el general García Valiño, «se iba, pues, a reproducir en gran escala la fracasada operación sobre Madrid que desde la región alcarreña se intentara en el mes de marzo del mismo año». También dice García Valiño que se habían concentrado tres cuerpos de ejército en el frente Cogolludo-Salices, entre ellos el italiano, compuesto de tres divisiones.

Pero, al mismo tiempo, Rojo y su Estado Mayor (Estrada, Ciutat, Fe) elaboraban sus planes; el más importante fue el llamado «Plan P», que consistía en romper el frente adversario por Extremadura, al sur del Guadiana, salir a la frontera portuguesa y converger sobre Sevilla. Ya había un ejército de maniobra con cinco Cuerpos, al que se unirían los ejércitos de Andalucía y Extremadura, movilizando en total unas 25 divisiones. La ofensiva exigía una enorme masa de transportes y el correspondiente «techo» de aviación. Pero lo más importante era la sorpresa y ganar la carrera de la reorganización de fuerzas; era necesario operar en el mes de diciembre.

A la vez, el EM preparó otros dos planes. El primero de ellos era el «contragolpe estratégico n.º 2», destinado a ocupar Teruel (que era un saliente franquista en la línea de frentes) después de cortar sus comunicaciones con Zaragoza. El «contragolpe estratégico núm. 1» era un nuevo proyecto de ocupación de Huesca. Si este último estaba destinado a cortar una eventual ofensiva sobre Cataluña, el de Teruel podía paralizar un ataque a Madrid.

Sin embargo, el ministro de Defensa negó su visto bueno al plan que le presentara Rojo, pues le parecía irrealizable. El gobierno pensó como Prieto y el plan «P» fue sustituido por el «contragolpe estratégico n.º 2» (ofensiva sobre Teruel), decidido en la reunión celebrada por el Consejo Superior de Guerra el día 8 de diciembre.

Se inicia, pues, una operación que, a nivel estratégico, tiene carácter defensivo: Teruel era un saliente de las líneas franquistas, pero desde Teruel, una vez ocupado, no se podía ir a ninguna parte, militarmente hablando.

Para esa operación se despliegan tres de los cinco cuerpos de ejército que tenía el recién formado Ejército de Maniobra, mandado por el mismo general Rojo, con el coronel Federico de la Iglesia como jefe de EM. Lo integraban los siguientes cuerpos de ejército y mandos: XX (Menéndez), XXII (Ibarrola), XVIII (Heredia) —el V, mandado por Modesto, y el XXI, por Perea, no intervienen en las primeras fases de la batalla—, más la 64 y la 39 División mandadas, respectivamente, por M. Cartón y Balibrea. Estas fuerzas, unos 40 000 hombres, apoyadas por 125 piezas de artillería (al mando del teniente coronel Gallego), 92 tanques y 80 carros (al mando del coronel Parra) rompieron el fuego en la madrugada del 15 de diciembre, con una temperatura de varios grados bajo cero. El XXII Cuerpo partió por la derecha, desde Villalba baja, y a las diez de la mañana su 11 División (Líster) ocupaba el pueblo de Concud después de haber penetrado por el río Alfambra y las estribaciones del Muletón; esa misma división cortaba a mediodía la carretera entre Teruel y Zaragoza a la altura del kilómetro 173. La 25 División (Vivancos) llegaba a San Blas ese mismo día.

Mientras tanto, el XVIII Cuerpo de Ejército había avanzado desde Rubiales, pero mucho más lentamente, de modo que no estableció contacto con el XXII Cuerpo de Ejército hasta el 20 de diciembre. En cuanto al XX Cuerpo (que operaba solo con dos divisiones) estuvo paralizado varios días ante las posiciones adversarias de Puerto Escandón, desaprovechando las penetraciones de los tanques. Para el día 20 los defensores de Teruel habían reagrupado sus fuerzas en el recinto fortificado, pudiendo contar con unos 7000 hombres. Pero la Muela de Teruel se había derrumbado el día 18, el puerto de Escandón el 19, así como el cementerio de Teruel. Las primeras tropas republicanas entraban en la ciudad el 22 de diciembre, pero los defensores (Rey d'Harcourt y Barba) se hicieron fuertes en el Gobierno Civil, el Banco de España, el seminario y un convento. Franco firmó el 22 de diciembre su directiva al general Dávila, jefe del Ejército del Norte, disponiendo que fuesen enviados al frente de Teruel dos cuerpos de ejército, con un total de ocho divisiones, mandados respectivamente por Aranda y Varela. Su primer objetivo era conquistar la Muela de Teruel. Rey d'Harcourt recibió orden de resistir a toda costa. Estas fuerzas entraron en acción el 25 de diciembre apoyadas por 296 piezas de artillería y, en efecto, las unidades de Muñoz Grandes y Valiño ocuparon la Muela el 31 de diciembre, a costa de grandes sacrificios y con unas temperaturas de 18 grados bajo cero. Del 29 al 31 hubo una depresión casi total en las filas republicanas. La noche de Año Viejo, las unidades republicanas llegaron a evacuar Teruel, pero sus adversarios no se dieron cuenta y durante la madrugada ocuparon de nuevo sus posiciones. Aquella misma noche, Rey d'Harcourt comunicaba a sus mandos: «No podemos resistir más. Si mañana no llegáis hasta nosotros nos rendiremos al enemigo» (anteriormente el coronel Barba, que se había encerrado en el seminario, se rindió con varios cientos de hombres). Todavía resistió una semana más, pero las fuerzas de Aranda se estrellaron ante Celadas y el Muletón, lo que quitaba toda eficacia a los ataques de Varela hacia Teruel mismo. Nevaba cada vez más y las operaciones eran penosísimas para ambos bandos; los republicanos tuvieron que hacer entrar en línea al V Cuerpo de Ejército mandado por Modesto. Su artillería tiraba a cero sobre la defensa de Rey. Este y sus hombres deciden rendirse el 8 de enero: «con noventa por ciento de bajas en la oficialidad, perdida la moral de la tropa, en la que es continua la deserción y con mil quinientos heridos sin asistencia por falta de material sanitario y amenazados de muerte por modernos medios de combate», dice el acta de rendición que firmaron Rey d'Harcourt y sus oficiales. Por rendirse fue tratado con extrema dureza por sus compañeros; pasados los años ha sido Salas Larrazábal el primer historiador de filiación franquista que le ha hecho justicia y le ha reivindicado.

Tomado Teruel, Rojo seguía poniendo sus esperanzas en planes más vastos y regresó a Barcelona dejando a Hernández Sarabia (jefe del Ejército de Levante) el mando de las fuerzas. Pero Franco, tanto por razones de prestigio como para fijar a las fuerzas republicanas y desgastarlas, proseguirá la batalla enviando siete divisiones de refuerzo en la primera quincena de enero. Desde finales de ese mes, el mando republicano se ve obligado a que entren en fuego los cinco Cuerpos que componían el ejército de maniobra. Aranda no pudo conseguir sus objetivos, gracias sobre todo a la resistencia de la 27 División (Del Barrio). Pero Franco movilizó el cuerpo de ejército marroquí, varias divisiones de Navarra y la caballería de Monasterio (guardando aún en reserva el cuerpo de ejército italiano). Desde el 5 de febrero ataca con 15 divisiones (125 000 hombres y 400 cañones), que desde distintos puntos de partida convergen sobre Sierra Palomera y Alfambra, al norte de la ciudad; el 10 de febrero han conquistado la Sierra y realizado una penetración de 30 kilómetros. El mando republicano realiza un contragolpe táctico el día 10, en Segura de los Baños, que consigue detener momentáneamente la ofensiva de Aranda. El día 17, ya consolidadas sus posiciones en la orilla derecha del Alfambra, los cuerpos de ejército marroquí y de Galicia inician la maniobra de envolver Teruel; la 46 y la 67 División republicanas defendían la plaza. Tras encarnizadísimos combates, los franquistas cortan la carretera de Teruel a Valencia el día 19. La 46 División, que manda Valentín González («Campesino»), con Ángel Palacio como jefe de EM, queda cercada en la plaza. Esa fuerza se quedó sin comunicaciones de radio, sin abastecimiento, sin material sanitario; Teruel era una ciudad vaciada de habitantes convertida en primera línea de fuego.

El alto mando republicano encargó a Modesto que su V Cuerpo se hiciera cargo de la defensa inmediata de Teruel y Puerto Escandón. Demasiado tarde.

En la noche del día 20, en el Teruel sitiado, hubo una reunión de mandos, en la que el comandante Pedro Mateo Merino, jefe de la 101 Brigada y comandante militar de la plaza, informó: la moral era muy buena, pero la ciudad estaba rodeada de un doble anillo con la única brecha de una estrechísima faja al borde del Turia, batida por las ametralladoras. Se necesitaban municiones y vituallas inmediatamente; lo contrario suponía entregar 2000 hombres inermes al enemigo. Mateo Merino añade que existe una alternativa: romper el cerco desde el interior y reunirse con las propias tropas.

El mando de la División (González) muestra su acuerdo, con la sola condición de dar todavía un margen de 24 horas por si llegan noticias del exterior.

Según diversas fuentes, hubo un contacto «Campesino»-Modesto. ¿Qué día? ¿Antes o después de la reunión de mandos? Modesto se refiere en sus *Memorias* [197, 150-151] a esa entrevista, fechándola el 21 de febrero, y dice que «Campesino» le propuso la evacuación, a lo cual él —Modesto— se negó. Modesto hace otras afirmaciones difíciles de sostener, según los diversos testimonios de quienes estaban dentro de la plaza: que el EM de la 46 División continuaba enlazado con él por teléfono y por radio (¿para qué hubiera ido a verle entonces Valentín González, corriendo mil riesgos?). Igual sucede con la afirmación de que Teruel había sido evacuado «sin orden ni necesidad».

El testimonio del capitán Ángel Palacio, jefe de EM de la 46, confirma la entrevista González-Modesto, así como la versión de la reunión de mandos. P. Mateo Merino explica esta con detalle, pero no se refiere a la citada entrevista. Según él, las orientaciones del Mando, antes de quedar cortados (por teléfono y por radio) habían sido: «¡Manténgase en la plaza! ¡Enviamos refuerzos!» (la noche del 19 al 20), pero añade que, anteriormente, «Campesino» había recibido autorización expresa de retirarse «cuando lo estimase oportuno»[1] [197; 78; 243; 257; 167; 21; 124].

En conclusión, los 2000 defensores de Teruel agotaron todas las posibilidades de defensa y organizaron la salida por ruptura de cerco para la madrugada del día 22, después de transcurridas 24 horas sin la menor noticia del exterior. A la una de la noche, el destacamento de ruptura cayó de improviso sobre las posiciones del Ejército de Castilla entre la Muela y el Turia y abrió paso al resto de las unidades, que pronto sufrieron intenso fuego de mortero y ametralladoras; hacia las cuatro de la mañana vadearon las aguas heladas del Turia los últimos hombres y los mandos; unos 1300 hombres llegaron a las líneas republicanas en el sector de Villaespesa; más de 500 combatientes habían caído, entre ellos el capitán Palacio, hecho prisionero. La 46 División tuvo en Teruel 4500 bajas.

La batalla de Teruel había terminado, y Modesto lograba estabilizar el frente el día 25 en la margen derecha del Alfambra. La rectificación final de frentes supuso que los republicanos perdieron las posiciones de Sierra Palomera, con lo que se reforzaba el saliente de Teruel, que así podía cobrar potencialidad ofensiva.

Es conocida la afirmación del general Aranda: «La situación final fue tablas. El enemigo solo retrocedió lo indispensable para ocupar buenas posiciones sólidamente, sin perder el contacto. Los contendientes se pararon tácticamente, dejando para mejor ocasión la lucha decisiva» [21, 339].

Sin embargo, el ejército republicano había sufrido más en la batalla de desgaste, porque tuvo que utilizar casi todas sus reservas estratégicas y hacer entrar en combate a la totalidad del ejército de maniobra, de nueva creación. A primeros de febrero, Franco había completado sus reservas estratégicas y, por añadidura, dejó sin intervenir en esta batalla al Cuerpo de Ejército italiano.

2. EL PRIMER GOBIERNO DE FRANCO

El año 1938 se abría con un clima glacial —meteorológico y bélico— y aparecía un cierto pesimismo en la retaguardia, donde se había iniciado un aumento en los precios. A pesar de todo ello, Franco, que acababa de ver confirmada la unificación política y de mando con el juramento de los Consejeros Nacionales, dio un paso definitivo y trascendental en los últimos días del mes de enero.

El día 30 quedó constituido su primer gobierno y se promulgó la LEY DE ADMINISTRACIÓN CENTRAL DEL ESTADO. Desaparecía así la provisionalidad de la Junta Técnica y sus comisiones para dar paso a un aparato estatal, base de la estructuración económica, política e ideológica del «nuevo Estado».

La organización que se llevó a cabo quedará sujeta a la constante influencia del Movimiento Nacional. De su espíritu de origen, noble y desinteresado, austero y tenaz, honda y medularmente español, ha de estar impregnada la administración del Estado nuevo.

Estas palabras de la exposición de motivos de la Ley de 30 de enero expresan y reafirman el punto de partida del nuevo Estado —la sublevación militar frente al gobierno legal de la República—, ideología política que se había ido configurando a lo largo de 1937, concretada al fin en «Falange Española Tradicionalista y de las JONS». La unidad de poder y la coordinación de funciones, como notas fundamentales del nuevo aparato estatal, pergeñadas ya en la Junta Técnica y la Unificación, quedaron sancionadas y confirmadas en la nueva Ley.

El artículo 16 es claro y taxativo en este sentido: «La Presidencia queda vinculada al Jefe del Estado. Los ministros, reunidos con él, constituirán el gobierno de la nación. Los ministros prestarán juramento de fidelidad al Jefe del Estado y al Régimen Nacional...». Y el artículo 17, que expresa el precepto fundamental del franquismo, afirmaba que se le concede «la suprema potestad de dictar normas jurídicas de carácter general». Franco reunía en su persona todos los poderes, incluso el legislativo. Los ministros juraban fidelidad al «Jefe del Estado y al Régimen Nacional». «Movimiento», «Régimen», «Jefe del Estado», «Jefe Nacional» son conceptos que aparecen en los textos legales con una cierta imprecisión y ambigüedad. Por otra parte, la «unidad de poder» creó una simbiosis entre Estado y partido, que con frecuencia se confundían.

El nuevo gobierno presidido por Franco como Jefe del Estado[2] respondía al conglomerado de tendencias que en julio de 1936 se alzó contra la «anarquía». En la composición del mismo, como en la redacción de la Ley, tuvo un papel importante Serrano Suñer, pero la decisión última en los nombramientos fue de Franco. El criterio que guió la elección fue triple: la competencia personal, la representatividad de todas las fuerzas del «Movimiento» y la fidelidad al «mando» [266, 255]. Franco quería mandar con autoridad y sin condicionamientos de ningún tipo [241, 121].

Monárquicos eran Amado y Sainz; carlista, Rodezno; colaboradores de la Dictadura de Primo de Rivera, Jordana y M. Anido; falangistas «viejos» y «nuevos», F. Cuesta, Serrano y G. Bueno; tecnócratas, Peña y Suanzes; militar con probada fidelidad, Dávila, antiguo presidente de la JT y que asumió ahora la Defensa Nacional. Era un gobierno con un peso fuerte militar, conservador, con representantes del poder oligárquico y con un ropaje de Falange,[3] características que se plasmarán en la política legislativa del último año de guerra, pilar de la victoria en los años cuarenta. No era un gobierno de concentración, ya que habían desaparecido los partidos en virtud de la «Unificación», pero los ministros conservaban su ideología. No había homogeneidad, pero la esperanza del triunfo bélico, la guerra, era lo más importante y el elemento de unión. Lo realmente auténtico era el «mando personal de Franco» [255, 269, 339]. Tampoco fue obstáculo la dispersión geográfica de los ministros, repartidos entre Burgos, Santander, Bilbao, Vitoria y Valladolid. Burgos, lugar oficial de residencia de Franco en el palacio de la Isla, propiedad de la familia Muguiro, fue en realidad el centro político y la capital del nuevo Estado hasta la primavera de 1939.

En esta primera organización del aparato estatal, tres ministerios —Defensa, Orden Público y Asuntos Exteriores, regidos por militares— no eran más que una prolongación efectiva del Estado Mayor del Generalísimo. Interior, en manos de Serrano, fue el instrumento que utilizó él, del que se sirvió Falange y aprovechó Franco para lograr una reeducación política de las masas y, sobre todo, una «nacionalización de las hasta entonces dominadas por el comunismo» [265, 74; 266, 256-257; 241, 129 ss]. Serrano buscó para ello sus colaboradores entre los hombres de Falange, tanto entre los «viejos» como entre los «nuevos».[4]

Las carteras de Justicia y Educación, dirigidas por Rodezno y S. Rodríguez respectivamente, tuvieron una importancia grande en la legislación en materia educativa y familiar basada en la doctrina social de la Iglesia, opuesta a la legislación laica de la Segunda República. En la inmediata posguerra, estas carteras continuaron también en manos de hombres entroncados con el tradicionalismo y sectores militantes del catolicismo. La educación fue el sector de la vida española que tuvo un interés social para la Iglesia y que Falange, en cierto aspecto, perdió [241, 122].

Dos personajes, protagonistas de la primera etapa del franquismo, desaparecieron de la escena política en enero de 1938: Nicolás Franco, jefe de la Secretaría General del Estado, y Sangróniz, jefe de relaciones exteriores en la Junta Técnica, fueron enviados a ocupar la representación diplomática en Lisboa y Caracas. Franco inauguraba una práctica que utilizó en años posteriores.

El mecanismo político de la nueva Falange también funcionaba. Sus dos órganos, la Junta Política y el Consejo Nacional, continuaron funcionando en Burgos, como órganos meramente consultivos, con una vida poco intensa. En algunos casos hubo alguna reunión agitada y tirante [241, 122; 265, 64-66]. La única obra importante en la que participó el Consejo Nacional fue la elaboración del FUERO DEL TRABAJO. Ambos organismos sirvieron para que el Partido y el Estado no perdieran oficialmente el contacto.

3. EL FUERO DEL TRABAJO

Una de las primeras preocupaciones del gobierno fue la articulación de una política encaminada a la integración de patronos y obreros, como base de unas relaciones laborales que superaran la conflictividad social. Para ello se elaboró el FUERO DEL TRABAJO en marzo de 1938, declarado posteriormente LEY FUNDAMENTAL. Fue una especie de carta magna y declaración de principios doctrinales y organizativos sobre la política social del nuevo Estado.

La elaboración y contenido del Fuero fue objeto de debates y querellas entre el gobierno y el Consejo Nacional [241, 195]. Este rechazó el proyecto del ministro de Organización y Acción Sindical, y se presentó otro elaborado por una Comisión de estudios de la Secretaria General de FET, integrada por Joaquín Garrigues, Rodrigo Uría y Javier Conde. El texto final fue elaborado por una comisión del Consejo Nacional en la que participó E. Aunós, ministro de Trabajo en la Dictadura. La redacción aprobada fue el resultado de una triple influencia: de la doctrina social de la Iglesia, la Carta di Lavoro de Italia y la revolución sindicalista de Falange, reflejada en el preámbulo del documento:

Renovando la Tradición Católica, de justicia social y alto sentido humano que informó nuestra legislación del Imperio, el Estado Nacional, en cuanto es instrumento totalitario al servicio de la integridad patria, y sindicalista, representa una reacción contra el capitalismo liberal y el materialismo marxista, emprende la tarea de realizar —con aire militar, constructivo y gravemente religioso— la Revolución que España tiene pendiente y que ha de devolver a los españoles, de una vez para siempre, la Patria, el Pan y la Justicia.

En el FUERO DEL TRABAJO quedó delimitada la estructura de las relaciones laborales, basada en el mantenimiento de la propiedad privada, en la intervención del Estado, en la fijación de normas de trabajo y salarios, así como en el fomento de la economía, en defecto de la iniciativa privada; en la ordenación de la empresa como unidad jerárquica de producción, bajo la jefatura del patrono; en la prohibición de los sindicatos obreros de clase, y en la creación de una estructura sindical de tipo corporativo inspirada en los principios de «Unidad, Totalidad y Jerarquía», en la que debían encuadrarse todos los productores (patronos y obreros) por ramas de producción o servicios (sindicatos verticales), y los mandos de este sindicato corporativo debían recaer en militantes de FET y de las JONS; y, por último, prohibición de todas las acciones de resistencia (trabajo lento, perturbación del trabajo, etc.). Las huelgas eran consideradas «como delitos de lesa patria». Quedaba ya configurado el sindicato único y vertical totalmente sometido al Partido, instrumento al servicio del Estado y con la función de reunir en «hermandad cristiana las diversas categorías sociales del trabajo» y de servir de marco de «encuadramiento y disciplina» de los intereses económicos [271, 21-22].

Esta política laboral se completó con el Decreto de 13 de mayo (*BOE*, 3 de junio) que suprimía los jurados mixtos, creación de Largo Caballero en 1932, y creaba como único organismo para regular las relaciones laborales las Magistraturas del Trabajo. Se dieron también otras normas que regulaban el descanso dominical (*BOE*, 26 de marzo), la creación del Instituto Social de la Marina (*BOE*, 4 de junio), y los comedores para obreros (*BOE*, 11 de junio).

4. AFIANZAMIENTO IDEOLÓGICO DEL RÉGIMEN

La consolidación de un aparato ideológico fue una de las preocupaciones fundamentales de Serrano Suñer, como ya hemos dicho. Lo realizó sobre todo a través de los servicios de Prensa y Propaganda. Su instrumento fundamental fue la LEY DE PRENSA de 22 de abril, que puso las bases de una prensa al servicio del Estado, a la que siguió otra Ley, el día 29, por la que se regulaba la autorización para publicar libros. Toda la producción cultural quedaba controlada y dirigida.

El régimen quiso plasmar externamente su ideología en un nuevo escudo, en las nuevas monedas de real y en las fiestas que iban completando el nuevo calendario.[5] «Al instaurarse, por la gloriosa revolución nacional de 1936, un nuevo Estado, radicalmente distinto en sus esencias de aquel al cual ha venido a sustituir, se hace preciso que este cambio se refleje en los emblemas nacionales...» (Decreto de 2 de febrero 1938, sobre el nuevo escudo).

El afianzamiento ideológico exigía la supresión de todo lo que se consideraba opuesto a la «unidad»; por ello, el 5 de abril quedó abolido el Estatuto de Cataluña; y el 21 de mayo se daban normas para la uniformidad de la lengua en el País Vasco y Cataluña. A estas normas se unían todas las medidas de depuración[6] y el restablecimiento de la pena de muerte por Decreto de 7 de julio. Un testimonio doloroso, pero reflejo de la represión ideológica «nacionalista» por parte de Franco, fue el fusilamiento de M. Carrasco Formiguera, político catalán de la UDC, católico, demócrata, pero catalán y defensor de la autonomía de Cataluña. Fue en Burgos, el 9 de abril [230, 400-412].

Otro de los componentes ideológicos más importantes del nuevo régimen fue el religioso, más en concreto el católico. La Iglesia se identificó con el nuevo régimen político, que le permitía mantener una situación de privilegio y le garantizaba unos derechos para ejercer su función propia con plena libertad y autonomía, y el Estado encontró en ella su legitimación. Inserción o unión de la Iglesia con el régimen que se denominó después *nacional catolicismo*. Esta palabra expresa la identificación de lo nacional con lo católico, de la integridad del Estado con su confesionalidad religiosa.

Los decretos y leyes del gobierno de Burgos, por una parte, derogaban la legislación de la Segunda República, y por otra, concedían privilegios y derechos a la Iglesia. Los principales fueron la derogación de las leyes de divorcio y matrimonio civil en marzo de 1938; el restablecimiento de la Compañía de Jesús en mayo; en noviembre se reimplantaba el culto religioso en el ejército; la concesión de una retribución a los sacerdotes con cura de almas en territorio «liberado», en enero de 1939, y por fin, en febrero de 1939, se derogó la LEY DE CONFESIONES Y CONGREGACIONES RELIGIOSAS de 1934, y en marzo se dio una Ley eximiendo de contribución territorial a los bienes de la Iglesia. Todo esto se completó con leyes, decretos y normas sobre la enseñanza religiosa, prácticas de culto, el crucifijo en las escuelas[7] y las fiestas religiosas, que fueron una parte importante del nuevo calendario.

NOTAS DEL CAPÍTULO X

1. Véanse: Memorias inéditas del teniente coronel Pedro Mateo Merino. Testimonios del profesor Ángel Palacio, entonces capitán de Estado Mayor.
2. Primer gobierno de Franco: *Jefe de Estado*, Franco; *Vicepresidente y Asuntos Exteriores*, teniente general F. Gómez Jordana; *Interior*, R. Serrano Suñer; *Justicia*, conde de Rodezno; *Defensa Nacional*, general F. Dávila; *Orden Público*, general S. Martínez Anido; *Hacienda*, A. Amado; *Obras Públicas*, A. Peña Boeuf; *Educación Nacional*, P. Sainz Rodríguez; *Agricultura*, R. Fernández Cuesta; *Organización y Acción Sindical*, P. González Bueno; *Industria y Comercio*, J. A. Suanzes.
3. Todos los ministros nominalmente eran del partido. Seis eran Consejeros Nacionales, y cinco, miembros de la Junta Política. Todos asumieron los símbolos externos, uniforme, saludo, etc.
4. *Subsecretario*, P. Lorente; *Jefe de Propaganda*, D. Ridruejo; *Jefe de Prensa*, J. A. Giménez Arnau; *Jefe de Radiodifusión*, A. Tovar; *Servicio de Juventud*, Sancho Dávila.
5. Decreto de 2 de febrero sobre el nuevo escudo, fiestas del «Estudiante Caído», Sto. Tomás de Aquino, San José, las vacaciones de Semana Santa, el 19 de abril, el 2 de mayo, etc.
6. A modo de ejemplo, una circular de FET, firmada por A. Luna, que ordenaba la formación en cada provincia de un fichero reservado de abogados, procuradores, secretarios, registradores, notarios, jueces, fiscales, abogados del Estado, etc.
7. 5 de marzo de 1938, Orden circular de la Inspección de Primera Enseñanza; 29 de abril, Decreto sobre la devoción mariana y el mes de mayo en las escuelas; 11 de julio, sobre la represión de la blasfemia y la difamación.

CAPÍTULO XI

Economía de guerra

Ya hemos tenido ocasión de ver los cambios estructurales que la réplica a la sublevación originó en la economía de la zona republicana. También el inmovilismo en el territorio dominado por Franco, la formación en Burgos de un consejo del Banco de España, así como de un comité de la banca privada, la cual se vio dispensada de la obligación de presentar balances y celebrar juntas de accionistas.

En la zona republicana, los siete primeros meses de guerra coincidieron con una mayor fragilidad de los resortes del Estado y con un período de experiencias y de incertidumbres sobre organización de la economía, obtención de materias primas y recursos, circuitos comerciales internos y externos, créditos, imposición fiscal, etc., etc. La base de la estructura agraria era el Decreto de 7 de octubre de 1936, que expropiaba sin indemnización, en favor del Estado, las fincas rústicas pertenecientes a personas que hubiesen intervenido en el alzamiento contra la República. Pero ya el Decreto de 8 de agosto de 1936 había autorizado la intervención por la autoridad municipal de cualquier explotación agrícola que hubiese sido abandonada por su propietario, cultivador, colono o arrendatario. En verdad, esa intervención no fue casi nunca realizada por los municipios, sino por los sindicatos o por los comités —unos sindicales, otras veces del Frente Popular—, dando lugar en la mayoría de los casos a las llamadas colectividades, cuya naturaleza ha originado tantas polémicas. (Otro Decreto, el de 17 de agosto, especificaba que los Ayuntamientos serían «asistidos de las Organizaciones obreras de carácter agrícola existentes en la localidad».)

Las empresas industriales de la zona republicana se habían encontrado en una fuerte proporción sin patronos, y a veces sin técnicos, tras las jornadas de julio de 1936. Esto había originado las más diversas formas de intervención y de ocupación, yendo desde la colectivización (peculiar

425

forma de autogestión muy autónoma) allí donde el anarcosindicalismo predominaba, hasta la nacionalización con comité obrero, allí donde la mayoría era de UGT; los comités de control obrero existieron en todas partes, incluso allí donde los patronos, pequeños o medios, siguieron al frente de las empresas, caso que se dio más en la zona central (Madrid). Por otra parte, se planteó desde el primer momento la necesidad de intervención en las industrias de guerra (o de aquellas que debían reconvertirse con tales fines), lo que no fue siempre fácil, por el celo que pusieron en defender sus prerrogativas algunos comités sindicales (CNT sobre todo) y muchos organismos de la Generalitat catalana; la suma de ambas tendencias creó más de un problema a los servicios de material y municionamiento del Ejército Popular.

En el norte, la separación física del resto del país se unió a la peculiaridad nacional (y de su gobierno autónomo) en el caso de Euzkadi, donde se mantuvo la propiedad privada de los medios de producción, sin más límites que las incautaciones de bienes de algunas personalidades que habían hecho causa común con los sublevados. No obstante, existió la intervención de industrias de guerra. En cuanto a Asturias, mucho más radicalizada, conoció una especie de nacionalización de minas y fábricas, pero con el rasgo específico de su autonomía impuesta geográficamente, sin que el Estado dirigiese para nada la producción. Pasadas las primeras semanas, también en Asturias fueron respetados los pequeños patronos.

¿Cómo evoluciona esa economía cuando la guerra se «estabiliza» y cuando se asiste a una restauración del Estado con el gobierno Negrín, y también en la zona franquista se refuerza el autoritarismo, con la unificación impuesta, primero, con la formación de un gobierno regular, después?

1. POLÍTICA AGRARIA: COLECTIVIZACIONES Y CONTRARREVOLUCIÓN AGRARIA

La agricultura obtuvo grandes rendimientos en ambas zonas durante 1937, pese a las dificultades inherentes a la guerra. Se da también el caso de que climatológicamente las cosechas de cereales se vieron favorecidas y fueron muy superiores a las de 1936. Es el caso que la producción de trigo en zona republicana aumentó en 9 % con relación a 1936, y en 17 % en las zonas franquistas de Castilla. Desde luego, la zona republicana se encontraba desde el primer momento en serio déficit de cereales panificables, ganadería y derivados, pero con la ventaja de tener los agrios para la exportación, y con el arroz como alimentación de base. La pérdida del norte, más que agravar la carencia de productos ganaderos, fue sensible como hecho militar, porque, dado el corte de las dos zonas, ningún producto del norte (País Vasco, Cantabria o Asturias), ni industrial ni agrario, sirvió más que para el abastecimiento de aquella parte del país. Carece de sentido hablar de pérdidas económicas para el resto de España, pues ni el carbón de Asturias, ni el hierro de Vizcaya, ni la siderometalurgia de ambas zonas pudo ser nunca aprovechada en la zona central o en Cataluña.

En cambio, para la economía franquista, la conquista del norte supuso, es verdad, una mayor demanda de productos alimenticios por el empujón demográfico que acarreó, pero también mayor oferta de productos agrícolas y ganaderos y la gran conquista industrial y minera, porque ellos sí, ellos pudieron integrar la producción del norte de España en la economía general del país y en su esfuerzo de guerra.

En la zona republicana, a los problemas de producción se unieron no pocos de abastecimiento y transporte; así, por ejemplo, el abastecimiento de Madrid (cuya población de hecho nunca bajó de un millón de personas, a pesar de los esfuerzos hechos para la evacuación civil) fue con frecuencia irregular y casi siempre deficiente.[1]

Se habían producido transformaciones en las relaciones de producción de indudable alcance revolucionario; tanto la actitud patronal como la actitud obrera no eran sino la continuación del enfrentamiento social que protagonizaron ya con anterioridad a la guerra.

En el sector agrario se asiste, de hecho, a una toma de tierras por los trabajadores del campo desde el primer momento de la contienda. Hay que precisar que no se partía de cero, sino que, en virtud del Decreto de 20 de marzo de 1936 (y de las ocupaciones de hecho en Extremadura aquel mismo mes), se había producido la «ocupación temporal» de las fincas declaradas de utilidad social en un volumen de 712 070 hectáreas (y el Instituto de Reforma Agraria había otorgado créditos por valor de treinta millones de pesetas). Jacques Maurice ha acertado a precisar que «estalló la sublevación en el preciso momento en que la revolución agraria ya se estaba iniciando» [189, 55]. Es decir, que la revolución agraria no empieza en julio del 36 sino en marzo; revolución legal y pacífica, pero revolución, que explica históricamente —no queremos decir que justifica— el golpe militar y contrarrevolucionario como defensa del sistema de relaciones de producción en el campo español.

La ocupación de tierras se realizó de las más diversas formas y según las tendencias sindicales y políticas predominantes en cada localidad y comarca.

Otro hecho característico fue que muchas colectividades agrarias (sobre todo las influenciadas por la CNT) no solamente se orientaron a la propiedad en común de los medios de producción, sino también a la colectivización del consumo, «hacia un tipo de economía autosuficiente» [189].

Posteriormente, una serie de decretos fueron dando forma legal a las ocupaciones (8 de agosto y 7 de octubre de 1936), legalizando las colectividades (10 de agosto de 1937), pero también las cooperativas agrícolas (Decreto de 27 de agosto de 1937), que permitían diversos grados de asociación entre los campesinos, sin llegar a la colectivización. Este fue uno de los caballos de batalla entre la CNT (apoyada durante el primer año de guerra por la Generalitat de Cataluña y por el Consejo regional de Aragón) y el Partido Comunista (apoyado por el Ministerio de Agricultura). Como problema de fondo estaba la concepción sobre alianza o no alianza entre proletariado y campesinos pobres y medios, la apreciación de la etapa histórica que vivía la revolución española; y como trasfondo, el eterno dilema en el que se movieron las fuerzas obreras del campo republicano: había que hacer la guerra antes que nada, para asegurar así la revolución, o había que hacer la revolución antes que nada, porque así se garantizaba el éxito de la guerra (o, si había que perseguir ambos objetivos, cuál tendría prioridad en caso de conflicto). Esto era lo fundamental, aunque, naturalmente, las cuestiones partidistas, la mayor o menor influencia en zonas agrarias, etc., no estuviese completamente ausente de ciertas actitudes tácticas. Pero no fue nunca lo fundamental. Del mismo modo que había un sector republicano que quería hacer la guerra para defender la democracia, pero sin revolución; y que tampoco la querían los nacionalistas vascos.

El Instituto de Reforma Agraria calculó que se habían expropiado 3 141 880 hectáreas entre julio de 1936 y mayo de 1937; cuatro millones a finales de 1937, y 5 458 885 hectáreas hasta agosto de 1938; todo ello sin contar Aragón ni Cataluña, donde no actuó el Instituto de Reforma Agraria. En Cataluña, las colectivizaciones se extendieron poco; el número de jornaleros del campo era muy reducido y la Unió de Rabassaires, a través de la Federació de Sindicats Agrícoles de Catalunya, mantuvo su hegemonía; los decretos de la Generalitat de enero y febrero de 1937 estipularon que los propietarios que cultivasen directamente sus tierras conservaban todos sus derechos anteriores a julio de 1936. (Hay que saber que entre marzo y junio de 1936 se habían distribuido en Cataluña 232 888 hectáreas a 71 919 familias campesinas.) El mayor número de hectáreas de tierras intervenidas lo fue en Ciudad Real, Jaén y Albacete, por este orden, ya que en Granada y Badajoz (donde la intervención superó al medio millón de hectáreas) fueron ocupadas por las tropas franquistas en una parte mayoritaria de su territorio (Badajoz, sobre todo) desde el verano de 1936.[2]

¿Dónde estuvieron esas tierras más colectivizadas? A juzgar por los datos de Reforma Agraria, en Ciudad Real (92 % de la superficie expropiada); en Jaén, 80 %; en Albacete solo el 20,4 %; en Cuenca el 31 % y en Valencia, 42,5 %; en Guadalajara, 75 % (pero se expropió tan solo el 8 % de tierras). A esto hay que añadir las expropiaciones realizadas en Santander y Asturias (pero, dominando el pequeño campesino, se trataba de cooperativas y formas análogas en la mayoría de los casos), las muy limitadas de Cataluña y las discutidas de Aragón, por unos consideradas como modelos de comunismo libertario o de autogestión «avant la lettre», y por otros como impuestas violentamente por las columnas anarquistas llegadas de Cataluña.

Un autor simpatizante con el anarquismo, pero objetivo, Johan Brademas, escribe: «Si el anarquismo catalán tuvo que contentarse con dominar las ciudades de la región, el predominio militar de sus columnas armadas en Aragón acabaría forzando aquí la solución colectivista que no pudieron imponer a la agricultura de la retaguardia» [55, 204]. Sobre Aragón, Prats ha dado la cifra máxima: 450 colectividades con 433 000 miembros (75 % de la población total y el doble de la población activa, lo que hace pensar que esas cifras son más bien fruto del entusiasmo que de la comprobación objetiva). La cifra de 300 000 dada por Maurice parece el máximo posible, y aun así, incluyendo las 31 colectividades que tenía la UGT en la provincia de Huesca. En general, la pobreza del campo aragonés facilitó una colectivización integral (de producción, servicios y consumo) que se hizo imposible en la agricultura moderna del País Valenciano, destinada a circuitos comerciales múltiples y de estructura mucho más compleja.

He aquí, a continuación, el cuadro general de colectividades reconocidas por el Instituto de Reforma Agraria (esto hace pensar que se trata de una estadística posterior al Decreto de 8 de julio de 1937 y, por consiguiente, no figuran ni Aragón, ni la zona astur-cántabra; se trata, probablemente, de una estadística elaborada en 1938.

La agricultura colectivizada

Provincia	Número de colectividades	UGT	CNT	Mixtas	Extensión total en hectáreas	Número de familias
Albacete	238	210	15	13	92 000	3 550
Alicante	37	23	8	6	22 800	2 270
Almería	37	18	4	15	29 237	2 099
Badajoz	23	17	—	6	350 000	2 650
Ciudad Real	181	112	45	24	1 002 615	33 200
Córdoba	148	—	—	148	141 000	8 602
Cuenca	102	37	5	60	135 179	4 820
Granada	33	—	—	33	45 000	20 000
Guadalajara	205	198	7	—	63 400	2 700
Jaén	760	—	—	760	685 000	33 000
Murcia	122	53	59	10	78 000	4 920
Madrid	76	56	15	5	59 500	5 411
Toledo	100	77	23	—	170 400	9 700
Valencia	151	22	103	26	54 844	21 900
	2 213	823	284	1 106	2 928 975	156 822

Fuente: P. CARRIÓN, *La reforma agraria de la 2.ª República*, p. 136.

429

Sin duda alguna, hubo más colectividades. Sin embargo, este cuadro requiere algunas observaciones: en primer lugar, hay más colectividades de la UGT que de la CNT, contra todo lo que cierta propaganda ha venido haciendo creer durante cuarenta años. Ello no excluye que buena parte de las llamadas mixtas estuviesen, de hecho, bajo la hegemonía de la CNT (que, por otra parte, es la única sindical que ha dado datos sobre este asunto, ya que jamás información alguna procedió de la UGT). En segundo lugar, asigna el carácter de mixtas a la totalidad de las colectividades de Jaén. Los estudios de Garrido [133], permiten señalar la existencia de numerosas colectividades «ugetistas» en aquella provincia; también del PCE, e incluso de Izquierda Republicana.

En fin, si según los cálculos citados por Payne, 316 777 campesinos recibieron tierras (familias, se entiende), 49,5 % las cultivaron en colectividades (el porcentaje real debió ser más elevado).

Thomas (basándose en Peirats) habla de 340 colectividades en «Levante». Si por ese término entendemos también Murcia, tenemos 310 en la clasificación de Reforma Agraria (de la que, extrañamente, está ausente Castellón).

Las estimaciones de Mintz son de 758 000 campesinos en las colectividades; las de Reforma Agraria, 156 822 familias, que pueden estimarse en unos cinco millones y medio de individuos (activos y no activos); si se agregan a las cifras del Instituto de Reforma Agraria los campesinos de Aragón y Cataluña (que entran en la cuenta de Mintz), se tendrían magnitudes muy parecidas.

Las colectividades y cooperativas, etc., acogidas a la legislación del 7 de octubre tenían un régimen de propiedad de la tierra estatalizada (concesión hecha por los comunistas a los socialistas, que eran los máximos partidarios de la nacionalización de la tierra), pero en la práctica, su gestión estaba muy descentralizada; tan solo podemos mencionar como elemento unificador la creación, en marzo de 1937, de una Comisión Nacional de Ordenación de Cultivos, para racionalizar estos en orden a las necesidades de consumo y exportación, que tenía un carácter esencialmente técnico.

La tendencia a potenciar las colectividades se dio también en la UGT, en su sector «caballerista», que era precisamente el que dirigía la FNTT a través de Zabalza y su equipo. Sin embargo, hubo bastantes campesinos del País Valenciano que, al cabo de cinco o seis meses, se mostraron poco satisfechos de la marcha de algunas colectividades. Se ha dicho hasta la saciedad que esto fue aprovechado por el Partido Comunista, que creó la Federación Provincial Campesina de Valencia en octubre de 1936; si el hecho es cierto (y lo es también una lucha por controlar los circuitos de comercialización exterior, la CNT para sí misma y el PCE para el Estado) no lo es menos que, una vez más, se enfrentaban dos estrategias y dos concepciones sobre la alianza con las clases medias en una coyuntura revolucionaria. La alternativa de cooperativas ofrecida por los comunistas tuvo éxito, en gran parte —como señala Aurora Bosch—, porque recogía toda la tradición del cooperativismo valenciano e incluso de los sindicatos agrícolas católicos. Pero —como señala Maurice— el descontento frente a la hegemonía «cenetista» en las colectivizaciones cundió también entre los afiliados valencianos a la UGT, como lo demuestran las quejas emanadas de esos sectores en 1937.

En fin, y en lo que se refiere al trigo, un Decreto del 7 de junio de 1937 ordenó la recogida o «nacionalización» de toda la cosecha, para su distribución y comercialización; se trataba, naturalmente, de una medida de abastecimiento en tiempo de guerra, tanto más indispensable cuanto que el déficit triguero de la zona republicana, en 1937, oscilaba entre siete y nueve millones de quintales, según las estimaciones de Ángel Viñas.

La comercialización de frutas en el País Valenciano quedó en manos de las centrales sindicales durante la primera cosecha de guerra (1936-1937), y la CNT elaboró un proyecto encaminado a extender la colectivización al sector de exportación. Si ese plan (el llamado SURTEF) no cuajó, se creó en cambio el Consejo Levantino Unificado de Exportación de Agrios (CLUEA), formado por las centrales sindicales, que realizaron por su cuenta el comercio exterior. El gobierno (cuando todavía era Juan López ministro de Comercio) no admitió ese cantón que manejase divisas por su cuenta y creó la Central de Exportación de Agrios (CEA), que apoyada en las cooperativas naranjeras llegó a controlar las divisas de la naranja en la recolección de 1937-1938.

Tampoco consiguió la CNT controlar la producción ni la exportación de arroz, ya que en ese sector existía la Federación de Agricultores Arroceros que, con el apoyo del gobierno y del PCE controló toda la comercialización del arroz durante los años de guerra, a pesar de las protestas de la CNT [52].

Otro aspecto de la política agraria fue la necesidad para el Estado de volver a cobrar la contribución territorial, que en algunos casos había llegado a ser cobrada por comités de la CNT (esto ocurrió principalmente con rentas de aparceros). El Decreto de 10 de agosto de 1937, además de disponer una moratoria de rentas de aparcería, dispuso que «las contribuciones por el concepto de rústica y los impuestos diversos que gravan la propiedad rural correspondientes a las rentas, etc», tenían que satisfacerse por quienes explotasen directamente la tierra, ya fueran personas jurídicas (colectividades, cooperativas) o individuales.

En fin, si bien es cierto que en la zona franquista la estructura agraria seguía en el más completo inmovilismo (no consideramos «movilidad» la devolución de tierras a sus importantes propietarios que se operó ya durante la guerra, relativa a las de los Grandes de España, a los que habían sido intervenidas por la Ley de Intensificación de Cultivos, y a las fincas ocupadas de febrero a julio de 1936, es decir más de 400 000 Ha en Badajoz y 80 000 en Cáceres), no obstante, es oportuno señalar la creación del Servicio Nacional del Trigo, con fecha 23 de agosto de 1937, que controló las existencias trigueras, sus precios y su comercialización; muy pronto —en 1938— concedió primas tales que la política triguera, si no resolvió los problemas de los campesinos parcelarios, sí que produjo ganancias considerables a los terratenientes con grandes extensiones de cultivos trigueros.

También conviene señalar la creación, en 1938, del Servicio de Reforma Económica Social de la Tierra, encargado de la devolución de propiedades.

2. INTERVENCIÓN DE CLAVES ECONÓMICAS Y SITUACIÓN DE LA INDUSTRIA

Por razones bélicas, el gobierno republicano intervino desde los primeros días una serie de palancas de la vida económica: Ferrocarriles, CAMPSA, Electricidad, Compañía Trasatlántica, etc. Pero por la coyuntura específica esa intervención se realizó, en la mayoría de los casos, con la colaboración activa de las centrales sindicales. No se operó ninguna incautación de bancos, pero sí intervención, y se bloquearon las cuentas corrientes no permitiéndose retirar cantidades superiores a 2 000 pesetas mensuales (excepto para el pago de salarios). La intervención directa se realizó en las instituciones financieras como el Banco Exterior y el de Crédito Industrial.

De hecho, los sectores clave fueron así intervenidos y pudieron seguir funcionando. Pero el problema básico fue el abandono de empresas industriales por sus propietarios o sus gerentes (a veces era un abandono real, y en otros casos dictado por el miedo). Por un lado, la paralización podía producir un colapso de la economía; por otro, ese «vacío de poder económico» facilitaba la ocupación de fábricas y empresas por sindicatos, comités, etc., con resultado muy desigual y no siempre feliz. El gobierno Giral quiso hacer frente a la situación por un Decreto del 3 de agosto de 1936, que disponía la incautación por el Estado de las empresas industriales que siguiesen abandonadas 48 horas más; la verdad era que en Cataluña y gran parte del País Valenciano esa incautación estaba ya hecha, pero no por el Estado, sino por los comités de cada lugar. En Cataluña se llegó a un Decreto de Colectivización (24 de octubre de 1936) que implantaba obligatoriamente la colectivización de las empresas que contasen con más de 100 trabajadores, las de menos si el propietario había sido declarado faccioso, o si lo acordaban el propietario y la mayoría de los obreros. En Asturias se produjo también una rápida socialización de minas e industrias. En Madrid y provincias centrales, donde predominaban las empresas medias y pequeñas (y donde la CNT era minoritaria), las incautaciones de industrias alcanzaron, según estimaciones aproximativas, un porcentaje de 30 %. No obstante, en todas las empresas funcionaron los comités de control obrero.

No disponemos de estadísticas generales sobre la producción en todo el territorio republicano; las catalanas, reproducidas por Bricall, muestran un mantenimiento de la producción metalúrgica hasta la primavera de 1937, después de lo cual la caída es vertical; las industrias varias limitan su baja al 20 % hasta marzo de 1937; pero la textil, química y construcción caen verticalmente desde noviembre de 1936. Se observa, sin embargo, un esfuerzo encaminado al alza en ramas específicas (carbón, vidrio, textil algodonera) en el último trimestre de 1937.

Desde el primer momento hubo inmensas dificultades por la carencia de carbón, que solía venir de Asturias, teniendo que importarlo del extranjero o utilizar los lignitos de Berga y de Utrillas.

En la primavera de 1938, la caída en poder de Franco de la mayoría de las centrales eléctricas del Pirineo catalán, creó una grave situación en cuanto al suministro de energía eléctrica para la industria.

De todos modos, y a lo largo de los 29 meses de Cataluña en guerra, la producción metalúrgica y buena parte de la textil tuvieron una demanda de productos mantenida por las necesidades militares.

No faltaron los problemas, entre ellos la tendencia a la «sindicalización» (en vez de la auténtica colectivización) de las empresas, alimentada por bastantes medios sindicales, que también enfrentaban a veces a los obreros con sus propios comités de empresa [131-133], y también la ignorancia de la situación global de la economía, que llevaba a particularismos como el de aquel delegado al I Congreso Nacional de Sindicatos Fabriles y Textiles, que pedía «hacer presión sobre el gobierno» porque las fábricas estaban abarrotadas de stocks (esto pasaba en enero de 1937) y querían intercambiar estos productos por materia prima que les enviasen desde el extranjero y no por divisas.[4]

Desde el verano de 1937 hasta la primavera de 1938, si bien aumentaron las dificultades en razón de la guerra, se llegó a una mejor ordenación y aprovechamiento de la economía. Ya pocas semanas antes de salir del gobierno, Juan Peiró (a la sazón ministro de Industria) señaló que se estaba en vísperas de un colapso de la industria textil catalana por falta de materias primas, que el gobierno no podía seguir suministrando; el problema se insertaba en la conflictiva polémica de competencias entre la Generalitat y el gobierno central. Peiró se quejaba de que el gobierno catalán quería exportar directamente los productos para disponer él mismo de las divisas.

La coordinación y control de industrias de guerra progresó notablemente desde el segundo semestre de 1937, pero la nacionalización (pedida por socialistas y comunistas desde finales de 1936) no se produjo hasta el 11 de agosto de 1938, acarreando un problema político que hemos de ver más adelante. Sin embargo, ya en octubre de 1937 la Generalitat controlaba 500 fábricas, en las que trabajaban unos 50 000 obreros.

En el Centro y en Valencia se organizaron brigadas de obreros de choque, se impulsó la producción, se organizó la recogida de chatarra, la incorporación de mujeres a la industria, etc. En esa dirección presionó mucho el Partido Comunista, que propagó también la idea de llegar a trabajar nueve horas diarias para la producción de guerra, cuando no había varios turnos, pero también la mayoría de los dirigentes sindicales comprendieron (tal vez demasiado tarde) la ineludible necesidad de hacer converger toda la economía hacia los objetivos de guerra; la cuestión de las industrias de guerra y su dirección única por la Subsecretaría de Armamento ocupó un lugar primordial en el Pacto de Unidad CNT-UGT firmado en marzo de 1938.

En fin, y como dato para apreciar el volumen de la transformación de relaciones de producción en la industria, podemos citar la evaluación de Mintz (rectificando otras suyas anteriores, mucho más elevadas) que estima en 1 080 000 el número mínimo de obreros trabajando en la industria colectivizada, de los cuales el 70 % pertenecería a Cataluña y no más del 3 % a Madrid y País Valenciano (de Asturias no hace estimación alguna, cuando pueden suponerse en más de 30 000 los mineros y obreros en producción socializada).

En cuanto a la minería del carbón y del plomo, fue incautada a título provisional por el gobierno en mayo de 1937. La medida había sido anunciada por el ministro Juan Peiró (véase *La Vanguardia*, 24-4-37), explicando que era necesario un mayor rendimiento de la minería; en efecto, las minas de Linares habían reducido su producción a menos de la mitad, y en Cartagena había otras paradas. El ministro añadió:

Justo es declarar que los sindicatos obreros han dado al ministro toda suerte de facilidades, pero no menos justo es reconocer que las empresas explotadoras, en general, lo han negado todo [...]. Los hechos evidencian que asistimos a un taimado sabotaje a la labor industrial y económica que necesita España [...], no hay manera de lograr que la Sociedad Minero-metalúrgica de Peñarroya (propietaria de las minas de plomo de Cartagena) intensifique la producción minera y los productos derivados de las pizarras bituminosas...

3. COMPAÑÍAS EXTRANJERAS, BANCOS, HACIENDA

Las compañías extranjeras, aunque no fueron intervenidas, acarrearon más de un problema a los gobiernos republicanos. Incluso el gobierno vasco, tan respetuoso de la empresa privada, tuvo que destituir al gerente y a los altos cargos de Tranvías y Electricidad de Bilbao, empresa británica. El presidente de la Cámara de Comercio británica en España, Arthur F. Loveday, no ocultaba su satisfacción porque en la zona de Franco «la industria y la agricultura marchan prósperamente», mientras se quejaba amargamente de que «la zona gubernamental ha colectivizado, salvo raras excepciones. Los súbditos británicos han sido privados de sus propiedades, mientras que en la zona de Franco las conservan...» [173]. En el mismo tono se expresaban los informes de la Río Tinto, la Tharsis Sulfur and Cooper, Anglo-Spanish Construction, la Peñarroya, etc., etc. Todas manifestaban su satisfacción porque cuando las tropas de Franco ocupaban una zona «se restablecía el orden y se reanudaban los negocios». Las acciones de esas compañías doblaban sus cotizaciones en Londres y París cuando sus instalaciones estaban ya protegidas por los fusiles de Franco.

Sin duda, la producción industrial en la zona de Franco se veía estimulada por la marcha de las operaciones militares, y la conquista del norte fue un factor importante que compensó, con creces, la presión de la demanda de productos alimentarios. Sin embargo, comenzaba ya a plantearse un problema que años más tarde llegaría a ser grave: el desgaste del utillaje y la baja inversión.

Banca privada y grandes empresas se acomodaron a la situación y obtuvieron numerosas facilidades so pretexto de la coyuntura bélica. El Estado se había convertido, para la mayoría de ellas, en el primer cliente; por otra parte, un decreto las había dispensado de pagar toda clase de deudas cuyos acreedores se encontrasen en la zona «roja». También, y según un Decreto del 17 de febrero de 1937, habían quedado en suspenso las obligaciones de establecer balances de fin de año y de convocar juntas generales de accionistas.

En cambio, las aspiraciones económicas de las potencias planteaban serios problemas en la zona de Franco. Un protocolo secreto, firmado con Alemania el 20 de marzo, planteaba la cuestión de las negociaciones económicas, y con ese objeto llegó una misión comercial alemana a Salamanca en mayo de 1937. A primeros de junio, Goering había planteado crudamente la cuestión de repartirse el hierro de la recién conquistada Vizcaya entre ingleses y alemanes.[5] Muy pocas semanas después de la caída de Bilbao y la zona del Cadagua, un representante de la Rowak, Bethke, visitó las instalaciones siderúrgicas y mineras, encontrándolas en perfecto estado y con grandes existencias (todo, como puede verse, gracias a la política seguida de abandonar el campo dejando intactas todas las instalaciones y los depósitos, impuesta por los nacionalistas vascos). Por fin, a mediados de julio se firmaron varios protocolos comerciales hispano-germanos: Alemania se comprometía a «cooperar en la reconstrucción económica de España», a base de utilizar sus minerales y materias primas tanto de la Península como del protectorado de Marruecos, y a facilitar el personal técnico necesario; el gobierno español de Franco se comprometía a facilitar el establecimiento de compañías españolas con participación de firmas y súbditos alemanes, para la explotación de recursos minerales y otras materias primas; igualmente se comprometía a enviar a Alemania productos alimenticios y materias primas, y a satisfacer sus deudas en marcos alemanes y con un interés del 4 %.

En el ya citado informe de Bethke, se hacía notar que el 40 % de las minas de Vizcaya pertenecía a compañías británicas, pero que los propietarios vascos de las restantes mostraban la mejor disposición para enviar sus minerales a Alemania.

En la zona republicana, la Hacienda volvió a entrar en orden durante el gobierno de Negrín. Volvieron a recaudarse impuestos y los ingresos del Estado por este concepto fueron, en el segundo semestre de 1937, superiores en 130 millones de pesetas a los de igual semestre en 1936. También los ingresos de Aduanas pasaron de 19,5 millones de pesetas en el primer semestre de 1936 a 52,8 en el mismo período de 1937 y a 98,7 en el de 1938, pese a las dificultades de ese último período.

En cuanto al comercio exterior puede afirmarse que, a fines de 1937, el gobierno de la República había logrado recuperar enteramente su control, así como el funcionamiento de los habituales monopolios del Estado (petróleo, tabacos...). En general, el gobierno Negrín había obtenido una restauración casi completa, y en condiciones bélicas muy difíciles, de los servicios, competencias y facultades del Estado.

4. PRECIOS Y SALARIOS

En la zona republicana, el problema de los precios se iba a plantear con agudeza desde el momento en que los sueldos de los milicianos (y luego de los soldados) y los aumentos de salarios en colectividades, etc., iban a suscitar una demanda dineraria que, unida a la inevitable del Estado en tiempo de guerra, superaba con mucho a la producción y acarreaba el fenómeno inflacionario.

En la zona franquista también se produjo inflación y alza de precios, pero en proporciones mucho menores; no había alza de salarios, no había sueldos de soldados (sino los clásicos cincuenta céntimos de «sobras»), y la demanda de las familias en el mercado estaba muy contraída. Por otra parte, en la segunda mitad de la contienda pudo disponer de más recursos de producción.

En la zona republicana, a pesar del desequilibrio financiero que suponía el lanzamiento al mercado de la masa dineraria de nuevos sueldos, agravado por la escasez o rareza de algunos productos, no se tomaron medidas reguladoras en los primeros tiempos. Desde el primer trimestre de 1936 al período igual de 1937, aumentaron en Cataluña los precios de las subsistencias en 77 % y los precios al por mayor en un promedio de 41 % (con una subida pronunciada hasta el 57 % con fecha 31 de marzo (véase *Butlletí de l'Institut d'Investigacions econòmiques*, Barcelona, núm. 2, mayo 1937). Durante los primeros seis u ocho meses de guerra se había carecido de política de precios y, en muchos casos, estos subieron libremente; tampoco hubo una política de abastecimientos. La implantación del racionamiento en Madrid empezó el 9 de diciembre, pero por razones estrictamente militares: la dificultad de abastecer una ciudad de un millón de habitantes sitiada a medias. En el resto del territorio, las cartillas de racionamiento no se implantaron hasta marzo de 1937. Durante el invierno, en Cataluña, País Valenciano y Murcia se consumía como si los *stocks* fuesen inagotables; y las estadísticas catalanas nos muestran que se consumió casi la misma electricidad que de costumbre con fines domésticos.

Los precios al por mayor llegarán a la cota de aumento del 100 % a finales de 1937. El precio de los artículos de consumo alcanzará esa cota —en Barcelona— en agosto de 1937, al por mayor; al por menor, solo a principios de 1938 [57, 116-117 y 156-157]. En lugares como Madrid, la subida fue más rápida y el «mercado negro» se instaura fácilmente dentro de la escasez reinante. Desde el otoño de 1937 hubo una subida galopante de precios alimenticios que no se frena —relativamente— hasta marzo de 1938. El coste de estos productos fue siempre mucho más elevado en las grandes aglomeraciones urbanas.

Los precios de vestido y calzado subieron poco, en proporción a los demás, hasta finales de 1937, en que la falta de materias primas provocó en pocos meses un aumento del 100 %. Hay que señalar, en cambio, la estabilidad durante toda la guerra de los gastos de vivienda. En Cataluña, la vivienda fue municipalizada; no así en Madrid, donde la mayoría del Ayuntamiento rechazó una proposición comunista en ese sentido en el verano de 1937. Pero, de todos modos, los aumentos de alquileres fueron reducidos al mínimo, no pasando del 10 %. Incluso hubo decenas de millares de familias desplazadas («refugiados» o aquellos cuyas viviendas habían sido destruidas) que fueron alojados sin satisfacer alquiler, en diversos edificios incautados por el Estado o por los municipios.

En cuanto a los salarios, pasado el desbordamiento de los primeros seis meses (con subidas generalizadas, incluso una de 15 % legalizada en Cataluña por la Generalitat, tendencia a igualar salarios, etc.), se fue planteando el problema de su regularización y de su acomodación al coste de la vida; en términos generales puede decirse que a finales de 1937 los promedios salariales eran 100 % más elevados que los de junio de 1936. Durante 1938, la política económica se orientó a establecer, por un lado, salarios vitales mínimos, y por otro, salarios de estímulo y primas especiales para técnicos [57, 131-135]. En el campo los salarios de las colectividades fueron muy diversos. Thomas ha estimado su promedio en 7 pesetas. En muchas colectividades se implantó un salario familiar, del que un 50 % correspondía al cabeza de familia.

En fin, y para mejor comprender los niveles de vida, hay que tener en cuenta los factores positivos y negativos de la situación; entre los primeros figuran la prestación de servicios sanitarios y de beneficencia por sindicatos, cooperativas, etc., la existencia de comedores del mismo género, de suministros especiales; entre los segundos, dos fenómenos que van a dominar durante la segunda mitad de la guerra: 1.°) la importancia del «mercado negro» en los núcleos urbanos; 2.°) la sustitución del mercado monetario por el trueque de productos en numerosos casos, siendo las bases fundamentales de ese trueque los productos de importación, por un lado (tabaco, café, leche condensada, conservas) y los productos agrícolas y ganaderos del país (antes de entrar en el circuito comercial), por otro.

Esto nos lleva al tema de la escasez de productos. Los servicios del Banco de España en Valencia elaboraron un documento, que ha dado a la luz en nuestros días Ángel Viñas [308, 467-472], que es una estimación de las necesidades en productos agrícolas de la zona republicana para 1937, con los consiguientes cálculos de déficit y superávit. De él se infiere el gran déficit cerealístico, sobre todo de trigo, azucarero y de leguminosas y patatas. En cambio, las partidas con grandes sobrantes eran las naranjas y otros agrios, vinos, uvas, almendras, aceite de oliva, frutas diversas, tomates... Es decir, abundancia en productos de exportación, pero escasez en productos de alimentación cotidiana; a la que hay que añadir el déficit ganadero y la imposibilidad de una pesca rentable en condiciones de guerra.

5. LA FINANCIACIÓN DE LA GUERRA

El tema de la Hacienda nos lleva a otro aspecto que de alguna forma debe quedar reseñado en nuestro trabajo: cómo han sido sufragados los gastos de guerra por uno y otro beligerante.

Durante muchos años fue tratado este tema con más fantasía que conocimiento de fuentes y, en no pocos casos, con notable apriorismo.

Hoy en día, tenemos la posibilidad de consultar documentos antes ignorados u ocultos, y los trabajos de investigación, en primer lugar de los profesores Ángel Viñas y Juan Sardá, y también de testimonios de la más diversa naturaleza.

El total de los gastos de guerra se descompone, según las fuentes, en financiación interna y externa para cada uno de los bandos contendientes.

La financiación interna de los gastos de guerra republicanos está expresada por los avances hechos al Tesoro por el Banco de España desde el comienzo de las hostilidades. Si hasta abril de 1938 aparece una suma de nuevos billetes —expresión de ese avance— de 3 812,76 millones de pesetas, la liquidación posterior final dio un resultado, según Sardá, de 12 754 millones de pesetas.

La financiación exterior estuvo determinada fundamentalmente por la utilización de las reservas oro a que ya hemos hecho referencia: 510 toneladas de oro en aleación que fueron depositadas en la Unión Soviética, cuyo valor, teniendo en cuenta el peso de aleación, era de 1 586 236 800 pesetas oro (unos 500 millones de dólares de la época). Ese oro sirvió, en parte, para pagar los suministros soviéticos, a lo que también se dedicaron las exportaciones españolas a la URSS y las recaudaciones de ayuda obtenidas allí; otra parte sirvió para, transformado en divisas, colocarlo en un Banco de París, desde donde el gobierno de la República hizo compras de armamentos en diversos países.

En segundo lugar, entre julio de 1936 y enero de 1937, fueron enviados a Francia 580 millones de pesetas oro, lo que suponía el 26,5 % del oro amonedado y en barras existente en reserva en el Banco de España (el contravalor fue entregado al Banco Español de París que operó con ellas). Si a esto se añade un pequeño envío del gobierno de Euzkadi, en enero de 1937, y otro de una comisión de Santander, se obtiene un total de 595 millones de pesetas oro enviado a Francia entre julio de 1936 y marzo de 1937. El peso de oro de aleación enviado a Francia fue de unas 193 toneladas.[6]

Por último, en 1938, se recurrió a la plata; en el mes de mayo se realizó la venta a Estados Unidos de 1 225 000 kg de plata en aleación, equivalentes a unos 245 millones de pesetas (alrededor de 16 000 dólares). También se realizaron algunas ventas de plata en Francia.

Hay que señalar también las divisas obtenidas por exportaciones y el envío de armamentos por México, de un valor aproximado de dos millones de dólares.

En la zona franquista también se recurrió a la inflación para la financiación interior de la guerra, por medio de adelantos al Tesoro hechos por el Banco de España de la zona (formado, como hemos dicho en capítulos anteriores, en julio de 1936, en Burgos, bajo la presidencia de Pedro Pan, siendo nombrado gobernador, en marzo de 1938, Antonio Goicoechea). Este coste financiero interior de la guerra para el bando franquista (que se constituye al final de aquella en totalidad del Estado español) es estimado por el profesor Sardá, según la documentación del Banco, en 10 100 millones de pesetas.

La deuda que el Estado franquista contrae con Italia por gastos de guerra es estimada en 5000 millones de liras en mayo de 1940, pero parece que ha sido superior y que en aquella fecha ya se había saldado una parte mediante exportaciones. Fue completamente liquidada en 1967. A esa suma habría que añadir un préstamo de bancas privadas italianas que ascendería, según unos, a 125 millones de liras, según otros, al doble.

La deuda con Alemania se estimaba, en 1939, en 500 millones de marcos (182 de ayuda directa al ejército franquista, y el resto, gastos de la Legión Cóndor); de esa deuda se habían pagado 60,8 millones de marcos. Después de 1940, España concedió un crédito a Alemania de 100 millones de marcos para exportaciones de wolframio, pero a su vez presentó una cuenta a Alemania de 220 millones en concepto de gastos de la División Azul y de trabajadores españoles en Alemania. Esta embrollada madeja quedó deshecha por el acuerdo de España y la República Federal Alemana de mayo de 1948, en que ambas partes renunciaban a ulteriores reclamaciones.

El conjunto de estos recursos es calculado por el profesor Sardá en unos 500 millones de dólares de la época.

A estos gastos hay que añadir los que se realizaron con el producto de la llamada «suscripción nacional», iniciada el 19 de agosto de 1936 [308, 389 ss] en metálico, oro, joyas, etc., integrándose en ella los descuentos de haberes que obligatoriamente se hacían a los funcionarios, que pasaron de 75 millones de pesetas.

En la financiación exterior hay que contar todos los suministros de carburantes hechos a crédito por la Texas Oil Cº (1 886 000 toneladas), cuyo presidente, Thorkild Rieber, fue condecorado con la Gran Cruz de Isabel la Católica el 1 de abril de 1954. Al parecer, el ejército franquista obtuvo también suministros a crédito de la Standard Oil y de la General Motors.

Hay que señalar, por fin, ayudas personales muy importantes, como la de Juan March: un millón de libras esterlinas para la compra al contado de los primeros aviones italianos, amén de otros pagos directos; Félix Maíz se ha referido a una transferencia de valores financieros por valor de 600 millones de pesetas, amén de otros créditos difícilmente comprobables, que correrían a cargo del «Claiworth Bank» británico, controlado en realidad por el mismo Juan March.[7] [95; 263; 59; 40; 153; 312].

El profesor A. Viñas, en su último libro *Política comercial exterior en España*, ha llegado a la conclusión de que la financiación exterior de la guerra civil por el Eje Berlín-Roma y, en menor medida, por medios del capitalismo mundial, será prioritariamente decisiva en el esfuerzo de guerra del franquismo, pero endeudaría durante largo tiempo al Estado español.

Según la estimación del profesor Viñas, la ayuda de las potencias fascistas a Franco durante la guerra puede evaluarse en 3914 millones de pesetas para Italia y 1932 para Alemania. A estas cantidades «habría que añadir —dice— el importe de la ayuda económica recibida por Franco fuera de los países del Eje» [312, I, 234].

Una LEY RESERVADA de la Jefatura del Estado, de 1.º de abril de 1939, reconocía los créditos contraídos con diversos sectores del mundo capitalista, a saber:

—de 13,5 millones de pesetas (11-8-1936) otorgado por la Sociedad General de Comercio, Industria y Transportes de Lisboa a Andrés Amado.

—otro préstamo de un millón de dólares (ampliado luego en 200 000 más) firmado por la Compañía de Tabacos de Filipinas;

—un tercero, de 500 000 libras (6-4-1937), ampliado luego a 800 000, del banco londinense Kleinwort and Sons, detrás del cual estaba la influencia de Juan March;

—un nuevo crédito de Kleinwort, de 1,5 millones de libras, ampliado en medio millón más (25-10-1937);

—un crédito de la Banque Suisse, de un millón de libras (20-10-1938);

—dos nuevos créditos de la misma banca hasta un millón de libras (28-4-39);

—un crédito de la Caixa de Depósitos, Crédito e Previdencia, de 1,5 millones de escudos (28-2-1939) [312, 288-289].

Y Viñas concluye:

Sin la ayuda de las potencias fascistas y de determinados círculos del capitalismo español y occidental, Franco no hubiera logrado superar los constreñimientos que imponía el estrangulamiento exterior a la España nacional ni, mucho menos, desviar divisas para atender importaciones que no cabía atender a crédito [312, I, 235].

NOTAS DEL CAPÍTULO XI

1. Estimaciones de Ángel Viñas, op. cit. p. 470.
2. Albacete 33,35 %; Ciudad Real 56,69 %; Jaén 65 %.
3. En enero de 1937, un Decreto autorizó la libre disposición de saldos de las empresas.
4. Memoria del I Congreso. La mayor parte de las delegaciones pretendían que se les enviase materia prima para fabricar, incluso sin tener en cuenta si disponían de mercados, y parecían no tener la menor consciencia del problema de las divisas para un país en guerra.
5. Archives secrètes de la Wilhemstrasse, t. III; Doc. núm. 301, 11 de junio de 1937.
6. En marzo de 1938, los agentes en Francia del Banco de España franquista, Ventosa y Quiñones de León, consiguieron una decisión judicial que bloquease el oro que quedaba depositado en Francia (en Mont de Marsan), cuyo valor era de 26 782 640 ptas. oro, que sería devuelto a Franco tras los acuerdos Jordana-Bérard al terminar la guerra civil.
7. Juan Sardá, «El Banco de España, 1931-1962», del libro *El banco de España. Una historia económica*, Madrid, 1970 (recogido cuando su edición, precisamente a causa del trabajo de Sardá).

CAPÍTULO XII

La llegada al Mediterráneo y el segundo gobierno Negrín

1. DESPLOME DEL FRENTE REPUBLICANO DE ARAGÓN

Tras la batalla de Teruel, Rojo presentó la dimisión, pero fue confirmado en su puesto por Prieto, por el Consejo Superior de Guerra e incluso por el mismo Negrín en carta personal. Pasaron dos semanas de incertidumbre; la noticia de que el crucero franquista *Baleares*[1] había sido hundido en combate nocturno el 5 de marzo, tenía importancia menor al lado de la inminente ofensiva adversaria que aguardaba el EM republicano, sin llegar a saber por dónde empezaría. Y empezó, efectivamente, el 9 de marzo, día en que «cerca del 50 % del total de las divisiones franquistas atacaban en menos del 20 % de la extensión general del frente, a poco más del 20 % de las divisiones republicanas» [78, 131]. El Cuerpo de Ejército marroquí mandado por Yagüe, el de Galicia mandado por Aranda, el Cuerpo de Ejército italiano y una división de caballería, apoyados por 117 baterías y cubiertos por una masa de aviación de unos 400 aparatos (300 de ellos de la «Cóndor» y la «legionaria» italiana), rompieron el frente por una línea Vivel-Rudilla-Belchite-Quinto, alcanzando al este el río Guadalope. Las líneas republicanas estaban cubiertas por el XII Cuerpo y parte del XXI. El día 10 tomaban Belchite las fuerzas del Cuerpo marroquí y el 14 enlazaban con la Agrupación Valiño, consiguiendo alcanzar Alcañiz la noche siguiente. El alto mando republicano no sabía dónde estaban muchas fuerzas y dio orden a la 35 División de defender Alcañiz cuando ya había caído; en ausencia de su jefe (Walter) tuvo que hacerse cargo de ella Luigi Longo (Gallo), Inspector de Brigadas Internacionales, que condujo los hombres hasta Caspe (que resistió hasta el día 17). Por su parte, Valiño, aunque encontró mayor resistencia, pudo ocupar Montalbán el día 13. El día 12 el

443

mando republicano había conseguido que entrasen en combate todas las reservas del Ejército del Este y las divisiones disponibles del Ejército de Maniobra, en total, unos 70 batallones, pero el frente se rompía por varios puntos y las líneas republicanas, batidas también por centenares de aviones, eran fácilmente desbordadas. Los frentes eran rotos por doquier, pese a que en puntos aislados los republicanos ofrecían tenaz resistencia; pero ya los italianos habían profundizado en más de 50 km y llegaban a Calanda, donde fueron contenidos por la 47 División, traída del frente del centro. Por su parte, las fuerzas de Aranda (Cuerpo de Galicia) habían hecho una penetración de 35 km hacia Ejulve, hacia donde se desviaron tras haber sido rechazadas en la sierra de San Justo. Sin embargo, la multiplicación de rupturas de línea y profundas penetraciones, el desperdigamiento de unidades enteras, etc., creaba una situación material y de estado de ánimo difícil en el mando republicano, a lo que no era ajeno el propio ministro de Defensa.

A partir del 15 de marzo, las divisiones franquistas siguieron atacando, pero Rojo le opuso el Ejército de Maniobra, mandado por Leopoldo Menéndez, con ocho divisiones, además de los Cuerpos XXI y XXII y del XIII en el frente del Alfambra. (Hasta ese momento, Rojo había mantenido su puesto de mando en un sitio crucial de la carretera entre Alcañiz y Morella, aunque Prieto le instaba a regresar a Barcelona; solo lo hará cuando Menéndez tenga todas las riendas.)

Entre el 15 y 21 de marzo los ataques del ejército franquista, menos intensos, fueron contenidos. Pero, en aquellos días, los aviones italianos salidos de la base de Mallorca realizaron los mayores bombardeos sobre poblaciones civiles conocidos hasta entonces en la historia (16 y 17 de marzo). Las calles de Barcelona ofrecían un espectáculo dantesco en el que se mezclaban los regueros de sangre, los despojos de cuerpos humanos, los escombros de las casas derruidas, el humo de los incendios y el continuo ulular de las ambulancias. Se ha estimado que aquellos bombardeos causaron unos 1200 muertos y más de 2000 heridos. Stohrer llegó a criticarlos (atribuyéndoselos a decisión de Mussolini) en un informe a su gobierno en el que se decía: «El gobierno rojo explota la indignación general producida por esos ataques aéreos, para levantar de nuevo el espíritu de resistencia y de sacrificio de la población...»

A finales de marzo, el ejército franquista amenazaba en dos direcciones: hacia Cataluña, y hacia el Mediterráneo vía Morella-Albocácer. En el primer sector los italianos fueron contenidos por el Cuerpo de Modesto; en la otra dirección, los Cuerpos XXI y XXII (mandados respectivamente por el teniente coronel Ibarrola y por M. Cristóbal Errandonea) solo consiguieron retrasar hasta el 4 de abril la entrada en Morella de las tropas de Aranda.

Mientras esto ocurría en los frentes y Barcelona era bombardeada, la situación política española y europea era cada vez más tensa. Negrín salió en avión para París y planteó la cuestión de la ayuda a Léon Blum, obteniendo que se abriese la frontera para dejar pasar armamento (en esta ayuda casi clandestina hecha por el gobierno francés desempeñó una importante función Jean Moulin, que luego sería presidente del CN de la Resistencia y moriría torturado por los nazis); el gobierno Blum duró poco, y el 13 de junio Francia cerraría definitivamente la frontera. Mientras tanto, el pesimismo de Prieto aumentaba; y no se recataba de decirlo:

He escrito una carta a mis hijas diciéndoles que hemos entrado en el último episodio. Preveo el desenlace para el mes de abril.

Y añadía:

La frontera nos será cerrada con bayonetas, y se podrán contar con los dedos de la mano los españoles que consigan alcanzarla [315, II, 83].

Azaña era más discreto, pero no menos pesimista; ha dejado escrito en su diario íntimo que desde septiembre de 1936 creía perdida la guerra. Y entre ambos habían llegado a convencer a Giral de que era imposible continuar la resistencia. El embajador francés, Labonne, compartía ese temor.

Ante esa situación, los comunistas, previo acuerdo con Negrín, y obteniendo después la colaboración de las Ejecutivas del PSOE, UGT y CNT, organizaron una manifestación masiva en Barcelona (en cien mil personas la estima Vidarte) el mismo día que se reunía el Consejo de Ministros, en apoyo del gobierno Negrín y contra toda tentativa de entrega o compromiso.

Prieto tomó muy a mal la manifestación, lo que vino a sumarse a una gran tensión con Jesús Hernández, quien, bajo el seudónimo de «Juan Ventura», publicó en *Mundo Obrero* una serie de artículos contra él. En la reunión del gobierno, presidida por Azaña, el 29 de marzo, Prieto hizo un informe tan pesimista, reiterativo del presentado el día 28 ante los jefes militares, que Negrín se decidió a sustituirlo en la cartera de Defensa [315, II, 96; 19, 213; 298, 827; 242, 390]. Una misión conciliadora de Zugazagoitia no tuvo éxito; Prieto se fue diciendo que «lo habían echado de una patada en el culo». Había comenzado su gran enemistad con Negrín.

Volvamos nuestra atención a los frentes, donde los combates se intensificaban: 110 000 hombres, con más de 400 piezas de artillería, pasaban a la segunda fase de la ofensiva, centrada sobre el Alto Aragón. El Cuerpo de Ejército de Navarra, mandado por Solchaga, entraba en Barbastro el 29 de marzo; y el marroquí, mandado por Yagüe, con 60 carros y 160 aviones, ocupaba Fraga. El Cuerpo de Ejército mandado por Moscardó, que había ocupado Sariñena, se unía en Monzón, el 29, con el de Solchaga. Lérida, en grave peligro, es atacada por todas partes desde el 30 de marzo; la defiende la 46 División, pero no su jefe, sino el de una de sus brigadas, Pedro Mateo Merino, estudiante de la FUE, que ya había acreditado sus dotes en la defensa de Teruel.

Gracias a él y a sus fuerzas, se detiene la progresión franquista ante Lérida, permitiendo la evacuación de la población civil; solo el 3 de abril entran los tanques de Yagüe en las ruinas de Lérida; se lucha todavía en la parte nueva de la ciudad, y queda el frente estabilizado a la otra orilla del Segre. Pero al norte Solchaga conquista el valle de Arán, si bien resistió la bolsa de Bielsa, a la que nos referimos en otro capítulo. En esos frentes, los Cuerpos X y XI republicanos quedaron literalmente destrozados. Se combatía al adversario con restos de unidades y con reservas traídas desde otros frentes, con pésimos medios de comunicación y transporte.

Al norte de Lérida, Balaguer cae el 6 de abril después de ser bombardeado por más de cien aviones. Al sur de Alcañiz, en el sector La Codoñera-Valdeagorta, Líster rechaza un ataque frontal de los italianos, mandados por Berti, pero este desvía sus tropas hacia el norte, se une con las divisiones de Valiño y Monasterio, y entra en Gandesa el 3 de abril.

Más al sur, cuando, el 13 de abril, la I División navarra rompía la línea de defensa republicana entre La Jana y vértice Solá, el camino estaba expedito hacia el Mediterráneo; al mismo tiempo las divisiones de Aranda veían ya el mar desde Cervera del Maestre. En efecto, la costa era alcanzada el 15 de abril por la IV División navarra, mandada por Camilo Alonso Vega, a la altura de Vinaroz. El territorio de la España republicana quedaba partido en dos.

2. SEGUNDO GOBIERNO NEGRÍN. PROGRAMA

Vencida la actitud pesimista del presidente de la República, en la reunión que este mantuvo con los partidos políticos, quedó formado el nuevo gobierno, cuya composición se hizo pública el día 6 de abril.[2] Un gobierno de «guerra» o de «unión nacional» presidido también por Negrín, que asumía además el Ministerio de Defensa Nacional, y más representativo que el anterior, ya que en él se integraron todos los partidos políticos y las dos centrales sindicales[3] [284, IV, 1, 319]. El nuevo gobierno expresaba así la continuidad de la política del Frente Popular y la decisión de defender la República sin concesiones de ningún tipo. En la nota que facilitó a los periodistas después de la primera reunión, se decía:

El gobierno de la República seguro de la colaboración entusiasta de todo el pueblo español, ahorra las palabras, se entrega a su labor y pasa, desde este momento, a actuar, un Gobierno de guerra (*Frente Rojo*, 6 abril, 1938).

Sin embargo, la salida de Prieto fue un factor negativo en un momento en que la unidad era sumamente necesaria para hacer frente a los ataques del exterior y a los miedos y pesimismo del interior. La política de resistencia que caracterizó al gobierno desde el primer momento encontró el apoyo de todas las organizaciones y partidos políticos. El 15 de abril, estos daban el voto de confianza al gobierno en la sesión de la Diputación Permanente de las Cortes.[4]

El 8 de abril se crearon los *Centros de Recuperación de Personal*, y se movilizó incluso a sectores profesionales de la población (arquitectos, médicos, etc.) y se sometió a la jurisdicción del Ministerio de Defensa toda la producción de electricidad.

Completando esta política de guerra, el gobierno, con objeto de subrayar el carácter nacional de su acción y fines, así como de despejar equívocos sostenidos por la propaganda adversa y poner las bases de una futura convivencia entre los españoles, elaboró un programa, que fue aprobado en el Consejo de Ministros el día 30 de abril de 1938, y que se hizo público el 1.º de mayo. Este documento se conoce con el nombre de *Los trece puntos de Negrín* [123, 116-118]. Era un momento grave en la guerra, y su formulación contribuyó a reforzar la unidad del pueblo.

El programa expuesto en él significaba, de hecho, una oferta de bases para poner fin a la guerra y las normas fundamentales sobre las que se debía asentar la vida española al final de la lucha, encaminadas a restaurar la democracia, independencia e integridad territorial de España; gobierno basado en el sufragio universal con un Ejecutivo fuerte; y estructura jurídica y social del Estado determinada por un plebiscito realizado con todas garantías, al término de la guerra; respeto de las libertades regionales sin comprometer la unidad española; respeto a la propiedad privada dentro de los límites dictados por los intereses superiores de la nación; indemnización a los extranjeros cuyos bienes hubieran sufrido daños a causa de la guerra; libertad de conciencia y de religión; reforma agraria radical; respeto a los derechos de los trabajadores; ejército al servicio de la nación, libre de toda influencia de tendencia o partido; política de paz, de seguridad colectiva y de apoyo a la SDN; amnistía para todos los españoles que desearan participar en la reconstrucción de España. Se trataba no solo de una política de Frente Popular, sino de Unión Nacional dictada por la evolución de los acontecimientos, que exigía la unión de todos en una lucha común.

Todos los partidos y organizaciones del Frente Popular, una vez más le dieron su apoyo. La Diputación Permanente de las Cortes, en su sesión del 14 de mayo, a la que asistió el propio Negrín, le ratificó su confianza. El Buró Político del PCE hizo pública una declaración, el 11 de mayo, expresando su conformidad con el programa. Los servicios de propaganda del gobierno organizaron su difusión. «Traducidos a todos los idiomas conocidos, comentados gráficamente, impresos en variedad de papeles, los *trece puntos* invadieron periódicos, paredes, oficinas, frentes, fábricas...» [315, II, 131; 298, 833]. Se convirtieron, en cierta medida, en el programa de toda la población. Pero los *trece puntos* no cambiaron la situación diplomática internacional. Las democracias occidentales no se volcaron en favor de la España republicana. Francia, el 12 de junio, cerraba la frontera con Cataluña.

La situación era dura y grave. La mayoría de las veces fue aprovechada por algunos políticos, contrarios a la línea de gobierno de Negrín y partidarios, además, de la negociación para poner fin a la guerra. «Oficialmente» se le daba el voto de confianza, pero en la práctica la oposición al presidente del gobierno y a los comunistas que apoyaban la política militar era cada vez mayor y se agravaba.

3. CRISIS DE «LA CHARCA»

En aquellos días difíciles de junio, Negrín, sin dejarse dominar por el pesimismo, y movido por el deseo de salvar a España, se alejó de Barcelona y estuvo, desde el día 7 hasta el 21 de junio, visitando los frentes de la zona centro y de Levante, acompañado por el general Rojo. Esta ausencia del presidente del gobierno provocó una serie de rumores de crisis, y se habló de un nuevo gobierno, para el que se barajaban los nombres de Prieto, Besteiro y Martínez Barrio. Que en estos proyectos apareciera el nombre de Prieto no era casual. Azaña confiaba en él [29, IV, 881-883].

No solo fueron rumores, sino que puede hablarse de verdaderos intentos para formar un gobierno alternativo. Aprovechando la ausencia de Negrín, en la sesión de la Diputación Permanente de las Cortes del 15 de junio, el diputado de IR Fernández Clérigo, propuso que esta solicitase de Negrín un informe sobre la situación militar, política e internacional de la República (Diario de Sesiones). ¿Por qué esta propuesta? Solo hacía un mes que Negrín había presentado personalmente ese informe y había obtenido el voto de confianza de los diputados. La mayoría de estos consideraron que aceptar la proposición de Fernández Clérigo era retirar el voto de confianza al gobierno y, por tanto, motivo de crisis, y no quisieron asumir esta responsabilidad sin contar con el respaldo de sus partidos. Esta fue la postura de R. Lamoneda (PSOE), Palomo (IR) y Montiel (PCE), entre otros. Fernández Clérigo, al no encontrar apoyo, retiró la proposición sin someterla a voto (Diario de Sesiones). No obstante, «el encono era realmente corrosivo» [315, II, 141], y las presiones del extranjero sobre el gobierno republicano continuaban [295, IV, 109].

La situación, pues, no era fácil. El 18 de junio, Negrín interrumpió su viaje a los frentes y pronunció un discurso por radio desde Madrid, en el que se manifestó defensor de España, glosó el programa de los *trece puntos* y expresó su confianza en el pueblo:

...No. Ese es el camino de la capitulación. Y ¿por qué? ¿Para cobrar en la emigración el sosiego perdido? Pero ¿y los millares, los millones de españoles que tienen puestos en nuestras manos no solo su tranquilidad y sus esperanzas, sino sus bienes y sus vidas?... Para salvar a España del dominio de otros y de la posible expoliación de todos, luchamos y venceremos. La seguridad del triunfo la da el propósito inquebrantable de obtenerlo...» (*Frente Rojo*, Barcelona, 19 junio, 1938).

Seguía explicando cómo la insurrección se había transformado en guerra civil, y esta, en invasión. Ofrecía una «República popular de estirpe democrática», con un «ejecutivo firme, dependiente de la voluntad nacional, expresada por el sufragio, Gobierno que coloque al Estado por encima de los partidos, y queremos unos partidos que consideren su principal misión ponerse al servicio de la colectividad nacional... Luchamos porque sin menoscabo de la unidad española, se respete la personalidad de los pueblos que integran España».

El día 21, al llegar a Barcelona, Negrín declaró a los periodistas que había vuelto antes de lo previsto «atraído por el zumbido de los moscardones». Dijo más y sobre todo esto: «La charca política se ha agitado mucho. Francamente da un poco de asco. Mejor dicho mucho, mucho asco. Pero de ello vale más no hablar ahora. Si el pueblo y el ejército se enteraran nos barrerían a todos y lo harían en justicia».

Quienes no esperaban un planteamiento tan neto quedaron algo desconcertados. Negrín salvaba la situación, y encontró la solidaridad del Comité Nacional del Frente Popular, que el día 20 de junio publicó una nota de apoyo al Gobierno de Unión Nacional firmada por M. Cordero y J. S. Vidarte (PSOE); M. Delicado y J. J. Manso (PCE); F. Pretel (UGT); H. Prieto (CNT); E. Baeza (IR); M. Silva (UR); A. Prat (FAI). Y a este apoyo conjunto se añadieron notas específicas de las direcciones del PCE, de la UGT, la CNT, JSU; toda la prensa de los últimos días de junio publicó editoriales y artículos apoyando la decisión del gobierno de resistir y vencer. El 1.º de julio se reunió la Diputación Permanente de las Cortes y Negrín asistió a la sesión en la que se confirmó el voto de confianza (Diario de Sesiones) una vez más.

No obstante, los intentos de mediación y los planes para formar un gobierno frente al de Negrín, ya no cesaron hasta el final de la guerra. Sabían que el gobierno de Burgos rechazaba de plano toda posibilidad de mediación. A pesar de ello, no cejaron en su empeño. El mar de fondo era importante y la evolución de la coyuntura internacional y nacional no haría sino reforzar sus corrientes. De hecho, cuando oficialmente se hablaba de unión nacional, las fisuras de la desunión eran ya hondas entre quienes estaban sosteniendo la guerra juntos desde las posiciones republicanas.

En julio, Azaña conmemoró el segundo aniversario de la sublevación y la guerra, con un discurso que hizo sensación, el de las tres «P»: *Paz, Piedad, Perdón*, que algunos creyeron en las antípodas del *Resistir* de Negrín —incluso su propio autor—, pero que el jefe del gobierno admitió de buen grado previamente a su pronunciación. Hay en ese discurso párrafos trascendentales cuya validez se ha prorrogado mucho más allá de la coyuntura histórica en que fueron pronunciados. Así, cuando Azaña dice:

> En una guerra civil no se triunfa contra un contrario, aunque este sea un delincuente. El exterminio del adversario es imposible; por muchos miles de uno y otro lado que se maten, siempre quedarán los suficientes de las dos tendencias para que se les plantee el problema de si es posible o no seguir viviendo juntos.

No obstante, las relaciones entre los dos presidentes se hicieron tirantes. Negrín soportaba mal el carácter pesimista de Azaña, y no aceptaba los intentos de mediación protagonizados por él al margen del gobierno.

4. PARTIDOS POLÍTICOS Y SINDICATOS

En estos meses, primavera y verano de 1938, segundo año de guerra, la vida en la España republicana era cada vez más difícil. Las consecuencias de la guerra dominaban la vida de la población: escasez de alimentos, bombardeos, muertes, dolor, y el éxodo. Este se había iniciado en el verano de 1936 y no finalizó hasta marzo de 1939. Los partidos políticos y sindicales, unos más, otros menos, intentaron atender a las necesidades de la población, por una parte, y por otra, hacer frente a las exigencias de la guerra y la resistencia con una política de unidad de todas las fuerzas, que era en gran medida el sentir de la mayoría de la población. Otro sector se dejó influir por las tendencias a la mediación y a la capitulación.

Los partidos políticos republicanos, IR y UR, colaboraron con el gobierno. De una manera más neta y leal, UR apoyó la política de Negrín, y se destacó su jefe Martínez Barrio, presidente de las Cortes y de la Diputación Permanente. En Izquierda Republicana, encontraron eco tendencias que trataban de imprimir un carácter más moderado a la República y, sin romper con el FP intentaban excluir a otos partidos, sobre todo a los obreros. Su consigna fue «La República para los partidos republicanos» [284, IV, 1, 357]. Esto se manifestó en el Pleno del

Consejo Nacional de Izquierda Republicana, celebrado en Madrid los días 24, 25 y 26 de julio, al que asistieron representantes de casi todas las provincias de la zona centro-sur. Del Comité Nacional solo estuvo presente el señor Quemades, que a lo largo de los tres días expuso la conducta de IR, subrayando la solidaridad antifascista de esta con todos los gobiernos. En este sentido encontró el apoyo de muchos delegados por conservar la integridad del FP. Fue al examinar la situación internacional cuando el señor Quemades planteó la necesidad de ofrecer la seguridad de que el triunfo sobre el fascismo no supondría la consolidación del proletariado en el Poder. Este aspecto era considerado premisa *sine qua non* para obtener el apoyo internacional [295, IV, 433-434]. Esta fue la línea de IR hasta el final de la guerra, línea que se reafirmó, por cierto, en las reuniones de su Consejo Nacional de agosto y septiembre.

En el Partido Socialista Obrero Español, que tenía en sus manos el mayor número de centros decisorios del Estado, también se dieron posturas contradictorias, y las divisiones eran extensas y profundas. El presidente del gobierno no tuvo el apoyo pleno de su partido. Al contrario, serían algunos de sus miembros quienes protagonizaron los intentos de mediación y de gobierno alternativo.[5] Muestra de ello fue el Pleno del Comité Nacional, cuyas sesiones se abrieron el día 7 de agosto. En primer lugar, Negrín, invitado a él, presentó un informe de su gestión ministerial. Explicó su conducta en la crisis de marzo y abril, y su programa de gobierno. Después lo hizo Prieto para explicar la crisis de abril y su salida del Ministerio de Defensa. Afirmó, en un largo discurso, que había sido «expulsado» del gobierno por orden de los soviéticos, ya que él no se prestaba a obedecer los mandatos de Moscú. Prieto dimitió de su cargo en la nueva Ejecutiva. Entre los temas debatidos figuraban: 1) La «posición política» del PSOE; 2) las relaciones con los demás partidos; 3) la unidad y cohesión del partido, que se reflejó en la nueva Comisión Ejecutiva.

Respecto al primer punto, se declaró la necesidad de robustecer la unidad del FP y el apoyo al programa de los 13 puntos; en cuanto al segundo, se trataron, en especial, las relaciones con los comunistas, defendiendo R. Lamoneda la unidad de acción con el PCE. En cambio, Henche, Albar y Llaneza manifestaron gran recelo hacia los comunistas. La realidad fue que las relaciones se enfriaron y los Comités de Enlace, creados un año antes, en algunas provincias, existían más en el papel que en la realidad. Un punto importante fue la creación de una Secretaría Juvenil del PSOE para orientar el movimiento juvenil socialista, decisión que sería utilizada más adelante para dividir la JSU. A pesar de estas resoluciones, que en cierta medida propugnaban el apoyo al gobierno, la realidad del partido estaba dominada por una pluralidad de tendencias. Para conseguir la cohesión interna se incorporaron a la nueva Ejecutiva los ex presidentes del partido, Largo Caballero y Besteiro, y los ministros socialistas mientras lo fueran.[6] Pero Besteiro y Largo Caballero no aceptaron los cargos de vocales natos, por no estar de acuerdo con las resoluciones y la política aprobada en el Pleno [298, 844-858]. Negrín, «el hombre fuerte del Partido», considerado como el único capaz de continuar la resistencia, tuvo el apoyo de los demás de la Ejecutiva y también el de la UGT, cuya dirección nacional tuvo siempre como punto prioritario de su acción la política de unidad. El 29 de agosto se celebró el 50 aniversario de su fundación con un acto unitario en Montserrat.

La política de unidad también se había reflejado en la Confederación Nacional del Trabajo, que en marzo había firmado un acuerdo de unidad de acción con la UGT, y en abril entró a formar parte del Frente Popular, de suerte que al formarse el nuevo gobierno de Negrín ya vimos que uno de sus miembros, S. Blanco, ocupó el Ministerio de Instrucción Pública. La postura de apoyo al gobierno, de unidad y de resistencia, dominaba en la mayoría del anarcosindicalismo y se manifestó en el Pleno Nacional de Regionales de la CNT celebrado en Valencia del 2 al 10 de agosto. También surgieron discrepancias, en especial con algunos dirigentes anarquistas, que aparecieron en el Pleno de Comités comarcales y locales de la FAI celebrado los días 21 y 22 de agosto en Valencia.

El Partido Comunista continuó su política de apoyo total al gobierno de Negrín, renunciando incluso a una cartera [298; 315] para evitar la salida de Prieto. No lo consiguió. El PCE insistió, además, en la política militar. Sugirió y apoyó las medidas del gobierno, y sus esfuerzos organizativos en gran medida se dirigieron también al ejército, a la movilización y a mantener el espíritu de resistencia y de victoria en sus filas. Esto repercutió en algunas organizaciones provinciales y fue, en parte, un obstáculo para una verdadera política de masas, y motivo de críticas y recelos de otros partidos.

Negrín, por su parte, pensaba que no se podía hablar exteriormente sino de resistencia, so pena de provocar un desplome; pero secretamente hacía toda clase de esfuerzos para obtener una verdadera negociación. En este sentido son importantes los testimonios de Zugazagoitia y de Vidarte, que estuvieron cerca de él.

5. EUROPA Y LA GUERRA DE ESPAÑA

Retrocediendo unos meses, hay que recordar que en el panorama europeo ocurrieron una serie de hechos que repercutieron favorablemente en la España de Franco.

En Francia, los socialistas habían provocado la crisis, al abandonar el gobierno el 13 de febrero, y Chautemps formó otro gabinete sin ellos. En Inglaterra, el 20 de febrero ocurrió otro hecho que tuvo resonancia internacional y una repercusión muy directa en la guerra de España. Fue la dimisión de Eden como secretario de Estado para Asuntos Exteriores, siendo sustituido por lord Halifax. La dimisión de Eden se produjo por discrepancias con el primer ministro, Chamberlain, ante la insistencia de este de abrir inmediatamente conversaciones con el gobierno italiano. Eden ponía la condición de que Italia aceptara el plan de retirada de «voluntarios» de España, del cual el gobierno de Roma no quería ni oír hablar [30, 218-219], y estimaba, además, que los italianos no habían hecho honor al gentlemen's agreement del año anterior. Todavía el 1.º de febrero, el mercante británico Endymion, que llevaba carbón a Cartagena, había sido torpedeado por los submarinos italianos y perdido nueve de sus hombres, más el oficial de «No Intervención», de nacionalidad sueca. Chamberlain, dijo: «ahora o nunca» el entendimiento con el gobierno fascista, y Eden dimitió.

En marzo, otro acontecimiento europeo facilitó el proyecto británico. La política pangermánica de Hitler de rescatar los pueblos alemanes situados más allá de las fronteras impuestas por Versalles, avanzaba a pasos agigantados. El 14 de marzo, las tropas de la Wehrmacht entraban en Austria y realizaban el Anschluss —la unión de Austria al III Reich—, que se proclamó el día 15 y fue ratificado por un referéndum el 10 de abril. Un mes más tarde, Hitler inició los pasos para la incorporación de los «sudetes».

El silencio de Francia e Inglaterra ante este hecho fue total. En Italia se produjo la natural reacción de alarma y temor ante sus consecuencias para la propia seguridad italiana. Chamberlain juzgó que había llegado el momento propicio y aceleró las negociaciones. El pacto italo-británico se firmó el 16 de abril, coincidiendo con la llegada de las tropas franquistas al Mediterráneo. En el pacto, tras confirmar el acuerdo de enero de 1937 sobre el statu quo en el Mediterráneo, Italia se comprometía a retirar todos sus voluntarios de España «cuando terminase la guerra española», a no dejar tropas en la Península ni ocupar Baleares; y declaraba, además, que no tenía ningún interés territorial en España. Esta fórmula, que implicaba la aceptación de la presencia de tropas italianas en España mientras durase la guerra, tenía como contrapartida —si la expresión no es demasiado irónica— el reconocimiento del Imperio italiano en Etiopía por el gobierno de Londres. Gran parte de la opinión británica —y entre ella Churchill, que empezaba a cambiar de criterio sobre la cuestión española— recibió mal esta claudicación de Mussolini. En cambio, la sustitución de Paul Boncour por Georges Bonnet en el Quai d'Orsay era favorable a los designios del gobierno británico.

El mejor comentario a esta política de Chamberlain no salió de labios de un estadista, sino de la pluma de un gran poeta, Antonio Machado:

Aludiendo a la cuestión española, ha dicho Chamberlain: «no seré yo quien me queme los dedos en esa hoguera». Es una frase perfectamente cínica y perversa. Por fortuna Inglaterra, un gran pueblo de varones, no puede hacer suya la frase que está pidiendo a gritos el fuego que abrasó a Sodoma (*La Vanguardia*, Barcelona, 27 marzo, 1938).

Mientras tanto, la ayuda italo-alemana continuaba en aviadores y personal especializado. A finales de mayo señalaban la salida de aviadores de Roma, y a primeros de junio salían de Berlín, con rumbo a España, aviadores acompañados por ingenieros especializados del Ministerio alemán del Aire. Durante ese mismo mes llegaron nuevas tropas italianas. La frontera de Francia con la de Cataluña republicana siguió abierta durante el mes de abril. Pero las presiones de Chamberlain sobre Daladier eran cada vez mayores. A finales de aquel mes se establecieron contactos entre París y Burgos, con el fin de que Francia nombrase un agente diplomático oficioso para representarla en la zona rebelde, donde la situación política no era tan buena como podía hacerlo suponer la progresión de sus ejércitos. Cada vez que estos volvían a detenerse y frustraban las esperanzas de un rápido fin de la guerra —y ese era el caso desde las últimas semanas de abril— se producía una decepción en la opinión, fatigada de guerra y de movilizaciones.

Los hombres morían en las tierras de España y los diplomáticos europeos seguían discutiendo en Londres bajo la imperturbable presidencia de lord Plymouth. El 5 de julio, el Comité de «No Intervención» aprobaba por unanimidad, tras no pocas y prolijas discusiones, el plan de retirada de voluntarios. Faltaba, sin embargo, lo más importante: obtener el asentimiento de los contendientes. El gobierno de la República contestó el día 26 en sentido afirmativo. El gobierno de Franco comenzó a consultar a los embajadores de Alemania e Italia, que no tenían instrucciones de sus gobiernos. No obstante, Stohrer señaló que el plan no podría aplicarse a la Legión Cóndor. Todos estuvieron de acuerdo en que convenía ganar tiempo. Pasaron los días, comenzó la batalla del Ebro y la respuesta de Burgos no llegaba. La frontera de Francia con la República estaba cerrada desde el mes de junio, mientras los puertos portugueses permanecían abiertos. Las cancillerías de Berlín, Roma y Burgos pensaban y retocaban los proyectos de respuesta. Por fin, esta llegó a Londres el 15 de agosto. El gobierno de Burgos aceptaba en principio el plan, pero con dos condiciones: reconocimiento del derecho de beligerancia, previo a la salida del primer voluntario, y que el número de voluntarios retirados fuese igual por ambas partes. Esta actitud de Burgos no solo era negativa, sino que era una auténtica maniobra de diversión.

Se envió a Burgos al secretario del Comité, F. Hemming, con el fin de persuadir a Franco para que modificase sus contrapropuestas. En agosto y septiembre seguían los combates. La Legión Cóndor se renovaba, y mientras, Daladier y Bonnet no dejaban pasar nada por la frontera. La República no volvió a recibir material.

Entre tanto, en el frente diplomático, Franco obtenía nuevos éxitos. No fue el menor de ellos la sentencia del Tribunal de París negándose a devolver al gobierno de la República el oro que tenía depositado en Francia, con el pretexto de que «pertenecía a una sociedad privada llamada Banco de España, que no era un banco del Estado». Una semana antes de hacerse pública esta sentencia, el editorial de *Le Temps* del día 2 de agosto fue sumamente expresivo al respecto, y al leerlo se comprende mejor la actitud de los magistrados: «El interés francés exige que el incendio español no se propague más allá de las fronteras de la Península; exige que no nos indispongamos por adelantado y sin salida con el bando que tiene más posibilidades de convertirse en dueño de toda España». Esta actitud francesa había estado precedida pocos días antes, al cumplirse el segundo aniversario de la sublevación, de la visita de Doriot a Franco.

En meses anteriores, varias potencias europeas —Hungría, Turquía, Rumania y Grecia— habían reconocido el gobierno de Burgos. Oliveira Salazar lo hizo el 12 de mayo. No obstante, en el terreno diplomático sobresale por su importancia la regulación definitiva de las relaciones entre el gobierno de Burgos y la Santa Sede.

Al finalizar el verano de 1938, la guerra se decidía ya indudablemente a favor del franquismo y el respaldo internacional al nuevo Estado era una realidad.

NOTAS DEL CAPÍTULO XII

1. Dos cruceros y tres destructores de la flota republicana se encontraron cerca de Ibiza con los navíos franquistas *Almirante Cervera, Baleares* y *Canarias*. Los destructores lanzaron por dos veces sus torpedos. Minutos después explotaba el *Baleares* y se hundía con la mayoría de su dotación. Ubieta, que mandaba los navíos republicanos, no quiso perseguir a los otros dos cruceros y ordenó el regreso a Cartagena.

2. El gobierno formado el 6 de abril fue el siguiente: *Presidencia y Defensa Nacional,* J. Negrín (PSOE); *Estado,* J. Álvarez del Vayo (PSOE); *Gobernación,* P. Gómez (PSOE); *Justicia,* R. González Peña (UGT-PSOE); *Agricultura,* F. Uribe (PCE); *Instrucción Pública y Sanidad,* S. Blanco (CNT); *Hacienda y Economía,* F. Méndez Aspe (IR); *Obras Públicas,* A. Velao (IR); *Comunicaciones y Transportes,* B. Giner de los Ríos (UR); *Trabajo,* J. Aiguader (ERC); *Ministros sin cartera,* J. Giral (IR) y M. de Irujo (PNV).

3. El 1.º de abril se había celebrado una reunión del Comité Nacional del FP en la que se formalizó el ingreso en él de la CNT, y se acordó la ampliación del FP con la FAI. Mariano R. Vázquez, secretario general de la CNT, había pedido el ingreso en carta dirigida a M. Lamoneda, Secretario del FP, el 15 de marzo [295, IV, 79].

4. Asistieron los diputados: Ibárruri, Fernández Clérigo, Vargas, Palomo, Pérez Urria, Tejero, Martínez Miñana, Prat, Lamoneda, Palet, Jáuregui, Araquistáin, Santaló, Torres Campañá, Pascual Leone y M. Barrio.

5. Mientras se celebra el Pleno del PSOE el ejército republicano ha iniciado la ofensiva en el Ebro que crea un clima de esperanza y optimismo, no compartido por alguno de los miembros de la Ejecutiva socialista.

6. *Comisión Ejecutiva del PSOE* nombrada en el Pleno del Comité Nacional en agosto de 1938: *Presidente,* R. González Peña; *Vicepresidente,* A. Otero; *Secretario,* R. Lamoneda; *Vicesecretario,* J. S. Vidarte; *Secretario de Actas,* F. Cruz Salido; *Vocales,* I. Prieto, M. Cordero, M. Albar, A. Huerta, R. Zabalza, L. Martínez; *Vocales natos,* J. Besteiro, F. Largo Caballero, J. Negrín, J. A. del Vayo, P. Gómez.

Son importantes las palabras de Juan Negrín, pronunciadas años después en una conferencia en el Palacio de Bellas Artes de México —1.º de agosto de 1945—; dijo así:

«Se ha hecho circular que mi decisión [la de encargarse él mismo del Ministerio de Defensa y disponer el cese de Prieto en este] se debió a presiones extrañas. Quiero concretar: del Partido Comunista y del gobierno soviético. Esto es falso, absolutamente falso. Eso es no conocerme. ¡Yo os aseguro, por los muertos de nuestra guerra, que en ello no hay una palabra de verdad!»

CAPÍTULO XIII

De la defensa de Valencia a la batalla del Ebro

1. LA BATALLA DE VALENCIA

Apenas la División de Alonso Vega había tocado las aguas mediterráneas y los soldados italianos entrado en Tortosa, el alto mando franquista proyectó una ofensiva de gran vuelo cuyos objetivos finales eran Castellón, Sagunto y Valencia, y asignó, por el momento, esa tarea a los Cuerpos de Ejército de Galicia y de Castilla, a los que se añadía la agrupación de divisiones mandada por García Valiño. Un inmenso frente, en forma de arco, iba desde los Montes Universales hasta el Mediterráneo a la altura de Alcober, con un vértice en Ejulve. Quedaban allí restos de cinco cuerpos de ejército republicanos, tras la dispersión que había significado el hundimiento del frente de Aragón en el mes de marzo. Esos Cuerpos pertenecían al Ejército de Maniobra, mandado por el coronel Leopoldo Menéndez, con el coronel Federico de la Iglesia de jefe de EM y al Ejército de Levante, mandado por el general Hernández Sarabia.

El Cuerpo de Ejército de Galicia, mandado por Aranda, atacó desde el 17 de abril por la carretera de la costa, y tras durísimos combates en los que tuvieron 3000 bajas, consiguieron avanzar unos kilómetros hasta una nueva línea Cuevas de Vinromá-Alcalá de Chisvert, mientras que simultáneamente (el día 23) el Cuerpo de Ejército de Castilla, mandado por Varela, ataca el saliente republicano de Aliaga.

En ese momento es cuando el Estado Mayor de Franco decide volcar toda su potencia en la dirección Castellón-Sagunto-Valencia, decisión estratégica que sería combinada tácticamente con una nueva ofensiva en el frente de Extremadura, que también se proponía el objetivo, otras veces frustrado, de alcanzar el mercurio de Almadén.

Los combates de defensa del saliente de Aliaga duraron un mes, y hasta el 20 de mayo no lograron los atacantes un objetivo importante. Desde el 4 de ese mes, la agrupación de divisiones de Valiño partió al asalto de las posiciones de Cantavieja e Iglesuela del Cid, defendidas por el XXI Cuerpo de Ejército al mando de Cristóbal Errandonea. Fue necesaria la acción cooperada de las fuerzas de Aranda, por la costa, y de Valiño para que ocupasen Iglesuela y la línea Valdelinares-Mosqueruela, el 20 de mayo, después de haber reforzado sus líneas con una división italiana de «Flechas Negras». Sin embargo, Aranda seguía detenido en la costa, entre Alcocebre y Albocácer, mientras que, en Teruel, Varela había conseguido tomar el Puerto Escandón, pero no había podido romper la línea de Mora de Rubielos a Puebla de Valverde.*

Por entonces se unificaron los dos ejércitos republicanos, que quedaron al mando de Menéndez, ascendido a general. Durante unos días, la ofensiva del XVIII Cuerpo de Ejército (mandado por Del Barrio) contra la cabeza de puente de Balaguer y Tremp, en la zona pirenaica, inmovilizó a las fuerzas franquistas en Levante, aunque no consiguió ninguno de sus objetivos tácticos. También los republicanos organizaron un nuevo Cuerpo de Ejército, el XVII (número tomado de los antiguos del norte), que ocupó la línea de Mora de Rubielos a Puebla de Valverde, mandado por el teniente coronel (profesional) García Vallejo.

Sin embargo, seis divisiones mandadas por García Valiño, protegidas por un centenar de aviones, rompieron las líneas del XXI Cuerpo de Ejército, penetraron hasta seis kilómetros antes de Lucena del Cid y ocuparon, más al norte, el nudo de comunicaciones de Adzaneta. En esas condiciones, el XXII Cuerpo de Ejército amenazado por la espalda, tuvo que abandonar la línea costera Albocácer-Alcocebre y situarse en una línea que iba de Oropesa —en la costa— a Villafamés, para defender Castellón. Los regulares de García Valiño atravesaron el río Mijares, en dirección a Onda, continuando la maniobra envolvente, mientras las fuerzas de Aranda avanzaron fácilmente por los pantanos de Benicasim a Castellón, que el mando republicano había juzgado intransitables. De esa manera, el 14 de junio por la mañana entraban en Castellón las primeras tropas de Aranda. Fuerzas de la 6 División contraatacaron y, durante más de veinticuatro horas, se mantuvo una dura lucha de calles, decidida el día 15 a favor de los franquistas por la llegada de refuerzos de las divisiones navarras. La operación había sido completada por García Valiño evolucionando hacia su izquierda y conquistando Villarreal.

A partir del 15 de junio empieza la cuarta fase de la maniobra hacia el mar de los ejércitos franquistas, y entonces, según Rojo, «empieza la batalla de Levante, tras la pérdida de Castellón».

En efecto, el Estado Mayor de Franco parece tomar la iniciativa y se dispone a romper las líneas Viver-Segorbe-Sagunto, camino de Valencia, a la vez que estrangula la bolsa republicana de Extremadura; ambas operaciones estaban concebidas para completarse con la tantas veces proyectada y nunca conseguida operación de conjunción de un cuerpo de ejército que vendría de Toledo, con otras fuerzas que llegarían por los Montes Universales.

Para tomar Valencia, Franco pone en línea 19 divisiones y dos brigadas de caballería, que sumaban 130 000 hombres, apoyados por 600 piezas de artillería y 400 aviones. Entre esas fuerzas estaba el Cuerpo de Ejército italiano mandado por Berti, que comprendía 38 batallones de infantería, 2 batallones de carros de combate, 2 batallones motorizados y 348 piezas de artillería.

Las fuerzas unificadas de Ejército de Levante y de Maniobra, mandadas por Menéndez, eran un total de 21 divisiones, también con unos 200 000 hombres, 200 piezas de artillería y 120 aviones.

¿Qué pasaba en el resto del país, mientras la guerra asolaba desde las serranías turolenses hasta los naranjales valencianos?

Desde los últimos días de mayo se habían reproducido los bombardeos terroristas contra las poblaciones de Barcelona, Valencia, Alicante y otros puertos mediterráneos. Según afirmación del coronel alemán Jänicke[1], dichos bombardeos «estaban comprendidos en las bases de las órdenes del general Franco». Cierto, pues el Generalísimo en persona se encargó de confirmarlo en una interviú concedida al *Times* de Londres y reproducida por *ABC* de Sevilla del 28 de junio.

En Extremadura, y con el solo fin táctico de preparar la ulterior ofensiva, puso en línea Queipo de Llano (al que no le daban muchos medios desde Burgos) cuatro divisiones, que rompieron sin dificultades las líneas republicanas defendidas por una sola brigada, ocupando Peraleda del Zaucejo, y apresando al jefe de la unidad, el mayor Blas, de veintiún años de edad, que fue fusilado poco después.

Sin embargo, la ofensiva de Extremadura se retrasó todavía un mes. Cuando se pueda conocer toda la documentación del ejército franquista se conocerán, probablemente, las causas de este retraso y otros hechos de mayor importancia.[2]

2. LA 43 DIVISIÓN EN BIELSA

Al desplomarse el frente pirenaico a finales de marzo, la 43 División, que cubría el puerto de Monrepós, se retiró combatiendo y sin desorganizarse, hasta las estribaciones pirenaicas; pero su jefe, el teniente coronel Escassi, creyó que no era posible resistir y abandonó el mando, que le fue dado al jefe de la 72 Brigada, Antonio Beltrán, conocido por el sobrenombre de familia de «El Esquinazau», ya popular desde el alzamiento de Jaca en 1930. Beltrán y sus oficiales organizan «el aconchamiento» de la división en el contrafuerte pirenaico y el valle de Bielsa y del Cinqueta, con una línea sur desde Broto a Laspuña y el pico de

Posets, pasando por la sierra de Cotiella hasta el collado de Sahún en el sector oriental. De esa zona son evacuadas 6000 personas de la población civil, por el puerto de Bielsa, entre el 7 y el 14 de abril; el conjunto del terreno representaba el doble que la isla de Ibiza; la 43 División organizó no solo la defensa, sino los servicios, la vida civil, el hospital central, las comunicaciones, el abastecimiento, etc. En cambio, las municiones escasearían pronto y hubo que economizarlas (el gobierno francés se negó a que fuera abastecida en municiones la 43 División). La bolsa fue bombardeada por aire y tierra durante el mes de abril y con mayor violencia en el de mayo, ya que los ataques por tierra, en los que Solchaga empleó a navarros y a moros, no dieron resultado frente a las líneas fortificadas por Beltrán.

El 15 de mayo, la División recibió la visita de Negrín y Rojo, que, procedentes de Tarbes, llegaron por el puerto Barroso; en medio del entusiasmo de los combatientes, Negrín y Rojo impusieron condecoraciones, visitaron las avanzadillas (un sargento cayó herido al lado de Negrín en los parapetos de Escalona) y las obras de un aeródromo que secretamente se construía junto a Pineta.

En la segunda quincena de mayo, la División cooperó en la acción iniciada contra Balaguer y Tremp, pero el fracaso de esta paralizó sus esfuerzos; por su parte, la aviación franquista bombardeó ya núcleos urbanos como Bielsa. El 7 y 8 de junio el bombardeo generalizado de pueblos y campos anunciaba la ofensiva de Solchaga; en efecto, este había traído de Tremp la Agrupación Lombana con 14 600 hombres y 52 piezas de artillería, que pasaron al ataque el 9 de junio y rompieron en el sector de Sahún las líneas de la 102 Brigada, obligando a la 72 Brigada a abandonar sus posiciones avanzadas de Peña Montañesa, para no ser envuelta. Por añadidura, las municiones escaseaban cada vez más. El 11 de junio, los guerrilleros del XIV Cuerpo vuelan la central eléctrica de Lafortunada, antes de abandonar la línea Laspuña-Lafortunada, en medio de un temporal de lluvia y nieve. Durante cuatro días, las unidades se repliegan sin cesar de combatir; pero el día 15 los moros ocupan las alturas de Bielsa y otras fuerzas de Solchaga el cruce de Salinas; la 102 Brigada tiene que pasar a Francia por los puertos del Pez y de Plan; el resto de la División pasa a Francia en la madrugada del 16 de junio, en fila india, por las alturas de Parzán hacia el puerto de Bielsa; el último en abandonar el suelo patrio era Beltrán, el «Esquinazau», ya al caer la noche del 16 de junio.

Al día siguiente, Beltrán declaraba al diario Le Patriote de Pau: «No queda tras nosotros ni un herido, ni un prisionero, ni una acémila. La ofensiva franquista ha sido de las más duras, realizada por 20 batallones y 9 baterías de artillería, sostenida por 48 trimotores alemanes. Para resistir a esos ataques no teníamos más que 3 cañones, casi sin municiones nuestros fusiles y ametralladoras... Ante la tenaz resistencia de nuestros soldados, el enemigo, que no podía romper el frente, cambió su dispositivo y atacó sobre nuestro flanco izquierdo ante San Juan y Gistain».

Las autoridades francesas organizaron seguidamente un referéndum, en la estación de Arreau, para saber si los combatientes optaban por la zona franquista o por la republicana: 6889 soldados pidieron regresar a Barcelona, por Port-Bou; 411 prefirieron entrar por Irún a la zona franquista [111; 112; 82; 192].

3. LA LUCHA POR VALENCIA

El 23 de junio, todas las fuerzas de Valiño, reforzadas por los italianos de la División «Flechas», se lanzan sobre las líneas republicanas de Onda, como primer paso de una penetración hacia Segorbe. La resistencia del XX Cuerpo de Ejército, mandado por el mayor de milicias Gustavo Durán, fue encarnizadísima. Más de cinco días necesitó la Agrupación Valiño para tomar Onda.

Los contraataques republicanos (que recuperaron el vértice Atalaya) y, por otra parte, el desgaste del Cuerpo de Ejército de Galicia, paralizaron durante cerca de dos semanas la ofensiva; esta se reanuda con una acción conjunta de los Cuerpos de Ejército de Valiño y Aranda, que consiguen tomar Nules el 6 de julio. Pero son paralizados durante la semana que sigue, a pesar del refuerzo italiano: «La resistencia enemiga se acrecienta —comenta García Valiño— ...El 10 de julio, en la sierra de Espadán, las tropas son detenidas y puestas bajo el fuego de un sistema potente de armas automáticas y de artillería de calibres medios... La primera División es rechazada con sensibles pérdidas al tratar de ocupar las cotas 850, y la misma suerte corren las tropas de la División italiana 84, que tratan de apoderarse de la posición fortificada de Castillo de Castro». Era la obsesión del ataque frontal hacia Segorbe, luego criticado por García Valiño mismo, que se estrelló contra la línea fortificada de la sierra de Espadán. Esa obsesión llevó al mando franquista a ver paralizada toda su ala izquierda y el centro: «Se mete más artillería, y la Legión Cóndor —escribe García Valiño—, pero el enemigo no solo resiste sino que contraataca».

El mismo 13 de julio, una masa de once divisiones atacó el ala izquierda de la defensa republicana, la línea Mora de Rubielos a Sarrión; cedió el XIII Cuerpo de Ejército, y al quedar el XVII aislado en Mora se le dio orden de repliegue.

El mando franquista quería penetrar por Viver hasta Segorbe, y desde allí bifurcar hacia Sagunto y Liria, convergiendo al final todos sobre Valencia, adonde se esperaba llegar el 25 de julio. En efecto, la 5 División navarra hizo una importante penetración en cuña hasta la

llanura de Barracas el 16 de julio, pero al día siguiente, cuando el Cuerpo italiano llegaba a dicho pueblo, fue sorprendido por la 70 División republicana (mandada por Toral) y por la artillería ligera tirándole en directo; a partir de ahí, la ofensiva quedó paralizada por ese sector. Desde el día 19 todo el esfuerzo franquista se concentra en romper la línea entre Viver y Segorbe, sobre la que se concentran unos 400 aviones.

Como ha escrito el general Vicente Rojo, «el ataque culmina en dirección a Viver y los días 20, 21, 22 y 23 de julio marcan el principal esfuerzo: incesantes oleadas de infantería se suceden y son invariablemente deshechas: los tanques italianos, las Divisiones de flechas, las tropas frescas que el enemigo ha recibido, se estrellan ante la tenacidad de los defensores [...] Madrid revivía en el frente de Viver».

Del bando adversario, García Valiño ha escrito: «Todas las fuerzas, habiendo agotado su capacidad de penetración, se encontraban ahora frente a la verdadera posición de resistencia enemiga».

La batalla cobró toda su violencia entre el 20 y el 23 de julio: bajo un sol tórrido y en medio de un calor abrasador, destrozada la vegetación por el fuego de la artillería y de la aviación, el paisaje no era ya sino piedras y enormes nubes de humo que se elevaban desde el suelo mientras los proyectiles no dejaban indemne ni un metro cuadrado del terreno...

Todo el Ejército de Levante, pero en particular el XXII Cuerpo, mandado por Ibarrola y el XVI, mandado por el teniente coronel Palacios, habían detenido la ofensiva en la línea de resistencia prevista. En la noche del 23 de julio, el Mando asaltante, que debía contar ya con unas 15 000 bajas, desiste de su empeño; renuncia al ataque frontal, para sustituirlo por una ofensiva de envolvimiento que debiera realizarse por el noroeste del frente, en el sector próximo a Teruel. Pero ese plan quedó en suspenso porque, en la madrugada del 25 de julio, el día fijado por Franco para entrar en Valencia, el Ejército Popular pasaba a la ofensiva atravesando el Ebro.

No obstante, lo que se ha llamado batalla de Levante o de Valencia había terminado el 23 de julio por el desgaste de los atacantes. El Cuerpo italiano había quedado casi inutilizado tras el desastre de Barracas; el de Castilla tenía sus unidades diezmadas, y los del Turia (antiguo de Navarra) y Maestrazgo, no estaban ya en condiciones de progresar. La defensa era muy sólida, disponía de reservas y de una moral elevada.

Después de la batalla de noviembre de 1936 en Madrid, en que el potencial militar puesto en juego por ambos bandos era mucho menor, el ejército republicano no había obtenido otro éxito defensivo semejante.

Los nuevos ataques franquistas por Extremadura tuvieron el objeto estratégico de ayudar a los asaltantes de Valencia, más que de satisfacer la vanidad de Queipo. El 20 de julio pasaron al ataque cinco divisiones, una brigada de caballería y un destacamento de maniobra enviado desde los frentes del Centro. Las líneas republicanas, cubiertas tan solo por una división, y sin posibilidades de recibir refuerzos rápidamente, fueron fácilmente desbordadas y envueltas. El 23 de julio perdieron Castuera, el 24, Don Benito y Villanueva de la Serena, quedando así liquidado el saliente republicano en Extremadura. La ofensiva de Queipo fue, empero, paralizada, en la tarde del 25 de julio, al saberse lo que estaba pasando en el Ebro. El frente extremeño quedó inmóvil durante varias semanas.

4. EL PASO DEL EBRO Y PRIMERA FASE DE LA BATALLA

Cuando Castellón había caído ya en poder de las tropas de Franco y se cernía sobre Valencia y su región el peligro de ser ocupadas, concibió el Estado Mayor Central la operación del Ebro. Se trataba de ayudar eficazmente a los defensores de la región valenciana, convirtiendo, si era posible, esta acción en otra más vasta, cayendo por Valderrobles-Morella hasta Catí, para envolver a los atacantes de Levante y obligarles al repliegue. La acción se concibió cuando no solo había medios materiales sino que se contaba con recibir más; pero en aquellos mismos días el gobierno francés cierra de nuevo la frontera. Luego, el proyecto se redujo a pasar el río (operación considerada punto menos que imposible por los especialistas de la época) entre Fayón y Benifallet, estableciendo una cabeza de puente en Gandesa, y dos cabezas de puente de diversión: al norte, entre Fayón y Mequinenza; al sur, en el sector de Amposta.

Durante dos meses se preparó minuciosamente la operación, que sería confiada al llamado Ejército del Ebro, mandado por Juan Modesto (teniente coronel de Milicias), e integrado por el V Cuerpo de Ejército, de Líster, el XII, mandado por el teniente coronel de Milicias Etelvino Vega, y el XV, por el teniente coronel también de Milicias, Manuel Tagüeña.

Además, cooperarían las Divisiones 27, 43 y 60 y el 7.º Regimiento de Caballería, todos pertenecientes al Ejército del Este. La artillería estaba al mando del teniente coronel Goiri, y los ingenieros, del teniente coronel Botella. La operación relativa al tendido y construcción de puentes y pasarelas, su reparación, etc. —nueva en la historia militar— había sido preparada por el coronel Patricio Azcárate, Inspector General de Ingenieros.

El 19 de julio, Modesto, en presencia de Rojo, reunió a los mandos divisionarios, con sus comisarios, y les dio a conocer verbalmente el plan de la ofensiva; el día 21 fueron informados los jefes de brigada y batallón. En principio estaba prevista para la hora 0 del día 24, pero luego se fijó definitivamente las 0.15 horas del 25 de julio.

Al otro lado del Ebro estaba el Cuerpo de Ejército marroquí, mandado por Yagüe. Sus servicios de EM percibieron algún movimiento de fuerzas al otro lado del río, entre Mequinenza y Tortosa. En su Boletín de Información del 23 de julio, decían: «El movimiento de vehículos observado en las líneas enemigas, la noche del 22 al 23, permite calcular que han transportado unos 30 000 hombres». El mismo día, Yagüe pedía refuerzos. No le hicieron caso.

Llegó, pues, la noche del 24 al 25. A las 0.15 en punto, la 10 Brigada (46 División) empezó a pasar el río en barcas —como todos aquella noche—. La 13 Brigada (35 División) no empezó la travesía hasta las tres de la madrugada, pero a las cuatro ya habían tendido la primera pasarela. Y a las cinco ya había hecho una penetración de tres kilómetros, mientras la 15 Brigada empezaba a pasar el río.

Más abajo, entre Ginestar y Miravet, la 11 División encontró más dificultades, pero a mediodía ya habían atravesado el río sus tres brigadas; a las diez de la mañana, la 1.ª Brigada utilizó una pasarela, pero esta fue destruida por la aviación adversaria hacia las once.

En efecto, los soldados de Yagüe empezaron a reaccionar durante la madrugada, pero la sorpresa fue tan grande, que lo hicieron en medio del mayor desconcierto. Antes de las ocho de la mañana, fuerzas de la

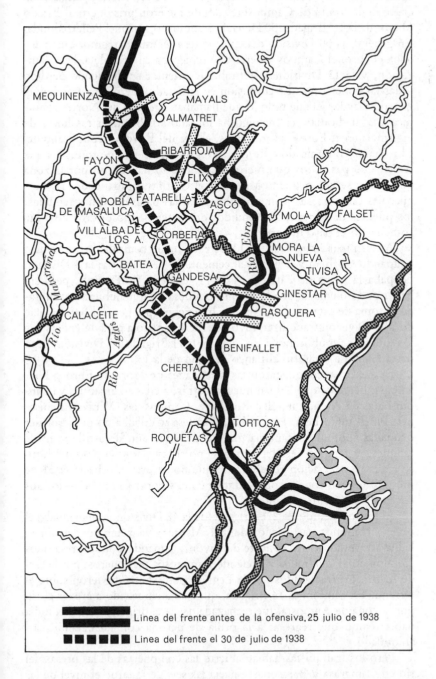

Linea del frente antes de la ofensiva, 25 julio de 1938

Linea del frente el 30 de julio de 1938

XIII Brigada (35 División, mandada por P. Mateo Merino) llegaron al cruce de la Venta de Camposines donde hicieron prisionero al Estado Mayor de la 1.ª Brigada (50 División franquista), coronel Peñarredonda. En general, la 50 División del Cuerpo de Ejército marroquí, que mandaba el coronel Campos Guereta, se replegaba en completa desorganización, y la 13 División se retiraba desorientada y habiendo perdido todas las conexiones. La confusión en el Estado Mayor era grande y el general Dávila, jefe de todo lo que llamaban Ejército del Norte, comunicaba a mediodía: «el enemigo ha logrado arrollar nuestras líneas de vigilancia en el Ebro». Horas antes, el jefe del Ejército republicano del Ebro había comunicado a Rojo y a Negrín: «Han pasado todos los que tenían que pasar; los que fueron detenidos lo han hecho por la zona inmediata; se han ocupado Miravet y el Castillo combatiendo; las vanguardias están en sus primeros objetivos; las pasarelas todas tendidas; los puentes de vanguardia, tendidos dos y tendiéndose otros dos. Ha comenzado el paso del grueso...»

Al terminar la jornada, la 13 Brigada había continuado su avance, ocupando Corbera y llegando al cementerio de Gandesa; la 3 División ocupaba la sierra de Fatarella, y la 11, la sierra de Pandols, pero sin haber podido enlazar con la 35 ante Gandesa, lo que hubiera posibilitado la toma de esta localidad, donde hasta el propio general Barrón, jefe de la 13 División franquista, tuvo que sacar la pistola para defenderse de los soldados republicanos.[3] En cambio, la 11 Brigada (35 División) llegó hasta Gandesa y cubrió el flanco derecho de la 13.

El día 26 se conquistaron las localidades de Mora de Ebro y Flix, ambas ribereñas, que habían quedado atrás; a ellas se unían las ya conquistadas de Ascó, Fatarella, Ribarroja, Camposines, Miravet, Benisanet, Pinell y Corbera. En cambio, Gandesa y Villalba no pudieron ser ocupadas, por una infantería que no disponía aún de artillería ni de tanques, ni tampoco estaba protegida por la aviación (el paso del Ebro se realizó sin aviación republicana, que no se presentó hasta el 31 de julio). También conectaron —aunque con 24 horas de retraso— los dos cuerpos de ejército actuantes.

Al mismo tiempo, la 226 Brigada (de la 42 División, que mandaba el obrero comunista asturiano Manuel Álvarez, ya veterano del norte) había atravesado el río al norte de Fayón, ocupando por sorpresa unos 25 kilómetros cuadrados y haciendo numerosos prisioneros; por la tarde fueron contraatacados por la Legión, pero se mantuvieron sobre el terreno. En cambio, la 14 Brigada, que había empezado a cruzar el río por la zona de Amposta, fue rechazada desde el principio y a mediodía había tenido que regresar a la orilla de partida con un batallón casi aniquilado.

Pero los franquistas habían abierto las compuertas de las presas del río en Camarasa y Barasona, y hacia las seis de la tarde el nivel de las

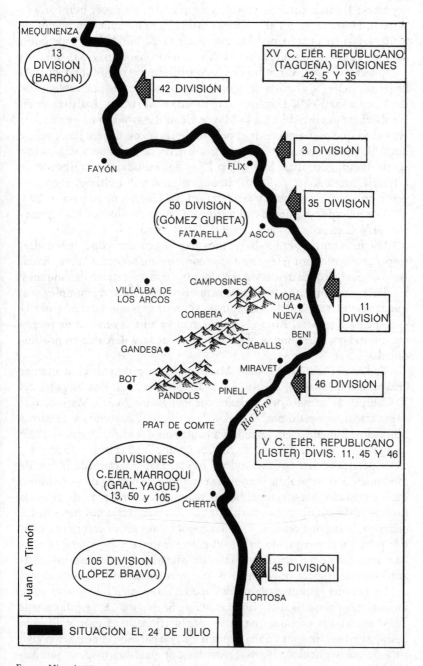

MEQUINENZA

13 DIVISIÓN (BARRÓN)

42 DIVISIÓN

XV C. EJÉR. REPUBLICANO (TAGÜEÑA) DIVISIONES 42, 5 Y 35

3 DIVISIÓN

FAYÓN FLIX

50 DIVISIÓN (GÓMEZ GURETA)

FATARELLA ASCÓ

35 DIVISIÓN

CAMPOSINES

VILLALBA DE LOS ARCOS

MORA LA NUEVA

CORBERA

BENI

11 DIVISIÓN

GANDESA CABALLS.

MIRAVET

BOT

PÁNDOLS PINELL

46 DIVISIÓN

Río Ebro

PRAT DE COMTE

DIVISIONES C. EJÉR. MARROQUÍ (GRAL. YAGÜE) 13, 50 y 105

V C. EJÉR. REPUBLICANO (LÍSTER) DIVIS. 11, 45 Y 46

CHERTA

Juan A Timón

105 DIVISION (LÓPEZ BRAVO)

45 DIVISIÓN

TORTOSA

SITUACIÓN EL 24 DE JULIO

Fuente: Historia-16.

467

aguas había subido en dos metros. No hubo puente ni pasarela que soportase la riada (mucho más dañina que los pertinaces bombardeos aéreos). Hasta entonces el V Cuerpo había logrado tender un puente de madera y otro pesado por los que pasaron 28 blindados, 6 tanques, algunos cañones y munición. El XV Cuerpo había pasado, por una compuerta de Ascó, varias unidades de artillería y algunos blindados. Al llegar la noche, la avenida de agua había cortado momentáneamente de sus bases a los 60 000 hombres aproximadamente que se hallaban ya en la cabeza de puente. El Estado Mayor Central estableció un servicio de vigilancia que podía prevenir el peligro de riada con doce y hasta veinte horas de anticipación, pero las consecuencias de la primera se hicieron sentir durante dos días. Solo el día 28 pudo reanudarse el trasbordo de artillería, municiones y víveres, ambulancias, etc. Por último, el contingente principal de tanques y artillería del XV Cuerpo pudo pasar el 29 y el 30 de julio por el puente de hierro construido en Flix por los ingenieros; el V Cuerpo pasó también el material pesado el 29 de julio.

Mientras tanto, Franco había movilizado siete divisiones mandadas, respectivamente, por jefes reputados como Alonso Vega, Galera, Rada, Barrón, Serrano, Castejón y Arias; lo que, unido al retraso de tanques y artillería, ocasionó que la idea de maniobra no acabase de cumplirse, al quedar Gandesa y Villalba sin tomar. «Nuestros ataques del 30 y del 31 —comenta el general Rojo— encontraban ya ante sí una red de fuegos que no fue posible romper, y la maniobra quedaba detenida en profundidad.»

Todavía el día 30 el Estado Mayor pensaba proseguir el ataque; se creaba una agrupación con la 35 y la 16 División, más dos brigadas del V Cuerpo, al mando del teniente coronel Pedro Mateo Merino, que debía atacar, apoyado por 72 piezas de artillería, 22 tanques y 23 carros blindados. Sin embargo, cuando ya había comenzado el ataque —el 1.º de agosto— sin conseguirse ningún resultado, llegó la orden de Modesto de pasar a la defensiva en todo el frente. Había terminado la fase de movimiento o maniobra y comenzaba ahora la batalla de posiciones. Para el Estado Mayor republicano se trataba de resistir, de fijar las fuerzas adversarias, en espera de una cooperación activa por parte de los ejércitos de la zona centro-sur. Esta cooperación activa casi nunca existió: para unos, porque no había suficiente material y las unidades estaban agotadas; para otros, por falta de organización de reservas en la zona central, y para unos terceros, por razones de orden político.

En la zona franquista la prensa apenas dio noticias de lo ocurrido, durante los primeros días. En el *ABC* de Sevilla del 26 de julio puede leerse así: «Unas partidas que en las inmediaciones de Fayón y de Ascó consiguieron infiltrarse con la complicidad de parte de la población civil roja de estos pueblos, fueron acosadas por nuestras tropas, que han causado al enemigo, en este sector, varios millares de bajas».

El parte de guerra del Cuartel General de Franco decía aquella noche: «En el sector del Ebro han continuado las operaciones de limpieza de las partidas que pasaron el río entre Fayón y Mequinenza». Durante dos días, el parte de guerra solo habló de los frentes de Extremadura y Valencia.

En la gran cabeza de puente, los soldados republicanos se fortificaban aprovechando el terreno. Y en la pequeña cabeza, entre Fayón y Mequinenza, la 42 División cedió sus posiciones y volvió a la orilla izquierda en la noche del 6 de agosto. Había tenido 3000 bajas, es decir, un tercio, aproximadamente, de sus efectivos.

A partir del 10 de agosto, la 84 División franquista y la 4.ª de Navarra iniciaron una ofensiva contra las posiciones de la 11 División en la Sierra de Pandols, protegidas por una masa de aviación y de artillería; agotada la 11, fue reemplazada por la 35 (que llevaba una semana en reserva), que contraatacó y consiguió estabilizar la situación. La ofensiva cejaba el día 17. En ella ya habían intervenido fuerzas del recién creado Cuerpo de Ejército del Maestrazgo, al mando de García Valiño.

Poco antes, el 9 de agosto, fuerzas del XII Cuerpo republicano, mandado por el teniente coronel de Milicias Etelvino Vega, atravesaron el río Segre entre Lérida y Balaguer, 65 km al norte de la bolsa del Ebro, y tras seis días de combates consiguieron establecer una sólida cabeza de puente.

El 20 de agosto comenzó otra de las más violentas ofensivas contra las posiciones republicanas del Ebro, dirigida por Dávila y por el general Vigón, pero en presencia de Franco, instalado en un observatorio de Villalba de los Arcos; intervinieron la 102, la 82 y la 74 Divisiones franquistas, y luego la 13, que estaba en reserva. Se movilizaron 18 baterías del Cuerpo de Ejército italiano, 18 de la reserva general, la del Cuerpo de Ejército marroquí, la de otras seis divisiones más, etc., y un centenar de tanques. El objetivo era romper las líneas republicanas en la dirección Villalba-Fatarella.

La lucha revistió singular dureza; jamás se había combatido con tanta violencia ni con tanta intensidad de fuegos y materiales. Atacantes y defensores se disputaban cada cota, cada reducto.

Los tabores [decía uno de los partes divisionarios franquistas] tienen que avanzar limpiando las trincheras cada diez metros, con granadas de mano, de un enemigo que no han podido desalojar de ellas ni los repetidos bombardeos ni las continuas concretaciones de artillería. —El avance solo se hace muy lentamente y cuesta muy caro [decía un parte análogo].

El día 23, los soldados de Vigón consiguen desalojar a la 16 División del vértice de Gaeta. Pero de ahí no pasarán; tres kilómetros en profundidad, hasta que, sin más reservas de momento, Dávila desiste el día 29.

Ha sido la tercera contraofensiva franquista del Ebro y van 35 días de batalla.

Pasadas las primeras zozobras de la batalla del Ebro, Queipo de Llano y Saliquet reanudaron su ofensiva por Extremadura. Saliquet puso en línea de nuevo tres divisiones, además de la de Caballería y cerca de 100 piezas de artillería. El ataque se dirigió con éxito sobre la línea del ferrocarril entre Castuera y Cabeza del Buey. El 13 de agosto, los asaltantes ocuparon Cabeza del Buey, creando así una cuña de penetración a unos 27 kilómetros del centro minero de Almadén. Las fuerzas republicanas del VII Cuerpo de Ejército y del VIII consiguieron detener la ofensiva delante de Cabeza del Buey, el 16 de agosto, con refuerzos llegados del Centro. Dos divisiones republicanas contraatacaron y llegaron a las inmediaciones de Zarzaparrilla, mientras que, a su vez, Saliquet contraatacaba por el sector de Puente del Arzobispo, en el extremo norte de ese frente. Las unidades republicanas, mandadas por el coronel Prada, extendieron su ataque al suroeste de Puebla de Alcocer, consiguiendo una penetración de 25 Km, después de desalojar al adversario de las posiciones del río Zújar; el 27 de agosto llegaron a las puertas de Castuera, pero allí se agotó su capacidad ofensiva. En septiembre, unidades del VIII Cuerpo atacarían más al sur, en el sector de Balalcázar e Hinojosa del Duque.

Una vez más la amenaza sobre Almadén había sido conjurada, ya que la posición de Cabeza del Buey podía estrangularse fácilmente, por lo que no servía de punto de partida.

5. MINICRISIS DE AGOSTO Y REPERCUSIONES
     EN CATALUÑA

La marejada era fuerte y se desbordó precisamente cuando los combates del Ebro eran más intensos.

Subsistían las discrepancias políticas entre los miembros del gobierno, y las diferencias y recelos entre el gobierno de la República, por un lado, y el gobierno de Cataluña y la representación de Euzkadi, por otro, a causa de la diversa interpretación dada a los Estatutos.

El 11 de agosto el gobierno, reunido en Consejo de Ministros, aprobó una serie de decretos. Algunos de ellos estaban relacionados con aspectos de guerra: militarización de los puertos, nuevas normas sobre el Comisariado de Tierra, movilización, industrias de guerra, establecimiento de la Audiencia en Barcelona.

Importante fue el dado a propuesta del subsecretario de Armamento, Otero (PSOE), por el que se decretaba que todas las fábricas dedicadas a la producción de material de guerra pasaran a depender de su departamento (Diario de Sesiones, Apéndice 21, núm. 67). El momento era duro. Rojo ha contado después que «durante largos períodos algunas unidades de artillería solo podían disparar diariamente los proyectiles que se fabricaban en la jornada» [243]. Los camiones esperaban a la puerta de las fábricas de Barcelona para ir transportando los proyectiles al frente, según eran fabricados. También eran angustiosos los problemas de construcción de puentes y pasos del río.

La medida, pues, de someter todas las fábricas a la jurisdicción de la Subsecretaría de Armamento respondía a la política económica del gobierno, tendente a la nacionalización de la industria de guerra, iniciada ya en 1937 y aceptada por los sindicatos, y a robustecer, de este modo, el poder del Estado [298, 863-867]. En ese momento, el nuevo decreto no fue bien recibido por algunos sectores obreros catalanes de la CNT [217, 3, 101-107; 144-148]. Y sirvió de pretexto para que se desatase una operación contra el gobierno Negrín, que no aguardaba más que una ocasión para producirse. Ya se venía hablando de un gobierno Besteiro-Martínez Barrio. El malestar arrastraba fracciones de diversos partidos republicanos y nacionalistas, y a sectores del anarcosindicalismo. El viejo socialista Amador Fernández estuvo sondeando a Zugazagoitia, entonces secretario general del Ministerio de Defensa. De él son estas palabras: «He hablado con Blanco... su enemistad contra los comunistas es profunda y están dispuestos a unirse a nosotros para destrozarlos». Por su parte, Besteiro decía al senador australiano Elliot que estaba dispuesto a formar gobierno «para terminar la guerra», si le dejaban elegir libremente a sus colaboradores. En suma, la política que un mes más tarde llevó a Munich, también tenía sus representantes en los medios políticos de la España republicana. En algunas zonas, sobre todo en Madrid, «la hostilidad anticomunista había pasado de sentimiento difuso a organización secreta» [244; 315].

La primera manifestación de esta tendencia política se produjo el día 11 de agosto con dos dimisiones. Primero, la de Aiguader, ministro de Trabajo y Asistencia Social, representante de ERC en el gobierno de la República, y en segundo lugar, la de Irujo, ministro sin cartera y representante del PNV. El motivo dado por Aiguader era la discrepancia de su partido con los decretos recién aprobados. Las dos dimisiones provenían de los representantes de Cataluña y Euzkadi (*La Humanitat*, Barcelona, 17 agosto 1938).

Se reunieron los partidos republicanos. La prensa, en especial la catalanista, no cesó de hablar y publicar una serie de comentarios muy duros con la esperanza de provocar la crisis total, y algunos opinaban —sobre todo un sector grande de IR— que Negrín debía declinar en el presidente de la República la solución del problema [315, 2, 166-167]. Otros sectores, en especial las fuerzas obreras, PCE y UGT, a través de sendas cartas de José Díaz y Felipe Pretel, mostraban su adhesión a Negrín (*Frente Rojo*, 17 agosto 1938). También lo hicieron el PSUC y la

JSU, y R. Lamoneda en nombre de la Ejecutiva del PSOE (*El Socialista*, 18 agosto 1938).

Negrín hizo numerosas consultas con los partidos que le apoyaban y con los que no lo aceptaban, y al fin, el día 17, se resolvió la crisis nombrando a J. Moix, del PSUC, y a T. Bilbao, de ANV,[4] para ocupar los Ministerios de los dimisionarios. El gobierno aseguraba así la continuidad de las representaciones catalana y vasca.

Una vez más, Negrín había superado la crisis, pero el descontento de los partidos republicanos cada vez era mayor; y no cabe duda que la base política del gobierno se había reducido. Ni el PSUC ni ANV compensaban la ausencia de Esquerra y del Partido Nacionalista Vasco.

La participación de Moix en el gobierno de la República provocó una situación difícil al PSUC en el gobierno de la Generalitat, que se salvó con el simple anuncio por parte de Comorera, su secretario general, de plantear la cuestión ante el pueblo.

La ruptura del bloque de clases sociales formado a nivel gubernamental durante la guerra, apenas ofrecía ya lugar a dudas. Los partidos republicanos declaraban «haber visto con disgusto la tramitación de la crisis» y, por otra parte, el órgano anarcosindicalista *Solidaridad Obrera* atacaba sañudamente a Negrín sin que la censura lo impidiese.

Este género de golpes y contragolpes políticos se desarrollaba en una especie de caldo de cultivo en Barcelona, mientras que a pocos kilómetros de allí se libraba la batalla más mortífera entre fascismo y democracia que hubo tenido lugar en Europa entre las dos guerras mundiales. Pero los estampidos de las sierras de Caballs y Pandols parecían no llegar a los centros políticos de Barcelona, que estaban políticamente mucho más cerca de quienes preparaban la capitulación de Munich que de quienes seguían batiéndose en el Ebro.

La situación política no era muy diferente en el mismo Madrid, donde esas tendencias aprovechaban el evidente cansancio de la guerra y se encontraban favorecidas por el nuevo jefe del Ejército del Centro, coronel Casado. El nuevo ministro Tomás Bilbao regresó muy desfavorablemente impresionado de un viaje hecho a la zona central; y Giral observaba también que el anticomunismo llegaba a cotas máximas.

6. SEPTIEMBRE EN EL EBRO

El 3 de septiembre lanza Franco la cuarta contraofensiva del Ebro, intentando romper las líneas al norte de Gandesa con el Cuerpo de Ejército marroquí (Yagüe), el del Maestrazgo (Valiño), la brigada motorizada italiana, 100 tanques y 150 baterías, apoyados por 250 aviones. La 27 División (del XVIII Cuerpo de Ejército, agregada al V) soportó los primeros embates —seis horas de preparación artillera, por ejemplo— y tuvo que ceder terreno; ni ella ni la 11 División pudieron impedir que García Valiño conquistase Corbera el 5 de septiembre.

Hubo un peligroso momento de ruptura que Modesto salvó poniendo en línea a la 35 División y al batallón especial de ametralladoras (7 de septiembre), bajo su mando directo, con 20 tanques y artillería. Durante varios días, el mando franquista trató de poner en práctica su máxima de que la artillería puede virtualmente *conquistar* el terreno y luego llega la infantería a *ocuparlo*; la zona de combate se convertía en un infierno inhabitable. El 14 de septiembre, los asaltantes desistieron; apenas habían penetrado cuatro kilómetros, por ocho de anchura; pero las pérdidas en hombres y en material de los republicanos eran sensibles y difícilmente reparables.

En vísperas de la conferencia de Munich, el alto mando franquista, cuya inquietud había subido de punto, lanzó su quinta contraofensiva (17 de septiembre) en la carretera de Gandesa a Mora, doblada de un golpe de diversión en el sector de Fayón. De nuevo ambos ejércitos se baten desesperadamente por cada cota, otra vez artillería y aviación llegan a cambiar la orografía de peñascales y tierras resecas, sin que los frentes cambien más que en centenares de metros. Pero las bajas, por ambas partes, son mayores que en toda la guerra.

7. LAS REPERCUSIONES DEL EBRO EN BURGOS

Las disensiones en el seno de Falange eran, ante todo, un reflejo del malestar producido por la fatiga de la guerra y por las nuevas dificultades, y no se limitaban al activo de esa organización. La batalla del Ebro estaba demostrando que, contra lo que se había creído en la primavera, la victoria no estaba todavía al alcance de la mano, y eran numerosos los medios políticos y militares de la zona franquista en los que se acrecentaba el temor a que una guerra mundial favoreciera la situación de los republicanos. De ahí la viva preocupación por las tensiones internacionales que ganó a todos los dirigentes del campo franquista en septiembre de 1938, y que se calmó tras la claudicación de Chamberlain y Daladier ante Hitler y Mussolini.

En otro orden de cosas, la situación interna de Falange se complicó. Dos viejos falangistas, Aznar y González Vélez, que trabajaban en la secretaría general con Fernández Cuesta, fueron acusados de conspiración por los medios del Cuartel General de Franco, y encarcelados hasta después de terminada la guerra (González Vélez, de salud frágil, solo sobreviviría unos meses a su liberación).

Estas divergencias salieron a la luz en el seno mismo de la Junta Política de Falange, en la que por un lado los «conservadores» (Sainz Rodríguez, E. Bilbao, G. Bueno) apoyaban a Franco y al gobierno frente a lo que creían un peligro de hegemonía falangista, representado sobre todo por Ridruejo, ya que Fernández Cuesta mantenía una actitud inhibitoria. En una de aquellas polémicas sesiones perdió los estribos Franco (la única vez de que ha quedado constancia de ello), pegando puñetazos en la mesa y gritando: «¡Debí haber fusilado a Hedilla, debí haber fusilado a Hedilla!». Ridruejo dijo que dimitía —«me marcho», dirigiéndose a Serrano— y entonces, también por única vez, Franco retrocedió y pidió excusas por haberse excitado.

En otro plano, el de la población en general, también crecía el malestar por el alza de precios y carestía consiguiente de la vida. Los salarios seguían siendo muy bajos y, además, la movilización de todos los hombres aptos para las armas había reducido el volumen de ingresos de las familias obreras; el llamado subsidio al combatiente era una suma irrisoria que no podía compensar la falta de salarios en tantos hogares.

La represión continuaba y hasta era estimulada desde las columnas de la prensa. Giménez Caballero escribía así en *ABC* de Sevilla: «¡Ay del que murmure!... ¡Abajo los residuos que quedan de la chulería y del señoritismo burgués y socialista!... Y nosotros, arma al brazo, vigilantes».

1938 fue el primer año en que hubo inflación en la zona de Franco y en que los precios subieron aproximadamente en un 40 %; algunos productos como las legumbres, patatas y el aceite llegaron al 50 %, y la carne al 80 % (tomando como base 100 el primer semestre de 1936). En cambio, los salarios no aumentaron, en el mejor de los casos, más del 20 %. La represión no cejó; los datos más bajos con respecto a 1938 confirman la existencia de cerca de 100 000 presos en las cárceles y de más de 130 000 internados en «batallones de trabajadores» y campos de concentración.

NOTAS DEL CAPÍTULO XIII

1. Archives secrètes de la Wilhelmstrasse, t. III, núm. 621.

2. En Burgos y Salamanca se atribuía la inmovilidad de los frentes andaluces a incompetencia del general Queipo de Llano. Pero los militares del sur se quejaban del alto mando de Burgos y atribuían a mala voluntad de este el no disponer de suficientes medios bélicos. Hubo incluso una carta de Queipo a Franco, el 12 de abril de 1938, quejándose de que por falta de medios el Ejército del Sur (que había tenido 4675 bajas desde octubre de 1937) no podía aprovechar los éxitos locales y rectificaciones de línea.

3. Sobre la falta de enlace de los dos Cuerpos, discrepan los testimonios de los protagonistas. Para Líster [167, 221], «el XV Cuerpo tenía suficientes medios y fuerzas para conquistar Gandesa... su mando no solicitó en ningún momento ayuda del V Cuerpo y cuando, al atardecer del día 25, le fue ofrecida, la rechazó diciendo que estaban acercando medios y fuerzas suficientes para terminar con la resistencia enemiga».

Mateo Merino ha señalado que si, cuando la 35 División ocupó el cementerio de Gandesa, la 11 hubiera llegado por el flanco izquierdo, se hubiera batido allí al enemigo. La falta de enlace de la 11 División con la 35 la señala también el libro *Guerra y revolución* (t. IV, p. 119).

4. J. Moix Regás había pertenecido a la CNT en los años treinta; líder sindical en Sabadell, en 1937 fue elegido vicepresidente de la UGT de Cataluña. En agosto de 1938 era alcalde de Sabadell. T. Bilbao, dentro de su partido, se había mostrado siempre en favor de la línea de Negrín, partidario de la resistencia.

CAPÍTULO XIV

Munich y las batallas de Cataluña

1. MUNICH

A mediados de septiembre, la batalla del Ebro continuaba sin decidirse. Pero el mundo entero estaba conmovido ante la amenaza de Hitler que, tras haberse anexionado Austria, exigía ahora los territorios de Chescoslovaquia en que estaban los sudetes (población de origen alemán). Prosiguiendo la política de «apaciguamiento», Chamberlain visita a Hitler el 15 y el 22 de septiembre y, cada vez más, va cediendo a todas sus imposiciones. No se sabe, sin embargo, si la situación desembocará en un conflicto a escala europea, si Francia no cede y si, consecuentemente, pide la aplicación del pacto franco-soviético.

Esta dramática situación polariza la atención de diplomáticos y observadores de todos los países, hasta el punto de que la presencia personal de Negrín en la Asamblea de la Sociedad de Naciones, que se reúne en Ginebra, no adquiere todo su realce. No obstante, la situación española era dramática. En una nota enviada a Londres el 15 de agosto, el gobierno de Franco exigía el reconocimiento previo de la beligerancia para discutir sobre retirada de voluntarios extranjeros; y de esta solo admitía que se hiciese en igual número por ambos bandos y, por añadidura, que el 50 % de extranjeros no fueran objeto de medidas de evacuación.

Pero, ¿acaso Franco y su gobierno estaban dispuestos a pactar, a llegar a una negociación, como creía Besteiro, como intentaba Azaña (ese sentido había tenido su entrevista con el encargado de negocios británico realizada a espaldas de Negrín), como soñaban otros más, buscando un áncora al naufragio de sus esperanzas? Nada parecía indicarlo; Franco reiteraba una y otra vez que solo admitía la rendición incondicional. Y Negrín, ¿quería la guerra a ultranza? «No era cierto que Negrín no estuviera dispuesto a una paz negociada», ha escrito Vidarte [298, 890]. «La paz negociada siempre —cuenta Vidarte que le dijo el jefe del gobierno en agosto de 1938—, la rendición sin condiciones para que fusilen a medio millón de españoles, eso nunca [...]. Para la rendición incondicional que no cuente el Partido conmigo. Hay muchos hombres que pueden hacerlo dentro y fuera de nosotros. Ese hombre no será nunca Juan Negrín» [298, 855-856].

Pero creía que la única negociación posible era la que se hacía sin proclamarlo a los cuatro vientos. Tras solucionar la crisis de agosto, Negrín marchó a Zurich, en apariencia a un Congreso internacional de Fisiología. La realidad era muy distinta y en el viaje se jugaba Negrín sus últimas esperanzas de negociación. Todo falló: faltó a la cita el profesor americano que Roosevelt podría haber enviado: la frustración más importante sería la de la cita con el duque de Alba en el bosque de Sihl; el superaristócrata al servicio de Franco no acudió; en aquellos días, se esforzaba por convencer a ingleses y franceses de la neutralidad del dictador de Burgos, en caso de conflicto mundial. Pero Franco no admitía otra negociación: ni con Azaña, ni con Negrín, ni con Besteiro y Casado después. Para negociar no basta con que una de las partes quiera hacerlo [298, 867; 315, II, 176; 19, 228-229].

Negrín fue, pues, a Ginebra y probablemente con mucha amargura. Su declaración del 21 de septiembre asombró a todos. El gobierno español había decidido «la retirada inmediata y completa de todos los combatientes no españoles que tomaban parte en la lucha de España del lado gubernamental». El gobierno español pedía que la SDN controlase esa retirada de voluntarios y se negaba a que esa función fuese ejercida por el Comité de «No Intervención». La Asamblea aceptó la propuesta y decidió nombrar un Comité a tal efecto (constituido el 14 de octubre). Aquel golpe de efecto, ¿podía ser algo más que eso? Sin duda, para el gobierno republicano aquello no significaba un quebranto militar (aunque algún jefe del Ejército del Ebro se haya quejado de los 6000 combatientes que con ese motivo se retiraron). El total de retirados, según el minucioso control establecido por la Comisión Internacional, fue de 12 673. Todos fueron trasladados a la retaguardia; de ellos habían salido de España el 12 de enero, 6206 [120, 141-190].

Para contrarrestar el efecto moral de aquella retirada, Franco decidió retirar 10 000 combatientes italianos. Pero, en aquellas fechas, las unidades italianas actuando en España se componían —según Ciano y Stohrer— de 48 000 hombres, 8000 de los cuales llegados aquel verano; y según Maisky, eran cerca de cien mil.

Cuando Litvinof plantea en la Asamblea de la SDN que, ante el peligro que corre Checoslovaquia, su país está decidido a respetar el tratado que tiene firmado con Francia, casi nadie reacciona ya; las idas y venidas de Chamberlain presagian una ignominiosa resignación. Tan solo acogen favorablemente esa intervención los representantes de México, Colombia y España.

Sin embargo, la situación preocupa seriamente a Franco, que habla del asunto con el oficial alemán de enlace de su cuartel general. Le explica que ignora las intenciones del gobierno alemán y que hay cuestiones que afectan a su gobierno. ¿Qué se hará de la Legión Cóndor? ¿Piensa Alemania que sus navíos tomen combustible en los puertos españoles? (en aquellos momentos, el acorazado *Deutschland* estaba surto en el puerto de Vigo). El duque de Alba y Quiñones de León, embajadores oficiosos respectivamente en Londres y París, reciben órdenes de asegurar a aquellos gobiernos que, en caso de conflicto, «la España nacional» permanecerá neutral.

Desde Burgos, Stohrer informaba a su gobierno de que «la situación militar [de la España franquista] ya poco brillante, se haría extremadamente comprometida» si estallase una guerra. Jordana le llamó para «hablarle en confianza» y decirle que lo de guardar la neutralidad había sido una idea de Francia y de Inglaterra, pero no del gobierno de Franco. Por fin, en la noche del 29 al 30 de septiembre, Chamberlain y Daladier, con la aquiescencia de la mayoría de sus respectivos parlamentos, se sometieron a las exigencias de Hitler; Checoslovaquia era sacrificada y todos los políticos miopes creían así salvar la paz. Era el «cobarde alivio» de que habló Léon Blum.

Nunca se insistirá demasiado en que, al firmar el Pacto de Munich, se había decidido la suerte de España. El pronunciamiento del 18 de julio se había transformado en guerra civil merced a la dimisión que las democracias hicieron de sus valores y sus principios; la derrota de la República española, tras dos años y medio de resistencia frente al adversario y frente al Comité de «No Intervención», será también posible por una segunda claudicación de los mismos Estados que en 1936 y de sus respectivos gobiernos.

Cualquier observador podía darse cuenta de que la suerte estaba ya echada. Y también era evidente que, aunque momentáneamente continuase la ayuda de la Unión Soviética, como ha demostrado el profesor Ángel Viñas [308, 415-435], estratégicamente tendería a replegarse sobre sí misma y a buscar otras alianzas. Vincent Auriol, que visitó Barcelona diez días después del Acuerdo de Munich, no ocultó a sus amigos españoles el peligro de que la democracia española fuese completamente abandonada. Y también pocos días después de Munich, cuando el embajador francés en España, Labonne, anunció al presidente de la República francesa, Lebrun, que iba a despedirse del gobierno español antes de incorporarse a su nuevo destino de Residente general en Túnez, el jefe del Estado francés le respondió: «¿Y a qué va usted ya a España?».

El Pacto de Munich fue celebrado en Burgos como un verdadero triunfo. Las sugerencias de mediación avanzadas por el representante oficioso de Inglaterra, Hodgson, fueron definitivamente rechazadas. El 1.º de octubre, el embajador Stohrer recibía en una cena las felicitaciones del Caudillo; sin embargo, en un memorándum secreto enviado a su gobierno el 19 de septiembre, escribía:

...según los medios militares alemanes e italianos [...] es inconcebible que Franco pueda ganar la guerra en un futuro previsible, al menos de que Alemania e Italia no tomen, una vez más, la decisión de hacer en España nuevos y grandes sacrificios de material y hombres [...]. Una decisión por las armas en un porvenir más o menos próximo no parece posible más que si uno de los dos adversarios recibe del exterior una ayuda masiva.

Pero que la República había sido sacrificada en Munich fue puesto en evidencia cuando, lord Halifax (que había sustituido a Eden en el Foreign Office) dijo en la Cámara de los Comunes un mes después, al ratificarse el tratado anglo-italiano de abril de 1938:

Mussolini ha dicho siempre claramente, desde las primeras conversaciones entre el Gobierno de Su Majestad y el Gobierno italiano, que por razones conocidas por nosotros, que podíamos aprobar o no, no estaba dispuesto a tolerar que Franco fuese derrotado.

Por su parte, los dictadores del Eje decidían «reconstituir íntegramente la potencia de combate de las unidades alemanas e italianas que se encuentran en España» (telegrama de la Wilhelmstrasse a Stohrer, del 15 de octubre). Las necesidades de armamento del ejército de Franco fueron transmitidas a Berlín por su agregado militar en España, coronel Von Funck. El 11 de noviembre, Berlín respondía satisfactoriamente a las peticiones de Franco: este iba a recibir los 100 cañones del 7,5, las 2000 ametralladoras y los 50 000 fusiles solicitados.

2. EL PLAN MONTAÑA Y LOS ASUNTOS ECONÓMICOS

Las negociaciones de ayuda tenían implicaciones en el plano económico. Ciertamente, la LEY DE MINAS, promulgada por Franco en junio de 1938, era más flexible que las disposiciones del año anterior; según ella, se autorizaban inversiones extranjeras hasta el 40 % del capital, porcentaje que podría ser aumentado por autorización expresa del gobierno. Pero, al conceder una nueva e importante ayuda bélica, Alemania solicitó por vía diplomática autorizaciones de capital mayoritario en las siguientes empresas: «Aralar, S.A.» de Tolosa (75 %); «Montes de Galicia, S.A.» de Orense (75 %); «Sierra de Gredos, S.A.» de Salamanca (60 %) y «Montañas del Sur, S.A.» de Sevilla (75 %), quedando inalterada en 40 % la otra empresa minera, «Santa Tecla», de Vigo.

Además, la Sociedad Montaña quería crear una nueva sociedad minera en el Marruecos español, la Sociedad Anónima Mauritania. En las instrucciones de la Wilhelmstrasse a Stohrer se precisaba que, «es tanto más necesario que estas participaciones mineras sean reconocidas, cuanto que nuestros nuevos suministros de pertrechos bélicos repercuten duramente en nuestras reservas de minerales y otras materias primas necesarias para la fabricación de armamento, de modo que nuestra economía se ve obligada a cubrir sus necesidades con minerales importados de España» [26, ed. fr., 656].

El gobierno de Franco accedió a todas esas peticiones, según comunicó su ministro de Asuntos Exteriores al embajador alemán el 19 de diciembre de 1938. Estas sociedades de la HISMA y la que se creaba en Marruecos, importarían su maquinaria de Alemania, y su cuota de exportación sería dedicada en los cinco primeros años a amortizar el crédito alemán de suministro de material.

Quedó un asunto en litigio: la nota de gastos de la Legión Cóndor, que se elevaba a 190 millones de marcos. Alemania presentó esa nota en noviembre, pero en Burgos no podían pagarla entonces. Se convino, en principio, que sería amortizada por medio de exportaciones.

Los problemas económicos internos se fueron presentando al gobierno de Burgos a medida que transcurría el año 1938, a pesar de los resultados favorables de los frentes. Los gastos de guerra llegaron a crear inflación, a pesar de la invalidación de los billetes puestos en circulación durante la guerra por el gobierno republicano, y a pesar del bajo poder adquisitivo de la mayoría de la población. Los 4836 millones de pesetas en billetes que había en circulación el año 1935, ascendieron a 9351 al terminar la guerra.

El alza de precios era muy difícil de contener en 1938, de modo que pasó de 164,15 en 1935 (con base=100 en 1913) a 212 en 1938 (al por mayor) [210 bis, 17] o a 229,9 [según 312 bis, II, 773]. Las legumbres, patatas y aceite subieron en 40 % y más, las carnes doblaron su precio, el algodón (muy raro) también.

El coste de vida en productos alimenticios ascendió, según datos oficiales [210 bis, 137 ss.], en 177 % desde el comienzo hasta el fin de la guerra. Como los salarios no aumentaron más del 20 %, el empeoramiento del nivel de vida fue evidente; mucho más, si se tiene en cuenta los cientos de miles de personas de la población activa que estaban bajo las armas, obteniendo sus familias una compensación minúscula a través del llamado «subsidio al combatiente» (0,50 pesetas por día y persona a cargo); a lo que hay que añadir la situación de las familias afectadas por el encarcelamiento de sus miembros activos.

En contrapartida lógica, los abastecimientos, aunque racionados, eran normales; y en los grandes restaurantes y hoteles de San Sebastián y Sevilla, los adinerados y los hombres del naciente régimen se hacían servir espléndidas comidas. Se tomó la costumbre de celebrar banquetes hasta el punto que Serrano Suñer, como ministro del Interior, ordenó su prohibición e impulsó una campaña de prensa contra ellos.

La marcha de la guerra había devuelto la confianza a los capitalistas: las grandes empresas, cuyas direcciones estaban instaladas provisionalmente en las ciudades de la zona franquista, mejoraban sus posiciones. Prueba de ello es esta comparación entre las cotizaciones en la Bolsa de Madrid días antes de empezar la guerra, y las del Bolsín de Bilbao en julio de 1938:

	1936	1938
Cía. Sevillana de Electricidad	60	80
Minas del Rif	337	725
Altos Hornos de Vizcaya	' 59	114
Constructora Naval	19	25
Explosivos	426	470
Alcoholes Ebro	163	860

Fuente: *Le Temps*, París, 18 de agosto, 1938.

En la zona republicana, la carencia de productos alimentarios se hizo sentir vivamente desde el invierno de 1937-1938, a pesar de las buenas cosechas de aquel verano. Pronto se instauraron, junto al mercado oficial regulado por el racionamiento, un mercado negro en las ciudades o fenómenos de trueque (tabaco contra alimentos, etc.).

La producción industrial se resentirá desde el primer trimestre de 1938 de la marcha de la situación militar; así sucede con la pérdida de gran parte de las fuentes de energía eléctrica de Cataluña desde abril de 1938, la escasez de carbón —que es importado de Inglaterra o es de ínfima calidad—, las deficiencias del sistema de transportes, etc. Esta situación concierne fundamentalmente a las aglomeraciones urbanas importantes; la situación es diferente en el campo, donde continúan creándose tanto colectividades como cooperativas en el mismo año 1938; se nota en ellas la falta de mano de obra a causa del reclutamiento militar, pero es obviada en buena parte por la incorporación de la mujer al trabajo, así como de los refugiados de otras provincias, e incluso por las brigadas de muchachos voluntarios para el trabajo formadas por la JSU [132, 89-96].

En Madrid la penuria alimenticia fue particularmente dura para la población civil, que, a pesar de los múltiples requerimientos del gobierno republicano, continuó viviendo dentro del casco urbano de la capital. El abastecimiento cotidiano de Madrid estuvo siempre considerado como una tarea básica de guerra y requirió la movilización permanente de una parte considerable de medios de transporte.

3. LAS CORTES SE REÚNEN EN SANT CUGAT DEL VALLÉS

Cumpliendo el precepto constitucional, las Cortes se reunieron el 1.º de octubre en este monasterio. Dos días antes, en el grupo parlamentario socialista, los diputados Llopis, Galarza y Rubiera (del ala caballerista) se manifestaron contra la confianza al gobierno, pero quedaron en minoría. Le piden, sin embargo, a Negrín que prescinda del subsecretario de Defensa, coronel Cordón. Negrín se niega. Y ante las Cortes expone una vez más su política. Solo Lamoneda y Dolores Ibárruri, en nombre de sus respectivos partidos, apoyan sin reservas al gobierno. Hablan Palomo (IR), Irujo (PNV), Santaló (ERC). Todos dicen «sí, pero...», adhesión con reservas; más explícita parece la adhesión de Torres Campañá (UR). Negrín pide una suspensión de la sesión. Se reúne con sus ministros y vuelve a hablar: «El Gobierno —dice— no admite votos de confianza condicionados ni con reservas». Prieto interviene entonces, en uno de sus sobresaltos emotivos, en favor del voto de confianza. Y todos lo dan, sin condiciones. A esa misma hora, las divisiones republicanas del Ebro están aguantando la sexta ofensiva de los ejércitos franquistas. Hitler y Mussolini celebran su triunfo diplomático en Munich; Daladier se asombra, al aterrizar en París, de que la gente esté allí para aplaudirle y no para apedrearle, mientras Blum habla de «cobarde alivio».

Una vez más, ante el resquebrajamiento del bloque gubernamental y la restricción de su base, es lícito preguntarse qué clase de poder era aquel, quién lo ejercitaba, en beneficio de quién, etc.

El gobierno estaba integrado por los partidos del Frente Popular, más la CNT. Sin duda, a nivel ministerial los puestos clave estaban ocupados por el PSOE: Presidencia, toda la Defensa, Relaciones Exteriores, Justicia, Gobernación. El PSOE tenía también los gobiernos civiles más importantes (Madrid y Valencia, en primer lugar) y el Ayuntamiento de Madrid. En el segundo escalón de centros de decisión y operacionales, el PSOE tenía la secretaría general de Defensa (Zugazagoitia), la subsecretaría de Armamento (Otero) y la de Marina de Guerra (Játiva), las delegaciones de Abastos, de Tabacalera, intervenciones en bancos, etc., y algunas embajadas fundamentales.

¿Los comunistas? A nivel del gobierno, solo Agricultura (Uribe), con subsecretario republicano (Vázquez Humasqué), pero con las subsecretarías del Ejército (Cordón) y de la Aviación (Núñez Maza). Dos gobernadores civiles. Desde la crisis de agosto cuentan con Moix en el Ministerio de Trabajo, pero su poder es nominal. En cambio, desde mediados de 1937 compartían con la Esquerra la dirección de la Generalitat, teniendo en sus manos la economía, los abastecimientos y las obras públicas en Cataluña.

Los republicanos (Izquierda y Unión Republicanas) tenían las obras

483

públicas, las comunicaciones y transportes, con todas sus subsecretarías y direcciones generales; también Hacienda, con Méndez Aspe, pero este era ante todo fiel a Negrín; algunas embajadas, como las de Gordón en México y Cuba; la subsecretaría de Relaciones Exteriores la tenía Quero Molares, un republicano catalán. No se trataba, empero, de puestos clave; la presidencia de la República y la del Parlamento habían llegado a tener un protagonismo menor; más aún la del Tribunal de Garantías, que ocupaba Albornoz.

En cuanto a la CNT, se había extendido de nuevo por todos los vastos aparatos ideológicos del Ministerio de Instrucción Pública; desde las Milicias de la Cultura en el ejército —y en sus manos desde mayo de 1938— hasta la Dirección General de Primera Enseñanza (Ester Antich), los Institutos Obreros, etc.

Pero, ¿y las fuerzas armadas? Esta era la preocupación de unos y otros. En la jefatura suprema del Estado Mayor, Vicente Rojo, cuya autoridad y prestigio lo colocaban por encima de todos. No pasaba igual con el jefe de la zona Centro-Sur, Miaja, primero tachado de «comunistoide» por Largo Caballero y sus amigos (enfrentados con él tras la defensa de Madrid), y luego, siguiendo la corriente, de todo lo contrario; personalidad versátil y más representativa que operativa. Su jefe de EM, Matallana, es una personalidad todavía insondable y enigmática para la investigación histórica. Los ejércitos de Cataluña los manda Hernández Sarabia, de Izquierda Republicana y amigo personal de Azaña.

En el Estado Mayor Central —militares profesionales—, uno de ellos —Estrada— es afiliado al PCE. Al mando de los ejércitos están Perea (republicano federal) y Modesto (comunista), en la zona catalana; Casado (republicano, probablemente masón, anticomunista), en el Centro; Menéndez (republicano, muy vinculado a Azaña), en Levante; Escobar (republicano, católico, de la Guardia Civil), en Extremadura; Pérez Salas (republicano) en Andalucía.

Si descendemos al escalón de jefes de cuerpo de ejército, vemos hegemonía comunista en el V, el de Modesto; en el de Perea, dos comunistas (Del Barrio y Galán) y un anarquista (Jover); en el Centro, tres comunistas (Barceló, Bueno, Ortega) y un anarquista (Mera); en Extremadura, un profesional (Rubert) y un comunista (Márquez); en Levante, seis militares profesionales y un jefe de milicias del PCE (Durán); en Andalucía, uno del PSOE (Menoyo) y uno del PCE (José M. Galán).

La flota de guerra la manda un republicano (Buiza), con un comisario general del PSOE (Bruno Alonso) y un jefe de EM del PCE (Prado), pero enteramente aislado. La aviación la mandaba Hidalgo de Cisneros, del PCE.

La policía militar, el SIM, está también en manos del PSOE (Garcés), como lo han estado todos los servicios centrales de Seguridad del Estado desde septiembre de 1936.

El Comisario General de Guerra es ahora un republicano, Ossorio y Tafall (que había sido subsecretario de Gobernación en el primer gobierno Giral), pero el de la zona Centro-Sur es Jesús Hernández, mientras que el del ejército del Centro (tras la destitución de Antón, miembro del BP del PCE) es Piñuela, del PSOE.

Este cuadro no sería completo sin recordar el poder de hecho de las centrales sindicales a través de empresas incautadas o colectivizadas, de servicios públicos intervenidos (ferrocarriles, comunicaciones, etc.), de colectividades agrarias... Hay que decir que en el verano de 1938 las relaciones de producción en la zona republicana habían cambiado, en el sentido de desaparición total del propietario de la tierra que no la cultiva directamente; la renta específica de la tierra ha desaparecido contablemente. También ha desaparecido la propiedad de los medios de producción por sociedades anónimas (salvo en el caso de las extranjeras, y aun en estas hay un comité de control o de intervención). La renta de inmuebles urbanos está tasada y controlada y, en casos como Cataluña, se ha municipalizado la vivienda. El comercio exterior está en su casi totalidad controlado por el Estado. ¿Qué consecuencias puede obtenerse de todo esto? En primer lugar, la pérdida del poder económico y político de las antiguas clases dominantes. No es el mismo caso el de la pequeña burguesía y clases medias de tipo moderno, cuyas bases económicas no han sido liquidadas y cuya participación en los aparatos de Estado es muy importante. Sin duda, la accesión de la clase obrera al poder económico y político lo es todavía más.

Sin embargo, el problema reviste mayor complejidad al tratarse de los partidos políticos. La preponderancia del PSOE en los centros de decisión parece mantenerse; lo que ocurre es que el PSOE, en esta segunda etapa de la guerra, está internamente dividido. También es cierto que, en el ejercicio cotidiano del Poder, Negrín y su equipo obran de una manera relativamente autónoma, aunque formalmente estén siempre respaldados por el PSOE (y también por el PCE).

Pero no hay una homogeneidad del poder político. Los republicanos, desde puestos coyunturalmente menos decisivos, ofrecen cada vez mayor resistencia a dejarse «hegemonizar» y llegan a creer que un obligado retroceso les llevaría a ocupar posiciones más preeminentes. Algo análogo sucede en Cataluña, donde esa postura reviste una forma «nacionalista». Conviene no olvidar que, contra lo que se suele creer, los republicanos tenían puestos de alta decisión en las grandes unidades militares, Estados Mayores, etc. (todos los jefes de ejército, salvo Modesto, eran republicanos). También están muy implantados en las administraciones locales de Madrid, Valencia y, desde luego, en Cataluña (Esquerra).

En cambio, la CNT cuenta con lo referente a Instrucción Pública y con los puestos de mando de algunos cuerpos de ejército. Su salida del gobierno, en mayo de 1937, la ha situado al margen de muchos aparatos de Estado; sin embargo, a través del control sindical, tiene indudable poder en diversas ramas de la economía y en algunos servicios públicos. En las fuerzas armadas, dos años de combates han dado lugar a la creación de un nuevo ejército, cuya existencia queda probada en 1938, superando incluso el desastre del mes de marzo. Ese fenómeno ha acarreado la formación de nuevos mandos hasta el escalón divisionario, sobre todo; y, sin duda, el PCE ha recogido, en parte, los frutos de su dedicación a la organización técnico-militar desde el comienzo de la guerra. El fenómeno tiene una doble vertiente: por un lado, mandos capaces que objetivamente son necesarios; por otro, aprovechamiento por una de las corrientes de la coalición (PCE) y recelo por parte de las otras, que temen verse desbordadas. (Este es un hecho independiente de la propaganda que la dirección del PCE hiciera de algunos de sus mandos militares, no de todos, ni tampoco en proporción estricta a sus capacidades castrenses).

Quedaba otro hecho, que ya no concierne al poder político, sino a la organización militar: la ausencia o debilidad de mandos en los escalones medios y de base, defecto que nunca logró superar el Ejército Popular.[1] Otro hecho a señalar era la armonización, dentro del ejército, de unidades que durante el primer período de la guerra aparecieron como cuerpos absolutamente controlados por el PSOE; nos referimos a los Carabineros, que actuaron como una fuerza de combate más (y heroicamente, por cierto), organizados bajo inspiración de Negrín y de Méndez, con la casi totalidad de sus mandos socialistas.

Nadie era lo suficientemente fuerte, en 1938, para poder disponer de los centros de decisión ni de los aparatos de Estado más importantes, a favor de una corriente del bloque popular y contra las otras. Semejante intento equivalía a la desintegración de dicho bloque y a la derrota total. Y no es otra cosa lo que sucedió en marzo de 1939.

4. FIN DE LA BATALLA DEL EBRO

Al comenzar el mes de octubre, la batalla del Ebro, convertida en batalla de desgaste, continuaba con las mismas características. El mando franquista creyó que era posible, tras la conquista de Corbera, continuar el ataque frontal. Y otra vez, entre el 8 y el 20 de octubre, se desangraron allí dos cuerpos de ejército, luchando loma por loma, cota por cota, llegando tras varios días dos kilómetros más allá, hasta el cruce de la Venta de Camposines, sin ocupar esta todavía (según Tagüeña, criterio contradicho por Salas, que afirma que la ocuparon el día 10). El

20 de octubre empezó de nuevo a llover y cesaron por unos días los combates. Stohrer comunicaba a su gobierno: «La situación militar no ha cambiado... Los pequeños y laboriosos avances de las tropas nacionalistas en el Ebro no tienen importancia real».

Aquella semana, el pueblo de Barcelona despedía a «los Internacionales».

Lucía un sol de otoño el 28 de octubre, cuando más de 200 000 personas se apretaban desde Pedralbes a lo largo de la Diagonal, cubriendo literalmente de flores, de vítores, de abrazos a los veteranos de las Brigadas Internacionales que, ya sin armas, desfilaban por última vez en tierra española. A su frente marchaba Luigi Longo y los tenientes coroneles Hans y Morandi. Tras ellos iban las enfermeras de todos los países y dos autocares con los mutilados. Azaña, Negrín, Martínez Barrio, Companys, Dolores Ibárruri olvidaban aquel día sus querellas para compartir visiblemente una misma emoción. Con ellos estaban el general Rojo, Antonio Machado... Dolores Ibárruri les dice:

Vais a marchar con la cabeza muy alta. Vosotros sois la historia, sois la leyenda. No os olvidaremos nunca.

Pero Barcelona, engalanada, tiene algo de tristeza; nadie puede ignorar que la situación se agrava.

En efecto, aquel día se iniciaba la séptima contraofensiva franquista con la más intensa concentración de fuego artillero por kilómetro cuadrado que ha conocido la historia militar entre las dos guerras mundiales: se emplearon 185 piezas de artillería (sin contar los morteros del 81), muchas de las cuales llegaban al calibre de 260 mm, y cerca de 200 aviones de bombardeo. El 1.º de noviembre, los soldados del V Cuerpo van cediendo terreno, batiéndose cuesta abajo en la sierra de Caballs. El día 3 pierden Pinell y empiezan a replegarse a la otra orilla. Sin dejar de combatir, el V Cuerpo fue pasando a la orilla derecha hasta el día 7; el día 8, las unidades franquistas entraban en Mora de Ebro. En la orilla izquierda no quedaba más que el XV Cuerpo, que corría el riesgo de ser envuelto en la sierra de Fatarella. Los intentos de diversión del Ejército de Levante en el sector de Nules, y del XII Cuerpo que cruzó el Ebro en el sector de Serós, agotaron sus posibilidades en un solo día. Ya Tagüeña dio orden de pasar la artillería —para salvarla— a la otra orilla cuando el adversario estaba cerca de Ascó (donde aún aguantó la 11 División hasta el día 10); allí murió el jefe de la 42 División, Manuel Álvarez, el popular «Manolín». Al amanecer del día 13, Tagüeña reunió a los mandos divisionarios y les explicó la operación de evacuar la cabeza de puente. El repliegue comenzó la noche siguiente: se tendieron de nuevo puentes y pasarelas; al caer la tarde del 15 de noviembre, las unidades fueron pasando el río sin ser inquietadas; a las cuatro y media de la madrugada finalizaba la operación.

La batalla del Ebro había terminado. Al ejército republicano le había costado 55 000 bajas y algo análogo al de Franco. Pero el contexto internacional, el problema de los suministros exteriores de él derivado, no eran los mismos del 25 de julio. El general Rojo lo ha comentado así:

La situación exterior estaba más agravada en contra nuestra; la situación interior carecía de unidad. Militarmente habíamos renunciado al empleo de los combatientes internacionales y no se había repuesto nada de cuanto se había desgastado en aquella lucha de cuatro meses. Las bajas habían sido inferiores a lo que podía esperarse de una batalla tan intensa y duradera.

Podríamos añadir que el Grupo de Ejércitos de la Zona Centro-Sur, mandado por el general Miaja, había permanecido prácticamente inactivo, sin intentar una ayuda estratégica, mientras se desangraba en combate el ejército del Ebro.

5. ÚLTIMOS ESFUERZOS REPUBLICANOS POR SALVAR LA SITUACIÓN MILITAR

Después del Ebro, ambos ejércitos contendientes se hallaban desgastados en hombres y en material, pero la histórica decisión de Munich iba a inclinar la balanza a favor de los totalitarios. Por un lado, Alemania cedía a las peticiones de armamento hechas por Franco, y también renovaba todo el material de la Legión Cóndor, en la certidumbre de que ese esfuerzo se imponía para decidir la guerra en favor del gobierno de Burgos. Según Thomas, esa ayuda (que según algunos documentos de la Wilhelmstrasse había sido empezada a enviar en noviembre) resultó fundamental para la ofensiva contra Cataluña; según Salas, no fue utilizable hasta mediados de enero.[2]

Sea como fuere, el EM republicano tenía la impresión de que la ofensiva franquista sobre Cataluña iba a ser inminente. Apenas efectuado el repliegue del Ebro, Rojo y sus colaboradores elaboraron un plan de contraofensiva estratégica que fue presentado a Negrín el 23 de noviembre. Sus aspectos más importantes eran:

1.º) Se sabe que el adversario va a montar una operación contra Cataluña. Para evitar que la monte libremente es preciso desatar una ofensiva en un frente sensible. 2.º) No es posible que se mueva solo el frente en que haya ofensiva; al mismo tiempo hay que poner en movimiento los restantes frentes. 3.º) Hay que trazar un plan de defensa de Cataluña basado en la resistencia y en la maniobra.

El Grupo de Ejércitos de Cataluña (GERO) contaba entonces con unos 220 000 hombres, de los cuales solo 140 000 combatientes encuadrados en brigadas mixtas (cifras en que coinciden Rojo y Martínez Bande, este apoyándose en los archivos del SHM). Rojo, en su informe del 6 de diciembre, dice: «Aunque contemos con un ejército en la región catalana que rebasa los 220 000 hombres, resulta, por su dotación de medios, inferior a 100 000 (incluidos los servicios).» Contaban con unas 250 piezas de artillería (M. Bande), «muy desgastada», según Rojo, que afirmaba «que al tercer día de fuego tendremos en reparación aproximadamente el 50 por ciento de las piezas». Las posibilidades aéreas eran bien pobres; entre 110 y 130 aparatos, según las estimaciones; 40 tanques y 60 blindados, estos de dudosa eficacia.

¿Cuáles eran las fuerzas republicanas en la zona Centro-Sur? En el centro había cuatro cuerpos de ejército que, en realidad, no pasaban de 100 000 soldados. Luego, 8 divisiones en Extremadura, con unos 50 000; cuatro en Andalucía. El Ejército de Levante tenía 21 divisiones, si bien insuficientemente dotadas. Una reserva teórica de cuatro divisiones y 12 brigadas, con escaso armamento. El total de fusiles de toda la zona no pasaba de 225 000, 4000 fusiles ametralladores y 3000 ametralladoras (versión Salas, que afirma que en octubre se completó, armando a las unidades de reserva).

Sin duda, el Ejército Popular podía encuadrar más de 500 000 combatientes en la zona Centro-Sur, contando con las unidades de Asalto y Carabineros y con los reclutas que ya estaban en proceso de encuadramiento. Sus problemas eran de armamento, sobre todo pesado; en cuanto a la aviación, apenas contaba con un centenar de aparatos.

El 6 de diciembre, el alto mando republicano conocía ya que la ofensiva era inminente. Y ordenó el siguiente plan de operaciones:

1.º Un ataque con desembarco en el sector de Motril, apoyado por la escuadra.

2.º Ataque principal sobre el frente Córdoba-Peñarroya, con objetivo de profundizarlo hasta Zafra, con un mínimo de tres cuerpos de ejército. Debería comenzar cinco días después que el ataque de Motril, para dar tiempo a que el adversario acumulase tropas en el frente Granada-Motril.

3.º Ataque complementario en el frente del Centro para cortar las comunicaciones de las líneas enemigas de ese frente y el de Extremadura. Era una idea de maniobra análoga a la de Brunete, y debía comenzar doce días después que el desembarco de Motril.

El general Vicente Rojo ha escrito: «La guerra la perdimos definitivamente, en el terreno internacional, en la última decena de septiembre, cuando la diplomacia fraguara el pacto de Munich» [244, 37]. Y Luis Romero ha corroborado: «Entre el 29 de septiembre de 1938, en que se firma el Pacto de Munich, y el 15 de marzo de 1939, día en que las tropas del Reich ocupan Praga, la guerra civil se ha decidido en los campos de batalla españoles y también en las cancillerías extranjeras» [248, 57].

Pero hay más: Munich era, ciertamente, la obra de las cancillerías, pero también la expresión de la rotura de una alianza entre la clase obrera y las clases medias e incluso parte de la burguesía, contra el fascismo; de ese bloque se desprendían los sectores vacilantes, unos neutralizados, otros dispuestos a pactar con el bloque adverso, situándose de hecho bajo su hegemonía. Y también significaba la rotura de unidad obrera que tanto en España, como en Francia, como clandestinamente en Italia, había sido la columna vertebral de los frentes populares. El bloque de poder de las clases dominantes, en los niveles internacional y nacional, estaba iniciando ya su vasta maniobra de aislar a los comunistas, con lo cual, de hecho (y sin entrar ahora en polémicas internas de la izquierda), quedaban fragmentados y sin posibilidades de defensa los frentes populares. Todavía decía Léon Blum a Pablo de Azcárate, durante un almuerzo que este le ofreció el 31 de octubre, que «la repercusión de Munich había sido favorable a España, tanto en Francia como en Inglaterra» [30, 268] ¡Siempre su misma ceguera! Pero, casi al mismo tiempo, Vincent Auriol llegaba a Barcelona y explicaba a sus amigos españoles que poco o nada podía ya esperarse del gobierno de la vecina República. El gobierno británico iba todavía más lejos, puesto que Chamberlain, deseoso de poner en aplicación el pacto italobritánico, desistió de exigir como condición previa la retirada de combatientes extranjeros de España; y ya acariciaba la idea de reconocer la categoría de beligerante al gobierno de Burgos.

Otra visita a Barcelona fue la del profesor Besteiro, con motivo o pretexto de asuntos municipales de Madrid. Besteiro y Azaña estuvieron cuatro horas conferenciando el 19 de noviembre; la referencia la tenemos por Azaña, que le ha mandado llamar por medio de Giral. Besteiro no se compromete a nada. Sigue con su obsesión antinegrinista; le cuenta a Azaña lo que ha dicho del jefe del gobierno en la reunión de la CE del PSOE (a la que acaba de asistir, aunque había dimitido en agosto): «que Negrín es comunista y que se introdujo en el Partido como el caballo de Troya». Ha ido a verlo y le ha dicho lo mismo: «Antes que le cuenten a usted nada, quiero que sepa usted por mí lo que he dicho en la Comisión Ejecutiva. Lo tengo a usted por un agente de los comunistas».[3]

No tiene deseos de presidir un gobierno, pero «respecto a nuestro asunto lo estima perdido. Conveniencia y urgencia de hacer la paz», sigue escribiendo Azaña, quien apostilla: «Su anticomunismo es enconado y violento».

En efecto, en la reunión de la Ejecutiva del PSOE ha dicho, entre otras cosas por el estilo: «La guerra ha estado inspirada, dirigida y fomentada por los comunistas».

Desde luego, el clima de aquella Comisión Ejecutiva fue menos unitario que en veces anteriores; ya no funcionaba el Comité de Enlace y el informe de Lucio Martínez sobre la zona Centro-Sur abundó también en recelos y censuras hacia los miembros del PCE. Munich estaba presente en todas partes.[4]

Los republicanos, por su parte, empezaban a sugerir que solo podría negociarse una paz con un gobierno formado exclusivamente por republicanos, sin representación de los partidos y organizaciones obreras. Izquierda Republicana desató una campaña de propaganda presentándose como «la solución centrista»; esta campaña dio lugar, en Madrid, a rozamientos con anarquistas y comunistas; los socialistas quedaban al margen de la polémica.

En fin, la complejidad de la situación amenazaba con desbordar incluso a Negrín, pese a su extraordinaria actividad y energía. A primeros de diciembre se le ocurrió proponer a los partidos —de manera confidencial— que suspendieran su actividad y fueran reemplazados por un «frente nacional». Naturalmente, la proposición no prosperó.

6. LA BATALLA DE CATALUÑA

Llegó el 10 de diciembre, fecha en que el EM de la República aguardaba la ofensiva adversaria, pero esta no se produjo; el temporal de lluvias y nieve la había paralizado momentáneamente.

Dos días después, el 12, debía comenzar la maniobra del ejército republicano; pero tampoco tuvo lugar. Aquí las causas fueron diferentes: no se produjo porque Miaja, jefe de la zona Centro-Sur, se negó a obedecer las órdenes del alto mando, y porque Rojo y Negrín (no sabemos por qué razones) toleraron esta insubordinación, prólogo de otras. Miaja lo escribe el día 8 en una carta a Rojo (que este solo recibe el 11); añadía que el jefe de la Flota —Buiza— estaba de acuerdo con él, lo que no era enteramente cierto, ya que los navíos que llevaban a la brigada de desembarco y que debían proteger la operación, zarparon como estaba previsto. Pero a medianoche se dieron todas las contraórdenes y las fuerzas volvieron a sus bases de partida. Se ordenó entonces atacar por tierra en dirección de Granada, lo que suponía un considerable y difícil desplazamiento de unidades; fijado el día 24 para atacar, el EM de Centro-Sur (Matallana) aplaza la fecha hasta el 29. Seis días antes, la gran ofensiva franquista se desata en toda la línea. Y Rojo tendrá razón al escribir: «La batalla de Cataluña empezamos a perderla al suspender la operación sobre Motril».

Aquellos días de diciembre fueron de complicaciones y dilaciones para las altas esferas del Estado republicano. Se había hecho un pedido muy importante de material a la URSS, presentado personalmente por Hidalgo de Cisneros a Stalin a mediados de noviembre, y concedido por los soviéticos a base de empréstito.[5] Pero ese material (que, según Soria,

empezó a salir del puerto de Mursmansk a finales de noviembre con dirección a puertos franceses) no llegaba —la mayor parte de él no pasaría nunca de Francia—. Por otra parte, se atravesaron días de grave crisis de abastecimientos en Madrid, cuya solución requería un mayor esfuerzo de transporte. Y no es exagerado, hoy que se conoce la acción de la llamada «quinta columna», señalar que en aquella coyuntura los agentes de Franco en zona republicana estaban en condiciones de aumentar los obstáculos por doquier.

Y llegó, naturalmente, la gran ofensiva de Franco. El 23 de diciembre fueron lanzados sobre las líneas republicanas de Cataluña seis cuerpos de ejército mandados, respectivamente, por Valiño, Solchaga, Moscardó, Yagüe, Muñoz Grandes y el italiano Gambara; un total de 250 000 a 300 000 hombres, según las distintas fuentes, teniendo a su disposición cerca de un millar de piezas de artillería [257, I, 218] y alrededor de 500 aviones. El número de carros era también ligeramente superior al de los defensores de Cataluña.

Las líneas de ataque son por Tremp hacia Artesa y por el Segre al sur de Lérida. Por este último sector, la División «Litorio» consiguió una penetración de 16 km. El día 24 conquistaron Mayals y Lladercans, en unión del Cuerpo de Ejército de Navarra, y al día siguiente chocan con el dispositivo del V y del XV Cuerpo de Ejército republicanos. Estas dos grandes unidades retrasaron durante una semana el ataque de los Cuerpos franquistas, a los que se unió el Cuerpo de Ejército marroquí (Yagüe); una defensa encarnizada mantiene esas líneas hasta el 3 de enero, en que el V Cuerpo (Líster) se repliega a Borjas Blancas. Allí se lucha en campo abierto; los atacantes tienen posibilidad de utilizar tropas de refresco, pero los republicanos habían perdido al séptimo día toda posibilidad de maniobra con las reservas [244].

En el sector de Tremp, las unidades del Ejército del Este (Perea) resistieron los ataques de los Cuerpos de Ejército de Urgel y del Maestrazgo; sin embargo estos, reforzados por el Cuerpo de Ejército de Aragón, conseguirán llegar a Artesa el 4 de enero.

Por consiguiente, en la primera semana de enero los ejércitos franquistas habían conseguido ganar dos importantes batallas de ruptura (por el norte, Artesa; al sureste de Lérida, Borjas Blancas), agotando las reservas generales republicanas. Al mismo tiempo, la aviación atacante se había adueñado del cielo.

A partir de ese momento la situación se hizo mucho más precaria para los defensores de Cataluña. Los seis cuerpos de ejército atacaban conjuntamente; el italiano, con el marroquí y el navarro, consiguen entrar en Tarragona el 15 de enero, mientras que más al norte, el de Aragón y el del Maestrazgo ocupan Cervera.

7. ÚLTIMOS COMBATES DE EXTREMADURA

Mientras tanto, el EM Central había dejado en libertad al del Cuerpo de Ejército Centro-Sur para que organizase su ofensiva, o sea que «tan pronto lo consintiese el régimen de abastecimientos de la población de Madrid, reanudase la concentración de fuerzas para atacar en la dirección que estimase más útil». En puridad, el EM Central renunciaba así a dirigir el conjunto de la guerra. Se preparó, así, en Albacete la operación de Extremadura —evidentemente tardía—, precedida por las acciones guerrilleras del XIV Cuerpo, aunque estas se desarrollaron sobre todo al norte y sur de Granada, respondiendo al plan primitivo.[6] Empezó el 5 de enero, a cargo de los Cuerpos XXII (Ibarrola), XVII (Vallejo) y Agrupación Toral, con 90 piezas de artillería, 32 tanques y seis compañías de carros. Había cuatro brigadas de refresco, más un regimiento de caballería. En total, 90 000 hombres, que atacaron las posiciones, sólidamente fortificadas, de seis divisiones (los Cuerpos de

Ejército de Extremadura y de Córdoba, mandados, respectivamente, por los generales Solans y Borbón), y en reserva la División 122 y una división de caballería.

El 5 de enero, el Cuerpo de Ejército del coronel Ibarrola rompía el frente por Sierra Ratuda abriendo una brecha de ocho por cinco km. Al día siguiente ensanchan la brecha ocupando Valsequillo y Los Blázquez, mientras Toral ocupaba las alturas de Sierra Trapera.

Queipo y Monereo —su jefe de EM— reunieron inmediatamente otras tres divisiones sacadas de Andalucía, para proteger Peñarroya. Y el día 6 le enviaba el Cuartel General las 4 divisiones de la Agrupación de García Escámez, que se situaron entre Castuera y Monterrubio (en total pusieron en línea unos 80 000 hombres con 100 piezas de artillería).

Sin embargo, el 7 de enero se generalizó el avance republicano con la conquista de La Granjuela, Peraleda de Zaucejo, Aldea de Cuenca, Granja de Torrehermosa, La Coronada y Fuenteovejuna. Por el norte, al ocupar los altos de Abantos, amenazaban con estrangular la bolsa de Cabeza del Buey, y por el sur, con envolver la zona de Peñarroya. El XXII Cuerpo había avanzado 38 km en poco más de 48 horas; en general, el 8 de enero se habían ocupado 600 kilómetros cuadrados, haciendo centenares de prisioneros y captura de material de guerra. Demasiado tarde, para ayudar a Cataluña. Por añadidura, los flancos adversarios no habían cedido en Extremadura y la penetración tenía un «cuello» de solo 13 km. Llovía mucho y los caminos estaban intransitables para la artillería y elementos motorizados. Durante dos días se paralizaron las operaciones, dando tiempo a que Queipo recibiese 28 batallones y 50 cañones de refuerzo.

Los esfuerzos realizados a partir del 9 de enero resultaron infructuosos. Estratégicamente, la operación de Extremadura ya no tenía razón de ser. En los últimos días de enero se inició el repliegue a las bases de partida, terminado sin incidentes el 4 de febrero.[7]

¿Qué pasaba entre tanto en el frente de Madrid? El día 14 de enero, Casado reunió al EM y mandos y comisarios de los cuerpos de ejército. La operación había que realizarla tan solo con 25 000 hombres en línea y una división en reserva (Miaja y Matallana insistieron en ello). En aquella reunión, alguien propuso cambiar de idea de maniobra. «Yo no cambio nada», repuso, escéptico, Casado. Se atacó el día 15 (cuando ya caía Tarragona), en un día lluvioso, con el terreno encharcado. De toda evidencia, el mando franquista estaba informado de la operación y hasta de su hora. Las «barreras» de artillería impidieron el avance de la infantería republicana; la mayoría de los tanques quedaron inutilizados sobre el terreno. A las cinco de la tarde, cuando ya había 900 bajas (49 de jefes, oficiales y comisarios), Casado ordenaba suspender la operación. En la reunión de Comisarios del día siguiente, se dijo que el enemigo había sido informado de la operación. Casado se indignó de que se pudiera sospechar de su lealtad o de la de sus colaboradores. Luis Romero —que intenta «comprender» y explicarse a Casado— dice que «se sabe que la orden de operaciones le fue entregada en mano al enemigo, ya que el capitán encargado de redactarla mecanografió una copia más con destino al mando nacional» [248, 68].

Tagüeña ha comentado así aquellas modestas ofensivas del Centro-Sur:

Ninguna repercusión tuvieron estas operaciones en el frente de Cataluña, y esa fue toda la ayuda que recibimos de un grupo de ejércitos que contaba con fuerzas diez veces mayores a las que había utilizado en estas fallidas operaciones [277, 183].

Tal vez este sea otro enigma de la historia que todavía no ha sido descifrado y tal vez no lo sea jamás.

8. LOS ÚLTIMOS DÍAS DE LA ZONA CATALANA. DESPLOME INSTITUCIONAL

En Cataluña la situación se hizo mucho más dramática a partir del 15 de enero. Barcelona era bombardeada noche y día, y la moral de la población y de parte de los dirigentes era muy baja. Las ciudades industriales iban cayendo una tras otra. En Francia había ya miles de ametralladoras, 500 piezas de artillería y 30 lanchas torpederas de los envíos de la Unión Soviética, así como algunos aviones en piezas. Solo el día 15 accedió Daladier a dejarlos pasar; y desde la caída de Barcelona cerró de nuevo la frontera. El poco armamento que pasó no sirvió para nada y, en parte, no estaba ni desembalado cuando cayó en poder de los vencedores. Igual pasó con los aviones: cuando pasaron las piezas, ya no había aeródromos en Cataluña donde poder montarlos.

Al mismo tiempo —16 de enero— se reunía el Consejo de la SDN. Esta vez los ministros francés (Bonnet) e inglés (Halifax) no quisieron ni siquiera oír las palabras de Álvarez del Vayo. Halifax abandonó grosera y ostensiblemente la sala. Pero las palabras de Vayo serían difíciles de borrar:

Sí, señores; malherido, abandonado, traicionado, el pueblo español continuará la resistencia. No se ha podido restablecer la paz en la justicia y no nos queda más que combatir hasta la muerte. Pero *llegará un día en que se acuerden de nuestras advertencias* y en que se den cuenta de que España era el primer campo de batalla de la segunda guerra mundial que se aproxima inevitablemente (Bonnet sonreía sarcástico).

En efecto, malherido y abandonado, el Estado democrático español se desplomaba. En Barcelona la situación se hizo caótica. En pocas horas hubo varios jefes de la plaza, que además no servían para nada, porque no tenían enlaces, ni había servicios ni fuerzas organizadas. En la noche del 21 al 22, el general Rojo comunicaba a Negrín que el frente no existía ya en las direcciones de Solsona, del eje Igualada-Manresa y de Garraf a Barcelona. El día 22, el gobierno decidió que todos los organismos del Estado abandonasen Barcelona. Los Cuerpos de Gambara, Solchaga y Yagüe intentaban atravesar el Llobregat, cuya línea estaba defendida por lo que quedaba del V y del XV Cuerpo, que no habían dejado de batirse. Pasaron el Llobregat, el 23 y el 24, tomando Tarrasa el 25 y desbordando Sabadell; los italianos se desplazaban hacia Badalona para efectuar la maniobra de envolvimiento, siendo contenidos por el V Cuerpo. En la mañana del 26 de enero, las divisiones navarras estaban ya en las alturas del Tibidabo. Aquella tarde, unidas al Cuerpo de Ejército marroquí, entraban en Barcelona, sin lucha; en una Barcelona que no había sido defendida. Hacia las cuatro de la tarde, las primeras tanquetas italianas avanzaban en orden disperso por varias calles laterales de Sarriá y llegaban al Paseo de Gracia.

La Secretaría General del Ministerio de Defensa y sus subsecretarías se habían instalado el día 24 en el castillo de Figueras, y allí trató Negrín de concentrar los principales Ministerios y servicios. Azaña se había instalado en el castillo de Perelada, a 6 km de Figueras, y Rojo, con su EM, en el pueblecito de La Agullana —demasiado próximo a la frontera—, pero ya con pocas riendas en su mano. En cuanto al general Hernández Sarabia, desbordado por la situación, había sido destituido y reemplazado por el general Jurado.

La situación era caótica. Los diversos cuerpos y servicios del Estado español apenas estaban instalados en localidades dispersas entre Gerona y la frontera, sin archivos, sin papeles, sin enlaces... Muchos funcionarios habían salido de Barcelona y no se habían detenido hasta más allá de la frontera. Solo el ejército, diezmado y agotado, se replegaba sin que dejaran de combatir sus jefes y oficiales con lo más aguerrido de la tropa, contraponiéndose a la desbandada, y retrasando el avance italiano, que solo alcanzó Arenys de Mar el 31 de enero. El XII y el V Cuerpo establecieron una resistencia en el sector de Granollers. Más al norte, los franquistas entraban en Vich el 1.º de febrero.

El día 29, Azaña reunió en Perelada a Negrín y a Rojo. Este hizo un informe en el sentido de que la guerra en Cataluña estaba perdida. Según él, a lo más que se podía llegar era a mantener la resistencia unos cincuenta días. Azaña dijo que ya no quedaba otra solución «sino requerir los buenos oficios de Francia e Inglaterra para ver de obtener una paz humanitaria».

La cuestión se debatió en las reuniones que el gobierno tuvo el 30 y

31 de enero. Negrín pidió un voto de confianza para instalar el gobierno en la zona Centro-Sur, cuando llegase el momento oportuno. (A esta reunión asistieron también Companys y Aguirre.) Mientras tanto, Álvarez del Vayo consiguió que el gobierno francés abriese de nuevo la frontera dejando pasar a la oleada de mujeres, niños, ancianos y heridos que en impresionante éxodo, bajo la lluvia y la nieve, recorría senderos helados y caminos encharcados y se apretujaba en condiciones de un dramatismo difícilmente imaginable.

El 1.º de febrero, para seguir cumpliendo el precepto constitucional, se reunió el Parlamento en las caballerizas del castillo de Figueras. A medianoche, con las luces de los autos y de los alrededores apagadas, la reunión adquiría tintes sombríos. Hubo diputados que ya habían pasado la frontera y que no regresaron. Sin embargo, allí estaban 64 parlamentarios, además del gobierno. Antes de la reunión, Negrín se había entrevistado con el embajador de Francia y el encargado de negocios de Inglaterra, para pedirles la única garantía que, en puridad, exigía el gobierno para cesar las hostilidades: que no hubiese represalias. Pero los representantes de las dos potencias se limitaron a transmitir la proposición a sus gobiernos (Negrín había propuesto incluso que su gobierno entregaría el material de guerra «y mi persona para que con la justicia que se me haga quede cancelado el proceso de la guerra»).

Aquella noche, Negrín expuso las tres condiciones que el gobierno proponía para la paz: 1.º) Independencia de España de toda injerencia extranjera; 2.º) Garantía de que el pueblo español pudiese decidir libremente su régimen mediante un plebiscito; y 3.º) Exclusión de toda represalia y represión después de la guerra. En realidad, lo que Negrín buscaba era obtener esta última garantía: «liquidada la guerra —dijo—, habrá de cesar toda persecución y toda represalia, y esto en nombre de una labor patriótica de reconciliación, base necesaria para la reconstrucción de nuestro país devastado».[8]

En aquel ambiente de tragedia hablaron, en nombre de sus respectivos grupos políticos, Fernández Clérigo (IR), Lamoneda (PSOE), Mije (PCE), Irujo (PNV) y Zulueta (ERC). El gobierno obtuvo un voto de confianza y el acuerdo unánime sobre los tres puntos. No obstante, no todos los que votaron eran decididos partidarios de seguir resistiendo. Tampoco Azaña estaba contento de la reunión del Parlamento; hubiese querido que se discutiese lo que él habló con Negrín y Rojo.

Los gobiernos de Francia e Inglaterra seguían haciendo presión para «terminar como sea». «Ya no hay nada que hacer», decía el francés Henry a Vayo, pocas horas después de la reunión de Figueras.

Todavía el 3 de febrero se reunía Negrín con Stevenson (Inglaterra) y Henry (Francia) para tratar de las posibles condiciones de paz. En puridad, el gobierno reducía las tres condiciones a una sola: la de que no hubiese persecuciones ni represalias. Se hacía eso ante la presión de los gobiernos de Francia e Inglaterra, que exigían las «negociaciones de paz» como cuestión previa para dejar entrar en Francia a las tropas del ejército republicano [204]. Al mismo tiempo Daladier enviaba a Bérard, su representante, a Burgos para echar las bases del reconocimiento del gobierno de Franco.

...Y la zona catalana se hundía definitivamente. El 4 de febrero caía Gerona, sin combates. Las unidades republicanas se habían replegado a la línea prevista, que iba desde la Seo de Urgel hasta Palamós, pasando por la defensa de los campos situados delante de Figueras y Olot. El día 5 cruzaba Azaña la frontera, acompañado de su esposa, su cuñado, Martínez Barrio y Giral. No ocultaba que estaba dispuesto a dimitir. Por fin accedió a establecerse en la Embajada de España en París durante cierto tiempo, con objeto de no dificultar los sondeos para obtener una paz. El gobierno francés estaba de acuerdo en mantener la ficción jurídica de que el presidente se encontraba de incógnito en el territorio jurisdiccional español que era la Embajada.

Negrín acompañó al jefe del Estado hasta llegar al primer pueblo de Francia, donde fue recibido por un delegado del Prefecto de Pirineos Orientales. Pocas horas después, también cruzaban la frontera los presidentes Companys y Aguirre. En la estrecha faja de territorio que aún estaba en poder de la República, quedaron Negrín, Álvarez del Vayo, Uribe y Méndez Aspe, tras una nueva reunión del gobierno (4 de febrero) en que se decidió trasladarse a la zona Centro-Sur para continuar la resistencia. Pero allí, en Cataluña, los partes del día 7 comunicaban que toda resistencia era ya imposible. A las tres de la madrugada del 8 de febrero, el general Rojo firmaba la directiva de replegarse sobre los pasos de frontera en perfecto orden y sin romper la marcha de las unidades por batallones y compañías («Las tropas pasarán la frontera formadas con sus jefes y oficiales hasta División a la cabeza y llevando todo su equipo».)

Al atardecer del 8 de febrero, el cuartel general se trasladó a las casas españolas de Le Perthus, pasando al día siguiente a Francia. Esa misma mañana, Negrín, Vayo, Uribe y Méndez Aspe presenciaron la entrada en Francia de las primeras unidades republicanas. Horas después, acompañado de Vayo, tomaba Negrín el avión en Toulouse para dirigirse a Alicante. (En breves días fueron seguidos por los restantes ministros, excepto Giral, que acompañaba a Azaña). El V y el XV Cuerpo pasaron la frontera por Port-Bou, el XVIII por La Junquera; la 46 División, por Le Perthus; la 27, por La Bajol. La 35 División, mandada por el teniente coronel Pedro Mateo Merino, cubrió la retirada de todo el Ejército del Ebro, y se retiró en perfecta formación, en columna de marcha de tres en fondo, a los 1500 hombres que aún quedaban, encuadrados en las brigadas XI, XIII y XV, con sus respectivos jefes a la cabeza, los mayores Brizuela, Escudero y Martín; alboreaba el día 11 de febrero, sesenta y seis años día por día de la proclamación de la primera república... Al oeste, en el sector de Puigcerdá, el XI Cuerpo de Ejército mandado por el coronel Márquez, que se encontraba aislado, no pasó la frontera hasta el día 13. La batalla de Cataluña había terminado.

NOTAS DEL CAPÍTULO XIV

1. Para un criterio contrario, cf. Líster, *Nuestra guerra*, p. 280. Sobre mandos medios cf. también M. Alpert, *El ejército republicano*, pp. 147 ss.

2. En ambos casos tiene gran importancia. Los documentos de los archivos alemanes publicados por los gobiernos de Francia, Gran Bretaña y Estados Unidos son bastante explícitos sobre este particular. El doc. núm. 476 reproduce el memorándum del subsecretario de Estado alemán, de 22 de octubre de 1938, en el que se dice: «¿Queremos tratar de ayudar a Franco hasta su victoria final? Entonces, tendrá necesidad de una ayuda militar importante, superior, incluso, a la que ahora nos pide. ¿Se trata de mantener a Franco en igualdad de fuerzas con los rojos? En ese caso también será necesaria nuestra ayuda y el material que nos pide puede ser de utilidad. Si nuestra ayuda a Franco se va a limitar a la Legión Cóndor, no podrá pretender otra cosa más que un compromiso cualquiera con los rojos».

El 7 de noviembre, el embajador nazi recibía un telegrama del secretario de Estado haciéndole saber que Hitler había aceptado la petición de Franco; el incremento de la ayuda a Franco, «para terminar la guerra rápida y victoriosamente», fue también decidido en la conversación Mussolini-Ribbentrop, del 28 de octubre (según Ciano en sus papeles).

Conviene recordar que en aquellos meses no había ningún género de control naval y que la ayuda alemana e italiana llegaba sin dificultades a los puertos españoles de la zona de Franco.

3. Besteiro repite esas mismas palabras ante el Consejo de Guerra que lo juzga. Véase Saborit, p. 421.

4. Desde su óptica específica, el general Rojo comenta:

«...pasada la euforia que produjo el éxito inicial del Ebro y la paralización de la batalla de Levante, reaparecieron los plasmadores de celos e intrigas; y aquella pugna que de largo venían sosteniendo los partidos, celosos del predominio que en el ejército tenían los comunistas, se recrudeció, llegando a manifestarse en forma difamatoria» (p. 31).

5. Hoy en día puede perfectamente fijarse el viaje de Hidalgo a la URSS hacia mediados de noviembre. En el tomo IV de *Guerra y Revolución en España* se reproduce fotostáticamente la carta escrita a mano por Negrín y dirigida a Stalin con fecha 11 de noviembre de 1938, la dirigida a Molotof con fecha 7 del mismo mes y el pedido de armamento firmado por Negrín, y en el que ha puesto de su mano «Barcelona, novbr. 1938». La carta en cuestión es un documento de primer orden par conocer el pensamiento de Negrín sobre la coyuntura internacional de la época.

6. Las unidades guerrilleras operaron principalmente al norte y sur de Granada mediante voladura de puentes y conducciones de aguas, sabotajes

diversos y acciones de hostigamiento que mantuvieron en jaque a las Divisiones 34 y 32 que guarnecían aquellos frentes. Una unidad de guerrilleros compuesta solamente de 100 hombres (y este es un testimonio del general Moreno, jefe de EM de Queipo, del Ejército del Sur) obligó a que se movilizase un regimiento entero de la 112 División, que no logró dominarlos hasta el 3 de enero.

7. Togliatti ha señalado la responsabilidad de J. Hernández —comisario general de los ejércitos de la zona central— en el fracaso de esta operación en Extremadura: no estuvo en su punto en el período de preparación, llegó el mismo día en que se iniciaba la operación y se marchó dos días después, en el momento crítico, cuando su presencia era más necesaria». El PCE envió entonces a Dolores Ibárruri «pero su presencia no pudo modificar una situación ya gravemente comprometida» [284, IV, 369].

8. De manera muy explícita comentó Negrín aquellas tres condiciones, años más tarde, en su conferencia en el Palacio de Bellas Artes de México (agosto de 1945): «Sabíamos que a los dos primeros puntos los facciosos argüirían que ellos eran sus genuinos defensores, y aunque no lo creyéramos, tendríamos que conformarnos con tal declaración: pero con respecto al tercer punto, el referente a garantías contra represalias y persecuciones, ahí sí que exigíamos de las potencias mediadoras, que estaban insistentemente haciendo presión sobre el Gobierno de la República para que termináramos la lucha, para que cesáramos el combate, que esas potencias asumieran la responsabilidad de que tal cosa se iba a cumplir [...]. Debo confesar que el plan presentado por el Gobierno no era de mi agrado, por no corresponder a mi política de imperturbable resistencia. Pero se presentaban las cosas de tal manera... que no teníamos más remedio que hacer esas concesiones». (Diario Sesiones, 1, julio 1939.)

CAPÍTULO XV

Agonía del Estado republicano

1. FEBRERO DE 1939

El 11 de febrero de 1939, la soberanía de la República en Cataluña había enteramente desaparecido y el poder de su Estado se limitaba a la zona llamada Centro-Sur, con Madrid y Valencia como capitales más importantes. Los territorios insulares también estaban en poder de Franco (Mahón cayó aquellos días, en la forma extraña que veremos). Unos 350 000 aproximadamente de sus ciudadanos (soldados, población civil, funcionarios, etc.) se hallaban en Francia, la inmensa mayoría internados en campos, es decir, con la libertad perdida. El jefe del Estado, de hecho en París, no existía sino como ficción. El gobierno, siguiendo a Negrín, se iba a trasladar a la zona central (salvo Giral, que por acuerdo de todos quedaba junto a Azaña, y Méndez Aspe, ocupado en trabajos de Hacienda); pero solo regresaban los ministros y algunos mandos, casi todos comunistas (Modesto, Líster, Tagüeña, Galán) o el comisario general Ossorio Tafall (de IR) y el jefe del SIM, Garcés (del PSOE). Pero lo más importante de los aparatos de Estado que habían sido concentrados en Cataluña no regresaba, ni existía ya. En cambio, existían todos, y toda la administración, en la zona central; pero, ¿quién ejercía el poder de decisión sobre ellos? La transmisión de decisiones y control de su ejecución se había relajado extraordinariamente durante los nueve meses y medio en que las dos zonas existieron territorialmente cortadas, y la negativa a operar en Motril no era sino un ejemplo de los más flagrantes. Pero, además, toda la base material de servicios de los órganos centrales de decisión, los sistemas de comunicación y enlace, su práctica misma... todo había desaparecido durante aquellos meses, y el gobierno Negrín debía crearlos de nueva planta, en unas condiciones material y moralmente difíciles, si es que quería subsistir.

Como introducción, conviene saber cuál era ya el clima en la zona central durante la segunda quincena de enero. El día 19, el gobierno, poco antes de salir de Barcelona, declaró el estado de guerra en todo el país, a propuesta de Negrín (hay que saber que durante toda la contienda no hubo «estado de guerra» en la zona republicana, es decir que los militares mandaban solo en el frente y en el ejército, y el resto del Poder era ejercido por las autoridades civiles). Esta medida acarreó una concentración de poder en manos de los altos mandos militares, en un momento en que estos se encontraban más bien reacios a seguir la política gubernamental. El caso era más patente en Madrid, donde Casado ejercía directamente la censura de prensa y prohibió un manifiesto del PCE, artículos de *Mundo Obrero*, etc. Como, por otra parte, la Agrupación Socialista de Madrid pertenecía a la tendencia de Largo Caballero, la situación interna del Frente Popular era extremadamente frágil.

Se ha dicho siempre que Casado mantenía relaciones con el cónsul británico, y Edmundo Domínguez (comisario general del Ejército del Centro, socialista, pero de tendencia gubernamental, que había sido nombrado en noviembre) ha recordado que le preguntó por las razones de aquellos contactos, y que Casado respondió: «Son amistades, y, de otra parte, influencias que mi cargo y mis conocimientos me imponen».[1]

Sin embargo, reina gran confusión sobre quién era esa persona a la que se le atribuía el cargo de cónsul británico. Y todo parece indicar que no se trataba de él, Mr. Goodden, instalado en Valencia, sino de Mr. Cowen o Cowan, que oficialmente era el representante del mariscal retirado Phillip Chetwoode, que presidía la comisión internacional encargada del canje de prisioneros y de velar por los refugiados en las embajadas de Madrid. Como comenta Luis Romero, «nada impide que fuese, paralelamente, miembro del Intelligence Service, pues el puesto que desempeñaba era muy a propósito para este segundo cometido» [77]. Cowan, llegado a Alicante o a Denia, tras la rendición de Mahón, solicitó una entrevista con Negrín que este se negó a aceptar, basándose en que no era «plenipotenciario del Gobierno de S. M. británica». Fue entonces a Madrid; el profesor Alpert ha podido comprobar en los archivos británicos la realización de dos entrevistas Cowan-Casado, el 16 y el 20 de febrero.

Hora es, pues, de ver cuáles eran las actividades secretas del jefe del Ejército del Centro, ya que hasta hace muy poco tiempo toda la historiografía de la guerra había aceptado que los contactos entre Casado y los agentes de Franco (Centaño, concretamente) solo habían comenzado en los primeros días de marzo. Hoy en día, la documentación del Servicio Histórico Militar, los trabajos basados en aquella, de Martínez Bande y de Ricardo de la Cierva, y las precisiones sobre los profesores

Julio Palacios y Antonio Luna (que fueron agentes de Franco en Madrid) han permitido tener una visión más completa de los hechos.

Los informes del SIPM (agentes de información franquistas en la zona republicana del Centro) se refieren ya a sondeos cerca de Casado indirectamente, a través de su hermano César (teniente coronel de caballería, domiciliado en Zurbarán, n.º 20), por el comandante Sanz y el ingeniero Rodrigáñez, agentes del SINSE franquista.[2] El 28 de diciembre, otro informe dice que «se sabe que se han vuelto a iniciar nuevas gestiones cerca del coronel Casado». Otro informe de los mismos días se refiere a «entrevistas de Casado con el representante en Madrid de Francia y representante Legación Inglesa, acompañado del coronel agregado militar. Casado informa —sigue diciendo el informe— que ambos agregados están al servicio del ejército nacional» (???). Hacia el 1 de febrero, Casado tiene ya contacto con tres agentes de SIPM: Barbotty, Luna y Medina, y el jefe del Ejército del Centro escribe el primer radiograma cifrado a Franco. Por entonces, Casado escribe una carta al coronel Barrón (amigo y compañero suyo de promoción) pidiendo una respuesta autógrafa que, en efecto, le llega días después (¿el 8? ¿O el 15?; tal vez hay dos cartas de Barrón); está dictada por Franco mismo. Y el mismo Casado (en su artículo en *Pueblo* de Madrid, de 8 de noviembre de 1967, donde rectifica lo que había escrito en su libro *The Last Days of Madrid*) señala el 5 de febrero como fecha de su primera entrevista con el teniente coronel retirado José Centaño, que trabajaba a sus órdenes en el taller del parque de artillería núm. 4, y que era agente principal del SIPM y de la organización franquista «Lucero verde».

Coincidiendo con estos hechos, Besteiro había pedido a Casado una entrevista (a través de Pedrero, jefe del SIM de Madrid, afiliado al PSOE), que tuvo lugar el 2 de febrero. Casado fue al domicilio de Besteiro, y allí quedaron de acuerdo para formar una junta o gobierno que sustituyera al que para ellos era inexistente al perderse Cataluña (que no se perdió hasta una semana después). Besteiro aceptó formar parte, pero declinó el honor de presidir ese gobierno o junta que, a su juicio, debía estar presidido por un militar. Luis Romero, que informa de esa entrevista, añade: «Cabe suponer que Casado le manifestara que acababa de tomar contacto con el enemigo; no hay constancia de si lo hizo así o no» [248, 120-121].

Esta era la situación cuando Negrín y sus ministros pusieron los pies en la zona central. Por añadidura, he aquí lo sucedido en Mahón.

2. EL EXTRAÑO ASUNTO DE MENORCA

Esta plaza fuerte marítima estaba mandada por el contraalmirante

Ubieta desde hacía poco tiempo, después de habérsele retirado el mando de la flota. Ante ella se presentó el 7 de enero el crucero británico *Devonshire*; su capitán bajó a tierra para saludar a Ubieta. Cuando, horas después, este subía a bordo del *Devonshire* para devolver la visita, empezaron a volar sobre la base varias escuadrillas procedentes de Mallorca y Ubieta fue informado de que a bordo del *Devonshire* se encontraba el teniente coronel franquista Fernando Sartorius, conde de San Luis, que estaba allí «para negociar» la rendición de Menorca. Era un ultimátum, y al mismo tiempo estallaba en tierra una rebelión franquista por el lado de Ciudadela.

¿Cómo los británicos se habían prestado a semejante «negociación»? Según Alpert, el cónsul británico en Mallorca, Allan Hillgarth, había convencido al Foreign Office de que era lo mejor para evitar una presencia italiana en Menorca. El argumento parece débil, y lo es más cuando se sabe que la verdadera «negociación» la había llevado el misterioso Mr. Cowan (este desembarcó pocos días después en Alicante —o en Denia— del mismo crucero *Devonshire*).

Volviendo a nuestro relato, Ubieta se dio cuenta de que aquello era un secuestro más que una negociación, pero en realidad, él ya no tenía ninguna voluntad de resistir, al igual que la mayoría de mandos de la flota.

Así que, aunque la sublevación de Ciudadela había sido ya dominada por oficiales y soldados republicanos, Ubieta terminó por ceder. Bajó a tierra para volver al día siguiente, con 400 republicanos que decidieron abandonar la isla y fueron desembarcados en Marsella. El conde de San Luis se hacía cargo de la isla; y en Berlín, con gran recelo por el «mediador» que le había salido a Franco, pedían detalles a Burgos sobre esta operación de la que no habían sido prevenidos.

La verdad es que en Burgos se pensaba, y con razón, que la guerra ya estaba decidida. Para apoyar este criterio no solo estaba la situación militar, sino la coyuntura internacional y la actitud de las potencias. Se sabía que Francia e Inglaterra preparaban el reconocimiento oficial de Franco. El Foreign Office ya estaba en contacto con el duque de Alba, representante de Franco en Londres, y recibía información directa desde Burgos de Mr. Hodgson, su agente diplomático en aquella zona. Sin embargo, y siguiendo la línea de conducta observada en todo este conflicto, el gobierno británico no quería aparecer como el que tomaba la iniciativa (temía no solo a la oposición laborista y liberal, sino también a los sectores conservadores de Eden y Churchill que, a última hora, habían cambiado de criterio) y presionaba sobre el gobierno francés para que, una vez más, apareciese como iniciador (el mismo juego de la «No Intervención»). Daladier, que olvidado ya del Frente Popular estaba dispuesto a herir a los comunistas, temía en cambio a los socialistas, y a moderados que estaban contra el reconocimiento de Franco, como

Georges Mandel, e incluso el derechista De Kerillis (que, paradójicamente, había sido colaborador activo de los sublevados en julio de 1936), temerosos de que Francia se viera envuelta militarmente por la frontera sur y en el Mediterráneo.

Para completar el cuadro de aquella segunda decena de febrero, hay un hecho significativo: el día 13, el gobierno de Franco promulgaba la llamada LEY DE RESPONSABILIDADES POLÍTICAS. No dejaba lugar a dudas sobre los propósitos de los ya casi vencedores. Su artículo primero decía:

Se declara la responsabilidad política de las personas, tanto jurídicas como físicas, que desde el 1.º de octubre de 1934 y antes del 18 de julio de 1936 contribuyeron a crear o a agravar la subversión de todo orden de que se hizo víctima a España, y de aquellas otras que a partir de dichas fechas se hayan opuesto o se opongan al Movimiento Nacional con actos concretos o pasividad grave.

El artículo 2.º era una lista exhaustiva de partidos políticos, sindicatos y otras organizaciones que quedaban fuera de la ley. El texto detallaba minuciosamente una serie de penas tales como la inhabilitación absoluta, el confinamiento, la pérdida total de bienes, etc., a cualquiera que se hubiera opuesto à la sublevación de 1936 de la manera más nimia.[3]

Los «liberales» de los gobiernos de Londres y París no podían llamarse a engaño; ya sabían con quiénes iban a tratar y a quiénes iban a reconocer.

3. DIALÉCTICA GOBIERNO NEGRÍN-PRESIONES DE NEGOCIACIÓN

¿Y Negrín? ¿Creía verdaderamente que una resistencia prolongada obtendría unas condiciones de paz sin subsiguiente represión? ¿O pensaba ya en «enlazar» con la guerra mundial? ¿O sencillamente, se trataba de retirarse combatiendo, de manera escalonada, para poder salvar al mayor número de personas posible? No está excluido que su gigantesca voluntad se quebrantara en parte ante el cúmulo de dificultades que encontró en la zona Centro-Sur. Los que convivieron con él se refieren a momentos de desaliento. También los tuvo de indecisión; desde muy pronto estuvo prevenido por conductos harto diferentes del «peligro Casado». En realidad, no se decidió a tomar medidas contra él (la propuesta de nombrarlo jefe del Estado Mayor Central equivaldría a ponerle en guardia y agravar la situación).

Difíciles fueron aquellas semanas desde que Negrín aterrizara en Alicante el día 10 y almorzara con Miaja y Matallana, el mismo día, en el peñón de Ifach. El día 11 se reunía el gobierno «en un lugar de Valencia» y publicaba una nota oficiosa. Al día siguiente celebraba otra reunión en Madrid, tras la que pronunció una alocución bajo el lema de «O todos nos salvamos o todos nos hundimos en la exterminación y en el oprobio».

También el día 11 había terminado la Conferencia del PCE de Madrid en un ambiente de crispación, insistiendo en la necesidad de resistir, pero sin darse cabal cuenta de que la organización de retaguardia se debilitaba y de que el PCE empezaba a estar bastante aislado entre la población civil. Las intervenciones en la Conferencia fueron un nuevo motivo de tensión con Casado.

En la semana siguiente sobrevino la famosa reunión de Negrín con los mandos del ejército celebrada en la finca «Los Llanos» de la provincia de Albacete,[4] probablemente el día 13 o el 14. Participaron en la reunión, además de Miaja y Matallana, el general Menéndez (jefe del Ejército de Levante), el coronel Moriones (jefe del Ejército de Andalucía), el general Escobar (jefe del Ejército de Extremadura), el coronel Casado (jefe del Ejército del Centro), el almirante Buiza (jefe de la Flota), el coronel Camacho (jefe de Aviación de la zona Centro-Sur) y el general Bernal (jefe de la Base naval de Cartagena).[5]

«Los jefes militares allí congregados me hablaron de todo menos de la situación militar», diría después Negrín, en su informe a la Diputación permanente de Cortes (31 marzo 1939). Se convino en no hacer público lo allí discutido, lo que ha tenido por consecuencia que las versiones a utilizar por el historiador sean distintas y fragmentarias.

Al parecer, Negrín sostuvo su tesis de que para lograr unas mínimas condiciones de paz había que resistir, «porque pedir la paz es provocar la catástrofe». Se refirió también a la proximidad de una guerra mundial y al posible cambio de la situación internacional. Por la tarde hablaron los jefes militares que, paradójicamente —y con la excepción de Casado—, dijeron que se podía resistir varios meses aún; pero *ellos no comprendían para qué servía resistir más*. Buiza estuvo amenazador y dijo, en nombre de oficialidad y tripulación de la flota, que si no se concertaba inmediatamente la paz, los buques abandonarían las aguas españolas.

Por aquel entonces, las negociaciones de Casado con Burgos estaban muy avanzadas. Precisamente, los agentes del SIPM transmitían a Burgos, el 12 de febrero, el siguiente mensaje:

Por informe de persona de la amistad de Besteiro, nos llega la noticia de que este, Casado y Miaja están de acuerdo para una rendición. Falta reducir al bloque comunista que pretende continuar la resistencia e implantar un régimen de terror. Besteiro, dice, confía que el orden está asegurado, pues Casado cuenta con medios para ello.[6]

Y Casado, tras recibir la respuesta de Barrón, franqueaba un paso más. ¿Cómo iba a sostener otra política cuando ya estaba tratando de la rendición directamente con el Cuartel General de Franco?

Al mismo tiempo, el mundillo político de la zona Centro-Sur se agitaba cada vez más; reuníase el Consejo Nacional de Izquierda Republicana, con Velao, ministro, pero muchos de sus dirigentes estaban ya en Francia.

Reuníanse plenos y más plenos libertarios no exentos de fricciones entre FAI y CNT, pero encontrándose de acuerdo para impedir que se diesen mandos a los jefes militares comunistas que habían regresado de Francia. Reuniéronse también con los mandos de la Flota, los ministros G. Peña, P. Gómez y T. Bilbao y sacaron una impresión deplorable, aunque creían en la fidelidad de Buiza.

A nivel internacional, la situación no era menos complicada ni la agitación menos febril. A. del Vayo fue el día 13 a París con el encargo (sin esperanzas) del gobierno de pedirle a Azaña su regreso. Lejos de eso, el presidente había solicitado de los generales Rojo, Jurado e Hidalgo de Cisneros que le dieran informe por escrito de la situación militar, con el propósito de apoyarse en eso para su dimisión. Hidalgo respondió que solo podía hacerlo por conducto reglamentario. Jurado y Rojo también eludieron, de una u otra forma, una respuesta categórica (Rojo y Jurado se habían negado a trasladarse a la zona central; «a posteriori», Rojo ha escrito que no recibió ninguna orden directa de Negrín para hacerlo). Otros consejos encontró para negarse a regresar; los de Martínez Barrio, Casares, Barcia, etc., que lo rodeaban, e incluso los de Largo Caballero y Araquistáin cuando fueron a visitarlo.

El 14 de febrero, el gobierno francés decidía enviar a Bérard a Burgos, para negociar el reconocimiento del Estado franquista por Francia. Ese mismo día, Azcárate presentaba a lord Halifax un memorándum basado en los acuerdos de Figueras, pero 48 horas después (y después de entrevistarse con Vayo) se limitó a pedir la ausencia de represalias. Por eso solo se batía el 15 de febrero el gobierno Negrín. Y el 16, Azcárate telegrafiaba de nuevo a Vayo:

Halifax desea saber cuanto antes si puede decir a general Franco que gobierno español estaría dispuesto a cesar hostilidades si, bajo reserva acuerdo aplicación, aceptase una propuesta británica consistente renuncia aplicación represalias políticas, responsables crímenes comunes juzgados tribunales ordinarios y facilidades salir de España elementos directivos.

Pero Halifax jugaba con varias cartas, porque él estaba informado por Cowan y por Goodden de lo que fraguaban Casado y Besteiro. Todo el día esperaron Azcárate y Halifax la respuesta del gobierno republicano, para que el Foreign Office transmitiese la propuesta a Hodgson. Pero la respuesta no llegó; ni ese día, ni el otro ni el otro... Al fin, el Foreign Office comunicó a Azcárate que si el día 22 no había respuesta, recobraría su libertad de acción. Y no la hubo. Vayo —que no podía decidir solo— telegrafió a Negrín. La respuesta de este, que era afirmativa, solo llegó el 25 de febrero. Demasiado tarde. Los dados estaban echados. ¿No había recibido nunca el telegrama, el Dr. Negrín? Así parece, pues Azcárate telegrafió por su cuenta y, por último, Hidalgo de Cisneros llevó personalmente el mensaje. No faltan quienes achacan a Negrín no haberse decidido a responder. La hipótesis no parece muy consistente; en realidad, en la segunda quincena de febrero, Negrín no quería otra cosa que esa ausencia de represalias garantizada para terminar de una vez.

¿No es más coherente pensar que los servicios del SIM, mandados por Pedrero, que conspiraba a las órdenes de Casado, cortaron las comunicaciones exteriores del gobierno? Porque el gobierno no recibió ningún telegrama; ni de Vayo, ni de Azcárate, ni los mensajes a que se refiere Rojo; ni tampoco Martínez Barrio recibió el mensaje de Negrín cursado el día 3 de marzo (antes del golpe de Casado). ¿Quién corta todas esas comunicaciones? ¿Y cómo se explica la detención por el SIM de un ayudante del general Rojo, en el momento de aterrizar en Madrid —también en febrero—, siendo liberado tan solo el 28 de marzo por la mañana para que vea salir a Prada, que va en su automóvil a rendirse, a la Ciudad Universitaria?

Pero sigamos con el juego diplomático. Franco comunicaba el 23 de febrero a Halifax: «La España nacional ha ganado la guerra y el vencido no tiene más que rendirse incondicionalmente» (la jugada era fácil cuando ya se tenía en las manos al Jefe del Ejército del Centro).

La nota de Franco (que días después leyó Chamberlain ante los Comunes) añadía que «Los tribunales de justicia se limitarán a procesar y juzgar a los autores de crímenes, aplicando las leyes y los procedimientos existentes antes del 16 de julio de 1936...».

Las últimas cartas internacionales estaban ya perdidas, incluso para evitar la represión. Ya el día 18 Bérard se había entrevistado con Jordana y había accedido a todo; daba a Franco el oro del Banco de España bloqueado en Mont de Marsan, las armas, material y vehículos del ejército de Cataluña, los barcos mercantes y de pesca, etc.; y le daba la garantía de no ser inquietada en las regiones fronterizas...

El documento del PCE —cuya dirección se reunió en Madrid el 19 de febrero—, publicado el 23, cambiaba de tono y también de objetivos con respecto al documento de fines de enero y a la conferencia de Madrid. Sin duda, es una llamada a la resistencia, pero para terminar la guerra; se hacía valer que «la situación internacional nunca ha sido más inestable que hoy» y que incluso la resistencia española podía ayudar a cambiar aquella. Pero el tono era distinto y se insistía en que «lo peor que hoy podría ocurrir al Partido es aislarse de las masas y de las otras fuerzas populares antifascistas».

Mientras tanto, el 22 de febrero, acaeció una muerte que parecía un símbolo; la de Antonio Machado, en el pueblecito costero francés de Collioure (donde se había quedado, con su madre y hermano, con una pequeña ayuda de las autoridades republicanas, no queriendo trasladarse a París). Unos oficiales del escuadrón de caballería internado en el castillo de los Templarios llevaron a hombros su ataúd, envuelto en la bandera republicana.

Los engranajes internacionales proseguían ya de manera imparable. Bérard no había hecho la menor gestión en Burgos para pedir que no hubiese represalias. Azaña, que seguía argumentando que era mejor rendirse para salvar vidas, ignoraba eso y también que el gobierno de Burgos negaba toda otra solución que no fuese la rendición incondicional. En efecto, el Cuartel General de Franco recibía el día 21 un nuevo mensaje de Centaño a través del SIPM, diciendo que Casado había prometido formar un gobierno Besteiro o militar para el día 25.

El gobierno francés presionaba para que Azaña dimitiese antes del reconocimiento, facilitándole así un pretexto. Pero Azaña se negó: primero, que las potencias pasasen por el trance histórico del reconocer la dictadura de Franco. Prevenido a tiempo, Azaña salió por tren de París para su residencia de Collonges-sous-Salève (una casita que había alquilado en Alta Saboya). El 27 de febrero los gobiernos de Inglaterra y Francia reconocieron el gobierno de Franco. Al día siguiente se hacía pública la dimisión de Azaña, dirigida al presidente del Parlamento, Martínez Barrio, quien, de acuerdo con los preceptos constitucionales, debía encargarse, con carácter interino, de la jefatura del Estado. El gobierno, que había celebrado su última reunión en Madrid el día 24, volvió a reunirse (probablemente en Elda) y se puso a la disposición de Martínez Barrio; ese telegrama tampoco llegó nunca a su destinatario.

La suerte de la democracia española estaba echada. También el gobierno de Estados Unidos llamaba a su embajador, Claude Bowers, el 1.º de marzo: Cordel Hull lo ha confesado en sus *Memorias*: «llamé a consulta a Bowers para tener las manos libres y entablar relaciones diplomáticas con Franco».

A la vez, Chamberlain mentía a sabiendas en la Cámara de los Comunes, durante el debate del 28 de febrero: «antes de haber sido reconocido el gobierno del general Franco, este último ha dado garantías en cuanto a la renuncia por su parte de toda represalia política». El hombre de la claudicación de Munich cerraba voluntariamente los ojos para no enterarse de la LEY DE RESPONSABILIDADES POLÍTICAS, promulgada dos semanas antes, ni de los Consejos de Guerra que diariamente se celebraban por aquellos días en Barcelona. Dos semanas más tarde también contemplaría inmóvil la entrada en Praga de las «Panzer Divisionen». La Cámara de los Comunes votó el reconocimiento de Franco por 344 votos contra 137, y entre los votos favorables también estuvo el de Eden. En cuando a Daladier, ya solicitaba el *placet* para su embajador ante Franco: el mariscal Philippe Pétain.

¿Y Martínez Barrio? Hasta el 3 de marzo no reunió a la Comisión permanente de Cortes, en el restaurante Laperousse del *Quai des Augustins*. Estuvieron 16 diputados; todos los de la Comisión, salvo Portela, que estaba enfermo, y los comunistas, que no fueron avisados (Martínez Barrio se disculpó más tarde, diciendo que no los había podido localizar). Martínez Barrio puso pretextos y disculpas legales. Por fin, solo se consiguió que·aceptase la eventualidad de hacerse cargo de la Presidencia interina de la República... «si dispongo —son sus términos— de plena autoridad para realizar la única obra que cumple a la situación creada; terminar la guerra con el menor número de estragos posibles». Rojo se ofreció a acompañar a Martínez Barrio a la zona central; también un diputado de cada grupo parlamentario. Pero no hubo sino un telegrama a Negrín, cuya respuesta —un radiograma— nunca llegó a su destino. Dos días después —realizado ya el golpe de Casado— la Diputación permanente decidió que «se había impedido resolver definitivamente sobre la sustitución interina del presidente de la República».

Se conspiraba, se susurraba en Madrid, en Valencia, en Cartagena... Nadie se decidía a pasar a la acción; Negrín tampoco. Y Franco apremiaba a Casado y se negaba a recibir a Besteiro ni a ningún civil (Casado le había propuesto, el 27, la visita de Besteiro y del coronel Ruiz Fornells).

El gobierno no tenía sede fija; pero no iba a establecerse en Madrid. Y las personalidades comunistas de primer plano van dejando la capital y se trasladan a El Palmar (Murcia); hay en zona central parte de la dirección de la UGT: su secretario general, Rodríguez Vega, ha vuelto. El presidente es G. Peña y el vice, Edmundo Domínguez, comisario del Ejército del Centro. Se teme a Casado; Negrín ha estado prevenido, pero no toma medidas; todo lo que hará será tomar nominalmente el mando del ejército, como ministro de Defensa, pasando Miaja a un puesto honorífico de inspector general, y Matallana a jefe del Estado Mayor Central.

El 2 de marzo, mientras Casado y Matallana se entrevistan de nuevo con Negrín en la posición «Yuste» (Elda), Buiza reúne a jefes y comisarios de los buques para proponerles que si Negrín no firma la paz en 48 horas, la flota debe abandonar España. Se entera Negrín y envía al día siguiente a Paulino Gómez, ministro de la Gobernación. Bernal, jefe de la base de Cartagena, le dice que no hay más remedio que capitular. El jefe de la flotilla de destructores, se pone amenazador y el ministro le responde: «Tenga usted en cuenta que eso lo podrán decir los que están dando su vida en los frentes de Madrid y Extremadura, pero no usted, en este camarote». Bruno Alonso, comisario de la flota, asistía en silencio a la escena.

El día 3 de marzo aparecen en el *Diario Oficial del Ministerio del Ejército* los nombramientos de Francisco Galán como jefe de la base de Cartagena (en sustitución del general Bernal) y del teniente coronel Etelvino Vega como gobernador militar de Alicante, que venían a añadirse a los ascensos a general de Casado (*Gaceta* del 25 de marzo), Modesto y Cordón (*Gaceta* del 1.º de marzo). Poco o nada para justificar la expresión de «golpe comunista» que utilizarán Casado, W. Carrillo, Besteiro, Mera, etc., que esos días ultiman los preparativos de su golpe de Estado. A cuarenta años de distancia se comprende que no entraba ni en los planes de Negrín ni en los del PCE la toma por este del escaso poder que quedaba de un Estado en agonía, deshauciado por sus amigos, a merced de sus enemigos, en una situación con la unidad casi deshecha y en la que incluso las unidades militares de mayor hegemonía comunista ya no existían, pues habían quedado desagregadas en los campos de internamiento de Francia. Sin embargo, el cansancio de la guerra, la ilusión de una paz aceptable, la exacerbación de querellas partidistas habían formado un caldo de cultivo propicio a echar la culpa a los comunistas, para crearse los demás buena conciencia y nutrir su fardo de ilusiones.

Y mientras Negrín, en «Yuste», prepara un discurso al país para el día 6 y convoca a los ministros en «Jaca» (Alameda de Osuna), puesto de mando de Casado, se ultiman los detalles del golpe.

4. CARTAGENA[7]

La tormenta se cernía sobre la zona republicana [247; 248; 99; 68; 225; 184; 267; 272, V; 277]. En una finca de Elda, titulada momentáneamente «posición Yuste», un jefe de gobierno —Negrín— daba todavía órdenes, convocaba ministros y generales, preparaba discursos. Pero los aparatos del Estado que representaba se hallaban en plena disgregación; y no por la acción de quienes contra él conspiraban dentro de su propio campo, sino por el peso ineludible de las armas que había inclinado la balanza en favor del adversario, ante la indiferencia, cuando no la complacida aquiescencia, del entorno internacional. Quienes desde dentro conspiraban, apoyándose también en el cansancio de una población que sufría desde hacía tres años los rigores de la guerra, no eran sino la expresión de la descomposición de un bando que precede al final de cada contienda bélica.

Enfrente, el «Nuevo Estado» (que tenía poco o nada de su adjetivo) perfilaba sus órganos, tomaba decisiones, era reconocido por las cancillerías occidentales. Una «ley» de 9 de febrero (publicada en el Boletín Oficial del 13) creaba el delito de responsabilidades políticas con carácter retroactivo, declaraba fuera de la ley a todos los partidos y organizaciones democráticos y de izquierda e instituía el Tribunal de responsabilidades políticas.

Sí, todo parecía entrar en «cierto orden». Y ya el 20 de febrero el *Boletín del Movimiento de FET y de las JONS* publicaba, firmado por Raimundo Fernández Cuesta, el nombramiento de Leopoldo Panero como Delegado para «la coordinación de servicios a la entrada en Madrid». Sí, ahora no se les escapaba como en 1936, preparados incluso con tribunales.

Ahora sería cierto. Y además la entrada sería sincronizada con la de Hitler en Praga y la de Mussolini en Albania, y bendecida por un nuevo papa, Pío XII, recién elevado al solio pontificio.

Y la tormenta seguía acechando... Fuese Francisco Galán a Cartagena con ánimos negociadores y no requirió la presencia de la 206 Brigada, destinada a ayudarle, aunque se encontró ya en Cartagena con el jefe de aquella, Artemio Precioso.[8]

En la base naval de Cartagena latían varias conspiraciones. Una; que podemos asimilar a la postura «casadista» de hacer la paz a cualquier precio, representada por Vicente Ramírez, jefe del Estado Mayor mixto; otra, encabezada por el capitán de navío Fernando Oliva, jefe de Estado Mayor de la base, y por el coronel Gerardo Armentia, jefe de artillería de costa que, si por un lado conectaba con la de Ramírez, por otro iba hasta relacionarse con oficiales de tendencias franquistas. Y la «quinta columna» auténtica estaba encabezada por un sargento, Calixto Molina, que enlazaba con el comandante Arturo Espa, 2.º jefe de artillería. Esta pluralidad de conjuras, acarreaba forzosamente coincidencias y hasta contactos. Y todos parecían dispuestos a impedir que Galán tomase mando alguno. Pero este llegó y, contra toda previsión, el general Bernal, jefe de la base, lo acogió cordialmente y se dispuso a transferirle el mando. Bernal invitó a cenar a Galán, Ramírez, Morell (jefe del arsenal), Samitier (jefe del SIM) y algunos más. Llegó también A. Precioso, por previa indicación de Galán.

Allí estaban los «casadistas» (que estaban en contacto con Matallana y con Burillo, jefe de orden público de Levante), cuyo alzamiento se había aplazado 24 horas; pero los conspiradores más próximos al franquismo habían decidido sublevarse aquella noche. Y así fue: no habían terminado de cenar cuando un grupo encabezado por Oliva entró en la pieza y detuvo a Galán, Ramírez, Morell, Samitier y el comandante Adonis. Eran las once y media de la noche. (Precioso era detenido al salir de Capitanía, pero logró evadirse poco después y se puso al frente de su brigada a la mañana siguiente.) Rápidamente se extendió la sublevación y el coronel Armentia se puso al frente de ella. Buiza, almirante de la Flota, que conspiraba con Ramírez, pero no con los otros, amenazó con bombardear Capitanía si no eran liberados los detenidos. Oliva no sabe qué hacer; Galán y Ramírez hablan por teléfono con Buiza y

Bruno Alonso y, en efecto, son liberados y, al parecer, Ramírez manda en el edificio, pero no pueden o no quieren salir de allí. Al amanecer del día 5 la situación era cada vez más confusa. El coronel Armentia se veía desplazado por los franquistas en su puesto de mando del parque de Artillería. Entre unos y otros hay una madeja de conciliábulos y negociaciones; pero los franquistas eran dueños de todas las baterías de costa y de la emisora de radio de la Flota. A las 9.30 Galán logra comunicar con Negrín. Este responde que es preciso evitar violencias entre antifascistas y le dice se ponga a las órdenes del subsecretario de Marina, Antonio Ruiz, a quien nombra jefe de la base. Resulta evidente que la Flota está dispuesta a marcharse, en parte por las amenazas de que tire la artillería de costa, y en parte por eludir otros compromisos (después del teletipo de Galán, Negrín no podía ignorar eso). Desde la madrugada se están poniendo las calderas de los buques en condición de marcha; los oficiales franquistas (que los había en la flota surta en Cartagena lo confirman Luis Romero y otras fuentes) presionaban a Buiza para marcharse, y el que más lo hacía era su propio jefe de Estado Mayor, José Núñez, cuyos tres hermanos estaban en la flota franquista. Además, se tenían noticias del carácter franquista tomado por la sublevación. El general retirado Vicente Barriobero, que vivía en las proximidades (en Los Dolores) se hace cargo del mando sustituyendo a Armentia, iza la bandera roja y gualda y amenaza a la Flota con las baterías de costa. A las 11.30 llega Antonio Ruiz, toma el mando de la Base y ordena que se abra el puerto (a lo que Galán se había negado). Casi al mismo tiempo, cinco *Savoia* italianos bombardean el puerto; a los buques suben algunos paisanos y familias de los marinos. Barrionuevo amenaza con el fuego de las baterías de costa si la escuadra no se ha marchado a las doce y media. La partida es inminente: Ruiz, Ramírez, Morell, Samitier suben al buque insignia, el *Cervantes*; Galán vacila, a bordo, Buiza y B. Alonso le instan a que suba. Por fin se decide (en el camino será arrestado por Núñez).

La Flota republicana abandona definitivamente España. El Poder republicano que quedase, uno u otro, perdía una de sus mejores bazas; los combatientes y militantes que podrían haberse salvado en ella, en un repliegue organizado, perdían todavía más.

Barrionuevo se cree vencedor y a las 14.20 radiografía su júbilo a Burgos; parecía ignorar que a esas horas la 206 Brigada atacaba ya las alturas al sur de Cartagena. Colaboraban en el ataque carros de la base de Archena y fuerzas de Asalto enviadas por Eustaquio Cañas (antiguo dirigente metalúrgico de la UGT bilbaína y gobernador civil de Murcia). Burgos promete ayuda a las cinco de la tarde; pero las fuerzas de A. Precioso están en las calles de Cartagena; el teniente coronel Rodríguez —que mandaba la 11 División en el Ebro— llega, enviado por Negrín, para dirigir todo el ataque.

5. ELDA Y MADRID

En «Yuste», Negrín va a reunir su gobierno. Ha citado también a Miaja, Matallana y Casado. Solo se presentará el segundo de ellos. Miaja pone pretextos y Casado —tras haber intentado convencer en vano a los ministros que estaban en Madrid, de que la reunión debía tener lugar allí— se niega rotundamente a desplazarse.

Al atardecer del domingo, 5 de marzo, hay dos reuniones; una, en Elda, del gobierno con varios mandos militares; otra, en Madrid, en el puesto de mando instalado en los sótanos del Ministerio de Hacienda (el de noviembre del 36, adonde ha trasladado esa tarde el suyo Casado, habitualmente instalado en la Alameda de Osuna); allí irán llegando Besteiro, Pedrero (jefe del SIM); Cipriano Mera, anarquista y jefe del IV Cuerpo de Ejército; el general Martínez Cabrera, socialista y gobernador militar de Madrid; el coronel Pradas, el teniente coronel López Otero, los dirigentes de la CNT local García Pradas, Del Val y Marín,[9] y Miguel San Andrés, de Izquierda Republicana. También llegó, sin estar enterado de nada, el Comisario general del Centro, Edmundo Domínguez (socialista del sector «negrinista»).

En cuanto a los comunistas, aunque tenían vehementes sospechas de que algo se tramaba, no quisieron tomar ninguna disposición que agravase el estado de cosas. Tagüeña, cuando en la mañana del día 5, el comisario Daniel Ortega viene a verlo para decirle que la llegada de fuerzas del IV Cuerpo a la posición «Jaca» es claro indicio de que la sublevación comienza, añade:

> Llamé inmediatamente a Girón, que llegó a los pocos minutos. Entonces se confirmaron por completo mis sospechas. El Partido Comunista no pensaba tomar ninguna iniciativa, iba a esperar el desarrollo de los acontecimientos, ya que no quería ser responsable de cualquier acción que terminara de derrumbar al tambaleante Frente Popular [277, 205-206].

Mientras, en Elda, los ministros hacen un alto en su reunión para cenar, en Madrid la Radio anuncia que el jefe del Ejército del Centro va a pronunciar una alocución. Pero llega medianoche y la radio no anuncia a Casado, sino a Besteiro. En efecto, el viejo líder socialdemócrata lee unas cuartillas con voz entrecortada afirmando que el gobierno carece ya de legitimidad, pero que los representantes de Izquierda Republicana, Partido Socialista, Movimiento Libertario y él mismo, con carácter personal, estaban «dispuestos a prestar al poder legítimo del Ejército republicano la asistencia necesaria en estas horas solemnes». Según Besteiro, el poder legítimo, «no es otro que el poder militar».

A continuación, Cipriano Mera, tras cubrir de injurias a Negrín, pronunció un confuso discurso en el que se mezclaba la consigna de «paz honrosa», con frases de marchamo anarquista y con la promesa de «luchar hasta sucumbir defendiendo la independencia de España», si no se conseguía la tal paz «honrosa».

Por fin, habló Casado: dirigiéndose a los que combatían en la otra zona dijo: «Nuestra guerra no terminará mientras no aseguréis la independencia de España. El pueblo español no abandonará las armas mientras no tenga las garantías de una paz sin crímenes. ¡Establecedla!». Cinco minutos después, Wenceslao Carrillo, nuevo Consejero de Gobernación, telegrafiaba a los gobernadores civiles para que se pusieran a sus órdenes. Horas después telefoneó Miaja, a quien nadie había prevenido (pues Casado mantenía los contactos con Menéndez y Matallana), y los conjurados pensaron que era preferible otorgarle la Presidencia del Consejo de Defensa que no pasaría de ser nominal. El Consejo quedaría así formado: *Presidencia*, Miaja; *Defensa*, Casado; *Estado*, Besteiro; *Gobernación*, W. Carrillo; *Justicia*, San Andrés; *Hacienda y Economía*, González Marín; *Propaganda*, Val. A *Instrucción Pública* iría Del Río, de Unión Republicana, que se encontraba en Albacete. Antonio Pérez, que se uniría al Consejo en representación de la UGT, tras una reunión de esta en la mañana del 6, ocuparía la *Consejería de Trabajo*. Los demás consejeros no representaban más que a sus respectivas organizaciones de la capital.

En «Yuste» no había terminado la cena cuando alguien dijo que desde Unión Radio de Madrid se estaba insultando al gobierno. A partir de la una de la madrugada se produjeron una serie de conversaciones telefónicas entre «Yuste» y el Ministerio de Hacienda de Madrid, cuyo orden de prelación y términos literales es casi imposible recomponer. Lo esencial es que por un lado hablaron Negrín, Paulino Gómez, Segundo Blanco, Giner, Cordón, y por otro Casado, Val, Besteiro, Carrillo... Giner de los Ríos intentó —en vano— convencer a Besteiro, y Blanco a su compañero Val. Nada consiguieron, como tampoco Paulino Gómez al hablar con Wenceslao Carrillo. Ni Garcés, jefe del SIM, con Pedrero, su subordinado del Centro. La conversación Negrín-Casado fue áspera y de ruptura. Nada era posible hacer. Y desde Valencia, Menéndez avisaba que si Matallana no regresaba irían sus fuerzas a rescatarlo. Partió Matallana simulando pesar. Pero el gobierno pudo darse cuenta de que estaba completamente aislado. Hacia las cinco de la madrugada, Negrín decidió abandonar la partida; le dijo a Giner que pidiese al coronel Camacho el envío de aparatos desde el aeródromo de Los Llanos. A las seis, Negrín y Álvarez del Vayo se trasladaron a la llamada posición «Dakar», tras haber tomado el acuerdo de abandonar el país («Dakar» era una casa cercana donde se habían instalado los principales dirigentes comunistas), y con ellos varios altos cargos como el comisario general Ossorio y Tafall, Garcés, Sánchez Arcas... Dolores Ibárruri, V. Uribe y algunos más, intentaron disuadirles, diciendo que aún podría intentarse asegurar la costa desde Valencia a Cartagena.

Llegaron de Murcia, Checa, Delicado y «Alfredo» (es decir, Togliatti). De lo que sí convencieron a Negrín fue de enviar un mensaje a Casado proponiéndole que «toda eventual transferencia de poderes se haga de una manera normal y constitucional»; ya habían sido desmontados emisora y teletipo, y el mensaje se envió desde Elda por teléfono vía Menéndez, retransmitiéndolo este a Casado. Jamás hubo respuesta, aunque por diversas fuentes se ha sabido que si Casado se mostró relativamente propicio a una transferencia de poderes, Besteiro se negó terminantemente.[10]

Paradójicamente, cuando ya no hay gobierno, la 206 Brigada y los carros de Archena (todos a las órdenes de un gobierno que ya no existe), toman por asalto el arsenal y el parque de Artillería de Cartagena; allí encuentra la muerte el coronel Armentia, pero no los otros sublevados. Por la tarde se rinde la base naval. Pero, al mismo tiempo, Alicante caía en poder de los partidarios de la Junta y Etelvino Vega, su comandante militar, era detenido. Esto rompía la última esperanza estratégica de los comunistas. Negrín y Vayo se dirigen al aeródromo de Monóvar pasadas las dos de la tarde; allí están los tres *Douglas* enviados por Camacho y los ministros (Velao, Giner, Blanco, Paulino Gómez, G. Peña) esperándolos. Minutos después despegaban los tres aviones. En un *Dragón* salió Dolores Ibárruri y también el general Cordón, Alberti y M. Teresa León... Ochenta guerrilleros protegieron la salida.

El equipo de dirección comunista se reunió en el aeródromo de Monóvar a las diez de la noche del lunes 6, bajo la presidencia de Pedro Checa; estaban presentes Uribe, Delicado, Moix, Líster, Modesto, Angelín Álvarez (secretario del PCE de Asturias), Benigno, Irene Falcón, Claudín, Tagüeña, Melchor y Togliatti. La condena severa del golpe de la Junta no les impedía reconocer la realidad; tras la marcha de Negrín, no había otra autoridad que la del Consejo Nacional de Defensa, por ilegal que fuera, y a sabiendas de que capitularía sin condiciones; pero no era posible iniciar otra guerra civil dentro de la guerra civil. Se trataba solo de salvar la mayor cantidad posible de «cuadros» comunistas, sentar las bases del trabajo clandestino para el futuro; la responsabilidad política de la situación caía de lleno sobre el Consejo y los suyos. A una pregunta de Togliatti, Líster y Modesto respondieron que el PCE no tenía fuerza para dominar él solo la situación. Se tomaron, pues, decisiones de urgencia: Checa y Claudín se quedarían para hacer pública la posición, organizar la nueva dirección y las bases del trabajo ilegal. Voluntariamente se quedó con ellos Palmiro Togliatti. Los demás partirían inmediatamente, pues las fuerzas de Casado ya ocupaban Elda y los cruces de carretera próximos. Tres aviones, dispuestos por Hidalgo de Cisneros, despegaron con los demás, y con los jefes y comisarios allí presentes. En cuanto a Togliatti, Claudín y Checa, fueron detenidos por el SIM apenas salir del aeródromo. Conducidos a Alicante, sin ser reconocidos, tuvieron la fortuna de que el jefe del SIM de la plaza fuera el republicano Prudencio Sayagués (al que hemos visto en ocasiones en el Estado Mayor Central), antiguo dirigente de la FUE y amigo de Claudín de los tiempos estudiantiles. Sayagués no solo los puso en libertad, sino que los llevó hasta Albacete en su coche.

6. MADRID: GUERRA CIVIL EN LA GUERRA CIVIL. BURGOS ESPERA

El golpe de Casado produjo la más extrema confusión. Fueron muchos los mandos que se negaron a aceptarlo, creyendo que el gobierno Negrín continuaba. Así, el comandante Ascanio, jefe de división y militante comunista, tomó el mando del segundo Cuerpo de Ejército (el que cubría el frente de la misma ciudad de Madrid), ya que su jefe, el teniente coronel Bueno, se hallaba enfermo. Ya antes, en la madrugada del 6, el comisario de ese mismo Cuerpo, Molina (socialista), ordenaba la detención de Girón (comisario general de artillería y dirigente comunista de Madrid) y lo entregó al SIM; pero, a su vez, Ascanio y Conesa (Comisario de la VII División) detenían a Molina horas después.[11]

La 70 brigada, enviada por Mera y fuerzas de Carabineros y Asalto, tomaron la parte sur de Madrid, estableciendo un puesto de mando en el Hotel Nacional (Atocha) y procedieron a la detención de numerosos comunistas, ocupación de locales, etc. En cambio, las unidades de carros y de guerrilleros acantonadas en Alcalá de Henares, unidas a carabineros del III Cuerpo, ocuparon la posición «Jaca» (Alameda de Osuna), obligando a replegarse a Mera, mientras que Ascanio, con la octava División, avanzó sobre Madrid, ocupando los nuevos Ministerios y Chamartín. Desde un chalet de Ciudad Lineal («Villa Eloísa»), la dirección madrileña del PCE intentó coordinar la acción; desde allí, el lunes 6, el coronel Barceló, jefe del I Cuerpo de Ejército, tomó nuevas disposiciones. Se puso en marcha un engranaje de defensa y ataque, al parecer, sin saber lo que ocurría en el resto del país.

En Valencia, el general Menéndez, que estaba de acuerdo con Casado, se adhirió al golpe, e incluso se preocupó de controlar personalmente el puesto de mando del Grupo de Ejércitos. Jesús Hernández (que era comisario general de ese grupo) y Palau, secretario del PCE de Valencia, proyectaron una réplica, apoyándose en los tanques y en los guerrilleros, pero Hernández comunicó con Negrín en la madrugada del 6 y este le dijo que no hiciesen nada... «El Gobierno está reunido y decidirá» [295, IV, 318]. Los carabineros asaltaron los locales del PCE y practicaron varias detenciones. Pero la organización comunista de Valencia y los dirigentes nacionales que allí había (Hernández, Larrañaga, S. Zapiráin), publicaron el día 9 un documento muy parecido al redactado por

Checa y Togliatti, pero sin atacar de frente a la Junta. Su actuación se orientaba a que se respetase la legalidad del PCE, de su prensa y locales, liberación de sus presos, etc., impidiendo más rupturas de la unidad.

El PCE controlaba todo el tiempo la 70 División (mandada por Gallo) y la 47 (mandada por Recalde), así como los tanques y carros de Calasparra (que consiguieron la liberación de su comisario Luis Sendín, detenido por Menéndez). De esa manera podían cortar las comunicaciones entre el Centro y Levante (en realidad, los pasos del puerto de Contreras, en la nacional Valencia-Madrid, estaban ocupados desde el día 6 por fuerzas de la 47 División).

El día 7 continuaron los combates en Madrid; la situación de la Junta se agravaba y Matallana, trasladado a Madrid, dirigía los combates desde los sótanos de Hacienda.

Ese mismo día recibía el Cuartel General del Generalísimo los primeros informes de sus agentes sobre lo que estaba ocurriendo en Madrid.

En efecto, la sección SIPM del ejército franquista del Centro (con mando en Valladolid), transmite al Cuartel General, a las 20.15, el siguiente telegrama cifrado, especificando «información obtenida por agentes SIPM»:

> Nuestro Servicio Exterior nos dice literalmente:
> Comunistas luchan. Preparen fuerzas ocupación y ofensiva. De un momento a otro pueden ocurrir hechos trascendentales, que oblíguenles a intervenir.
> Casado y los demás piden muy urgente ofensiva nacional sector hospital Carabanchel y Parque del Oeste. Abrirán frentes. Servicio cree llegado momento ofensiva general todo Ejército del Centro.

Y otro posterior:

> Frentes Pardo-Rozas-Cuesta Perdices-Manzanares y Hospital pacíficamente desguarnecidos.[12]

Ese mismo día, uno de los barcos franquistas que con tropas de desembarco se aprestaba a desembarcar en Cartagena creyéndola aún en manos de los sublevados, el *Castillo de Olite* (que carecía de radio y no recibió contraórdenes) fue literalmente pulverizado por la batería de «La Parajola» con el solo cañón que le quedaba en uso.

Eustaquio Cañas (que estaba allí, con el coronel Aizpuru, de Asalto, presenciando el último ataque a la Base) ha descrito su impresión:

> Está el barco tan cerca que se ven los rostros de los soldados. Tira una batería costera y le alcanza en pleno puente. Hombres y pertrechos vuelan a 50 metros de altura. Casi simultáneamente suena un segundo cañonazo que también le alcanza en el puente, y, por fin, un tercero que hace explotar las calderas. Hombres, chapas, ametralladoras y hasta un cañón vuelan por los aires

envueltos en una nube de ardiente vapor. El barco se hunde en un instante. El vocerío es aturdidor. Numerosos heridos ganan a nado la isla donde se los recoge para trasladarlos al hospital.

1223 hombres perdieron allí la vida; unos 700 cayeron prisioneros (por pocos días, desde luego). Otro barco que le seguía, el *Castillo de Peñafiel*, viró en redondo y consiguió salvarse al no entrar en la bahía, aunque sufrió numerosas bajas por fuego de artillería y aviación. Aquella tarde, se rendía la Base. Oliva salió a parlamentar con Aizpuru y Cañas. Este cuenta: «Sale Oliva, el cabecilla, nervioso, con un cigarrillo en la boca que mordisquea más que fuma. Me hace un gesto de desaliento y, sin decir palabra, me sigue. Noto que está sereno. No sabía él que los franquistas, al entrar, le iban a condenar a doce años de presidio».

Cañas relata una visita de Burillo aquella misma tarde. Insiste en que «proceda a la detención de los indeseables comunistas» (Burillo lo había sido), a lo que él se niega. En Murcia y Valencia (donde es gobernador el socialista Molina Conejero, subsiste un espíritu de convivencia. No así en otras provincias: en Ciudad Real, el cenetista David Antona, gobernador civil, detiene hasta jóvenes comunistas de 17 años, cumpliendo celosamente lo que Wenceslao Carrillo le ordena por radio, el día 7 a las 11.20: «sofoquen focos rebeldes por todos los medios, comunicándome en el instante que sean sofocados» (radiograma interceptado por el servicio franquista de Estación Sevilla; copia en SHM), o el de Jaén, que dejó comunistas presos al entregar la plaza el 29 de marzo.

El día 8, las fuerzas de Ascanio avanzaron por Serrano hasta la puerta de Alcalá, donde emplazaron una batería que empezó a tirar sobre el Ministerio de Hacienda. La otra tenaza de sus fuerzas había llegado hasta el Teatro Real.

En esas condiciones, Casado —que había pedido a Mera refuerzos con toda urgencia— busca, por otra parte, ganar tiempo y propone una tregua al Partido Comunista (sirviendo de intermediario el coronel Ortega, jefe del III Cuerpo). En la noche del 8 al 9 hubo una entrevista entre Mendezona, del Comité Provincial del PCE y Casado (con quien estaba Matallana). No se llegó a un acuerdo, aunque siguieron las conversaciones. Mientras tanto, las fuerzas enviadas por Mera atravesaron el puente de San Fernando del Jarama gracias a una estratagema, y volvieron a ocupar la posición «Jaca» en la tarde del día 10. A su vez, en «Villa Eloísa» ya sabían que el gobierno había dejado de existir, y también conocían las resoluciones tomadas por los órganos supremos del PCE en su reunión de Monóvar. Montoliú, dirigente comunista, había llegado a Madrid el día 9 por la noche, tras entrevistarse con Miaja, que se había replegado a Tarancón. Montoliu explicó también que en Valencia el PCE seguía en relación con Menéndez. Teniendo en cuenta esa nueva situación, se negoció un cese el fuego que debía entrar en vigor el 12 de marzo, a las ocho de la mañana, según el cual ambas fuerzas liberarían a sus prisioneros.

No cumplió fielmente Casado, puesto que el coronel Barceló fue detenido aquel mismo día cuando se había reintegrado a su puesto de mando, y tras sumarísimo de urgencia, fusilado al día siguiente.

También fue fusilado el comisario Conesa. Girón, Mesón, Ascanio, seguirían en prisión en Valencia cuando entraron las tropas de Franco. Dos años después serían fusilados.

También los hombres de la VIII División fusilaron a los coroneles Pérez Gaszolo y López Otero del Estado Mayor de Casado (el segundo° era, al parecer, un agente del campo franquista).

Aquella guerra civil «interna» había costado la vida de 2000 españoles más, entre el temor y la indiferencia de la mayoría de la población madrileña, literalmente agotada tras casi tres años de guerra.

Los agentes del SIPM habían continuado informando a Franco: «Confusión toda zona. Bandos desconocen número y lealtad de sus propias fuerzas. Masa civil asustada y anhela Franco».

Este era el telegrama cursado el día 10 a las 19.30. Y tres cuartos de hora más tarde:

Aumenta caos. Casado parece incapaz dominar situación. Peligro desconexión y matanzas. Ocasión inmejorable ofensiva.

Se observa, en buen número de despachos, que los agentes franquistas en Madrid tienen interés en precipitar la ofensiva de los suyos, en parte por asegurar su propia situación. En el Cuartel General son más cautos.

En Valencia el ambiente era muy distinto. Desde el día 9 hubo contactos entre el general Menéndez y los responsables del PCE (J. A. Uribes, Palau, el teniente coronel Ciutat y el doctor Recatero, jefe de Sanidad del Ejército de Levante). En realidad, Menéndez sirvió de intermediario entre la dirección del PCE y la Junta, aunque sin muchos resultados; por su parte, liberó a los comunistas que habían sido detenidos en Valencia. El día 10 hubo incluso una reunión entre el PCE y representantes de la dirección nacional de la CNT. Nuevas reuniones tuvieron lugar el día 11, al llegar Checa, Claudín y Togliatti, después de su liberación. Checa y Uribes se entrevistaron con Julio Just y de nuevo con Menéndez. Este garantizó que la persecución de comunistas se había cortado «salvo en Madrid». De regreso de la capital, Menéndez se mostró muy desanimado, diciendo que no valía la pena de pelear por la legalidad del PCE puesto que el Consejo no se ocupaba ya sino de negociar la paz con Franco. Estos parecieron comprenderlo así, pues se ocuparon principalmente de facilitar la evacuación; lo mismo hacen otros dirigentes con quienes mantienen contacto, como Rodríguez Vega, secretario general de la UGT.

Un informe de Checa (reproducido fragmentariamente en *Guerra y Revolución*), explica que ya son patentes los factores de un desplome «quizá fulminante», puesto que no hay aparato de Estado, ni siquiera de la Junta; ya no hay organizaciones, y las masas se encuentran ante la inminente e inevitable entrada del ejército de Franco.

7. ¿PAZ NEGOCIADA O CAPITULACIÓN?

Tras conseguir que se estabilizase la situación de Madrid, el Consejo de Defensa se reúne el 12 de marzo (por supuesto, sin Miaja) y hace unas proposiciones de paz sin represalias, con garantías, con plazos para expatriarse quien lo deseara, sin presencia de moros e italianos, etc. Las mismas garantías y ausencia de represalias que pedía el vilipendiado gobierno de Negrín desde la reunión de Figueras. El lunes 13 se entregó el pliego de proposiciones al jefe de los agentes franquistas, teniente coronel Centaño. Luis Romero comenta así:

Partían, Casado y los demás, de un supuesto falso y carecían de información referida a la zona enemiga. Pensaban, en el momento de celebrar esta reunión que demostrado su anticomunismo de manera activa y habiendo reducido el poder del PCE por la fuerza de las armas, en alguna manera podían equipararse a los nacionales para quienes el comunismo, según declaraban, era su enemigo máximo [248, 365].

En efecto, Besteiro, de quien su incondicional Saborit nos ha dejado testimonios de cuán grande era su ilusión para la posguerra,[13] decía a Cañas:

Tengo la seguridad de que casi nada va a ocurrir. Esperemos los acontecimientos, y quizá podamos reconstituir una UGT de carácter más moderado; algo así como las Trade Unions inglesas. Quédese Vd. en su puesto de gobernador que todo se arreglará, yo se lo aseguro.

También *El Socialista*, en su editorial del 13 de marzo, hace un encendido elogio de la política de Munich y de la no intervención. Cuarenta y ocho horas después, los carros de Hitler —gracias a Munich— entraban en Praga.

Otro es el criterio sobre los acontecimientos de personas como Azaña y Rojo. El dimitido jefe del Estado —cuenta Rivas Cherif—,

no podía admitir que lo que sucedía tuviera mucho ni poco que ver con su manera de pensar y, desde luego, nada en absoluto con su modo de proceder [...]. No se le alcanzaba como Besteiro —que pocos meses antes se decía, ante el presidente, incapacitado para asumir la responsabilidad del Gobierno en momentos como aquellos, y precisamente por creer que no contaba con la opinión de la mayoría, no ya de la nación, del propio partido incluso—, podía sumar su esfuerzo al de un militar que, al rebelarse también contra el Gobierno legalmente en funciones, repetía el golpe de Estado de Franco, y lo que era peor, con el mismo pretexto: la preponderancia excesiva o la demasía intolerable de los comunistas [242, 330-331].

En cuanto al general Vicente Rojo, considera el golpe de Casado como «un error lamentable» y «una acción contra un partido del que estaban celosos, una ruptura del Frente Popular». «Era la revelación del cansancio de la guerra, la exteriorización brutal, en un momento de crisis, de la pugna interna entre los partidos, y el reconocimiento público de la impotencia militar a que habíase llegado; a pesar de ello lanzan la consigna de paz digna o guerra a muerte, tan osada como falta de sentido real.» Son estos algunos aspectos de una extensa crítica que del Consejo hace quien fue jefe de la defensa de Madrid [244, 170-175].

El Consejo había propuesto como negociadores suyos a Casado y Matallana. Y es más, insisten cerca de los agentes franquistas del SIPM que el 15 de marzo transmiten este mensaje en cifra: «Casado y Matallana esperan impacientes día y hora viaje. Dicen tener todo ultimado».

Y otro mensaje el día 17, a la una y media de la tarde: «Casado y Matallana impacientísimos comienzan a desesperar. Servicio acosado preguntas, pide urgencia instrucciones».

Sin duda, para distraer su impaciencia, los miembros del Consejo seguían tomando medidas para un Estado y un ejército que prácticamente habían dejado de existir. Les invade la fiebre de destituir a todo sospechoso de simpatizar con el comunismo y de nombrar a sus amigos de confianza; así, el socialista moderado Piñuela es nombrado Comisario General tras destituir al republicano Ossorio; Prada pasa a ser jefe del Ejército del Centro. Todavía el 17 de marzo W. Carrillo cursa telegramas a los gobernadores civil y militar de Murcia diciendo: «Proceda V.E. a la detención de todos los comunistas significados en la provincia de su mando», orden que no se cumple tras acalorada discusión del Frente Popular.

Sin ejército ya, a merced de un enemigo que los desprecia, con una población agotada que solo desea ya el fin de la guerra, los dirigentes políticos afines al golpe de la Junta se entregan a las delicias de la «caza de brujas», ignorando que en breves semanas compartirán calabozos y tapias de ejecución con aquellos a quienes tan sañudamente persiguen. Ya no quedaba un Poder de Estado y de poco servían los nombramientos en la agonizante *Gaceta*. Los cuerpos de ejército actuaban autónomamente, y todavía obraban más a su antojo gobernadores, jueces y policías. Unos hacían ya méritos para el franquismo, y otros, por el contrario, cubrían a todos los que habían combatido juntos.

En el PSOE, una facción se apoderó del Poder; se expulsaba a los comunistas de la UGT y los agentes de Pedrero los buscaban por las unidades militares. Por el contrario, en el Ejército de Levante, comunistas como Toral, Ciutat, Durán, Recalde, etc., seguían en sus puestos de mando.

Y llegó la respuesta del «Mando Nacional», el 18 de marzo:

Rendición incondicional incompatible con negociación y presencia en Zona Nacional de Mandos superiores enemigos.

Casado no podía llamarse a engaño. Barrón se lo había dicho un mes antes. El telegrama franquista añadía: «para regular detalles materialidad entrega es suficiente venida de un Jefe profesional con plenos poderes».

Mensaje este que tal vez se cruzó con el dado el día antes a las diez de la noche desde Unión Radio de Madrid (cedida por Casado a los agentes del SIPM para emitir a Burgos), en el que se decía:

Celebrada hoy entrevista Casado nos ha dicho existe normalidad zona y juzga muy urgente, para bien de España, celebración entrevista a la mayor brevedad posible.

El Consejo se resigna y nombra al teniente coronel Antonio Garijo y al mayor Leopoldo Ortega para ir a Burgos; el Consejo acepta todo y Centaño puede comunicar el 22 por la noche: «Consejo acepta rendición sin condiciones generosidad Caudillo y acucia al Servicio para abreviar plazos». La «paz honrosa» se convertía, diecisiete días más tarde, en capitulación sin condiciones, tras haber roto, no ya los instrumentos de una posible aunque discutida resistencia, sino la casi certeza de un repliegue escalonado que moralmente hubiera representado la salvación de millares de vidas y de cientos de millares de existencias en libertad; políticamente, salvar los «cuadros» políticos y sindicales del pueblo; estratégicamente, dejar instaladas grandes unidades de movilidad guerrillera, con sus bases, destinadas a enlazar con la guerra mundial.

No fue así. A Casado y Besteiro no les quedaba sino recibir al cónsul de Francia y al de Gran Bretaña (este no era sino un empleado del Consulado), mientras Carrillo ordenaba que se constituyesen en cada provincia unas Juntas de Evacuación en las que ahora, eso sí, disponía que se admitiese a los comunistas. Demasiado tarde para constituir ya nada. Por cierto que los dirigentes del PCE (Checa, Togliatti, Claudín, Hernández, Zapiráin, Diéguez, etc.), salían en la madrugada del día 24 en tres *Douglas* del aeródromo de la Escuela de Pilotos de Totana (Murcia), protegidos por una treintena de hombres seleccionados de la 206 Brigada. Con ellos iban el jefe de esta, Artemio Precioso, el comisario Victoriano Sánchez y el médico de la Escuela.

Ya aquel día 23 se había celebrado la reunión entre los enviados del Consejo y los franquistas (coronel Ungría, jefe de los servicios de información, y coronel Luis Gonzalo de la Victoria). Nada consiguieron. Habían pedido facilidades para quienes deseasen salir de España y entregar la zona republicana por zonas de operaciones en el término de veinticinco días. Por el contrario, se les exigió que la aviación republicana se entregase 48 horas después, el día 25, y el ejército, el día 27. En el transcurso de la reunión (y fiándonos del acta de la misma levantada por el coronel De la Victoria, que figura en los archivos del SHM), Garijo llegó a decir, no se sabe con qué fin, que «el Consejo Nacional de Defensa de Madrid tenía solicitada la extradición del doctor Negrín por cargos que se le hacían de delitos comunes y pedía la ayuda en este asunto a la España nacional». Los militares franquistas se negaron a firmar ningún documento.

Aquella noche se reunió el Consejo y, aunque «Besteiro se mostró bastante satisfecho» [248, 389], la mayoría de sus miembros estaban consternados. Al día siguiente, Casado realiza un intento personal, el envío de una carta autógrafa suya, dirigida a Franco, llevada personalmente por el duque de Frías, a quien el Consejo autorizó a atravesar las líneas, acompañado de agentes del SIPM, por el cerro de los Ángeles, el 25 por la mañana. El duque fue recibido por el coronel Huguet, a quien pidió ir inmediatamente a Burgos. Huguet consultó, y el coronel Gonzalo de la Victoria le respondió con el siguiente telegrama veinticuatro horas después:

S.E. el Generalísimo no ve necesidad de viaje a esta de portadores documento pues su llegada no modifica absolutamente en nada sus propósitos.

El Consejo pide una nueva entrevista, y esta se celebra el día 25. Garijo dice en ella que «por razones técnicas» no se puede entregar la aviación ese mismo día. Pero a las seis de la tarde, hora fijada para la entrega, se rompe la negociación por orden del Cuartel General de Franco (tras una información telefónica de la reunión que acababa de dar el coronel Gonzalo).

Aquella noche, el Consejo promete que entregará la Aviación al día siguiente. De nada le sirve. A las tres de la madrugada del 26, Burgos comunicaba que las órdenes de ofensiva ya no pueden detenerse y aconseja a los republicanos que icen bandera blanca para enviar rehenes con objeto de entregarse.

Lo inevitable se iba a consumar y llegó lo grotesco de la tragedia: Casado hablando por la radio para decir que todo lo que sucedía estaba previsto en sus planes al tomar el poder en la noche del 5 al 6 de marzo. A José del Río le cupo el penoso deber de explicar con más detalles lo sucedido. Y todavía dijo que el Consejo «se ocuparía de evacuar a los ciudadanos de la zona republicana que deseen expatriarse».[14] En realidad, el Consejo había tomado ya la decisión de trasladarse a Valencia (salvo Besteiro, decidido a quedarse en Madrid), mientras que desde el amanecer del día 27 los ejércitos franquistas habían roto las líneas de los frentes de Toledo y de Pozoblanco sin encontrar resistencia.

En Burgos, Franco y su ministro Jordana se entregaban a una febril actividad diplomática. Philippe Pétain, mariscal de Francia, presentaba a Franco sus cartas credenciales de embajador de la República francesa el 25 de marzo, escoltado por la guardia mora del Caudillo; previamente, Léon Bérard había pactado con Jordana la entrega de armamentos, navíos, oro, divisas... de todo, y había prometido extremar la vigilancia para que el «nuevo Estado» no pudiera ser inquietado desde las zonas fronterizas. En efecto, los republicanos españoles estaban ya internados, por cientos de millares, entre las alambradas y los puestos de senegaleses que rodeaban los «campos» del mediodía de Francia. Así lo podía comprobar el alto financiero, antiguo político maurista y sempiterno conspirador contra la República, José Félix de Lequerica, que recibía el «placet» del Quai d'Orsay y presentaba sus cartas credenciales al presidente Lebrun, el mismo que en 1936, cuando Pierre Cot quería ayudar a la democracia española agredida, le interrumpió: *Mais... Monsieur, vous voulez la guerre!»*, y que a mediados de 1938 le decía paternalmente a su embajador M. Labonne: *«Qu'est ce que vous avez encore à faire à Barcelone?».*

El día 27, el nuevo poder español firmaba el Pacto Anti-Komintern, satisfaciendo así los deseos de Hitler y Mussolini. Se convino en no hacer pública esta firma hasta una vez terminada la guerra; a ello se procedió el 7 de abril.

El 28 de marzo por la mañana, el coronel Prada hacía el gesto ritual de ir a la Ciudad Universitaria para «rendir la plaza». Ya no había frentes. A mediodía, el primer ejército al mando del general Espinosa de los Monteros hacía su entrada en la capital de España, seguido de unos camiones con víveres y de 200 oficiales jurídicos y numerosos miembros de la policía militar que, ayudados por la hasta entonces clandestina Falange, iban a desatar una de las mayores represiones que conoce la historia contemporánea. Sin embargo, eran muchos los que, por convicción o por cansancio y reacción a los excesos de la guerra, saludaban brazo en alto y con canciones fascistas a las tropas que entraban en aquel Madrid inasequible para ellas durante casi tres años.

Valencia será el escenario de las últimas horas del Consejo. Casado recibe a los periodistas y a los miembros del Comité Internacional de Coordinación, presidido por el diputado francés Forcinal, que intenta evacuar el mayor número posible de personas; están en Capitanía General de Valencia. Casado dice que la resistencia puede aún durar tres, cuatro o seis días. Respondiendo a las preguntas de aquellos, Casado añade: «El generalísimo Franco me ha prometido que no se opondría a la evacuación. No ha firmado ningún documento, porque eso hubiese sido una humillación que no puede exigirse a un vencedor; pero pueden ustedes creer en su palabra; todas las promesas que me ha hecho las ha cumplido.»[15] La delegación del Comité convino con él en que todos los barcos de que se pudiera disponer se dirigirían hacia el puerto de Alicante. Aquella misma noche salía de ese puerto, tras algunos incidentes dramáticos, el *Stambrook*, abarrotado por miles de refugiados, hasta el punto de navegar con agua por encima de la línea de flotación. De Valencia también salía aquel mismo día el último barco, el *Lezardrieux*. De Cartagena salió el petrolero *Campilo*, con 500 refugiados.

En la noche del 28 al 29, el cónsul general británico, Goodden, comunicaba a Casado que podía embarcar en Gandía, al día siguiente, en el buque inglés *Galatea* (Miaja había salido el mismo día 28, rumbo a Orán, en un avión personal). Menéndez seguía en su puesto de mando, pues el Ejército de Levante continuaba en línea y no abandonó sus posiciones hasta recibir una orden por escrito, el día 29.

Aquella mañana del 29, Casado, Del Val y Wenceslao Carrillo parlamentaban con los falangistas para crear una «situación de transición» en Valencia, hasta la llegada del ejército franquista. Casado habló por Radio Valencia, recomendando paz y tranquilidad. Por la tarde, en unión de los consejeros, se dirigió a Gandía; a la mañana siguiente zarpaba el *Galatea*. Mientras tanto, por todas las carreteras y caminos, millares y millares de combatientes, de personalidades políticas y sindicales se dirigían hacia el puerto de Alicante, formando interminables filas de camiones y de coches. Otros, los más, regresaban a sus hogares para aguardar allí lo irremediable.

En el puerto de Alicante llegaron a reunirse unas 15 000 personas —jefes militares, políticos, mujeres, niños, simples combatientes— aferrados a la última esperanza de que unos barcos, más míticos que reales, llegasen para recogerlos e impedir que cayeran en manos de los vencedores. Mandos militares como Burillo, Etelvino Vega, Toral, Orad de la Torre, Goméz Ossorio y Henche de la Plata (gobernador y alcalde de Madrid respectivamente y ambos del PSOE), Rodríguez Vega y Zabalza (de la CE de la UGT), Rubiera, también socialista, igual que el comisario Piñuela y Pedrero, jefe del SIM de Madrid; allí están dirigentes comunistas como Larrañaga, Rodrigo Lara, Ormazábal; Navarro Ballesteros, director de *Mundo Obrero*; Eduardo de Guzmán, director de *Castilla Libre*, el catedrático y decano de la Facultad de Medicina de Valencia, doctor Juan Peset... Hay allí como un microcosmos de lo que había sido la zona republicana. Todos esperando unos barcos que debían llegar, pero que no llegaban, que no llegarán nunca. No llegarán más barcos que los de Franco. Pero ya antes, en el crepúsculo de un día gris y de llovizna, el 30 de marzo, entraban en Alicante los soldados italianos de la División «Littorio», mandados por Gambara.[16] Los miembros de la Comisión Internacional —Charles Tillon y André Ullman—, y los cónsules de Argentina y Cuba, intervinieron cerca de Gambara e hicieron todo lo posible por crear una zona internacional en el puerto. Vano empeño, porque ningún gobierno estaba dispuesto a respaldar esa operación. Es más, el barco *Winnipeg*, preparado por la Comisión Internacional y que tenía capacidad para embarcar 6000 personas, no pudo ir de Orán a Alicante, porque hubiera necesitado protección de buques de guerra; y la flota francesa no se atrevía a hacerlo, porque ya el Almirantazgo británico había cursado órdenes para que ningún barco de su nacionalidad entrase en puerto español con el solo objeto de evacuar súbditos españoles. Al parecer, hubo en París una falta de coordinación entre Bonnet, ministro de Asuntos Extranjeros, y su colega ministro de Marina. Todavía un pequeño barco francés intentó entrar en el puerto, pero se lo impidieron los franquistas.

El 31 de marzo, aquella muchedumbre, entregada al espíritu de venganza de los jefes vencedores (y lo escrito sobre el particular por el almirante Cervera es revelador y escalofriante), apretujada en el puerto y simbólicamente defendida por una hilera de carros de combate y destacamentos de guerrilleros —de guardia, con la metralleta terciada a la espalda—, no podía albergar ninguna esperanza de liberación. Gambara comunicó a Burillo que era necesario rendirse. Los destructores franquistas acostaron a los muelles del sur y desembarcaron fuerzas de infantería con varias piezas de artillería; una de ellas llegó a disparar un proyectil (¿imprudencia o provocación?). Los italianos bloquearon la salida del puerto. La muchedumbre de vencidos empezó a rendirse, cuando iba a ponerse el sol; desde el puerto eran conducidos a un inmenso e improvisado campo de concentración, el de los Almendros. Aquella noche hubo todavía jefes militares y políticos que pasaron en el puerto, bajo los techadizos y al amor de unas hogueras que encendieron, la que seguramente sería su última noche de libertad. A la mañana siguiente, fueron también al campo de los Almendros. Desde allí, una mayoría fue llevada al campo de Albatera, y otros fueron conducidos al Castillo de Santa Bárbara, a la plaza de toros... El 1.º de abril, Francisco Franco, aquejado de gripe, escribía de su puño y letra.

En el día de hoy, cautivo y derrotado el Ejército rojo, han alcanzado las tropas Nacionales sus últimos objetivos militares. La guerra ha terminado.

Había terminado la guerra en los frentes. Pero no vino la paz a España. O, como dijo el poeta —Alberti—, *«pero vino la paz: y era un olivo/de interminable sangre por el campo».*

NOTAS DEL CAPÍTULO XV

1. Mr. Cowan —que llaman Cowen, igual que otros autores— es citado, así como sus visitas a Casado, por Edmundo Domínguez en su libro testimonial *Los vencedores de Negrín*, México, 1940, pp. 94-96.
Pero lo citan, él y otros, como cónsul británico, cosa que nunca fue, como tampoco Agente general diplomático de su gobierno. El cónsul general británico era Mr. Goodden, que se había trasladado a Valencia; en Madrid solo había oficialmente, al frente del Consulado, un empleado o canciller llamado Milanés, probablemente de nacionalidad española. Para Santiago Garcés (jefe del SIM), Cowen o Cowan era el jefe del Intelligence Service en España. Así lo declara en su entrevista a la revista *Índice* (hecha en México por Heleno Saña, en la que solo se dicen las siglas de su nombre y apellidos invertidas, G.A.S., y se publica su foto por la espalda), de 15 de junio de 1974.
Ricardo de la Cierva se refiere en su *Historia...* a los frecuentes contactos de Casado y Cowan, en febrero de 1939, pero también le trata de «Cónsul británico en Madrid». En realidad, Denys Cowan no tenía cargo diplomático sino un oscuro puesto de sustituto del presidente británico de una comisión para canjes y para protección de refugiados en embajadas. Garcés explica que pidió una entrevista a Negrín y que este no quiso recibirlo argumentando que «no era un plenipotenciario del Gobierno de Su Majestad británica».
2. Servicio Histórico Militar (S.H.M.) T. Cuartel General del Generalísimo. Armario 4, Leg. 248, carpeta 7.
3. Entre los ejemplos de figuras tipificadas como delito podemos citar los siguientes: haber permanecido en el extranjero sin pasar a la zona llamada nacional; haber aceptado cargos de consejero o gerente en una sociedad anónima de la zona «roja»; haber realizado «cualquier acto en favor del Frente Popular o en contra del Movimiento Nacional, aunque no se hubiesen ocupado cargos directivos, ni desempeñado misiones de confianza, aunque no se hubiese sido afiliado a esas organizaciones. El texto de la ley estimulaba a todo el mundo para que se denunciasen los casos conocidos.
4. Una polémica, en parte erudita, se ha entablado sobre la fecha de la reunión de Los Llanos. Para Luis Romero ha tenido lugar el 27 de febrero, y Salas, Martínez Bande, De la Cierva y A. Soria la sitúan el 16; y los autores de «Guerra y revolución...», el 13. En los partes del SIPM, la nota 204, fechada el 14 de febrero (Armario 16, Leg. 8, cap. 6, núm. 170), dice que «el viaje efectuado en el día de ayer por el coronel Casado y sus ayudantes, tuvo por objeto el celebrar una reunión en Albacete con los jefes de los Ejércitos de Levante, Andalucía y Extremadura».
La nota 207, de la misma fecha, habla también de una reunión, pero con referencia tan solo a Casado y a los miembros del gobierno, y concluye así:

«Después de la entrevista, el coronel Casado salió con mucho desconocimiento [¿querrá decir descontento?] acompañado de sus ayudantes para ponerse de acuerdo con los Nacionales como consecuencia de lo tratado en la reunión que se menciona».

Idéntica referencia en otra nota fechada el 14 (fecha de recepción de la noticia en Valladolid), indicando que «Casado ha marchado a Albacete para reunirse con los jefes de Ejército y con Miaja para tratar del momento actual».

No es, pues, exacto, como dice L. Romero, que en las fuentes del SHM no haya referencias a la reunión de Los Llanos, que podría muy bien haberse celebrado hacia el día 14.

5. La ausencia de Hidalgo de Cisneros de la reunión de Los Llanos, que ha extrañado a L. Romero, se explica porque si la reunión se ha celebrado entre el 13 y el 20 de febrero, el jefe de la Aviación se encontraba todavía en Francia.

Por otra parte, unas palabras de Negrín en su informe ante la Comisión permanente de Cortes del 31 de marzo de 1939, dan a entender que entre la reunión de Los Llanos y el golpe de Casado transcurrió cierto tiempo. Dice así: «Me convencí (en Los Llanos) de que el ambiente entre los jefes militares, estaba enrarecido y quise cerciorarme hasta qué punto habían llegado sus efectos al ejército combatiente y por eso me he dedicado preferentemente en la zona Sur, a visitar los frentes.»

No es posible visitar frentes diversos, como dice, en los cinco días que median entre la fecha hipotética de reunión (27) y el estallido de los golpes de Cartagena y Madrid. Tanto más, cuanto que sabemos que el 2 de marzo Negrín tiene otra reunión con Casado y Matallana, y que acto seguido se pone a preparar la reunión del gobierno para el día 5 y su alocución al país, que debía pronunciarse el día 6. Habrá, pues, que desechar la fecha del 27 de febrero para la reunión de Los Llanos.

6. S.H.M. Armario 16, Leg. 8, Carp. 6, núm. 135-136.

Como bien dice Luis Romero (op. cit. 137), «lo que puede considerarse cierto es que entre el 15 y el 20 de febrero el coronel Casado sabía que con quienes estaba tratando eran representantes calificados del enemigo y que las únicas condiciones que este aceptaba era la rendición».

En efecto, la carta escrita por Barrón, pero dictada por Franco, decía: «Tenéis la guerra totalmente perdida. Es criminal toda prolongación de la resistencia. La España nacional exige la rendición. La España nacional mantiene cuantos ofrecimientos de perdón tiene hechos por medio de proclamas y la radio y será generosa para cuantos, sin haber cometido crímenes, hayan sido arrastrados engañosamente a la lucha, etc., etc.».

7. Véase *Acta* de la sesión celebrada en París el 31 de marzo de 1939 por la Diputación permanente de las Cortes.

8. Declaraciones de Artemio Precioso en *Tiempo de Historia*, núm. 52, Madrid, marzo, 1979.

9. El Comité Nacional de la CNT no estaba al corriente de nada, aunque Val había hecho creer lo contrario a Casado. El día 5 estuvieron en Madrid, Juan López, Avelino González Entrialgo y José González Barberá, del Comité Nacional. Val consiguió que regresaran a Valencia sin decirles lo que iba a pasar aquella noche.

10. Al dar el texto del diálogo conciliatorio, Negrín tomó aparte a Álvarez del Vayo y le dijo en alemán: «Yo, de todas formas, me marcho». (Testimonio de A. del Vayo al autor.)

11. Casado ha escrito en su libro que se tomaron medidas contra el PCE

«anticipándose (sic) a la agresiva actitud que el Partido Comunista adoptaría posiblemente con las fuerzas militares que le siguieran». En puridad, la combinación política Casado-Besteiro necesitaba provocar esa actitud por parte de los comunistas, para justificar una represión contra ellos que sería la base de las hipotéticas negociaciones con el campo franquista.

12.   S.H.M. Armario 16, Legajo núm. 9, Carpeta 7, Núm. 29. Ejército del Centro E.M. Sección SIPM. Nota núm. 2182.

13.   Saborit, en su conocida biografía *Julián Besteiro*, atribuye a este unas cuartillas escritas en los primeros días de marzo en las que, entre otras cosas, se dice: «La reacción contra ese error de la República de dejarse arrastrar a la "línea" bolchevique la representan genuinamente, sean los que quieran sus defectos, los nacionalistas, que se han batido en la gran cruzada anticomintern (op. cit., 411).

14.   De la ingenuidad —o mala fe— de última hora es buena prueba el documento de la segunda sección del EM. de Jefatura de Fuerzas Aéreas fechado el 27 de marzo de 1979, que Romero reproduce fotostáticamente en *El final de la guerra*. En ella se dice, por ejemplo: «Es necesario llevar al ánimo de los Jefes y Oficiales del Arma que aquellos que no se hubiesen manchado en sangre tienen absoluta garantía de que serán respetadas sus vidas y, aunque no de forma segura, por lo menos los empleos que ostentaban el 19 de julio».

15.   La coincidencia de estas palabras en el texto de Casado *The last days of Madrid* y en *La tragédie d'Alicante* —testimonio del miembro de la Comisión Internacional André Ullman, publicada como separata del periódico *La Lumière*, en París, a 7 de abril de 1939— les concede todo su valor de autenticidad.

16.   Dos unidades de la flota franquista, el *Vulcano* y el *Júpiter*, se situaron a la entrada del puerto por la parte exterior desde la madrugada del 30 de marzo, día y medio antes de que desembarcasen en los muelles del sur del puerto las fuerzas militares que llevaban.

FUENTES Y BIBLIOGRAFÍA PRIMARIA

1 *ABC de Sevilla*, 1936 (desde julio), 1938.

2. ABELLA, RAFAEL, *La vida cotidiana durante la guerra civil: la España nacional*, Barcelona, 1973.

3. ABELLA, RAFAEL, *La vida cotidiana durante la guerra civil: la España republicana*, Barcelona, 1975.

4. *Actas de la Junta de Defensa de Madrid*, Biblioteca del Congreso, Washington (copia microfilmada).

5. AGUIRRE LECUBE, JOSÉ ANTONIO, *Informe al Gobierno de la República* (y otros documentos del Gobierno Vasco), Bilbao, 1977.

6. AGUIRRE PRADO, LUIS, *La Iglesia y la guerra española*, Madrid, 1964.

7. *Ahora* (Madrid), (desde agosto a diciembre de 1936 y 1 de enero a 31 de julio de 1937).

7 bis. ALBONICO, ALDO, «Los católicos italianos y la guerra de España», *Hispania*, Madrid, núm. 139, 1978, 373-405.

8. ALCÁZAR DE VELASCO, ÁNGEL, *Los 7 días de Salamanca*, Madrid, 1976.

9. ALCOFAR, J. L., *Los legionarios italianos en la guerra civil española*, Barcelona, 1972.

9 bis. ALCOFAR, J. L., *Los asesores soviéticos. Los mejicanos en la guerra civil española*, Barcelona, 1971.

10. ALONSO, BRUNO, *La flota republicana y la guerra civil de España*, México, 1944.

11. ALPERT, MICHAEL, *El ejército republicano en la guerra civil*, Barcelona, 1977.

12. ALPERT, MICHAEL, «La diplomacia inglesa y el fin de la guerra civil española», en *Revista de Política Internacional*, Madrid, 1975.

13. ÁLVAREZ BOLADO, ALFONSO, «Factor católico y sociedad española entre las dos crisis del capitalismo: 1929-1973», en *Actualidad Bibliográfica*, vol. XVI, núm. 32 (julio-diciembre 1979), primera parte, pp. 253-300.

14. ÁLVAREZ DEL VAYO, JULIO, *The last optimist*, London, 1950.

15. Álvarez del VAYO, JULIO, *Les batailles de la liberté*, París, 1963.

16. AMBOU, JUAN, *Los comunistas en la resistencia nacional republicana*, Madrid, 1978.

17. AMILIBIA, MIGUEL DE, *Los batallones de Euzkadi*, San Sebastián, 1978.

18. ANSALDO, JUAN ANTONIO, *¿Para qué?* (Memorias), Buenos Aires, 1951.

19. ANSÓ, MARIANO, *Yo fui ministro de Negrín*, Barcelona, 1976.

20. ANTONIUTTI, ILDEBRANDO, *Memorie Autobiografiche*, Udine, 1975.

21. ARANDA, ANTONIO, «La guerra en Asturias y en los frentes de Aragón y Levante», en *Guerra de liberación*, Zaragoza, 1961.

22. ARBELOA, VÍCTOR M., «Anticlericalismo y guerra civil», en *Lumen*, núm. 24, 1975, pp. 152-181 y 254-271.

23. *Archivo PCE-FIM*, Madrid.

24. *Archivo Histórico Nacional*, Sección Guerra Civil, Salamanca.

25. *Archives secrètes du comte Ciano*, Les, París, 1948.

26. *Archives Secrètes de la Wilhelmstrasse*, Les, t. III, *L'Allemagne et la guerre civile espagnole, 1936-1939*, París, 1952.

27. ARRARÁS, JOAQUÍN, *Franco*, Burgos, 1938.

28. ASENSIO CABANILLAS, CARLOS, «El avance sobre Madrid y la guerra en los frentes del Centro», en *Guerra de Liberación*, Zaragoza, 1961.

29. AZAÑA, MANUEL, *Obras completas*, 4 vols., México, 1966-1968.

30. AZCÁRATE, PABLO DE, *Mi embajada en Londres durante la guerra civil española*, Barcelona, 1976.

31. AZNAR, MANUEL, *Historia militar de la guerra de España*, Madrid, 1940.

32. AZNAR SOLER, MANUEL, *II Congreso internacional de escritores antifascistas*, Barcelona, 1978.

33. AZPIAZU, IÑAKI DE, *Siete meses y siete días en la España de Franco. El caso de los católicos vascos*, Caracas, 1964.

34. BAHAMONDE, ANTONIO, *Un an au service du général Queipo de Llano*, París, 1939.

35. BALBONTIN, JOSÉ ANTONIO, *La España de mi experiencia*, México, 1952.

36. BARCA, J. O., *La obra financiera de la Generalidad durante los seis primeros meses de la revolución*, París, 1937.

37. BATLLORI, MIGUEL, «La Iglesia española durante la Segunda República», en *Dos mil años de cristianismo. La aventura cristiana entre el pasado y el futuro*, Madrid, 1979, t. IX, pp. 185-189.

38. BENAVIDES, DOMINGO M., *La escuadra la mandan los cabos*, México, 1944.

39. BENAVIDES, DOMINGO M., *Guerra y revolución en Cataluña*, México, 1946.

40. BENAVIDES, LEANDRO, *La política económica en la II república*, Madrid, 1972.

41. BERNANOS, GEORGES, *Les grands cimetières sous la lune*, París, 1938.

42. BERTRAN GÜELL, FELIPE, *Preparación y desarrollo del movimiento nacional*, Valladolid, 1939.

43. BLINKHORN, *Carlismo y contrarrevolución en España*, Madrid, 1979.

44. BODIN, J., y G. TOUCHARD, *Front Populaire 1936 (Les faits, la presse, l'opinion)*, París, 1961.

45. *Boletín de Campaña de los Requetés*, 1936-1937.

46. *Boletín Oficial del Estado*, (BOE), 1936-1939.

47. *Boletín Oficial de la Junta de Defensa Nacional*, (BJDN), 1936.

48. *Boletín Oficial del Movimiento (FET y de las Jons)*, (BMFET), 1937-1939.

49. BOLLOTEN, BURNETT, *La revolución española (las izquierdas y la lucha por el poder)*, Barcelona, 1980.

50. BORRÁS LLOP, JOSÉ M.ª, *Francia ante la guerra civil española. Burguesía, interés nacional e interés de clase*, Madrid, 1982.

51. Borrás Llop, José M.ª, «La Bolsa de París y la guerra civil española», en *Moneda y Crédito*, núm. 152, marzo, 1980.

52. Bosch, Aurora, «Las colectividades agrarias en el País Valenciano», en *Estudis d'Història Contemporània del País Valencià*, Valencia, 1978.

53. Bouthelier, Antonio, y Juan López de Mora, *Ocho días. La revuelta comunista, Madrid, 5-13 de marzo, 1939*, Madrid, 1940.

54. Bowers, Claude G., *Misión en España*, México, 1955.

55. Brademas, John, *Anarcosindicalismo y revolución en España, 1930-1937*, Barcelona, 1974.

56. Brasillach, Robert, y Maurice Bardèche, *Histoire de la guerre d'Espagne*, París, 1939.

57. Bricall, Josep Maria, *Política econòmica de la Generalitat (1936-1939)*, Barcelona, 1970.

58. Broué, Pierre, y Émile Témime, *La révolution et la guerre d'Espagne*, París, 1961.

59. *Butlletí de l'Institut d'Investigacions Econòmiques*, mayo, 1937, Barcelona.

59 bis. Cabanellas, Guillermo, *La guerra de los mil días. Nacimiento, vida y muerte de la II República Española*, 2 vols., México, 1973.

60. Calandrone, Giacomo, *L'Spagna brucia*, Roma, 1962.

61. Cantalupo, Roberto, *Fu l'Spagna*, Milán, 1948.

62. Cañas, Eustaquio, *El último mes. Marzo de 1939* (diario inédito).

63. Carbonell, Jaume, i Jordi Monés, *Escola única unificada. Passat, present i perspectives*, Barcelona, 1978.

64. Carlton, David, «Eden, Blum and the Origins of Non-Intervention», en *Journal of Contemporay History*, julio, 1971.

65. Carr, Raymond, *Estudios sobre la república y la guerra civil*, (dirección de un conjunto de trabajos), Barcelona, 1974.

66. Carr, Raymond, *The Spanish Tragedy*, Londres, 1977.

67. Carrión, Pascual, *La reforma agraria de la segunda república*, Barcelona, 1973.

68. Casado, Segismundo, *The last days of Madrid*, Londres, 1939.

69. Casado, Segismundo, *Así cayó Madrid*, Madrid, 1968.

70. Castells, Andreu, *Las brigadas internacionales en la guerra de España*, Barcelona-Esplugas del Llobregat, 1974.

71. Castillo, Juan José, *Propietarios muy pobres. Sobre la subordinación política del pequeño campesino. La Confederación Nacional Católico-Agraria, 1917-1942*, Madrid, 1979.

72. Cattell, David T., *I comunisti e la guerra civile spagnola*, Milán, 1962.

73. Cattell, David T., *La diplomazia sovietica e la guerra civile spagnola*, Milán, 1963.

74. Cerecedo, Francisco, «Cuando la sangre llegó al Miño» (guerra civil en Tuy), en *Historia-16*, núm. 19, noviembre, 1977.

75. Ciano, Galeazzo, *Journal politique*, París, 1946.

76. Cierva, Ricardo de la, *Historia ilustrada de la guerra civil*, 2 vols., Madrid, 1969-1970.

77. Cierva, Ricardo de la, «El ejército nacionalista durante la guerra civil», en *Estudios sobre la segunda república y la guerra civil*, Barcelona, 1974.

78. Ciutat, Francisco, *Relatos y reflexiones sobre la guerra de España*, Madrid, 1978.

79. CLEMENTE, JOSEP CARLES, *Historia del carlismo contemporáneo, 1935-1972*, Barcelona, 1972.
80. COLODNY, ROBERT G., *The Struggle for Madrid*, Nueva York, 1958.
81. COMAS I MADUELL, RAMÓN, *Isidro Gomà, Francesc Vidal i Barraquer. Dos visiones antagónicas de la Iglesia española en 1939*, Salamanca, 1939.
82. CONSTANTE, MARIANO, «La verdadera historia de la bolsa de Bielsa», en *Andalán*, junio, 1978.
83. CORDÓN, ANTONIO, *Trayectoria (Recuerdos de un artillero)*, París, 1971.
83 bis. COVERDALE, JOHN F., *La intervención fascista en la guerra civil española*, Madrid, 1975.
84. CROZIER, BRIAN, *Franco*, Londres, 1967.
85. CRUELLS, MANUEL, *La societat catalana durant la guerra civil*, Barcelona, 1978.
86. CRUELLS, MANUEL, *L'expedició a Mallorca, Any 1936*, Barcelona, 1971.
87. CRUELLS, MANUEL, (con Arquer, Vidiella, Montseny, Abad de Santillán, Viadú, Izquierdo), «Informe sobre Barcelona, mayo, 1937» en *Historia-16*, núm. 12, abril, 1977, pp. 69-98.
88. CUESTA MONEREO, JOSÉ, «La guerra en los frentes del Sur», en *Guerra de liberación*, Zaragoza, 1961.
89. DÁVILA, FIDEL, «Aquel primero de Octubre», en *La Voz de España*, San Sebastián, 1-10-1961.
90. DELPERRIE DE BAYAC, JACQUES, *Les brigades internacionales*, París, 1968.
91. *Diario oficial del País Vasco* (Gobierno de Euzkadi), octubre de 1936 a junio de 1937.
92. *Diario Regional*, Valladolid (diario), 1936-1939.
93. *Diario de Sesiones, 1936-1939*.
94. DÍAZ, JOSÉ, *Tres años de lucha*, Toulouse, 1947.
95. DÍAZ NOSTY, BERNARDO, *La irresistible ascensión de Juan March*, Barcelona, 1977.
96. DÍAZ-PLAJA, FERNANDO, *La España política del siglo xx*, t. III, *La guerra civil*, Barcelona, 1975.
97. *Documents on British Foreign Policy*, 1919-1939 (Third Series. Volume III; 1938-1939; Volume IV, 1939), Londres, 1950.
98. *Documentos para la historia de la República española*, México, 1945.
99. DOMÍNGUEZ, EDMUNDO, *Los vencedores de Negrín*, México, 1940.
100. DUCLOS, J., *Memories, 1935-1939*, París.
101. DZELEPY, E. NICOLAS, *Franco, Hitler et les Alliés*, Bruselas, 1961.
102. EDEN, ANTHONY (LORD AVON), *Eden's memoires*, vol. II, Londres, 1963.
103. EINHORN, MARION, «Les monopoles allemands en Espagne en 1938-39», en *Recherches Internationales*, Cahier, 23-24, París, 1961.
104. *Epopée d'Espagne. Brigades Internationales, 1936-1939* (texto anónimo, escrito en realidad por Jean Chaintron), s.d.
105. EHRENBURG, ILYA, *La nuit tombe*, (4.º volumen de sus Memorias), París, 1966.
106. ERROTETA, PERU, «Vizcaya por la República, las Juntas de Defensa. La guerra en el mar, la guerra en el aire», en la obra colectiva *Historia de la guerra civil en Euzkadi*, 4 vols., Bilbao-San Sebastián, 1979.

107. ESCOFET, FREDERIC, *Al servei de Catalunya i de la República* (Memorias), t. II, París, 1973.

108. *Esprit*, Directeur, Emmanuel Mounnier; 1936, 1937, 1938, París.

109. *Evênements survenus en France, Les, Témoignages*, t. I., París, 1951.

110. FERRARA, MARCELLE ET MAURICE, *Palmiro Togliatti; essai biographique*, París, 1954.

111. FERRERÓN, RAMÓN, y ANTONIO GASCÓN, «La bolsa de Bielsa hace cuarenta años», en *Andalán*, Zaragoza, 2-6-1978.

112. FERRERÓN, RAMÓN, y ANTONIO GASCÓN, «El Esquinazao: un guerrillero aragonés del siglo XX», en *Nueva Historia*, Barcelona, núm. 16, mayo, 1978.

113. FONTQUERNI, ENRIQUETA, i MARIONA RIBALTA, «El CENU; un modelo de gestión pública», en *Cuadernos de Pedagogía*, Barcelona, núm. 18, junio, 1976.

114. FRASER, R., *Recuérdalo tú y recuérdaselo a los otros: historia oral de la guerra civil española*, 2 vols., Barcelona, 1979.

115. *Frente Rojo*, Barcelona, 1938-1939.

116. GABRIEL, PERE, *Escrits polítics de Federica Montseny*, Barcelona, 1977.

117. *Gaceta de la República*, 1936, 1937, 1938.

118. *Galicia bajo el terror* (editado por Alianza nacional Galega), México, 1943.

119. GALLAND, ADOLPH, *Jusqu'au bout avec nos Messerschmitt*, París, 1954.

120. GAMIR ULIBARRI, GENERAL, *De mis memorias. Guerra de España, 1936-1939. Campaña del Norte. Comisión internacional*, París, 1939.

121. GARCERÁN, RAFAEL, *Falange desde febrero de 1936 hasta el Gobierno nacional*, s.l., marzo, 1938.

122. GARCÍA ARIAS, LUIS, «La política internacional en torno a la guerra de España», en *Guerra de Liberación*, pp. 413-599, Zaragoza, 1961.

123. GARCÍA-NIETO, M. C. y J. M. DONÉZAR, *La guerra de España, 1936-1939*, t. 10, Bases, Madrid, 1975.

124. GARCÍA VALIÑO, RAFAEL, *Guerra de liberación española (1938-1939). Campañas de Aragón y Maestrazgo. Batalla de Teruel. Batalla del Ebro*, Madrid, 1949.

125. GARCÍA VALIÑO, RAFAEL, «La campaña del Norte», en *«Guerra de liberación»*, pp. 259-314, Zaragoza, 1961.

126. GARCÍA-VENERO, MAXIMIANO, *Historia de las Internacionales en España*, t. III, Madrid, 1957.

127. GARCÍA-VENERO, MAXIMIANO, *Falange-Hedilla*, París, 1967.

128. GARCÍA-VENERO, MAXIMIANO, *Madrid, julio, 1936*.

129. GARCÍA-VENERO, MAXIMIANO, *El general Fanjul. Madrid en el Alzamiento Nacional*, Madrid, 1967.

130. GARCÍA-VENERO, MAXIMIANO, *Historia de la Unificación (Falange y Requeté en 1937)*, Madrid, 1970.

131. GARMENDIA, J, M., «La sublevación en Navarra. La sublevación en Álava. La caída de Guipúzcoa. La batalla de San Marcial», en *Historia general de la guerra civil en Euzkadi*, Bilbao-San Sebastián, 1979.

132. GAROSCI, ALDO, *Gli intellectuali e la guerra di Spagna*, Milán, 1959.

133. GARRIDO, LUIS, *Las colectividades agrarias en Andalucía: Jaén, 1931-1939*, Madrid, 1979.

537

134. GARRIGA, RAMÓN, *Juan March y su tiempo*, Barcelona, 1976.
135. GARRIGA, RAMÓN, *El cardenal Segura y el nacional-catolicismo*, Barcelona, 1978.
136. GERMÁN, LUIS, «La represión de Zaragoza (1936-1945). Los otros muertos de Torrero», *Andalán*, Zaragoza, núm. 241, 1979.
137. GIBSON, IAN, *Granada en 1976 y el asesinato de Federico García Lorca*, Barcelona, 1979.
138. GOMÁ, ISIDRO, *Por Dios y por España. Pastorales, instrucciones pastorales y artículos, discursos, mensajes, apéndices, 1936-1939*, Barcelona, 1940.
139. GÓMEZ, CARLOS A., *La guerra de España (1936-1939)*, 2 vols., Buenos Aires, 1939.
140. GÓMEZ CASAS, JUAN, *Historia del anarcosindicalismo español*, Madrid, 1969.
140 bis. GONZALO, LUIS, «Los fusilados del 18 de julio en Zaragoza», *Andalán*, Zaragoza, núm. 70, 1975.
141. GORDON, THOMAS y MORGAN, MAX, *El día en que murió Guernica*, Barcelona, 1976.
142. GORDÓN ORDAX, FÉLIX, *Mi política fuera de España*, t. I, México, 1965.
142 bis. GRANADOS, ANASTASIO, *El cardenal Gomà, primado de España*, Madrid, 1969.
143. GUARNER, VICENTE, *Cataluña en la guerra de España*, Madrid, 1975.
144. HERMET, GUY, *Les catholiques dans l'Espagne franquista*, París, 1980.
145. HERNÁNDEZ, JESÚS, *Yo fui ministro de Stalin*, México, 1953.
146. HERNÁNDEZ CAUBIN, JULIÁN (prólogo del general Rojo), *La batalla del Ebro*, México, 1944.
147. HIDALGO DE CISNEROS, IGNACIO, *Memorias*, t. II, Barcelona, 1977.
148. HODGSON, R., *Spain Resurgent*, Londres, 1953.
149. *Hora de España* (Valencia y Barcelona), enero 1937 - octubre 1938.
150. *Humanitat, La*, Barcelona (diario), 1936-1939.
151. IBÁRRURI, DOLORES, *El único camino - Memorias*, París, 1962.
152. IBÁRRURI, DOLORES, *Speeches and Articles, 1936-1938*.
153. Instituto de Reforma Agraria (IRA), *La reforma agraria en España*, Valencia, mayo de 1937.
154. IRIBARREN, JOSÉ MARÍA, *Con el general Mola*, Zaragoza, 1937.
155. IRIBARREN, JOSÉ MARÍA, *El general Mola*, Zaragoza, 1938.
156. IRUJO y OLLO, MANUEL DE, *Un vasco en el Ministerio de Justicia. Memorias*, t. I, Buenos Aires, 1976-78.
157. ITURRALDE, JUAN DE, *El catolicismo y la cruzada de Franco*, 3 vols., 1955, 1960, 1965, Toulouse.
158. IZCARAY, JESÚS, *La guerra que yo viví. Crónicas de los frentes españoles*, Madrid, 1978.
159. JACKSON, GABRIEL, *The Spanish Republic and the Civil War, 1931-1939*, Princeton, 1965.
160. KINDELÁN, ALFREDO, *Mis cuadernos de guerra, 1936-1939*, Madrid, s.f., pero 1942.
161. KINDELÁN, ALFREDO, «La aviación en nuestra guerra», en *Guerra de Liberación*, Zaragoza, 1961.
162. KOLTSOV, MIKHAIL, *Diario de la guerra de España*, París, 1963.
163. KRIVITSKY, W., *Yo, jefe del servicio secreto militar soviético*, 1945.

163 bis. LACRUZ, FRANCISCO, *El alzamiento, la revolución y el terror en Barcelona*, Barcelona, 1943.

164. LAÍN, PEDRO, *Descargo de conciencia*, Barcelona, 1936.

165. LARGO CABALLERO, FRANCISCO, *Mis recuerdos*, México, 1954.

166. LEVAL, GASTON, *Espagne Libertaire, 1936-1939*, Bar-le-Duc, 1971.

167. LISTER, ENRIQUE, *Nuestra Guerra (Memorias)*, París, 1966.

167 bis. LIZARZA, ANTONIO DE, *Memorias de la conspiración (1936-1937)*, Pamplona, 1969.

168. LOJENDIO, LUIS MARÍA DE, *Operaciones Militares de la guerra de España*, Barcelona, 1940.

169. LONDON, J., *Espagne...*, París, 1966.

170. LONGO, LUIGI, *Le Brigate internazionali in Spagna*, Roma, 1956.

171. LÓPEZ FERNÁNDEZ, ANTONIO, *Defensa de Madrid*, México, 1945.

172. LORENZO, CÉSAR, M., *Les anarchistes espagnols et le pouvoir*, París, 1969.

173. LOVEDAY, ARTHUR F., *British Trade Interests and the Spanish War*, Londres, 1978.

174. MAISKI, I., *Cuadernos españoles*, Moscú, s.f.

175. MALINOVSKI, KUTNEZOV y otros, *Bajo la bandera de la España republicana* (recuerdos), Moscú, s.f.

176. MANCISIDOR, JOSÉ MARÍA, *Frente a frente* (Actas del juicio oral ante el Tribunal Popular de Alicante contra José Antonio Primo de Rivera), Madrid, 1963.

177. MARCUELLO, J.R., «Barbastro: los fusilamientos de las capuchinas», en *Andalán*, Zaragoza, núm. 179, 1978.

178. MARGENAT, JOSÉ M.ª, *Política religiosa de los gobiernos de la República durante la guerra civil. 1936-1939*, Memoria de Licenciatura (multicopiado). Facultad de Geografía e Historia, Universidad Complutense, Madrid, 1980.

179. MARRAST, ROBERT, *El Teatre durant la guerra civil espanyola*, Barcelona, 1978.

180. MARTÍN BLÁZQUEZ, JOSÉ, *Guerre civile totale*, París, 1938.

181. MARTÍNEZ BANDE, J. M., *La marcha sobre Madrid*, Madrid, 1968.

182. MARTÍNEZ BANDE, J. M., *La lucha en torno a Madrid*, Madrid, 1968.

183. MARTÍNEZ BANDE, J. M., *La guerra en el norte*, Madrid, 1969.

184. MARTÍNEZ BANDE, J. M., *Los últimos cien días de la República*, 1978 (?).

185. MASIP, ANTONIO, «Presentación del Acta de la última reunión del Consejo soberano de Asturias», en *El Basilisco*, Oviedo, núm. 2, junio, 1978.

186. MASSOT I MUNTANER, JOSEP, *Església i societat a la Mallorca del segle XX*, Barcelona, 1977.

187. MASSOT, J., *L'Església catalana al segle XX*, Barcelona, 1975.

188. MATEO MERINO, PEDRO, *Sin arriar las banderas (Memorias inéditas)*, ejemplar mecanografiado cuya consulta agradece el autor muy vivamente.

189. MAURICE, JACQUES, «Problemática de las colectividades agrarias de la guerra civil», separata de *Agricultura y Sociedad*, Madrid, junio, 1978.

190. *Memorias del Primer Congreso Nacional de sindicatos fabriles y textiles de España celebrado en Valencia en enero de 1937*, Barcelona, 1937.

191. MENDIZÁBAL, ALFREDO, *Aux origines d'une tragédie*, París, 1937.

191 bis. MERA, CIPRIANO, *Guerra, exilio y cárcel de un anarcosindicalista*, París, 1976.

192. MESPLÉ-SOMPS, ROBERT, *La guerre d'Espagne vue à travers la presse*

des Basses-Pyrénées et de certains témoignages personnels, memoria mecanografiada, Universidad de Burdeos, 1970.

193. *Milicia Popular* (Diario del 5.º Regimiento de Milicias), Madrid, julio 1936; enero 1937.

194. Ministeiro de Negocios Extrangeiros, *Dez años de politica externa (1936-1947),* tomos III y IV, Lisboa, 1965.

195. MINTZ, FRANK, *L'autogestion dans l'Espagne républicaine,* París, 1970.

196. MIRAVITLLES, JAUME, *Episodis de la guerra civil espanyola,* Barcelona, 1962.

197. MODESTO, JUAN, *Soy del 5.º Regimiento (Memorias),* París, 1969.

198. MOHEDANO, MARÍA LUISA, *La enseñanza en España durante la guerra civil* (Memoria de Licenciatura, mecanografiada), Facultad de Geografía e Historia, Universidad Complutense, Madrid, 1978.

199. *Mono Azul, El,* (hoja semanal de la Alianza de Intelectuales), Madrid, agosto-diciembre, 1936.

200. MONTERO, ANTONIO, *Historia de la persecución religiosa en España, 1936-1939,* Madrid, 1961.

201. MUNTANYOLA, RAMÓN, *Vidal y Barraguer, el cardenal de la paz,* Barcelona, 1971.

202. MURIA, JOSEP M., *La revolución en el campo de Cataluña,* París, 1937.

203. NEGRÍN, JUAN, *Discurso en el Palacio de Bellas Artes. México,* 1945.

204. NEGRÍN, JUAN, *Informe ante la Diputación permanente de Cortes,* reunida en París, el 31 de marzo y el 1 de abril de 1939. «Diario de Sesiones», Madrid (reproducida también en Díaz-Plaja, *La España política del siglo xx,* ya citado).

205. NENNI, PIETRO, *Spagna,* Milán, 1958.

206. ONAINDIA, ALBERTO, *Hombre de paz en la guerra* (Memorias), Buenos Aires, 1973.

207. OSSORIO y GALLARDO, ÁNGEL, *Mis memorias,* Buenos Aires, 1946.

208. PAGÉS, LUIS, *La tradición de los Franco,* Madrid, s.f.

209. PÀMIES, TERESA, *Cuando éramos capitanes* (título original: *Quan érem capitans), Memorias de aquella guerra,* Barcelona, 1974.

210. PANDO, JUAN, «El Ebro, historia de un absurdo», en *Historia-16,* núm. 28, Madrid, agosto 1978.

210 bis. PARIS EGUILAZ, HIGINIO, *Evolución política y económica de la España Contemporánea,* Madrid, 1968.

211. PASCUA, MARCELINO, «El oro español en Moscú», en *Cuadernos para el diálogo,* núm. 81-82, Madrid, julio 1970.

212. PASTOR PETIT, D., *Espionaje, España, 1936-1939,* Barcelona, 1977.

213. PASTOR PETIT, D., *Los dossiers secretos de la guerra civil,* Barcelona, 1978.

214. PAYNE, STANLEY G., *Phalange, histoire du fascisme espagnol,* París, 1965.

215. PAYNE, STANLEY G., *The Spanish Revolution,* 1970.

216. PAYNE, STANLEY G., *Los militares y la política en la España contemporánea,* París, 1968.

217. PEIRATS, JOSÉ, *La CNT en la revolución española,* 3 vols., Toulouse, 1951-53.

218. PEMÁN, JOSÉ M., *Mis almuerzos con gente importante*, Barcelona, 1970.

219. *Pensamiento Navarro, El*, Pamplona (diario), julio 1936.

220. PEÑA BOEUF, ALFONSO, *Memorias de un ingeniero político*, Madrid, 1954.

221. PÉREZ BARÓ, ALBERT, *30 meses de colectivismo en Cataluña*, Barcelona, 1974.

222. PÉREZ SALAS, JESÚS, *Guerra en España (1936-1939)*, México, 1947.

223. PÉREZ SOLIS, OSCAR, *Sitio y defensa de Oviedo*, Valladolid, 1937.

224. PONS PRADES, EDUARDO, *Guerrillas españolas*, Barcelona, 1978.

225. PRECIOSO, ARTEMIO, *Interviú en Tiempo de Historia*, núm. 52, Madrid, marzo 1979.

226. PRIETO, INDALECIO, *Convulsiones de España*, 2 vols., México, 1968.

227. PRIETO, INDALECIO, *Entresijos de la guerra de España*, México, 1953.

228. PUZZO, DANTE A., *Spain and the Great Powers. 1936-1941*, Columbia University, 1962.

229. QUERO MOLARES, J., «Les relations de l'Espagne républicaine et du gouvernement franquiste avec les puissances», en el libro *L'Espagne Libre*, París, 1945.

230. RAGUER I SUÑER, HILARI, *La Unió Democràtica de Catalunya i el seu temps*, Montserrat, 1976.

231. RAGUER I SUÑER, HILARI, *La Espada y la Cruz. La Iglesia. 1936-1939*, Barcelona, 1977.

232. RAGUER I SUÑER, HILARI, «La Santa Sede y los bombardeos de Barcelona», *Historia y Vida*, núm. 145, abril 1980, pp. 20-35.

233. RAGUER I SUÑER, HILARI, «Los cristianos y la guerra civil española», en *Dos mil años de Cristianismo. La aventura cristiana entre el pasado y el futuro*, Madrid, 1979, t. XI, pp. 228-238.

234. RAGUER I SUÑER, HILARI, «Uns cristians per la República (1931-1939)», en *Taula de Canvi*, Barcelona, núm. 3, enero-febrero, 1977.

234 bis. RAGUER I SUÑER, HILARI, «El Vaticano y la guerra civil española», en *Cristianesimo nella historia*, Bolonia, 1981.

235. RAMA, CARLOS M., *La crisis española del siglo XX*, México, 1962.

236. RAMA, CARLOS M., *Ideologías, regímenes y clases sociales en la España contemporánea*, Montevideo, 1950.

237. RAMOS OLIVEIRA, ANTONIO, *Historia de España*, t. III, México, 1954.

238. REIG TAPIA, ALBERTO, «La represión franquista en la guerra civil», en *Sistema*, núm. 33, Madrid, noviembre, 1979.

238 bis. REIG TAPIA, ALBERTO, *Represión e ideología en zona nacionalista (1936)*. Tesis mecanografiada. Universidad de Pau, 1981.

239. RIBÓ DURÁN, L. M., *Ordeno y mando. Las leyes en la zona nacional*, Barcelona, 1978.

240. RIDRUEJO, DIONISIO, *Escrito en España*, Buenos Aires, 1962.

241. RIDRUEJO, DIONISIO, *Casi unas memorias*, Barcelona, 1977.

242. RIVAS-CHERIF, CIPRIANO, *Retrato de un desconocido (vida de Manuel Azaña)*, edición integral, pp. 330-510, Barcelona, 1980.

243. ROJO, VICENTE, *España heroica*, Buenos Aires, 1942.

244. ROJO, VICENTE, *¡Alerta los pueblos! Estudio político-militar del período final de la guerra española*, Buenos Aires, 1939 (segunda edición, Barcelona 1974, con doble prólogo de Jaime Renart y Ramón Salas).

245. ROJO, VICENTE, *Así fue la defensa de Madrid*, México, 1967.

246. ROMERO, LUIS, *Tres días de julio*, Barcelona, 1967.
247. ROMERO, LUIS, *Desastre en Cartagena*, Barcelona, 1971.
248. ROMERO, LUIS, *El final de la guerra*, Barcelona, 1976.
249. ROSADO, ANTONIO, *Tierra y Libertad. Memorias de un campesino anarcosindicalista andaluz* (prólogo de Antonio M. Bernal), Barcelona, 1979.
250. ROSAL, AMARO DEL, *Historia de la UGT*, vol. II, Barcelona, 1977.
251. RUIZ-PEINADO, JUAN, *Cuando la muerte no quiere* (Memorias), México, 1967.
252. RUIZ RICO, JUAN JOSÉ, *El papel político de la Iglesia católica en la España de Franco (1936-1971)*, Madrid, 1977.
253. RUIZ VILAPLANA, ANTONIO, *Sous la foi du serment*, París, 1938.
254. SABORIT, ANDRÉS, *Julián Besteiro*, México, 1961.
255. SAINZ RODRÍGUEZ, PEDRO, *Testimonio y recuerdos*, Barcelona, 1978.
256. SALAS LARRAZÁBAL, RAMÓN, *Los datos exactos de la guerra civil*, Madrid, 1980.
257. SALAS LARRAZÁBAL, RAMÓN, *Historia del ejército popular de la República*, 4 vols., Madrid, 1973.
258. SAN MARTÍN, MARÍA EUGENIA, *Relaciones de Portugal y España. 1936-1939* (tesis de licenciatura. Mecanografiada). Universidad Complutense, Madrid, 1977.
259. SÁNCHEZ JIMÉNEZ, JOSÉ, *Vida rural y mundo contemporáneo*, (cap. IX), Barcelona, 1976.
260. SANCHO DÁVILA, *José Antonio, Salamanca... y otras cosas*, Madrid, 1967.
261. SANCHÍS, MIGUEL, Artículo conmemorativo de la Legión Cóndor, en *Avión*, Madrid, 1959.
262. SCHNEIDER, LUIS MARIO, *El Congreso internacional de escritores antifascistas (1937)*, Barcelona, 1978.
263. SCHWARTZ, FERNANDO, *La internacionalización de la guerra civil española*, Esplugas del Llobregat, 1972.
264. SECO, CARLOS, *Historia general de los pueblos hispanos*, t. VI, Barcelona, 1962.
265. SERRANO SUÑER, RAMÓN, *Entre Hendaya y Gibraltar*, Madrid, 1947.
266. SERRANO SUÑER, RAMÓN, *Memorias*, Barcelona, 1977.
267. SERVICIO HISTÓRICO MILITAR (SHM), Armario 4, Leg. 248 y 231; Armario 8, leg. 384; Armario 16, legs. 7, 8 y 9; Armario 22, legs. 1 a 6 (los dos últimos corresponden al tomo *Ejército del Centro* y los dos primeros al tomo *Cuartel General del Generalísimo.*
268. SEVILLANO CARBAJAL, FRANCISCO V., *La diplomacia mundial ante la guerra de España*, Madrid, 1969.
269. *Socialista, El*, Madrid-Barcelona (diario), 1936-1939.
270. SOLAR, DAVID, «La batalla de los bous», en *Historia-16*, núm. 25, Madrid, mayo 1978.
271. SOLÉ TURA, JORDI, *Introducción al régimen político español*, Barcelona, 1971.
272. SORIA, GEORGES, *Guerre et revolution en Espagne*, 4 vols., París, 1976.
273. SOUTHWORTH, HERBERT R., *La destrucción de Guernica*, París, 1975.
274. SOUTHWORTH, HERBERT R., *El mito de la cruzada de Franco*, París, 1963.
275. SOUTHWORTH, HERBERT R., *Antifalange*, París, 1967.

276. SOUTHWORTH, HERBERT R., «La propaganda católica y la guerra civil», en *Historia-16* (Madrid) IV, núm. 43, 1979, 79-83.

277. TAGÜEÑA, MANUEL, *Memorias de dos guerras*, Barcelona, 1978.

278. TALÓN, VICENTE, *Arde Guernica*, Madrid, 1970.

279. TASIS, RAFAEL, *La revolución en los ayuntamientos*, París, 1937.

280. *Temps, Le* (diario), París, julio a diciembre de 1936; enero a julio de 1937; julio a septiembre de 1938.

281. TERY, SIMONE, *Front de la Liberté. Espagne, 1937-38*, París, 1938.

282. THOMAS, HUGH, *La guerra civil española* (edic. revisada, 2 vols.), Barcelona, 1978.

283. THOMAS, HUGH, «Colectividades anarquistas en la guerra civil española», en *Estudios sobre la II República y la guerra civil*, Barcelona, 1974.

284. TOGLIATTI, PALMIRO, *Opere, 1935-1944*, vol. IV, 1 (Introducción de Paolo Spriano), Roma, 1979.

285. TOGLIATTI, PALMIRO, «Stalin e Largo Caballero», en *Rinascita*, Roma; 19-V-62.

286. TOGLIATTI, PALMIRO: «Carta a Dolores Ibárruri de 12 de marzo de 1939», en *Rinascita* de 18 de junio de 1971.

287. TORRE GALÁN, JULIO DE LA, «Así empezó el Movimiento Nacional» (evocación de la sublevación en Melilla), en *La Voz de España*, de San Sebastián, 18 de julio de 1961.

288. *Tribune des Nations, La* (semanario), París 1938.

289. TUÑÓN DE LARA, MANUEL, «La Junta de Defensa de Madrid en noviembre de 1936», en *Estudios de Historia Contemporánea*, Barcelona, 1978 (el original es una comunicación al III Coloquio de Pau en 1972).

290. TUÑÓN DE LARA, MANUEL, *La España del siglo xx*, tomo III, París, 1966 y Barcelona, 1977.

291. TUÑÓN DE LARA, MANUEL, «La guerra civile in Spagna», en *Storia delle revoluzioni del xx secolo*, II, pp. 739-1020, Roma, 1966.

292. TUÑÓN DE LARA, MANUEL, *El hecho religioso en España*, París, 1968.

293. ULLMANN, ANDRÉ, *La tragédie d'Alicante*, París, 1939 (Separata de «La Lumière» del 7 de abril de 1939).

294. *Vanguardia, La* (diario), Barcelona; 1937 y enero-septiembre 1938.

295. VARIOS (D. Ibárruri, M. Azcárate, L. Balaguer, A. Cordón, I. Falcón, A. González, E. Rapp y J. Sandoval), *Guerra y revolución en España. 1936-1939*, Moscú, 1966-1971, 3 vols. Un IV volumen de 1977, redactado por Dolores Ibárruri, Irene Falcón, Alberto González y Eloina Rapp).

296. VÁZQUEZ, MATILDE, y JAVIER VALERO, *La guerra civil en Madrid*, Madrid, 1978.

297. WHEALEY, ROBERT H., «La intervención extranjera en la guerra civil española», en *Estudios sobre la República y la guerra civil española*, Barcelona, 1973.

298. VIDARTE, JUAN SIMEÓN, *Todos fuimos culpables* (Memorias), México, 1973.

299. VILAR, PIERRE, *Historia de España* (edición puesta al día), Barcelona, 1978.

300. VILAR, PIERRE, «Guerra de España y opinión internacional», en *Historia-16*, núm. 22, Madrid, febrero 1978.

301. VILAR, PIERRE, «La guerra de 1936 en la historia contemporánea de España», en *Realidad*, núm. 16, Roma, marzo, 1968.

302.   VILAR, PIERRE, «Le socialisme en Espagne. 1918-1939», en *Histoire générale du socialisme* (dir. J. Droz), t. III, París, 1977.

303.   VILAR, PIERRE, y otros, *Metodología histórica de la guerra y revolución españolas*, Barcelona, 1980.

304.   VILLENA VILLALAIN, FRANCISCO, *Las estructuras sindicales de la guerra civil española y la comunidad europea*, Madrid, 1963.

305.   WINGEATE-PIKE, DAVID, *Les Français et la guerre d'Espagne, 1936-1939*, París, 1975.

306.   VIÑAS, ÁNGEL, *La Alemania nazi y el 18 de julio* (segunda edición revisada), Madrid, 1977.

307.   VIÑAS, ÁNGEL, *El oro de Moscú. Alfa y omega de un mito franquista*, Barcelona, 1979.

308.   VIÑAS, ÁNGEL, *El oro español en la guerra civil*, Madrid, 1976.

309.   VIÑAS, ÁNGEL, «Guernica, quién lo hizo», en *Historia general de la guerra civil en Euzkadi*, vol. III, Bilbao-San Sebastián, 1979.

310.   VIÑAS, ÁNGEL, «Blum traicionó a la República» (incluye carta de F. de los Ríos a J. Giral el 29-VII-1936), en *Historia-16*, núm. 24, Madrid, abril 1978.

311.   VIÑAS, ÁNGEL, «Guernica; las responsabilidades», en *Historia-16*, núm. 25, Madrid, mayo 1978.

312.   VIÑAS, ÁNGEL (con Viñuela, Eguidazu, Pulgar y Florensa), *Política comercial exterior en España, 1931-1975*, vol. I, Madrid, 1979.

312 bis.   VOLTES, PEDRO, *Historia de la economía española en los siglos XIX y XX*, 2 vols., Madrid, 1974.

313.   WITHOKER, JOHN T., *We cannot escape History*, Nueva York, 1943.

314.   ZAFON BAYO, JUAN, *El Consejo Revolucionario de Aragón*, Barcelona, 1979.

315.   ZUGAZAGOITIA, JULIÁN, *Guerra y vicisitudes de los españoles*, (Memorias), 2 vols., París, 1968.

Los autores agradecen a su eminente colega el profesor Paul Vignaux las fotocopias de la correspondencia diplomática italiana (1936-1937) que ha tenido la cortesía de facilitarles.

NOTICIA BIBLIOGRÁFICA

Citamos a continuación algunas obras literarias que ayudan a comprender la atmósfera de la sociedad española durante la guerra y que, en mayor o menor proporción, tienen todas valor testimonial.

316.   ARCONADA, CÉSAR M., *Río Tajo*, Madrid, 1938 (segunda ed. 1978).

317.   AUB, MAX, *Campo cerrado*, México, 1943.

318.   AUB, MAX, *Campo abierto*, México, 1944.

319.   AUB, MAX, *Campo de sangre*, México, 1945.

320.   AUB, MAX, *Campo del moro*, México, 1963.

321.   AUB, MAX, *Campo de los almendros*, México, 1968.

322.   AYALA, FRANCISCO, *La cabeza de cordero*, Buenos Aires, 1949.

323.   BAREA, ARTURO, *La forja* (el t. III, *La llama*), Buenos Aires, 1951.

324. FERNÁNDEZ DE LA REGUERA, RICARDO, *Cuerpo a tierra*, Barcelona, 1954.
325. GARCÍA SERRANO, RAFAEL, *La fiel infantería*, 1943.
326. HERRERA PETERE, JOSÉ, *Cumbres de Extremadura*, Madrid, 1938.
327. LERA, ÁNGEL MARÍA DE, *Las últimas banderas*, Barcelona, 1967.
328. MALRAUX, ANDRÉ, *L'Espoir*, París, 1937.
329. MARCH, SUSANA, *Algo muere cada día*, Barcelona, 1955.
330. MATUTE, ANA MARÍA, *Primera memoria*, Barcelona, 1960.
331. ORTAS, F. M., *Soldado y medio*, México, 1961.
332. ROIG, MONTSERRAT, *Adeu, Ramona (Adiós, Ramona)*, Barcelona, 1979-80.
333. SENDER, RAMÓN, *Contraataque*, Barcelona, 1937.
334. SENDER, RAMÓN, *Requiem por un campesino español*, 1960.
335. TÉRY, SIMONE, *La Porte du Soleil*, París, 1947.

CUARTA PARTE

CULTURA, 1923-1939

por
José-Carlos Mainer

Artes, letras y pensamiento

1. LA CRÍTICA DEL RADICALISMO

El comienzo de la dictadura de Primo de Rivera, como ocurre en general con las reducciones cronológicas de las mutaciones históricas, no determinó ningún cambio significativo en el proceso de la cultura española.

Tampoco lo aportaron los siete años de su vigencia ya que, como es sabido, la actividad censorial fue bastante benigna y, como veremos, la actividad de la intelectualidad opositora —los casos de Unamuno y Vicente Blasco Ibáñez, las publicaciones parisinas *España con honra* y *Hojas libres* serían los más notorios en este apartado— tuvo un tufillo decimonónico, obsesionada en demasía por la imagen —harto caricaturizable— del Dictador y por la fantasmagoría palaciega de la monarquía que había de entrar en trance agónico al licenciar al propio Dictador. Si la actividad cultural propiciada, o simplemente utilizada, por el nuevo régimen fue mayoritariamente un producto envejecido (adobado, en el mejor de los casos, de moralina regeneracionista de cuño aun más veterano), las mutaciones culturales que vio el período dictatorial basaron su oposición a este y su búsqueda de nuevas actitudes en hechos menos contingentes que la nueva forma de poder político. La realidad que reflejaron fue la relativa madurez del proceso de modernización del país —la creciente urbanización, la multiplicación del proletariado industrial y las clases medias profesionales, los reajustes derivados de la conflagración de 1914 en toda Europa, la brecha social abierta tras la huelga general de 1917 y las violencias callejeras y campesinas del período inmediatamente subsiguiente— y el objetivo último del descontento intelectual fue, a la altura de 1930, mucho más que el fin de la excepción y aun que el arrumbamiento de su cómplice, la monarquía.

Una importante faceta de aquel proceso de modernización afectaba directamente a los escritores y artistas del país que venían siendo, desde finales del siglo xx, un significativo termómetro del descontento sociológico. La práctica del periodismo como forma de subsistencia les situó en el centro del «problema nacional», aunque casi nunca como «intelectuales orgánicos» ni del proletariado ni —salvo excepciones— del blo-

549

que social hegemónico: vivieron su participación política en términos idealistas, sintiéndose vinculados a un vago proyecto interclasista de «regeneración» y, casi siempre, más cercanos al mundo tradicional del campesinado (como fue el caso paradigmático de Valle-Inclán) que del proletariado urbano.

El desprecio por la ciudad y el industrialismo —que conoció la excepción del joven Ramiro de Maeztu— fue una moda europea que tuvo en España dimensiones muy peculiares al insertarse en un tenaz nacionalismo tardío, sujeto a su vez de una singular escisión: si en algunos (Unamuno, Azorín...) adoptó formas de idealización casi místicas, en otros (como fue el caso de los «casticistas») se presentó a la vez como denuncia de la miseria y la brutalidad y como obsesiva materia artística, digna de un tratamiento estético en el que el segundo Valle-Inclán rayaría muy alto.

La citada modernización alteró no pocos de los supuestos objetivos de estas actitudes. Con mucho gracejo, señalaba Ernesto Giménez Caballero en 1929 que «comenzamos ya a transitar por los pueblos castellanos sin acordarnos demasiado de Azorín, de Baroja, de Unamuno ni de Zuloaga [...] Y a ser nuestra primera curiosidad de visitantes, no la de la iglesia románica, ni de la ventanita al río, sino la de apercibir una roja columna internacional y niquelada, donde, dando a un manubrio alegre, puedan abrevar nuestros caballos [...] La bencina ha limpiado de manchas la costra poética del viejo tema de nuestros padres: Castilla». A primera vista, la sustitución del ferrocarril y la tartana por el automóvil y el camión no pasan de ser, como proyecciones artísticas del paisaje, una trivialización de cambios más profundos. Giménez Caballero —que aquí y en otros lugares gustaba proclamarse «nieto del 98»— no ignoraba tampoco que el cambio fundamental se produjo en el ámbito del paisaje humano: el hombre anónimo de la ciudad, el estilizado deportista, la Venus urbana nacida de la alquimia cosmética, la poética del rascacielos y el asfalto, nacieron —no sin retóricas protestas (de un poeta como Miguel Hernández, por ejemplo)— con las formas artísticas vanguardistas, pero, desde luego, no *ex nihilo*. El grupo intelectual fraguado en torno a Ortega y Gasset se pronunció muy pronto, como veremos, por el abandono de la mística ruralista e implícitamente (y aun explícitamente) convocó a la nueva burguesía industrial, profesional y negociante a dirigir los destinos de la reforma nacional. Del mismo modo, el pequeño grupo de intelectuales catalanes que se dieron el nombre de «noucentistas» —D'Ors, Carner, «Guerau de Liost»— y la élite bilbaína que proclamó como maestro a Ramón de Basterra, mitificaron sus respectivas urbes nativas —Barcelona y Bilbao— como máximas expresiones de civilidad y dedicaron parte de sus esfuerzos a desarraigar el espíritu ruralizante de sus respectivas literaturas nacionales.

En unos y otros casos, las nuevas actitudes coincidieron en que la madurez social del país —madurez que preveían para la constitución de una sociedad capitalista liberal y avanzada— estaba recubierta por una espesa capa de anacronismos y prejuicios. A la altura de 1923 y en la expectativa abierta por el inicio de la Dictadura, parecía necesario dar por cancelado el período insurreccional de la pequeña burguesía, cifrado en la sobrecarga romántica de las actitudes individualistas y visiblemente estancado en el voluntarismo regenerador de 1898. Ese fue el cambio que 1923 vio casi finalizado y que, desde tiempo atrás, presentaba síntomas inequívocos.

2. «ESPAÑA» (1915-1924), REVISTA DE IZQUIERDA

Uno de los más significativos de estos había sido la polémica entre intelectuales aliadófilos y germanófilos entre 1914 y 1918. La configuración definitiva del propio término «intelectual» databa, sin lugar a dudas, de aquellas fechas, aunque sus primeras manifestaciones vigorosas fueran del final de siglo. Una revista como *España*, «Semanario de la Vida Nacional» (1915-1924), nació precisamente en el centro de aquella rebatiña y definió con generosidad su espíritu pro-aliado, pero consiguió mucho más que eso. Sin carecer de precedentes finiseculares (*Alma Española* y *Vida Nueva* son los más característicos), *España* fue, ante todo, una revista de «izquierda» en el sentido moderno del término, tanto por la amplitud de su abanico de opiniones como por la nada desdeñable homogeneidad que Luis Araquistáin (director que sucede a Ortega en 1916 y que cede su función a Azaña en 1923) supo imprimir al conjunto. La crítica artística llevada a cabo por Ricardo Gutiérrez Abascal («Juan de la Encina») o la revista teatral encomendada a Ramón Pérez de Ayala definieron a la perfección el horizonte artístico de un proyecto de integración política, muy lejano ya del radicalismo literario y moral de fin de siglo. Un realismo crítico, castizo y a la vez moderno, fue, por ejemplo, el objetivo de «Juan de la Encina», personalmente vinculado a la «Asociación de Artistas Vascos» que en estos años alcanza una notable cotización y sintomáticos encargos por parte de casas de banca o capitalistas enriquecidos por la guerra europea. Del mismo modo, el entusiasmo que Ayala siente por Galdós (o su notable descubrimiento de los valores críticos de la «tragedia grotesca» de Carlos Arniches) va en el mismo sentido; su ruidosa ruptura con Jacinto Benavente fue, en ese orden de cosas, algo más que el ingenioso vejamen contra un dramaturgo popular y notoriamente germanófilo: fue el rechazo del concepto de escritor como juglar complaciente con su público, que Benavente defendía a diario en su columna «De Sobremesa» en *El Imparcial*, y fue también el final del prestigio intelectual de quien se había revelado como la más importante renovación dramática de fin de siglo. La línea «nacional» basada en la farsa crítica que encarnaban

Arniches en lo popular y Valle-Inclán en lo «culto», son dos decisivas entronizaciones del Pérez de Ayala, crítico, y sendas manifestaciones de la rápida maduración de la crítica cultural española.

3. CRISIS Y REVISIÓN DEL NOVENTAYOCHISMO

La valoración de la obra ajena no era, para Ayala u Ortega, lo que fue para Unamuno: una experiencia de identificación espiritual en el terreno de la subjetividad absoluta. Cuando Ortega amonesta en 1902 al Valle-Inclán excesivamente «literario» de la *Sonata de otoño*, critica la atrabiliaria impetuosidad de Baroja o califica a Unamuno de «energúmeno», la bien dosificada mezcla de admiración e ironía, de respeto y descalificación, nos sitúa en una nueva función, más cívica y menos personalista, más reflexiva y menos intuitiva, de la crítica de cultura. Por su lado, el Ramón Pérez de Ayala de la novela *Troteras y danzaderas* (1913) llegaba en este orden de cosas a deslindes que ni siquiera perdonaban al brillante catedrático de Metafísica, periodista de nota y jefe de fila de la nueva promoción intelectual. Los pretextos «críticos» de *Troteras* —el empalagoso drama modernista en verso de Teófilo Pajares (seguramente, Francisco Villaespesa en la vida real), la conferencia regeneracionista de Rainiero Mazorral (Maeztu) y la actitud de pedantería europeísta de los jóvenes seguidores de Antón Tejero (Ortega y Gasset)— eran solamente el punto de partida anecdótico de una calculada descalificación de la mentalidad fin de siglo: frente a ella, se alzaba la capacidad comprensiva de su protagonista, Alberto Díaz de Guzmán, rodeado de hetairas de singular sensibilidad artística y moral. La lección era palmaria: ni el culto modernista del «arte por el arte», ni los trenos regeneradores, ni la actitud de desdeñosa superioridad habían de salvar al país. Lo salvaría, sin embargo, la educación de la sensibilidad, el diálogo apacible, el retorno a un pensamiento constructivo y realista, la moralización y colectivización de la expresión artística, el final —en suma— del solipsismo modernista. La siguiente producción narrativa de Pérez de Ayala había asumido ya la lección crítica de su precedente, y las tres «novelas poemáticas» de la vida española (*Prometeo, Luz de domingo* y *La caída de los Limones*, publicadas en 1916) podían ser el adecuado paradigma del nuevo «realismo» nacional: superioridad moral del narrador, temática profundamente hispánica, acción convertida en una suerte de símbolo «poemático» de la conflictividad moral de la sociedad, moraleja inequívoca favorable a la responsabilidad y a la libertad.

Si la expresa denuncia de la insuficiencia de la revolución de 1868 fue el caballo de batalla de la promoción finisecular (y Unamuno lo expresó en rotundas frases de *En torno al casticismo*, ya en 1895), un generalizado sentimiento de renuncia y aun de burla de lo noventayochesco parece ser el punto de partida de nuevas actitudes. Lo hallamos en Ortega y en Ayala, como se acaba de ver, pero también en frentes tan dispares como pueden serlo los ocupados por Manuel Azaña (en su serie de trabajos «Otra vez el 98», publicados en *España* y en 1924) y por José María de Salaverría o Manuel Bueno, cuyo radical «noventayochismo» —en lo que tiene de actitud subjetiva y neorromántica— se trueca en una feroz crítica reaccionaria al europeísmo, al pesimismo nacional y, apuntando por elevación, a la actitud «intelectual» en sí misma.

Los propios miembros indiscutidos de la promoción finisecular acusaron en forma paladinamente autocrítica la ofensiva. Los artículos de «Azorín» que, en 1913, dieron carta de naturaleza al controvertido sintagma «generación del 98» no ocultan una cierta y benevolente palinodia de las actitudes juveniles y postulan una consideración histórica y meramente literaria del talante que, ante sus nuevos lectores de *ABC*, el escritor maduro veía ya periclitado. Con no poca lucidez, el Baroja de *Juventud, egolatría* (1917), bastante remiso a los rótulos generalizadores, reducía a incomodidad subjetiva y deliberada arbitrariedad personal lo que fuera frente más organizado y que, siete años después, en una importante conferencia pronunciada en la Casa del Pueblo madrileña, no tenía inconveniente en reconocer como espíritu generacional y vincularlo a la visión pequeñoburguesa de la realidad. Más joven que ambos, Antonio Machado, recordando «un tiempo de mentira, de infamia [...] mientras la mar dormía ahíta de naufragios» (transparente alusión al Desastre de 1898), reconocía el fracaso de quienes, «casi adolescentes», «montar quisimos en pelo una quimera» y espera, ahora (el poema «Una España joven» se publica en *España* a fines de 1915), la victoria espiritual de una «juventud más joven», «como diamante clara, como el diamante pura». Las polémicas intelectuales de 1914, el fracaso del radicalismo puro en 1909, la posibilidad de alianzas políticas interclasistas sobre un programa mínimo de liberalismo izquierdista que comienzan ese mismo año, coinciden en posibilitar estas nuevas reflexiones sobre el pasado. Las formas «modernistas» de rebeldía política se vieron relegadas al sector del público popular que siguió gustando de los dramas de prostitutas y marginados de Alfonso Vidal y Planas o de las novelas «poéticas» del colombiano, aclimatado en Barcelona, José María Vargas Vila, y, por cierto, que no sin la violenta discrepancia de los mismos dirigentes culturales del movimiento obrero organizado: las diatribas antimodernistas —y antivanguardistas— de Federico Urales y Federica Montseny en los primeros años de la segunda etapa de *La Revista Blanca* (1923) indican muy claramente la peligrosa tierra de nadie en que había quedado el espíritu innovador de fin de siglo.

Hay que decir, sin embargo, que la amplia descalificación de lo «noventayochesco-modernista» como forma de *intelligentsia* no se puede reducir a sus manifestaciones literariamente más tópicas y aun marginales (como las que se mencionan poco más arriba) ni, en modo alguno, cabe extrapolar una polémica político-cultural más allá de estos estrictos términos.

La citada marginalidad es, con todo, un concepto relativo que no siempre sustentan ni la configuración del público lector ni diferencias sustanciales en los temas. Escritores como el mencionado Vidal y Planas pertenecen, ciertamente, a la lista de fidelidades de un público popular, aunque no por ello dejan de compartir catálogos editoriales con autores de más prestigio intelectual (como sucede en el importante mundo de las colecciones de novelas cortas, tan fundamentales desde *El Cuento Semanal*, 1907, y *La Novela corta*, 1915, hasta finales de la década de los veinte). Casos, sin embargo, como el de Joaquín Dicenta (muerto en 1917) o Felipe Trigo (que se suicida en 1916) trascienden los cómodos límites de la «literatura de segunda fila» o el poco histórico concepto de «raros y olvidados»: cuando a la muerte del primero, Pérez de Ayala señalaba su insobornable fondo romántico y cuando Unamuno polemizaba seriamente con la «novela erótica» del segundo, no ponían en causa ni la amplitud de su público ni su importancia como colegas sino lo inadecuado de sus convicciones artísticas, anteriores a la ruptura de los géneros usuales que otros escritores habían realizado. Los poemas que Juan Ramón Jiménez había alabado a Villaespesa eran peores que los suyos pero muy parecidos en temas y tratamientos; la dificultad erótica de las novelas de Trigo y sus circunstanciales retablos de la miseria de las clases medias provincianas eran, en esencia, los temas del primer Baroja: sin embargo, *Camino de perfección*, de este último, es un relato más moderno que *La sed de amar* de Trigo (cuya «modernidad» no pasa de «modernismo»), y *Arias tristes* de Jiménez —o las primeras *Soledades* de Antonio Machado— mejoran *La musa enferma* del almeriense Villaespesa. La amplia difusión de los inexactamente llamados «raros» se debía, en buena parte, a la reiteración de un modelo literario de modernidad superficial y fondo decimonónico; la perdurabilidad de la influencia de los «otros» escritores se debió a su capacidad de innovar las formas en estrecha relación con los contenidos.

Por eso decíamos que no debe confundirse la crisis de lo noventayochesco con su obsolescencia literaria. Lo que la crisis cultural de fin de siglo tuvo de renovador, se basó precisamente en lo que tuvo de querella de «antiguos y modernos» y en una renovación radical de los usos artísticos que da tonalidad hispánica a una mutación de dimensiones europeas: si el quietismo unamuniano se inserta en una vigorosa corriente europea de ese signo, sus conceptos de «nivola» y de drama —reducidos al conflicto de almas— y su obsesión por una poética marcada por el ritmo interior del pensamiento se adecúan perfectamente a su propósito; si Baroja y «Azorín» *inventan* el paisaje en unas novelas de andadura dispersa y aire impresionista, cumple reconocerles que abren en España el proceso europeo a la narrativa del xix; si Valle-Inclán concibe la realidad como una transmutación artística sistemática y una suerte de gran teatro, importa menos —en orden a la validez de sus presupuestos— que esa técnica abandonara el correlato esteticista prerrafaelista para reinventar la brutal farsa del «esperpento».

4. LA EVOLUCIÓN DE LOS ESCRITORES FINISECULARES: ANTONIO MACHADO

En ese sentido, nadie negaba la preeminencia de los grandes nombres de fin de siglo, aunque ya abandonado el radicalismo juvenil y puesto en solfa su mismo fundamento. Dos de ellos, Antonio Machado y Valle-Inclán contribuyeron a esa crítica y abordaron un rumbo nuevo que los había de convertir en eje central de las futuras polémicas españolas sobre el arte popular: en el caso del primero, desarrollando una importante teorización que solo se esboza en la práctica contadas veces, y, en el caso del segundo y por el contrario, realizando un vasto empeño literario que se sustenta en manifestaciones teóricas de provocativa y equívoca arbitrariedad.

Para Antonio Machado, los años pasados en el instituto de Baeza (1912-1919) supusieron un período de intensa reflexión personal, literaria y política. El poblachón andaluz con pujos de ciudad de provincia le reveló, por contraste con Soria (su destino anterior), las enojosas constantes de cierta vida española: el clericalismo soez, la hipocresía, la incultura jacarandosa del señorito, el cerrilismo con disfraz estoico, la tiranía matriarcal de la somnolienta vida rural. Algunas cartas a su admirado Unamuno reflejan, a su vez, una cierta potenciación política de tales apreciaciones y Machado, frente a la inoperancia de los tibios reformistas de Melquíades Álvarez y de la estulticia de muchos republicanos, recobra unos orígenes jacobinos, exige a sus colegas superar lo que la lucha aliadófilos-germanófilos tenía de simple bandería aldeana y se pronuncia sobre el porvenir en un insólito tono afirmativo. Los poemas que completan *Campos de Castilla* en la edición de *Poesías completas* de 1917, son poesía cívica de alto bordo y, en buena parte, crítica cultural que se disfraza de «retratos» y «homenajes», dándonos la temperatura exacta de su optimismo reflexivo: reconocimiento puramente artístico de «Azorín» y Valle-Inclán, reticente salutación a Ortega y Ayala, tributo emociondo al educador Giner de los Ríos, solidaria admiración por la cruzada ética de Unamuno.

Los cuadernos que se han titulado *Los complementarios* (conocidos póstumamente) y el volumen de 1924, *Nuevas canciones* (adicionado en las *Completas* de 1928 con *De un cancionero apócrifo*) marcan los hitos de un sendero literario, concebido en estrecha relación con sus nuevas posiciones vitales. La desventurada vida imaginaria del apócrifo poeta decimonónico Abel Martín le sirve para trasponer a la especulación filosófica algunos problemas muy reales —la búsqueda del «otro», del «Tú», como complemento del «yo»— y un correlativo esfuerzo por salir del idealismo absoluto (que identifica con Kant y la tradición decimonónica) y del subjetivismo emocional (aprendido directamente en las lecciones de Bergson). Secundariamente, los poemas y la prosa de estos años cercan un dilema personal —lo erótico—, asediado por la tentación platónica y más a menudo por la onanista, cuya resolución alumbra al fin una nueva forma de «tú esencial»: la mujer de carne y hueso.

Hay que reconocer que la transferencia machadiana de su crisis personal e ideológica al plano de la disquisición filosófica no fue muy fecunda en formas poéticas. La formulación de una nueva estética —basada en una tenaz oposición a la tradición simbolista y, explícitamente, a las formas vanguardistas— se apoya en la búsqueda de una lírica sencilla y colectiva, cuyo límite será tardío «invento» de la «máquina de trovar», expresión mecánica de una forma de subconsciente filosófico general. Pero ni los poemas filosóficos que ofrecen las *Nuevas canciones*, ni las coplillas satírico-metafísicas del mismo libro, resultan ni fáciles en el primer caso ni demasiado eficaces en el segundo. Muy otra cosa son, sin embargo, los breves apuntes de paisajes enigmáticos, algún logradísimo poema apócrifo y, sobre todo, los versos en que glosa —con el pretexto de Guiomar, su enigmático amor de madurez— la dificultad de una pasión hipotecada por la inevitable llegada de la vejez: en estas composiciones está lo más válido del precoz «último Machado» que, como él mismo definió, tiene «en monedas de cobre / el oro de ayer cambiado».

Pero si solo marginalmente Machado encuentra el camino de la lírica, la prosa española ganó a uno de sus máximos cultivadores cuando, a partir del descubrimiento de Abel Martín, decidió vincular sus reflexiones a una nada corta teoría de locuaces apócrifos. El más importante fue Juan de Mairena, nacido a la literatura en 1928, como discípulo y superador de aquella perplejidad que Martín no había resuelto con la muerte: el nuevo personaje carece de la sombra trágica y aun ridícula que escoltaba a su antecesor y, al revés que este, lo concreto parece interesarle más que lo abstracto. Profesor de Retórica y Gimnasia, sócrates pertinaz de alumnos y contertulios, Mairena alumbra la «metafísica poética» que no tuvo su maestro y reanuda el hilo discursivo de un Machado que vivió entusiasmado la proclamación de la república y, con ella, la posibilidad de una reforma moral de la España sórdida que intuyó en Baeza. El Mairena de 1934-1936 (este mismo año se recogen en un volumen las prosas periodísticas de aquel bienio) es el más alto exponente de la teoría populista en que Machado plasmó su reflexión hispánica y culminó el proceso de su acercamiento a un «pueblo» hecho de sabiduría y tradición, de tino y buen sentido. Los hechos de 1936 trajeron un nuevo Mairena —el de la revista *Hora de España*— más político, que reflejó el incondicional servicio de su autor a ese mismo «pueblo» en armas contra sus señoritos de siempre: fascismo y marxismo son meras categorías éticas que adjetivan realidades, dignidades y actitudes más profundas.

«Si tuviérais que tomar parte en una lucha de clases —recordaba Mairena a sus lectores de clase media en plena guerra civil— no vaciléis en poneros al lado del pueblo, que es el lado de España, aunque las banderas populares ostenten los lemas más abstractos. Si el pueblo canta "La Marsellesa" la canta en español; si algún día grita "Viva Rusia", pensad que la Rusia de ese grito del pueblo [...] puede ser mucho más española que la España de sus adversarios.» El propio Machado se había aplicado la lección —tras haber experimentado una notoria repugnancia ante el marxismo, que le parecía una falsa totalización decimonónica y de aire judaico— y, fiel a sus convicciones, murió en el destierro de su pueblo, un mes antes de la conclusión de la guerra.

5. POPULISMO Y «ESPERPENTO»: VALLE-INCLÁN

Ramón del Valle-Inclán había muerto meses antes del estallido de la sublevación militar del 18 de julio, pero cuando Antonio Machado prologa una edición de guerra de *La Corte de los Milagros* (1938) no vacila en afirmar que «Don Ramón, a pesar de su fantástico marquesado de Bradomín, estaría hoy con nosotros, con cuantos sentimos y abrazamos la causa del pueblo», tras señalar que, incluso en sus años jóvenes, quiso «con su apariencia de gran señor estrafalario poner una barrera al señoritismo vulgar».

Los motivos de tal deseo, revestido de apreciación, venían siendo suficientes de tiempo atrás. Los avalaba una obstinada inquina a Primo de Rivera (que encarceló por una noche al escritor y lo calificó en una de sus *notas oficiosas* como «eximio escritor y extravagante ciudadano») y alguna declaración de subido radicalismo durante el período republicano (que hizo de Valle, director del instituto español en Roma y proporcionó cierta aura de reivindicación a los estrenos teatrales de sus obras escritas en la década anterior), aunque también salió de su boca una extemporánea alabanza del fascismo italiano. Pero no era en el terreno de las declaraciones políticas —ni siquiera en el de las manifestaciones sobre el sentido de su literatura— donde cabe pedir coherencia y madurez al pensamiento de un Valle-Inclán más dado a la intuición que a la reflexión, a la justificación esotérica del «Arte» que a la formulación de principios racionales del mismo, y que, en orden a lo político, concibió al pueblo como una suerte de menor de edad colectivo, destinado a redimirse por el sufrimiento y a ser salvado por la fe en vagas abstracciones (la mística rural de las comunidades carlistas o la mística revolucionaria de la *jacquerie*, tan sugestivamente próximas en su apelación irracional y en su sustrato común propio de sociedades primitivas). El memorable acierto —y también la endeblez— de Valle fue llevar a sus límites extremos una concepción populista de la realidad española (que tiene más de un parentesco con la de Machado y la de Lorca), drásticamente dividida en campesinos miserables, grupos marginales del mundo rural (bandoleros, quincalleros, mendigos...) y, al lado opuesto del espectro social, la corrompida nobleza terrateniente y sus auxiliares (clérigos rapaces, golillas con mentalidad de antiguo régimen, romos militares): mundo anacrónico ya con respecto a una sociedad harto más compleja, que era la que cupo vivir a Valle-Inclán.

El año de 1920 había sido el de su gran viraje estético y, sobre todo, el de un significativo cambio en su recepción crítica: ya no es decadentista acusado de plagiario, ni es el estridente carlista marginal, ni el dramaturgo que intenta estrenar o estrena sin éxito dramas modernistas con la compañía de María Guerrero. Aquel año, un periódico como *El Sol* da a conocer su más maduro drama rural, *Divinas palabras*, y la revista *España*, una primera versión de *Luces de bohemia*. En 1924, la edición de esta obra en forma de libro agudiza las dimensiones del cambio sufrido: aquella bohemia desharrapada y maledicente —de la que emerge, con toda su dignidad escarnecida y lúcida, el ciego Max Estrella (visión de un escritor «maldito» real, Alejandro Sawa)— ya no solo se opone a regeneracionistas parlanchines, editores ignaros y covachuelistas corrompidos —visión degradada de la capital del Ruedo Ibérico— sino que encuentra su hermandad espiritual con el iluminado preso anarquista y la redención de la insurrección bohemia en una trágica muerte solitaria.

También por vez primera, *Luces de bohemia* ostentaba como epígrafe un término, «Esperpento», que puede definir muy bien los posteriores empeños narrativos o dramáticos de Valle-Inclán, aunque solo figure explícitamente al frente de las tres piezas teatrales de *Martes de Carnaval*. Quizá la primera novedad de la técnica esperpéntica sea precisamente su idéntica validez en el teatro y la novela. O, mejor aún, su capacidad de romper la convención argumental dramática, multiplicando la escena, suponiendo una escenografía expresiva y caricatural, y, a la vez, proporcionar a la novela la inmediatez de una puesta en escena donde manda la conversación caracterizadora y el acierto plástico, y donde lo propiamente narrativo se reduce a acotar una realidad artística que funciona con todo su relieve. La segunda novedad del «esperpento» está en la potenciación al máximo de la deformación grotesca, aspecto en el que Valle coincide con un importante sector del arte de su época —desde Crommelinck y Synge en el teatro a Georg Grosz en la plástica—, bien que buena parte de sus técnicas procedan de fuentes tan dispares como son la estética simbolista y los recursos cómicos del teatro popular de final de siglo (parodias, sainetes, óperas bufas...). Deducir de ahí la fundamental «popularidad» del arte de Valle-Inclán (olvidando, de entrada, que nunca lo fue en la práctica, aunque suscitara el conocido entusiasmo de lo mejor de la intelectualidad del momento) es algo arriesgado: lo más que cabe señalar es la ejemplar medida en que Valle redescubre la dimensión y la constante caricaturales del realismo hispánico, respuesta popular a una sociedad en que combaten la tradición y la modernidad, pero también continuidad del veterano masoquismo regeneracionista que ve España como una versión grotesca de Europa. Las obras de la madurez del escritor profundizaron en esta línea expresiva. En el campo de la novela, su *Tirano Banderas* (1926) publicada en folletón por la revista *El Estudiante*, de la FUE— trasladó a una América cuidadosamente reconstruida las imágenes violentas de muchas de sus obras galaicas —campesinos, mendigos callejeros, víctimas eternas— contrastadas con comerciantes corrompidos y toda la parafernalia de una dictadura bárbara que agoniza. La misma dualidad que configuró, desde 1927, el ciclo narrativo «El Ruedo Ibérico» con el que Valle quiso ajustar su cuenta personal —ya iniciada en 1908 con el breve relato *Tertulia de antaño*— a las consecuencias de la falsa revolución de 1868. En 1930, por último, recogió tres importantes piezas dramáticas con el rótulo común de *Martes de Carnaval* (deliberada anfibología entre la jornada aludida y el plural de «marte»-soldado): un repatriado de Cuba que profana la aventura del Tenorio *(Las galas del difunto)*, la visión caleidoscópica de la venganza del honor de un ridículo carabinero *(Los cuernos de Don Friolera)* y una sátira brutal de los oscuros orígenes de la Dictadura de Primo de Rivera *(La hija del capitán*, recogida por la censura en 1927 y con regular escándalo) componen la escarnecedora galería de «martes» hispanos y, en cierta medida, la única aproximación de Valle al mundo de las clases medias de su patria.

6. LA PERSEVERANCIA ESPIRITUALISTA: UNAMUNO

Aunque por distintos caminos, Machado y Valle-Inclán fueron los únicos escritores de quienes, nacidos entre 1864 y 1875, habían de ser elogiosamente tratados por los intelectuales militantes de los años treinta. No fue este, por ejemplo, el caso de Unamuno, confinado por la dictadura de Primo de Rivera y exiliado en Francia, cuyo regreso a España en 1930 lo encastilló progresivamente en una suerte de reaccionarismo iluminado y que, en las Constituyentes de 1931-1932, encabezó una campaña antiautonomista de amplia repercusión. Su obsesión por una re-espiritualización de la convivencia española (ya fuera por el camino del criticismo religioso, ya por la difusión de un moralismo voluntarista) se enfrentaba a diario con contingencias objetivas muy dispares de tales planteamientos y, con creciente claridad, los lectores de Unamuno percibían lo que radicalmente antiprogresista conllevaba el mensaje de su autor.

El mismo Unamuno era consciente de esta inadecuación que redoblaba su tradicional dilema entre las facetas agónicas de su pensamiento (la búsqueda de una fe, la angustia ante la muerte, el dilema entre destino y libertad) y los rasgos quietistas (expresados en imágenes de paisaje o a través del mito maternal), en una dialéctica que dio carta de naturaleza al irracionalismo existencial en las letras y el pensamiento español de entreguerras. De ahí que buena parte de su importante obra posterior a 1923 incremente su índole subjetiva y hasta se plantee como un asedio intuitivo a la raíz antropológica de la literatura: *Cómo se hace una novela* (1928) es, en este sentido y por encima de su diatriba contra la Dictadura, una reflexión sobre el «yo» literario y sus relaciones con el «yo» profundo; los poemas del *Cancionero* (inéditos hasta veinticinco años después de su muerte) son un dietario de reminiscencias y asociaciones que busca en el propio hecho del lenguaje —sus ritmos, su médula expresiva, su capacidad de relación inconsciente— una suerte de poética originaria y radical. Del mismo modo, el desengaño que muestran los artículos publicados en el diario *Ahora* por los años 1934-1935 se tiñe de nostalgia autobiográfica y conjura en el recuerdo una sensación de incomodidad que se radicaliza políticamente por momentos. En 1930, su espléndida novela corta *San Manuel Bueno, mártir* plasmaba en afortunados símbolos —el cura que oculta a sus feligreses la pérdida de su fe, el pueblo olvidado junto al lago, la sencilla credulidad de las gentes— una atrevida teoría religiosa (el esencial voluntarismo de las creencias, ya que Manuel Bueno se configura sobre los trazos de Cristo) y un desolador diagnóstico de desencanto cívico, en las vísperas mismas del 14 de abril, cuando Unamuno —recibido en olor de multitud— sonaba como posible primer presidente de la República española.

7. PAISAJISMO Y DIMISIÓN: «AZORIN»

Si la conciencia de su disentimiento llevó a Unamuno a una subjetivización de su obra, el caso de «Azorín» (cuya conversión reaccionaria fue prematura y pragmática) es diferente. Desde el abandono del propio nombre trocado en seudónimo, toda la producción del escritor alicantino tiende a conseguir la sustitución de la autoría específica por una suerte de vaga y genérica sensibilidad receptiva (y, de algún modo, anónima) y de la misma literatura por una divagación deliberadamente inconexa que toma como territorios propios la anulación del tiempo (visto ahora como un fluido presente permanente) y el reemplazo de la «vida» por la «literatura», propia o ajena. Este es el sentido último del discutible acercamiento de «Azorín» a la estética de vanguardia en lo que bautizó «Obras nuevas» (las tres novelas *Félix Vargas*, 1926, *Superrealismo*, 1928, y *Pueblo*, 1930), su «teatro inquieto» y la prosecución de la crítica impresionista de los clásicos, ya iniciada a partir de 1912, y cuyo centro está en la estima del «valor literario», o capacidad de sugerencia que anula la médula histórica de la obra al trocarla por su capacidad de sugestión intemporal, o por lo que tiene de recóndita complicidad con su personalísima sensibilidad. Con todo, ese impersonal distanciamiento del autor tiene poco que ver con el de Unamuno, pues si este se produce en una zona política que, pese a los pesares, anda vinculada a la izquierda liberal y su tradición regeneracionista, el de «Azorín» no lo está en su absoluto: su entusiasta adhesión a Juan de la Cierva, su aliadofilia de 1914 (teñida de explícita admiración por *Action Française*), su extemporánea actitud antiparlamentaria (visible en su obra *El chirrión de los políticos*, sátira que se pretende quevedesca y que aparece en fecha tan notoria como la de 1923, y en su farsa escénica *El clamor*, 1928, burla del periodismo político y escrita en colaboración... con Pedro Muñoz Seca), su sorprendente alegato en pro del especulador Juan March en 1932, son el nada inocente contexto de un valioso y singular escapismo literario. Que, por más señas, se vincula en su forma periodística a los órganos tradicionales de la derecha inmemorial y que, en último término, no sería erróneo ver como una coincidencia de dos supuestos: su personal y melancólico alejamiento del reformismo pequeño burgués con el que ahora pretende teñir la ideología a la defensiva de la gran burguesía a la que sirve; la obligada evolución de los supuestos artísticos —impresionismo, subjetivización, misticismo laico— con que su promoción modernizó definitivamente la práctica estética española.

8. LA NOSTALGIA DEL INDIVIDUALISMO: BAROJA

El caso de Pío Baroja reviste cierta complejidad. La mayoría de sus estudiosos señalan un viraje en su obra que tiene como hito el año 1912, y como circunstancia personal determinante la compra de su caserón de Itzea, inseparable ya de la figura de ese «fauno reumático que ha leído un poco a Kant», cultivador de una benevolente misantropía, identificado con un País Vasco que sueña como una Arcadia ilustrada, limpia de «curas, moscas y carabineros» y, seguramente, de nacionalistas. Pero si buena parte de las actitudes del escritor bastarían para convertirle en un cavernícola de manual (sus aficiones germanófilas durante la contienda europea, su antipatía por los judíos, su incomodidad ante el socialismo marxista, su condena del republicanismo visible en la trilogía «La selva oscura» [1932] —compuesta por las novelas *La familia de Errotacho, El cabo de las tormentas y Los visionarios*—), lo cierto es que en el juicio de sus contemporáneos —y probablemente en la realidad— prevalece aquel fondo insobornable de rebeldía, y aun de capacidad de autocrítica, que le hace todavía una de las más significativas lecturas en medios obreros y un fecundo modelo cuando se intente una «novela proletaria» a la altura de los años veinte.

Novelas-crónica como las citadas son excepción, sin embargo, en la obra del Baroja posterior a 1923. Desde 1913, su empeño fundamental es la confección de las *Memorias de un hombre de acción*, serie de 22 volúmenes que narran —entre la imaginación y la historia— un destino aventurero y más o menos real (el de Eugenio de Aviraneta) en la España isabelina, sin que asistan a la empresa las requisitorias valleinclanescas. Todo lo contrario. Cuando Baroja hubo de defender su peculiar modo de concebir la novela, frente a los ataques de Ortega y Gasset y su reclamación de una mayor densidad psicológica, menos acción y más morosidad estética, el alegato del novelista (incluido como prólogo a *La nave de los locos*, 1925) justificaba su forma de hacer con mucha menos ingenuidad de la que aparentaba: escribir desde su «fondo sentimental» un «arte que en el fondo es un juego», hecho por un «tipo de rincón, hombre agazapado, observador curioso» y sometido a las leyes de un ritmo interior que, a menudo, tiene poco que ver con la construcción canónica de la novela moderna. El tono de Baroja en estos años tiene, sin embargo, una melancolía más agria de lo habitual y no siempre le acompaña la capacidad de sugestión anterior a 1912: la trilogía «El mar» (1911-1930), tan cercana al mero relato de aventuras, y las series «Agonías de nuestro tiempo» (1926-1927) y «La juventud perdida» (1934-1937), que no pasan de ser retazos de los viejos mundos predilectos del escritor, no gozaron de muy buena crítica «intelectual», aunque sí del éxito popular que acompañaba a cualquiera de sus obras. Si un vanguardista típico como Gómez de la Serna aludió con desprecio a los «novelones de folletinista medio calvo», «de intriga sentimental y casera», un típico representante de la crítica ilustrada republicana (Juan José Domenchina, secretario personal de Azaña), habla de «gracia e inoportunidad características» que sustituyen la narración con «salidas de tono, inimitables eutrapelias, deliciosamente arbitrarias», entre el repudio casi total y una cierta benevolencia intelectual por el incorregible, la nueva valoración de Baroja se asentaba en un lugar peculiar que *mutatis mutandis* ha perdurado hasta hoy. En el narrador vasco nadie veía ya la encarnación literaria de valores actuales, como pudieron hacerlo quienes en 1902 le homenajearon con entusiasmo por la publicación de *Camino de perfección;* lo más que veían ya era un anacronismo pertinaz y exótico, dotado de especial habilidad para subyugar la atención y la simpatía en el curso de un relato.

9. ORTEGA Y LA CONTEMPORANEIDAD

Como hemos ido viendo, el dilema tradición-modernidad (a veces planteado en su dimensión mundo rural-mundo urbano) se resuelve para los escritores de la promoción de fin de siglo en una renuncia al segundo aspecto y una mitificación del campo de valores relacionado con el primero, todo ello a través de una mediación de subjetivismo irracional que justifica a ultranza la elección. Pero la promoción más joven, sin embargo, la «modernidad» —y lo urbano— fue, muy a menudo, el jubiloso punto de partida de su reflexión nacional.

La personalidad de José Ortega y Gasset puede ser, y a varios propósitos, un emblema de esa nueva actitud. Bien arropado por sus orígenes burgueses (hijo del director de *Los lunes de «El Imparcial»*, Ortega y Munilla, y nieto de la dinastía político-periodística de los liberales Gasset), formado en Alemania, joven catedrático de Madrid y firma cotizada en la prensa de izquierda, Ortega había roto amarras hacia 1923 con el radicalismo (en 1916 había abandonado la dirección y colaboración en el semanario *España* y en 1917 se había colocado *au déssus de la melée* cuando estalló el movimiento de agosto, tras haber sido el acerado diagnosticador de los inicios del proceso) y se hallaba en inmejorables condiciones para una tarea independiente de organización y orientación culturales. Su público potencial es, evidentemente, la burguesía ilustrada y las clases medias profesionales surgidas, precisamente, del mismo proceso de modernización que está en la base de la argumentación; su lenguaje no es la tentativa intersubjetivista de Unamuno ni el impresionismo sentimental y refinadamente tradicional de «Azorín», sino una charla filosófica que alterna el concepto preciso o técnico con la expresión coloquial ascendida a categoría ideológica; su punto de referencia con el público no es el paisaje, las letras nacionales o las vivencias religiosas sino un aséptico y laico lugar —como sucede en los ocho volúmenes de *El espectador* (1916-1934)— donde se discurre a partir de Baroja o la pintura vasca, de Debussy o del *dharma*, del final del Imperio Romano o del carácter educador del siglo XVIII.

Donde se discurre, pero también donde se alecciona. En el marco de una sociedad aún arcaizante donde los «escritores» disfrutaban de cierta popularidad (dada por el periódico, las revistas impresas y hasta las alusiones de la incipiente propaganda comercial y los espectáculos frívolos), la imagen de Ortega se perfilaba de modo muy distinto a la de Valle-Inclán, Baroja o Unamuno. Y añadamos que muy pocas veces —cuando menos a partir de 1917— el aleccionamiento político de Ortega se produce en términos de actualidad inmediata, sino a través de ciertas abstracciones sociológicas que se van configurando a partir de *España invertebrada* (1920). A su servicio está, en primer lugar, el historicismo radical que explicita *El tema de nuestro tiempo* (1923): el dilema «masa»-«élite», que en 1920 se zanjaba con una afirmación del segundo término frente al primero, se matiza ahora con la idea de «generación» (compromiso entre la acción de la minoría y la receptividad de la mayoría), mientras que se afirma la idea de progreso con una sabia combinación de «relativismo» (capacidad de detección de lo nuevo) y «racionalismo» (seguridad en el dominio del presente). Todo el pensamiento de Ortega se expresa en términos de posesión (de la realidad) y de avance (hacia un futuro sin límites): es la consagración del optimismo burgués, sobre el que elabora un concepto vitalista de «cultura», hecho de su tradicional idea acumulativa pero vitalizada en lo que tiene de herramienta de dominio y autosatisfacción.

Los dos enemigos ideológicos de la nueva razón vital —el racionalismo radical y utópico junto al romanticismo sentimental e individualista: dos caras de la misma moneda, devaluada por la modernidad— lo mismo le sirven para proponer la aceptación del arte de vanguardia (*La deshumanización del arte*, 1924, fenómeno que supo diagnosticar con brillantez pero por el que sintió simpatías personales muy limitadas) que para dictaminar el fin de la era revolucionaria. Ya no son los ceñudos visionarios quienes determinan los cambios históricos (riesgo que cabe en una época de masificación fácilmente galvanizable: *La rebelión de las masas* es su famoso título de 1930), sino que es la misma dinámica social la que desborda las formas políticas e impone el principio de su eficacia, ya que no la utopía de sus doctrinarismos. Con tan peligroso bagaje ideológico, saludó Ortega el previsible final de la Dictadura: una sociedad que ha dejado de ser rural y que ya no cree en la politiquería, llama a las puertas de Madrid, símbolo supremo de todo antiguo Régimen. Es, como dirá el libro de 1931 *La redención de las provincias* (antes, como casi todos los citados, artículos de periódico en *El Sol*), la madurez de una sociedad que se sabe nación y reclama una autonomía eficaz para sus cuerpos regionales, ya vertebrados en torno a una capital y, por descontado, en torno a unas élites técnicamente capacitadas y orientadas al viento de la historia.

Nunca, en cualquier caso, la burguesía fue tan hábilmente servida por un instrumento ideológico, como sucedió en el caso Ortega. Pero si los radicales finiseculares se equivocaron al concebir un bloque revolucionario hecho a la imagen y semejanza de la pequeña burguesía radical, tampoco Ortega vio pasar de la letra a la realidad su proyecto de una burguesía vitalista y progresiva, cultivada y emprendedora. Su rápida *Rectificación de la República* (1932) indicaba —y no sin razón— que la alianza de jacobinos y socialistas no era el camino deseado para la realización de unos ideales que tuvieron público, pero no seguidores.

10. LA «REVISTA DE OCCIDENTE», NUEVO PERIODISMO Y VIDA EDITORIAL HASTA 1936

La más apreciable tarea de Ortega estuvo en labor de animación cultural y, muy concretamente, en su realización de 1923, *Revista de Occidente,* que desde el nombre (producto de las manías geopolíticas de Ortega y ya marcado entonces por un sentido no tan dispar del que hoy tendría) hasta la presentación (cierta sobriedad animada por el suficiente color en las cubiertas, los conocidos tipos «Bodoni» y el uso de los blancos que daba al diseño un indefinible aire entre anacrónico y moderno) se perfilaba como un producto de calidad. Su contenido, pese a todo, no superó la audiencia que podían darle unos 3000 ejemplares de tirada mensual, seguramente superada por los libros que lanzaba la editorial aneja a la revista. Tan magra difusión, sin embargo, no se ajusta a las dimensiones de su mito: la revista llevaba a Madrid y provincias un escaparate de la mejor intelectualidad europea (preferentemente alemana y orientada a las «ciencias de la cultura») y de las producciones literarias más *à la page*; consecuentemente, el joven estudiante o profesional de provincias, el escritor en agraz, soñaba —como los personajes que luego evocó Max Aub en *La calle Valverde*— en entrar en la literatura previo espaldarazo de la tertulia redaccional de Pi y Margall, 7 (Gran Vía actual) y con un libro salido de las mismas prensas que publicaron a los novelistas de «Nova Novorum», el *Romancero gitano* de Lorca y el primer *Cántico* de Jorge Guillén. Y cuyo complemento ideal había de ser una reseña del equipo habitual de la *Revista* constituido por una constelación irrepetible de firmas: Benjamín Jarnés, Antonio Espina, Antonio Marichalar, Fernando Vela, Esteban Salazar Chapela, Adolfo Salazar, etc.

La prensa madrileña de alcance nacional consolidó durante la Dictadura su nueva imagen. Desaparecieron la veteranísima «Corres» (*La Correspondencia de España,* el más antiguo de los periódicos de opinión) y *El País* (el mejor de los republicanos), aunque sobrevivieron *El Liberal* y *Heraldo de Madrid,* periódicos populares nacidos en la época de las primeras rotativas, las noticias sensacionales y los anuncios por palabras, además de *ABC,* que en 1929 creó su homónimo sevillano. La gran novedad seguía siendo *El Sol,* puesto en circulación el 1 de diciembre de 1917 gracias a una escisión de *El Imparcial* (que arrastró bastantes años su agonía) y al apoyo financiero de Nicolás M. de Urgoiti, director de La Papelera Española. La calidad de sus firmas, lo ponderado de su información y su moderado izquierdismo no le garantizaron —ni a *El*

Sol ni a su hermano gemelo *La Voz*, diario de la noche desde 1920— una existencia cómoda: en 1930, sus graves dificultades financieras y una intervención gestada en las camarillas regias abrieron la entrada a un nuevo grupo de accionistas de La Papelera y supusieron un cambio de orientación en el más vivaz periódico del momento. Con menos fortuna que en 1917, Urgoiti y su asesor Ortega y Gasset intentaron con *Crisol* y luego con *Luz* dos rotativos de aquel espíritu, pero la empresa concluyó con cierre en 1933. La tirada de *El Sol* (entre 80 000 y 100 000 ejemplares) era, sin embargo, superada por otros. Entre estos andaba *ABC*, cuyo suplemento literario contaba con excelentes firmas y cuya sección gráfica era la más cuidada, y, desde 1919, *La libertad* (periódico surgido de una escisión de *El Liberal*, como, desde 1930, *Ahora*, republicano moderado y pronto convertido en una suerte de *ABC* del nuevo régimen). Característica común de todos es la fuerte cobertura financiera, exigida por el incremento de las partidas de gastos (papel, impresión, fotografía, suscripción de agencias de noticias, nóminas de colaboradores y redactores, distribución y venta), y su progresiva concentración. A la vida española, por otro lado, proporcionaban mucho más que noticias y publicidad: creaban opinión y suministraban al intelectual una poderosa palanca de ideologización. A cambio, la prensa proporcionaba a muchos notoriedad política excepcional —Lerroux e Indalecio Prieto, Rodrigo Soriano y Julio Álvarez del Vayo, Luis Araquistáin y Ángel Herrera Oria procedían de ella— y ya empezaba a crear un tipo de profesional puro de no pequeña incidencia social —como fuera el caso de Félix Lorenzo, director de *El Sol*; Manuel Aznar, su sucesor; «Corpus Barga» o «Fabián Vidal», procedentes también de aquel, etc.

El incremento de la demanda de letra impresa se hizo notar también en el campo editorial. Muchas pequeñas editoriales de principios de siglo desaparecieron antes de 1918 (y otras de amplia incidencia como Sempere —luego Prometeo, en Valencia— vieron notorios bajones de edición y ventas), a la vez que se afianzaban editoras como Renacimiento (que, en los años veinte, tenía en cuasi exclusiva a Benavente, los Quintero, «Azorín», Anatole France, Alberto Insúa, la Pardo Bazán, Unamuno, Felipe Trigo) y Biblioteca Nueva (fundada en 1919 y que catalogaba como fondo más activo a Amado Nervo, S. Freud, G. Miró, O. Wilde y una selecta colección «extranjera» con Gide, Papini, Paul Morand, Emil Ludwig, Pirandello, etc.). Por su lado, una editorial como CALPE (luego fusionada con Espasa en un proceso de concentración que fue frecuente en este campo y que en este caso alumbra la editorial más potente de la época) programó en su amplia colección Universal la primera serie de libros de bolsillo españoles en una línea de abaratamiento también presente en la Biblioteca Popular, de Renacimiento, o los Grandes Autores Contemporáneos, de CIAP.

La creación de esta casa, por obra del financiero Ignacio Bauer, en 1927, fue un significativo episodio en el negocio editorial español, aunque el período de vacas gordas solo duró tres años. El Consorcio Iberoamericano de Publicaciones absorbió otras casas (Renacimiento, Mundo Latino...) y hasta revistas como *La Gaceta Literaria*, en un confesado intento de alcanzar la hegemonía en el mercado nacional. Sus excelentes condiciones de contratación favorecieron ampliamente a los autores que vieron, con su desaparición, una seria amenaza a los cauces de profesionalización que habían emprendido. La carta de un amplio sector de estos a la opinión pública —allí están Valle-Inclán, los Machado, W. Fernández Flórez, «Azorín», D'Ors...— pretende dejar bien claro que «no estamos dispuestos a consentir que se nos trate como mercancía y se hagan transacciones a espaldas nuestras», reservándose el significativo derecho de reclamar sobre la empresa en quiebra «la atención del Estado, y la solicitaremos si llega el oportuno momento».

Tal grado de conciencia profesional —adobado con cierto mesianismo cultural imprescindible— hubiera sido impensable algunos años antes. Pero ya para entonces, este espíritu tenía su réplica correspondiente en una nueva imagen intelectual. Para el joven Ramón J. Sender, antiguo redactor de plantilla de *El Sol* y ungido literariamente por un prólogo de Valle-Inclán, la quiebra de CIAP, «consorcio para la propaganda contrarrevolucionaria», revela el final de la cultura burguesa y de aquella «personalidad intelectual» que representaban los «profesores de la Institución Libre de Enseñanza, del Centro de Estudios Históricos [...] Ortega, Marañón, Jiménez de Asúa, Américo Castro. Universitarios que habían desplazado a los autodidactas de la generación posterior al 98 y que merecían respeto por la tendencia a la sistematización y al método» («La cultura y los hechos económicos», *Orto*, Valencia, I, 1, 1932, p. 26).

11. LAS EDITORIALES DE IZQUIERDA. LA CULTURA OBRERA Y POPULAR

El nuevo talante que Sender representaba se plasmó —aprovechando la lenidad que la censura dictatorial concedía al libro, ya que no a la revista y el periódico— en una brillante nómina de editoriales de izquierda a partir de 1928. Abrió marcha este año Ediciones Oriente, creada por el grupo de la revista *Post-guerra* (J. Díaz Fernández, J. Arderíus, J. A. Balbontín...) y la siguieron Cénit, España, Ulises, Zeus, Historia Nueva... que cubrieron el período final de la Dictadura, la transición y los primeros momentos republicanos. Sus objetivos fueron el libro de actualidad política (que, en estos años, experimentó un considerable crecimiento), la traducción de novela social extranjera (alemanes como Remarque, Renn, Glaeser; norteamericanos como Dos Passos, Upton Sinclair; rusos como Gladkov y Babel), además de la promoción de relatos españoles de ese signo. Las ventas —como sucedió en el caso de *Imán* (1930), de Sender, ambientada en la guerra de Marruecos— fueron a menudo muy crecidas y los escándalos —como el ocasionado por *Libertad de amar y derecho de morir* (1930), ensayo sobre la eugenesia y la eutanasia del gran penalista Luis Jiménez de Asúa— contribuyeron a reforzar aquellas. Desde 1933, la Feria del Libro de Madrid, organizada por la Cámara Oficial, pudo ser un síntoma de la popularidad alcanzada por la letra impresa y su repercusión no pasó desapercibida a los autores: no sin gracejo, Benjamín Jarnés dedicó un volumen de ensayos críticos, precisamente titulado *Feria del libro* (1935), a revistar las novedades expuestas aquel año en los tenderetes madrileños del Paseo de Recoletos.

Es muy dudoso, sin embargo, que esta expansión del mercado librero trascendiera los límites del incremento de las clases medias e incidiera en el proletariado de una forma eficaz. Un breve análisis de la oferta de libros con descuento que, en 1923 y 1924, hacen respectivamente el diario *El Socialista* (órgano oficial del PSOE) y la barcelonesa *La Revista Blanca* (acreditada publicación libertaria dirigida por Federico Urales) indica —en lo que pueda servir de indicio de una oferta condicionada por la posible demanda— escasas variaciones en los hábitos de lectura de principios de siglo. Los libros de divulgación suponen algo más de la mitad de la relación anarquista y comprenden la sexología, la crítica de la religión, las ciencias biológicas (vulgarizaciones del darwinismo, estudios de entomología) y la astronomía (tan acreditada en estos medios por la obra de Camille Flammarion); en la lista ofrecida por el periódico socialista madrileño, el rubro correspondiente desciende a la quinta parte del total y el tono general es más práctico —libros sobre contabilidad, manuales de legislación obrera, etc.—. Sólo 46 sobre 167 títulos en el primer caso, y 67 sobre 124 en el segundo, son libros de formación política y casi siempre en tono literario —caso de Kropotkin o Tolstoi entre los anarquistas— o divulgador —obras del belga Vandervelde o de Loria entre los socialistas, que solo disponen en oferta de la abreviatura de *El capital* hecha por Deville—. Lo puramente literario es poco y escasamente moderno: en ambas listas comparecen *Las ruinas de Palmira* del conde Volney y numerosas obras de enciclopedistas, además de Anatole France (en la lista libertaria), Gorki y Victor Hugo (en la socialista) y Zola (en ambas).

Predomina, en suma, el aspecto formativo y aun escolar y, por lo que hace a lo creativo, la fidelidad a un cierto sentido reverencial del clásico (que explica el éxito popular de una editorial como la de Juan B. Bergua en los años treinta) y la afección por la expresión romántica y naturalista de cierta denuncia social. No se equivocaba, por tanto, José

Díaz Fernández al postular como *El nuevo romanticismo* (1930) la incipiente actitud «social» de los nuevos escritores de su generación, aunque, en muchos casos, tal romanticismo no fuera sino la última coartada de un modernismo aplebeyado y quejumbroso que, por estos años, era literatura revolucionaria: las novelas de Joaquín Arderíus y Ángel Samblancat, el teatro y el relato de Alfonso Vidal y Planas, iban por este camino, al par que no cuajaba por parte alguna la posibilidad de una «literatura proletaria» (como sucedía en Francia por las mismas fechas), escrita por obreros y para obreros. Una excepción quizá fueron las novelas de Andrés Carranque de Ríos (*Uno*, 1934; *La vida difícil*, 1935; *Cinematógrafo*, 1936), caso en el que la muerte cortó la más prometedora carrera literaria de estos años en el campo de una narrativa de sesgo barojiano que penetró con lucidez en el mundo del desclasamiento y la marginación, tan obsesivamente típico de la «novela proletaria» europea.

Sustancialmente, el mundo de la lectura obrera fue tributario del periódico —y no siempre del de su partido o sindicato— y de las formas más accesibles y radicales de la literatura de la pequeña burguesía. Muchas de estas las hallaron pródigamente en el rápido auge editorial de las colecciones de novelas cortas a las que ya me he referido y que, si en un principio compitieron con los *magazines* de impresión lujosa y gran formato (tipo *Blanco y Negro*, *Mundo Gráfico* o *La Esfera*), pronto halló una fórmula original y barata (desde *La Novela Corta*, 1915): las formas de lo erótico (desde lo cómico de Joaquín Belda al subversivo misticismo amatorio de Antonio de Hoyos y Vinent, pasando por el naturalismo galante de Pedro Mata y lo rosáceo de Rafael López de Haro), las más exageradas patografías ruralistas, las novelas psicológicas, penetraron bajo estas especies en un público muy amplio, al que, por el mismo medio —y a través de colecciones como *El Teatro Moderno*, *Comedias* y *La Farsa*— llegaban también las novedades teatrales y, gracias a una serie como *Novelas y Cuentos*, refundiciones de obras importantes de la literatura universal. La baratura de los costos, la facilidad de la distribución (que contó con kioscos y una red de librerías populares en auge) y el señuelo de lo coleccionable dieron importancia excepcional al nuevo medio de difusión: el mismo Urales programó, a partir de *La Revista Blanca*, una colección de relatos bajo la rúbrica *La Novela Ideal*, y colecciones misceláneas —como *Vida Nueva*, de Editorial Fénix— o de libros de ensayo y divulgación —como *El Libro del Pueblo*— cundieron en la década de los treinta.

12. EL PROTAGONISMO UNIVERSITARIO: UN NUEVO FRENTE DE IZQUIERDA

La vida universitaria alcanzó un sorprendente protagonismo político a partir de 1923. Profesores y estudiantes se convirtieron —o soñaron convertirse— en una suerte de vanguardia ideológica de la lucha por el cambio político y social (cifrada en el mito republicano), reproduciendo una situación que no carece, en la Latinoamérica coetánea de la Reforma Universitaria, de un sugestivo paralelo: sociedades de desarrollo desigual y fuerte ruralismo, con un poder político tradicional sustentado por una clase política desprestigiada y por un ejército intervencionista, en las que la pequeña burguesía urbana actúa como elemento de innovación e introduce un fuerte factor emotivo de signo populista en su lucha.

El vago regeneracionismo de paraninfos y Asambleas de catedráticos (como las habidas en Valencia, 1902; Barcelona, 1906; Oviedo, 1908; Madrid, 1915) cambió decisivamente. Contribuyó a esto una seria actitud de trabajo (inspirada por las felices fundaciones auspiciadas por la Institución Libre de Enseñanza: Junta para Ampliación de Estudios en 1906, Residencia Universitaria de Madrid en 1910, Instituto-Escuela madrileño en 1918) que muy pronto dio frutos excepcionales: el Centro de Estudios Históricos, de la Junta (creado en 1909), organizó en torno a Menéndez Pidal los estudios de filología hispánica y una seria tradición de historia institucional y política; el Instituto Cajal, donde trabajaron Nicolás Achúcarro, Antonio Medinaveitia y Juan Negrín, situó en muy alto lugar los trabajos de fisiología; Blas Cabrera y Miguel Ángel Catalán, con Arturo Duperier, proporcionaron un brillo insólito a la Facultad de Ciencias Físicas... La popularidad callejera que alcanzaron ciertos «inventos» —el telekino de Leonardo Torres Quevedo, el autogiro de La Cierva, las construcciones en hormigón armado de Eduardo Torroja— fueron la significativa espuma de una efervescencia que la Universidad, falta de apoyo y eterna aspirante a la autonomía (defraudada por la LEY SILIÓ de 1918), consideró legítimamente como obra propia y decidido hito en el progreso del país. Los dos Congresos Universitarios catalanes (de 1906 y 1918) ratificaron en aquella nacionalidad la vieja idea regeneracionista de que todo avance en estos pagos era una pugna de la sociedad contra el Estado.

En tales circunstancias, la descabellada política académica de Primo de Rivera determinó el estallido del problema. El homenaje de la Universidad madrileña a los restos recién repatriados de Ángel Ganivet (el 3 de marzo de 1925) fue el primer chispazo (se repartió una carta fuertemente crítica del depuesto y confinado Unamuno y Luis Jiménez de Asúa pronunció un discurso inequívoco); pronto se agravó el problema con la respuesta al homenaje dictatorial a Santiago Ramón y Cajal, organizado por la misma Universidad. En 1927, la fundación de la FUE

(Federación Universitaria Escolar) dotó al estudiantado de un instrumento de acción fundamental que pudo sumar a uno de sus más duraderos mitos: el estudiante de ingeniería agronómica Antonio María Sbert, cuyos enfrentamientos con el Dictador habían sido públicos y más que notorios.

Al año siguiente, el empecinamiento del ministro Callejo en aprobar un Estatuto universitario que venía a reconocer los títulos dados por centros privados (fundamentalmente, los jesuítas de Deusto y los agustinos de El Escorial) motivó una larga huelga estudiantil, a la que se sumaron ruidosamente catedráticos tan conocidos como Ortega y Gasset (que prosiguió su curso en el Cine Rex), Felipe Sánchez Román, Américo Castro, Fernando de los Ríos... El nombramiento de Comisarios Regios para reemplazar a las autoridades académicas, así como las sanciones y los encarcelamientos de alumnos, prolongaron por dos años un problema que acabó afectando a toda la universidad española y que se saldó con algaradas, defenestraciones —ya premonitorias— de retratos y bustos del Rey y, sobre todo, con un definitivo alejamiento entre la Monarquía y los sectores más independientes de las clases medias. En abril de 1931, la universidad cobraría un amplio rédito de diputados en las Cortes Constituyentes y, simultáneamente, las circunstancias de su vida universitaria definieron y marcaron a un importante sector de la intelectualidad española: en muy pocos años se había pasado de la plácida picaresca académica de *La casa de la Troya* (popular novela de Alejandro Pérez Lugín que se publicó en 1916) a la universidad entre oxoniense y revolucionaria que evocaba *Nuestra Natacha,* pieza teatral de Alejandro Casona cuyo estreno en febrero de 1936 fue un decisivo síntoma de las esperanzas depositadas en las urnas que dieron por vencedor al Frente Popular. Un breve balance de la universidad y la política educativa republicana me han de ocupar, sin embargo, unas páginas más adelante.

13.   EN CATALÁN Y EN GALLEGO

La vida cultural en las regiones de más acusada personalidad siguió sus derroteros propios. En ese sentido, la supresión de la Mancomunitat de Cataluña en 1925 no quebró la obra en marcha en el orden organizativo ni mucho menos afectó al peculiar desarrollo de las letras catalanas: el «noucentisme», expresión del ideal burgués nacionalista en los años anteriores, siguió dando la tónica, aunque los nuevos escritores —un poeta tan alquitarado como Carles Riba, un vanguardista muy personal como J.V. Foix, un memorialista como Josep Pla...— solamente se relacionan con aquel en aspectos circunstanciales (origen social, relación con los aspectos institucionales de la vida cultural, idealización del sentimiento nacional, público potencial) y casi nunca con los aspectos más ortopédicos y normativos de las teorías dorsianas sobre la función de la expresión artística. Actúan con gran soltura en el marco de una sociedad que, en el fondo, les satisface (pese al aspecto satírico y moralizante que fue una tonalidad importante en la obra de Josep Maria de Sagarra o «Guerau de Liost») y en la que se ha afianzado la cultura catalana como hecho cotidiano: si, por un lado, aumentan los periódicos en catalán y se producen en aquella lengua fenómenos artísticos de objetivos masivos (podría ser un ejemplo el éxito de las narraciones infantiles de Josep Maria Folch i Torres), por otra parte, la mayoría de los escritores citados no tienen apenas relación posible con sus colegas peninsulares (fuera de la que se produjo en el efímero meteoro vanguardista o la que parecía reanudarse en escritores que ya aparecen en los años treinta).

Ese ingrediente de normalización cultural, apoyada por amplios sectores de la sociedad, no se dio, sin embargo, en el caso de Galicia. La expresión cultural en gallego estuvo muy vinculada al proyecto político del galleguismo (expresado por Antón Villar Ponte a través de las Irmandades da Fala cuyo portavoz fue la revista *A Nosa Terra*) y teñida de un populismo muy acusado y ya visible, por ejemplo, en la conocida obra poética de Ramón Cabanillas. El grupo de escritores en torno a la revista *Nós* (1920-1936) se sitúa como continuador de esa tradición pero también transparenta una preocupación europeísta y, a través del *celtismo*, una tendencia a identificar intemporalmente los rasgos del alma gallega. El artículo de Vicente Risco «Nós, os inadaptados» (publicado por la citada revista en 1933) refleja muy bien los límites de la trayectoria personal del grupo, sus elementos formativos (lecturas románticas, esoterismo de fin de siglo, nietzscheanismo: no precisamente muy modernas), su pasión mística por Galicia y su incurable elitismo. Del que fue una conocida excepción el escritor y dibujante Castelao, colaborador de *Nós*, artista cuya trayectoria populista alcanzó el milagro de ser verdaderamente popular y, por descontado, la figura más noble e importante de la Galicia cultural de esta época.

14. EL VANGUARDISMO: LA ARQUITECTURA
      RACIONALISTA

El marco artístico de la vida cotidiana cambió decisivamente como consecuencia de las acumulaciones de los años dorados de la guerra europea. Numerosas capitales comarcales o incluso de provincia rompieron sus viejos cinturones amurallados (Pamplona lo mantuvo hasta 1926) y propiciaron la construcción de ensanches cuadriculados, concebidos ya para el automóvil (que se implantó —con lo que podríamos llamar su «cultura»: distribución de gasolina, difusión de los Automóvil Club, construcción del llamado «Circuito Nacional de Firmes Especiales» e incluso aparición de los primeros paradores oficiales de Turismo— durante la dictadura de Primo de Rivera). La arquitectura de la burguesía especulativa de los años 1914-1923 se apartó bastante de los gustos modernistas de la oligarquía tradicional de la etapa anterior: los edificios construidos en Bilbao por Manuel María Smith —el Hotel Carlton en la Plaza Elíptica y la sede de la Sociedad «La Bilbaína», quizá los más representativos del Bilbao expansivo de las navieras y las minas— señalan el predominio de una cierta ostentación (refrenada por el clasicismo) y subrayan la función representativa que les han dado sus promotores; del mismo modo, el estilo «noucentista» catalán —muy clasicista pero deseoso de una personalidad mediterránea que se expresa en la sencillez de las líneas y los motivos decorativos— refleja muy bien la constitución de una burguesía ilustrada y nacionalista en el poder regional de la Mancomunitat (cuya minuciosa reconstrucción del Barrio Gótico de Barcelona y la lograda decoración moderna —y aun casi de vanguardia— del Palacio de la Generalitat revela la madurez y conciencia de su proyecto político autonomista).

En 1929 la Dictadura primorriverista buscó una consagración internacional con la organización de dos exposiciones internacionales: la Universal, en Barcelona, y la Hispanoamericana, en Sevilla. La segunda venía a culminar un proceso bastante retórico de aproximación espiritual a las antiguas colonias, cuyo hito inicial fueron los Congresos Pedagógico de 1892 e Iberoamericano de 1900: una especie de imperialismo retrospectivo que se vivió con cierta intensidad en las Universidades de Oviedo y Sevilla, con manifiestos intereses exportadores en la catalana «Casa de América» (fundada en 1910 bajo los auspicios del inevitable Fomento del Trabajo Nacional) y con un interés meramente culturalista por la veterana «Unión Iberoamericana» que, en 1926, inició la publicación de la *Revista de las Españas* (con una selecta redacción en que figuraban Maeztu, Américo Castro, Luis Olariaga, Eugenio d'Ors, etc.). Los voluminosos edificios de la Exposición andaluza —el más notable de todos es la Plaza de España en el marco reordenado del Parque de María Luisa— fueron el canto del cisne de un *revival* historicista muy complejo, diseñado con gran habilidad por Aníbal González Osorio, en el que cabe ver mucho del espíritu monumentalista, tradicional y regenerador del régimen que inspiró la realización. Por el contrario, la costosa reelaboración de la montaña de Montjuïc en Barcelona presenta facetas más amplias y, si el Palacio Nacional y la configuración de la Plaza de España muestran un confuso eclecticismo (más acusado en el primero que en la sencillez relativa de la segunda), lo cierto es que los pabellones industriales y, entre los extranjeros, el perfecto edificio de la representación alemana (obra de Mies Van der Rohe y, hasta su destrucción, único ejemplar del Bauhaus en nuestro país), utilizan ya un lenguaje en el que ha hecho su impacto el racionalismo arquitectónico y las tendencias del *art-déco* impuestas por la Exposición de París en 1924. En Madrid, la oposición entre el racionalismo y la modernidad presuntuosa es también muy claro. Mientras la recién abierta Gran Vía acumula viviendas pretenciosas y seudo rascacielos sin imaginación (como la Telefónica o la Asociación de Prensa), la nueva Ciudad Universitaria, empezada en 1927 pero que solo recibirá un gran empuje en la etapa republicana, muestra los avances de las nuevas formas expresivas, y una colonia residencial —de clases medias profesionales— como es la de El Viso, un moderno sentido del confort individual. Una interesante promoción de arquitectos —que agrupa en parte mínima el GATEPAC (Grupo de Artistas y Técnicos Españoles para el Progreso de la Arquitectura Contemporánea, fundado en Zaragoza, 1930) y en Cataluña, el activísimo GATCPAC— promueven una renovación que, no sin polémicas, encarna los ideales de racionalidad y sencillez de una minoría cultivada y, a la vez, concibe proyectos públicos (ensanches de ciudades, colonias, centros escolares y hospitalarios, cinematógrafos, estadios, aeropuertos) que en el período republicano llegaron a adquirir cierto carácter oficioso. Edificios como la madrileña Casa de las Flores (en el barrio de Argüelles, obra de Secundino Zuazo), el espléndido rascacielos Carrión (Capitol) en la Gran Vía, los bloques construidos en el ensanche barcelonés por Germán Rodríguez Arias, Josep Lluís Sert, Sixte Yllescas, Ricard Churruca, etc., se convirtieron en el signo externo de la lucha por la hegemonía social de profesionales y escritores conocidos, delegaciones de empresas extranjeras y oficinas industriales del país. Si Madrid concibe —ya en la República— el ambicioso Plan Castellana (ligado a la nueva red de relaciones ferroviarias, que los antirrepublicanos bautizaron como «túnel de la risa»), y Barcelona encarga a Le Corbusier la remodelación del ensanche (y concibe una «Ciutat del Repós» que se extiende por las playas de Gavá y Castelldefels), no hubo tampoco ciudad española que no quedara marcada en estos años por una o varias referencias arquitectónicas de la modernidad: el Club Náutico, en San Sebastián; el desaparecido Rincón de Goya, en Zaragoza; los edificios religiosos de Víctor Eusa, en Pamplona... Las «casas-barco», los cines «cubistas», los grandes voladizos de hormigón, se incorporaron al diseño urbano español como uno de los más inequívocos signos de los nuevos tiempos. Y el peculiar esoterismo de Le Corbusier y del Bauhaus (con su utopía colectivista, su radical antihistoricismo, su mística de la geometría, su exaltación de la reglamentación urbana) determinaron profundamente el optimismo progresista de la joven generación intelectual de la República.

15. EL VANGUARDISMO EN LA PLÁSTICA: DE «ARTISTAS IBÉRICOS» A ADLAN

La evolución de las artes plásticas tiene una significativa equivalencia con la que acabamos de ver. En los años de la guerra europea, y mientras el sector más innovador de la pintura y la escultura españolas trabajaban fuera del país, parecía haberse impuesto una forma de realismo regional, consustancial con la evolución de las burguesías dirigentes —y compradoras— y paralelo en más de un caso al nacionalismo literario de fin de siglo, dotado de ribetes más críticos y menos románticos por la promoción del semanario *España*.

El caso del grupo de pintores vascos —agrupados en una Asociación de significativos perfiles promotores— es muy representativo. Con el reconocimiento de Zuloaga (áspera batalla de principios de siglo, equivalente a la lidiada por Sorolla), se abrió el camino a una expresión regionalista que, sin embargo, desborda a menudo las dimensiones tradicionalistas —gestos hieráticos, monotonía cromática, dominio del dibujo— con que los hermanos Zubiaurre dieron carta de naturaleza al género: en Iturrino, Salaverría o Maeztu aparece bien aprendida la lección *fauve*, como en Aurelio Arteta —el más interesante del grupo— cierta geometría cubista se pone al servicio de un realismo social más comprometido que es, aunque desde supuestos más conservadores estéticamente, la dimensión de Tellaeche. Los años dorados de la guerra europea hicieron de Bilbao, al decir de los redactores de *Hermes* (1917-1922) —importante y cuidada publicación nacionalista—, una «Atenas del Norte» y proporcionaron, al calor de las numerosas ventas, una sugestiva vinculación de la burguesía triunfante con una escuela de pintura (y, como veremos, de música) que proporcionó a los grandes beneficiarios de la industria y del comercio marítimo sus imprescindibles señas de identidad étnicas y rurales.

Realismo regional hubo, por las mismas fechas, en todos los centros de actividad del país. Lo fue, por ejemplo, el *noucentisme* catalán (tan admirado por sus coetáneos bilbaínos) que se concibió a sí mismo como un programa de organización de la vida nacional sobre los supuestos de una burguesía reformista. En ese sentido, incorporó una cierta dosis de vanguardismo (como revelan los encargos de la Mancomunitat al pintor uruguayo Torres García) y buscó dar un aire de modernidad a una visión de lo racial, curada de telurismos modernistas: la reacción antimodernista que en poesía supusieron los libros *Els fruits saborosos* (1906), de Josep Carner, y *La muntanya d'ametistes* (1908), de «Guerau de Liost», la representan igualmente las formas escultóricas «mediterráneas» de Clarà o Manolo Hugué, del mismo modo que el paisajismo de Joaquim Mir se distancia del tono de un Rusiñol. En regiones con posibilidades menores de mercado artístico, los frutos fueron más pobres pero no por ello insignificantes: el caso asturiano —con pintores de la calidad de Juan Menéndez Pidal, Evaristo Valle o Nicanor Piñole— o la irrupción que en la plástica gallega representaron Castelao y Maside, se coloca en las antípodas del realismo almibarado *ad usum* de los Salones Nacionales y bastante distante del andalucismo tópico de Julio Romero de Torres en sus peores —ya que los tuvo buenos— momentos.

La afirmación del vanguardismo en las artes plásticas fue lenta. Mientras las barcelonesas Galerías Dalmau y Layetanas daban a conocer lo más innovador de la pintura europea del momento, la Exposición de Artistas Ibéricos (Palacio del Retiro, Madrid, 1925) fue la partida de nacimiento del movimiento de renovación formal en la meseta, acompañado del consabido manifiesto que firman críticos (Manuel Abril, Guillermo de Torre), músicos (Manuel de Falla, Oscar Esplá), escritores (García Lorca, José Bergamín) y, por descontado, artistas plásticos de un espectro muy amplio (Gabriel García Maroto, Juan Echevarría, Cristóbal Ruiz, Victorio Macho, Daniel Vázquez Díaz...). Las obras expuestas certifican lo ecléctico de la convocatoria (recogida en un importante número, el 44-45 de la revista coruñesa *Alfar*): los pintores vascos alternan con las entonces tímidas aproximaciones al surrealismo de Salvador Dalí, Maruja Mallo y Benjamín Palencia; el moderado cubismo de Vázquez Díaz con los hallazgos poéticos de Ramón Gaya, Francisco Bores y José Caballero; el informalismo escultórico de Ángel Ferrant y Alberto Sánchez con el realismo de Emiliano Barral o la estilización de Victorio Macho. Nos hallamos ante el equivalente plástico de la generación literaria del 27, nada coherente en sus orígenes y, de algún modo, irresoluta entre su vocación de modernidad y su fidelidad a la función tradicional del intelectual español, artísticamente expresada por el nacionalismo realista. Pero también nos hallamos ante una Asociación que se propone como meta un cambio en las actitudes del público y que postula la incorporación de las corrientes artísticas europeas más recientes. En buena medida lo consiguieron e incorporaron su actividad a aspectos de la vida más cotidianos y accesibles que la pintura de caballete: el diseño tipográfico y la elaboración de cubiertas de labores vieron en los años veinte y treinta una verdadera Edad de Oro, particularmente notable en nuestras ya conocidas editoriales de izquierdas de 1928-1933. Los dibujos de Puyol, Alberto, Rafael Barradas, Helios Gómez..., como las viñetas de Ramón Gaya, Maruja Mallo, García Maroto, testimonian un aspecto importante y no siempre valorado de la renovación artística del momento.

Barcelona vivió la implantación de la vanguardia con un ritmo más vivo. Como arriba indicaba, en 1912 Dalmau había exhibido en su sala muestras de Juan Gris, Metzinger, Marcel Duchamp, etc., y, en 1918, Joan Miró presentó allí sus obras, a los pocos meses de que Francis

Picabia aglutinara en torno a la revista *391* un significativo sector de dadaístas barceloneses. En los años veinte, sin embargo, el movimiento se intensificó, ya en buena parte como reacción a la esclerotización progresiva del «noucentisme» (el Manifiesto Antiartístico, que luego veremos, consigna como «irrespirable atmósfera espiritual» *La Nova Revista*, quizá la más sintomática publicación programática de los *noucentistas*): revistas como *L'Amic de les Arts* (Sitges, 1926-1928) y *Hélix* (Vilafranca del Penedès, 1929-1930) —con Salvador Dalí, Sebastià Gasch y Lluís Montanyà, la primera; con Juan Ramón Masoliver, la segunda— representan el punto álgido de insurrección surrealista, bastante más allá de la actitud, neorromántica e individual en el fondo, de un solitario como Joan Salvat-Papasseit. El *Manifest Groc* (que la granadina revista *Gallo* publica como «Manifiesto antiartístico catalán»), escrito en 1928 y redactado por el grupo de Sitges, es una pintoresca muestra de reminiscencias futuristas, novedades surrealistas y militante anti-*noucentisme*: tras denunciar entre otras cosas al Orfeó Català, «los pintores de árboles torcidos» (que podían ser Mir o Mercadé) y afirmar «el estadio, el boxeo, el rugby, el tenis y demás deportes», el «jazz» y «el gramófono», se colocan bajo la advocación de una lista que comienza en Picasso y acaba en André Bréton, y que incluye a Miró, Cocteau, Eluard, Chirico, Stravinski y Le Corbusier.

Pero las manifestaciones extremas de vanguardismo fueron en Cataluña tan efímeras como en el resto del país. El proyecto político de la Generalitat autonómica tiñó muy pronto su rebeldía con su específico contenido culturalista y nacional que alumbró un producto híbrido pero no de escasa personalidad. Una asociación como ADLAN (Amigos del Arte Nuevo, fundada en 1932) representa muy bien esa modalidad que halló un amplio eco fuera de Cataluña y que, de algún modo, oficializó —al menos entre una minoría cultivada de cierta amplitud— «toda manifestación de riesgo que lleve un deseo de superación», como reconocía su manifiesto fundacional. ADLAN —íntimamente relacionada con el GATCPAC, ya mencionado— trajo a las galerías barcelonesas muestras antológicas de Miró, Hans Arp, Maruja Mallo, Picasso, Alberto, Man Ray, Alexander Calder, y promovió revisiones del arte popular —*siurells* baleares, juguetes tradicionales— o correspondientes a lo que Hermann Broch llamaba por entonces arte *kitsch* —objetos modernistas, postales de principios de siglo, etc.—, además de lecturas poéticas —del *Poeta en Nueva York* de Lorca, por ejemplo—, audiciones musicales de vanguardia y excursiones para comprobar *de visu* la pervivencia de determinadas tradiciones típicas, así incorporadas a la voluntad de nacionalizar la vanguardia cultural.

Arriba indicaba que una de las características del arte nuevo fue su capacidad de suscitar entusiasmos a lo largo y a lo ancho de todo el país. Si la mejor información de la Exposición de Artistas Ibéricos aparece en la revista coruñesa *Alfar* y la primera traducción del *Manifest Groc* en *Gallo* de Granada, tampoco cabe olvidar que la primera revista coherente de la poesía de la generación del 27 fue un inicialmente modesto suplemento del diario *La Verdad*, de Murcia, titulado *Verso y Prosa*, y que la mejor publicación poética de finales de los veinte aparecía en Málaga con el sugerente nombre de *Litoral*. Ese fue, por lo que concierne al entusiasmo surrealista, el caso de un pequeño grupo de jóvenes, agrupados en el Círculo de Bellas Artes de Santa Cruz de Tenerife, que en 1932 lograron sacar adelante la decisiva revista *Gaceta de Arte* (muy vinculada a los grupos catalán y madrileño de ADLAN), cuyo último número, el 37, salió al mismo borde del estallido de la guerra civil, trágico final —físico y moral— de la publicación. La *Gaceta* no fue solamente el vehículo de expresión de un interesante grupo poético canario —Agustín Espinosa, Pedro García Cabrera...— sino que, bajo la dirección del crítico de arte Eduardo Westerdhal, se definió en doce interesantes manifiestos (seis de ellos referentes a arquitectura y medio ambiente) a propósito de la función del arte en nuestro tiempo, combinando elementos racionalistas y surrealistas y apelando —en el más puro estilo vanguardista— contra la torpe insensibilidad artística de la República española. La más conocida actividad del grupo fue, sin embargo, la organización, en mayo de 1935, de una magna exposición surrealista en Tenerife, para la que se contó con la entusiasta presencia de André Bréton y Benjamín Péret. Se presentaron 76 obras de Arp, Dalí, Duchamp, Magritte, Miró, Picasso y Tanguy, más las del pintor canario Oscar Domínguez, la más relevante de las figuras de la vanguardia en el archipiélago. Hasta un año después, París y Londres no conocieron una muestra similar.

16. LA MÚSICA, ENTRE EL NACIONALISMO
     Y LA VANGUARDIA

La música española de 1923-1939 fue menos afortunada en lo que hace a asistencia pública e intentos de organización, hecha excepción del ámbito catalán, donde prevalecieron tradiciones cultas (la ópera del Liceo y el Orfeó Català) y aun populares (como es el caso de los Coros Clavé, tan vinculados al progresismo obrero desde finales de siglo), renovadas por la actividad incansable de intérpretes tan conocidos como Pau Casals, Gaspar Cassadó, Conxita Supervía, etc. El País Vasco, que a principios de los años veinte ofrecía un prometedor panorama de música nacional —reciente el éxito de *Amaya* (1920) de Jesús Guridi, vivo el recuerdo de José María Usandizaga y en plena actividad de folklorista el P. Donostia—, mantiene un nivel de cierta elevación pero sin nuevos frutos de interés. Por lo que hace a la vida musical madrileña, el cierre del Teatro Real —a causa de la desafortunada instalación del metropolitano— significó el final del rito operístico en la capital, aunque al año siguiente la actividad de Enrique Fernández Arbós, al frente de la Orquesta Sinfónica, proporciona como novedad de más relieve los conciertos matutinos de los domingos.

El espectáculo musical por excelencia siguió siendo, sin embargo, la zarzuela, cuyo repertorio no se alteró mucho desde principios de siglo. La máxima novedad en su campo vino de autores de mayor formación sinfónica que sus predecesores y que añadieron unos pocos títulos a la nómina tradicional: Guridi estrenó *El caserío* en 1923, y, el mismo año, Amadeo Vives, *Doña Francisquita;* Pablo Sorozábal dio *Katiuska* (1931) y *La tabernera del Puerto* (1936); Federico Moreno Torroba inició la última gran carrera zarzuelística en 1932 con *Luisa Fernanda.* El fonógrafo afianzó decisivamente la canción, rescatada por él de su condición de «género ínfimo»; el cuplé vivió su último período de hegemonía en los años veinte, aun consustancial con la presencia física de la intérprete, pero la década siguiente trajo ya dos grandes novedades: la revista musical, destinada a acabar con la zarzuela, y la canción andaluza (mal llamada «española»), que prolongó su éxito en los años cuarenta y que se apoyó en el espectáculo teatral, el disco y el cine, como definitiva continuadora de un «andalucismo» —el de Pastora Imperio, por ejemplo— algo anterior en fechas.

A pesar de todo, la renovación musical europea de aquellas fechas estuvo muy presente en las definiciones estéticas de la vanguardia. Ortega, y luego, César M. Arconada argumentaron en nombre de Debussy contra las pervivencias románticas en el arte, y Fernando Vela identificó la juguetona intelectualidad de las nuevas formas con una deliciosa pieza musical de Ernesto Halffter, la *Sinfonietta,* que fue Premio Nacional de Música en 1928. Por su lado, la generación poética del 27 demostró una sensibilidad musical que no tuvieron sus predecesoras: si Gerardo Diego es un estimable pianista, Lorca —que conocía bien este instrumento— recuperó unas conocidas canciones para la voz de Antonia Mercé, «La Argentinita», y colaboró con Falla en la organización del primer certamen de arte flamenco; el mismo Falla contribuyó al centenario gongorino de 1927 con una prodigiosa versión musical del «Soneto a Córdoba» del gran poeta; Ernesto Halffter y Salvador Bacarisse ofrendaron a Rafael Alberti partituras para varias de sus poesías y este, a su vez, halló inspiración lírica en la vieja edición del *Cancionero musical de Palacio,* hecha en el siglo pasado por Asenjo Barbieri. Por otro lado, un estimable grupo de críticos musicales —Adolfo Salazar, por encima de todos; Eduardo M. Torner y Jesús Bal y Gay, que hacían investigaciones folklóricas para el «Centro de Estudios Históricos»; Vicente Salas Víu...— mantuvieron estrechas relaciones de afecto con los jóvenes poetas, y eruditos literarios, musicógrafos y creadores dieron rigor y belleza a las experiencias neopopularistas que constituyen uno de los aspectos más significativos de la generación poética de finales de los veinte.

En el ámbito de la creación musical sinfónica, la figura que siguió dominando el panorama fue Manuel de Falla, cada vez más distante de su nacionalismo inicial y más cercano a las experiencias —pre-tonales, neobarrocas, intelectualistas— que se respiraban en la Europa de «los seis», del proteico Stravinski, del folklorismo racionalizado de Béla Bartok y Ravel. Desde el estreno de *El sombrero de tres picos* (en el Eslava madrileño, en 1917; en la versión definitiva para los ballets de Diaghilev, en Londres, 1919), la música de Falla siguió un proceso de depuración cuyos hitos fueron la *Fantasía bética* (1919), el *Retablo de Maese Pedro* (1923) y el *Concierto para clavicémbalo* (1925), momento cumbre de la aproximación del gaditano a la estética barroca más depurada. Su obra condicionó en gran medida la de los demás miembros de la «escuela española»: de manera decisiva en el caso de Joaquín Turina; en forma más mitigada, en el de Ernesto Halffter y Salvador Bacarisse (cuya deliciosa *Música sinfónica* obtuvo el Premio Nacional de 1931); mucho menos en la obra de Oscar Esplá *(La nochebuena del diablo,* 1923; *Don Quijote velando las armas,* 1925; *Schubertiana,* 1928). El panorama musical español bajo la República era, pues, algo más que esperanzador, pese a la escasa ayuda oficial y el fracaso de las reformas propuestas por Adolfo Salazar en orden a la política artística de la Junta Nacional de Música.

17. LAS FORMAS DE DIVERSIÓN: NOVELA Y TEATRO DE CONSUMO. EL CINEMA: PRESTIGIO VANGUARDISTA Y REALIDAD COTIDIANA

Una vez más, hay que recordar, sin embargo, la escasa incidencia de tanto esfuerzo en sus destinatarios hipotéticos. En la España en que publicaban novelas Unamuno, Gabriel Miró, Pío Baroja, Benjamín Jarnés, los escritores de relatos largos más populares eran, de cierto, Pedro Mata, Alberto Insúa y Wenceslao Fernández Flórez. Si las obras de los dos primeros eran meras variantes de un naturalismo «atrevido», estéticamente nulo, hay que reconocer que el tercero era un escritor más complejo y cuyo actual olvido tiene mucho de injusto. Colaborador de *ABC* y autor para el rotativo reaccionario de las mejores crónicas parlamentarias españolas (las «Acotaciones de un oyente», nada conservadoras a menudo), Fernández Flórez era un afortunado pintor de episodios naturalistas (sus novelas cortas, basadas en la opresión del ridículo social o en una calculada y desazonante intriga, son las mejores de su tiempo) y un autor de relatos largos menos maduro, víctima quizá de su propio y cruel sentido del sarcasmo. Impermeable por entero a las nuevas formas narrativas, los grandes éxitos del escritor en estos años muestran la profunda escisión de su ideología real y su reticencia por cuanto sonara a revolucionario: *Relato inmoral* (1928) es, por ejemplo, una brutal sátira de la represión sexual española que se esconde, sin embargo, bajo las especies de una burla de las novelillas eróticas al uso: *Aventuras del caballero Rogelio de Amaral* (1933) es, en apariencia, la historia de un caballero de fortuna —mal estudiante, señorito de Ateneo, burlador impenitente— que pretende satirizar agriamente la ascensión política de algunos logreros republicanos (quizá Miguel Maura), pero, de hecho, es un implacable análisis del señoritismo español, realmente único en las letras españolas de su tiempo y donde el divorcio, el aborto voluntario, la libertad sexual se justifican ampliamente... ante el mismo público que convirtió a Jiménez de Asúa, Victoria Kent y Manuel Azaña en la encarnación del Anticristo.

El teatro era, con más propiedad todavía, un reducto de conservadurismo estético y moral. El décimo de los ya citados Manifiestos de la tinerfeña *Gaceta de Arte* puede ser un testimonio muy claro del rechazo de que las minorías le hacían objeto: las fotos tachadas de Linares Rivas, Benavente, Martínez Sierra, Sassone y Muñoz Seca subrayan la caducidad estética de aquellas formas dramáticas, ya que no su impopularidad. Benavente es —al decir de los redactores canarios— un «espejo cóncavo de una alta sociedad en ruinas»; los hermanos Álvarez Quintero cantan «las luces de los falsos atardeceres regionales»; Muñoz Seca es «la desvergüenza en las palabras y en la vida de los tontos, contada por un tonto»; todos se limitan a ser «la distracción de la buena sociedad madrileña, base de un aprendizaje de frases intencionadas y de bellas maneras». Pero no solo los elementos renovadores eran mínimos, bajo la dictadura de autores iguales a sí mismos y de compañías teatrales sin imaginación, sino que no pocas veces la escena se transformó en los años republicanos en una sucursal del púlpito y en un sucedáneo del mitín de derechas: los «frescos» de Muñoz Seca —una de las posibilidades perdidas del humor español— se transformaron con la llegada de la República en los vividores politiqueros de *La Oca* (1931) y *Anacleto se divorcia* (1932); los locuaces burgueses benaventinos se trocaron en los cursilones vanguardistas de *Literatura* (1931) o en los melancólicos señoritos castizos de *Memorias de un madrileño* (1934). Si la escena madrileña vivió algún escándalo «de izquierdas» —el *Fermín Galán* de Rafael Alberti y la adaptación de *AMDG* de Pérez de Ayala, protestadas por señoras con sombrero y por antiguos alumnos de jesuitas—, la caverna inmemorial se resarció con el estreno de *El divino impaciente* (1933) y *Cuando las Cortes de Cádiz* (1934), las piezas de José María Pemán que compensaban su inania versificada con su matonería misionera de su cartón piedra (en el primer caso) y su apología de la reacción anticonstitucional y patriotera en el segundo.

El teatro era todavía el espectáculo cultural por antonomasia, pero el público, en forma progresiva, acudía a los nuevos locales cinematográficos. Los escritores vanguardistas se interesaron por él desde varios puntos de vista: algunos, en lo que tenía de arte total y fantasmagoría de una realidad, misteriosamente dibujada en dos dimensiones; otros, por la fascinación de aquel mundo ficticio que lo posibilitaba y que Ehrenburg había llamado «fábrica de sueños»; otros, por último, vieron en el cinema la definitiva incorporación de las masas a unas formas concebidas a caballo del arte y de la industria. Se contemplara desde resabios futuristas o surrealistas, desde el encandilamiento ante *El acorazado Potemkin* o ante la rubia aureola de Greta Garbo o el *touch* Lubitsch, el cine apareció en la poesía de Pedro Salinas, Luis Cernuda, Federico García Lorca y Rafael Alberti, en las novelas de Benjamín Jarnés, Gómez de la Serna, Andrés Carranque de Ríos y Francisco Ayala y suscitó ensayos de interpretación de Francisco Ayala *(Indagación del cinema,* 1929), César M. Arconada *(Vida de Greta Garbo,* 1929; *Tres cómicos del cine,* 1931), Guillermo Díaz-Plaja *(Una cultura del cinema,* 1930), Benjamín Jarnés *(Cita de ensueños,* 1936) y Manuel Villegas López *(Arte de masas,* 1936). Pero también vio intentos de intervención más directa y menos especulativa: la creación de cine-clubs (el primero fue organizado por Ernesto Giménez Caballero y Luis Buñuel en el marco de *La Gaceta Literaria,* en 1928) y la aparición de revistas como *Nuestro Cinema* (1932-1923, 13 números, a los que se debe sumar una segunda etapa en 1935), obra personal de Juan Piqueras y netamente vinculada a un cine revolucionario, indican la amplitud de la discusión intelectual y el deseo de incorporar el cine a la nueva frontera del arte proletario.

Y también, claro está, de rectificar una realidad cotidiana que iba por otros caminos. La hegemonía de la producción extranjera era casi total y se incrementó en los comienzos del cine sonoro con una dependencia tecnológica y, salvo excepciones, las preferencias del espectador español no eran muy diferentes de la de sus contemporáneos europeos: un cine de evasión salpimentado por los primeros productos del *star-system* norteamericano. La producción nacional innovó muy poco aquella fórmula; parasitó zonas literarias de éxito comprobado (novelas de Palacio Valdés, comedias de Arniches y los Quintero, zarzuelas de éxito...), marcando ya la clara inclinación de las formas de arte popular de los años treinta hacia el folklorismo estereotipado, y aprovechando en ese sentido la popularidad de los cantantes de moda. Poco antes de la guerra civil, se había conseguido ya una base industrial estable y halagüeños éxitos de taquilla, una escuela de profesionales hábiles y los inicios de un *star-system* nacional que alcanzaba serias cotas de popularidad. Dos empresas dominaban por entonces el mercado español del filme: Filmófono, que había hecho un importante capital en la distribución y pasó a la producción en 1935, bajo la asesoría de Luis Buñuel (autor ya de *Un chien andalou, L'Age d'Or* y *Tierra sin pan*); Cifesa, constituida en Valencia en 1932, que dominaría el cine comercial de la inmediata posguerra. Las películas de Filmófono —que inició sus actividades con *Don Quintín el amargao* (1935), según una pieza de Arniches— se orientaron hacia la comedia ligera, de leve matiz crítico, que sería un remoto paralelo del humorismo moralista del cine norteamericano en la época del *new deal*. Cifesa basó su popularidad en la guapa y excelente tonadillera Imperio Argentina y en el innegable sentido de la composición del director aragonés Florián Rey (efímero marido de la estrella): *La hermana San Sulpicio* (1934), *Nobleza baturra* (1935) y *Morena clara* (cinta que se acabó en Alemania, tras el estallido de la guerra civil y que se estrenó solo en la zona franquista), fueron los grandes éxitos del cine folklórico español, junto con *La hija de Juan Simón* (1935), de Filmófono, protagonizada por Angelillo, otro de los divos de la época.

18. EL VANGUARDISMO EN LITERATURA: LA GENERACIÓN POÉTICA DE 1927

Como se está viendo, casi ninguno de los conatos de renovación estética trascendieron en esta época de un público limitado, y no demasiados el rango de los buenos propósitos y del mimetismo confeso. La creación literaria de estos años registró, sin embargo, un nivel de calidad mucho más alto y, en el campo concreto de la poesía lírica, una de las grandes cimas artísticas de nuestro siglo. Y todo ello, como obra de un puñado de escritores jóvenes y en un plazo no superior a diez años, aunque la obra de casi todos aquellos poetas se extendiera ampliamente en la posguerra y algunos de los más destacados —Jorge Guillén, Vicente Aleixandre...— sigan en plena producción.

Hablar de unos pocos es, no obstante, engañoso. Unos cuantos fueron quienes alcanzaron una excelsa calidad, pero muchos fueron los que escribieron poemas, leyeron obras ajenas, adquirieron las ediciones cuidadas y de mínima tirada. Como había ocurrido en el siglo XVI, el otro gran momento de la lírica española, el cultivo de la poesía estuvo en relación directa con el aumento del estudiantado, la amplitud de la comunicación literaria, la realidad de un entusiasmo minoritario —Juan Ramón Jiménez había hablado de las «inmensas minorías», con exactísima paradoja— que prendió en todo el país. Innumerables revistas de provincias transmitían el fuego sagrado. Para su creación bastaba una pequeña tertulia literaria, la paciencia financiera de un impresor aficionado a las bellas letras, un ilustrador y varios poetas locales de circunstancias, pero para alcanzar la alta calidad que fue norma entre 1927 y 1936 fue imprescindible la generosidad de poetas importantes que no vacilaron en enviar sus originales, los fragmentos de libros futuros, sus ensayos de crítica, a publicaciones surgidas en lugares francamente exóticos y con los que apenas les unía otra relación que la personal con algún miembro destacado del grupo. Así surgieron las grandes revistas de estos años como *Litoral* (1927), formada en Málaga por el gran poeta e impresor aficionado Manuel Altolaguirre; *Carmen* (y su suplemento humorístico *Lola*), creado en Gijón por Gerardo Diego en aquel mismo año; *Gallo* (1928) en Granada y en torno a García Lorca; *Mediodía* (1926), en Sevilla... Pero rara fue la capital de provincia que no tuvo la suya: Huelva en *Papel de Aleluyas*, Murcia en *Verso y Prosa*, Valladolid en *Meseta*, Jerez en *Isla*, Zaragoza en *Noreste*... Rara vez se limitaban a ser revistas de poesía: si su lectura ratifica la justeza de un título orteguiano, *La redención de las provincias*, la impresión global que producen es la de una búsqueda de valores, a veces desorientada, que intenta la unión de lo rigurosamente contemporáneo y un espiritualismo de ribetes tradicionales. Una revista como la oriolana *El Gallo Crisis*, cuya indiscutible figura es «Ramón Sijé» (pero cuyo fruto más maduro es la obra de Miguel Hernández), ejemplifica muy bien esa desorientación, pero, a la vez, testimonia la sorprendente calidad de escritura y amplitud de información de unos muchachos que, en una capital comarcal de quince mil habitantes, se reunían bajo el mecenazgo de un joven panadero cultivado.

Tampoco resulta demasiado cierta la hipótesis de un surgimiento *ex nihilo* de toda aquella actividad. Antes bien, fue el producto de una lenta maduración literaria en la que lo propiamente *vanguardista* (es decir, la actitud antihistórica y rebelde, detonante y antitradicional) resultó mucho menos importante que la conciencia de proseguir una tarea nacional de búsqueda de los valores profundos de la realidad española y la necesidad de insertarlos en el comercio europeo de las ideas. En ese sentido, el episodio vanguardista de principios de los años veinte (el fogonazo *ultraísta* que, a menudo, protagonizaron antiguos modernistas de segunda fila) apenas legó a la vasta nómina de creadores de revistas de 1925-1936 otra cosa que los aspectos más externos de la renovación formal. Como veremos en el caso ejemplar de *La Gaceta Literaria*, la raíz de estos años estuvo en un proceso de «nacionalización» de la vanguardia y en la certeza de trabajar en una trinchera cultural que lindaba en el tiempo con la obra de Unamuno y la promoción de fin de siglo y que, en forma más inmediata, estaba marcada por Ortega y nuestra ya conocida *Revista de Occidente*. Y en la que dos figuras de ya antiguo prestigio proporcionaron los más caracterizados ingredientes estéticos: Ramón Gómez de la Serna, cuyas «greguerías» fueron decisivas en la formación artística de los jóvenes, y Juan Ramón Jiménez, cuya *Segunda antolojía poética* (1922) fue el libro de versos más leído en estos años.

A los dos Ramones (como decía con gracia Benjamín Jarnés) les unía su excluyente y exclusiva dedicación a la literatura, pero muy pocas cosas más. Gómez de la Serna, retoño de una familia de cierta significación en la política liberal, se había iniciado en los aledaños de un cierto modernismo rebelde, aunque en fecha muy temprana dio a conocer, a través de su revista *Prometeo*, el primer manifiesto futurista y, al poco, un nuevo texto que Marinetti, muy halagado por la atención, escribió para sus devotos españoles. En los años veinte y treinta, el lugar de irradiación personal del «ramonismo» era su tertulia de Pombo (café madrileño emplazado en la Puerta del Sol), lugar de consagraciones literarias, divagaciones bizantinas y punto de cita de algún renombrado escritor extranjero de paso por España. Pero la popularidad, entre bohemia y vanguardista, de aquel famoso lugar (difundido por las originales intervenciones públicas del escritor y su activa presencia en revistas, periódicos y hasta ante los micrófonos de «Unión Radio»), no debe oscurecer la tenacidad casi cenobítica con la que el escritor se dedicó a la creación literaria: un puñado de originales novelas, varios millares de «greguerías» (género personal que solía ser definido por su autor como la suma compendiada de metáfora y humorismo), algún esporádico intento teatral, fueron en estos años una compleja indagación vanguardista sobre los límites del humorismo (como defensa radical frente a la incongruencia de lo real), lo existencial (como médula angustiosa de toda actitud extrema) y la literatura (como forma de confesión objetivada de una inmadurez de fondo), a través de la cual Ramón Gómez de la Serna resumió en sí mismo las contradicciones y los hallazgos de las vanguardias de su tiempo.

Y lo hizo, por descontado, con mucha mayor seriedad de la que podía dar a entender su jocosa apariencia que siempre combinó un algo de castizo madrileño y otro poco de lo que Ortega, con mucha sorna, llamaba «europeísmo de *sleeping-car*». El Ramón posterior a 1930 es, en buena medida, un autor más reflexivo que elabora en sus «Retratos» y «Biografías» una inteligente y personal crítica cultural de los últimos tres decenios artísticos, que propone en su libro *Ismos* (1931) un balance muy ajustado de las fórmulas vanguardistas europeas, y que publica en *Cruz y Raya* y *Revista de Occidente* dos ensayos estéticos de singular relieve: el «Ensayo sobre lo cursi», primera definición hispánica de la sensibilidad moderna hacia lo *kitsch*, y «Las cosas y el *ello*», original utilización del psicoanálisis freudiano como ampliación de las fronteras de lo artístico. Como lógico correlato de esa profundización en sus mismos supuestos estéticos, una novela como *¡Rebeca!* (1936), justamente calificada por su autor como primera «novela de la nebulosa», va mucho más allá que sus divertimentos y falsificaciones ambientales de los años veinte *(El incongruente*, 1922; *El torero Caracho*, 1927; *Policéfalo y señora*, 1931...) y se convierte, con *El novelista* (1926) y *Los*

585

muertos, las muertas y otras fantasmagorías (1935) en el ejemplo español de un arte lúdico, corregido —al estilo de Bréton o Max Jacob— por la inquietud metafísica y moral.

Desde 1917, año de publicación del *Diario de un poeta recién casado* (hoy, *Diario de poeta y mar*), la lírica de Juan Ramón Jiménez inició una nueva etapa. Vertebrado el libro sobre una vivencia directa y fundamental en la vida del poeta (el primer viaje por mar a Nueva York y la propia estancia en la ciudad en compañía de la mujer con que acababa de casarse), sus novedades implican la adecuación del plano formal (mezcla de verso libre y de «prosa poética», autonomía de la imagen insólita, deliberado fragmentismo) a un contenido (donde el humor matiza la dialéctica del contemplador y lo contemplado, la realidad fugaz y la realidad profunda, el amor real y su metafísica) en el que está ya presente el rumbo de la poesía posterior. A partir de 1925 —y tras un período de actividad reflejado en la creación de efímeras revistas de poesía—, el trabajo de Juan Ramón, que ha fijado su obra precedente en una *Antología* cuya incidencia ya he comentado, se produce como un asedio a la poesía total y, a la vez, como una guerrilla de notas, poemas y prosas que cercan, a su vez, el imposible libro total. Son los treinta y siete *Cuadernos* (hasta 1935: *Unidad, Obra en marcha, Sucesión, Presente, Hojas*) que, por otro lado, barajó en libros hipotéticos y que están concebidos, según dirá el segundo título, como «obra en marcha».

Al igual que sucedía con la aparente trivialidad de Gómez de la Serna (mera espuma de su radical soledad y su irreflexiva angustia), la actitud arisca y atrabiliaria incluso de Juan Ramón, sumada al riguroso hermetismo intelectual de su búsqueda poética, le ha convertido en una imagen estereotipada a la que se responsabiliza de la perduración de la «poesía pura» en España y que se coloca en las antípodas del poeta civil, o aún del simple ciudadano responsable. Pero ni la creación poética de Juan Ramón excluye un proceso de tensión especulativa y voluntariosa de reducción de la realidad a conciencia, ni esa misma realidad, aun en aspectos muy contingentes, dejó de preocuparle: la recuperación —aún no concluida— de sus textos de estos años refleja, por ejemplo, la subida calidad de su crítica cultural, de la que el público tenía constancia casi diaria en las prodigiosas «caricaturas líricas» (de escritores, pensadores, pintores...) que publicaron el semanario *España, Heraldo de Madrid, El Sol*, etc. En forma evidente, pues, Juan Ramón Jiménez se incorpora a la tradición liberal española —nada ajena a su simpatía expresa por el krausoinstitucionismo— y ejerce, en llamativa proximidad cronológica con los «retratos» poéticos de Machado, el menester crítico, tan decisivo en la conformación de la mentalidad intelectual moderna en nuestro país. Talante que al dirigirse precisamente contra sus legítimos herederos —los jóvenes de 1927— ocasionó una sonada ruptura que protagonizó Jorge Guillén, pero que fue mucho más extensa en sus efectos.

19. EL DESARROLLO DE LA NUEVA POESÍA (1927-1936)

Las razones científicas que asisten al consagrado término de «generación de 1927» no son mucho más sólidas que las reunidas por el marbete «generación del 98», pero, sorprendentemente, han sido mucho menos discutidas. La homogeneidad de edades es harto relativa (Pedro Salinas era catedrático de literatura en la Universidad de Sevilla cuando Cernuda era un simple alumno —y no muy llamativo— en sus clases: ambos establecen los límites cronológicos de la promoción) y tampoco puede sostenerse la homogeneidad de talantes poéticos (Jorge Guillén no cultivó ni de lejos el neopopularismo y, a su vez, Lorca o Alberti no saludaron jamás la llamada «poesía pura»). En cambio, los que se imponen totalmente son los ingredientes de unión: el primero sería la estrecha relación personal, casi de grupo, entre los escritores, aunque la amistad se extienda a críticos y eruditos, músicos, prosistas, artistas plásticos, y aun a meros testigos interesados del quehacer creador, quienes por su lado configuran las constelaciones menores de un firmamento muy trabado y no roto siquiera por el inevitable exilio de 1939; el segundo ingrediente podría ser la relativamente precoz voluntad de rigor y autocrítica, de entrega apasionada a la «obra» —propia y aun ajena—, con descuido frecuente de la promoción editorial (los mejores poemas de Lorca no conocieron en su breve vida más público que el de sus amigos ni más circulación que la manuscrita; Alberti celó hasta hace poco su *Cuaderno de Rute* y Salinas dejó inédito su *Largo lamento;* Emilio Prados fue casi un poeta oculto hasta la guerra civil, etc.); el tercer factor de cohesión, por último, fue la decidida inserción de aquellos escritores en una tarea nacional de renovación que, si bien comenzó en lo puramente estético (y en pocos casos, en lo explosivamente vanguardista), acabó en la mayoría superando los límites del reformismo para buscar una expresión verdaderamente radical de los conflictos de su patria.

El talante común de la generación era muy distinto del de sus predecesoras. Nos hallamos ante un bloque de universitarios (los más jóvenes son beneficiarios del refinado ambiente cultural de la madrileña Residencia de Estudiantes, fundada por la Junta para Ampliación de Estudios) que conocen tempranamente Europa —y no la bohemia parisina de principios de siglo—, que leen con método las grandes novedades europeas (Guillén traduce a Valéry, Salinas a Proust, Cernuda a Hölderlin...) y que redescubren, de la mano de sus amigos eruditos del Centro de Estudios Históricos (y de la sensibilidad de «Azorín») su propia tradición literaria nacional, sea el Góngora del Centenario de 1927, los cancioneros populares que entusiasman a Alberti, el San Juan que apasiona a Guillén o el Lope de Vega cuyo aniversario llega —con el de Garcilaso— en 1935.

Pero también sería engañoso ver en el conjunto un grupo de jóvenes acomodados (lo era la mayoría pero no Salinas, por ejemplo, y si Lorca pocedía de una clase tradicional de terratenientes —con aficiones culturales, sin embargo—, casi todos provenían de clases medias más «modernas») que combinaban cierto tono oxoniense, de típico universitario europeo, con unas limitadas dosis de vanguardismo personal y un fondo de populismo, heredado de su contacto con la segunda generación de institucionistas. En este orden de cosas, el diario juvenil de Emilio Prados, el dramático problema personal —la homosexualidad— vivido por Lorca y Cernuda, la nada literaria crisis de Alberti en 1928, las largas convalecencias de este, Prados y Aleixandre, denotan conflictos y estigmas que se compaginan muy poco con la imagen rosada y feliz de las tertulias permanentes, los regocijados escándalos del centenario gongorino o los infantiles afanes en derredor de la imprenta del poeta-tipógrafo Manuel Altolaguirre. Y si los años veinte pudieron ser rosáceos para algunos, la década siguiente fue roja para la mayoría y no sin graves decisiones individuales ni compromisos rotundos que, al final de los treinta, llevaron a casi todos al exilio y a Lorca al asesinato colectivo del Barranco de Viznar.

La primera etapa de los escritores de 1927 denota la búsqueda, no siempre fácil, de una expresión personal. *Presagios* (1923), de Pedro Salinas, explora una especie de metafísica menor que no desdeña el tono realista y que aun parece cercana del Machado del momento. Los primeros poemas del jovencísimo Rafael Alberti mezclan el neopopularismo con un simbolismo ingenuista que logra su mejor éxito al obtener el Premio Nacional de Literatura, en 1924, con *Marinero en tierra* (1925). Particularmente proteico, Gerardo Diego oscila entre el ultraísmo confeso de *Manual de espumas* (1925) y el rigor formal de *Versos humanos* (1925). El *Libro de poemas* (1921), de Federico García Lorca, tiene rasgos del Juan Ramón modernista y un tono neorromántico. Los primeros poemas que Guillén concibe como preliminares de su unitario *Cántico* sufrirán en la edición definitiva un proceso de concreción y amputaciones que muestran, por lo que hace a los originales, una excesiva proximidad a lo más trivial del simbolismo francés.

Pero en los años 1927-1929 la inmadurez ha desaparecido y se publican —en pleno auge de las revistas poéticas, ya aludido más arriba— algunos de los volúmenes más decisivos en la historia de la poesía española. El primer año citado, Lorca da sus *Canciones*, perfectas geometrías rítmicas que abarcan desde el humorismo intelectual a la inquietante proposición de un enigma; el 28, su *Romancero gitano* logra, por encima de la confesada complacencia en el neopopularismo y aun el melodrama, un mundo donde ya germinan los conflictos —insatisfacción, destino aciago, imposibilidad erótica— que, por las mismas fechas, están también presentes en *Las suites*, su libro inédito y prolongación en cierta medida de la alambicada concisión de las *Canciones*. Paralelamente, la «Oda a Salvador Dalí», que le publica en 1928 la *Revista de Occidente*, muestra el perfecto aprendizaje de las formas de la vanguardia y el dominio de la imagen ya no metafórica sino realmente creativa. Las mismas prensas de la revista orteguiana ofrecen en 1928 la primera redacción del *Cántico* de Jorge Guillén, un poemario donde el metro breve —y aun la complicada rima de la décima— logran transmitir una voluminosa visión de la realidad, revelada al poeta en su punto exacto de materia: nada menos espiritualista, en el fondo, que esa exaltación del universo hecho para los ojos y las manos de quien se siente a sí mismo como una parte del júbilo de *ser*, sin ningún estatuto —a la manera romántica— de privilegio. Situación similar, aunque ahora corregida por la ironía y por una irremediable atracción por lo contingente contemporáneo (automóviles, pistas de baile, sueños cinematográficos...), a la que experimenta Pedro Salinas cuando, llevado de su *Seguro azar* (título del libro de poemas de 1928), intente desentrañar la relación de *Fábula y signo* (1931): la brillante superficie de la realidad y su reflejo plural en la conciencia, la dispersión aparente y su profunda unidad de criatura mecánica o viva.

Pero si el «guillenismo» era una tentación (a la que sucumben el Vicente Aleixandre de *Ámbito* en 1928 y el Luis Cernuda de *Perfil del aire* en 1927), el gozoso redescubrimiento del Góngora difícil (en el que trabajan los compañeros del Centro de Estudios Históricos: Alfonso Reyes, José María de Cossío, y, sobre todo, Dámaso Alonso) ratifica la corriente de metaforización de la experiencia poética y el afincamiento en el optimismo creador: *Cal y canto* (1928), de Alberti, la «Fábula de Equis y Zeda», de Gerardo Diego, son ejemplos de una moda fértil pero también efímera. En el caso de Alberti se trataba, incluso, de una verdadera despedida del arte como juego, puesto que el siguiente poemario, *Sobre los ángeles* (1929), responde a un talante vital muy diferente, que solamente se había asomado en una sección de *El alba de alhelí* y en buena parte del *Cuaderno de Rute*, eliminado de la versión definitiva de aquel. *Sobre los ángeles* utiliza como punto de referencia la experiencia imaginativa vanguardista y más irracional, pero su realidad profunda es una indagación sobre la realidad del «yo», hecha desde una perspectiva de extrañamiento interior y desde la nostalgia de una felicidad que fue y que no volverá a ser. Se trata de un libro de deliberada ingenuidad pero de poderosa coherencia interna, tan radicalmente sincero como los poemas de *Cuerpo perseguido* que Emilio Prados ha elaborado entre 1927 y 1928 para responderse —desde un enigmático cosmos personal que se expresa en contadas imágenes: sueño, piel, agua, noche— a un problema muy similar: la pérdida de la unidad del alma, los límites angustiosos del «yo» y lo externo, la posible comunicación interpersonal. Los mismos dilemas que, en definitiva, ocupaban a Unamuno y a Machado, y en los que no sería erróneo ver la interiorización del drama colectivo de una pequeña burguesía intelectual que, si en los años de fin de siglo acusaba su impotencia (su dificultad de conectar con una esperanza común, su condición marginal en la escala de valores funcionante), ahora replantea su inseguridad entre el descrédito histórico de las clases dominantes tradicionales, la inminencia del ascenso de las clases medias radicales a la frustración del poder político y la expectativa de la revolución social.

Prados, Alberti y Cernuda (que, por los mismos años de transición, elabora los conjuntos *Égloga, elegía, oda,* 1928; *Un río, un amor,* 1929, y *Los placeres prohibidos,* 1931, hallando en el surrealismo una urgente forma de expresión de su búsqueda de una nueva moral) hallaron su salvación personal en el compromiso militante con el comunismo, en el marco —que veremos más despacio— de una crisis general de las actitudes artísticas. En otros, sin embargo, el proceso de reflexión sobre la cancelada etapa del optimismo se resolvió en forma menos traumática. Guillén prosiguió el acendramiento de un *Cántico* que, en su edición de 1936, duplicaba el número de poemas, pero también los hacía más complejos y acentuaba los aspectos dialécticos de las parejas ontológicas que conocimos más tranquilas en 1928. Pedro Salinas publica en 1933 y 1936 *La voz a ti debida* y *Razón de amor* que, con el inédito *Largo lamento,* forman una unidad evidente de sentido: si, a primera vista, pudiera pensarse en una concesión del habilísimo poeta a la temática juvenil en boga (lo erótico como forma de conocimiento y como pasión total) y si, en el primer volumen sobre todo, la anécdota circunstancial predomina sobre lo reflexivo, lo cierto es que nos hallamos ante una poesía de inverosímil perfección y de progresiva sinceridad: lo que empieza como un juego metafísico sobre el amor clandestino que intenta centrar en «esencias» un mundo torrencial de meras «existencias», acaba por ser un poema de la soledad y de la mutilación de lo total deseado. Vicente Aleixandre, que en 1931 sufrió una grave recaída en la tuberculosis renal que le aquejaba desde 1925, había empezado a interesarse por el surrealismo —viento internacional que sopló muy fuerte en la poesía española de esta generalizada crisis— y publicó, en 1932, *Espadas como labios,* y en 1934, *La destrucción o el amor,* que, con las prosas de *Pasión de la tierra* (fechadas en 1928-1929, pero inéditas hasta 1935 y 1946), son la madurez definitiva de la versión española de aquel movimiento. En uno y otro de los dos primeros citados, se encuentra en plenitud la raíz romántica del surrealismo: una búsqueda personal de plenitud y comunicación en una realidad cercada por la muerte y la hostilidad, una afirmación de ser todavía uno mismo en el umbral de una pluralidad hecha de signos agoreros o felices, y la certeza, al fondo, de que la unión final —la plenitud buscada— solo se alcanza destruyéndose, anegándose en el fuego unitario de la vida.

Uno de los cambios más importantes de la década fue el experimentado por la poesía de Federico García Lorca. En 1929, el poeta sufrió una intensa crisis afectiva que intenta remediar aceptando una invitación a residir en Estados Unidos. Casi un año duró su estancia en varios puntos del nordeste de la Unión y el fruto de ellos fue la composición de *Poeta en Nueva York*, libro que se publicó póstumamente y tras no pequeña peripecia textual, aún no resuelta por sus exégetas. Seguramente nos hallamos ante su obra más importante: por una parte, pertenece al sector de textos lorquianos elaborados con menor autocensura respecto a su fondo instintivo —la constante pelea entre una dolorosa dignidad, un oscuro masoquismo y una irreprimible y cósmica tristeza— y, por otra, es el descubrimiento de la ciudad por parte de la poesía española. No la ciudad frente al campo —el artificio frente a la naturaleza—, sino el hecho brutal de sobrevivir o de morir en el seno de una sedicente civilización urbana que ignora a sus víctimas (el *Diario* de Juan Ramón fue, como se recordará, un decisivo paso en la normalización poética del universo cotidiano, industrial y alienador, en el ámbito de una poética obstinadamente «pre-industrial»). Tras liberarse de aquel magma poético (pieza de excepción del surrealismo hispánico), la carrera artística de Lorca fue un éxito continuado en un campo ajeno a la lírica (el teatro), pero continuó escribiendo versos: desde 1935 trabajaba en el *Diván del Tamarit*, donde lo árabe (que Lorca intuía como una mitología personal, profundamente incrustada en su condición de andaluz) es el pretexto formal de una exploración imaginativa en el fatalismo y el dolor que ya apuntaban las *Canciones* y el mismo *Romancero*, y hacia 1936 tenía compuestos bastantes sonetos —no pocos debieron perderse— de la serie *Sonetos del amor oscuro*. En 1935 leyó por vez primera su *Llanto por la muerte de Ignacio Sánchez Mejías*, poderoso poema coral que publica *Cruz y Raya* ese mismo año: la muerte —el gran tema de Lorca— refulge ambiguamente —¿final de todo?, ¿encuentro de la paz?, ¿destino inevitable?— en el más logrado concierto de imágenes de toda su obra.

20. LA PROSA VANGUARDISTA

Entre 1927 y 1936 se habían escrito por lo menos veinte de los libros más importantes de la poesía española de todos los tiempos y el término «edad de Plata», con el que recientemente se ha bautizado la época 1900-1939, parece quedar pálido ante la multiplicidad de obras y maneras —desde los veteranos de fin de siglo hasta quienes, como Miguel

Hernández, andaban en la veintena de su edad— que coinciden entre las fechas arriba señaladas.

La poesía fue el género predilecto de los nuevos escritores, pero no por esto la prosa es acreedora de un desdén —por su formalismo, su trivialidad, su dependencia de lo poético— que ha sido bastante frecuente. Si, como se indicaba más arriba, no cabe restringir la ejecutoria de los líricos al gozoso descubrimiento de la metáfora (y hemos visto, en tal sentido, una mayoría de obras escritas desde hondones espirituales muy profundos), tampoco puede decirse que los prosistas sean reos de la misma restricción. En primer lugar, supieron crear las formas expresivas de una crítica que, desde las páginas de revistas y periódicos, fue estímulo permanente y la más adecuada compañera de las andanzas de los creadores: los aforismos de José Bergamín, los agresivos «carteles» (curiosa adaptación del caligrama a la crítica) de Ernesto Giménez Caballero, las páginas impresionistas de Benjamín Jarnés y Antonio Espina, son, además de la consecuencia del fecundo magisterio de Ortega, el complemento indispensable de la nueva creatividad. Pero también se concibió en prosa una obra más personal. Las novelas de Benjamín Jarnés —víctimas propiciatorias del desdichado calificativo de «novelas deshumanizadas»— pueden parecer, a primera vista, el juego placentero de un puntillismo psicológico que desgrana metáforas y que esteriliza estéticamente los conocidos temas de la disgregación de la personalidad. Pero, de hecho, relatos como *El profesor inútil* (1926), *El convidado de papel* (1928), *Paula y Paulita* (1929), *Lo rojo y lo azul* (1932) transmutan los rasgos de una biografía nada fácil y las dimensiones de un trabajoso triunfo de los instintos sobre la represión ambiental, victoria próxima a la obtenida por la poesía coetánea.

Como había mostrado Gómez de la Serna —y, a mayor abundamiento, los pontífices surrealistas— el humor era uno de los más adecuados excipientes de la subversión: un compañero inseparable de la metáfora y algo así como el íntimo revés de la angustia. En la novela española de estos años fue ampliamente utilizado: para Claudio de la Torre, Antonio Espina, Francisco Ayala, Mauricio Bacarisse, Antoniorrobles..., nunca es una evasión total sino la fórmula provisional de conjurar los problemas espirituales que por entonces debatían el teatro de Lenormand o Pirandello, las novelas de Thomas Mann o los poemas de Stefan George. O, por citar un escritor español cuya influencia era todavía decisoria, la obra entera de Miguel de Unamuno.

21. «LA GACETA LITERARIA» (1927-1930): VANGUARDISMO Y NACIONALISMO

Obra de prosistas fue, en gran medida, la revista *La Gaceta Literaria*

(1927-1930), cifra de las peculiares características del vanguardismo español y fundada, dirigida (y, al fin, escrita en solitario: los seis números de *El Robinson Literario de España*), por Ernesto Giménez Caballero. *La Gaceta* responde muy poco al modelo de revista-manifiesto ni es una publicación de creación y crítica (géneros a los que se refieren algunas que ya he mencionado): su confesado modelo es el semanario *España*, de 1915; su filiación espiritual aquella gradación que su director formulaba como trayectoria de «hijos» y «nietos» del 98, y su objetivo explícito «acercar eficazmente autores, editores y lectores». Es decir, popularizar y nacionalizar la obra de vanguardia y contribuir, desde la libertad creativa, a la modernización de un país que no se adecuaba ya a los trenos noventayochescos. E incluso conseguir una dimensión americana que, si bien se logró en el plano de las colaboraciones y hasta en el dominio editorial, fracasó rotundamente como proyecto político a raíz de la destemplada polémica que sucedió a un editorial de Giménez («Madrid, meridiano intelectual de Hispanoamérica»), violentamente replicado desde La Habana a Buenos Aires. Con mejor fortuna, se intentó una aproximación de los intelectuales catalanes y «castellanos»: en 1927 se celebró en Madrid una Exposición del Libro Catalán y un ciclo de conferencias en el que intervinieron Joan Estelrich, Carles Riba, Tomás Garcés y Ferrán Valls i Taberner; en marzo de 1930 —ya en plena «dictablanda»— tuvo lugar en Barcelona un homenaje a la literatura catalana, cuya lengua hubo de sufrir algún agravio en la situación política anterior, al que asistieron Manuel Azaña, José Bergamín, Luis Jiménez de Asúa, Claudio Sánchez Albornoz..., más la plana mayor del catalanismo cultural y político.

La peculiaridad de *La Gaceta Literaria* estribó, pues, en su amplio concepto de lo actual, y aunque su apoyo a las formas vanguardistas fue dominante y decisivo (pero no más que el de *Revista de Occidente*, por ejemplo, ni con menos reservas), también se ocupó de la muerte de Blasco Ibáñez, de la lectura obrera (objeto de una sección fija del periodista socialista Julián Zugazagoitia y de un número monográfico en el Centenario de Tolstoi), de Unamuno y de los noventayochistas, de la vida universitaria, etc. A través de entrevistas, caricaturas, encuestas y aun inocentes comadreos sobre la vida privada, se intentó acercar una amplia gama de escritores a sus lectores potenciales, a la vez que el comercio del libro —diálogos con editores y libreros, organización de exposiciones temáticas, llamamientos a una política unitaria de promoción— se convirtió en noticia y elemento de discusión.

Giménez Caballero, hombre atrabiliario e histriónico pero con condiciones literarias y organizativas nada comunes, concibió el proyecto como una culminación de la tarea intelectual iniciada a fin de siglo, pero no pudo evitar el progresivo escoramiento financiero de la publicación que en 1930 pasó a ser propiedad de nuestra conocida CIAP. Ya antes, sin embargo, razones ideológicas agriaron la convivencia de los jóvenes escritores en el marco de la revista y, no sin razón, Giménez pudo jactarse años después de haber alumbrado en ella las primeras promociones de escritores fascistas y comunistas. Que el autor de la frase anduviera entre los primeros —y a título de indiscutible precursor— se hizo pronto evidente y comprometió la precaria unidad redaccional. En su «Carta a un compañero de la joven España» (núm. 52, 15 de febrero de 1929; el compañero era el economista Ramón Iglesias, pronto militante en las JONS de Ledesma Ramos, luego izquierdista y exiliado político en 1939), Giménez veía el proceso de las letras españolas —y, por tanto, la misión de su revista— como una trasposición de la conversión del espíritu nacional de la Italia del *Risorgimiento* en el fascismo confeso: «Sustituyamos escritores y veremos que frente a Rajna y D'Ovidio hay un Menéndez Pidal, creador de nuestra *épica nacionalista*; un D'Ors, amante de la unidad; frente a Croce o Missiroli hay un Ortega, creador de nuestra *idea nazionale;* frente a D'Annunzio, Marinetti y Bontempelli, un Gómez de la Serna, creador del sentido latino y modernísimo de España... Frente a Pirandello, un Baroja, un Azorín, regionalistas como punto de partida de su obra y elevadores del conocimiento nacional de una tierra, creadores de anchos espejos; frente a Gentile, un Luzuriaga, en posibilidad de experimentos enérgicos, de instrucción... Frente a tantos otros ilustres hacedores de nuestra Italia, un Maeztu o un Araquistáin, un Marañón, un Zulueta, un Sangróniz, un Castro, un Salaverría... Y frente a Malaparte... Delante de Malaparte, Miguel de Unamuno». La intención de tales afirmaciones era evidente, por encima de su veracidad (Croce fue un rotundo antifascista, por ejemplo), de la mescolanza de nombres (Araquistáin era socialista; Maeztu, un confeso defensor de la Dictadura; Sangróniz, un hábil diplomático que organizaría en 1936 las relaciones exteriores de la sublevación franquista; el docto Américo Castro y el republicano e institucionista Luis de Zulueta tenían muy poco que ver con el desastrado y cavernícola Salaverría) y, por último, del oportunismo de la última mención (Curzio Malaparte, entonces fascista, era un escritor de más popularidad que prestigio, de más atractivo que calidad, de quien Giménez había traducido su *L'Italia contro l'Europa* con el unamuniano título de *En torno al casticismo de Italia;* ahí terminaba todo posible cotejo entre el vasco y el italiano). Se trataba, ni más ni menos, que de concluir como adecuado final de patriarcas, hijos y nietos del 98 un parnaso nacionalista, latino y jerárquico, que se permitía el lujo de ignorar a Matteotti, las hazañas de los *squadristi* con el ricino y el *manganello,* las subvenciones de la Confindustria y las demás vergüenzas que precedieron y siguieron a la marcha sobre Roma. El exaltado Giménez conoció muy poco después parecidas ayudas e idénticas «afirmaciones de virilidad», a las que nunca hizo ascos, pero —en forma que puede parecer sorprendente— la reacción contra el fascismo fue un tema que solo se planteó en la década siguiente. Hasta entonces, la ambigüedad y aun la complacencia frente al fenómeno italiano no fueron infrecuentes entre bastantes intelectuales españoles.

22. LA RESPUESTA IZQUIERDISTA: «NUEVA ESPAÑA» (1930-1931)

En cualquier caso, el ambiente de *La Gaceta Literaria* se fue haciendo irrespirable y marcharon de ella no pocos de sus miembros fundadores. En esa tesitura hay que ver la aparición del quincenario (y desde su número 16, «semanario político-social») *Nueva España,* cuya primera entrega vio la luz en Madrid el 30 de enero de un año, el de 1930, tan decisivo en los rumbos de la vida nacional. El equipo director provenía de *La Gaceta* y lo componían José Díaz Fernández (el más decidido y consciente impulsor de la «novela social» en estos años), Antonio Espina (firma de *Revista de Occidente* y *El Sol*) y el crítico musical Adolfo Salazar (que abandonó por incompatibilidad con el tono polémico de la publicación en el número 3; en el 9, le reemplaza Joaquín Arderíus). Aunque más de uno asoció la revista al recién formado grupo radical-socialista (en razón de las simpatías de Díaz Fernández y Espina), el cuadro de redactores y colaboradores es, de hecho, un muestrario de izquierdas muy varias y casi siempre más comprometidas que el grupo pequeñoburgués mencionado: Julián Gorkin (corresponsal en París), Ramón Sender, Isidoro Acevedo (encargado de la sección «Obrerismo») y Fernández Armesto son comunistas; Alardo Prats es anarquista y Julián Zugazagoitia es socialista, etc. La misma proyección internacional de la publicación (que intentó, junto con *Nosotros,* del grupo «Historia Nueva», una federación de revistas de izquierda) hace poco definitorios sus compromisos con Marcelino Domingo (entrevistado largamente en el número 17) o el inevitable recuerdo de Pablo Iglesias (número homenaje, el 25, publicado el 5 de diciembre de 1930); en ese sentido, recoge la noticia del suicidio de Maiakovski (núm. 6), publica los trabajos feministas de la soviética Alejandra Kollontai, saluda con entusiasmo la aparición de *Mundo Obrero* y reproduce artículos económicos de N. Bujarin. Las colaboraciones latinoamericanas de César Vallejo y Miguel Ángel Asturias, a la sazón exiliados en París, no tienen tampoco el signo convencional e hispanístico de otras similares en revistas de este período: hablan de colonialismo y dependencia en un tono que, por los mismos años, empezaban a usar las publicaciones editoriales de izquierda que hemos conocido.

Ni *Nueva España* oculta su compromiso literario con lo «social» (aquí aparecen anticipos del libro *El nuevo romanticismo* de Díaz Fernández, un trabajo de Zugazagoitia sobre «La masa en la literatura», trabajos de Antonio de Obregón sobre las letras soviéticas, un duro balance de Gorkin sobre «La evolución de las letras en España», otro de Maximiano García Venero sobre «El periodismo en función del proletariado»), ni disimula una ascendente ofensiva contra la neutralidad de la literatura, siquiera se presente adobada de asepsia vanguardista. En esa línea, la actitud de *La Gaceta Literaria* se convierte en la bestia negra de los deslenguados redactores de la sección editorial «Rifi-Rafe»: se la acusa de ser el «boletín de una casa editorial» (evidente alusión a su dependencia de CIAP), y a su redactor José Bergamín, con quien se extrema la crueldad, se le califica de «birlibirloquista» (en razón de su conocido libro taurófilo *El arte de birlibirloque*). En el número 2 se avisa de que «Sánchez Mazas, Bergamín, Giménez Caballero y otros *arditi* del vergonzante fascismo (o hacismo) español se reúnen todas las tardes en un café para organizar un partido católico absolutista. Ya cuentan con valiosos elementos. Entre ellos, Cretinardo, el poeta del jersey y la mona, y su profesor de Instituto, joven galaico y escritor chirle», que imagino es Eugenio Montes. Del mismo modo, y a la vista de la ya mencionada operación de compra de *El Sol* por capital monárquico, se acusa de «esquiroles literarios» en términos muy duros a los pocos escritores liberales que permanecieron en su redacción: Enrique Díez Canedo, Ramón María Tenreiro y Melchor Fernández Almagro (entre quienes los dos primeros tenían una limpia ejecutoria prorrepublicana a mayor abundamiento). Por otro lado, si *La Gaceta Literaria* no ocultó nunca una palmaria proclividad republicana, este tema fue agresivo en *Nueva España*, donde el capitán Fermín Galán colaboró alguna vez con el seudónimo «Ferga». A la desventurada muerte del sublevado de Jaca ante el pelotón de ejecución, la revista le dedicó un número monográfico (el 31, 13 de febrero de 1931), encabezado por un emocionado artículo de Joaquín Arderíus, inminente primer biógrafo del héroe.

23. LOS ANÁLISIS POLÍTICOS DE LA NUEVA IZQUIERDA

El año 1930 fue clave en la radicalización de los jóvenes escritores. Para quienes redactaron el prospecto editorial de *Nueva España*, se presentaba como una suerte de nuevo milenio que les hacía evocar los anteriores «treinta» de la historia: 1530, culminación de la Reforma protestante; 1630, aparición del racionalismo; 1730, momento inicial del enciclopedismo; 1830, estallido revolucionario de París y consagración del movimiento romántico. A un siglo de distancia, y en un país convulso, los milenaristas creían ver alborear una nueva era. Aunque el episodio intelectual de la aliadofilia de 1914 (que ya conocemos) estaba relativamente cercano, los jóvenes inquietos se sentían mucho más próximos de la conciencia de decepción y fracaso de sus contemporáneos europeos: las glorias de Verdún y del Marne, que entusiasmaran a republicanos y aun socialistas de 1918, les resultaban tan acusadoras y sucias como a los nuevos escritores austríacos y alemanes o tan distantes como a los personajes peregrinos en Hemingway y Scott Fitzgerald. De todos aquellos años no retuvieron más gloria que la de 1917, ni más entusiasmo que el de la revolución rusa. Con cierta sorna, Giménez Caballero había denominado «romerías» del siglo xx al constante peregrinar de artistas y escritores a la Unión Soviética, primero como representantes de sus partidos para informar sobre la afiliación a la Tercera Internacional (así marcharon Fernando de los Ríos, Ángel Pestaña y otros), luego en la ambigua condición de «delegados» o de simples turistas afortunados. La lista de libros con recuerdos personales del viaje (Sender, Diego Hidalgo...), ensayos sobre la cultura y la revolución, traducciones de obras políticas y literarias posteriores a 1917, superaba en 1936 los trescientos títulos y constituía un rubro fundamental en la boga del libro político de 1928-1936. Y aun cabría añadir los reportajes en revistas (de izquierda y aun de derecha liberal) y la llegada, a través de publicaciones y libros franceses, de apologías y descripciones de la nueva situación.

Las encuestas a escritores sobre problemas de actualidad —género que puso de moda La Gaceta Literaria— reflejan ampliamente el cambio de actitudes. Se ha señalado muy a menudo el viraje que se percibe al contestar las dos encuestas que la citada revista hizo a varios escritores sobre el tema general de política y literatura en 1927 y sobre la pregunta «¿Qué es la vanguardia?» en 1930. La mayoritaria apuesta por el arte lúdico e irresponsable —y, claro está, vanguardista— en el primer caso, se convierte en el segundo en serias reservas sobre la viabilidad del término «vanguardismo» cuando se avecinan urgencias mayores. «Si en este momento hay vanguardia —escribe, por ejemplo, César M. Arconada—, yo soy un desertor»: un desertor que, tras haber sido secretario de redacción de La Gaceta y autor de un ensayo sobre el arte deshumanizado (En torno a Debussy), fue, como veremos, un denodado campeón del arte social y uno de los más lúcidos intelectuales del partido comunista español. Más tarde, la encuesta de José Montero Alonso sobre la pregunta «¿Por qué en el cuadro de nuestra novela actual falta la corriente que refleje ese tono nuevo, que en otros países cuenta ya con una literatura copiosa?» (La Libertad, Madrid, mayo-julio de 1931) y la que aparece en el Almanaque Literario de 1935 (organizado por Guillermo de Torre, Miguel Pérez Ferrero y Esteban Salazar Chapela) con cuestiones sobre arte e «inquietudes sociales» y sobre la relación entre el arte y la propaganda política, son termómetros excelentes de la alta temperatura intelectual de aquellos momentos.

Lógicamente, la crítica cultural más nueva recapitula el inmediato pasado literario en forma nada piadosa. Julián Gorkin, en un trabajo de

Nueva España que ya he citado, señala que los escritores nacionales de este siglo «despreciaban a la burguesía, la clase a la que pertenecían, porque era demasiado cobarde y dócil ante los vestigios feudales», pero «ignoraban al pueblo» con idéntica fuerza.

Ni la cuantía de sus remuneraciones les aseguraba la independencia de criterio, ni la debilidad de sus convicciones les proporcionaba una meta segura: «Durante años han devorado su propia inquietud [...] puede decirse que se han pasado la vida gesticulando y lanzando gritos en el vacío con el fin de dominar su escepticismo último [...] Han permanecido casi siempre en una posición arbitraria y negativa porque eran incapaces de someterse a un principio, porque huían sistemáticamente de lo objetivo». En forma menos elemental, nuestro ya conocido Arconada establece en *Octubre* (núm. 1, 1933) el balance de «Quince años de literatura española», quizá la pieza más importante del debate. «Desde Larra —escribe el comunista palentino— hasta la generación del 98 toda preocupación intelectual ha consistido en anhelar la existencia de una burguesía amplia, culta, comprensiva». Las consecuencias morales y políticas de la guerra del 14 parecieron cegar ese camino, al acelerar la involución ideológica de los burgueses, y obligaron al escritor a un solipsismo experimental que evidenciaba su desorientación. A partir de entonces, *«La Gaceta Literaria* [...] fue el vehículo que utilizó la joven literatura para salir de su soledad de pureza —encrucijada en donde le había metido la posguerra— y marchar en busca de la pequeña burguesía culta que ya se suponía de vuelta de la generación del 98». Pero el nuevo público pequeñoburgués no esconde su precariedad y su tendencia al catastrofismo. Cuando esa misma pequeña burguesía forja la república como salida de urgencia al desmoronamiento del régimen monárquico y a la crisis universal, la literatura está ausente de los verdaderos ideales revolucionarios que encarnan ahora otras clases sociales. Ya fuera por lo prematuro y fácil del cambio político, ya por la hipoteca de una tradición idealizante, la literatura no está —a la hora de 1933— en la medida exacta de las circunstancias: hay, señala Arconada, una minoría residual que ha adoptado o adoptará el fascismo cultural, con su coartada católica o seudorrevolucionaria, por cuyos aledaños andan ya Giménez Caballero, Ramiro Ledesma Ramos, José Bergamín y Eugenio Montes; existe una mayoría que pretende, tras las huellas de «Azorín» y Baroja, cultivar el huerto de la sensibilidad pequeñoburguesa y establecer en su seno un mercado literario satisfactorio (como es el caso de Benjamín Jarnés, Ramón Gómez de la Serna, Esteban Salazar Chapela...); muy pocos, por último, han colocado sus plumas al servicio de la revolución y escriben desde el supuesto de un nuevo lector y una nueva vida social (como ilustran Joaquín Arderíus, Rafael Alberti, Emilio Prados, Ramón J. Sender, Wenceslao Roces...).

Tales análisis se sustentaban en la excelente labor crítica desarrollada en las mismas fechas por las *intelligentsias* políticas de los partidos comunistas y, algo más tarde, por el sector más radical del Partido Socialista. El grupo catalán que evolucionaría hacia el trotskismo es el más precoz y, en buena medida, el más lúcido: la trilogía de Joaquín Maurín *(Los hombres de la Dictadura,* 1930; *La revolución española,* 1932, y *Hacia la segunda revolución,* 1935) ilustra, desde supuestos teóricos nada vulgares, el establecimiento de la Dictadura como solución de emergencia a la crisis política de la gran burguesía (y, en ese sentido, los «hombres de la Dictadura» resultan ser Melquíades Álvarez, Lerroux, Cambó, Sánchez Guerra... y no, como cabría pensar, los obtusos generales y civiles que rigieron sus destinos), el advenimiento de la República como un efímero episodio kerenskiano en el que la pequeña burguesía reemplaza en precario a la clase dominante tradicional y el «bienio negro» como callejón sin salida del problema político español; por su lado, Andrés Nin *(El proletariado español ante la revolución,* 1931) replantea con dureza el problema de la unidad de las fuerzas obreras que, en forma más directa, otro trotskista, Juan Andrade, convierte en duro análisis de la crisis ugetista *(La burocracia reformista en el movimiento obrero,* 1935). En la aportación socialista, si la línea socialdemócrata y un vago aroma de idealismo regenerador aún trascienden de libros como *El ocaso de un Régimen* (1930), de Luis Araquistáin, y aun de la copiosa literatura de descargo con que los socialistas defienden su participación en el primer bienio republicano *(Nosotros los marxistas,* 1932, de Antonio Ramos Oliveira), trabajos posteriores a la crisis de 1933 (y, sobre todo, a la revolución de Asturias en octubre del 34) se enfrentan con dureza al pactismo besteirista y utilizan hipótesis más radicales: así, *El capitalismo español al desnudo* (1935) del citado Ramos Oliveira y *El Partido Socialista y la conquista del poder* (1935) de Segundo Serrano Poncela son libros que dan constancia del clima —entre la amenaza fascista, la sinceridad revolucionaria y, en alguna medida, el oportunismo— que posibilitó la ruptura del socialismo, las «alianzas obreras» y la fusión de las juventudes socialistas y comunistas.

En esa tesitura la revista *Leviatán* (26 números entre mayo de 1934 y julio de 1936) tuvo un destacado protagonismo, como portavoz de la facción *caballerista* del PSOE y quizá como la mejor de las revistas políticas del momento (tampoco muy abundantes: *Comunismo* y *La Nueva Era* por lo que hace a la izquierda comunista; *Tiempos Nuevos,* y *Estudios* por el anarquismo, figuran entre las más importantes y la primera, 1931-1934, no coincide con las fechas de *Leviatán*). Su director, Luis Araquistáin, lo había sido del semanario *España,* cultivaba la novela y el teatro con éxito mediano y el ensayo político con más fortuna; en este caso, se rodeó de un excelente equipo en el que figuraban socialistas de su cuerda, algún militante destacado de la izquierda comunista y algún comunista ocasional, además de periodistas extranje-

599

ros: todos contribuyeron en llevar al panorama español de las ideas la nada halagüeña realidad europea del momento —la escalada del fascismo en Austria y Alemania, su consolidación en Italia, la bajeza moral de las llamadas democracias, la galopante crisis económica— y supieron diseñar el espíritu internacional de las barricadas proletarias en tal coyuntura —la unidad de las fuerzas obreras, el análisis no posibilista de la realidad, el compromiso con las fuerzas más libres de la cultura—.

Leviatán, en suma, vivió desde el interior del socialismo español la crisis del socialismo europeo —sobre todo, centroeuropeo (no se olvide que Araquistáin había residido larga temporada en Alemania)— y significó el viraje político que dio como consecuencia la ideología antifascista de unidad obrera.

24. LA «LITERATURA DE AVANZADA». LAS AGRUPACIONES DE ESCRITORES. «OCTUBRE» (1933) Y «NUEVA CULTURA» (1935)

Fue precisamente el aglutinante del antifascismo el que proporcionó sentido y coherencia al compromiso político del intelectual español y permitió un grado de conciencia superior al que representa la mera discusión estética anterior. Las agrupaciones de escritores y artistas, conformadas sobre la imagen de las soviéticas, se difundieron por toda Europa en los años treinta, motivando no siempre claras discusiones sobre la relación entre militancia política y actividad creadora, independencia estética y consigna histórica. Pero la ambigüedad de los medios se subordinó a la urgencia y precisión de los fines y, si casi medio siglo de distancia nos hace hoy ver como injustas algunas acusaciones de «traición pequeñoburguesa», también es evidente que la inminencia de terribles acontecimientos —la guerra de Abisinia, las matanzas españolas, la capitulación de Munich, la agresión hitleriana de 1940, los campos de exterminio— justifican en buena medida las simplificaciones.

La Asociación de Escritores y Artistas Revolucionarios se constituyó en 1930 y en París, como primer organismo internacional de acción antifascista. En 1932, un grupo de artistas valencianos —entre los que destacan el escritor Pascual Pla i Bertrán y el pintor Josep Renau— fundan la Unión de Escritores y Artistas Proletarios (el gobernador civil había vetado el calificativo «revolucionarios»), que es la primera filial española del movimiento. En estrecha relación con este, Rafael Alberti y María Teresa León iniciaron en julio de 1933 la publicación de la revista *Octubre* (6 números hasta abril de 1934) cuyo subtítulo, «Escritores y artistas revolucionarios», indicaba sobradamente su progenie. Un grupo y otro suponían, a su vez, el primer paso firme dado por militantes comunistas españoles en orden a plantear siquiera un tanto al margen de las estructuras orgánicas, la actividad intelectual de un partido cuyo reciente cuarto congreso le había provisto, por vez primera, de una ejecutiva eficaz: la sustitución de José Bullejos por José Díaz en la Secretaría General, y la presencia en el Ejecutivo de Antonio Mije, Dolores Ibárruri, Vicente Uribe, Manuel Delicado, Pedro Checa…, abrió para el comunismo español las perspectivas que, tras octubre de 1934, serían tan decisivas.

Pese a su breve trayectoria, *Octubre* fue una revista importante. Por primera vez, escritores y artistas de izquierdas colaboraron en un proyecto político-literario de miras muy amplias, aunque un cierto tono *komintern* fuera el sustrato común de las aportaciones y, muy especialmente, del trabajo redaccional (como es visible en el número 4-5, dedicado al XVI aniversario de la Revolución de Octubre). En cualquier caso, la adhesión formaba parte de un proceso, no siempre fácil, de ruptura con el «individualismo burgués»: los comentarios de Anatol Lunachartski a una carta de Romain Rolland sobre este tema (traducidos unos y otra de la *Literaturnaya Gazeta* y publicados en la entrega 3 de *Octubre*) resultan enormemente explícitos. El mismo camino habían recorrido algunos poetas españoles: Rafael Alberti, cuya «Elegía cívica» de 1930 empezaba con los mismos versos («Con los zapatos puestos tengo que morir») que ahora figuran en la «Antología folklórica de clase» que, seguramente de su mano, reproduce el número 1 de la publicación; Emilio Prados (a quien se presenta como antiguo miembro del «grupo (apolítico) más importante de la poesía burguesa española»), que publica su larga composición «No podréis» en este mismo número, «contra el egoísmo y la injusticia criminales de la burguesía»; Luis Cernuda, que, en el número 6, da con «Vientres sentados» su personal rechazo de lo burgués, a la espera del «pie juvenil y vigoroso / que derrumbará bien pronto / ese saco henchido de fango de maldad de injusticia». El mismo Antonio Machado respondió a la invitación de Alberti e incluyó en el último número de *Octubre* su insólita prosa «Sobre una lírica comunista que pudiera venir de Rusia», donde da inequívoco sesgo político a sus ya conocidas indagaciones sobre la colectivización de la expresión literaria.

Pero las diferentes formas de masoquismo —granadas en mejores o peores poemas: que tal sentimiento no condena *a priori* la calidad literaria— no son el género ni más abundante ni más definitorio en las nuevas publicaciones. Bastaban a menudo cinco o seis años de diferencia en la edad para que escritores o artistas, tan burgueses por su origen como los de la promoción de Prados, se consideraran excluidos de cantar la palinodia y reflejaran una mayor coherencia con la realidad de su compromiso. Ese es, por ejemplo, el caso del grupo valenciano al que antes aludimos como creador de la primera filial española de la AEAR y que tan destacado protagonismo tuvo en estos años y en los de la guerra civil. Algunos de ellos comparecen ya en la revista *Orto* (1932-1934), curiosa publicación de aproximación anarco-comunista que dirigía Marín Civera y cuyo diseño gráfico correspondía a Josep Renau, quien logró allí sus primeros fotomontajes importantes (paralelamente, *Orto* auspiciaba unos interesantes «Cuadernos de Cultura» que he mencionado de pasada, páginas atrás).

Pero la creación más interesante del grupo comunista valenciano es *Nueva Cultura* (enero de 1935-julio de 1936), en estrecho contacto pero con objetivos más amplios de los que suponía *La República de les Lletres* (1934-1936), culminación entre escritores de izquierda de un valencianismo político en buena medida inducido por el entonces hegemónico catalanismo izquierdista. Hechas las debidas excepciones, esta actitud no era explícita —por lo que hace al momento fundacional— en los intelectuales que llevan *Nueva Cultura* —y que son Josep Renau, Pascual Pla i Bertrán, Ángel Gaos, Miguel Alejandro, Antonio Deltoro...—, quienes conciben su revista como de «orientación intelectual», en estrecha relación con su Unión de Escritores y Artistas Proletarios y con el objetivo antifascista (el número 4 está dedicado íntegramente a ese tema) que vimos aparecer secundariamente en *Leviatán* y como explícita consigna en *Octubre*.

25. EL REFORMISMO REPUBLICANO: EL NUEVO UNIVERSITARIO

Desde los supuestos ideológicos de las actividades que acabo de reseñar —en buena parte, posteriores al viraje político de 1933 y a la crisis de 1934—, las esperanzas y realizaciones del primer bienio republicano, en los campos de las artes o de la cultura, pertenecían a una escala de valores populista, idealizante y pequeñoburguesa, obstinada en encontrar su asistencia moral en las clases medias urbanas y su ámbito de evangelización en la España rural. No faltaba razón a tales críticas: buena parte de las iniciativas que se auspiciaron entre 1931 y 1933 respondían, en realidad, al voluntarismo institucionista y sus promotores fueron krausistas de la segunda o tercera generaciones, ex alumnos del madrileño Instituto-Escuela o universitarios formados por los profesores de la Junta para Ampliación de Estudios. Sin embargo, si un talante colectivo personificó en grado superlativo la dignidad y la ilusión del primer bienio fue el que reconocían en sí mismos aquellos hombres, convencidos de que el problema de España era un problema de maestros y escuelas, de trabajo consciente y lectura formativa, de tradición cultural y progreso material íntimamente imbricados.

Bajo la dirección de Marcelino Domingo —un maestro de Tortosa— y de Fernando de los Ríos —un catedrático de Universidad—, el Ministerio de Instrucción Pública llevó a cabo una ambiciosa política de construcción de centros escolares, urgidos a mayor abundamiento por las disposiciones constitucionales que marcaban el final de la enseñanza privada en manos clericales: en diez meses, podía constatar ante las Cortes el segundo de los ministros, la República había construido las dos terceras partes de los centros de enseñanza primaria que la Monarquía había levantado entre 1902 y 1931; en cinco años, la gigantesca Universidad de Madrid —comenzada en 1927— fue rematada, aunque la guerra civil supusiera su casi absoluta, y no poco simbólica, destrucción. La promoción de nuevos maestros —los famosos *cursillistas*—, el incremento de las plantillas de enseñanza media, la dignificación de todas las escalas, fueron problemas abordados incluso bajo combinaciones ministeriales de carácter más conservador y crearon, entre otras cosas, los fuertes núcleos de clase media que en 1936 permanecieron fieles a la República y que, bajo el franquismo, constituyeron un patético martirologio de fusilados, exilios y represaliados. Y posibilitaron a su vez un tema predilecto a la virulenta hostilidad del catolicismo a la República.

Una de las más singulares creaciones oficiales de aquel período —surgida, sin embargo, de la iniciativa personal de unos pocos y, en el fondo, de un viejo proyecto de Manuel Bartolomé Cossío— fue la creación de las «Misiones Pedagógicas». Desde el verano de 1933, que fue el primero de su actividad, las constituyeron grupos de estudiantes y profesores universitarios que acudían, con muy pequeños medios, a las zonas rurales del país donde programaban conferencias de divulgación, organizaban pequeñas bibliotecas, repartían medicamentos y daban nociones de higiene y montaban representaciones teatrales, que concibió, adaptó y dirigió desde sus inicios el dramaturgo Alejandro Casona.

Si los resultados en orden a la alfabetización del campesinado no fueron muy brillantes, el significado de la empresa por lo que hacía a sus esforzados protagonistas va más allá de la mera emoción anecdótica: la movilización de varios centenares de muchachos refleja el momento culminante del populismo intelectual español, cuando el mismo Machado —a través de Juan de Mairena— soñaba con una «Escuela Superior de Sabiduría Popular», cuando Buñuel rodaba en las Hurdes y cuando lo popular —unos potes de cerámica, un romance tradicional, una costumbre olvidada— se convirtió para jóvenes y no tan jóvenes en un modo de adhesión emocional al «pueblo». En ese sentido, la mitología creada en torno a la compañía teatral universitaria de «La Barraca» ha hecho olvidar a menudo la precedencia de nuestras conocidas «Misiones Pedagógicas». Pero aquella experiencia juvenil no debe limitarse al nombre de su inventor, impulsor y casi factótum, Federico García Lorca. Aunque la idea original, el bello emblema de la empresa (una carátula sobre una rueda de carro), los sugestivos uniformes de los componentes (sencillos monos azules de trabajo con el emblema sobre el pecho), fueron obra de Lorca, «La Barraca» conjuntó muchos más esfuerzos. Desde 1931, la organización fue avalada por la Unión Federal de Estudiantes Hispanos (máximo órgano de la ya conocida FUE) y subvencionada por el Ministerio de Instrucción Pública; la presidencia del comité directivo la ostentaba el presidente de la UFEH y lo formaban cuatro estudiantes de Letras (encargados de los aspectos literarios de la programación) y cuatro de Arquitectura (que llevaban la parte técnica y plástica); la dirección estaba a cargo de Federico García Lorca y Eduardo Ugarte. Por los diferentes elencos pasaron futuros hombres de teatro y cine (como Álvaro Custodio, Modesto Higueras, Antonio Román...), futuros escritores (Germán Bleiberg, Laura de los Ríos...) y en los diferentes montajes escénicos (en los que dominó absolutamente el teatro clásico español: Lope, Calderón, Cervantes..., más una vsrsión de *La tierra de Alvargonzález*, de Machado) colaboraron los pintores Ramón Gaya, Benjamín Palencia, Manolo Ángeles Ortiz, Ponce de León y Pepe Caballero, autor de la mayoría de los decorados. El escultor Alberto realizó por su parte los decorados y figurines de *Fuenteovejuna*. Desde la primera salida (verano de 1932, en una larga campaña por la provincia de Soria), se realizaron —hasta abril de 1936— veintidós giras que, desde Galicia a Granada, de Cataluña a Ceuta, Tetuán y Tánger, abarcaron la casi totalidad del territorio español.

Las reformas más específicamente institucionales tuvieron una amplia representación en la Cataluña autónoma, cuya Generalitat abordó la continuación del impulso que, entre 1915 y 1923, la Mancomunidad de Diputaciones había impreso a la vida académica y cultural (el mismo año de 1923, dos años antes de la supresión de aquel último organismo, se había creado la Fundación Bernat Metge, insólita experiencia de investigación y publicación de obras de la antigüedad clásica). Una tenaz tarea legislativa —inspirada por la Conselleria de Cultura y su primer titular, Ventura Gassol— crea, entre abril y diciembre de 1931, un Consejo de Cultura, una Escuela Normal (que debía resolver las consecuencias creadas por la oficialización del idioma catalán y la realidad legal del bilingüismo en la enseñanza), un Instituto-Escuela similar al madrileño de 1918 y, por último, decreta la autonomía organizativa de la Facultad de Letras, con la mira de desarrollar los principios de pedagogía universitaria acordados en el Congreso Universitario de 1918. Unos meses antes, la elección de Jaume Serra Hunter para el rectorado proporcionó también la persona más idónea para llevar a cabo las reformas previstas.

En 1933, y no sin largas discusiones parlamentarias, la autonomía se extendió a la totalidad de las Facultades integradas en la Universidad de Barcelona. Desde entonces hasta los primeros meses de 1939, un valioso equipo regido por el arqueólogo Pere Bosch Gimpera y un patronato presidido por Pompeu Fabra (ingeniero que halló su vocación en la lingüística y que fue autor de la reforma y normalización ortográficas del catalán) desarrollaron una intensa reforma organizativa y docente, insólita en la España de su tiempo y en buena parte inspirada por las prédicas institucionistas de principios de siglo. La Universidad Autónoma y el ya curtido Institut d'Estudis Catalans (que multiplicó en estos años sus actividades) fueron dos entidades modélicas en el campo de la alta cultura, pero quizás el mayor timbre de gloria de la cultura oficial de aquellos años estribe en la espléndida tarea llevada a cabo en el dominio de la enseñanza primaria: la ya veterana tradición del racionalismo pedagógico catalán logró en un lustro la escolarización completa de los niños barceloneses y, al poco de iniciada la guerra civil, ofreció con la fundación del CENU (Consell de l'Escola Nova Unificada) un modelo, único en Europa, de la ordenación de la escuela laica.

26. LAS LETRAS REPUBLICANAS

También el tono de la literatura más representativa del período republicano estuvo caracterizado por la preocupación ética y la indagación de las raíces populares del país. En este sentido, el teatro de Lorca supone, por parte de su autor, un logrado intento de formular la expresión radical del alma española en el marco de unos conflictos que enfrentan la libertad y la represión, el instinto y la razón, la insatisfacción y el hieratismo. De forma muy significativa, sin embargo, la producción lorquiana de este cariz coincide en las fechas de su redacción con una línea secreta que definen su ruptura formal con el folklorismo y la vivaz presencia de aquellos mismos temas pero en forma mucho más tensa y personal, como si el poeta granadino —al igual que vimos en su poesía— se sintiera escindido entre una obligación cívica y su más profunda tendencia personal.

El público español de los años treinta no conoció sino la primera de aquellas actitudes, aunque pudiera entender, bajo las especies de una dramaturgia que continúa claramente al Valle-Inclán de *Divinas palabras* y *Los cuernos de Don Friolera*, la estremecida disconformidad de la segunda. Ya en 1927, el estreno en Barcelona de *Mariana Pineda* había proporcionado a la resistencia republicana una pieza casi mítica y a Lorca su primer éxito de público. En 1931, Margarida Xirgu —actriz ligada ya de por vida al teatro lorquiano y la figura más significativa de la escena republicana— representó en Madrid la versión corta de *La zapatera prodigiosa*, la más conocida —pero no la mejor: ese mérito corresponde a la desasosegante pieza *Amor de Don Perlimplín con Belisa en el jardín*— de las obras de Lorca que utilizan los recursos expresivos y el aparente esquematismo del teatro guignolesco. Pero el éxito más duradero y de mayor repercusión pública solamente llegó con *Yer-*

ma (Compañía Xirgu, Teatro Español de Madrid, 29 de diciembre de 1934); sucesora de *Bodas de sangre*, el segundo de los dramas rurales de Lorca mejoraba en mucho al anterior: el predominio de la prosa sobre el verso, la sabia utilización de elementos corales, la irrepetible capacidad de folklorizar un lenguaje imaginativo de raíz indudablemente culta, eran elementos que convergían en el vigoroso diseño de un carácter femenino muy complejo y de un problema —la esterilidad, la carencia afectiva, el contenido masoquismo— que resistía y aun buscaba claves interpretativas muy diferentes. En *Yerma* cabía y cabe ver un drama casi metafísico del pueblo español frustrado, un drama de la condición femenina y una reflexión sobre el destino inexorable del amor, el sufrimiento y la muerte, además de una subjetiva plasmación del conflicto de su propio autor: la ambigüedad, recurso escénico que Lorca bebió en Valle-Inclán, alcanzaba en *Yerma* su más brillante realidad.

El año 1935 todavía Barcelona vio, con *Doña Rosita la soltera* y la actuación de la Xirgu, el último gran estreno lorquiano y una encantadora evocación del XIX burgués y granadino, bordando otra vez sobre el cañamazo de sus temas predilectos. Pero el público que aplaudía la más conseguida estilización del andalucismo literario (en un ambiente, como ya sabemos, muy propicio a esta fórmula, ya concienzudamente estragada por poetas de oficio y tonadilleras de rumbo y tronío), desconocía la inseparable faceta de la renovación dramática de Lorca: muy pocos pudieron conocer los ensayos que Pura Ucelay, al frente de la compañía independiente del Club Anfistora, realizó sobre el texto de *Así que pasen cinco años*, primero de los dramas informales del autor, donde el paso del tiempo, la muerte y las mutaciones de la personalidad destruyen una historia de amor y padecimiento; solo un grupo de amigos escuchó la lectura de *La casa de Bernarda Alba*, superación definitiva del teatro «realista» de Lorca; menos personas aún conocieron el manuscrito (de hecho, no publicado hasta hace un lustro) de *El público* y solo conjeturas permiten hablar de la existencia de *La destrucción de Sodoma*.

Frente a la densidad y calidad de la creación lorquiana, puede parecer exagerado identificar el entusiasmo de los públicos progresistas republicanos con las comedias del escritor asturiano Alejandro Casona, a quien ya conocimos como director del teatro de las Misiones Pedagógicas y cuya fama se desinfló aceleradamente al regreso de su exilio. No obstante, aquel entusiasmo fue tan cierto como en buena parte injusto el negativo juicio de finales de los años sesenta. Casona, pedagogo de profesión que en 1932 obtuvo el Premio Nacional de Literatura por un libro para niños, *Flor de leyendas*, que hoy se sigue reeditando, no se propuso mucho más que la reforma del teatro comercial y su validez debe juzgarse por contraste con las fórmulas benaventinas o con la sal gruesa de los Muñoz Seca, nunca con referencia a hipótesis creativas que, de hecho, ni siquiera se apuntaban en los escenarios españoles del momento. Y en ese sentido, la calidad del joven comediógrafo era a todas luces evidente. Con él entró en el teatro español una forma de realidad estilizada, apenas fronteriza con la fantasía, y un cierto estremecimiento filosófico muy distante de las admoniciones zapateras del drama benaventino y más cercanas a las que Giraudoux, por ejemplo, llevaba coetáneamente al teatro francés. Las piezas de Casona son, por lo demás, casi idénticas en su mecanismo: se basan en la construcción de un mundo de ficción, cuidadosamente separado de la realidad, pero que, a la altura del segundo acto, empieza a hacer agua por la presión de aquella; un proceso final de *anagnórisis* colectiva —que proporciona las razones *reales* de la evasión, nunca gratuita— permite establecer un compromiso entre la realidad y la ficción. Lo mismo es válido para *La sirena varada* (premio «Lope de Vega» de 1934; estrenada en el Español por la compañía de Enrique Borrás y Margarida Xirgu) que para *Nuestra Natacha*, la obra de 1936 cuya significación política trascendió en no escasa medida la intención del propio autor.

El sentido de lo humorístico irreal que apenas apunta en Casona fue, en los años treinta, una de las más significativas innovaciones en los hábitos del público. No por casualidad, sus mejores cultivadores tenían una filiación derechista y acertaron a diluir en su gusto por la incongruencia, el diálogo inverosímil, el doble sentido fantástico (y la exclusión total de la chocarrería), su hostilidad de fondo a los nuevos vientos políticos. Procedentes del semanario *Gracia y Justicia*, de *Gutiérrez* o de las tiras cómicas de *El Sol*, dibujantes y escritores como K-Hito, Edgar Neville, «Tono»... prepararon un nuevo humorismo que solo se afianzó en la posguerra. A él corresponde también la obra de Enrique Jardiel Poncela, saladísimo creador de la novela cómico-pornográfica en España y autor dramático al que se vincularán —en forma inconfesa, normalmente— las formas de humor escénico de posguerra: *Angelina o el honor de un brigadier* (1934) ratificó la burla del XIX romántico con tema del humor coetáneo (camino que aprendió muy bien Mihura), y *Cuatro corazones con freno y marcha atrás* (1936), pieza de construcción ejemplar, mostró las posibilidades «filosóficas» de una comedia ligera potenciada por la fantasía, con no menor eficacia que en las obras ya mencionadas de Casona.

27. «CRUZ Y RAYA» (1933-1936)

La reticencia que César Arconada experimentaba ante los continuadores de la tradición pequeñoburguesa en la literatura española podía haberse referido perfectamente a una «Revista de Afirmación y Negación», *Cruz y Raya*, cuyo nacimiento en abril de 1933 era solo dos meses anterior al citado artículo de *Octubre*. José Bergamín, su inspirador y director, figura como sabemos muy poco estimada en los medios artísticos de izquierda, quiso conseguir con ella un medio de expresión de alta calidad formal (su personal estética y el diseño de la publicación estaban en las antípodas de la expresividad de *Octubre* o *Nueva Cultura* y eran más bien una versión entre noble y franciscana de la *Revista de Occidente*) y promover una inquietud católica progresista en la misma línea de la revista francesa *Esprit* o de la actitud de Jacques Maritain. En orden a estos objetivos, la revista demostró en sus cuatro años de vida que la afirmación de la dualidad catolicismo-progresismo no era fácil, y menos aún en la España posterior a 1933: es significativo, en ese sentido, que los caminos más recorridos por *Cruz y Raya* fueran los del populismo cultural (como en las tesis bergaminianas de «La decadencia del analfabetismo», publicado en el número 3), la afirmación de la experiencia intuitiva como fuente de conocimiento (de ahí su reiterada admiración por Unamuno y sus frecuentes referencias a la mística) y, por lo que hace a las formas artísticas, la sistemática afirmación de los aspectos idealistas, irracionales y patéticos de la obra (como es visible en las críticas de Manuel Abril o en el significativo texto de Bergamín «El pensamiento hermético de las artes»).

Nada más distante, pues, de la estética deshumanizada que imperó en la década anterior, pero también nada más apartado de la exigencia de compromiso político y explicitud que alentaba la nueva vanguardia. Si, por una parte, *Cruz y Raya* afirmaba la virtualidad de las formas más actuales (las reseñas de los recientes poemarios de Aleixandre y Salinas respiran entusiasmo), por otro lado, la revista se distinguió por una sistemática revisión de la tradición artística culta y prolongó, pero ahora con una trastienda reflexiva más elaborada, la «recuperación» artística iniciada por los entusiasmos gongorinos de 1927. Especial beneficiaria de este retorno fue, sintomáticamente, la poesía neoplatónica del XVI (José María de Cossío dio a conocer la obra casi olvidada del capitán Francisco de Aldana, Ramón Sijé comentó y antologó a Juan de la Cruz, Luis Cernuda a Francisco Medrano, etc.) y los conatos de un lirismo existencial en el siglo siguiente (Neruda presentó la poesía filosófica de Quevedo, Cernuda comentó la de Francisco de Rioja, etc.).

Pero también Luis Cernuda y Joaquín Casalduero dedicaron sendos y bellos ensayos a la poética de Bécquer en su centenario de 1936 y, mientras Larra y Víctor Hugo estaban presentes en la sección antológica «Cristal del tiempo», las traducciones que Pablo Neruda realizó de William Blake, y Cernuda de Hölderlin, reafirman el interés redaccional por el espíritu romántico. No fueron los únicos; el Premio Nacional de Literatura, discernido en 1936, premiaba un ganador y un finalista de excepción en torno a ese tema: Guillermo Díaz-Plaja por su *Introduc-*

ción al romanticismo español, y el oriolano Ramón Sijé por *La decadencia de la flauta y el reinado de los fantasmas.*

Era palmario, pues, que, incluso en el terreno de lo que abusivamente calificamos de «literatura» para el público pequeño-burgués», el compromiso —moral, filosófico, humanístico— se afianzaba en una progresiva descalificación de las formas más lúdicas y triviales de la vanguardia. En gran parte, el fenómeno dejaba traslucir un inevitable recambio generacional, tampoco ajeno, como es sabido, al paralelo movimiento por un arte social y proletario. La nómina de lo que después se llamaría «generación de 1936» está ya presente en las páginas de *Cruz y Raya* y si, como decía más arriba, la redacción de *La Gaceta* incorporaba precariamente las futuras militancias reaccionarias y la «literatura de avanzada», la escisión de *Cruz y Raya* desde la perspectiva del 18 de julio de 1936 iba a ser aún más rotunda: mientras Bergamín, Alfredo Mendizábal, Eugenio Imaz, Vicente Salas Víu, José María Semprún, María Zambrano... formarían sin reservas en la defensa de la legalidad republicana, Rafael Sánchez Mazas y Luys Santa Marina destacarían en el reducido parnaso fascista, Leopoldo Eulogio Palacios y José Antonio Maravall formaron entre los ideólogos de la nueva situación (aunque en forma efímera y moderadísima en el segundo caso), y Luis Felipe Vivanco, Luis Rosales y Leopoldo Panero se convirtieron —en simplificación muy injusta— en los vates oficiales de la primera posguerra. Empero, no es menos injusto anticipar hechos que determinaron muchas veces factores geográficos, el temor o el impulso irreflexivo. Sin necesidad de proyectar sobre 1933 la sombra ominosa de la guerra civil, otros enfrentamientos denotaban lo que de cuerda floja intelectual y de contradictorio había en *Cruz y Raya:* la dura polémica entre Bergamín y Serrano Plaja, mantenida en las páginas socialistas de *Leviatán* y en las católicas de *Cruz y Raya,* tenía como pretexto la defensa que el primero hizo de la actitud de André Gide —reciente apóstata del comunismo— en el Congreso Internacional de Escritores en Defensa de la Cultura (París, 1934), pero el trasfondo real eran los sucesos de Asturias y su agorero significado.

La labor de promoción literaria realizada por la revista solo tiene parangón con la que, al final de los años veinte, desempeñó la *Revista de Occidente.* Dos libros capitales de la lírica española —el *Cántico* reelaborado de Jorge Guillén y la primera edición de *La realidad y el deseo* de Luis Cernuda— vieron la luz, ambos en 1936, de la mano de Bergamín en las Ediciones del Árbol, y Ramón Gómez de la Serna confió a la revista sus más importantes páginas de estos años. Pero más significativa aún fue la decidida acogida a escritores más jóvenes, protagonistas de la llamada «rehumanización» de la poesía española en los años 1935-1936 y el regreso a un neorromanticismo que distaba tanto del furor surrealista (que condicionó, sin embargo, la nueva expresión) como de los caducos ideales de la poesía pura. En esos dos años, el esfuerzo comprensivo de la revista de Bergamín, el renovado empuje impresor de Manuel Altolaguirre en las ediciones «Héroe» y la aparición de alguna publicación propia *(Literatura,* de Gullón e Ildefonso Manuel Gil; *Frente Literario; Caballo Verde para la Poesía,* fundada por Pablo Neruda tras su celebrada llegada a España), hicieron posible la impresión de las obras primerizas de Juan Panero *(Cantos del ofrecimiento),* Luis Rosales *(Abril),* Germán Bleiberg *(Sonetos amorosos),* Arturo Serrano Plaja *(Destierro infinito),* Juan Gil-Albert *(Misteriosa presencia),* Ildefonso M. Gil *(La voz cálida)...*

El nombre de Miguel Hernández suele situarse al frente de esta nómina generacional de 1936, pues pagó con la vida —no fue el único, sin embargo— su compromiso civil y poético. Como es sabido, constituyó un caso de precocidad poética, cuyo mérito aumentaba su autodidactismo: al llegar a Madrid, casi todo su bagage literario era el ambiente de exaltado catolicismo a lo *Cruz y Raya* que Ramón Sijé había creado en Orihuela y un libro, *Perito en lunas,* de mayor habilidad que intensidad (y, en cualquier caso, adscribible a la «poesía pura» más que a los nuevos intentos), pero sus nuevas relaciones literarias imprimieron a su obra un cambio decisivo. En 1934 Bergamín le editó un auto sacramental, *Quien te ha visto y quien te ve y sombra de lo que eras,* despedida de un alambicado neocatolicismo que nunca fue demasiado sincero, y en 1935 dio con *Los hijos la piedra* un dramón social no muy afortunado tampoco; solo en 1936 su poemario *El rayo que no cesa* dio la medida del gran poeta que Hernández iba siendo y de su capacidad (la misma que Lorca logró en grado de excelencia) de rellenar de lírica verdadera una inverosímil facilidad para hacer versos.

28. EL PENSAMIENTO REACCIONARIO. LOS ORÍGENES DEL FASCISMO

La formulación de un pensamiento reaccionario español a lo largo de la etapa republicana constituye un capítulo de mucha menor brillantez que los que nos han venido ocupando. En este caso, además, la restricción mental que siempre ha de hacerse entre el testimonio escrito y la realidad vivida, la distancia entre las consignas elaboradas por las minorías intelectuales y la conciencia cotidiana de los ciudadanos, se amplía considerablemente: si la lectura de *Octubre* marcó la vocación literaria de bastantes estudiantes y los editoriales de *Claridad* —el periódico *caballerista*— los de muchos militantes madrileños del PSOE, podemos mantener la sospecha de que *Acción Española* o la revista de las *Juventudes de Acción Popular* añadieron muy pocos ingredientes a las berroqueñas convicciones de su público natural. Estas preexistían, formuladas como prejuicios o como intereses, en quienes se apuntaron a la torva revancha iniciada en julio de 1936 y antes ensayada en 1933. En las publicaciones reaccionarias del período hay que buscar más que los estímulos intelectuales, los síntomas precariamente argumentados de una conciencia que fue endureciendo sus perfiles y trocándose en ciega agresividad: en la «dialéctica de los puños y las pistolas», que entrañaba disparar a sangre fría sobre una muchacha socialista que venía como un «chíribi» más de pasar el domingo en la madrileña Casa de Campo. Por eso, el verdadero pensamiento de la derecha bajo la República deberá buscarse en los informes y discursos de las reuniones patronales, en los feroces sermones y cartas pastorales de párrocos y obispos, en las tertulias de casino que difundían y exageraban las noticias de Castilblanco o de la revolución de Asturias, en las charlas de las salas de banderas y, en definitiva, en la sensación de acoso y el deseo de venganza de quienes se sintieron irreconciliables con la República y vieron en Azaña al intelectual bilioso y posiblemente homosexual, en Fernando de los Ríos al artero judío anticristiano, en Indalecio Prieto al blasfemo sistemático, en Largo Caballero al obrero vengativo y frío, en Manuel Cordero al «enchufista», en Lluis Companys al bobalicón «pajarito».

Las referencias ideológicas utilizadas eran, por lo demás, muy simples: la defensa de la propiedad privada (que tomó tintes dominantemente rurales por la presión de la gran burguesía agrarista, aún hegemónica), la causa de la unidad nacional (agravada por las nacientes nacionalidades estatutarias) y el mantenimiento del catolicismo como religión de Estado. Muchas veces bastó con esta última referencia, ya que catolicismo quería decir —y se repitió hasta la saciedad— propiedad privada, sagrada unión política, resignación de los humildes, moralidad en la calle, etc. La iglesia católica se identificó en su casi absoluta totalidad con la misión que le asignaron quienes decían tenerla por madre espiritual: su responsabilidad moral en el derrumbamiento de las instituciones republicanas y en el estallido de la guerra civil (y, por descontado, en la vesanía represiva posterior) es muy superior a las de cualquiera otra institución.

En su número 89, fechado en Burgos, marzo de 1937, la revista *Acción Española* se despedía de sus lectores con la afirmación inequívoca de que «para nosotros se hacía evidente en la razón y en el conocimiento, que la democracia y el sufragio universal eran formas embrionarias del comunismo y el anarquismo, pregonábamos que había que combatirlas por todos los medios, "hasta los legales", añadíamos con palabras ajenas, para dar a entender en la medida en que las mallas de censura dejaban pasar la intención, que si nos apresurábamos a poner en práctica los medios que una legalidad —formal pero ilegítima— nos consentía, solo era con la mira puesta en que ellos allanasen el camino a los que un día hubieran de marchar cara al honor y a la gloria, echándose a la espalda escrúpulos legalistas. Teníamos que combatir, por lo tanto, la errónea idea, propagada a veces por gentes significadas en determinados medios católicos, de la ilicitud de la insurrección y del empleo de la fuerza». El cinismo de tal declaración —avalada, en el número de *Acción Española* al que hago referencia, con sendos autógrafos del cardenal primado Isidro Gomá y del autotitulado «Jefe del Estado», general Franco— no era nuevo en la publicación; en el número 37, 1933, la revista acogía un trabajo, «Los estímulos del guerrero», firmado por el general García de la Herrán, uno de los sublevados del 10 de agosto de 1932 y a la sazón en el Penal del Dueso, y unas breves líneas de apoyo suscritas por José Sanjurjo, cabecilla del abortado golpe militar; el mismo año y a lo largo de varios números, Marcial Solana discurría sobre «La resistencia a la tiranía, según la Doctrina de los tratadistas del Siglo de Oro español», y, en forma aún más explícita, el cura Aniceto de Castro Albarrán (núm. 39, 1933) daba a conocer, bajo el título «La sumisión al poder ilegítimo», un avance de su libro *El derecho a la rebeldía*.

Acción Española fue —desde su fundación en 1930 por el conde de Santibáñez del Río y por Ramiro de Maeztu, su director— un cajón de sastre de todas las tendencias reaccionarias que podían caber bajo un nombre directamente traducido del que bautizó al grupo francés de Charles Maurras, Léon Daudet, Pierre Gaxotte, etc. En sus páginas encontramos figuras menores de fascismos extranjeros —americanos como Pablo Antonio Cuadra, vocero nicaragüense de la «Hispanidad»; «integralistas» portugueses como Pequito Rebelo, que diserta sobre el fracaso de las reformas agrarias; fascistas italianos como Pietro Giovannini, que presenta a los lectores españoles la «Carta del Lavoro» mussoliniana; *tories* ingleses como Sir Charles Petrie; monárquicos franceses como Gaxotte y Jules Lemaïtre—, pero, sobre todo, una amplia gama de nombres españoles: la mayoría podrían definirse como monárquicos integristas, vinculados a la redacción de *El Debate* (José Luis Vázquez Dodero, Carlos Fernández Cuenca, Nicolás González Ruiz...), mezclados con viejos mosqueteros primorriveristas (José María Pemán, Eduardo Aunós, Luis Araujo Costa, Zacarías de Vizcarra, José Yanguas Messía...) y aun con carlistas (Víctor Pradera, el conde de Rodezno...) y conspiradores monárquicos (los militares Jorge Vigón y Juan Antonio Ansaldo, el ingeniero Juan de la Cierva, el periodista Eugenio Vegas Latapié). Un pequeño grupo de catedráticos católicos (Pedro Sainz Rodríguez, F. Enríquez de Salamanca, el marqués de Lozoya) testimonia la existencia de este grupo de presión, más adelante implicado en la persecución a sangre y fuego de su enemiga natural, la Institución Libre de Enseñanza. Por último, la delgada frontera que separa el fascismo y su seudorrevolucionarismo de quienes se definen orgullosamente como contrarrevolucionarios viene atestiguada por la presencia de Ernesto Giménez Caballero, Rafael Sánchez Mazas, Eugenio Montes y Emiliano Aguado.

El objeto obsesivo de *Acción Española* es la modernidad aun en sus manifestaciones más triviales, y quizá el *mot-clé* de su aportación intelectual sea el término «tradición». Nos hallamos ante una vocación de contrarreforma que supone la revisión sistemática del pasado español, realizada con tonos vindicatorios y en las antípodas del populismo que hemos visto aparecer en otras publicaciones: los trabajos, no siempre desdeñables, de Miguel Herrero García, Blanca de los Ríos y Agustín González de Amezúa suponen un tratamiento erudito y entusiasta del Siglo de Oro (con especial atención al mismo Lope de Vega que, desde supuestos muy diferentes, reclamaban para sí Rafael Alberti o Lorca) pero también hallamos revisiones de Balmes y Donoso Cortés, críticas a la Tercera República francesa y al romanticismo en general (en las que es perceptible la influencia de los colegas de *Action Française*) y una cerrada defensa del concepto de «Hispanidad» en la que acompañan a Maeztu, su divulgador si no su inventor, firmas americanas y españolas. La única y sorprendente excepción a la regla es un largo trabajo de Ernesto Giménez Caballero («Arte y Estado», repartido en varios números de 1934-1935) que defiende, y no sin conocimiento de causa ni acertadas intuiciones, la vinculación del arte moderno —el racionalismo arquitectónico, el cubismo, la nueva escenografía alemana y soviética, el cinema de Eisenstein— a la urgencia de Estados autocráticos y al necesario final de los individualismos románticos cuya postrera manifestación ha sido el surrealismo.

La trayectoria de quienes se reconocían bajo el dictado de «fascistas» no fue muy brillante y se limitó a jugar un papel de comparsa —auspiciado por las subvenciones no muy pingües de la gran patronal— en el rearme de la derecha oligárquica. Si la realidad de los grupos fascistas la compuso una mercancía averiada —estudiantes hijos de buenas familias, militares monárquicos, antiguos sindicalistas del «libre»—, la progenie intelectual que vindicó era muy amplia: remotamente entraron en ella los aspectos agónicos y antiprogresistas del noventayochismo (Unamuno) y, en menor medida, sus componentes individualistas neorrománticos (Baroja), aunque bien es cierto que uno y otro de los implicados repudiaron con firmeza la imputación; en forma más próxima, el «orteguismo» de la etapa nacional-burguesa les proporcionó algunos tics estilísticos y una teoría del Estado y de la función de las élites; por último y en modo mucho más inmediato, Giménez Caballero suministró el aglutinante de tal *pedigree* intelectual, un cierto barniz de vanguardismo agresivo y las elementales noticias de los modelos europeos del pensamiento fascista. En tal sentido, no cabe regatear al fundador de *La Gaceta Literaria* el triste honor de haber sido precursor y patrón del totalitarismo español, con mucho mayor motivo que otras formas miméticas y aún no bien conocidas (como son los casos aberrantes de José María Albiñana, del corporativismo de Eduardo Aunós, de ciertos atisbos de Víctor Pradera o de corrientes marginales del maurismo y de la misma dictadura de Primo de Rivera).

La primera manifestación explícita de fascismo lo constituyó —un mes antes de la proclamación de la República— la aparición del «Semanario de lucha y de información política» *La Conquista del Estado*, que apenas duró cuatro meses. Su fundador y director, Ramiro Ledesma Ramos, era un desequilibrado que había escrito muy aceptables artículos de divulgación filosófica para la *Revista de Occidente* y para *La Gaceta* y al que sus frustraciones profesionales y su desclasamiento le llevaron a un fascismo de perfiles muy duros, más tarde en abierto conflicto con el «desviacionismo» derechista posterior a 1933. En ese sentido, sus trabajos —con los de Juan Aparicio, Javier M. Bedoya, Ramón Iglesias, Antonio Bermúdez Cañete— encarnan la actitud antiintelectual más virulenta (referida, sobre todo, a la *intelligentsia* universitaria del primer bienio republicano) y el máximo de incorporación de los antecedentes nacionalistas e irracionalistas más arriba aludidos. Muy dispar es la actitud de Onésimo Redondo, antiguo alumno de los jesuitas, católico practicante y muy relacionado con los intereses remolacheros, que, por las mismas fechas y con el auxilio de un grupo pintorescamente denominado Juntas Castellanas de Actuación Hispánica, inició una campaña —reducida a Valladolid— que se basó en la impugnación de la reforma agraria, cierto tono de castellanismo activo y una virulencia antisemita que no dejaba de ser novedosa en estos pagos.

El año de 1933 fue decisivo en la organización de las derechas españolas. Si a principios de marzo se constituye la CEDA y poco después la Confederación de Patronales Agrarias, el 29 de octubre —a un mes vista de las elecciones que dieron el triunfo a las derechas— se produjo el mitin más importante hasta entonces del fascismo español. Conviene, sin embargo, situar en su verdadero lugar el acto del Teatro de la Comedia, lleno —como señaló algún convencido— de burgueses que salían de misa de doce, militares retirados y en activo y viscerales votantes de derecha: lo que la historiografía fascista posterior quiso ver como el «acto fundacional» de Falange Española fue, en realidad, un fervorín de «afirmación nacional» que dieron el hijo del antiguo Dictador, monárquico hasta hacía bien poco y conocido en la universidad como camorrista católico, el aviador Ruiz de Alda, famoso por el vuelo del Plus Ultra y Alfonso García Valdecasas, joven y versátil catedrático de Derecho que había sido diputado por la «Agrupación al Servicio de la República». El acto, transmitido por radio, fue, en realidad, un apoyo indirecto a la campaña de las derechas y, como tal, el discurso de Primo se reprodujo en la revista *Acción Española*, precedido de un elogioso trabajo del carlista Víctor Pradera con el título «Bandera que se alza».

La nueva situación hizo ya inequívoco el destino del fascismo español, que logró muy pronto la fusión de los grupos de Ledesma, Redondo y Primo. Su futuro estuvo definitivamente vinculado al pistolerismo desarrollado en la Universidad por el SEU, a la práctica organizada del esquirolismo en las huelgas madrileñas y al apoyo incondicional a las derechas, bien que camuflado tras una aparente hostilidad en la que no pocos jóvenes desorientados pudieron creer de buena fe: las revistas del período —*Arriba,* como órgano oficial del grupo; *Haz,* semanario del sindicato universitario...— suelen reunir a los representantes de esa credulidad y la manifiesta contradicción entre el voluntarismo revolucionario de que hace gala un léxico alambicado y algo cursi —«lo exacto», «los luceros», «lo impasible», «lo imperial»— y la irreprimible realidad del instinto de clase amenazada —odio púnico a las organizaciones del proletariado, equívoca simpatía por el anarcosindicalismo, exaltación de lo campesino frente a lo urbano...—.

29. CREACIÓN CULTURAL Y PROPAGANDA EN LA ESPAÑA NACIONALISTA (1936-1939)

El estallido de la guerra civil proporcionó al fascismo español —a través de su dominio en los Servicios de Prensa y Propaganda— una engañosa hegemonía en la articulación ideológica de la España franquista. Mientras la derecha tradicional —muchos «cedistas», los monárquicos·de Renovación Española, antiguos «upetistas» del período dictatorial, los carlistas— ocupaban la legislación de enseñanza y justicia con el objetivo de abolir toda la tarea republicana, el falangismo empezó por ver eliminada en los sucesos de Salamanca (previos al *Decreto de Unificación* de 1937) lo que cabría llamar su «ala izquierda» y se vio anegado por la marea de nuevas adhesiones, procedentes en su mayoría de sectores católicos y pronto alimentadas por la afiliación obligatoria. En tales condiciones, los elementos contradictorios que fueron visibles desde su origen se agravaron y el falangismo —al margen de sus ademanes violentos— se subsumió en el pragmatismo político con el que se fue configurando el nuevo Estado autoritario: si muchos de sus jóvenes líderes se sintieron sinceramente horrorizados ante la vesania represiva, la demolición de la Reforma Agraria o los excesos clericales, también es cierto que a los «camisas azules» les tocó la parte del león en la caza del hombre en la retaguardia y sustanciosas ganancias en el pillaje silvestre u organizado.

La peculiar división geográfica impuesta por la sublevación (derrotada sistemáticamente en las grandes ciudades, salvo Sevilla y Zaragoza) dio un predominio provinciano y rural a la zona nacionalista que se transparentó —en forma que merecería una monografía más minuciosa— en el talante y la organización de los grupos activos, ratificando seguramente la tendencia de afiliación al falangismo que se percibió desde 1933 o aun antes. Es significativo, por ejemplo, que el núcleo más activo se encuentre en Pamplona (aunque los navarros estuvieran en proporción mínima) y en torno al primer periódico falangista, ¡*Arriba España!* y, sobre todo, a *Jerarquía*, la «Revista negra de Falange», que imprimió entre 1937 y 1938 cuatro bellos números. Bajo la autoridad del canónigo pamplonés Fermín Yzurdiaga, formaban la llamada «escuadra de *Jerarquía*» dos navarros (Angel María Pascual y el antiguo «seuísta» Rafael García Serrano), los católicos Pedro Laín Entralgo y Dionisio Ridruejo (los más valiosos y, en lo poco que cabe, conscientes de la situación), el granadino Luis Rosales, el gallego Gonzalo Torrente Ballester y algún otro. Por su parte, un pequeño grupo sevillano-gaditano compareció a través de *ABC* de Sevilla en lo que era virreinato del general Queipo de Llano; otro, más desdibujado, surge en Zaragoza (donde el «cedismo» era muy fuerte y siguió dominando la situación), y, por último, un núcleo más activo y radical, bajo la batuta del antiguo «jonsista» Juan Aparicio, trabaja en Salamanca (y en Valladolid) a través de *La Gaceta Regional* de la primera ciudad y de la emisora de radio de la segunda.

El establecimiento de una suerte de capitalidad en Burgos centralizó esfuerzos en esta ciudad, a la vez que la incorporación del norte permitió el suministro de papel y el acceso a imprentas de más fuste. Entre Burgos y San Sebastián —convertida en subcapital intelectual y financiera— surgieron nuevos empeños. La revista *Vértice* (1937-1946) fue el más logrado de los atribuibles a la Delegación de Prensa y Propaganda: constituyó un *magazine* de lujo impensable que mezclaba la información gráfica de guerra, las secciones triviales que correspondían a una revista ilustrada de gran público y un apartado literario que aglutinó las firmas más conocidas del momento. De su lectura se desprende, sin embargo, un tono mucho más proclive a la evasión y a la banalidad de buen tono que la acometividad austera que sería esperable: tras sus páginas en *couché* se dibuja, en realidad, el perfil de una alta burguesía que estaba ganando su guerra y de una clase media encandilada por el lujo y atemorizada aún por el recuerdo republicano. A estos sentimientos cabe referir también el semanario de humor *La Ametralladora*, que conjunta los esfuerzos de «Tono», Edgar Neville y Miguel Mihura en la primera manifestación coherente de la nueva comicidad cuyos orígenes y situación política vimos ya en los años anteriores. Del mismo modo, *Destino* —con Ignacio Agustí, Juan Ramón Masoliver y otros jóvenes universitarios catalanes— fue, desde Burgos, un intento de portavoz de los numerosos potentados y profesionales de Cataluña que, escapados de la zona republicana, asentaron sus reales y sus dineros en Burgos y San Sebastián.

En muy contados casos, estas manifestaciones culturales tuvieron un cariz popular. Los carteles de Carlos Sáenz de Tejada, sin embargo, se inventaron una estilización del «pueblo», significativamente rural, que asistió a la Cruzada: jóvenes madres, campesinos altos y rubios, soldados y «milicias» entremezclados con ángeles guerreros (recuérdese que Pemán dio en 1938 un largo poema épico titulado precisamente *Poema de la Bestia y el Ángel*), presentados en oposición a gentes famélicas, rostros torvos y de rasgos orientales (que Sáenz de Tejada suele orillar pero que son mayoritarios en otros dibujantes). Un carácter vagamente populista tuvo también la movilización de la mujer a través de la Sección Femenina (pronto obsesionada por la restauración de la cultura tradicional campesina: «Coros y Danzas», talleres de bordados populares) y de la obra de Auxilio Social. El espíritu de «La Barraca» o de las «Misiones Pedagógicas» afloró a su vez en algún intento teatral —el grupo onubense «La Tarumba», las representaciones castellanas de autos sacramentales— conducido por gentes que como Pepe Caballero y Luis Escobar habían pertenecido en la preguerra a aquellas formaciones. Lo que prevaleció, sin embargo, fue el mimetismo de los grandes actos de Núremberg o de Roma (la «estética de las muchedumbres» como la llamaba con entusiasmo un editorial de *Vértice*) y, por lo que hace a la vivencia de la contienda en la retaguardia, la cursilería de las «madrinas de guerra», los lamentables desfilillos de «flechas» y la restauración de las solemnidades religiosas, ya inseparablemente ligadas a la vida del Régimen (los funerales de José Antonio en Burgos y la delirante jura, en el próximo Monasterio de Las Huelgas, del primer Consejo Nacional de Falange pueden ser paradigma de aquella estética sacroprofana en la que la megalomanía del propio Franco tuvo intervención muy directa).

Un dato revelador confirma las características de la propaganda y la galvanización políticas en las filas «nacionales». Mientras que las «novelas de guerra» son escasísimas —apenas cuenta como tal *Eugenio o proclamación de la primavera* (1938) de Rafael García Serrano, y a esta solo se pueden sumar *Se ha ocupado el kilómetro 6* (1939) de Cecilio Benítez de Castro y *Camisa azul* (1939) de Felipe Ximénez de Sandoval—, los informes y recuerdos anovelados de los sufrimientos y vejaciones pasadas en la retaguardia roja suponen una auténtica invasión de papel impreso y una inapelable certificación de los intereses concretos que reemplazaban inevitablemente el entusiasmo por la «Cruzada»: títulos como *Retaguardia* (1937) de Concha Espina, *Madridgrado* (1938) de Francisco Camba, *Madrid, de corte a cheka* (1938) de Agustín de Foxá, *Checas de Madrid* (1939) de Tomás Borrás y *Una isla en el Mar Rojo* (1939) de Wenceslao Fernández Flórez fueron sintomáticos éxitos de librería en estos años y los inmediatamente posteriores. Tres años después de finalizada la contienda, la primera novela bélica de interés —*La fiel infantería* de Rafael García Serrano— era retirada de la circulación a instancias de la censura eclesiástica, escandalizada por el tono irrespetuoso de las expresiones con las que el autor había recogido —y no sin arte— algo del mundo real de las trincheras que restituyeron su tranquilidad a patronos tan desagradecidos.

30. CREACIÓN CULTURAL Y PROPAGANDA EN LA ESPAÑA REPUBLICANA (1935-1939)

La creación cultural en el campo republicano fue, al contrario de lo que acabamos de ver, un fascinante episodio que remata con broche de oro la «edad de Plata» y se constituye —con contadas experiencias más— en uno de los más afortunados y universales momentos de proximidad del arte, la propaganda y la búsqueda de una estética popular. Es cierto que solo en pocas ocasiones se crearon obras maestras y que la supeditación no tanto del arte como de la creatividad propia a unas falsillas previas no muy discutidas y, por otro lado, el acelerado ritmo de producción, no fueron los mejores consejeros artísticos: lo que impresiona en la España republicana es el conjunto de iniciativas y realizaciones, la clara voluntad de acceder a las masas combatientes y de retaguardia, el planteamiento —cierto que sobre la marcha— de algunos problemas fundamentales de la comunicación artística.

Y lo que admira es la comprensión y la fe de los mandos militares de las milicias, las autoridades improvisadas de muchos núcleos rurales, de las gentes a las que el esfuerzo iba dirigido, que consiguieron con un entusiasmo nunca desmentido que las cosas fueran posibles: los pequeños periódicos de regimiento, la actividad propagandística de un comité local del Frente Popular, de un sindicato o de un partido, la confiscación de una imprenta, estuvieron en la base de una empresa que, aun teniendo protagonistas, no es menos cierto que puede ser calificada de colectiva.

Lo fue en buena parte, por lo menos, para los intelectuales que la llevaron adelante, en la medida en que se impuso un modelo de autogestión organizada —a través de sindicatos propios— o de dependencia directa de organismos unitarios y se evitó, en gran medida, la dispersión de iniciativas. Nunca del todo, claro está, ni sin enfrentamientos: los medios libertarios actuaron casi siempre al margen de aquella mínima disciplina y no ahorraron acusaciones —de intelectuales exquisitos y pequeñoburgueses— a quienes tenían al lado; el Partido Comunista, que se reveló muy pronto como la mayor capacidad organizativa del ámbito republicano y el más hábil promotor en el campo cultural, hizo notar demasiadas veces su hegemonía y una cierta tendencia al cacicato en los tiempos —por otro lado felices en lo que hace a las actuaciones concretas— del ministro Jesús Hernández y el subsecretario Wenceslao

Roces. En general, aunque las mutuas desconfianzas que estallaron en los medios de exilio al acabar la guerra se larvaron durante el transcurso de esta (rivalidad socialistas-comunistas, incompatibilidad anarquistas-marxistas...), prevaleció el sentimiento de unidad: el 19 de julio de 1936 los intelectuales españoles —aun los que no llegaban más allá de un liberalismo de izquierdas— tuvieron la convicción de que, ganada la guerra, las cosas nunca volverían a ser como antes y que aquel baño de sangre significaba el comienzo de una nueva era, caracterizada por el protagonismo que el pueblo había alcanzado en las luchas callejeras de los primeros días y en su improvisada organización posterior. Fue el asombro ante un milagro —en cuya consideración, como tal no faltaban, desde luego, rasgos de masoquismo pequeñoburgués— que generó una convicción tan genérica a veces como inamovible. Los poetas muy conocidos (Emilio Prados, Manuel Altolaguirre, Vicente Aleixandre, José Moreno Villa, León Felipe, por no citar a Alberti y Hernández) que escribieron poemas para la antología *Poetas de la España leal* y que decidieron resucitar el viejo molde romancístico para narrar las hazañas bélicas en un *Romancero general de la guerra de España*, son, sobre todo en el último caso, víctimas voluntarias de un deslumbramiento que les hizo ver la realidad del presente y del futuro en términos de jefes surgidos de la guerrilla, heroísmos sin cuento, abnegación popular, que marcaban no sólo el destino de España sino el de Europa entera: ello explica —y no intereses inconfesables de protección u oportunismo— la rápida expansión del Partido Comunista en medios profesionales y artísticos (como, en otra medida, entre la clase media y la oficialidad del Ejército).

La conciencia de que habían concluido la independencia y la soledad del escritor burgués venía, como sabemos, de algunos años atrás. En 1935 se había celebrado en París el I Congreso de Escritores (la representación española estuvo constituida por Julio Álvarez del Vayo, Andrés Carranque de Ríos y Arturo Serrano Plaja) y en sus sesiones se constituyó la Asociación Internacional de Escritores en Defensa de la Cultura, como máxima instancia de la literatura progresista y revolucionaria europea, y se eligió un comité directivo de doce miembros entre los que figuraba Ramón del Valle-Inclán. A finales de julio de 1936 se formalizó la Alianza de Intelectuales Antifascistas, como sección española de la Asociación y con el objetivo concreto de promover actividades específicas a través de secciones —Literatura, Artes Plásticas, Bibliotecas, Pedagogía, Música, Teatro— concebidas más como taller de iniciativas que como simples asociaciones formales. Correspondió la primera presidencia al crítico liberal Ricardo Baeza, pero en agosto del mismo 1936 una nueva votación dio la presidencia a José Bergamín y la secretaría a Rafael Alberti; a la vez, iniciaron sus actividades las secciones valenciana y catalana de la Alianza, presididas por José María Ots y

Capdequí y Jaume Serra Hunter, respectivamente, y teniendo como secretarios a Josep Renau y Joan Oliver (Pere Quart). Las actividades de la Alianza fueron bastante intensas. Su publicación periódica más importante, *El Mono Azul* (46 números entre el 27 de agosto de 1936 y julio de 1938), fue una revista muy ágil que usó del llamativo formato gran folio y combinó hábilmente la noticia cultural o política, la ilustración expresiva o el fotomontaje, la colaboración literaria (a veces espontánea, como hacía «El buzón del soldado» de *La Ametralladora* en la zona nacionalista) y el artículo de fondo. En Cataluña —donde se constituyó una activa «Institució de les Lletres Catalanes» que promovió una nueva y excelente etapa de la *Revista de Catalunya*— la efímera revista *Meridià* (1938-1939) fue el portavoz de los escritores de la Aliança, y en Valencia nuestra ya conocida *Nueva Cultura* en una segunda etapa de actividad.

La aportación más importante de la Alianza fue, sin embargo, la convocatoria y desarrollo del II Congreso de Intelectuales en Defensa de la Cultura, cuya sede había sido reclamada para España un mes antes del inicio de las hostilidades de la guerra. La buena acogida de los miembros extranjeros de la Asociación supuso la celebración española del Congreso, segunda de las actividades universales (la primera fue la inconclusa Olimpiada Popular con que se quiso responder a los Juegos nazis de 1936) que contribuyeron tan poderosamente a la internacionalización moral del conflicto español. Asépticamente planteado como reunión no partidista pero sí de izquierdas, y abiertamente concebido como manifestación de apoyo a la causa republicana, el II Congreso tuvo menos interés por sus discusiones (no siempre fáciles, como revela el incidente suscitado por el veto a André Gide en nombre de su reciente antisovietismo, ni a menudo lúcidas) que por haber traído a España lo más vivo del pensamiento y la creación literaria europeas y latinoamericanas, casi en las mismas fechas en que un numeroso grupo de hombres de corazón daban su sangre en las Brigadas Internacionales por el triunfo de la causa republicana. Las primeras sesiones se celebraron en Valencia —bajo la presidencia honorífica de sendos retratos de Henri Barbusse, Maximo Gorki y Ramón del Valle-Inclán—, como un implícito tributo a la importancia del grupo levantino (aunque la verdadera razón fue la reciente capitalidad de la ciudad en los peores momentos del asedio de Madrid), y casi al año justo de iniciada la guerra. Se hizo una visita-sesión a la ciudad sitiada y, tras algunas reuniones en Barcelona, la clausura tuvo lugar en París. La asistencia de escritores extranjeros fue cuantiosa y significativa: Jef Last, Anna Seghers, Julien Benda, André Malraux, Tristan Tzara, Stephen Spender, Fedor Kelin, Ilia Ehrenburg, Malcolm Cowley, Juan Marinello, César Vallejo, Vicente Huidobro... Junto a ellos estuvieron los españoles y muy especialmente jóvenes —Prados, Gil-Albert, Sánchez Barbudo, Miguel Hernández, Serrano

Plaja...—, sobre los que gravitó buena parte de la organización y que firmaron una importante ponencia colectiva que puede entenderse en gran medida como una autobiografía generacional —«lo puro, lo antihumano, no podía satisfacernos en el fondo; lo revolucionario, en la forma, nos ofrecía tan solo débiles signos de una propaganda cuya necesidad social no comprendíamos y cuya simpleza de contenido no podía bastarnos»— que, sin embargo, cierra la convicción de haber hallado el verdadero camino: «No queremos una pintura, una literatura en las que [...] se crea que todo consiste en pintar o en describir a los obreros buenos, a los trabajadores sonrientes, etcétera, haciendo de la clase trabajadora, la realidad más potente hoy por hoy, un débil símbolo decorativo. No. Los obreros son algo más que buenos, fuertes, etc. Son hombres con pasiones, con sufrimientos, con alegrías mucho más complejas que las que esas fáciles interpretaciones mecánicas desearían [...] Nosotros declaramos que nuestra máxima aspiración es la de expresar fundamentalmente esa realidad con la que nos sentimos de acuerdo poética, política y filosóficamente [...] que hoy [...] es la coincidencia absoluta con el sentimiento, con el mundo interior de cada uno de nosotros».

Quienes así se expresaban formaron parte en su totalidad de la redacción de la revista mensual *Hora de España*, cuyos veintitrés números (de enero de 1937 a noviembre de 1938) han pasado a integrar una parte importante de la mitología de la guerra civil. La revista —subtitulada «Ensayos, Poesía. Crítica. Al servicio de la causa popular»— se imprimió en Valencia y contaba con un «Consejo de colaboración» (en el que figuraban escritores como León Felipe, Bergamín, Alberti, Antonio Machado, José Moreno Villa; músicos como Rodolfo Halfter; arquitectos y artistas plásticos como Luis Lacasa, Alberto y Ángel Ferrant; eruditos como Tomás Navarro Tomás, Dámaso Alonso, José Gaos y José Fernández Montesinos) y un equipo redactor, poco más de veinteañero en los casos de Antonio Sánchez Barbudo, Rafael Dieste, Juan Gil-Albert y Arturo Serrano Plaja, y algo más bregado en los de Manuel Altolaguirre, Ramón Gaya (que era el ilustrador) y Ángel Gaos. Formalmente, la revista era una fórmula de compromiso entre la rotundidad ascética de *Cruz y Raya* y la simplicidad algo más alegre de *Revista de Occidente;* su contenido era, de algún modo, la continuación espiritual de lo que ambas publicaciones posibilitaron, pero teñido del espíritu que informaba la Ponencia Colectiva cuyos momentos más significativos acabo de citar. Aunque *Hora de España* sufrió ataques y aun burlas por su tono dolorido y escasamente «proletario», es evidente que nos hallamos ante uno de los logros más armoniosos y válidos de la cultura española del siglo xx: las prosas del *Mairena* machadiano; los artículos de María Zambrano, Serrano Plaja, Sánchez Barbudo, Rosa Chacel; los poemas de Vicente Huidobro, Octavio Paz, Vicente Aleixandre, Emilio Prados, Luis Cernuda, Juan Gil-Albert, Miguel Hernández, Rafael Alberti, etc..., componen un conjunto irrepetible y el testimonio imperecedero del difícil compromiso entre la tradición humanística (que así la denominaban sus redactores) y las perentorias necesidades de la hora.

Compromiso difícil o imposible, pese a la incondicionalidad de la intención y la aceptación de su subordinación política por parte de quienes la escribieron. No todos abordaron con la misma humildad las limitaciones de su tarea artística. El gran poeta León Felipe, cuya evolución desde *Versos y oraciones de caminante* (1923) venía siendo marginal a la de la lírica de su tiempo (aunque no ajena al tono reflexivo y sencillista de un sector del postmodernismo), recibió la noticia del estallido de la guerra en Panamá y, desde la radio de aquella ciudad, se despidió de América con un «Good bye, Panamá» rezumante de ira contra los nada infrecuentes partidarios latinoamericanos de la sublevación franquista. Establecido en Valencia, dedicó su pluma —en un compromiso que duró hasta su muerte en 1968— al denuesto de los sublevados y sus cómplices (Inglaterra, especialmente). Pero el gran poeta inventó una víctima estilizada (bajo rasgos quijotescos y como una eternización de constantes étnicas, muy unamunianas), unos enemigos no menos esquemáticos (clerigalla, militares ambiciosos, terratenientes), y, como resultado, una dialéctica maniquea que, más allá de su incuestionable efectividad artística (a menudo sobrecogedora), resucita el eterno mito liberal de las dos Españas y, al fondo, la imagen bíblica del Poeta-Profeta convertido en escarnio de multitudes. En su entrega quinta (mayo de 1937), *Hora de España* reprodujo un fragmento de su «Alocución poética» *La insignia* que dio lugar a un regular escándalo: el poema había sido escrito en los momentos de depresión que siguieron a la incomprensible caída de Málaga en manos de los franquistas y criticaba con verdadera ferocidad la retaguardia política («Son los comités, / los partidillos, / las banderías, / los Sindicatos, / los guerrilleros criminales de la retaguardia ciudadana. / Ahí los tenéis. / Abrazados a su botín reciente»); y, aunque el fragmento seleccionado por la revista valenciana pertenecía a la parte más inocua en ese sentido, la lectura pública de aquellos versos ante un auditorio anarquista y su posterior edición en Barcelona promovió un previsible apadrinamiento del poema por parte de los libertarios (en contra, obviamente, de la preponderancia comunista en la organización cultural a cuyos máximos responsables —Hernández y Roces— acusaba León Felipe de algún desaire).

No todos entendían, pues, las lógicas limitaciones de la nueva situación. Pese a ello, el esfuerzo gubernamental por salvaguardar la cultura en su acepción más tradicional fue verdaderamente considerable: el cuidadoso traslado a Valencia de los cuadros del Museo del Prado y la protección de obras artísticas madrileñas ante la posibilidad del pillaje o el vandalismo, contrastan con la leyenda negra que la posguerra creó en torno a las destrucciones republicanas. Del mismo modo se otorgó especial atención a los creadores universitarios y a los artistas en un intento —a veces infructuoso— por romper la barrera de incomprensión internacional que en los medios conservadores europeos empezó a tener la España leal, fruto de las campañas nacionalistas. A ese propósito y coincidiendo con los peores días del asedio de Madrid, el Quinto Regimiento —unidad de mando y organización comunistas— logró la evacuación a Valencia de un selecto grupo de intelectuales, instalados en una Casa de la Cultura que tuvo su sede en la calle de la Paz. Allí pudieron residir catedráticos, médicos, artistas y escritores en un ambiente de encomiable libertad ideológica y aun producir una curiosa revista científica (los cuatro números de *Madrid. Cuadernos de la Casa de la Cultura* —o de la «Casa de los Sabios», como la llamaba con sorna su inquilino León Felipe—) que pudo publicar una síntesis de las investigaciones de Arturo Duperier sobre los rayos cósmicos, de absoluta novedad, y el primer trabajo realizado sobre el ritmo de la prosa en castellano hecho por el filólogo leridano Samuel Gili Gaya.

La presencia pública de las iniciativas que vengo reseñando, aun siendo mayor que la de sus equivalentes en la zona franquista, no era en modo alguno mayoritaria. La verdadera dinamización cultural, en orden a explicar hasta la saciedad los motivos y los objetivos de la guerra contra el fascismo, se produjo por medios mucho más directos y frecuentemente ingeniosos. Para ello funcionaban, por ejemplo, las Milicias de la Cultura y el servicio «Altavoz del Frente» que, además de desarrollar conferencias a los soldados y actividades de *agit-prop* en estrecha colaboración con los comisariados políticos de las unidades militares, disponía de una flota de camiones que cargaban un gigantesco altavoz por el que se vertía propaganda, noticias y aun canciones ligeras hacia las líneas enemigas (las deserciones o el simple «pasarse» estaban a la orden del día en ambos bandos y, como es sabido, en frentes tranquilos se llegó a curiosos ejemplos de confraternización). En la retaguardia, como ocurrió también en la zona contraria, el elemento de movilización fundamental era el cartel político, en cuya técnica se alcanzó rara perfección (los fotomontajes de Renau, las sátiras de Bardassano...) al fijar, con gran efectividad, un repertorio de iconos gráficos inolvidables: el fascista ruin de la Quinta Columna, el miliciano heroico con gesto de ángel exterminador, los fondos eisenstenianos de fábricas, ruedas dentadas y espigas granadas, los campesinos cenceños y reales con la sonrisa franca, las mil y una variaciones sobre el puño levantado (y otras formas de la mano, emblema obsesivo en la propaganda republicana), el testimonio de muerte y destrucción (mucho más presente y caracterizador en la estética «leal» que en la nacionalista)... Inseparable del cartel fue el *slogan,* entre los que uno por lo menos se hizo universal («No pasarán»), y la campaña organizada: buen testimonio de estas fue la que se organizó en Cataluña en torno a un simpático muñeco, «El més petit de tots» («El más pequeño de todos»), que, vestido de miliciano, con barretina y una bandera catalana en la mano, figuró en carteles, objetos de decoración y hasta en un delicioso libro infantil, escrito y dibujado por Lola Anglada. O los espléndidos fotomontajes de Renau dedicados a los 13 puntos del presidente Negrín.

Estas y otras actividades surgían normalmente de un fuerte impulso colectivizador que hizo proliferar sindicatos de periodistas, actores teatrales, dibujantes, músicos, con una autonomía más o menos amplia de las grandes centrales UGT y CNT. La escena, por ejemplo, vio tempranamente una organización de esa índole y siguió funcionando con asombrosa normalidad en tiempo de guerra. Aunque se incorporó a los repertorios alguna obra de circunstancias, estos no variaron demasiado salvo en el supuesto de iniciativas directas de la conocida Alianza o del Consejo Central del Teatro, donde actuaron María Teresa León y Rafael Alberti: a ellos se deben notables montajes en el Español y en la Zarzuela, de Madrid, que alcanzaron su culminación con el estreno de *La Numancia* de Cervantes según una hermosa adaptación de Alberti (el 28 de diciembre de 1937). Por lo que hace a la actuación en los frentes de batalla, las «Guerrillas del Teatro», debidas a la incansable actividad de María Teresa León, representaron con éxito hasta casi el último día de la contienda; ante el mismo público y en los pueblos cercanos actuaron también otros grupos («Altavoz del Frente», «El Búho» —de la FUE valenciana, dirigido por Max Aub—...) y en más de una ocasión recitaron sus poemas los escritores adscritos a la Alianza o a las innúmeras cooperativas y sindicatos que se constituyeron en retaguardia.

31. LA PROYECCIÓN INTERNACIONAL
    DE LA GUERRA CIVIL

Como ya he señalado más arriba, la «internacionalización moral» de la guerra civil española fue un rasgo que marcó a fuego el final de la década de los treinta. Los dos bandos contendientes apuraron, en ese orden de cosas, las posibilidades que la situación les ofrecía y desarrollaron hacia el exterior una labor de propaganda no siempre bien conocida: mientras los sublevados alternaban su identificación con los regímenes fascistas (de cara a la opinión italiana o alemana) y su condición de vanguardia anticomunista, cristiana y «de orden» (entre la opinión reaccionaria de los países democráticos), la República cultivó, con este segundo objetivo, la idea de librar una nueva «guerra de independencia» y de encarnar los valores tradicionales y progresistas de la verdadera España.

La celebración de la Exposición Internacional de Artes y Técnicas (París, 1937) fue una ocasión de oro que el gobierno republicano, invitado oficialmente desde 1934, no dejó escapar, convirtiéndola en una impresionante muestra de su razón y logrando encerrar en los límites de un pabellón toda la significación del proceso cultural que he venido reseñando. El interés de Luis Araquistáin, embajador del gobierno de Largo Caballero en París, y el masivo apoyo de las instituciones oficiales consiguieron el triunfo: en mayo de 1937, tras poco más de dos meses de trabajo, se inauguró el pabellón, obra de los arquitectos Luis Lacasa, Josep Lluís Sert y Antoni Bonet, concebido desde supuestos racionalistas que, sin embargo, incluían algún toque popular (el gran entoldado que, a la vieja usanza de los *corrales* de comedias, cubría la sala de actos). Lo expuesto era muy variado: incluía una exhibición de carteles, murales y paneles informativos; una muestra de artes populares y la posibilidad de representaciones escénicas, conferencias y proyecciones de cine. Pero lo que personalizaba el pabellón fue, sobre todo, la reunión unica de una serie de obras expresamente concebidas para él y que tienen ya lugar de honor en la historia del arte del siglo xx: allí estaba el *Guernica* de Pablo Picasso, el enorme mural *El pagès català i la revolució*, de Joan Miró, los *Aviones negros* de Horacio Ferrer, la escultura *Montserrat* de Julio González, el hierro *El pueblo español tiene un camino que conduce a una estrella* de Alberto (colocada en el jardín de acceso) y la famosa fuente de mercurio diseñada por Alexander Calder. Una nutrida selección de artistas vascos (Aurelio Arteta entre ellos), catalanes y gallegos (Arturo Souto, Castelao) ocupaba la segunda planta, consignada a las nacionalidades españolas.

Al lado de tan brillante representación, palidecía la ofrecida por el gobierno de Burgos, que hubo de acogerse por razones diplomáticas a la hospitalidad vaticana y ver sufragada su aportación por el cardenal Gomá: se reducía a un altar pintado por José María Sert con el título *Intercesión de Santa Teresa por la guerra española*. Lo flanqueaban dos enormes columnas amarillas por las que descendía un paño rojo; la inoportuna alusión a la bandera bicolor fue acusada por el gobierno francés y los dos elementos hubieron de ser pintados de negro. Mayor éxito tuvo, sin embargo, la representación nacionalista en la Bienal de Venecia de 1937, adonde, obviamente, no acudió delegación republicana: estuvieron presentes Zuloaga, Maeztu, Pedro Pruna, Álvarez de Sotomayor, los escultores Aladrén y Pérez Comendador, seleccionados por Eugenio d'Ors, quien se había convertido en el inspirador de la «clasicidad» mediterránea en el ámbito cultural nacionalista. A estos artistas y a los escritores agrupados en *Vértice* o *Jerarquía* correspondió reanudar los vestigios de una vida cultural en la posguerra, entre la represión, la ruina y el generalizado desinterés: muchos procedían, como sabemos, de los mismos grupos y revistas donde trabajaron colegas ahora muertos o exiliados, mientras no pocos intelectuales republicanos, por su juventud, escasa relevancia o simple buena suerte, se salvaron del paredón, y tras algunos años de cárcel, reanudaron su actividad en paupérrimas condiciones pero sí con la fe suficiente como para lograr una cierta influencia en torno suyo. De la miseria espiritual de la posguerra no tuvieron la culpa —salvo los casos contumaces de siempre: denunciadores profesionales camuflados de escritores, abastecedores mercantilizados de formas artísticas ya muertas, etc.— los artistas que utilizó el franquismo (o que se limitaron a vivir bajo su peso, sin protesta), ni los tibios que cambiaron la chaqueta, ni los que creyeron de buena fe en la «Revolución Nacional»: la responsabilidad de la destrucción de tantas cosas incumbe exclusivamente a las fuerzas «espirituales» y «materiales» (la gran propiedad agraria, un sector de los mandos militares, la iglesia católica, el gran capital financiero, la clase media instrumentalizada por sus amos) que dictaminaron, bajo el nombre de Cruzada, el exterminio general y por tres años en las ciudades y los campos del país que decían suyo.

32. ENSEÑANZA Y EDUCACIÓN EN TIEMPO DE GUERRA

Para dar mayor unidad al texto hemos preferido incluir esta información sobre algunos aspectos relacionados con el desarrollo de la enseñanza al finalizar el trabajo del profesor J. C. Mainer.

M. T. de L. y M.ª C. G.-N.

La preocupación cultural y didáctica había sido un rasgo saliente del régimen republicano desde 1931. En los años de guerra se continuó la labor comenzada, si bien no podemos desconocer que la situación de excepción del período bélico condicionó la orientación educativa y pedagógica. El Ministerio de Instrucción Pública estuvo dirigido desde la formación del primer gobierno Largo Caballero por el comunista J. Hernández, y en los últimos meses de la guerra por el cenetista S. Blanco.

La riqueza legislativa de estos años revela una preocupación por la enseñanza no solo de la infancia sino también de los adultos. El Estado la consideró como un servicio público al que debía tener acceso toda la población, pues sin educación los ciudadanos no podían acceder a una democracia consciente y real.

La lucha que el Estado y el pueblo español vienen sosteniendo es también, en una parte muy importante, una lucha por la cultura del pueblo.

Con estas palabras comenzaba el Decreto de creación de las *Milicias de la Cultura* en enero de 1937, y resumen uno de los rasgos fundamentales de la política del Ministerio de Instrucción Pública. Fue, también, una enseñanza pluralista, en cuanto que el Estado no monopolizó su orientación, sino que colaboró, coordinó distintas iniciativas y aceptó la participación activa de los sindicatos de enseñanza, entre los que destacaron FETE-UGT y CNT. Esta, en Cataluña, intervino muy directamente en la organización del *Consejo de la Escuela Nueva Unificada*, ya en julio de 1936.

En el terreno de las realizaciones concretas de una coyuntura de guerra —paralelas al desarrollo no interrumpido de la enseñanza primaria y secundaria— hay que reseñar la organización de colonias y escuelas para niños evacuados hacia las zonas más alejadas del peligro de la guerra, o en algunos casos, colonias en países extranjeros. A este fin se creó el *Consejo nacional de la Infancia evacuada*, dependiente de la Dirección General de Primera Enseñanza, que colaboró y coordinó la labor que realizaban las organizaciones políticas y sindicales. Entre las muchas iniciativas que se desarrollaron destacaron las *Comunidades familiares de Educación*, dirigidas por el maestro A. Llorca, que organizó en la zona de Valencia la acogida a niños huérfanos o cuyos padres no podían atenderlos, para educarlos en ambiente familiar y con un programa de enseñanza activa y cívica muy interesante. Empezó su labor en noviembre de 1936 y la continuó a lo largo de toda la guerra, atendiendo a unos 80 niños.

Otro aspecto fue la creación de los *Institutos Obreros*, por un Decreto de noviembre de 1936, con la finalidad de formar a los jóvenes no movilizados que debían ocupar los puestos de trabajo de los que estaban en primera línea. Para facilitar su incorporación rápida a la producción se les proporcionó la enseñanza del bachillerato en dos años. En un primer momento pudieron acceder a ella los trabajadores entre los 15 y 35 años, pero enseguida la guerra obligó a limitarla a los jóvenes entre los 15 y 18 años. Funcionaron en Valencia, Sabadell, Barcelona y Madrid. En su organización hay que destacar tres aspectos: 1) La formación se realizaba a lo largo de cuatro semestres, y las materias que se impartían eran Lengua y Literatura españolas, Geografía e Historia, Matemáticas, Ciencias Naturales, Ciencias Físicas y Química, Economía, Dibujo, Francés, Inglés. Actividades complementarias. 2) El alumno que trabajaba, recibía durante los dos años de estudio una cantidad mensual en compensación de su salario, para que pudiera dedicarse plenamente al estudio. 3) El ingreso se hacía a propuesta de las organizaciones sindicales y previo un examen que garantizase la capacidad intelectual del aspirante. Su actividad se mantuvo hasta los primeros meses de 1939.

Por fin, una faceta importante de la política cultural popular fueron las *Escuelas de adultos* (Orden de 27 de octubre de 1936) y las campañas de alfabetización en zonas rurales y en la retaguardia realizadas en 1937 y 1938. A tal fin el Ministerio de Instrucción Pública editó diversos modelos de cartillas con un fuerte contenido ideológico, reflejo de la situación de guerra civil y política. Al mismo tiempo que se enseñaba a leer y escribir se llevó a cabo una educación social y cívica más amplia, dando los principios ideológicos y políticos de una guerra en defensa de la democracia republicana y frente al fascismo.

En este marco de la enseñanza a adultos, la labor más importante fue la que se desarrolló en los frentes, ya que la mayor parte de los muchachos movilizados eran campesinos y de ellos en torno a un 80 % analfabetos. Fue la tarea de las *Milicias de la Cultura*, creadas en enero de 1937 y estaban formadas por maestros e instructores que dependían, por una parte, del Ministerio de Instrucción Pública y, por otra, estaban encuadrados en las distintas unidades del ejército y sujetos a la disciplina militar. El Ministerio de Instrucción Pública facilitó los instrumentos para llevar a cabo su labor profesional: la «Cartilla Escolar Antifascista», maletas-bibliotecas con libros, mapas, tinteros, plumas, lápices, sobres, tarjetas de campaña, etc. En cada unidad se organizó el «Hogar del Combatiente» y/o el «Rincón de la cultura» para dar las clases a los soldados y donde ellos mismos confeccionaban sus periódicos murales. He aquí algunos datos que expresan esta labor de alfabetización y educación solo en el año 1937:

Clases realizadas: individuales	115 146
Clases realizadas: colectivas	92 726
Número de analfabetos:	153 329
Aprendieron a leer y escribir:	24 204
Bibliotecas creadas:	145
Conferencias dadas:	2 931
Hogares del Combatiente:	687

Fuente: *Armas y Letras*, núms. 1, 4 y 5.

Testigo, también, de esta labor educativa son las múltiples publicaciones periódicas —más de 150— editadas en compañías, batallones, etc., entre las que resalta *Armas y Letras*, portavoz de las Milicias de la Cultura, que empezó a publicarse en Valencia en septiembre de 1937. El eje de toda la prensa militar fue el cultural educativo.

En la España de Salamanca y Burgos fue muy distinto. No se continuaba una tarea, sino que se ponían las bases de un sistema educativo nuevo, que en muchos casos buscó sus precedentes ideológicos en los años anteriores a 1931, que rechazó las reformas pedagógicas de la Segunda República, y que tendió a apuntalar unos valores religiosos y patrióticos que constituyeron el basamento del aparato ideológico del «nuevo Estado».

En 1936-1937 la Junta de Defensa Nacional, primero, y la Junta Técnica, después, a través de la Comisión de Cultura y Enseñanza dedicaron una atención especial a lo relacionado con la Instrucción Pública en todos sus niveles, pero principalmente en el de la Enseñanza Primaria: normas de organización, libros de texto, depuración y nombramientos de maestros, prohibición de la coeducación, restablecimiento de la enseñanza de la religión, etc. Se quería dar un contenido distinto a la enseñanza poniéndola al servicio de la «españolización de las juventudes del porvenir». Lo mismo se haría en las Universidades. Así, el 5 de septiembre de 1936 se dictaron unas normas dejando en suspenso matrículas y exámenes mientras duraran las circunstancias de guerra, y se señalaban las medidas «para llevar a los Centros Superiores de Enseñanza al esplendor que la nueva España exige».

Un instrumento para la formación del niño en los nuevos valores por los que se luchaba fue la prensa infantil, entre la que destacó, a partir de 1938, *Flechas y Pelayos,* órgano de la organización juvenil del Partido único. Y a su lado, el *Libro de España (BOE,* 22 de septiembre 1937), que debía ser el libro de lectura oficial en todas las escuelas y para cuya redacción se convocaba un concurso. En la convocatoria del mismo se decía:

Este libro ha de ser un compendio atractivo y apologético de cuanto de ella deben conocer sus hijos para amarla con vehemencia. Su historia, su carácter, sus costumbres, sus Santos, sus Héroes y sus libros han de desfilar por sus páginas que habrán de estar llenas de rapidez, entusiasmo y claridad.

La protección al niño huérfano de guerra se canalizó a través de la organización de «Auxilio Social» de Falange, que creó comedores y guarderías, y encaminó su tarea a la «recuperación» ideológica y al cuidado material del niño.

La enseñanza privada dirigida por las órdenes religiosas ganaba un terreno que el Estado le fue cediendo, sobre todo a partir de enero de 1938, cuando al constituirse el primer gobierno de Franco ocupó el Ministerio de Educación Nacional P. Sainz Rodríguez. Su estancia en el mismo fue breve —solo hasta los primeros meses de 1939— pero rica en realizaciones caracterizadas por culminar la acción desmanteladora del sistema educativo republicano y en reafirmar las bases del aparato educativo e ideológico de la posguerra.

Suprimió el laicismo, la enseñanza en lenguas nacionales, estableció una censura rígida en libros de texto, continuó la depuración de maestros y organizó cursillos de formación para unificar los criterios y el sistema educativo. Queremos reproducir unas palabras de una «Orden Circular a la Inspección de Primera Enseñanza y Maestros Nacionales, Municipales y privados de la España Nacional» de 5 de marzo de 1938, porque expresa cuanto acabamos de decir:

El restablecimiento del Crucifijo en las escuelas, con tanta solemnidad celebrado en todos los pueblos de las regiones reconquistadas por nuestro glorioso Ejército, no significa tan solo que a la Escuela laica del régimen soviético sustituya nominalmente el catecismo en la Escuela Nacional. Es preciso que en las lecturas comentadas, en la enseñanza de las Ciencias, de la Historia, de la Geografía, se aproveche cualquier tema para deducir consecuencias morales y religiosas... Consecuencia de este ambiente religioso, que ha de envolver la educación en la Escuela, ha de ser la asistencia obligatoria en corporación de todos los niños y maestros de las escuelas nacionales, en los días de precepto, a la misa parroquial [...] La doctrina social de la Iglesia contenida en las encíclicas «Rerum Novarum» y «Quadragessimo anno», ha de servir para inculcar a los niños la idea del amor y la confraternidad social hasta hacer desaparecer el ciego odio materialista, disolvente de toda civilización y cultura.

Siguiendo este planteamiento se organizaron los cursillos de formación de maestros en junio de 1938, en base a tres principios, que eran los mismos que marcaban el punto de partida para la selección del profesorado: Religión, Ejército y Patria.

La plasmación más completa de estos principios fue la Ley de 20 de septiembre de 1938 que reorganizaba la Enseñanza Media y que se convirtió en el puntal de toda la ordenación educativa del «nuevo Estado» hasta los años cincuenta. Implantó un plan de estudios por el que se querían restaurar «las revalorizaciones de lo español, la definitiva extirpación del pesimismo antihispánico y extranjerizante, hijo de la Apostasía y de la insidiosa y mordaz leyenda negra...» A través de las materias humanísticas y filosóficas, se conjugaron hispanidad y religión, ética y escolástica. Defensa de una filosofía y una moral que garantizaban la preeminencia de unos valores que tendían a asegurar la hegemonía ideológica del bloque de Poder.

Por último, el «nuevo Estado», para asegurar el control ideológico se dotó de otros organismos tales como el *Instituto de España*, al que se le confió la misión de orientar la alta cultura y la investigación, en el que quedaron integradas las Reales Academias y al que se incorporaron las funciones de la antigua «Junta de Ampliación de Estudios». Al poner la investigación bajo la custodia del *Instituto de España* se pretendía «librarla de toda política». Se había iniciado el monopolio ideológico y el centralismo cultural.

FUENTES Y BIBLIOGRAFÍA

1. AZNAR, M., y L.M. SCHNEIDER, *El Congreso Internacional de Escritores antifascistas*, Barcelona, 3 vols. 1978-1979.

2. BASSOLAS, CARMEN, *La ideología de los Escritores*, Barcelona, 1974 (antología de La Gaceta Literaria).

3. BÉCARUD, J., y E. LÓPEZ CAMPILLO, *Los intelectuales españoles durante la Segunda República*, Madrid, 1977.

4. *Biblioteca española del 36, Revistas de la Segunda República Española*, Vaduz-Lichtenstein (reproducciones facsimilares de *Litoral, Carmen (y Lola), Caballo verde para la Poesía, La Gaceta Literaria, Cruz y Raya, Octubre, Nueva Cultura, Leviatán, El Mono Azul*, y *Hora de España*).

5. BOHIGAS, O, *Arquitectura española de la Segunda República*, Barcelona, 1972.

6. BOZAL, V., *El realismo plástico en España de 1920 a 1936*, Barcelona, 1966.

7. BRIHUEGA, J., *Manifiestos, proclamas, panfletos y textos doctrinales. Las vanguardias artísticas en España, 1910-1931*, Madrid, 1979.

8. BUCKLEY, R., y J. CRISPÍN, *Los vanguardistas españoles, 1925-1935*, Madrid, 1973.

9. CANO BALLESTA, J., *La poesía española entre pureza y revolución, 1930-1936*, Madrid, 1972.

10. *Catálogos de la librería española (1900-1931)*, 5 vols., Madrid, 1932-1951, y *(1931-1950)*, 4 vols., Madrid, 1957-1965.

11. COBB, C.H., *La cultura y el pueblo. España 1930-1939*, Barcelona, 1981.

12. *Conquista del Estado, La* (reproducción facsímil), Barcelona, 1974.

13. *Cruz y Raya. Antología*, selección y prólogo de J. Bergamín, Madrid, 1974.

14. DÍAZ-PLAJA, G., *Estructura y sentido del novecentismo español*, Madrid, 1975.

15. *Escritor y la crítica, El* Madrid, 1973 (en curso de publicación), varios vols. (entre ellos los dedicados a A. Machado, M. Unamuno, J. Guillén, R. Alberti, F. García Lorca, M. Hernández, P. Baroja, V. Aleixandre, L. Cernuda).

16. ESTEBAN, J., y G. SANTONJA, *Los novelistas sociales españoles, 1928-1936*, Madrid, 1977.

17. FUENTES, V., *La marcha al pueblo en las letras españolas, 1917-1936*, Madrid, 1981.

18. *El Gallo Crisis* (reproducción facsímil), Alicante, 1973.

19. GUBERN, R., *El cine sonoro en la Segunda República*, Barcelona, 1977.

20.   *Hora de España. Antología*, selección y prólogo de F. Caudet, Madrid, 1975.

21.   ILLIE, P., *Documents of the Spanish Vanguard*, Chapel Hill, University of North Carolina Press, 1970.

22.   LECHNER, J., *El compromiso en la poesía española del siglo XX*, 2 vols., Universidad de Leiden, 1968.

23.   LÓPEZ-CAMPILLO, E., *La Revista de Occidente y la formación de las minorías*, Madrid, 1974.

24.   MAINER, J.C., *La Edad de Plata (1902-1939)*, Madrid, 1981.

25.   MAINER, J.C., *Literatura y pequeña burguesía en España. Notas 1900-1950*, Madrid, 1972.

26.   MARRAST, R., *El teatre durant la guerra civil espanyola*, Barcelona, 1978.

27.   MORRIS, C.B., *A generation of Spanish Poets, 1920-1936*, Cambridge University Press, 1968.

28.   MORRIS, C.B., *Surrealism and Spain, 1920-1936*, Cambridge University Press, 1973.

29.   ROSSI, R., *De Unamuno a Lorca*, Catania, 1967.

30.   RUIZ RAMÓN F., *Historia del Teatro español. Siglo XX*, Madrid, 1976.

31.   SAENZ DE LA CALZADA, L., *La Barraca, teatro universitario*, Madrid, 1976.

32.   TUÑÓN DE LARA, M., *Medio siglo de cultura española, 1885-1936*, 4.ª ed., Madrid, 1976.

33.   *Verso y prosa* (reproducción facsímil), Murcia, 1976.

34.   VILLACORTA, F., *Burguesía y cultura. Los intelectuales españoles en la sociedad liberal, 1808-1931*, Madrid, 1980.

35.   VIVANCO, L.F., *Introducción a la poesía española contemporánea*, 2 vols., Madrid, 1972.

CRONOLOGÍA

DICTADURA (1923-1930)

1923

abril-mayo	Elecciones liberales a Cortes.
12 septiembre	Manifiesto del capitán general de Cataluña, Miguel Primo de Rivera.
15 septiembre	Formación del Directorio militar. Autosuspensión de la CNT.
18 septiembre	RD que condena el separatismo. Neutralidad del PSOE y la UGT.
20 septiembre	Sustitución de los gobernadores civiles por los militares.
30 diciembre	Destitución de los concejales. Pleno clandestino de la CNT de Cataluña (Granollers): rechazo de la Dictadura.

1924

12 enero	Sustitución de las diputaciones provinciales por comisiones gestoras.
30 enero	Creación del Consejo Superior de Ferrocarriles.
4 marzo	Estatuto Municipal.
5 abril	Creación del Consejo Superior de Trabajo, Comercio e Industria.
14 abril	Creación de la Unión Patriótica.
30 abril	Creación del Consejo de Economía Nacional. RD de protección de la Industria Nacional.
julio	Fuga de Unamuno de su destierro canario.
12 julio	Estatuto ferroviario.
agosto	Concesión del monopolio de teléfonos a la Cía. Telefónica Nacional de España.
6 noviembre	Movimientos antidictatoriales: Vera de Bidasoa, Barcelona. Repliegue en Marruecos. Primeras emisiones españolas de radiotelefonía sin hilo.
24 noviembre	Inauguración de Radio Barcelona, primera emisora radiofónica de España.

1925

	Creación de la Unión Liberal de Estudiantes y de Acción Republicana.
12 marzo	Estatuto Provincial.
28 julio	Acuerdo hispano-francés para una acción conjunta en Marruecos.
8 septiembre	Desembarco en Alhucemas.
3 diciembre	Directorio civil.

1926

11 febrero	Creación de Alianza Republicana.
9 febrero	Patronato del Circuito Nacional de Firmes Especiales.
5 marzo	Confederaciones Sindicales Hidrográficas.
mayo	Rendición de Abd El-Krim a las fuerzas francesas.
24 junio	Intento de derrocar la Dictadura: la «Sanjuanada».
agosto	Código de Trabajo.
10-13 septiembre	Plebiscito en favor de la Dictadura.
4 noviembre	Intento de penetración armada de Estat Català en Prats de Molló.
26 noviembre	Organización Corporativa Nacional.

1927

enero	Fundación de la Federación Universitaria Escolar (FUE).
julio	Fundación de la Federación Anarquista Ibérica (FAI).
28 julio	Concesión del monopolio de petróleos a la CAMPSA.
12 septiembre	Convocatoria de la Asamblea Nacional Consultiva (apertura: 10 octubre).
octubre	Huelga de los mineros asturianos.

1928

marzo	Huelga estudiantil.
19 mayo	«Ley Callejo» de reforma de la Universidad.
29 junio-4 julio	XII Congreso del PSOE.
septiembre	XVI Congreso de la UGT.

1929

29 enero	Intento de alzamiento republicano (Ciudad Real).
18 febrero	Disolución del cuerpo de Artilleros.
7 marzo	Huelga universitaria.
marzo-mayo	Incidentes universitarios.
mayo	Exposiciones internacionales de Barcelona y Sevilla.
5 julio	Lectura del anteproyecto de Constitución.
11-13 agosto	Comité nacional del PSOE y UGT. Ruptura con la Dictadura.

1930

20 enero	Dimisión de Calvo Sotelo, ministro de Hacienda.
21 enero	Huelga universitaria.
28 enero	Dimisión de Primo de Rivera.
30 enero	Gobierno del general Berenguer.
16 marzo	Muerte de Primo de Rivera en París.
30 abril	Legalización de la CNT.
27 agosto	Pacto de San Sebastián.
28 septiembre	Gran mitin republicano en la Plaza de Toros de Madrid.
noviembre	Huelgas de la CNT en Barcelona y de la UGT en Madrid.
12 diciembre	Sublevación de Jaca.
15 diciembre	Sublevación de Cuatro Vientos y huelgas en numerosas provincias.

1931

enero	Huelga estudiantil.
10 febrero	Manifiesto del grupo «Al servicio de la República».
18 febrero	Gobierno Aznar.
18-20 marzo	Procesos de los sublevados de Jaca y Comité revolucionario. Principio de la campaña pro amnistía.

REPÚBLICA (1931-1936)

1931

14 abril	Proclamación de la República. El gobierno provisional se hace cargo del poder.
16 abril	Reunión de urgencia en la casa de la Asociación Católica Nacional de Propagandistas en Chamartín de la Rosa, presidida por Ángel Herrera.
1.º mayo	Manifestaciones obreras multitudinarias en Madrid y otras ciudades.
11 mayo	Violenta pastoral del cardenal Segura. Incendios de numerosos conventos en Madrid y varias provincias.
10 junio	Congreso de la CNT en el Conservatorio de Madrid.
28 junio	Elecciones a Cortes Constituyentes. Triunfa la conjunción republicano-socialista.
6 julio	La CNT decide la huelga de la Telefónica.
10 julio	Congreso extraordinario del PSOE que decide continuar la participación en el gobierno.
20-23 julio	Huelga general en Sevilla dirigida por comunistas y anarcosindicalistas.
3-29 agosto	Huelga metalúrgica en Barcelona, dirigida por la CNT.
30 septiembre	El cardenal Segura renuncia a la silla primada de Toledo.
14 octubre	Reorganización del gobierno presidido por Azaña tras la dimisión de Alcalá Zamora y Maura.
9 diciembre	Las Cortes Constituyentes aprueban la Constitución de la República.
31 diciembre	Huelga general en la provincia de Badajoz. En Castillblanco los campesinos «linchan» a cuatro guardias civiles después que estos habían dado muerte a un obrero huelguista.

1932

1.º enero	Pastoral colectiva del Episcopado sobre la Constitución.
6 enero	En Arnedo (Logroño) la Guardia Civil da muerte a siete manifestantes obreros (cuatro de ellos mujeres).
18 enero	Insurrección anarquista en la cuenca minera del Llobregat dominada sin víctimas. El gobierno deporta a Guinea a 104 anarcosindicalistas.
17 marzo	Empieza en Sevilla el IV Congreso del Partido Comunista de España. Se inicia en las Cortes la discusión del proyecto de reforma agraria.
16 julio	Asamblea de representantes de Ayuntamientos vasconavarros en Pamplona, que aprueba un nuevo proyecto de Estatuto con el voto en contra de los navarros.
8 julio	En Villa de don Fadrique (Toledo) el apoderamiento de fincas por los campesinos toma carácter revolucionario. Enfrentamientos con la fuerza pública.
10 agosto	Sublevación coordinada de militares monárquicos en Madrid y del general Sanjurjo en Sevilla. Ambas fracasan.
9 septiembre	Las Cortes aprueban el Estatuto de Cataluña y la Ley de Bases de la Reforma Agraria.
6-22 octubre	XIII Congreso del PSOE y XVII de la UGT.
24 octubre	Congreso de Acción Popular (antigua Acción Nacional).
1.º noviembre	Ley de Intensificación de Cultivos que otorga provisionalmente tierras a más de veinte mil yunteros extremeños.
20 noviembre	Primeras elecciones al Parlamento de Cataluña. Triunfo de Esquerra.

1933

8 enero	Alzamiento de la FAI (atribuido por error a toda la CNT). El movimiento fracasa pero alcanza cierta importancia en localidades del sur de Andalucía. En Casas Viejas (Cádiz) los guardias de Asalto mandados por el capitán Rojas, realizan el 12 de enero una matanza de campesinos.
28 febrero	Se celebra en Madrid el Congreso de creación de la CEDA.
marzo	Asamblea económico-patronal agraria organizada

	por Unión Económica y la Federación de Propietarios de Fincas Rústicas. Se crea la Confederación Patronal Agraria.
4 junio	Congreso del Partido Republicano Radical-Socialista.
14 junio	Nuevo gobierno Azaña.
19 julio	Congreso patronal organizado por Unión Económica.
29 octubre	Fundación de Falange Española.
5 noviembre	El proyecto de Estatuto vasco de autonomía sometido a referéndum es aprobado por el 84 % del censo electoral.
19 noviembre	Elecciones legislativas. Triunfo de centro-derecha, desplome de los partidos republicanos de izquierda. El PSOE conserva su electorado, pero sin unión de izquierdas pierde puestos.
8-12 diciembre	Alzamiento anarquista en Aragón, Rioja y parte del sur de España.
16 diciembre	Se constituye en Barcelona la Alianza Obrera.
18 diciembre	Gobierno Lerroux, con una mayoría parlamentaria en la que entra la CEDA.

1934

21 marzo	El Parlamento catalán vota la Ley de Cultivos.
31 marzo	Pacto de Goicoechea, Olazábal y general Barrera con Mussolini e Italo Balbo.
2 abril	Constitución de Izquierda Republicana, resultado de la fusión de Acción Republicana y el ala izquierda del Partido Radical-Socialista.
5-18 junio	Huelga de trabajadores del campo en todo el país.
5 julio	Asamblea de Ayuntamientos vascos contra el ataque a los conciertos económicos que significaban las disposiciones del ministro Marraco.
4 octubre	Gobierno Lerroux con participación de la CEDA.
5-18 octubre	Huelga general en todo el país. Insurrección y revolución en Asturias. Alzamiento de la Generalitat que fracasa el día 7.
noviembre-diciembre	Represión policial en Asturias.

1935

| 6 mayo | Gobierno Lerroux muy escorado a la derecha, con seis ministros de la CEDA y Gil Robles en Guerra. |
| 17 mayo | Franco es nombrado jefe del Estado Mayor Central. |

26 mayo	Multitudinario mitin de Azaña en el campo de Mestalla (Valencia).
1.º agosto	Ley de contrarreforma agraria.
19 septiembre	Crisis de gobierno solucionada por un gobierno presidido por Chapaprieta. Empieza el escándalo del «straperlo».
20 octubre	Más de 300 000 personas escuchan a Azaña en el campo de Comillas (Madrid).
12 diciembre	Primer gobierno Portela Valladares.

1936

7 enero	Se disuelve el Parlamento y un segundo gobierno Portela convoca elecciones.
15 enero	Se firma el pacto del Frente Popular.
16 febrero	Elecciones legislativas. Triunfo del Frente Popular.
19 febrero	Azaña forma un gobierno de republicanos de izquierda, con apoyo parlamentario de los partidos obreros del Frente Popular.
9 marzo	Reunión de un grupo de generales para preparar un alzamiento.
20 marzo	Decreto autorizando la ocupación temporal de tierras declaradas expropiables.
25 marzo	Ocupación de 3000 fincas por 60 000 campesinos en Extremadura.
7 abril	Destitución de Alcalá Zamora.
19 abril	Mola, que ha sido nombrado gobernador militar de Pamplona, asume la dirección de la conspiración.
1.º mayo	Congreso de la CNT en Zaragoza. Gigantescas manifestaciones obreras en todo el país.
10 mayo	Azaña es elegido presidente de la República.
18 mayo	Casares Quiroga forma un gobierno de orientación análoga al anterior.
15 junio	Reposición íntegra de la Ley de Reforma Agraria de 1932.
28 junio	Referéndum favorable al Estatuto de Galicia.
11 julio	El «Dragon Rapid» sale de Inglaterra hacia Canarias para ponerse a las órdenes de Franco.
12 julio	Asesinato del teniente Castillo.
13 julio	Asesinato de Calvo Sotelo.
17 julio	Comienza la sublevación militar en Marruecos.

GUERRA (1936-1939)

1936

ESPAÑA REPUBLICANA

19 julio	José Giral forma nuevo gobierno. Se entregan armas al pueblo, que organiza las Milicias para hacer frente a la sublevación.
21 julio	Se crea en Barcelona el Comité Central de Milicias Antifascistas.
17 agosto	Se constituye en Bilbao la Junta de Defensa de Vizcaya.
26 agosto	Creación de los Tribunales Populares.
4 septiembre	Dimite el gobierno republicano de Giral. Largo Caballero preside un nuevo gobierno con representantes de las organizaciones que integraban el Frente Popular.
26 septiembre	Se forma un nuevo gobierno de la Generalitat en Barcelona, con participación de la CNT.
30 septiembre	Decreto de militarización de las Milicias.
1 octubre	Las Cortes aprueban el Estatuto vasco. Formación del primer gobierno en Euzkadi (7 octubre).
7 octubre	Decreto de expropiación de tierras y nacionalización de fincas.
15 octubre	Creación del Comisariado de Guerra.
23 octubre	Decreto de colectivizaciones y control obrero promulgado por la Generalitat.
4 noviembre	Largo Caballero forma un nuevo gobierno con participación de la CNT.
6 noviembre	El gobierno se traslada a Valencia y se crea en Madrid la Junta de Defensa.
20 noviembre	Se crean las Escuelas Populares de guerra.
15 diciembre	Creación del Consejo Superior de Seguridad.
23 diciembre	Se constituyen oficialmente los Consejos de Aragón, Asturias y Santander-León.

LOS FRENTES

18-19 julio	Se generaliza la sublevación militar en la Península.
20 julio	Termina la resistencia de los sublevados en Madrid y Barcelona. Triunfa la sublevación en Galicia, León, Sevilla, etc. España dividida en dos zonas.
1 agosto	Francia e Inglaterra proponen a Europa un programa de «No Intervención» en España.
5 agosto	Se inicia el puente aéreo desde África a la Península que traslada las tropas marroquíes, apoyo fundamental del ejército sublevado.
14 agosto	Badajoz en poder de las tropas de Yagüe, que llevan a cabo una cruenta represión.
3 septiembre	Talavera en poder de los sublevados.
4 septiembre	Irún ocupada por las columnas de Mola.
27 septiembre	Varela entra en Toledo y rompe el cerco del Alcázar.
19 octubre	Empieza la «batalla de Madrid».
7 noviembre	Fuertes combates en la Casa de Campo y fracaso del primer intento de las tropas de Varela de tomar Madrid.

ESPAÑA REBELDE

18 julio	Se declara el «estado de guerra» en Marruecos, que se extiende en días sucesivos a toda la zona sublevada.
20 julio	Muere, en accidente aéreo, el general Sanjurjo, jefe nominal de la sublevación.
24 julio	Creación de la *Junta de Defensa Nacional* en Burgos.
25 julio	En Berlín y Roma los generales sublevados obtienen las primeras ayudas en armas y hombres.
6 agosto	Pastoral conjunta de los obispos de Pamplona y Vitoria al pueblo vasco.
23-25 agosto	Decretos suspendiendo todos los planes de reforma agraria.
26 agosto	Franco instala en Cáceres su cuartel general.
13-25 septiembre	Decretos prohibiendo los partidos del Frente Popular y toda actividad política y sindical.
1 octubre	Proclamación y nombramiento del general Franco *Jefe del gobierno del Estado español y Generalísimo de los ejércitos de tierra, mar y aire.* Creación de la *Junta Técnica del Estado.*
24 octubre	Creación del Alto Tribunal de Justicia militar.

18 noviembre	Alemania e Italia reconocen oficialmente la Junta Técnica y a Franco.
21 noviembre	II Consejo Nacional de Falange: Hedilla confirmado como jefe de la Junta de mandos.
18 diciembre	Fal Conde es desterrado a Lisboa.

1937

ESPAÑA REPUBLICANA

enero	Conferencia nacional de la JSU. Reestructuración de la Hacienda. Política de Negrín.
5-8 marzo	Primer Pleno de guerra del Comité Central del PCE.
23 abril	Disolución de la Junta de Defensa de Madrid, y formación de un ayuntamiento de mayoría socialista.
3-6 mayo	Crisis política en Barcelona, violentos choques entre fuerzas cenetistas y del POUM por un lado y fuerza pública y PSUC, por otro. Nuevo gobierno de la Generalitat. Caída del gobierno Largo Caballero.
17 mayo	Negrín forma un nuevo gobierno.
16 junio	Nacionalización de las industrias de guerra.
7 agosto	Decreto sobre autorización del culto privado.
10 agosto	Disolución del Consejo de Aragón.
27 agosto	Decreto sobre Cooperativas agrícolas.
31 octubre	El gobierno central se traslada a Barcelona.

LOS FRENTES

5-24 febrero	Batalla del Jarama.
8 febrero	Las tropas franquistas ocupan Málaga. Fuerte represión.
abril	Fuertes bombardeos en la zona norte por la aviación franquista. Destrucción de Guernica (26 abril).
31 mayo	Bombardeo de Almería. Crisis en el seno de la «No Intervención».
19 junio	Bilbao ocupada por las tropas de Franco. Caída de Euzkadi.
6-24 julio	Batalla de Brunete.
24 agosto	Empieza la batalla de Belchite.
10 septiembre	Conferencia de Nyon para tratar de la seguridad del Mediterráneo.

| 21 octubre | Las tropas franquistas toman Gijón y Avilés. Desaparece el frente del norte. |
| 15 diciembre | Empieza la ofensiva republicana sobre Teruel. |

ESPAÑA FRANQUISTA

19 enero	Inauguración de Radio Nacional. Discurso de Franco.
16 febrero	Conversaciones entre Falange y carlistas en Lisboa.
20 febrero	Serrano Súñer llega a Salamanca.
21 febrero	En las zonas «liberadas» los gobernadores militares asumen el gobierno de las mismas.
8 marzo	Disolución de Renovación Española.
12 abril	Conversación de Franco con los carlistas.
16-19 abril	Lucha por el *mando* en Falange. Crisis de Salamanca.
19 abril	Decreto de Unificación de Falange y Requeté, bajo la jefatura de Franco.
23 abril	Nombramiento de la Junta Política.
25 abril	Detención de Hedilla.
1 junio	Se nombran los primeros embajadores en Berlín y Roma.
3 junio	Muere Mola en accidente aéreo.
23 junio	Supresión del régimen económico concertado del País Vasco.
26 agosto	Decreto de Ordenación Triguera. Se crea el Servicio Nacional del Trigo.
22 septiembre	Monseñor H. Antoniutti es nombrado encargado de negocios (llegará a Burgos en noviembre).
6 noviembre	Decreto de Protección y Fomento de la Industria nacional.
15 noviembre	Sir R. Hodgson representante inglés en Burgos.
noviembre	Creación del SIPM bajo la dirección del coronel José Ungría.
29 noviembre	Japón reconoce a Franco.
2 diciembre	Jura del Consejo Nacional de FET en el Monasterio de las Huelgas.

1938

ESPAÑA REPUBLICANA

| Enero-febrero | Alza de precios en la retaguardia. |
| marzo | Manifestación en Barcelona oponiéndose a los intentos de mediación. |

1 abril	Reunión del Comité Nacional del Frente Popular que se amplía con la entrada de la CNT en el mismo.
5-6 abril	Crisis política: salida de Prieto del Ministerio de Defensa y formación de un nuevo gobierno presidido por Negrín que asume también la cartera de Defensa.
30 abril	Los Trece Puntos, programa del nuevo gobierno con el apoyo de todos los partidos del FP.
12 junio	Francia cierra la frontera.
18 junio	Negrín pronuncia un discurso radiado y supera la crisis política.
18 julio	Discurso de Azaña en Barcelona en el 2.º aniversario de la guerra.
2-10 agosto	Pleno Nacional de Regionales de la CNT.
7 agosto	Reunión del Comité Nacional del PSOE, dimisión de Prieto.
13 agosto	Reunión del Comité Nacional de IR.
16 agosto	Decretos de militarización de industrias.
17 agosto	Crisis de gobierno planteada por los partidos nacionalistas.
	Dimisión de Aiguader e Irujo, sustituidos por Moix (PSUC) y T. Bilbao (ANV).
29 agosto	50° aniversario de UGT.
1 octubre	Reunión de las Cortes en Sant Cugat del Vallés (Barcelona).
28 octubre	Los brigadistas internacionales se despiden en Barcelona.

LOS FRENTES

22 febrero	Reconquista de Teruel por las tropas franquistas.
10 marzo	Ofensiva en el frente de Aragón. Reconquista de Belchite.
18 marzo	Fuertes bombardeos sobre Barcelona.
3 abril	Lérida ocupada por las tropas de Franco.
14 abril	Los franquistas alcanzan el Mediterráneo.
21 abril	Comienza la «batalla de Valencia».
23-26 mayo	Bombardeos sobre Barcelona, Granollers, Valencia y Alicante.
5 julio	El Comité de «No Intervención» aprueba el plan de retirada de voluntarios.
25 julio	Comienza la batalla del Ebro. El ejército del Ebro al mando de Modesto, con Líster y Tagüeña, cruza el río por doce puntos. Marcha sobre Gandesa.
12 agosto	Contraataque republicano en Extremadura, que corta la penetración de Queipo hacia Almadén.

16 noviembre	Termina la batalla del Ebro.
8 diciembre	A instancias de Miaja se suspende el plan Rojo de ofensiva en Andalucía.
23 diciembre	Inicio de la ofensiva sobre Cataluña.

ESPAÑA FRANQUISTA

30 enero	Constitución del primer gobierno de Franco. Ley de la Administración Central del Estado.
2 y 12 marzo	Supresión de la Ley de Divorcio y derogación de la Ley de Matrimonio Civil de 1932.
9 marzo	Se promulga el Fuero del Trabajo.
5 abril	Se declara abolido el Estatuto de Cataluña.
9 abril	Carrasco Formiguera, político catalán de UDC y católico, es fusilado en Burgos.
22 abril	Ley de prensa.
29 abril	Ley regulando la publicación de libros.
3 mayo	Se restablece la Compañía de Jesús.
12 mayo	Oliveira Salazar reconoce el gobierno de Franco.
24-30 junio	Llega a Burgos el primer nuncio Monseñor G. Cicognani y Yanguas Messía, primer embajador de Franco presenta las cartas credenciales ante Pío XI.
5 julio	Ley que restablece la pena de muerte.
30 diciembre	Serrano Suñer, ministro del Interior.

1939

ESPAÑA REPUBLICANA

1 febrero	Última reunión de las Cortes de la República en el castillo de Figueras.
1 febrero	El coronel Casado inicia sus contactos secretos con Franco al margen del gobierno.
9 febrero	Negrín pasa la frontera pocas horas antes del último soldado.
10 febrero	El gobierno regresa a España.
28 febrero	Azaña, en Francia, renuncia a la presidencia de la República.
4-6 marzo	Sublevación en Cartagena que es dominada.
5 marzo	El coronel Casado constituye El Consejo de Defensa de Madrid.
	Guerra civil en la guerra civil.
26 marzo	Ruptura definitiva de Franco con los representantes de Casado.

| 28 marzo | El Consejo de Defensa sale de Madrid a excepción de Besteiro. |
| 31 marzo | Agonía de la República. Exilio. |

LOS FRENTES

15 enero	Las tropas de Franco entran en Tarragona.
26 enero	Barcelona ocupada por las tropas franquistas.
4 febrero	Las fuerzas de Queipo restablecen el frente extremeño.
28 marzo	El ejército franquista entra en Madrid.
31 marzo	Alicante ocupada por las tropas de Franco y de Mussolini.
1 abril	Termina la guerra.

ESPAÑA FRANQUISTA

5 febrero	Ley de Responsabilidades Políticas.
27 febrero	Gran Bretaña y Francia reconocen oficialmente el gobierno de Franco.
2 marzo	Ley eximiendo de la contribución territorial a los bienes de la Iglesia.
16 marzo	Se crea el Instituto de Crédito para la reconstrucción nacional.
27 marzo	Adhesión al pacto Antikomintern.
1 abril	Estados Unidos reconoce el gobierno de Franco.

CULTURA

1923

Creación de la Fundación Bernat Metge, de Estudios Clásicos (Barcelona).
Se reemprende *La Revista Blanca.*
Fundación de *Revista de Occidente.*
M. de Falla, *Retablo de Maese Pedro.*
O. Esplá, *La nochebuena del diablo.*
J. Ortega y Gasset, *El tema de nuestro tiempo.*

1924

Segunda edición ampliada de *Luces de Bohemia* de Valle-Inclán.
Exposición de «Artistas Ibéricos» (Madrid).

1925

J. Ortega y Gasset, *La deshumanización del arte.*
R. Alberti, *Marinero sin tierra,* Premio Nacional de Literatura.
G. Diego, *Versos humanos.*
Primeras actividades antidictatoriales en la Universidad Central: homenaje a Ganivet.

1926

G. Miró, *El obispo leproso.*
R. Valle-Inclán, *Tirano Banderas.*
B. Jarnés, *El profesor inútil.*
R. Menéndez Pidal, *Orígenes del español.*
Castelao publica el primer volumen de *Cousas.*
Fundación en Sitges de *L'amic de les Arts.*

1927

R. Valle Inclán, *La corte de los milagros.*
F. García Lorca, *Mariana Pineda.*
Fundación de *La Gaceta Literaria* (Madrid) y *Litoral* (Málaga).
Primer edificio racionalista en España: el Rincón de Goya (Zaragoza), de F. García Mercadal.
Se inician las obras de la Ciudad Universitaria de Madrid.

1928

R. Valle-Inclán, *Viva mi dueño.*
M. Unamuno, *Cómo se hace una novela.*
F. García Lorca, *Romancero gitano.*
J. Guillén, *Cántico.*
J. Díaz Fernández, *El blocao.*
«Manifest Groc» (S. Dalí, S. Gasch, Ll. Montanyà)

1929

R. Alberti, *Sobre los ángeles.*
L. Cernuda, *Un río, un amor.*
R. Menéndez Pidal, *La España del Cid.*

1930

Crisis de la CIAP (Compañía Iberoamericana de Publicaciones).
J. Ortega y Gasset, *La rebelión de las masas.*
R. Valle-Inclán, *Martes de Carnaval.*
R. J. Sender, *Imán.*
C. Riba, edición definitiva de *Estances.*
Fundación del GATEPAC (Grupo de Artistas y Técnicos Españoles para el progreso de la Arquitectura Contemporánea).
Fundación de *Nueva España.*

1931

R. Alberti, *El hombre deshabitado.*
M. Unamuno, *San Manuel Bueno, mártir.*
Agrupación (de intelectuales) al servicio de la República, presidida por J. Ortega y Gasset.
Se crea el Patronato de Misiones Pedagógicas, presidido por M. B. Cossío.

Decreto de construcción de 7000 puestos de maestros y 6570 escuelas.
R. Alberti, *Fermín Galán*.
Apertura del curso universitario y discurso de J. Ortega y Gasset, *Misión de la Universidad*.
Fundación de *La Conquista del Estado* y de *Acción Española*.

1932

G. Diego, *Antología Poética*.
Inicia sus actividades el Teatro Universitario «La Barraca» dirigido por F. García Lorca.
P. Baroja, trilogía *La selva oscura*.
R. J. Sender, *Siete domingos rojos*.
V. Aleixandre, *Espadas como labios*.
S. Espríu, *Laia*.
La editorial Cenit publica *El Capital*, con introducción de W. Roces.
Creación por la FUE de las Universidades Populares.
Fundación de ADLAN (Amigos de las Artes Nuevas).
Fundación de *Gaceta de Arte* (Tenerife).
P. Carrión, *Los latifundios en España*.

1933

A. Machado, *Últimas lamentaciones de Abel Martín*.
J. R. Jiménez, *Segunda antología poética*.
P. Salinas, *La voz a ti debida*.
Se funda *Cruz y Raya*, dirigida por J. Bergamín, y *Octubre*, por R. Alberti.
M. Hernández, *Perito en lunas*.
R. Alberti, *Consignas* y *Un fantasma recorre Europa*.
F. García Lorca, *Bodas de sangre*.
Se crea la Universidad autónoma de Barcelona.
Se crea la Universidad Internacional «Menéndez y Pelayo» de Santander.
Se crean las Universidades Populares de la FUE.
L. Buñuel empieza a rodar *Tierra sin pan* (estrenada en 1934).
Primera feria del libro en Madrid.
P. Bosch Gimpera, *Etnología de la Península Ibérica*.
Se funda *Al-Andalus*, revista de arabismo.

1934

M. Hernández, *Quien te ha visto y quien te ve...*
G. Marañón, *Las ideas biológicas del P. Feijóo*.
A. Casona, *La sirena varada*.

F. G. Lorca estrena *Yerma* interpretada por Margarita Xirgu (30 diciembre).
A. Machado empieza a escribir *Juan de Mairena* en las columnas del *Diario de Madrid*.
Empieza a publicarse *Leviatán* dirigida por L. Araquistáin.
Fundación de *Nueva Cultura* (Valencia).
R. de Maeztu, *Defensa de la Hispanidad.*
M. Aub, *Luis Álvarez Petreña.*
Muere Ramón y Cajal.

1935

R. J. Sender recibe el Premio Nacional de Literatura por su novela *Mr. Whit en el Cantón.*
V. Aleixandre, *La destrucción o el amor.*
L. Cernuda, *Donde habite el olvido.*
R. Alberti, *Poema del Mar Caribe.*
F. García Lorca, *Llanto por la muerte de Ignacio Sánchez Mejía* y *Doña Rosita la Soltera.*
Valle-Inclán y Machado se adhieren al Comité Mundial de Escritores por la Defensa de la Cultura.
Baroja ingresa en la Academia Española.
Besteiro entra en la Academia de Ciencias Morales y políticas con un discurso sobre «Marxismo y antimarxismo» rebatido en *Leviatán* por L. Araquistáin.
Primera exposición de arte surrealista en Tenerife.
A. Ramos Oliveira, *El capitalismo español al desnudo.*

1936

Muere R. Valle-Inclán (enero).
A. Casona, *Nuestra Natacha.*
M. Hernández, *El rayo que no cesa.*
F. García Lorca, termina de escribir *La casa de Bernarda Alba.*
G. Marañón, *El conde-duque de Olivares o la pasión del mando.*
L. Cernuda, *La realidad y el deseo.*
A. Machado, *Juan de Mairena* (1.ª parte) (junio).

Se crea en Barcelona el Consejo de la Escuela Nueva Unificada.
Unamuno se enfrenta a Millán Astray en Salamanca y muere el 31 de diciembre.
Creación de los *Institutos Obreros* e inicio de las campañas de alfabetización en la España republicana.
Empieza a publicarse *El Mono Azul* (Madrid).

1937

Fundación de *Jerarquía* (Pamplona).
Fundación de *Hora de España* (Valencia).
Creación de las *Milicias de la Cultura* en zona republicana.
II Congreso Internacional de Intelectuales en Defensa de la Cultura (Valencia-Barcelona-Madrid).
Romancero general de la guerra de España (Valencia).
R. Alberti, *De un momento a otro* (Valencia).
M. Hernández, *Viento del pueblo* (Valencia).
Pabellón español en la Exposición de París.
Zuloaga, medalla de oro en la Bienal de Venecia.
A. Picasso, *Guernica.*
Fundación de *Vértice* (San Sebastián).
Se crea el *Instituto de España* en zona franquista.

1938

A. de Foxá, *Madrid, de corte a cheka* (Burgos).
J. M. Pemán, *Poema de la Bestia y el Ángel* (Burgos).
A. Serrano Plaja, *El hombre y el trabajo* (Valencia).
J. Gil-Albert, *Son nombres ignorados* (Valencia).
Castelao, series de *Galicia mártir* y *Milicianos.*
J. Herrera Petere, *Acero de Madrid* (Madrid).
M. Aub, *Teatro de circunstancia* (Madrid-Valencia).
Se inicia la publicación de *Flechas y Pelayos* (San Sebastián).
Cursillos de formación para maestros (Pamplona).
Ley de reforma de la Enseñanza Media en zona franquista.

1939

Muere A. Machado en el exilio (22 febrero).

ANEXOS

PRIMERA PARTE

1. Manifiesto del General Primo de Rivera. 12 de septiembre de 1923

AL PAÍS Y AL EJÉRCITO ESPAÑOLES:

Ha llegado para nosotros el momento más temido que esperado (porque hubiéramos querido vivir siempre en la legalidad y que ella rigiera sin interrupción la vida española) de recoger las ansias, de atender el clamoroso requerimiento de cuantos amando la Patria no ven para ella otra salvación que libertarla de los profesionales de la política, de los hombres que por una u otra razón nos ofrecen el cuadro de desdichas e inmoralidades que empezaron el año 98 y amenazan a España con un próximo fin trágico y deshonroso. La tupida red de la política de concupiscencias ha cogido en sus mallas, secuestrándola, hasta la voluntad real. Con frecuencia parecen pedir que gobiernen los que ellos dicen no dejan gobernar, aludiendo a los que han sido su único, aunque débil freno, y llevaron a las leyes y costumbres la poca ética sana, el tenue tinte de moral y equidad que aún tienen: pero en la realidad se avienen fáciles y contentos al turno y al reparto y entre ellos mismos designan la sucesión.

Pues bien, ahora vamos a recabar todas las responsabilidades y a gobernar nosotros u hombres civiles que representen nuestra moral y doctrina. Basta ya de rebeldías mansas, que sin poner remedio a nada, dañan tanto y más a la disciplina que ésta recia y viril a que nos lanzamos por España y por el Rey.

Este movimiento es de hombres: el que no sienta la masculinidad completamente caracterizada, que espere en un rincón, sin perturbar los días buenos que para la patria preparamos. Españoles: ¡Viva España y viva el Rey!

No tenemos que justificar nuestro acto, que el pueblo sano demanda e impone. Asesinatos de prelados, ex gobernadores, agentes de la autoridad, patronos, capataces y obreros; audaces e impunes atracos; depreciación de moneda; francachela de millones de gastos reservados; sospechosa política arancelaria por la tendencia, y más porque quien la maneja hace alarde de descocada inmoralidad; rastreras intrigas políticas tomando por pretexto la tragedia de Marruecos; incertidumbre ante este gravísimo problema nacional; indisciplina social, que hace el trabajo ineficaz y nulo, precaria y ruinosa la producción agrícola e industrial; impune propaganda comunista; impiedad e incultura; justicia influida por la política; descarada propaganda separatista, pasiones tendenciosas alrededor del problema de las responsabilidades y... por último seamos justos, un solo tanto a favor del Gobierno, de cuya savia vive hace nueve meses, merced a la inagotable bondad del pueblo español, una débil e incompleta persecución al vicio del juego.

No venimos a llorar lástimas y vergüenzas, sino a ponerlas pronto y radical remedio, para lo que requerimos el concurso de todos los buenos ciudadanos. Para ello y en virtud de la confianza y mandato que en mí han depositado, se constituirá en Madrid un directorio inspector militar con carácter provisional encargado de mantener el orden público y asegurar el funcionamiento normal de los ministerios y organismos oficiales requiriendo al país para que en breve plazo nos ofrezca hombres rectos, sabios, laboriosos y probos que puedan constituir ministerio a nuestro amparo, pero en plena dignidad y facultad, para ofrecerlos al Rey por si se digna aceptarlos.

No queremos ser ministros ni sentimos más ambición que la de servir a España. Somos el SOMATÉN, de legendaria y honrosa tradición española, y como él traemos por lema: «PAZ, PAZ y PAZ»; pero paz digna fuera y paz fundada en el saludable rigor y en el justo castigo dentro. Queremos un SOMATÉN reserva y hermano del Ejército para todo, incluso para la defensa de la independencia patria si corriera peligro; pero lo queremos más para organizar y encuadrar a los hombres de bien y que su adhesión nos fortalezca. Horas sólo tardará en salir el decreto de organización del GRAN SOMATÉN ESPAÑOL.

Nos proponemos evitar derramamiento de sangre, y, aunque lógicamente no habrá ninguna limpia, pura y patriótica que se nos ponga en contra, anunciamos que la fe en el ideal y el instinto de conservación de nuestro régimen nos llevará al mayor rigor contra los que lo combatan.

Queremos vivir en paz con todos los pueblos y merecer de ellos para el español hoy la consideración, mañana la admiración por su cultura y virtudes. Ni somos imperialistas, ni creemos pendiente de un terco empeño en Marruecos el honor del Ejército, que con su conducta valerosa a diario lo vindica. Para esto, y cuando aquel ejército haya cumplido las órdenes recibidas (ajeno en absoluto a este movimiento, que aún siendo tan elevado y noble no debe turbar la augusta misión de los que están al frente del enemigo) buscaremos al problema de Marruecos solución pronta, digna y sensata.

El país no quiere oír hablar de responsabilidades, sino saberlas exigidas pronta y justamente, y esto lo encargamos con limitación de plazo a tribunales de autoridad moral y desapasionados de cuanto ha envenenado, hasta ahora, la política o la ambición. La responsabilidad colectiva de los partidos políticos la sancionamos con este apartamiento total a que los condenamos aun reconociendo en justicia que algunos de sus hombres dedicaron al noble afán de gobernar sus talentos y sus actividades, pero no supieron o no quisieron nunca purificar y dar dignidad al medio en que han vivido. Nosotros sí, queremos, porque creemos que es nuestro deber; y ante toda denuncia de prevaricación, cohecho o inmoralidad, debidamente fundamentada, abriremos proceso que castigue implacablemente a los que delinquieron contra la patria corrompiéndola y deshonrándola. Garantizamos la más absoluta reserva para los denunciantes, aunque sean contra los de nuestra propia profesión y casta, aunque sea contra nosotros mismos, que hay acusaciones que honran. El proceso contra don Santiago Alba, queda desde luego abierto, que a éste lo denuncia la unánime voz del país y queda también procesado el que siendo jefe del gobierno y habiendo oído de personas solventes e investidas de autoridad las más duras acusaciones contra su depravado y cínico ministro, y aun asintiendo a ellas, ha sucumbido a su influencia y habilidad política sin carácter ni virtud para perseguirlo, ni siquiera para apartarlo del gobierno. Más detalles no los admite un manifiesto. Nuestra labor será bien pronto conocida y el país y la historia la juzgarán, que nuestra conciencia está bien tranquila de la intención y del propósito.

PARTE DISPOSITIVA

Al declararse en cada región el estado de guerra el Capitán General, o quien haga sus veces, destituirá a todos los gobernadores civiles y encomendará a los gobernadores y comandantes militares sus funciones. Se incautarán de todas las centrales y medios de comunicación y no permitirán, aparte las familiares y comerciales las de ninguna otra autoridad que no sirva al nuevo régimen.

De todas las novedades importantes que vayan ocurriendo darán conocimiento duplicado a los capitanes generales de Madrid y Barcelona, resolviendo por sí pronta y enérgicamente las dificultades.

Se ocuparán los sitios más indicados, tales como centros de carácter comunista o revolucionario, estaciones, cárceles, bancos, centrales de luz y depósitos de agua y se procederá a la detención de los elementos sospechosos y de mala nota. En todo lo demás se procurará dar la sensación de una vida normal y tranquila.

Mientras el orden no esté asegurado y el régimen naciente triunfante, serán preferente atención de los militares en todos sus grados y clases los servicios de organización, vigilancia y orden público, debiéndose suspender toda instrucción o acto que entorpezca estos fines, sin que ello signifique entregar las tropas a la molicie ni abandonar la misión profesional.

Por encima de toda advertencia están las medidas que el patriotismo, inteligencia, y entusiasmo por la causa sugiera a cada uno en momentos que no son de vacilar sino de jugarse el todo por el todo; es decir, la vida por la patria.

Unas palabras más solamente. No hemos conspirado; hemos recogido a plena luz y ambiente el ansia popular y le hemos dado algo de organización, para encauzarla a un fin patriótico exento de condiciones. Creemos pues que nadie se atreverá con nosotros y por eso hemos omitido el solicitar uno a uno el concurso de nuestros compañeros y subordinados. En esta santa empresa quedan asociados en primer lugar el pueblo trabajador y honrado en todas sus clases, el Ejército y nuestra gloriosa Marina, ambos aún en sus más modestas categorías que no habíamos de haber consultado previamente sin relajar lazos de disciplina, pero que bien conocida su fidelidad al mando y su sensibilidad a los anhelos patrióticos, nos aseguran su valioso y eficaz concurso.

Aunque nazcamos de una indisciplina formularia, representamos la verdadera disciplina, la debida a nuestro dogma y amor patrio, y así la hemos de entender, practicar y exigir, no olvidando que como no nos estimula la ambición, sino por el contrario el espíritu de sacrificio tenemos la máxima autoridad.

Y ahora nuevamente ¡Viva España y viva el Rey!, y recibid todos el cordial saludo de un viejo soldado que os pide disciplina y unión fraternal en nombre de los días que compartió con vosotros la vida militar en paz y en guerra y que pide al pueblo español confianza y orden, en nombre de los desvelos a su prosperidad dedicados, especialmente de este en que lo ofrece y lo aventura todo por servirle.

Miguel Primo de Rivera
Capitán general de la cuarta región

Fuente: *La Vanguardia*, Barcelona, 13 de septiembre 1923.

2. MANIFIESTO DE ALIANZA REPUBLICANA. 1926.

El régimen de excepción, fuera de la ley constitucional del Estado a que ha sido y viene siendo sometida España, señala a cuantos hombres y a cuantas fuerzas políticas tengan conciencia de su responsabilidad un deber inexcusable, y les exige cumplirlo en toda su plenitud. Los hombres y las fuerzas que constituían las distintas modalidades del republicanismo español, sensibles a esta responsabilidad, han buscado en una alianza, cordial y lealmente pactada, la condición precisa para hacer efectivo el deber que les trazan sus doctrinas y la cantidad y calidad de opinión que actualmente comulga en ellos. Este documento es la ratificación plena y solemne de la Alianza establecida.

Nuestro propósito primero, al articular el republicanismo dotándole de dirección coordinada y de dinamismo disciplinado, consiste en ofrecer al país y a quienes sin su consentimiento expreso ejercen las funciones de gobierno, la sensación de que nosotros representamos una dilatada opinión que aspira a ser respetada y somos órgano apto para el ejercicio del Poder. Sabemos bien que el principio republicano y el sentimiento antimonárquico no son privativos de esta fuerza que acaba de articularse; que a la izquierda nuestra existen organizaciones proletarias, las cuales, ateniéndose devotamente a sus dogmas democráticos, no aceptan otros poderes que los elegibles y responsables, y que a nuestra derecha, con límites que sobrepasan todas las clases y zonas de la nación, se extiende y afirma hoy el convencimiento de que España ha de buscar su reintegración a la legalidad fuera de las instituciones actuales. El republicanismo, en nombre del cual hablamos, no aspira, dado este hecho incontrovertible, a desenvolverse y actuar solitariamente. Pudiendo, por el número de las adhesiones recibidas después del 11 de febrero, tener la arrogancia de declarar que es ahora, posiblemente, la fuerza política que cuenta con mayor asistencia de militares, no quiere incurrir en la inconveniencia de manifestar que ellos son elementos suficientes para imponerse. Todo lo contrario. Aspira a que, atentos a su responsabilidad quienes por convicción dogmática o por experiencia histórica no coinciden con el régimen actual, constituyan con esta organización republicana el instrumento político capacitado para representar y conseguir el triunfo con la autoridad y la eficacia en el Estado, el respeto a los derechos de los ciudadanos, la sujeción a la ley de todas las instituciones y la supremacía indiscutible del Poder civil. Venimos en el siglo xx a luchar por la libertad conquistada en el siglo xix y en el siglo XX perdida, y para esta lucha, obligada hoy como nunca y como nunca necesitada de intensificarse hasta el heroísmo, requerimos a cuantos sientan en su espíritu el mismo imperativo. Venimos a luchar también por la autoridad. Poder sin libertad en quienes han de acatarlo, no es autoridad, es tiranía.

Sólo puede el Poder alzarse a la categoría augusta de autoridad cuando en la plenitud de sus derechos imprescriptibles los ciudadanos aceptan voluntariamente el Poder constituido y colaboran conscientemente con él. Sin libertad no hay colaboración: sin colaboración no hay autoridad.

¿Qué obra de Gobierno consideramos como fundamental y unánime? Primero: el restablecimiento de la legalidad por la convocatoria de unas Cortes Constituyentes elegidas mediante sufragio universal, en las cuales lucharemos por la prolongación del régimen republicano, sin renunciar por ello a ningún otro procedimiento de los que repugnan la conciencia individual ni la colectiva, apelación que dependerá de la pertinacia en el empeño de arrojarnos y mantenernos fuera de la ley y de los medios de que disponemos. Segundo: una ordenación federativa del Estado, reconociendo la existencia de diferentes personalidades peninsulares. Tercero: solución inmediata del problema de Marruecos. Cuarto: nivelación del presupuesto transformando totalmente el tipo y la especie de los impuestos y la aplicación y el volumen de los gastos. Quinto: creación de la cantidad de escuelas indispensables para resolver de una vez y sumariamente el problema de la enseñanza primaria. Sexto: supresión de censos y foros, reforma de los contratos de arrendamiento y expropiación de las tierras que durante cinco años no se hayan dedicado a ninguna utilidad, entregándolas a los Municipios o a las comunidades obreras. Séptimo: preparación adecuada del Estado para todas aquellas intervenciones y facilidades a la asociación de elementos productores, para todas aquellas iniciativas por cuya colaboración ambas fuerzas, el Estado y la sociedad, hagan leal y prácticamente posible la realización del programa mínimo de las actuales aspiraciones del proletariado.

¿Representa esta obra nuestro total ideario? No. La administración de justicia, la organización de la defensa nacional, las relaciones de la Iglesia y el Estado, el crédito público en sus aspectos económico y financiero, nuestra representación diplomática y consular y tantos otros problemas necesitan reformas que, sin desdeñar las enseñanzas de fuera, se adapten a las necesidades y modalidades nacionales y a nuestras tradiciones. Pero, conocedores del límite que la realidad nos impone y plegándonos a él, no queremos prometer sino lo que vayamos a realizar, y no intentaremos realizar sino lo que, dado el espíritu público, consideremos posible. Hoy aún, la acción más fundamentalmente revolucionaria será aquella que más claramente señale y garantice donde pueda detenerse. Mañana, si las circunstancias actuales de anormalidad y de tránsito intentaran por la violencia permanecer, nadie puede predecir dónde la Revolución, envenenada en una opresión humillante para quien la soportara, podrá detenerse, o dónde la abyección de la ciudadanía, formada, conformada y deformada en un ambiente de desprecio a la personalidad, podía llegar. Creemos que aún es fácil evitar que el español llegue a ser un desesperado, presa fácil de todas las exaltaciones; llegue a ser un cautivo para quien no sea ludibrio humillante las más bajas vilezas del espíritu. Creemos que hay todavía en el español un hombre con noble apetencia de ciudadanía y conciencia de cómo puede y debe ejercerla. Por creerlo no le ofrecemos sino aquello que con él nos vemos capaces de lograr y de conservar. Llevarle a más sería tal vez perderle; resignarle a menos sería, seguramente, frustrar una de las horas más propicias que la Historia nos ha discernido.

661

En marcha estamos. No venimos a perturbar el país, sino a sacarle de la perturbación que sufre. No somos promotores del desorden, sino sacerdotes del orden, de un orden que se estatuye en la ley y no en la fuerza; en la colaboración de todos, y no en el dominio de unos sobre otros; de un orden que, siendo garantía de todos los intereses legítimos, consienta a éstos desenvolverse confiadamente; de un orden, en fin, que permita elegir y sustituir todos los Poderes, que mantenga disciplinado en el cuartel al Ejército y activo al pueblo en el ejercicio austero de sus derechos y en el inquebrantable cumplimiento de sus deberes. Serenamente, con la conciencia emocionada y despierta; sintiendo nuestra responsabilidad de europeos; vueltos los ojos al malbaratado tesoro de libertad que nos legaron nuestros antepasados, y que, si somos hombres, debemos transmitir a quienes nos sucedan, purificado, enaltecido e inviolable, nos hemos unido y prometemos solemnemente no separarnos hasta que la obra señalada se cumpla en su totalidad.

Leopoldo Alas (*catedrático*), Adolfo Alvarez Buylla (*catedrático*), Daniel Anguiano (*impresor*), Luis Bello (*escritor*), Vicente Blasco Ibáñez (*escritor*), Honorato de Castro (*catedrático*), Luis Jiménez de Asúa (*catedrático*), Teófilo Hernando (*catedrático*), Fernando Lozano «Demófilo» (*escritor*), Antonio Machado (*escritor*), Gregorio Marañón (*médico*), José Nakens (*escritor*), Juan Negrín (*catedrático*), Eduardo Ortega y Gasset (*escritor*), Ramón Pérez de Ayala (*escritor*), Joaquín Pi y Arsuaga (*médico*), Hipólito Rodríguez Pinilla (*catedrático*), Nicolás Salmerón (*escritor*), Luis de Tapia (*escritor*), Miguel Unamuno (*catedrático*).

Fuente: *Libro de Oro del Partido Radical* [53, 130].

SEGUNDA PARTE

1. CONCENTRACIÓN DE LA RIQUEZA RÚSTICA CATASTRADA (DATOS HASTA EL
31 DE DICIEMBRE DE 1930)

	Totales		Cuotas de más de 5.000 pesetas		
Regiones	Líquido imponible	Propietarios	Propietarios		Líquido imponible
			Número	%	Pesetas	%
Castellano-leonesa	66 013 017	261 254	904	0,35	20 636 475	31,26
Central	48 435 679	168 105	1 200	0,71	15 964 046	32,96
Levante	70 396 358	336 492	1 082	0,32	11 109 898	15,78
Sudoriental	43 715 898	128 091	292	0,23	7 559 844	17,29
Manchega	85 222 558	277 504	2 132	0,77	30 211 885	35,46
Extremeña	120 750 155	175 353	3 867	2,20	69 685 306	57,71
Penibética	68 600 810	157 765	1 857	1,18	28 684 376	41,81
Bética	196 036 909	285 462	6 015	2,11	110 176 598	56,20
Totales	699 171 384	1 790 026	17 349	0,97	294 028 428	42,05

Fuente: Pascual Carrión, *Los latifundios en España*, pp. 85-86.

2. RESUMEN DE LOS LATIFUNDIOS EN LA SUPERFICIE CATASTRADA

Regiones	Extensión catastrada	Fincas mayores de 250 hectáreas		Fincas mayores de 500 hectáreas	
		Extensión	Porcent.	Extensión	Porcent.
Castellano-leonesa	1 915 739	276 415	14,42	187 216	9,77
Central	1 703 715	231 781	13,60	172 852	7,50
Levante	1 775 258	258 506	14,56	109 322	6,16
Sudoriental	1 527 562	313 486	20,52	177 956	11,65
SUMAS PARCIALES	6 922 274	1 080 188	15,60	602 346	8,70

663

Regiones	Extensión catastrada	Fincas mayores de 250 hectáreas		Fincas mayores de 500 hectáreas	
		Extensión	Porcent.	Extensión	Porcent.
Manchega	4 820 194	1 870 213	38,80	1 388 937	28,81
Extremeña	3 455 712	1 238 852	35,84	667 429	19,31
Bética	5 335 754	2 455 439	46,00	1 679 516	31,48
Penibética	1 901 156	823 937	43,34	578 362	30,42
SUMAS PARCIALES	15 512 816	6 388 441	41,18	4 314 244	27,81
SUMAS TOTALES	22 435 090	7 468 629	33,28	4 916 590	21,91

Fuente: Ministerio de Agricultura, Instituto de Reforma Agraria.

3. GRANDES DE ESPAÑA CUYAS PROPIEDADES RÚSTICAS EXCEDÍAN DE 1000 HECTÁREAS

Nombres	Hectáreas	Areas	Centiár.
Duque de Medinaceli	79.146	89	54
Duque de Peñaranda	51.015	68	89
Duque de Villahermosa	47.203	52	71
Duque de Alba	34.455	47	11
Marqués de la Romana	29.096	56	59
Marqués de Comillas	23.719	94	17
Duque de Fernán Núñez	17.732	86	73
Duque de Arión	17.666	91	37
Duque del Infantado	17.171	17	41
Conde de Romanones	15.132	41	34
Conde de Torres Arias	13.644	52	50
Conde de Sástago	12.629	45	12
Marquesa de Mirabel	12.570	03	63
Duque de Lerma	11.879	27	73
Marqués de Riscal	9.310	49	75
Duque de Alburquerque	9.077	04	73
Conde de Elda	8.323	84	88
Duque de Tamames	7.921	16	48
Marqués de Viana	7.166	97	64
Conde de Toreno	7.099	72	68
Marqués de Narros	6.736	75	24
Conde de Mora	6.503	69	40
Duque de Sotomayor	5.835	18	19
Duquesa de Plasencia	5.243	37	53
Conde del Real	5.142	32	10
Duque de Alcudia y Sueca	5.080	48	41
Marqués de Arienzo	5.065	50	73
Conde de Campo Alange	4.883	31	36
Marqués de Camarasa	4.787	87	68

Nombres	Hectáreas	Areas	Centiár.
Marqués de Santa Cruz	4.642	45	79
Conde de los Andes	3.593	88	91
Duque de San Fernando	3.581	71	21
Conde de Floridablanca	3.531	23	—
Duquesa de Monteleón de Castibl	3.292	05	85
Marquesa de Argüeso	3.108	67	83
Marqués de Hoyos	3.051	02	71
Conde de Bornos	2.952	54	03
Duquesa de San Carlos	3.946	38	84
Duque de Almenara Alta	2.924	28	03
Marquesa de Canillejas	2.821	73	29
Duquesa de Terranova	2.805	67	20
Conde de la Viñaza	2.780	77	45
Marqués de Guadalcázar	2.770	38	44
Duque de Béjar	2.730	66	70
Marqués de las T. de la Presa	2.556	70	50
Marqués de Castelar	2.404	32	76
Marquesa de Castellbell	2.274	97	62
Conde de Villagonzalo	2.150	19	25
Duquesa de la Conquista	2.052	06	30
Duque de Castro Enríquez	2.014	41	11
Marqués de Bosch de Ares	1.781	16	40
Duque de Santo Mauro	1.690	13	07
Duque de Medina de las Torres	1.684	50	71
Duque de Aveyro	1.643	86	83
Marqués de Nervión	1.533	88	78
Duque de Híjar	1.510	28	14
Duque de T'Serclaes	1.298	38	89
Duque de San Pedro de Calatín	1.260	84	35
Duque de Valencia	1.249	27	05
Duquesa de Abrantes	1.183	26	80
Marquesa de los Soidos	1.151	67	43
Duquesa de Medina de Rioseco	1.092	25	43
Marqués de Quintanar	1.091	49	70
Conde de Guandelaín	1.054	37	82
Marqués de Albuydere	1.051	87	54

Podrían aún citarse otros muchos grandes de España, propietarios de extensiones considerables, menores de 1000 hectáreas; pero los citados representan ya, por sí solos, buena expresión de una injusticia social inexplicable a las alturas luminosas del siglo xx.

Hemos consignado esta relación de grandes de España porque, si bien sus propiedades eran expropiables a tenor de la Ley de 1932, sin embargo, prácticamente, fueron respetadas por los Gobiernos de la legislatura 1933-1936.

Fuente: Instituto de Reforma Agraria.

4. LA DISTRIBUCIÓN DE LA TIERRA CATASTRADA EN ESPAÑA HASTA
JULIO DE 1936

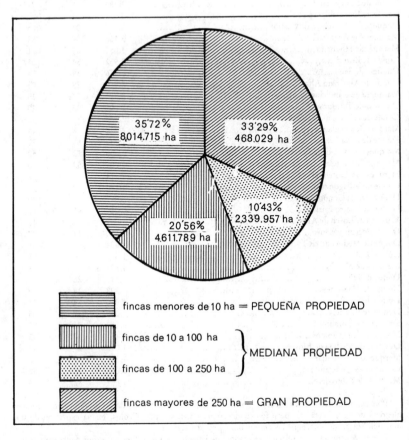

Fuente: Ministerio de Agricultura, Instituto de Reforma Agraria.

5. ÍNDICES DE PRODUCCIÓN AGRÍCOLA: 1929-1935

Años	Cereales	Legumi-nosas	Tubérculos y bulbos	Árboles frutales	Vid	Olivo
1929	100,0	100,0	100,0	100,0	100,0	100,0
1930	98,8	96,0	91,4	87,5	74,8	90,0
1931	90,2	88,0	100,8	97,5	77,5	92,2
1932	121,7	114,0	108,6	91,3	86,5	109,5
1933	93,9	96,0	103,9	95,0	78,4	93,0
1934	121,1	112,0	101,6	98,8	89,2	108,0
1935	100,4	104,0	101,6	91,3	71,2	97,3

Fuente: M. Ramírez, *Los grupos de presión en la II República.*

6. ÍNDICES DE PRODUCCIÓN AGRÍCOLA TOTAL Y POR HABITANTF: 1929-1935

Años	Producción agrícola total	Producción agrícola por habitante
1929	100,0	100,0
1930	90,0	89,1
1931	92,0	90,2
1932	109,0	106,3
1933	93,0	89,4
1934	108,9	103,8
1935	97,3	91,9

Fuente: Paris Eguílaz, *Política económica en España*, 1949.

7. ÍNDICES DE PRODUCCIÓN INDUSTRIAL: 1928-1936

Años	Indice
1928	135,6
1929	141,9
1930	144,0
1931	146,1
1932	132,8
1933	122,1
1934	134,4
1935	142,4
1936	—

Fuente: Tamames, *Estructura económica*.

8. ÍNDICES DE PRODUCCIÓN INDUSTRIAL Y POR HABITANTE: 1929-1935

Años	Carbones	Energía eléctrica	Materiales de construcción	Productos químicos	Índice general	Índice por habitante
1929	100,0	100,0	100,0	100,0	100,0	130,4
1930	99,6	105,8	101,6	106,7	101,2	131,1
1931	98,7	110,3	89,8	98,7	98,7	131,6
1932	95,6	116,2	78,1	98,1	94,7	118,5
1933	83,9	114,9	77,0	107,2	91,0	108,0
1934	83,1	119,9	75,1	115,2	98,6	117,8
1935	96,8	129,3	79,8	130,9	103,3	123,6

Fuente: Paris Eguílaz, *Política económica en España*, 1949.

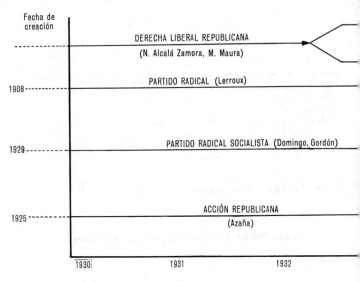

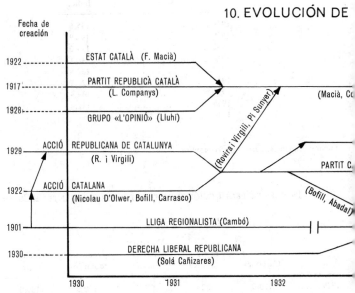

₹TIDOS REPUBLICANOS

PARTIDO REPUBLICANO CONSERVADOR   (M. Maura)

PARTIDO PROGRESISTA (N. Alcalá Zamora, C. del Río)

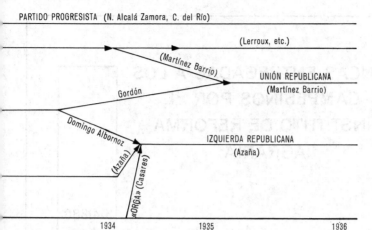

(Lerroux, etc.)

(Martínez Barrio)

UNIÓN REPUBLICANA
(Martínez Barrio)

Gordón

Domingo Albornoz

(Azaña)

«ORGA» (Casares)

IZQUIERDA REPUBLICANA
(Azaña)

| 1934 | 1935 | 1936 |

₹TIDOS CATALANISTAS

_ICANA DE CATALUNYA

GRUPO «L'OPINIÓ» PARTIT NACIONALISTA REPUBLICÀ D'ESQUERRA
(Lluhí, Tarradellas)

UNIÓ DEMOCRÀTICA DE CATALUNYA
(Carrasco)

CÀ (Nicolau D'Olwer)

LLIGA DE CATALUNYA
(Cambó)

| 1934 | 1935 | 1936 |

669

1. LA DISTRIBUCIÓN DE LA TIERRA EN ESPAÑA: MAYO 1937

Fuente: Ministerio de Agricultura, Instituto de Reforma Agraria.

Índice onomástico

García Vallejo, 458, 493.
García Venero, Maximiano, 596.
García Vivancos, 273.
Garcilaso de la Vega, 588.
Garganta, J., 391.
Garijo, Antonio, teniente coronel, 525, 526.
Garrido, 430.
Garrigues, Joaquín, 420.
Garzón, 354.
Gasch, Sebastià, 577.
Gasset, Rafael, 31, 68.
Gassol, Ventura, 312, 604.
Gatell, capitán, 197.
Gavilán, coronel, 246.
Gaxotte, Pierre, 612.
Gaya, Ramón, 576, 604.
Gazapo, D., teniente coronel, 243, 354.
Génova, 366.
Gentile, 594.
George, Stefan, 592.
Gide, André, 566, 609, 620.
Gil, Ángel, 334.
Gil, Ildefonso Manuel, 610.
Gil, Rodrigo, coronel, 247, 315.
Gil Robles, José M.ª, 26, 47, 78, 115, 131, 141, 156-158, 167, 172-174, 176, 182, 183, 193, 198, 201, 202, 204-207, 209-212, 219, 224-226, 228, 346.
Gil Yuste, general, 279, 305, 312.
Gil-Albert, Juan, 610, 620, 622.
Gili Gaya, Samuel, 623.
Giménez Arnau, J. A., 423.
Giménez Caballero, Ernesto, 118, 474, 550, 582, 592-594, 596-598, 613.
Giménez Fernández, Manuel, 78, 176, 203, 205, 209.
Giner de los Ríos, Bernardo, 116, 176, 229, 310, 370, 456, 517, 518, 555.
Giovannini, Pietro, 612.
Giral, José, 81, 94, 96, 132, 136, 161, 228, 229, 247, 248, 250, 258, 263, 265, 274, 275, 278, 285, 293, 310, 364, 365, 370, 406, 432, 445, 456, 472, 485, 490, 498, 503.
Giraudoux, 607.
Girón, J. A., 355, 516, 519, 522.
Gisbert, 217, 219.
Gistau, coronel, 246, 251, 263.
Gladkov, Fedor, 568.
Gladstone, 153.
Glaeser, Ernst, 568.
Goded, general, 110, 140, 183, 202, 206, 207, 214, 249, 250, 260.
Goering, H., 435.
Goicoechea, Antonio, 89, 126, 141, 158, 167, 172, 176, 182, 203, 222, 264, 267, 268, 308, 340, 439.
Goiri, teniente coronel, 464.
Gomá y Tomás, Isidro, cardenal, 107, 155, 203, 339, 348, 385, 387-389, 391, 612, 625.
Gómez, teniente, 275.
Gómez, Helios, 576.
Gómez, Trifón, 96, 142, 177, 366.
Gómez García, comandante, 249, 250.
Gómez Jordana, Francisco, general de brigada, 43, 56, 353, 355, 418, 423, 442, 479, 510, 527.
Gómez Morato, general, 248, 260.
Gómez Ossorio, 528.
Gómez Paratcha, L., 166.
Gómez Saiz, Paulino, 198, 290, 456, 509, 512, 517, 518.
Gómez de la Serna, Ramón, 562, 582, 584-586, 592, 594, 598, 609.
Góngora, L. de, 588, 589.
González, A., 290.
González, Julio, 625.
González, S., 265.
González, Valentín, «El Campesino», 328, 379, 416.
González Alba, Manuel, 197.
González de Amezúa, Agustín, 614.
González Barberá, José, 531.
González Bueno, Pedro, 290, 308, 354, 423.
González Carrasco, general, 266.
González Entrialgo, Avelino, 394, 531.
González Gil, Arturo, 261.
González Inestal, M., 196, 290.
González de Lara, general, 246.
González Marín, 516, 517.
González Osorio, Aníbal, 573.
González Peña, Ramón, 172, 194, 200, 203, 204, 220, 224, 252, 339, 394, 400, 404, 456, 509, 512, 518.
González Ruiz, Nicolás, 612.
González Ubieta, 377, 456, 506.
González Vélez, F., 348, 349, 473.
Gonzalo de la Victoria, Luis, 393, 526.
Goodden, 504, 509, 528.
Gordón Ordax, F., 154, 161-164, 170, 176, 484.
Goriev, 336, 368.
Gorki, Máximo, 368, 568, 620.
Gorkin, Julián, 595-597.
Gorostiza, H., 290.
Gracia, Anastasio de, 127, 177, 293, 310, 312, 365.
Grado, Joaquín de, 177, 183.
Grandi, 288.

681

Tirado, Joaquín, teniente coronel, 56.
Tjor, Gregori, 339.
Togliatti, Palmiro, 410, 501, 518, 520, 522, 525.
Toledo, R. de, 355.
Tolstoi, León, 568, 593.
Tomás, 366.
Tomás, Pascual, 153.
Tomás Álvarez, Belarmino, 200, 276, 290, 311, 397.
Tomás Piera, J., 310.
«Tono», 607, 616.
Toral, N., 462, 493, 494, 525, 528.
Torner, Eduardo M., 579.
Torre, La, 243.
Torre, Claudio de la, 592.
Torre, Guillermo de, 576, 597.
Torre, H. de la, 290, 312.
Torrent, 390, 391.
Torrente Ballester, Gonzalo, 616.
Torrents, J., 266.
Torres, comandante, 354.
Torres Campañá, M., 176, 456, 483.
Torres García, J., 575.
Torres Quevedo, Leonardo, 570.
Torres y Ribas, obispo, 391.
Torrijos, 290.
Torroja, Eduardo, 570.
Tourman, J., 290.
Tovar, A., 423.
Toyos, J. de los, 312.
Trigo, Felipe, 554, 566.
Trotski, 368.
Trueba, Luis, 273, 399.
Tukhachevski, 368.
Tuñón de Lara, Manuel, 85, 180.
Turina, Joaquín, 580.
Tusell, J., 157, 158, 214, 228.
Tzara, Tristán, 620.

Ucelay, Pura, 606.
Ugarte, Eduardo, 604.
Ujov, Víctor, 339.
Ullman, André, 529.
Unamuno, Miguel de, 80, 81, 83, 88, 139, 149, 201, 549, 550, 552, 555, 559-561, 563, 566, 570, 580, 584, 590, 592-594, 608, 613.
Ungría, Domingo, coronel, 405, 526.
Urales, Federico, 553, 568, 569.
Uría, Rodrigo, 420.
Urbano, F., teniente coronel, 320.
Urgoiti, Nicolás M. de, 565, 566.
Uribe, Vicente, 295, 296, 310, 365, 370, 456, 483, 498, 517, 518, 601.

Uribes, J. A., 522.
Urquijo y Ussía, Estanislao de, 67, 130, 158.
Urraca Pastor, M. R., 354.
Urrutia, Víctor, 288.
Urzáiz, J., 228.
Usabiaga, J., 210.
Usandizaga, José María, 578.

Val, Del, 516, 517, 528, 531.
Valdeiglesias, Marqués de, 264.
Valdés, Miguel, 312.
Valdés Cavanilles, Luis, 317.
Valdivia, 202, 206.
Valera, Fernando, 161, 176.
Valéry, Paul, 587.
Valiente, José M., 126, 157, 169, 176, 216, 349, 354, 355.
Valverde, J. T., 101, 184.
Valle, 290.
Valle, Evaristo, 576.
Valle-Inclán, Ramón María del, 201, 550, 552, 555, 557-559, 563, 567, 605, 606, 619, 620.
Vallejo, César, 595, 620.
Vallellano, 130, 140, 141, 172, 225.
Valls i Taberner, Ferrán, 593.
Vandervelde, André, 409, 568.
Vaquero, Eloy, 195, 209, 210.
Varela Iglesias, José Enrique, general, 148, 216, 269, 272, 315-318, 321-323, 341, 381, 415, 457, 458.
Varela Rendueles, J. M., 226.
Vargas, 456.
Vargas Vila, José María, 553.
Vayas, G., 394.
Vázquez, 312.
Vázquez, sargento, 203.
Vázquez, E., 290.
Vázquez, Mariano R., 265, 360, 361, 370, 456.
Vázquez Díaz, Daniel, 576.
Vázquez Dodero, José Luis, 612.
Vázquez Humasqué, 483.
Vázquez de Mella, 39, 44.
Vega, Etelvino, 261, 464, 469, 513, 518, 528.
Vega, Lope de, 588, 604, 613.
Vegas Latapié, Pedro, 308.
Vela, Fernando, 565, 579.
Velao, Antonio, 177, 229, 404, 456, 509, 518.
Velarde, 184.
Velarde Fuertes, J., 69.
Velasco, A. de, 354.

Índice toponímico

ÍNDICE DE GRÁFICOS Y MAPAS

ÍNDICE GENERAL

PRIMERA PARTE

LA DICTADURA

SEGUNDA PARTE

LA SEGUNDA REPÚBLICA

TERCERA PARTE

LA GUERRA CIVIL

CUARTA PARTE

CULTURA, 1923-1939